U0710017

中國國家圖書館編

國家圖書館藏敦煌遺書

第四十冊　北敦〇二九五四號——北敦〇三〇〇〇號

北京圖書館出版社

圖書在版編目(CIP)數據

國家圖書館藏敦煌遺書·第四十册/中國國家圖書館編;任繼愈主編.—北京:北京圖書館出版社,2006.10
ISBN 7-5013-2982-6

Ⅰ.國…　Ⅱ.①中…②任…　Ⅲ.敦煌學—文獻　Ⅳ.K870.6

中國版本圖書館 CIP 數據核字(2006)第 114629 號

書　　名　國家圖書館藏敦煌遺書·第四十册
著　　者　中國國家圖書館編　任繼愈主編
責任編輯　徐　蜀　孫　彦
封面設計　李　璀

出　　版　北京圖書館出版社　(100034　北京西城區文津街 7 號)
發　　行　010-66139745　66151313　66175620　66126153
66174391(傳真)　66126156(門市部)
E-mail　cbs@nlc.gov.cn(投稿)　btsfxb@nlc.gov.cn(郵購)
Website　www.nlcpress.com
經　　銷　新華書店
印　　刷　北京文津閣印務有限責任公司

開　　本　八開
印　　張　56.25
版　　次　2006 年 10 月第 1 版第 1 次印刷
印　　數　1-250 册(套)

書　　號　ISBN 7-5013-2982-6/K·1265
定　　價　990.00 圓

目錄

菩提過去心不可得現在心不可得未來
心不可得須菩提於意云何若有人滿三千
大千世界七寶以用布施是人以是因緣得福
多不如是世尊此人以是因緣得福甚多
須菩提若福德有實如來不說得福德多以
福德无故如來說得福德多
須菩提於意云何佛可以具足色身見不不
也世尊如來不應以具足色身見何以故如
來說具足色身即非具足色身是名具足色
身須菩提於意云何如來可以具足諸相見不
不也世尊如來不應以具足諸相見何以故
如來說諸相具足即非具足是名諸相具足
須菩提汝勿謂如來作是念我當有所說法
莫作是念何以故若人言如來有所說法即
為謗佛不能解我所說故須菩提說法者无
法可說是名說法
須菩提白佛言世尊佛得阿耨多羅三藐三
菩提為无所得耶如是如是須菩提我於阿
耨多羅三藐三菩提乃至无有少法可得是
名阿耨多羅三藐三菩提復次須菩提是法

BD02954號　金剛般若波羅蜜經　（5–1）

為謗佛不能解我所說故須菩提說法者无
法可說是名說法
須菩提白佛言世尊佛得阿耨多羅三藐三
菩提為无所得耶如是如是須菩提我於阿
耨多羅三藐三菩提乃至无有少法可得是
名阿耨多羅三藐三菩提復次須菩提是法
平等无有高下是名阿耨多羅三藐三菩提
以无我无人无衆生无壽者脩一切善法則
得阿耨多羅三藐三菩提須菩提所言善法
者如來說非善法是名善法
須菩提若三千大千世界中所有諸須弥山
王如是等七寶聚有人持用布施若人以此
般若波羅蜜經乃至四句偈等受持讀誦
為他人說於前福德百分不及一百千万億分
乃至筭數譬喻所不能及
須菩提於意云何汝等勿謂如來作是念我
當度衆生須菩提莫作是念何以故實无有
衆生如來度者若有衆生如來度者如來則
有我人衆生壽者須菩提如來說有我者則
非有我而凡夫之人以為有我須菩提凡夫
者如來說則非凡夫
須菩提於意云何可以卅二相觀如來不須
菩提言如是如是以卅二相觀如來佛言須
菩提若以卅二相觀如來者轉輪聖王則是
如來須菩提白佛言世尊如我解佛所說義

BD02954號　金剛般若波羅蜜經　（5–2）

須菩提於意云何可以卅二相觀如来不須
菩提言如是如是以卅二相觀如来佛言須
菩提若以卅二相觀如来者轉輪聖王則是
如来須菩提白佛言世尊如我解佛所說義
應以卅二相觀如来尒時世尊而說偈言
若以色見我 以音聲求我 是人行邪道 不能見如来
須菩提汝若作是念如来不以具足相故得
阿耨多羅三藐三菩提須菩提莫作是念如
来不以具足相故得阿耨多羅三藐三菩提
須菩提汝若作是念發阿耨多羅三藐三菩
提者說諸法斷滅相莫作是念何以故發阿耨
多羅三藐三菩提者於法不說斷滅相須菩
提若菩薩以滿恒河沙等世界七寶布施若
復有人知一切法无我得成於忍此菩薩勝
前菩薩所得功德須菩提以諸菩薩不受福
德故須菩提白佛言世尊云何菩薩不受福
德須菩提菩薩所作福德不應貪著是故
說不受福德須菩提若有人言如来若来若
去若坐若卧是人不解我所說義何以故如来者无
所從来亦无所去故名如来
須菩提若善男子善女人以三千大千世界
碎為微塵於意云何是微塵衆寧為多不
甚多世尊何以故若是微塵衆實有者佛則不
說是微塵衆所以者何佛說微塵衆則非微
塵衆是名微塵衆世尊如来所說三千大千

BD02954號　金剛般若波羅蜜經
（5–3）

所從来亦无所去故名如来
須菩提若善男子善女人以三千大千世界
碎為微塵於意云何是微塵衆寧為多不
甚多世尊何以故若是微塵衆實有者佛則不
說是微塵衆所以者何佛說微塵衆則非微
塵衆是名微塵衆世尊如来所說三千大千
世界則非世界是名世界何以故若世界實
有者則是一合相如来說一合相則非一合相
是名一合相須菩提一合相者則是不可說
但凡夫之人貪著其事須菩提若人言佛說
我見人見衆生見壽者見須菩提於意云何
是人解我所說義不世尊是人不解如来所
說義何以故世尊說我見人見衆生見壽者
見即非我見人見衆生見壽者見是名我見
人見衆生見壽者見須菩提發阿耨多羅三
藐三菩提心者於一切法應如是知如是見
如是信解不生法相須菩提所言法相者如
来說即非法相是名法相須菩提若有人以
滿无量阿僧祇世界七寶持用布施若有善
男子善女人發菩薩心者持於此經乃至四
句偈等受持讀誦為人演說其福勝彼云
何為人演說不取於相如如不動何以故
一切有為法 如夢幻泡影 如露亦如電 應作如是觀
佛說是經已長老須菩提及諸比丘比丘尼
優婆塞優婆夷一切世間天人阿修羅聞佛

BD02954號　金剛般若波羅蜜經
（5–4）

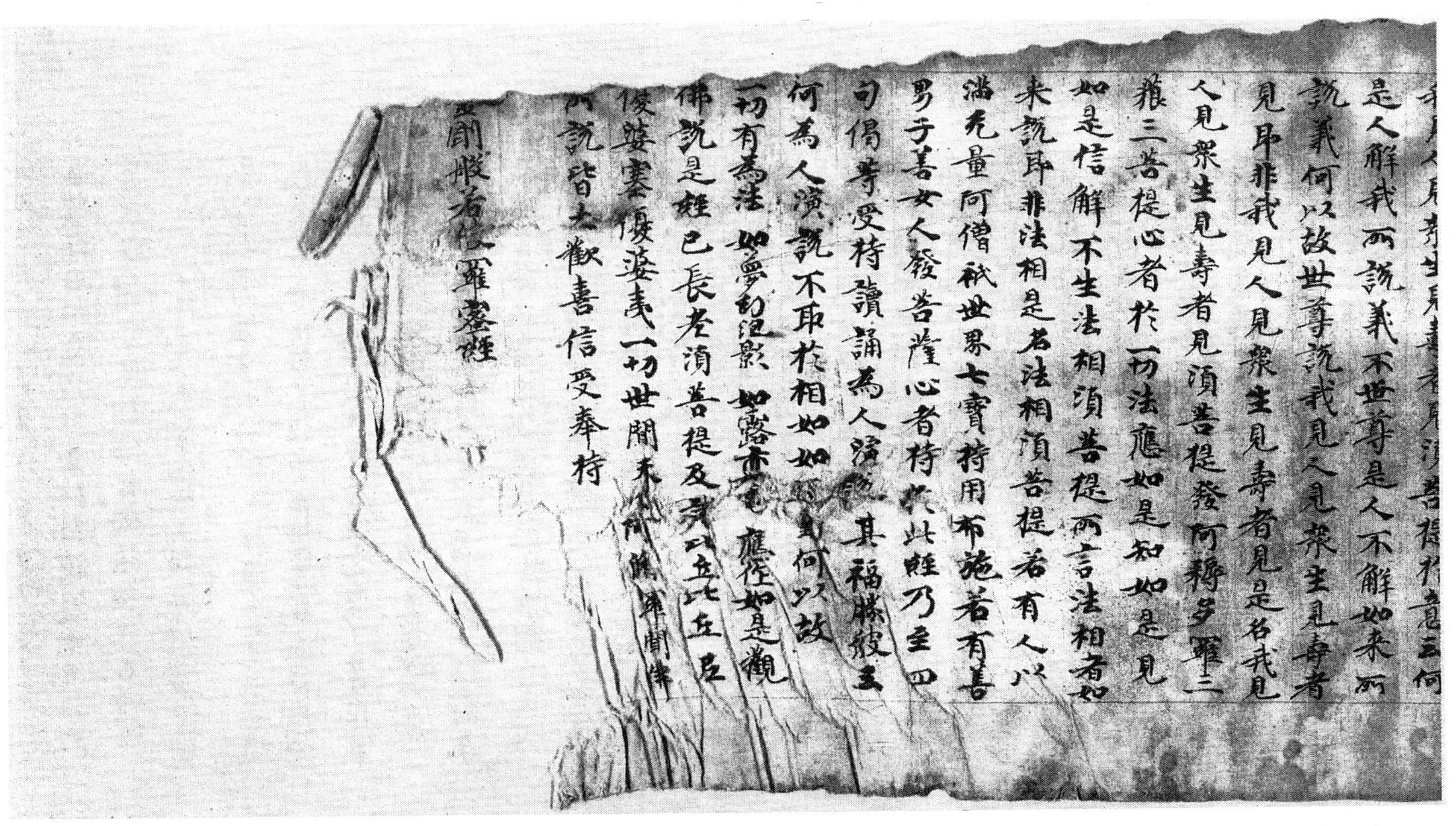

BD02954號　金剛般若波羅蜜經　（5–5）

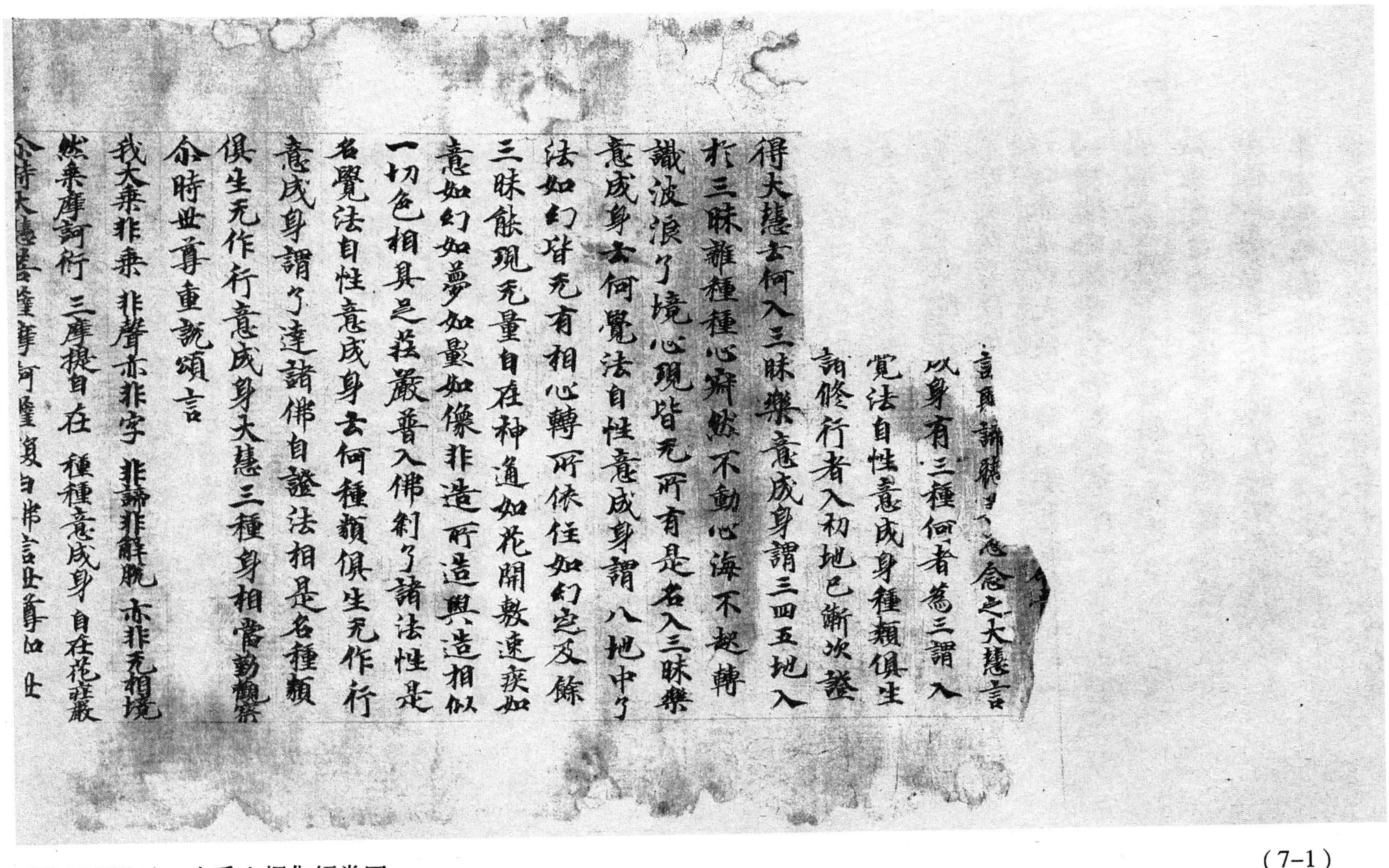

BD02955號　大乘入楞伽經卷四　（7–1）

一切色相具足莊嚴隨入佛衆了達法性是
名覺法自性意成身云何種類俱生无作行
意成身謂了達諸佛自證法相是名種類
俱生无作行意成身大慧三種身相當勤觀察
尒時世尊重說頌言
我大乘非乘　非聲亦非字　非諦非解脫　亦非无相境
然乘摩訶衍　三摩提自在　種種意成身　自在花莊嚴
尒時大慧菩薩摩訶薩復白佛言世尊如世
尊說五无間業何者為五若人作已墮阿鼻
獄佛言諦聽當為汝說大慧言唯佛告大慧
五无間者所謂殺母殺父殺阿羅漢破和合僧
懷惡逆心出佛身血大慧何者為衆生母謂
引生愛與貪喜俱如母養育何者為父所謂
无明令生六處聚落中故斷二根本名殺
父母云何殺阿羅漢謂隨眠為怨如鼠毒發
究竟斷彼是故說名殺阿羅漢云何破和合
僧謂諸蘊異相和合積聚究竟斷彼名為破
僧云何惡心出佛身血謂八識身妄生思覺
見自心外自相共相以三解脫无漏惡心究
竟斷彼八識身佛名為惡心出佛身血大慧
是為內五无間若有作者无間即得現證實
法復次大慧今為汝說外五无間令汝及餘
菩薩聞是義已於未來世不生疑惑云何外
五无間謂餘教中所說无間若有作者於三
解脫不能現證唯除如來諸大菩薩及大聲
聞見其有造无間業者為欲勸發令其改過

BD02955號　大乘入楞伽經卷四　（7–2）

菩薩聞是義已於未來世不生疑惑云何外
五无間謂餘教中所說无間若有作者於三
解脫不能現證唯除如來諸大菩薩及大聲
聞見其有造无間業者為欲勸發令其改過
以神通力示同其事尋即悔除證於解脫此
皆化現非是實造若有實造无間業者終无
現身而得解脫唯除覺了自心所見身資所
住離我我所分別執見或於來世餘處受生
遇善知識離分別過方證解脫尒時世尊重
說頌言
貪愛名為母　无明則是父　識了於境界　此則名為佛
隨眠阿羅漢　蘊聚和合僧　斷彼无餘間　是名无間業
尒時大慧菩薩摩訶薩復白佛言世尊願為
我說諸佛體性佛言大慧覺二无我除二種
障離二種死斷二煩惱是佛體性大慧聲聞
緣覺得此法已亦名為佛我以是義但說一
乘尒時世尊重說頌言
善知二无我　除二障二惱　及不思議死　是故名如來
尒時大慧菩薩摩訶薩復白佛言世尊如來
以何密意於大衆中唱如是言我是過去一
切諸佛及說百千本生之事我於尒時作頂
生王大象鸚鵡月光妙眼如是等佛言大慧
如來應正等覺依四平等祕密意故於大衆
中作如是言我於昔時作拘留孫佛拘那含
牟尼佛迦葉佛云何為四所謂字平等語平
等身平等法平等云何字平等謂我名佛

BD02955號　大乘入楞伽經卷四　（7–3）

[illegible]眼如是等佛言大慧
如来應正等覺依四平等秘密意故於大衆
中作如是言我於昔時作拘留孫佛拘那含
牟尼佛迦葉佛云何為四所謂字平等語平
等身平等法平等云何字平等謂我名佛
一一如来亦名為佛佛名无別謂字等云何語
平等謂我作六十四種梵音聲語一切如来
亦作此語迦陵頻伽梵音聲性不增不減无
有差別是名語等云何身平等謂我與諸佛
法身色相及隨形好等无差別除為調伏種
種衆生現隨類身是謂身等云何法平等謂
我與諸佛皆同證得卅七種菩提分法是謂
法等是故如来應正等覺於大衆中作如
是說尒時世尊重說頌言
迦葉拘留孫　拘那含是我　依四平等故　為諸佛子說
尒時大慧菩薩摩訶薩復白佛言世尊如世
尊說我於某夜成最正覺乃至某夜當入
涅槃於其中間不說一字亦不已說亦不當說
不說是佛說世尊依何密意作如是語佛言
大慧依二密法故作如是說云何二法謂自
證法及本住法云何自證法謂諸佛所證我
亦同證不增不減證智所行離言說相離分
別相離名字相云何本住法謂法本性如金
等在鑛若佛出世若不出世法住法位法界
法性皆悉常住大慧譬如有人行曠野中見
向古城平坦舊道即便隨入止息遊戲大慧

BD02955號　大乘入楞伽經卷四

(7-4)

別相離名字相云何本住法謂法本性如金
等在鑛若佛出世若不出世法住法位法界
法性皆悉常住大慧譬如有人行曠野中見
向古城平坦舊道即便隨入止息遊戲大慧
於汝意云何彼作是道及以城中種種物耶
白言不也佛言大慧我及諸佛所證真如常
住法性亦復如是是故說言始從成佛乃至涅槃
於其中間不一字亦不已說亦不當說尒時
世尊重說頌言
某夜成正覺　某夜般涅槃　於此二中間　我都无所說
自證本住法　故作是密語　我及諸如来　无有少差別
尒時大慧菩薩摩訶薩復白佛言世尊願說
一切法有无相令我及諸菩薩摩訶薩離此
相疾得阿耨多羅三藐菩提佛言諦聽當
為汝說大慧言唯佛言大慧世間衆生多墮
二見謂有見无見墮二見故非出出想云何
有見謂實有因緣而生諸法非不實有實有
諸法從因緣生非无法生大慧如是說者則
說无因云何无見謂知受貪瞋癡已而妄計
言无大慧及彼分別有相而不受諸法有復
有知諸如来聲聞緣覺无貪瞋癡性而計為
非有此中誰為壞者大慧白言謂有貪瞋癡
性後取於无名為壞者佛言善哉汝解我
問此人非正无貪瞋癡名為壞者亦壞如来聲
聞緣覺何以故煩惱內外不可得故體性非
[illegible]

BD02955號　大乘入楞伽經卷四

(7-5)

[illegible]
聞緣覺何以故煩惱內外不可得故體性非
異非不異故大慧貪瞋癡性若內若外皆不
可得无體性故无可取故聲聞緣覺及以如
來本性解脫无有能縛及縛因故大慧若有
能縛及以縛因則有所縛作如是說名爲壞
者是爲无有相我依此義密意而說寧起我
見如須弥山不起空見懷增上慢若起此見
名爲壞者墮自共見樂欲之中不了諸法唯
心所現以不了故見有外法刹那无常展轉
差別蘊界處相相續流轉起已還滅虛妄分
別離文字相亦成壞者尒時世尊重說頌言
有无是二邊 乃至心所行 淨除彼所行 平等心寂滅
不取於境界 非滅无所有 有真如妙物 如諸聖所行
本无而有生 生已而復滅 因緣有及无 彼非住我法
非外道非佛 非我非餘衆 能以緣成有 云何而得无
誰以緣成有 而復得言无 惡見說爲生 妄想計有无
若知无所生 亦復无所滅 觀世悉空寂 有无二俱離
尒時大慧菩薩摩訶薩復請佛言世尊唯願
爲說宗趣之相令我及諸菩薩摩訶薩善
達此義不隨一切衆邪妄解疾得阿耨多羅三
藐三菩提佛言諦聽當爲汝說大慧言唯
佛言大慧一切二乘及諸菩薩有二種宗法
相何等爲二謂宗趣法相言說法相宗趣法相
者謂自所證殊勝之相離於文字語言分別入
无漏界成自地行超過一切不正思覺伏魔

尒時大慧菩薩摩訶薩復請佛言世尊唯願
爲說宗趣之相令我及諸菩薩摩訶薩善
達此義不隨一切衆邪妄解疾得阿耨多羅三
藐三菩提佛言諦聽當爲汝說大慧言唯
佛言大慧一切二乘及諸菩薩有二種宗法
相何等爲二謂宗趣法相言說法相宗趣法相
者謂自所證殊勝之相離於文字語言分別入
无漏界成自地行超過一切不正思覺伏魔
外道生智慧光是名宗趣法相言說法相者
謂說九部種種教法離於一異有无等相
以巧方便隨衆生心令入此法是名言說法
相汝及諸菩薩當勤修學尒時世尊重說
頌言
宗趣與言說 自證及教法 若能善知見 不隨他妄解
如愚所分別 非是真實相 彼豈不求度 无法而可得
觀察諸有爲 生滅等相續 增長於二見 顛倒无所知
涅槃離心意 唯此一法實 觀世悉虛空 如幻夢芭蕉
无有貪恚癡 亦復无有人 從愛生諸蘊 如夢之所見
尒時大慧菩薩摩訶薩復白佛言世尊願爲

難白佛言世尊以
忽然廣博嚴事一切
衆會皆作金色佛告阿難是維摩詰文殊師
利與諸大衆恭敬圍繞發意欲來故先爲此
瑞應於是維摩詰語文殊師利可共見佛與
諸菩薩礼事供養文殊師利言善哉行矣今
正是時維摩詰即以神力持諸大衆并師子
坐置於右掌往詣佛所到已着地稽首佛足
右繞七帀一心合掌在一面立其諸菩薩即皆
避坐稽首佛足亦繞七帀於一面立諸大弟子
釋梵四天王等亦皆避坐稽首佛足在一
面立於是世尊如法慰問諸菩薩已各令復
坐即皆受教衆生已定佛語舍利弗汝見菩
薩大士自在神力之所爲乎唯然已見汝意
云何世尊我覩其爲不可思議非意所圖非
度所測尒時阿難白佛言世尊今所聞香自
昔未有是爲何香佛告阿難是彼菩薩毛
孔之香於是舍利弗語阿難言我等毛孔亦
出是香阿難言此所從來曰是長者維摩詰

BD02956號　維摩詰所說經卷下

(10–1)

云何世尊我覩其爲不可思議非意所圖非
度所測尒時阿難白佛言世尊今所聞香自
昔未有是爲何香佛告阿難是彼菩薩毛
孔之香於是舍利弗語阿難言我等毛孔亦
出是香阿難言此所從來曰是長者維摩詰
從衆香國取佛餘飯於舍食者一切毛孔皆
香若此阿難問維摩詰是香氣住當久如維
摩詰言至此飯消曰此飯久如當消曰此飯
埶力至于七日然後乃消又阿難若聲聞人
未入正位食此飯者得入正位然後乃消已
入正位食此飯者得心解脫然後乃消若未
發大乘意食此飯者至發意乃消已發意食
此飯者得无生忍然後乃消已得无生忍食此
飯者至一生補處然後乃消譬如有藥名曰
上味其有服者身諸毒滅然後乃消此飯
如是滅除一切諸煩惱毒然後乃消阿難白
佛言未曾有也世尊如此香飯能作佛事佛
言如是如是阿難或有佛土以佛光明而作
佛事有以諸菩薩而作佛事有以佛所化人
而作佛事有以菩提樹而作佛事有以佛衣
服卧具而作佛事有以飯食而作佛事有以
園林臺觀而作佛事有以卅二相八十隨形
好而作佛事有以佛身而作佛事有以虛空
而作佛事衆生應以此緣得入律行有以夢

BD02956號　維摩詰所說經卷下

(10–2)

而作佛事有以菩提樹而作佛事有以佛衣
服卧具而作佛事有以飯食而作佛事有以
園林臺觀而作佛事有以卅二相八十隨形
好而作佛事有以佛身而作佛事有以虚空
而作佛事衆生應以此縁得入律行有以夢
幻影響鏡中像水中月熱時炎如是等喻而
作佛事有以音聲語言文字而作佛事或
有清淨佛土寂漠无言无說无示无識无作无
爲而作佛事如是阿難諸佛威儀進止諸所
施爲无非佛事阿難有此四魔八万四千諸
煩惱門而諸衆生爲之疲勞諸佛即以此法
而作佛事是名入一切諸佛法門菩薩入此
門者若見一切淨好佛土不以爲喜不貪不
高若見一切不淨佛土不以爲憂不㝵不没
但於諸佛生清淨心歡喜恭敬未曾有也諸
佛如来功德平等爲教化衆生故而現佛土
不同阿難汝見諸國土地有若干而虚空无
若干也如是見諸佛色身有若干耳其无㝵
慧无若干也阿難諸佛色身威相種姓戒定
智慧解脱解脱知見力无所畏不共之法大
慈大悲威儀所行及其壽命說法教化成就
衆生淨佛國土具諸佛法悉皆同等是故
名爲三藐三佛陁名爲多陁阿伽度名爲佛䭾
阿難若我廣說此三句義汝以劫壽不能盡

BD02956號　維摩詰所說經卷下　（10–3）

慈大悲威儀所行及其壽命說法教化成就
衆生淨佛國土具諸佛法悉皆同等是故
名爲三藐三佛陁名爲多陁阿伽度名爲佛䭾
阿難若我廣說此三句義汝以劫壽不能盡
受正使三千大千世界滿中衆生皆如阿難多
聞第一得念總持此諸人等以劫之壽亦不能
受如是阿難諸佛阿耨多羅三藐三菩提无
有限量智慧辯才不可思議阿難白佛我
從今已往不敢自謂以爲多聞佛告阿難勿
起退意所以者何我說汝於聲聞中爲最多
聞非謂菩薩且止阿難其有智者不應限度
諸菩薩也一切海渕尚可測量菩薩禪定智
慧總持辯才一切功德不可量也阿難汝等
捨置菩薩所行是維摩詰一時所現神通
之力一切聲聞辟支佛於百千劫盡力變
化所不能作
尒時衆香世界菩薩来者合掌白佛言世尊
我等初見此土生下劣想今自悔責捨離是
心所以者何諸佛方便不可思議爲度衆生
故隨有所應現佛國異唯然世尊願賜少法
還於彼土當念如来佛告諸菩薩有盡无盡
解脱法門汝等當學何謂有盡謂有爲法
何謂无盡謂无爲法如菩薩者不盡有爲不住

BD02956號　維摩詰所說經卷下　（10–4）

故随有所應現佛國異唯然世尊願賜少法
還於彼土當念如來佛告諸菩薩有盡无盡
解脫法門汝等當學何謂有盡謂有為法
何謂无盡謂无為法如菩薩者不盡有為不住
无為何謂不盡有為謂不離大慈不捨大悲
深發一切智心而不忽忘教化衆生終不猒惓
於四攝法常念順行護持正法不惜軀命種
諸善根无有疲猒志常安住方便迴向求法
不懈說法无吝勤供諸佛故入生死而无所
畏於諸榮辱心无憂喜不輕未學敬學如
佛墮煩惱者令發正念於遠離樂不以為貴
不著己樂慶於彼樂在諸禪定如地獄想於
生死中如園觀想見來求者為善師想捨諸
所有具一切智想見毀戒人起救護想諸波
羅蜜為父母想道品法為眷屬想發行善根
无有齊限以諸淨國嚴飾方事成己佛土行
不限施具足相好除一切惡身口意淨故生
死无數劫意而有勇聞佛无量德志而不倦
以智慧劒破煩惱賊出陰界入荷負衆生永
使解脫以大精進摧伏魔軍常求无念實相
智慧行少欲知足而不捨世間法不壞威儀而
能隨俗起神通慧引導衆生得念揔持所
聞不忘善別諸根斷衆生疑以樂說辯演說
无㝵淨十善道受天人福脩四无量開梵天道

BD02956號　維摩詰所説經卷下　（10–5）

智慧行少欲知足而不捨世間法不壞威儀而
能隨俗起神通慧引導衆生得念揔持所
聞不忘善別諸根斷衆生疑以樂說辯演說
无㝵淨十善道受天人福脩四无量開梵天道
勸請說法隨喜讚善得佛音聲身口意善
得佛威儀深脩善法所行轉勝以大乘教成
菩薩僧心无放逸不失衆善行如此法是名
菩薩不盡有為何謂菩薩不住无為謂脩學
空不以空為證脩學无相无作不以无相无作
為證脩學无起不以无起為證觀於无常而
不猒善本觀世間苦而不惡生死觀於无我
而誨人不惓觀於寂滅而不永滅觀於遠離
而身心脩善觀无所歸而歸趣善法觀於无
生而以生法荷負一切觀於无漏而不斷諸
漏觀无所行而以行法教化衆生觀於空无
而不捨大悲觀正法位而不隨小乘觀諸法
虛妄无牢无人无主无相本願未滿而不虛
福德禪定智慧脩如此法是名菩薩不住无
為又具福德故不住无為具智慧故不盡有
為大慈悲故不住无為滿本願故不盡有為
集法藥故不住无為隨授藥故不盡有為知
衆生病故不住无為滅衆生病故不盡有為
諸正士菩薩已脩此法不盡有為不住无為
是名盡无盡无㝵法門汝等當學尒時彼

BD02956號　維摩詰所説經卷下　（10–6）

集法樂故不住无為隨授樂故不盡有為知
衆生病故不住无為滅衆生病故不盡有為
諸正士菩薩已脩此法不盡有為不住无為
是名盡无盡无㝵法門汝等當學尒時彼
諸菩薩聞說是法皆大歡喜以衆妙華若干
種色若干種香散遍三千大千世界供養於
佛及此經法并諸菩薩已稽首佛足嘆未曾
有言釋迦牟尼佛乃能於此善行方便言已
忽然不現還到彼國

見阿閦佛品第十二

尒時世尊問維摩詰汝欲見如來為以何等
觀如來乎維摩詰言如是觀身實相觀佛
亦然我觀如來前際不去後際不來今則不住
不觀色不觀色如不觀色性不觀受想行識
不觀識不觀識如不觀識性非四大起同於虛空六
入无積眼耳鼻舌身心已過不在三界三垢
已離順三脫門三明與无明等不一相不異
相不自相不他相非无相非取相不此岸不
彼岸不中流而化衆生觀於寂滅亦不永滅
不此不彼不以此不以彼不可以智知不可
以識識无晦无明无名无相无強无弱非淨
非穢不在方不離方非有為非无為无示无
說不施不慳不戒不犯不忍不恚不進不怠

BD02956 號　維摩詰所説經卷下　（10–7）

不此不彼不以此不以彼不可以智知不可
以識識无晦无明无名无相无強无弱非淨
非穢不在方不離方非有為非无為无示无
說不施不慳不戒不犯不忍不恚不進不怠
不定不亂不智不愚不誠不欺不來不去不出
不入一切言語道斷非福田非不福田非應供
養非不應供養非取非捨非相非无相同實
際等法性不可稱不可量過諸稱量非大非
小非見非聞非覺非知離衆結縛等諸智
同衆生於諸法无分別一切无失无濁无惱
无作无起无生无滅无畏无憂无喜无厭
无已有无當有无今有不可以一切言說
分別顯示世尊如來身為若此作如是觀以
斯觀者名為正觀若他觀者名為耶觀尒時
舍利弗問維摩詰汝於何沒而來生此維摩
詰言汝所得法有沒生乎舍利弗言无沒生也
若諸法无沒生相云何問言汝於何沒而來
生此於意云何譬如幻師幻作男女寧沒生
耶舍利弗言无沒生也汝豈不聞佛說諸法
如幻相乎荅曰如是若一切法如幻相者云何
問言汝於何沒而來生此舍利弗沒者為虛
誑法壞敗之相生者為虛誑法相續之相菩
薩雖沒不盡善本雖生不長諸惡
是時佛告舍利弗有國名妙喜佛号无動

BD02956 號　維摩詰所説經卷下　（10–8）

耶舍利弗言无没生也汝豈不聞佛說諸法
如幻相乎荅曰如是若一切法如幻相者云何
問言汝於何没而來生此舍利弗没者爲虚
誑法壞敗之相生者爲虚誑法相續之相菩
薩雖没不盡善本雖生不長諸惡
是時佛告舍利弗有國名妙喜佛号无動
是維摩詰於彼國没而來生此舍利弗言未
曾有也世尊是人乃能捨清淨土而來樂此
多怨害處維摩詰語舍利弗於意云何日光
出時與冥合乎荅曰不也日光出時則无衆
冥維摩詰言夫日何故行閻浮提荅曰欲以明
照爲之除冥維摩詰言菩薩如是雖生不淨
佛土爲化衆生不與愚闇而共合也但滅衆生
煩惱闇耳是時大衆渴仰欲見妙喜世界不
動如來及其菩薩聲聞之衆佛知一切衆會
所念告維摩詰言善男子爲此衆會現妙
喜國不動如來及諸菩薩聲聞之衆衆皆欲
見於是維摩詰心念吾當不起于坐接妙喜
國鐵圍山川溪谷江河大海泉源須弥諸山
及日月星宿天龍鬼神梵天等宮并諸菩薩
聲聞之衆城邑聚落男女大小乃至无動如
來及菩提樹諸妙蓮華能於十方作佛事者
三道寶階從閻浮提至忉利天以此寶階諸
天來下悉爲礼敬无動如來聽受經法閻浮

BD02956號　維摩詰所說經卷下　（10–9）

照爲之除冥維摩詰言菩薩如是雖生不淨
佛土爲化衆生不與愚闇而共合也但滅衆生
煩惱闇耳是時大衆渴仰欲見妙喜世界不
動如來及其菩薩聲聞之衆佛知一切衆會
所念告維摩詰言善男子爲此衆會現妙
喜國不動如來及諸菩薩聲聞之衆衆皆欲
見於是維摩詰心念吾當不起于坐接妙喜
國鐵圍山川溪谷江河大海泉源須弥諸山
及日月星宿天龍鬼神梵天等宮并諸菩薩
聲聞之衆城邑聚落男女大小乃至无動如
來及菩提樹諸妙蓮華能於十方作佛事者
三道寶階從閻浮提至忉利天以此寶階諸
天來下悉爲礼敬无動如來聽受經法閻浮
提人亦登其階上昇忉利見彼諸天妙喜世
界成就如是无量功德上至阿迦貳吒天下
至水際以右手斷取如陶家輪入此世界猶持
華鬘示一切衆作是念已入於三昧現神通
力以其右手斷取妙喜世界置於此土彼得

BD02956號　維摩詰所說經卷下　（10–10）

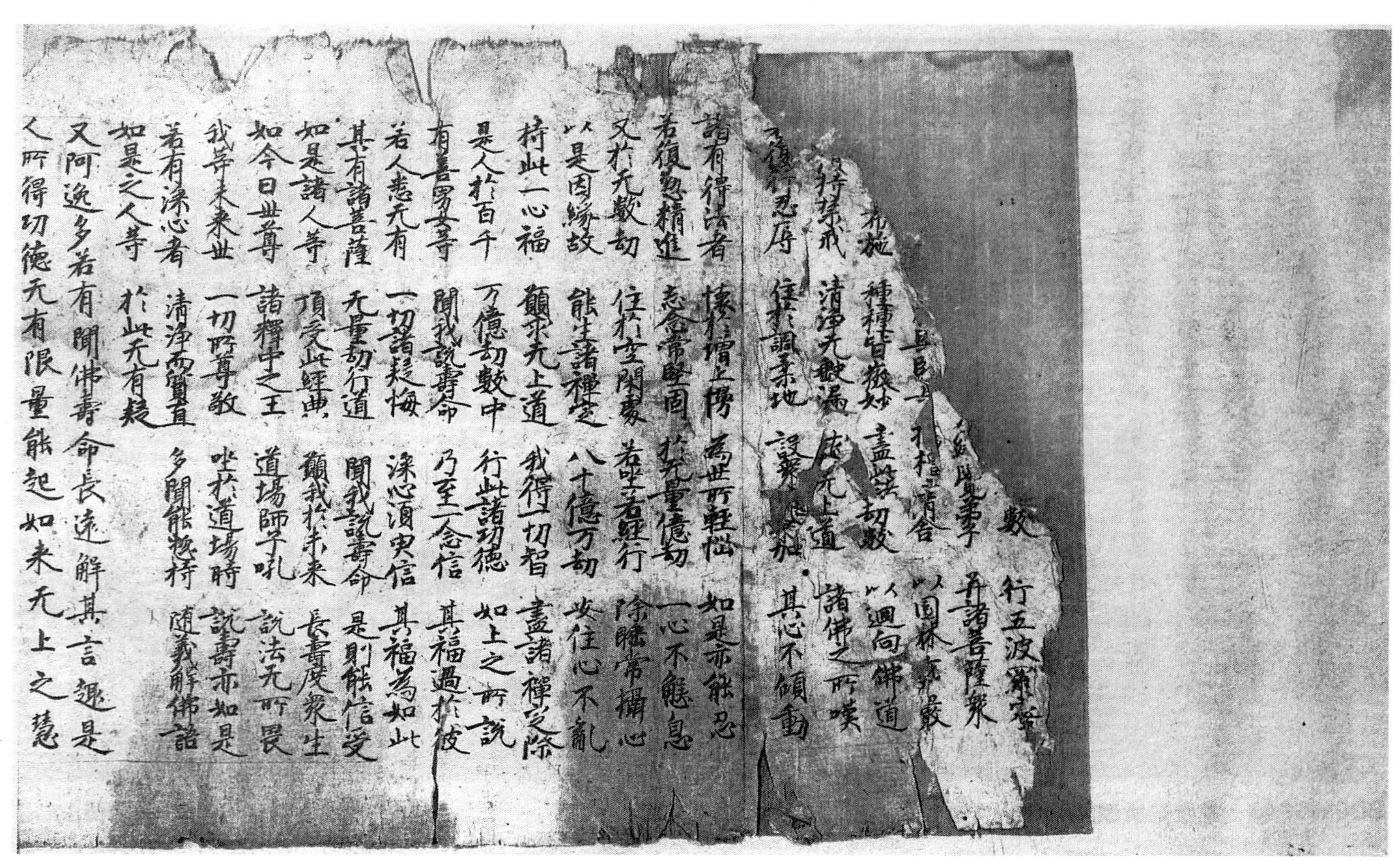

數
行五波羅蜜
……弟子 并諸菩薩衆
……以園林莊嚴
……種種皆微妙 盡此諸劫數 以迴向佛道
若復持禁戒 清淨无缺漏 求於无上道 諸佛之所歎
若復行忍辱 住於調柔地 設衆惡來加 其心不傾動
諸有得法者 懷於增上慢 為斯所輕惱 如是亦能忍
若復懃精進 志念常堅固 於无量億劫 一心不懈息
又於无數劫 住於空閑處 若坐若經行 除睡常攝心
以是因緣故 能生諸禪定 八十億万劫 安住心不亂
持此一心福 願求无上道 我得一切智 盡諸禪定際
是人於百千 万億劫數中 行此諸功德 如上之所說
有善男女等 聞我說壽命 乃至一念信 其福過於彼
若人悉无有 一切諸疑悔 深心須臾信 其福為如此
其有諸菩薩 无量劫行道 聞我說壽命 是則能信受
如是諸人等 頂受此經典 願我於未來 長壽度衆生
如今日世尊 諸釋中之王 道場師子吼 說法无所畏
我等未來世 一切所尊敬 坐於道場時 說壽亦如是
若有深心者 清淨而質直 多聞能揔持 隨義解佛語
如是之人等 於此无有疑
又阿逸多 若有聞佛壽命長遠 解其言趣 是
人所得功德 无有限量 能起如來无上之慧

BD02957 號　妙法蓮華經（八卷本）卷六　（15–1）

如今日世尊 諸釋中之王 道場師子吼 說法无所畏
我等未來世 一切所尊敬 坐於道場時 說壽亦如是
若有深心者 清淨而質直 多聞能揔持 隨義解佛語
如是之人等 於此无有疑
又阿逸多 若有聞佛壽命長遠 解其言趣 是
人所得功德 无有限量 能起如來无上之慧
何況廣聞是經 若教人聞 若自持 若教人持
若自書 若教人書 若以華香瓔珞 幢幡繒蓋
香油蘇燈 供養經卷 是人功德 无量无邊 能
生一切種智 阿逸多 若善男子善女人 聞我
說壽命長遠 深心信解 則為見佛常在耆闍
崛山 共大菩薩 諸聲聞衆 圍遶說法 又見此
娑婆世界 其地琉璃 坦然平正 閻浮檀金以
界八道 寶樹行列 諸臺樓觀 皆悉寶成 其菩
薩衆 咸處其中 若有能如是觀者 當知是為
深信解相 又復如來滅後 若聞是經 而不毀
呰 起隨喜心 當知已為深信解相 何況讀誦
受持之者 斯人則為頂戴如來 阿逸多 是善
男子善女人 不須為我復起塔寺 及作僧坊
以四事供養衆僧 所以者何 是善男子善女
人 受持讀誦是經典者 為已起塔 造立僧坊
供養衆僧 則為以佛舍利 起七寶塔 高廣漸小
至于梵天 懸諸幡蓋 及衆寶鈴 華香瓔珞
末香塗香燒香 衆鼓伎樂 簫笛箜篌 種種儛
戲 以妙音聲 歌唄讚誦 則為於无量千万億
劫 作是供養已 阿逸多 若我滅後 聞是經典
有能受持 若自書 若教人書 則為起立僧坊
以赤栴檀 作諸殿堂 卅有二 高八多羅樹 高
廣嚴好 百千比丘 於其中止 園林浴池 經行

BD02957 號　妙法蓮華經（八卷本）卷六　（15–2）

藏以妙音聲歌唄讚誦則為於无量千万億
劫作是供養已阿逸多若我滅後聞是經典
有能受持若自書若教人書則為起立僧坊
以赤栴檀作諸殿堂卅有二高八多羅樹高
廣嚴好百千比丘於其中止園林流池經行
禪窟衣服飲食床蓐湯藥一切樂具充滿其
中如是僧坊堂閣若干百千万億其數无量
以此現前供養於我及比丘僧是故我說如
來滅後若有受持讀誦為他人說若自書若
教人書供養經卷不須復起塔寺及造僧坊
供養衆僧況復有人能持是經兼行布施持
戒忍辱精進一心智慧其德最勝无量无邊
譬如虛空東西南北四維上下无量无邊是
人功德亦復如是无量无邊疾至一切種智
若人讀誦受持是經為他人說若自書若教
人書復能起塔及造僧坊供養讚歎聲聞衆
僧亦以百千万億讚歎之法讚歎菩薩功德
又為他人種種因緣隨義解說此法華經復
能清淨持戒與柔和者而共同止忍辱无瞋
志念堅固常貴坐禪得諸深定精進勇猛攝
諸善法利根智慧善荅問難阿逸多若我滅
後諸善男子善女人受持讀誦是經典者復
有如是諸善功德當知是人已趣道場近阿
耨多羅三藐三菩提坐道樹下阿逸多是善
男子若坐若立若經行處是中便應起塔一
切天人皆應供養如佛之塔尒時世尊欲重
宣此義而說偈言
若我滅度後　能奉持此經　斯人福无量　如上之所說

BD02957號　妙法蓮華經（八卷本）卷六

（15-3）

男子若坐若立若經行處是中便應起塔一
切天人皆應供養如佛之塔尒時世尊欲重
宣此義而說偈言
若我滅度後　能奉持此經　斯人福无量　如上之所說
是則為具足　一切諸供養　以舍利起塔　七寶而莊嚴
表剎甚高廣　漸小至梵天　寶鈴千万億　風動出妙音
又於无量劫　而供養此塔　華香諸瓔珞　天衣衆伎樂
燃香油蘇燈　周匝常照明　惡世法末時　能持是經者
則為已如上　具足諸供養　若能持此經　則如佛現在
以牛頭栴檀　起僧坊供養　堂有三十二　高八多羅樹
上饌妙衣服　床臥皆具足　百千衆住處　園林諸流池
經行及禪窟　種種皆嚴好　若有信解心　受持讀誦書
若復教人書　及供養經卷　散華香末香　以須曼瞻蔔
阿提目多伽　薰油常燃之　如是供養者　得无量功德
如虛空无邊　其福亦如是　況復持此經　兼布施持戒
忍辱樂禪定　不瞋不惡口　恭敬於塔廟　謙下諸比丘
遠離自高心　常思惟智慧　有問難不瞋　隨順為解說
若能行是行　功德不可量　若見此法師　成就如是德
應以天華散　天衣覆其身　頭面接足禮　生心如佛想
又應作是念　不久詣道樹　得无漏无為　廣利諸人天
其所住止處　經行若坐臥　乃至說一偈　是中應起塔
莊嚴令妙好　種種以供養　佛子住此地　則是佛受用
常在於其中　經行及坐臥

妙法蓮華經隨喜功德品第十八

尒時彌勒菩薩摩訶薩白佛言世尊若有善
男子善女人聞是法華經隨喜者得幾所福
而說偈言
世尊滅度後　其有聞是經　若能隨喜者　為得幾所福
尒時佛告彌勒菩薩摩訶薩阿逸多如來滅

BD02957號　妙法蓮華經（八卷本）卷六

（15-4）

男子善女人聞是法華經隨喜者得幾所福
而說偈言
世尊滅度後　其有聞是經　若能隨喜者　為得幾所福
尒時佛告弥勒菩薩摩訶薩阿逸多如來滅
後若比丘比丘尼優婆塞優婆夷及餘智者
若長若幼聞是經隨喜已從法會出至於餘
處若在僧坊若空閑地若城邑巷陌聚落田
里如其所聞為父母宗親善友知識隨力演
說是諸人等聞已隨喜復行轉教餘人聞已
亦隨喜轉教如是展轉至第五十阿逸多其
第五十善男子善女人隨喜功德我今說之汝
當善聽若四百万億阿僧祇世界六趣四生
眾生卵生胎生濕生化生若有形无形有相
无相非有相非无相无足二足四足多足如
是等在眾生數者有人求福隨其所欲娛樂
之具皆給與之一一眾生與滿閻浮提金
銀琉璃車𤦲馬瑙珊瑚虎珀諸妙珍寶及象
馬車乘七寶所成宮殿樓閣等是大施主如
是布施滿八十年已而作是念我已施眾生
娛樂之具隨意所欲然此眾生皆已衰老年
過八十髮白面皺將死不久我當以佛法而訓
導之即集此眾生宣布法化示教利喜一
時皆得須陁洹道斯陁含道阿那含道阿羅
漢道盡諸有漏於深禪定皆得自在具八解
脫於汝意云何是大施主所得功德寧為多
不弥勒白佛言世尊是人功德甚多无量无
邊若是施主但施眾生一切樂具功德无量
何況令得阿羅漢果佛告弥勒我今分明語
汝是人以一切樂具施四百万億阿僧祇世

BD02957號　妙法蓮華經（八卷本）卷六　（15–5）

脫於汝意云何是大施主所得功德寧為多
不弥勒白佛言世尊是人功德甚多无量无
邊若是施主但施眾生一切樂具功德无量
何況令得阿羅漢果佛告弥勒我今分明語
汝是人以一切樂具施四百万億阿僧祇世
界六趣眾生又令得阿羅漢果所得功德
不如是第五十人聞法華經一偈隨喜功德
百分千分百千万億分不及其一乃至筭數
譬喻所不能知阿逸多如是第五十人展轉
聞法華經隨喜功德尚无量无邊阿僧祇何
況最初於會中聞而隨喜者其福復勝无量
无邊阿僧祇不可得比又阿逸多若人為是
經故往詣僧坊若坐若立須臾聽受緣是功
德轉身所生得好上妙象馬車乘珍寶輦轝
及乘天宮若復有人於講法處坐更有人來
勸令坐聽若分坐令坐是人功德轉身得帝
釋坐處若梵王坐處若轉輪聖王所坐之處
阿逸多若復有人語餘人言有經名法華可
共往聽即受其教乃至須臾間聞是人功德
轉身得與陁羅尼菩薩共生一處利根智慧
百千万世終不瘖啞口氣不臭舌常无病口
亦无病齒不垢黑不黃不踈亦不缺落不差不
曲脣不下垂亦不褰縮不麁澁不瘡緊亦不
缺壞亦不喎耶不厚不大亦不梨黑无諸
可惡鼻不匾𠋑亦不曲戾面色不黑亦不狭
長亦不窪曲无有一切不可喜相脣舌牙齒
悉皆嚴好鼻脩高直面貌圓滿眉高而長額
廣平正人相具足世世所生見佛聞法信受
教誨阿逸多汝且觀是勸於一人令往聽法
功德如此何況一心聽說讀誦而於大眾為

BD02957號　妙法蓮華經（八卷本）卷六　（15–6）

悉皆嚴好鼻脩高直面皃圓滿眉高而長額
廣平正人相具足世世所生見佛聞法信受
教誨阿逸多汝且觀是勸於一人令往聽法
功德如此何況一心聽說讀誦而於大衆為
人分別如說脩行尒時世尊欲重宣此義而
說偈言

若人於法會　得聞是經典　乃至於一偈　隨喜為他說
如是展轉教　至于第五十　最後人獲福　今當分別之
如有大施主　供給无量衆　具滿八十歲　隨意之所欲
見彼衰老相　髮白而面皺　齒踈形枯竭　念其死不久
我今應當教　令得於道果　即為方便說　涅槃真實法
世皆不牢固　如水沫泡炎　汝等咸應當　疾生猒離心
諸人聞是法　皆得阿羅漢　具足六神通　三明八解脫
最後第五十　聞一偈隨喜　是人福勝彼　不可為譬喻
如是展轉聞　其福尚无量　何況於法會　初聞隨喜者
若有勸一人　將引聽法華　言此經深妙　千万劫難遇
即受教往聽　乃至須臾聞　斯人之福報　今當分別說
世世无口患　齒不踈黃黑　脣不厚褰缺　无有可惡相
舌不乾黑短　鼻高脩且直　額廣而平正　面目悉端嚴
為人所喜見　口氣无臭穢　優鉢華之香　常從其口出
若故詣僧坊　欲聽法華經　須臾聞歡喜　今當說其福
後生天人中　得妙象馬車　珍寶之輦輿　及乘天宮殿
若於講法處　勸人坐聽經　是福因緣得　釋梵轉輪王
何況一心聽　解說其義趣　如說而脩行　其福不可限

妙法蓮華經法師功德品第十九

尒時佛告常精進菩薩摩訶薩若善男子善
女人受持是法華經若讀若誦若解說若書
寫是人當得八百眼功德千二百耳功德八百
鼻功德千二百舌功德八百身功德千二百

BD02957號　妙法蓮華經（八卷本）卷六

（15–7）

尒時佛告常精進菩薩摩訶薩若善男子善
女人受持是法華經若讀若誦若解說若書
寫是人當得八百眼功德千二百耳功德八百
鼻功德千二百舌功德八百身功德千二百
意功德以是功德莊嚴六根皆令清淨是
善男子善女人父母所生清淨肉眼見於三千
大千世界內外所有山林河海下至阿鼻地
獄上至有頂亦見其中一切衆生及業因緣
果報生處悉見悉知尒時世尊欲重宣此義
而說偈言

若於大衆中　以无所畏心　說是法華經　汝聽其功德
是人得八百　功德殊勝眼　以是莊嚴故　其目甚清淨
父母所生眼　悉見三千界　內外彌樓山　須彌及鐵圍
并諸餘山林　大海江河水　下至阿鼻獄　上至有頂處
其中諸衆生　一切皆悉見　雖未得天眼　肉眼力如是

復次常精進若善男子善女人受持此經若
讀若誦若解說若書寫得千二百耳功德以
是清淨耳聞三千大千世界下至阿鼻地獄
上至有頂其中內外種種語言音聲象聲馬
聲牛聲車聲啼哭聲愁歎聲螺聲鼓聲鍾
聲鈴聲笑聲語聲男聲女聲童子聲童女聲
法聲非法聲苦聲樂聲凡夫聲聖人聲喜聲
不喜聲天聲龍聲夜叉聲乾闥婆聲阿脩羅
聲迦樓羅聲緊那羅聲摩睺羅伽聲火聲水
聲風聲地獄聲畜生聲餓鬼聲比丘聲比丘
尼聲聲聞聲辟支佛聲菩薩聲佛聲以要言
之三千大千世界中一切內外所有諸聲雖未
得天耳以父母所生清淨常耳皆悉聞知如
是分別種種音聲而不壞耳根尒時世尊欲

BD02957號　妙法蓮華經（八卷本）卷六

（15–8）

[illegible]
尼聲聲聞聲辟支佛聲菩薩聲佛聲以要言
之三千大千世界中一切內外所有諸聲雖未
得天耳以父母所生清淨常耳皆悉聞知如
是分別種種音聲而不壞耳根尒時世尊欲
重宣此義而說偈言
父母所生耳　清淨无濁穢　以此常耳聞　三千世界聲
象馬車牛聲　鍾鈴螺鼓聲　琴瑟箜篌聲　簫笛之音聲
清淨好歌聲　聽之而不著　无數種人聲　聞悉能解了
又聞諸天聲　微妙之歌音　及聞男女聲　童子童女聲
山川嶮谷中　迦陵頻伽聲　命命等諸鳥　悉聞其音聲
地獄衆苦痛　種種楚毒聲　餓鬼飢渴逼　求索飲食聲
諸阿脩羅等　居在大海邊　自共語言時　出于大音聲
如是說法者　安住於此間　遙聞是衆聲　而不壞耳根
十方世界中　禽獸鳴相呼　其說法之人　於此悉聞之
其諸梵天上　光音及遍淨　乃至有頂天　語言之音聲
法師住於此　悉皆得聞之
一切比丘衆　及諸比丘尼　若讀誦經典　若為他人說
法師住於此　悉皆得聞之　復有諸菩薩　讀誦於經法
若為他人說　撰集解其義　如是諸音聲　悉皆得聞之
諸佛大聖尊　教化衆生者　於諸大會中　演說微妙法
持此法華者　悉皆得聞之　三千大千界　內外諸音聲
下至阿鼻獄　上至有頂天　皆聞其音聲　而不壞耳根
其耳聰利故　悉能分別知　持是法華者　雖未得天耳
但用所生耳　功德已如是
復次常精進若善男子善女人受持是經若
讀若誦若解說若書寫成就八百鼻功德以
是清淨鼻根聞於三千大千世界上下內外
種種諸香須曼那華香闍提華香末利華香

BD02957 號　妙法蓮華經（八卷本）卷六　　（15–9）

但用所生耳　功德已如是
復次常精進若善男子善女人受持是經若
讀若誦若解說若書寫成就八百鼻功德以
是清淨鼻根聞於三千大千世界上下內外
種種諸香須曼那華香闍提華香末利華香
瞻蔔華香波羅羅華香赤蓮華香青蓮華香
白蓮華香華樹香菓樹香旃檀香沈水香多
摩羅跋香多伽羅香及千万種和香若末若
丸若塗香持是經者於此間住悉能分別又
復別知衆生之香象香馬香牛羊等香男香
女香童子香童女香及草木叢林香若近若
遠所有諸香悉皆得聞分別不錯持是經者
雖住於此亦聞天上諸天之香波利質多羅
拘鞞陁羅樹香及曼陁羅華香摩訶曼陁
羅華香曼殊沙華香摩訶曼殊沙華香旃檀
沈水種種末香諸雜華香如是等天香和合
所出之香无不聞知又聞諸天身香釋提
桓因在勝殿上五欲娛樂嬉戲時香若在妙
法堂上為忉利諸天說法時香若於諸園遊
戲時香及餘天等男女身香皆悉遙聞如
是展轉乃至梵世上至有頂諸天身香亦皆
聞之并聞諸天所燒之香及聲聞香辟支佛
香菩薩香諸佛身香亦皆遙聞知其所在
雖聞此香然於鼻根不壞不錯若欲分別為
他人說憶念不謬尒時世尊欲重宣此義而
說偈言
是人鼻根淨　於此世界中　若香若臭物　種種悉聞知
須曼那闍提　多摩羅栴檀　沈水及桂香　種種華菓香
及知衆生香　男子女人香　說法者遠住　聞香知所在
大勢轉輪王　小轉輪及子　群臣諸宮人　聞香知所在

BD02957 號　妙法蓮華經（八卷本）卷六　　（15–10）

說偈言
是人鼻根淨　於此世界中　若香若臭物　種種悉聞知
須曼那闍提　多摩羅栴檀　沉水及桂香　種種華菓香
及知眾生香　男子女人香　說法者遠住　聞香知所在
大勢轉輪王　小轉輪及子　群臣諸宮人　聞香知所在
身所著珎寶　及地中寶藏　轉輪王寶女　聞香知所在
諸人嚴身具　衣服及瓔珞　種種所塗香　聞則知其身
諸天若行坐　遊戲及神變　持是法華者　聞香悉能知
諸樹華菓實　及蘇油香氣　持經者住此　悉知其所在
諸山深嶮處　栴檀樹華敷　眾生在中者　聞香皆能知
鐵圍山大海　地中諸眾生　持經者聞香　悉知其所在
阿脩羅男女　及其諸眷屬　闘諍遊戲時　聞香皆能知
曠野嶮隘處　師子象虎狼　野牛水牛等　聞香知所在
若有懷妊者　未辯其男女　无根及非人　聞香悉能知
以聞香力故　知其初懷妊　成就不成就　安樂產福子
以聞香力故　知男女所念　染欲癡恚心　亦知脩善者
地中眾伏藏　金銀諸珎寶　銅器之所盛　聞香悉能知
種種諸瓔珞　无能識其價　聞香知貴賤　出處及所在
天上諸華等　曼陁曼殊沙　波利質多樹　聞香悉能知
天上諸宮殿　上中下差別　眾寶華莊嚴　聞香悉能知
天園林勝殿　諸觀妙法堂　在中而娛樂　聞香悉能知
諸天若聽法　或受五欲時　來往行坐臥　聞香悉能知
天女所著衣　好華香莊嚴　周旋遊戲時　聞香悉能知
如是展轉上　乃至於梵世　入禪出禪者　聞香悉能知
光音遍淨天　乃至于有頂　初生及退沒　聞香悉能知
諸比丘眾等　於法常精進　若坐若經行　及讀誦經法
或在林樹下　專精而坐禪　持經者聞香　悉知其所在
菩薩志堅固　坐禪若讀經　或為人說法　聞香悉能知
在在方世尊　一切所恭敬　愍眾而說法　聞香悉能知
眾生在佛前　聞經皆歡喜　如法而脩行　聞香悉能知

BD02957號　妙法蓮華經（八卷本）卷六

（15–11）

光音遍淨天　乃至于有頂　初生及退沒　聞香悉能知
諸比丘眾等　於法常精進　若坐若經行　及讀誦經法
或在林樹下　專精而坐禪　持經者聞香　悉知其所在
菩薩志堅固　坐禪若讀經　或為人說法　聞香悉能知
在在方世尊　一切所恭敬　愍眾而說法　聞香悉能知
眾生在佛前　聞經皆歡喜　如法而脩行　聞香悉能知
雖未得菩薩　无漏法生鼻　而是持經者　先得此鼻相
復次常精進若善男子善女人受持是經若
讀若誦若解說若書寫得千二百舌功德若
好若醜若美不美及諸苦澁物在其舌根皆
變成上味如天甘露无不美者若以舌根於
大眾中有所演說出深妙聲能入其心皆令
歡喜快樂又諸天子天女釋梵諸天聞是
深妙音聲有所演說言論次第皆悉來聽
及諸龍龍女夜叉夜叉女乾闥婆乾闥婆
女阿脩羅阿脩羅女迦樓羅迦樓羅女緊
那羅緊那羅女摩睺羅伽摩睺羅伽女為
聽法故皆來親近恭敬供養及比丘比丘尼
優婆塞優婆夷國王王子群臣眷屬小
轉輪王大轉輪王七寶千子內外眷屬乘其
宮殿俱來聽法以是菩薩善說法故婆羅
門居士國內人民盡其形壽隨侍供養又諸
聲聞辟支佛菩薩諸佛常樂見之是人所
在方面諸佛皆向其處說法悉能受持一切佛
法又能出於深妙法音尒時世尊欲重宣此
義而說偈言
是人舌根淨　終不受惡味　其有所食噉　悉皆成甘露
以深淨妙聲　於大眾說法　以諸因緣喻　引導眾生心
聞者皆歡喜　設諸上供養　諸天龍夜叉　及阿脩羅等
皆以恭敬心　而共來聽法　是說法之人　若欲以妙音

BD02957號　妙法蓮華經（八卷本）卷六

（15–12）

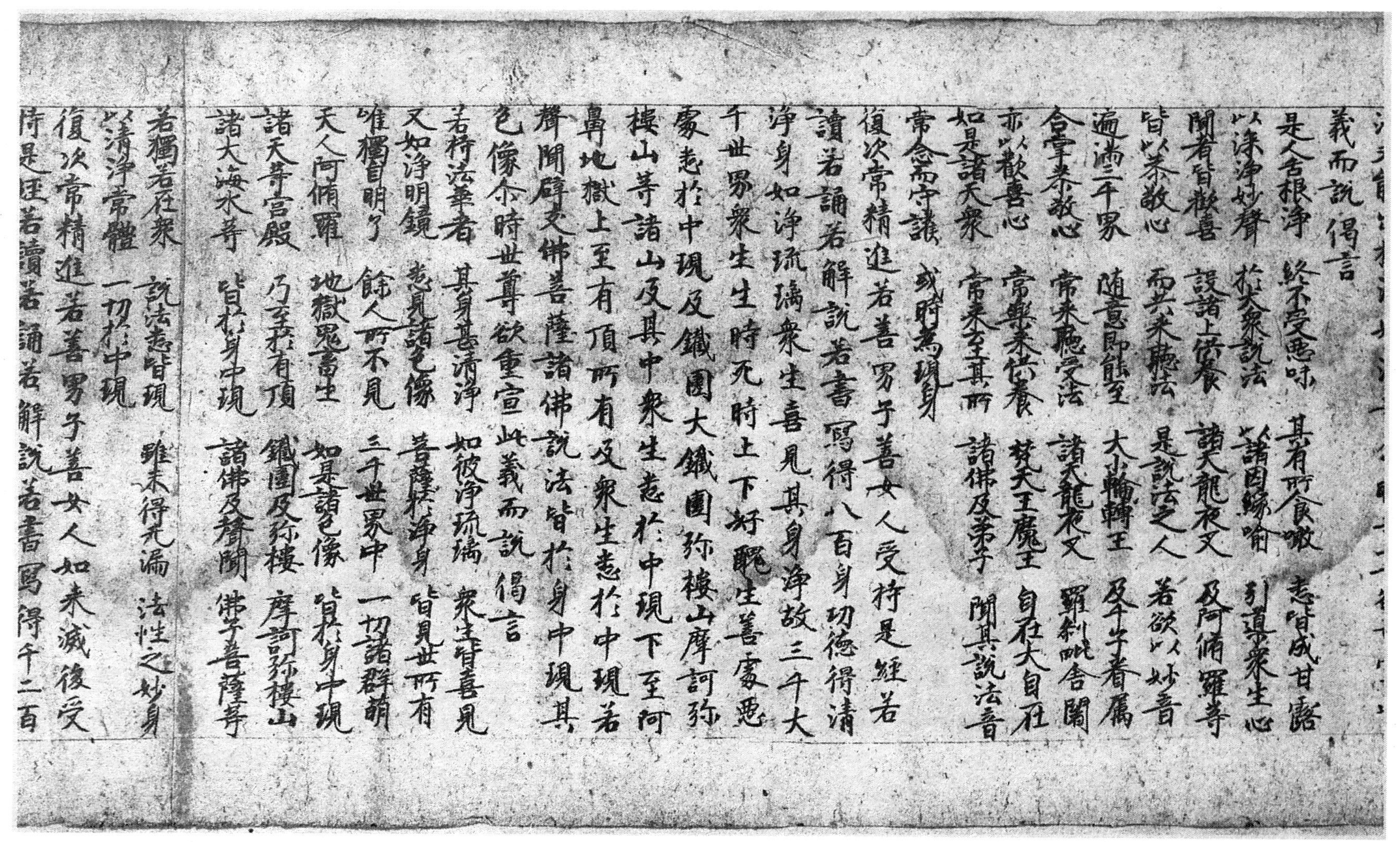

義而說偈言

是人舌根淨　終不受惡味　其有所食噉　悉皆成甘露

以深淨妙聲　於大眾說法　以諸因緣喻　引導眾生心

聞者皆歡喜　設諸上供養　諸天龍夜叉　及阿脩羅等

皆以恭敬心　而共來聽法　是說法之人　若欲以妙音

遍滿三千界　隨意即能至　大小轉輪王　及千子眷屬

合掌恭敬心　常來聽受法　諸天龍夜叉　羅剎毗舍闍

亦以歡喜心　常樂來供養　梵天王魔王　自在大自在

如是諸天眾　常來至其所　諸佛及弟子　聞其說法音

常念而守護　或時為現身

復次常精進，若善男子善女人受持是經，若讀若誦若解說若書寫，得八百身功德，得清淨身，如淨琉璃，眾生憙見。其身淨故，三千大千世界眾生，生時死時，上下好醜，生善處惡處，悉於中現。及鐵圍山、大鐵圍山、弥樓山、摩訶弥樓山等諸山，及其中眾生，悉於中現。下至阿鼻地獄，上至有頂，所有及眾生，悉於中現。若聲聞、辟支佛、菩薩、諸佛說法，皆於身中現其色像。尒時世尊欲重宣此義而說偈言

若持法華者　其身甚清淨　如彼淨琉璃　眾生皆憙見

又如淨明鏡　悉見諸色像　菩薩於淨身　皆見世所有

唯獨自明了　餘人所不見　三千世界中　一切諸群萌

天人阿脩羅　地獄鬼畜生　如是諸色像　皆於身中現

諸天等宮殿　乃至於有頂　鐵圍及弥樓　摩訶弥樓山

諸大海水等　皆於身中現　諸佛及聲聞　佛子菩薩等

若獨若在眾　說法悉皆現　雖未得无漏　法性之妙身

以清淨常體　一切於中現

復次常精進，若善男子善女人，如來滅後受持是經，若讀若誦若解說若書寫，得千二百

BD02957 號　妙法蓮華經（八卷本）卷六　（15–13）

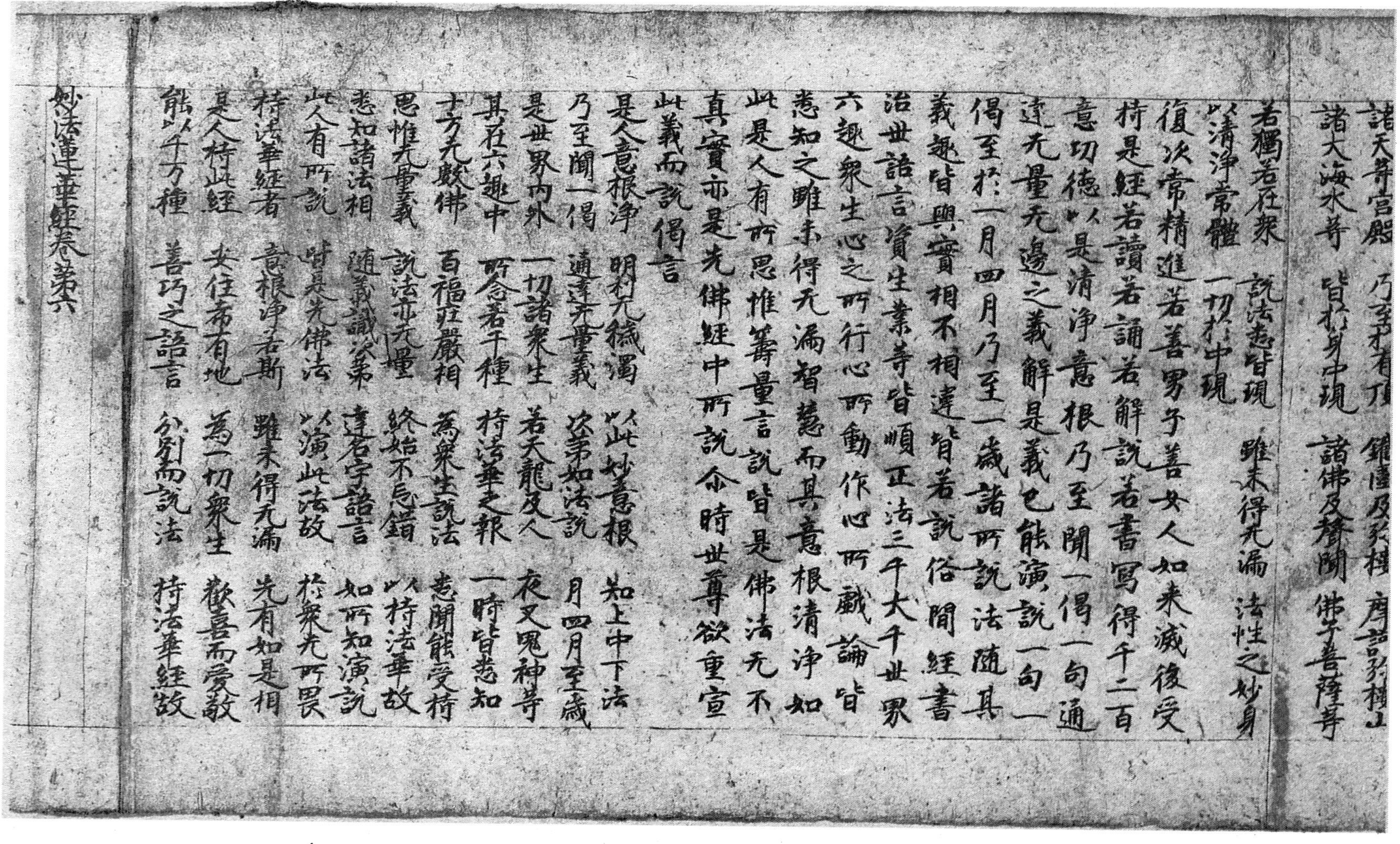

諸天等宮殿　乃至於有頂　鐵圍及弥樓　摩訶弥樓山

諸大海水等　皆於身中現　諸佛及聲聞　佛子菩薩等

若獨若在眾　說法悉皆現　雖未得无漏　法性之妙身

以清淨常體　一切於中現

復次常精進，若善男子善女人，如來滅後受持是經，若讀若誦若解說若書寫，得千二百意功德。以是清淨意根，乃至聞一偈一句，通達无量无邊之義。解是義已，能演說一句一偈，至於一月四月乃至一歲。諸所說法，隨其義趣，皆與實相不相違背。若說俗間經書、治世語言、資生業等，皆順正法。三千大千世界六趣眾生心之所行、心所動作、心所戲論，皆悉知之。雖未得无漏智慧，而其意根清淨如此。是人有所思惟籌量言說，皆是佛法，无不真實，亦是先佛經中所說。尒時世尊欲重宣此義而說偈言

是人意根淨　明利无穢濁　以此妙意根　知上中下法

乃至聞一偈　通達无量義　次第如法說　月四月至歲

是世界內外　一切諸眾生　若天龍及人　夜叉鬼神等

其在六趣中　所念若干種　持法華之報　一時皆悉知

十方无數佛　百福莊嚴相　為眾生說法　悉聞能受持

思惟无量義　說法亦无量　終始不忘錯　以持法華故

悉知諸法相　隨義識次第　達名字語言　如所知演說

此人有所說　皆是先佛法　以演此法故　於眾无所畏

持法華經者　意根淨若斯　雖未得无漏　先有如是相

是人持此經　安住希有地　為一切眾生　歡喜而愛敬

能以千万種　善巧之語言　分別而說法　持法華經故

妙法蓮華經卷第六

BD02957 號　妙法蓮華經（八卷本）卷六　（15–14）

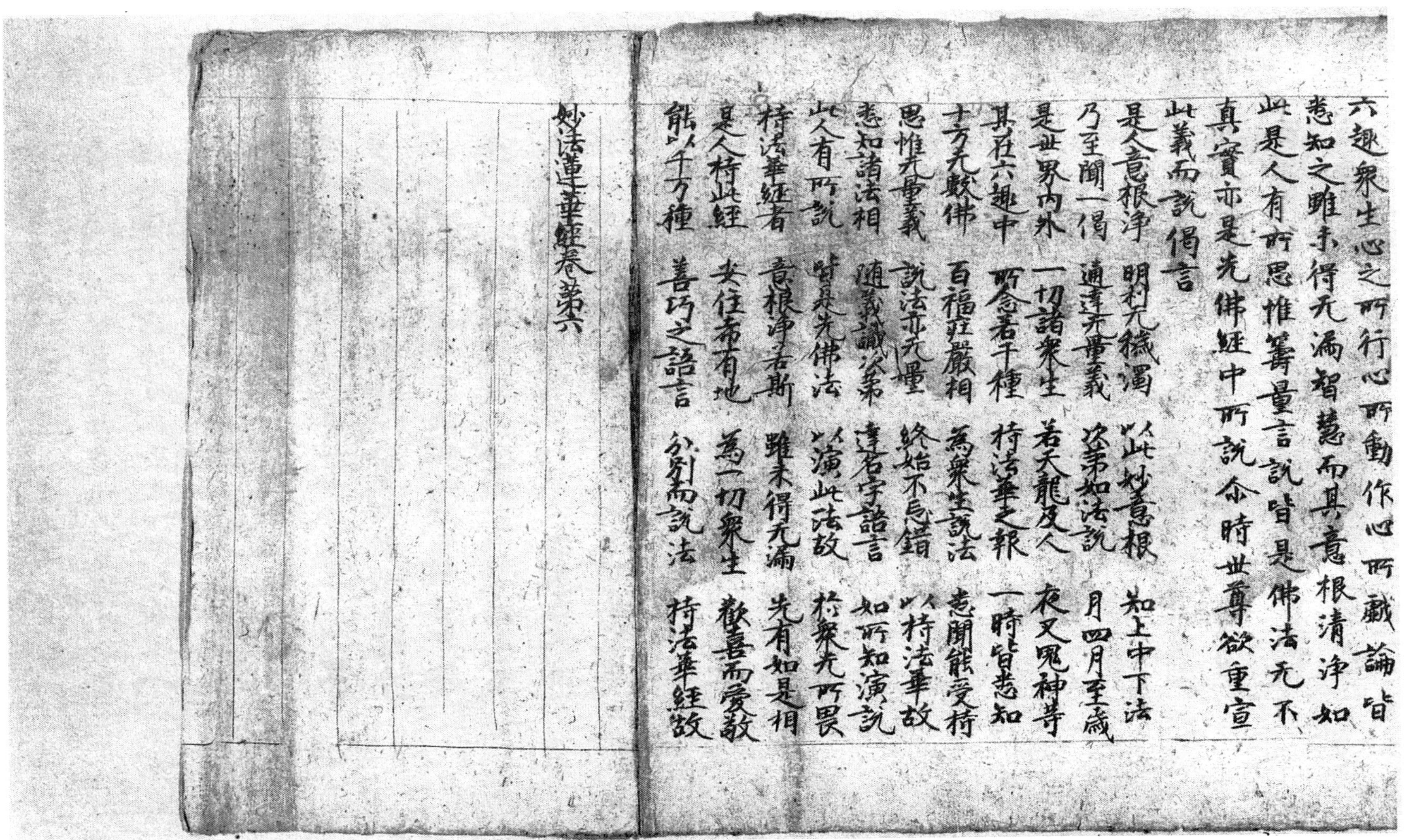

BD02957號　妙法蓮華經（八卷本）卷六　　（15–15）

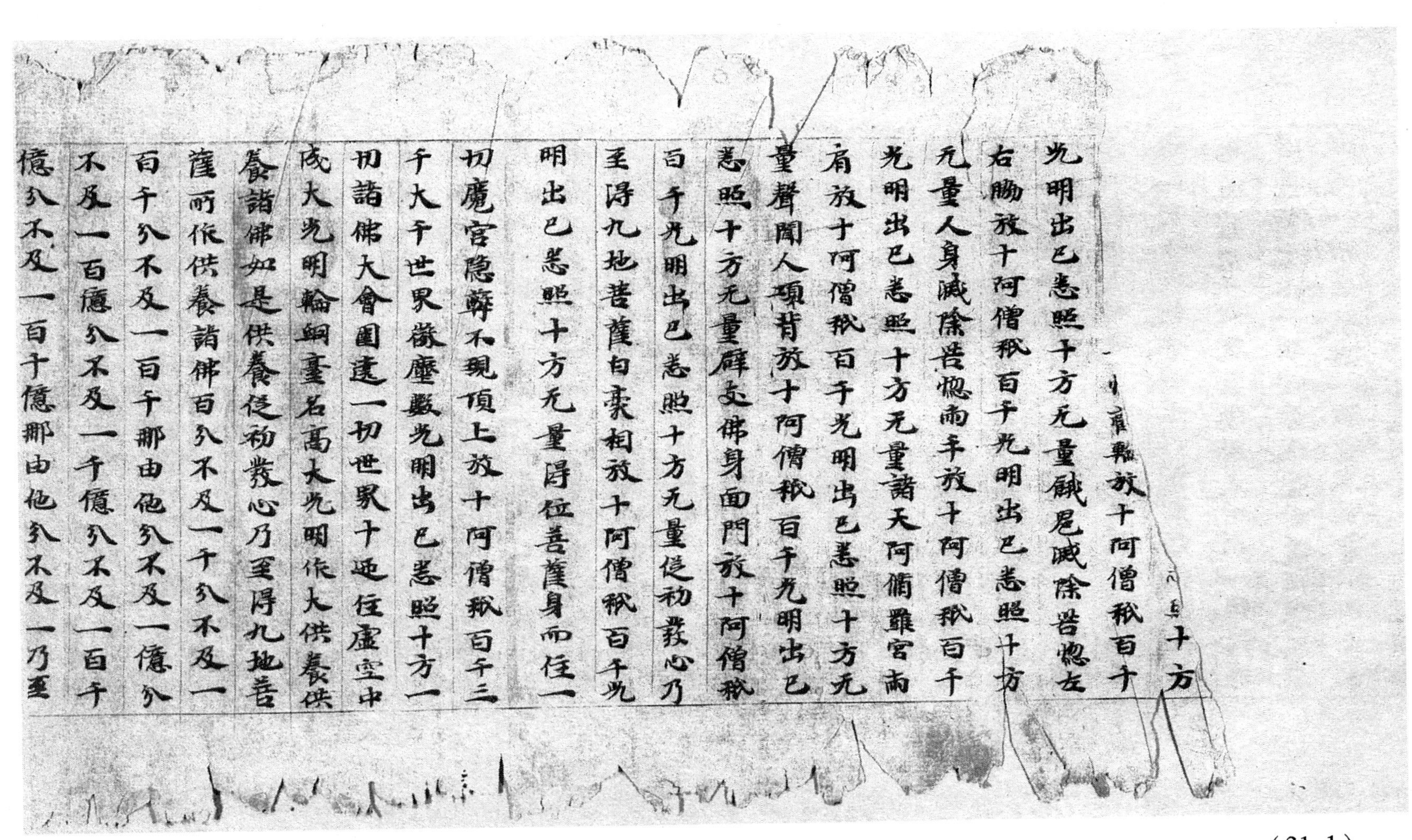

BD02958號　十地經論卷一二　　（31–1）

成大光明輪網臺名高大光明作大供養供
養諸佛如是供養從初發心乃至得九地菩
薩所作供養諸佛百分不及一千分不及一
百千分不及一百千那由他分不及一億分
不及一百億分不及一千億分不及一百千
億分不及一百千億那由他分不及一乃至
筭數譬喻所不能及是大光明輪網臺勝十
方世界所有華香末香燒香塗香散香華鬘
衣服寶蓋幢幡衆寶瓔珞摩尼寶珠供養之
具過於一切世間境界以從出世間善根生
故二佛大會上皆雨衆寶猶如大雨若有衆
生覺知如是供養者當知皆是必定不退无
上大道如是諸光明雨大供養已於一切光
明照十方一切諸佛大會圍遶一切世界十
迊入諸佛足下尒時彼諸佛及彼大菩薩知
某世界中某甲菩薩行如是菩薩道成就菩
薩得位地時又佛子即時十方无邊菩薩乃
至住九地者皆來圍遶設大供養一心瞻仰
各得十千百千三昧諸得位地菩薩於功德
莊嚴金剛万字胸出一大光明名壞魔怨有
十阿僧祇百千光明以為眷屬出已悉照十
方无量世界示无量神力然來入是菩薩功
德莊嚴金剛万字胸此光明滅已是菩薩即
時得百千増上大勢力功德智慧而現在前

莊嚴金剛万字胸出一大光明名壞魔怨有
十阿僧祇百千光明以為眷屬出已悉照十
方无量世界示无量神力然來入是菩薩功
德莊嚴金剛万字胸此光明滅已是菩薩即
時得百千増上大勢力功德智慧而現在前
論曰隨何等相者一切世界動等相如經是
菩薩昇大寶蓮華王坐乃至皆得見聞一切
諸佛大會故隨何等出處者以出光明故復
次光明三種業應知一利益業二教覺業三
攝伏業如經何以故佛子是菩薩坐大蓮華
王坐即時而足下放十阿僧祇百千光明乃
至功德智慧而現在前故必定不退无上大
道於地中決定義故復有異義定不放逸可
作之事決定心故功德莊嚴金剛万字胸者
於菩薩胸中有功德莊嚴金剛万字相名為
无比
經曰如是佛子尒時諸佛放眉間白豪相光
名益一切智通有阿僧祇光明眷屬照於十
方一切世界无有遺餘十迊圍遶一切世界
示於諸佛大神通力勸發无量百千万億諸
佛一切十方諸佛國土六種震動滅除一切
惡道苦惱一切魔宮隱蔽不現示一切諸佛
得菩提處示一切諸佛大會神道莊嚴之事
照明一切法界際一切虛空界盡一切世界
已還來集住一切菩薩大會之上周迊圍遶

惡道苦惱一切魔宮隱蔽不現亦一切諸佛
得菩提處亦一切諸佛大會神通莊嚴之事
照明一切法界除一切虛空界盡一切世界
已還來集在一切菩薩大會之上周匝圍遶
亦大神通光明莊嚴之事是光明入彼大菩
薩頂上其諸眷屬光明入諸眷屬蓮華座上
菩薩頂上光明入是菩薩身時彼諸菩薩各
得先所未得十千百千三昧彼諸光明一時
入彼菩薩頂時彼菩薩名為得位入諸佛境
界具佛十力隨在佛數佛子譬如轉輪聖王
長子玉女寶所生具足王相轉輪聖王令子
在白象寶閻浮檀金座上取四大海水上張
羅網寶蓋幡華寶幢種種莊嚴手執金鍾香
水灌子頂上即名灌頂刹利王數具足轉十
善道故得名轉輪聖王如是佛子彼菩薩從
諸如來得受位已名得智位具足十力墮在
佛數佛子是名菩薩大乘位地菩薩為是位
故受无量百千万億苦難行事是菩薩得是
位已无量功德智慧轉增名為安住菩薩法
雲地
論曰隨所得位者謂如來光明彼菩薩從身
智平等稱受故如經如是佛子爾時諸佛放
眉間白毫相光名益一切智通如是等云何
得位如轉輪聖王長子如經譬如轉輪聖王
長子如是等　此菩薩同得位時名為善住此

BD02958號　十地經論卷一二　（31–4）

眉間白毫相光名益一切智通如是等云何
得位如轉輪聖王長子如經譬如轉輪聖王
長子如是等　此菩薩同得位時名為善住此
地中如經是菩薩得是位已无量功德智慧
轉增名為安住菩薩法雲地如是得受位分
已說云何入大盡分入大盡分者有五種一
智大二解脫大三三昧大四陀羅尼大五神
通大此事依五種義分別應知一依正覺實
智義二依心自在義三依業心即成就一切
事義四依一切世間隨利益衆生義五依勸
能度衆生義云何智成就
經曰佛子是菩薩住此菩薩法雲地如實知
欲界集色界集无色界集如實知衆生界集
識界集有為界集无為界集虛空界集法界
集如實知涅槃界集如實知耶見諸煩惱界
集世界成壞集聲聞行集辟支佛行集菩
薩行集諸佛力无畏不共佛法色身法身集
一切種一切智智集得菩提轉法輪示滅度
集略說乃至如實知入一切法成智差別集
是菩薩以如是智通達勝慧如實知衆生業
化煩惱化見作化界世化法界化聲聞化辟
支佛化菩薩化如來化如實知一切分別无
分別化是菩薩如實知佛力住持法持僧持
業持煩惱持時持願持供養持行持劫持如
實知智持是菩薩如實知諸佛所有細微入

BD02958號　十地經論卷一二　（31–5）

如佛化菩薩化如來化如實知一切分別无
分別化是菩薩如實知佛力住持法持僧持
業持煩惱持時持願持供養持行持劫持如
實知智持是菩薩如實知諸佛所有細微入
智所謂行細微入智退細微入智胎細微
入智生細微入智舊遊細微入智出家細微
入智得菩提細微入智轉法輪細微入智持
壽命細微入智示涅槃細微入智如實知法
又住細微入智是菩薩如實知諸佛所有密
處所謂身密口密意密籌量時非時密與菩
薩授記密攝伏眾生密乘種種密一切根行
差別密一切信如實所作密如實知行得菩
提密是菩薩如實知諸佛所有入劫智所謂
一劫入阿僧祇劫阿僧祇劫入一劫數有劫
入无數劫无數劫入有數劫一念劫入无量
劫无量劫入一念劫劫入非劫非劫入劫有
佛劫入无佛劫无佛劫入有佛劫有佛劫入
有佛劫无佛劫入无佛劫過去未來劫入現
在劫現在劫入過去未來劫過去劫入
現在劫現在劫入未來過去劫長劫入短劫
入長劫短劫入短劫長劫入長劫如實知一（短劫）
切劫想相入是菩薩如實知諸佛所有入智
所謂入凡夫道智入微塵智入國土身菩提
智入眾生身心菩提智入一切處隨菩提智入
亂行示現智入恒行示現智入逆行示現智
入思議不思議智世間出世間智行示現智

智入眾生身心菩提智入一切處隨菩提智入
亂行示現智入恒行示現智入逆行示現智
入思議不思議智世間出世間智行示現智
入聲聞智辟支佛智菩薩智如實知如來智
行智佛子諸佛智慧如是廣大无量无邊菩
薩住此地即能得入如是智慧
論曰是中智大復有七種應知一集智大二
應化智大三加持智大四入細微智大五密
處智大六入劫智大七入道智大是中初依
能斷疑力應知第二依彼身起力第三依彼
如是如是轉行力第四依彼應化加持善集
不二智作故第五依護根未熟眾生不令驚
怖第六依命行加持捨自在意故第七依對
治意說是中集智者因緣集智應知彼復隨
所有分染或淨或減隨所有三界處隨所有
眾生隨染淨等心隨所有有為法无為法无
知知故隨所有處虛空等隨所說正不正法
隨所證不證謂於涅槃隨所耶見過餘外道
等彼不能證隨所有器世間隨成隨所有三
乘彼集差別應知如經佛子是菩薩住此菩
薩法雲地如實知欲界集乃至如實知入一
切法成智差別集故是中應化智者眾生應
化等差別應知如經是菩薩以如是智通達
勝慧乃至如實知一切分別无分別化故是
中煩惱見作化者應化亦煩惱染見作故法

切以感智差別集故是中應化智者衆生應
化等差別應知如經是菩薩以如是智通達
勝慧乃至如實知一切分別无分別化故是
中煩惱見作化者應化亦煩惱染見作故法
界化者所說法行故彼應化一切分別无分
別如實知故是中加持智者如經是菩薩如
實知佛力持乃至如實知智持故如經應知
是中智持者一切智〻故此智能作一切事
故入細微智者如經是菩薩如實知諸佛所
有細微入智乃至如實知法久住細微入智
故如經應知是中舊迹者現行七步等應知
是知密處智者如經是菩薩如實知諸佛所
有密處乃至如實知行得菩提密故如經應
知是中入劫智者所謂入劫如經是菩薩如
實知諸佛所有入劫智所謂一劫入阿僧祇
劫乃至如實知一切劫想相入故如經應知
是中入者平等解脫一切劫迭相入故是中
入道智者依凡夫地依我慢行者依信永生
天者依覺觀者如經是菩薩如實知諸佛所
有入智所謂入凡夫道智乃至即能得入如
是智慧故如是七種智大已說云何解脫大
經曰佛子是菩薩如是通達此地行得名菩
薩不思議解脫門无鄣导解脫淨智差別解
脫普門光解脫如來藏解脫隨順不退輪解

是智慧故如是七種智大已說云何解脫大
經曰佛子是菩薩如是通達此地行得名菩
薩不思議解脫門无鄣导解脫淨智差別解
脫普門光解脫如來藏解脫隨順不退輪解
脫入通達三世解脫法界藏解脫解脫光輪
解脫名得菩薩一切境界无餘解脫佛子是
菩薩十菩薩解脫門為首得如是等无量无
邊百千万阿僧祇菩薩解脫門皆於第十菩
薩地中得如是乃至无量无邊百千万阿僧
祇三昧无量无邊百千万阿僧祇陁羅尼无
量无邊百千万阿僧祇神通然復如是
論曰是中解脫大者一依神通境界如經佛
子是菩薩如是通達此地行得名菩薩不思
議解脫門故二能至无量世界顯智无导如
經无鄣导解脫故三知世間出世間有學无
學聲聞辟支佛菩薩如來解脫智等如經淨
智解脫差別故四隨意轉事如經普門光解
脫故五法陁羅尼如經如來藏解脫故六能
破他言如經隨順不退輪解脫故七三世劫
隨意住持如經入通達三世解脫故八一切
法一切種因緣集智如經法界藏解脫故九
光不離身而能普照如經解脫光輪解脫故
十依一時知无量世界諸衆生心如經名得
菩薩一切境界无餘解脫故是中三昧大有

光不離身而能普照如幻能脫光輪解脫故
十依一時知无量世界諸衆生心如經名得
菩薩一切境界无餘解脫故是中三昧大者
如經如是乃至无量无邊百千万阿僧祇三
昧故是中陀羅尼大者如經无量无邊百千
万億僧祇陀羅尼故是中神通大者如經无
量无邊百千万阿僧祇神通然後如是故如
是十地八大盡分已說云何釋名分
經曰是菩薩通達如是智慧隨順菩提成就
无量念力方便畢竟是菩薩於十方无量佛
所无量大法明无量大法照无量大法雨於
一念間皆悉能受能勸能思能持佛子譬如
娑伽羅雲澍大雨衆餘地處不能受不能勸
不能思不能持唯除大海如是佛子一切如
來祕密處所謂大法明大法照大法雨彼一
一衆生一切聲聞辟支佛皆不能受不能勸
不能思不能持從初地乃至九地菩薩亦
不能受不能勸不能思不能持唯此住法雲
地菩薩皆悉能受能勸能思能持佛子譬如
大海一大龍王起大雲雨皆悉能受能勸能
思能持若二若三四五若十廿卅卌五十若
百龍王若千若万若億若百億若千億若百
千億那由他龍王乃至无量无邊不可稱說
諸大龍王起大雲雨於一念間一時澍下皆

BD02958 號　十地經論卷一二

(31–10)

百龍王若千若万若億若百億若千億若百
千億那由他龍王乃至无量无邊不可稱說
諸大龍王起大雲雨於一念間一時澍下皆
悉能受能勸能思能持所以者何大海是无
量廣大器故如是佛子菩薩住此菩薩法雲
地中於一佛所大法明大法照大法雨皆悉
能受能勸能思能持若二若三四五若十廿
卅卌五十若百諸佛若千若万若億若百億
若千億若百千那由他諸佛乃至无量无邊
不可稱說諸佛所大法明大法照大法雨於
一念間皆悉能受能勸能思能持是故此地
名為法雲地解脫月菩薩言佛子菩薩住此
法雲地幾許佛所大法明大法照大法雨於
一念間能受能勸能思能持金剛藏菩薩言
佛子菩薩住此法雲地於不可數不可說佛
所大法明大法照大法雨於一念間皆悉能
受能勸能思能持佛子譬如十方所有不可
說百千万億那由他佛國土微塵數等諸佛
世界中所有衆生於衆生中一衆生得聞持陀
羅尼无餘為佛侍者家大聲聞持陀羅尼第
一譬如金剛蓮華上佛有名大勝比丘聞持
陀羅尼第一其一衆生成就如是聞持陀羅
尼力如彼一衆生餘一切世界所有衆生皆
亦如是成就聞持陀羅尼力其一人所受法

BD02958 號　十地經論卷一二

(31–11)

陀羅尼第一其一衆生成就如是聞持陀羅
尼力如彼一衆生餘一切世界所有衆生皆
亦如是成就聞持陀羅尼力其一人所受法
第二人不重受如是一切各各不同佛子於
意云何彼一切衆生所受聞持陀羅尼力寧
為多不解脫月菩薩言佛子彼一切衆生所
受聞持陀羅尼力甚多无量金剛藏菩薩言
佛子我今當為汝說是菩薩住此法雲地於
一念間於一佛所名三世法界藏大法明大
法照大法雨皆悉能受能勸能思能持彼大
法明大法照大法雨受持方便上說一切衆
生聞持陀羅尼力比此百分不及一千分不
及一百千分不及一百千那由他分不及一
億分不及一百億分不及一千億分不及一
百千億分不及一百千億那由他分不及一
乃至筭數譬喻所不能及如一佛所如前所
說十方世界微塵數等諸佛所復過此數无
量无邊諸佛所名三世法界藏大法明大法
照大法雨於一念間皆悉能受能勸能思能
持是故此地名為法雲地復次佛子是菩薩
住此法雲地自從願力起慈悲雲震大法雷
音通明无畏以為電光大智慧光以為疾風
大福德善根為厚密雲現種種色身為雜色
雲說正法而破諸魔怨於一念間如前所說

BD02958號　十地經論卷一二　（31–12）

住此法雲地自從願力起慈悲雲震大法雷
音通明无畏以為電光大智慧光以為疾風
大福德善根為厚密雲現種種色身為雜色
雲說正法而破諸魔怨於一念間如前所說
諸世界中所有微塵如是百千万億那由他
世界皆悉遍覆過此數无量无邊百千万
億那由他世界亦皆遍覆澍大甘露善根法
雨滅除衆生隨心所樂无明所起煩惱塵炎
是故此地名為法雲地復次佛子是菩薩住
此菩薩法雲地於一世界中從兜率天退入
胎住胎初生出家得佛道請轉法輪示大涅
槃一切佛事隨所度衆生得智自在若二三
千大千世界乃至如前微塵數等世界復過
此數百千万億阿僧祇世界從兜率天退乃
至示大涅槃一切佛事隨所度衆生得智自
在
論曰是中地釋名者有二種一雲法相似以
遍覆故此地中聞法相似如虛空身遍覆故
二滅塵除垢相似法此法能滅衆生煩惱塵
故三度衆生從兜率天退乃至示大涅槃故
漸化衆生故如大雲雨生成一切卉物萌牙
故是中成就无量念力方便畢竟者近說受
持義故如經是菩薩通達如是智慧隨順善

BD02958號　十地經論卷一二　（31–13）

故三度衆生從兜率天退乃至示大涅槃故
漸化衆生故如大雲雨生成一切卉物萌牙
故是中成就无量念力方便畢竟者近説受
持義故如經是菩薩通達如是智慧隨順菩
提成就无量念力方便畢竟故復能受持衆
多微密速疾持故如經是菩薩於十方无量
佛所无量大法明如是等是中无量諸佛无
量大法明者説衆多故入如來微密藏故一
念聞者速疾受故聞法者性故作故二事示
現云何性大法光明故聞思智攝受故大法
照脩慧智攝受故云何作大法雨如大雲興
他法雨故於中起信故言受所説字句故
言勸以能取義故言思依二攝受不失故言
持大海名如是以不濁故言受能受一切水
故言勸餘水斷入失本名故言思用不可盡
故言持應知如經名三世法界藏大法明大
法照大法雨皆悉能受能勸能思能持乃至
是故此地名為法雲地故是中名三世法界
藏者於法界中三種事藏雲雷電等譬喻相
似法應知如經復次佛子是菩薩住此法雲
地自從願力乃至是故此地名為法雲地故
是中大智慧光以為疾風者風相似法觀種種
色身者隨世間種種身迴轉離色雲相似法
故説正法而破諸魔怨者雨相似法故如是

地自從願力乃至是故此地名為法雲地故
是中大智慧光以為疾風者風相似法觀種種
色身者隨世間種種身迴轉離色雲相似法
故説正法而破諸魔怨者雨相似法故如是
此地釋名分已説云何神通力无上有上分
經曰是菩薩住在此地於智慧中得上自在
力善擇大智通隨心所念或以狹國為廣廣
國為狹復隨心念或以垢國為淨淨國為垢
如是廣大无量亂住倒住正住等一切世界
自在力故種種能成是菩薩復隨心念或於
一微塵中示一世界所有一切鐵圍山等然
彼微塵而不增長若二若三四五若十廿卅
卌五十若百若千若万若億若百億若千億
若百千億若百千億那由他世界乃至不可
説不可説世界所有一切鐵圍山等入一微
塵中然彼微塵亦不增長是菩薩復隨心念
或以一世界莊嚴之事示二世界復隨心念
或以一世界莊嚴之事乃至示无量不可説
不可説世界復隨心念或以二世界莊嚴之
事示一世界乃至或以无量不可説不可説
世界莊嚴之事示一世界復隨心念乃至或
以无量不可説不可説世界衆生置一世界
中然諸衆生而不恐怖不覺不知復隨心念
或以一世界衆生乃至置无量不可説不可説世界中然諸衆生不恐怖不覺不知復隨心念
或於一毛道示一切佛境界莊嚴之事復隨
心念乃至或以无量不可説不可説一切佛

中㲉諸衆生而不怨怖不覺不知復隨心念
或以一世界衆生乃至置无量不可說不可說世界中㲉諸衆生而不怨怖不覺不知復隨心念
或於一毛道亦一切佛境界莊嚴之事復隨
心念乃至或以无量不可說不可說一切佛
境界莊嚴之事亦一毛道復隨心念於一念
間亦現无量不可說不可說世界微塵等身
於一一身中亦如是等微塵數手以此諸手
慇心供養十方諸佛以一一手執恒河沙等
華箱以散諸佛如華箱如是華鬘末香塗香
熏香衣服寶蓋幡華寶幢一切莊嚴事亦
復如是於一一身中亦如是等微塵數頭
於一一頭中亦如是等微塵數舌以此諸舌
讚嘆諸佛功德之事如是等事於念念中遍
滿十方於念念中无量世界亦得菩提乃至
示大涅槃莊嚴住持於三世中亦无量身於
自身中亦有无量諸佛亦无量佛世界莊嚴
之事亦亦世界成壞之事或於自身一毛孔中
出一切風災而不惱衆生復隨心念或以无
量无邊世界為一海水此海水中作大蓮華
光明莊嚴遍覆无量无邊世界於中亦現大
菩提樹莊嚴妙事乃至亦一切種一切智智
或於自身亦十方光明摩尼寶珠電光日月
星宿諸光明等乃至一切世界諸光明等皆
於身中現以口噓氣能動十方无量世界而

BD02958號　十地經論卷一二　（31–16）

或於自身亦十方光明摩尼寶珠電光日月
星宿諸光明等乃至一切世界諸光明等皆
於身中現以口噓氣能動十方无量世界而
不令衆生有驚怖想示十方世界風災劫盡
大災劫盡水災劫盡隨一切衆生種種心意
念現色身莊嚴成就或以自身作如來身以
如來身作自身以如來身作自佛國土自佛
國作如來身如是佛子是菩薩住此菩薩法
雲地中神變如是復過於此有餘无量无邊
百千万億那由他神通莊嚴自在亦現
論曰是中神通力无上有上者有六種相應
知一依內二依外三自相四作住持五令歡
喜六大勝是中神通力无上有上比餘衆生神
通故力有上者比於如來神通力故是中依
內者有四種一不思議解脫二三昧三起智
陀羅尼四神通如前所說依外者外事地等
復有外事自他身等是中自相者有二種一
轉外事等二應化自身等是中轉者復有三
種一麤廣轉二異事轉三自在轉能依一切
衆生種種莊嚴等云何麤廣轉如經是菩薩
住在此地於智慧中得上自在力善擇大智
通隨心所念或以狹國為廣廣國為狹故云
何異事轉如經復隨心念或以垢國為淨淨
國為垢乃至一切世界自在力故種種能成

BD02958號　十地經論卷一二　（31–17）

何異事轉如經復隨心念或以垢國為淨之
國為垢乃至一切世界自在力故種之能成
故云何自在轉如經是善薩復隨心念於一
微塵中亦一世界乃至彼諸眾生亦不恐怖
不覺不知故云何應化自身等如經復隨心
念或於一毛道亦一切佛境界莊嚴之事復
隨心念乃至或以不可說不可說一切佛境
界莊嚴之事亦一毛道故是中依住持者供
養門等成就集身善提法故如經復隨心念
於一念間亦无量不可說不可說世界微塵
等身乃至无量无邊百千万億那由他莊嚴
自在亦現故云何令歡喜
經曰尒時會中一切善薩眾及一切天龍夜
叉乾闥婆阿脩羅迦樓羅緊那羅摩睺羅伽
四天王釋提桓因梵天王摩醯首羅淨居天
等各作是念若善薩神通智力能如是无量
无邊佛復云何尒時解脫月善薩知諸大眾
心所念已問金剛藏善薩言佛子今諸大眾
聞是善薩神通智力墮在疑網為斷疑故少
示善薩神通之力莊嚴妙事尒時金剛藏善
薩即入一切佛國體性善薩三昧金剛藏善
薩入一切佛國體性善薩三昧時彼一切善

示善薩神通之力莊嚴妙事尒時金剛藏善
薩即入一切佛國體性善薩三昧金剛藏善
薩入一切佛國體性善薩三昧時彼一切善
薩眾及一切天龍夜叉乾闥婆阿脩羅迦樓
羅緊那羅摩睺羅伽四天王釋提桓因梵天
王摩醯首羅淨居天等皆自見身入金剛藏
善薩身中於其身內見佛國土依國土中所
有諸相莊嚴妙事於百千万億劫說不可盡
於中有道場樹其莖周圍十万三千大千世
界高百万三千大千世界覆蔭三千億三千大
千世界稱樹高廣有師子座其坐上有佛号
一切智通王如來一切大眾咸皆見佛坐在
道場樹下師子坐上其中諸相莊嚴妙事於
百千万億劫說不可盡金剛藏善薩亦現如
是大神力已還令一切諸善薩眾及一切天
龍夜叉乾闥婆阿脩羅迦樓羅緊那羅摩睺
羅伽四天王釋提桓因梵天王摩醯首羅淨
居天等各在本處尒時一切大眾歡喜踊躍
生希有想嘿然而住觀金剛藏善薩尒時解
脫月善薩語金剛藏善薩言佛子甚為希有
此三昧神通莊嚴有大勢力佛子此三昧名
為何等金剛藏善薩言佛子此三昧名為一
切佛國體性尒時解脫月善薩問金剛藏善
薩言佛子此三昧境界莊嚴神通妙事為齊
幾許金剛藏善薩言佛子若善薩隨心所念

為何等金剛藏菩薩言佛子此三昧名為一
切佛國體性介時解脫月菩薩問金剛藏菩
薩言佛子此三昧境界莊嚴神通妙事為齊
幾許金剛藏菩薩言佛子若菩薩隨心所念
善備成此三昧力故能亦如是佛國土微塵
數等諸佛國土自身中現復過此數佛子菩
薩住此菩薩法雲地得如是等无量百千菩
薩三昧以是義故此菩薩乃至得位菩薩及
住善慧地菩薩不能測知若身業難可測
知若口口業難可測知若意々業難可測知
若神通事難可測知若觀三世智難可測知若
入三昧境界難可測知若智境界難可測知
若遊戲諸解脫難可測知若應化所作若加
所作若神力所作難可測知乃至舉足下足
所作乃至得位菩薩及善住慧地菩薩不能
測知佛子菩薩法雲地如是无量今已略說
若廣說者无量百千阿僧祇劫无量百千劫
无量百千轉不能得盡解脫月菩薩問金剛
藏菩薩言佛子若菩薩神通行境界力如是
无量佛神通行境界力復云何金剛藏菩薩
言佛子譬如有人取四天下中二三丘土作
如是言无邊世界地界為多此耶答所問者
我謂如是如來无量智慧云何以菩薩智慧
而欲測量佛子如人取四天下中少地界餘
在極多如是佛子菩薩法雲地於无量劫說

言佛子譬如有人取四天下中二三丘土作
如是言无邊世界地界為多此耶答所問者
我謂如是如來无量智慧云何以菩薩智慧
而欲測量佛子如人取四天下中少地界餘
在極多如是佛子菩薩法雲地於无量劫說
但說一分何況如來地金剛藏菩薩語解脫
月菩薩言佛子是諸如來證知我言佛子假
使十方於一一方无量世界微塵數等諸佛
國土十地菩薩皆滿其中譬如甘蔗竹葦稻
麻叢林此諸菩薩於无量劫所備行業功德
智慧於如來功德智慧力百分不及一千分不
及一百千分不及一百千那由他分不及一
億分不及一百億分不及一千億分不及一
百千億分不及一百千億那由他分不及一
乃至筭數譬喻所不能及如是佛子是菩薩
通達如是智慧順如來身口意業不捨菩薩
三昧力能見諸佛懃心供養於一一劫中以
一切種供具上上供養无量諸佛而能具受
諸佛神力所加轉復明勝是菩薩於法界中
所有問難无能勝者无量百劫无量千劫无
量百千劫无量百千那由他劫无量億劫无
量百億劫无量千億劫无量百千億劫无量
百千億那由他劫不可窮盡佛子譬如善巧
金師善治此金為莊嚴具以无上摩尼寶珠

量百千劫无量百千那由他劫无量億劫无
量百億劫无量千億劫无量百千億劫无量
百千億那由他劫不可窮盡佛子辟如善巧
金師善治此金爲莊嚴具以无上摩尼寶珠
間錯其中繫在自在天王若頸若頂其餘天
人莊嚴之具无能及者如是佛子是菩薩住
此第十菩薩法雲地中依菩薩不可思議智
行一切衆生一切聲聞辟支佛從初地乃至
九地菩薩所不能及是菩薩住此地中大智
照光明能令一切衆生乃至住一切智〻其
餘智慧之明所不能壞佛子辟如摩醯首羅
天王光明過一切生處衆生光明能令衆生
身心清凉如是佛子是菩薩住此第十菩薩
法雲地中依智慧光明一切聲聞辟支佛從
初地乃至住九地菩薩所不能及是菩薩住
此地中能令一切衆生住一切智〻法中佛
子是菩薩隨順如是智慧十方諸佛爲說智
慧令通達三世行正知法界差別遍覆一切
世間界照一切世間界令一切衆生界得證
法故略說乃至隨順得一切智〻是菩薩十
波羅蜜中智波羅蜜增上佛子是名略說菩
薩第十菩薩法雲地若廣說者无量无邊阿
僧祇劫不可窮盡若菩薩住此地中多作魔
醯首羅天王具足自在善授衆生聲聞辟支

BD02958號　十地經論卷一二　（31–22）

波羅蜜中智波羅蜜增上佛子是名略說菩
薩第十菩薩法雲地若廣說者无量无邊阿
僧祇劫不可窮盡若菩薩住此地中多作魔
醯首羅天王具足自在善授衆生聲聞辟支
佛菩薩波羅蜜行於法界中有問難者无能
令盡所作善業布施愛語利益同事是諸福
德皆不離念佛念法念僧念菩薩念菩薩行
念波羅蜜念十地念不壞力念无畏念不共
佛法乃至不離念具足一切種一切智〻常
生是心我當於一切衆生中爲首爲勝爲大
爲妙爲微妙爲上爲无上爲導爲將爲師爲
尊乃至爲一切智〻依止者復從是念發精
進行以精進力故於一念間得十不可說百
千万億那由他佛世界微塵數三昧得見十
不可說百千万億那由他佛世界微塵數佛
能知十不可說百千万億那由他佛世界微塵
數佛神力能動十不可說百千万億那由他
佛世界微塵數世界能入十不可說百千万
億那由他佛世界微塵數世界能照十不可
說百千万億那由他佛世界微塵數世界能
化十不可說百千万億那由他佛世界微塵
數世界衆生能住壽十不可說百千万億那
由他佛世界微塵數劫能知過去未來世各十
不可說百千万億那由他佛世界微塵數劫事

BD02958號　十地經論卷一二　（31–23）

億那由他佛世界微塵數世界能至十不可
說百千万億那由他佛世界微塵數世界能
化十不可說百千万億那由他佛世界微塵
數世界衆生能住壽十不可說百千万億那
由他佛世界微塵數劫能知過去來世各十
不可說百千万億那由他佛世界微塵劫事
能善入十不可說百千万億那由他佛世界
微塵數法門能變身為十不可說百千万億
那由他佛世界微塵數身於一一身亦十不
可說百千万億那由他佛世界微塵數菩薩
以為眷屬若以願力自在勝上菩薩願力過
於此數亦種種神通或身或光明或神通或
眼或境界或音聲或行或莊嚴或加或信或
業是諸神通乃至无量百千万億那由他劫
不可數知
論曰是中令歡喜者能斷疑故斷疑有二種一
示現自神通力二說一切法故云何示現
自神通力如經尒時會中一切菩薩衆及一
切天龍夜叉如是等如是自力亦現斷衆生
疑令歡喜故云何說一切法如經如是佛子
是菩薩通達如是智慧隨如來身口意業乃
至轉復明勝是菩薩於法界中所有問難无
能勝者如是等是中大勝者有二種一神通
力勝二筭數勝此二種事勝一切前地故如

BD02958號　十地經論卷一二

（31–24）

至轉復明勝是菩薩於法界中所有問難无
能勝者如是等是中大勝者有二種一神通
力勝二筭數勝此二種事勝一切前地故如
經說應知三世智等通故通三種行故一能
斷疑行如經佛子是菩薩住此地中隨順如
是智十方諸佛為說智慧令通達三世行等
三世行者道義應知二速疾神通行聞說如
來秘密法故如經正知法界差別故三等作
易行此有三種應知一作淨佛國土平等為
化衆生故二作法明平等三作正覺平等如
經遍覆一切世間界故照一切世間界故令
一切衆生界得證法故略說乃至隨順得一
切智智如是等如是此地神通力无上有上
分已說次說地影像分是中地影像者有四
種一池二山三海四摩尼寶珠以況四種功
德故一脩行功德二上勝功德三難度能度
大果功德四轉盡堅固功德云何脩行功德
經曰佛子是菩薩十地次第順行趣向一切
種一切智智佛子譬如從阿耨大池流出四
河充滿閻浮提不可窮盡轉復增長乃至充
滿大海如是佛子菩薩從菩提心流出善根
大願之水以四攝法充滿衆生界不可窮盡
轉復增長乃至滿足得一切種一切智智

BD02958號　十地經論卷一二

（31–25）

河充滿閻浮提不可窮盡轉復增長乃至充
滿大海如是佛子菩薩從菩提心流出善根
大願之水以四攝法充滿衆生界不可窮盡
轉復增長乃至滿足得一切種一切智智
論曰是中脩行功德者依本願力脩行以四
攝法作利益他行自善根增長及得菩提自
利益行應知如經佛子譬如從阿耨大池流
出四河乃至滿足得一切種一切智〻故云
何上勝功德
經曰佛子是菩薩十地因佛智故而有差別
譬如依大地故有十大山王差別何等為十
所謂雪山王香山王鞞陁梨山王仙聖山王
由乾陁羅山王馬耳山王尼民陁羅山王斫
迦婆羅山王衆相山王須弥山王佛子譬如
雪山王一切藥草集在其中是諸藥草取不
可盡如是佛子菩薩住在菩薩歡喜地中一
切世間書論伎藝文誦呪術集在其中一切
世間書論伎藝文誦呪術不可窮盡佛子譬
如香山王一切諸香集在其中一切諸香取
不可盡如是佛子菩薩住在菩薩離垢地中
一切菩薩持戒正受行香集在其中一切菩
薩持戒正受行香不可窮盡佛子譬如毗陁
略山王純淨寶性一切諸寶集在其中一切
諸寶取不可盡如是佛子菩薩住在菩薩明

BD02958號　十地經論卷一二　（31–26）

一切菩薩持戒正受行香集在其中一切善
薩持戒正受行香不可窮盡佛子譬如毗陁
略山王純淨寶性一切諸寶集在其中一切
諸寶取不可盡如是佛子菩薩住在菩薩明
地中一切世間禪定神通解脫三昧三摩跋
提集在其中一切世間禪定神通解脫三昧
三摩跋提問荅不可窮盡佛子譬如仙聖山
王純淨寶性五通聖人集在其中五通聖人
不可窮盡如是佛子菩薩住在菩薩焰地中
一切行中殊勝智行集在其中一切行中殊
勝智行種〻問難不可窮盡佛子譬如由乾
陁羅山王純淨寶性一切夜叉諸大鬼神集
在其中一切夜叉諸大鬼神不可窮盡如
是佛子菩薩住在菩薩難勝地中一切自在
如意神通變化莊嚴集在其中一切自在如
意神通變化莊嚴問荅不可窮盡佛子譬如
馬耳山王純淨寶性一切衆菓集在其中一
切衆菓取不可盡如是佛子菩薩住在菩薩
現前地中說八因緣集觀集在其中說八因
緣集觀聲聞果證問荅不可窮盡佛子譬如
尼民陁羅山王純淨寶性一切大力龍神集
在其中一切大力龍神不可窮盡如是佛子
菩薩住在菩薩遠行地中種〻方便智集在
其中種〻方便智說辟支佛果證問荅不可

BD02958號　十地經論卷一二　（31–27）

在其中一切大力龍神不可窮盡如是佛子
菩薩住在菩薩遠行地中種〻方便智集在
其中種〻方便智說辟支佛果證問答不可
窮盡佛子譬如斫迦婆羅山王純淨寶性得
自在衆集在其中得自在衆不可窮盡如是
佛子菩薩住在菩薩不動地中起一切菩薩
自在道集在其中起一切菩薩自在道說一
切世間界差別問答不可窮盡佛子譬如衆
相山王純淨寶性諸大阿脩羅衆集在其中
諸大阿脩羅衆不可窮盡如是佛子菩薩住
在菩薩善慧地中知一切衆生逆順行集在
其中知一切衆生逆順行說一切世間生滅
相問答不可窮盡佛子譬如須弥山王純淨
寶性諸大天衆集在其中諸大天衆不可窮
盡如是佛子菩薩住在菩薩法雲地中如來
力无畏不共佛法集在其中如來力无畏不
共佛法亦現佛事問答不可窮盡佛子此十
大寶山王同在大海因大海得名如是佛子
菩薩十地同在一切智因一切智得名
論曰是中上勝功德者依一切智增上行十
地故如經佛子是菩薩十地因佛智故而有
差別譬如依大地故有十大山王差別故是
中純淨諸寶山喻者喻八種地歡地善清淨
故復次諸山王非衆生數衆生數依故非衆

BD02958號　十地經論卷一二　（31–28）

地故如經佛子是菩薩十地因佛智故而有
差別譬如依大地故有十大山王差別故是
中純淨諸寶山喻者喻八種地歡地善清淨
故復次諸山王非衆生數衆生數依故非衆
生數者有二種一受用事二守護積聚寶事
等是中受用事者有二種一衆生四大增損
對治二長養衆生依雪山香山毗陁略山馬
耳山此四山非衆生數依故藥草衆香衆寶
一切藥集在其中一切藥者第六山中衆生
數者復有六種難對治故六種難者一貧難
二死難三儉難四不調伏難五惡業難六怨
敵難第四山中五通福田對治貧難第五山
中夜叉大神〻通變化對治死難第七山中
諸大龍王對治儉難第八山中得自在衆對
治不調伏難第九山中阿脩羅說呪對治惡
業難第十山中自在四天王對治怨敵難此
一切山集在其中者如所說事能生一切物
故言集在其中不可窮盡者恒行不斷不休
息故彼十大山因大海得名大海亦因大山
得名菩薩十地亦復如是同在一切智因一
切智得名彼因果相顯故如經佛子此十大
寶山王同在大海因大海得名如是佛子菩
薩十地同在一切智因一切智得名故云何
難度能度大果功德

BD02958號　十地經論卷一二　（31–29）

切智得名極因果相顯故如經佛子此十大
寶山王同在大海因大海得名如是佛子菩
薩十地同在一切智因一切智得名故云何
難度能度大果功德
經曰佛子譬如大海以十相故數名大海无
有能壞何等為十一漸次深二不受死屍三
餘水失本名四同一味五无量寶聚六甚深
難度七廣大无量八多有大身眾生依住九
潮不過限十能受一切大雨无有厭足如是
佛子菩薩行以十相故數名菩薩行无有能
壞何等為十所謂菩薩歡喜地中漸次起大
願故菩薩離垢地中不共破戒死屍住故菩
薩明地中捨諸世間假名數故菩薩焰地中
恭敬三寶得一味不壞故菩薩勝(難)地中无量
方便智起世間所作多寶故菩薩現前地中
觀甚深因緣集法故菩薩遠行地中以无量
方便智善擇諸法故菩薩不動地中示現起
大莊嚴事故菩薩善慧地中得甚深解脫通
達世間行如實所證不過限故菩薩法雲地
中能受一切諸佛大法明雨无有厭足故
論曰是中難度能度大果功德者因果相順
故十地如大海難度能度得大菩提果故大
海有八種功德應知一易入功德如經漸次

BD02958號　十地經論卷一二

(31–30)

論曰是中難度能度大果功德者因果相順
故十地如大海難度能度得大菩提果故大
海有八種功德應知一易入功德如經漸次
深故二淨功德如經不受死屍故三平等功
德如經餘水失本名故四護功德如經同一
味故五利益功德如經无量寶聚故六不竭
功德謂深廣等如經甚深難度故廣大无量
故七住處功德以大眾生依住故如經多有
大身眾生依住故八護世間功德潮不過時
受水无厭如經潮不過限故能受一切大雨
无有厭之故大海相似諸菩薩十地行亦有
十種相應如經如是佛子菩薩行以十相故
數名菩薩行无有能壞故如是等云何譬晝
堅固功德
經曰佛子譬如大摩尼寶珠過十寶性一出
大海二巧匠善治三善轉精妙四善清淨五
善淨光擇六善攢穿七貫以寶縷八置在琉
璃高幢九放一切光明十隨王意雨眾寶物
能与一切眾生一切寶物如是佛子菩薩發
菩提心過十聖性一初發心布施離慳二
善脩持戒正行明淨三善脩禪定三明三摩
跋提令轉精妙四善提分善淨清五方便神
通善淨光擇六因緣集觀善攢穿七[illegible]
智便縷善[illegible]

BD02958號　十地經論卷一二

(31–31)

BD02959號　小抄　　（8-1）

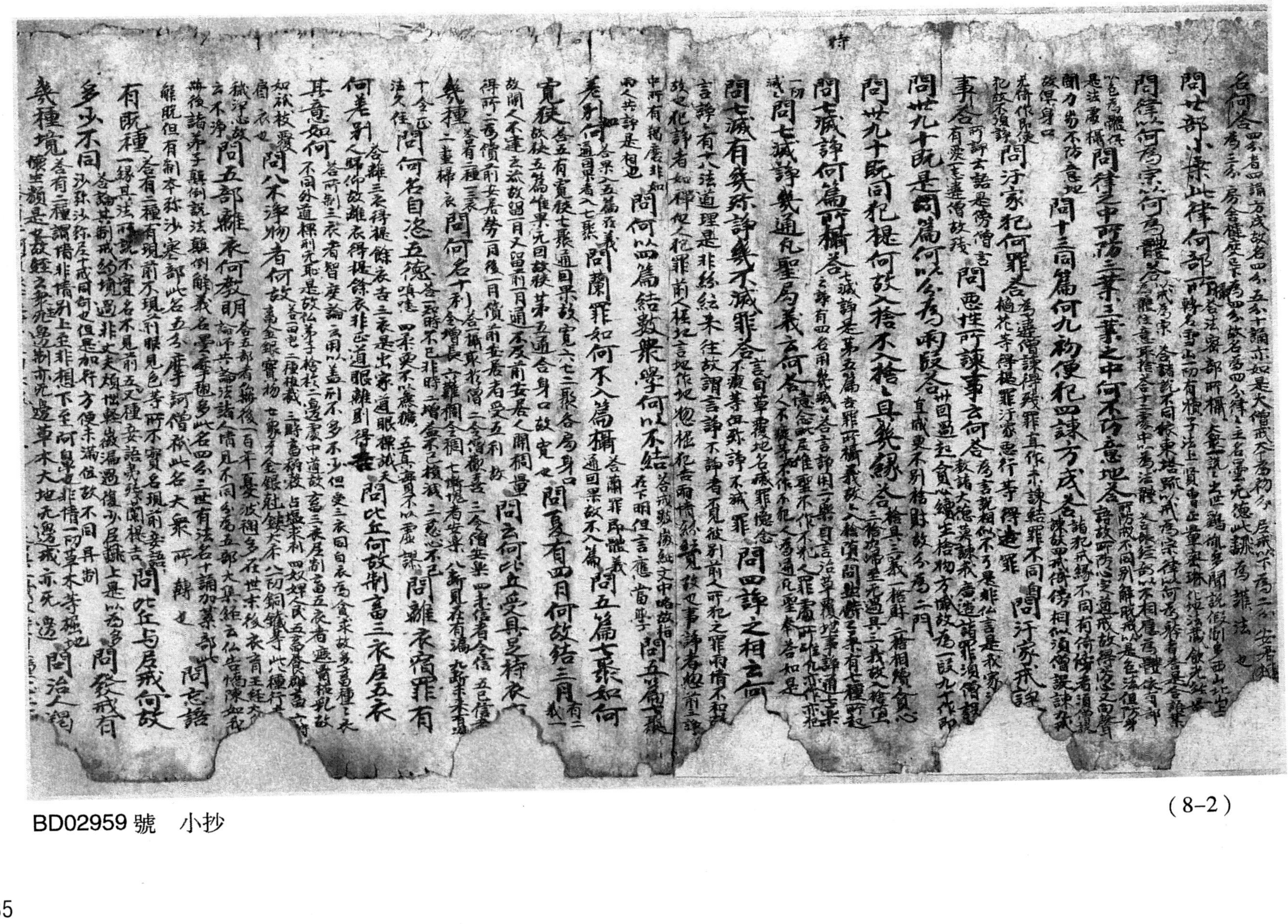

BD02959號　小抄　　（8-2）

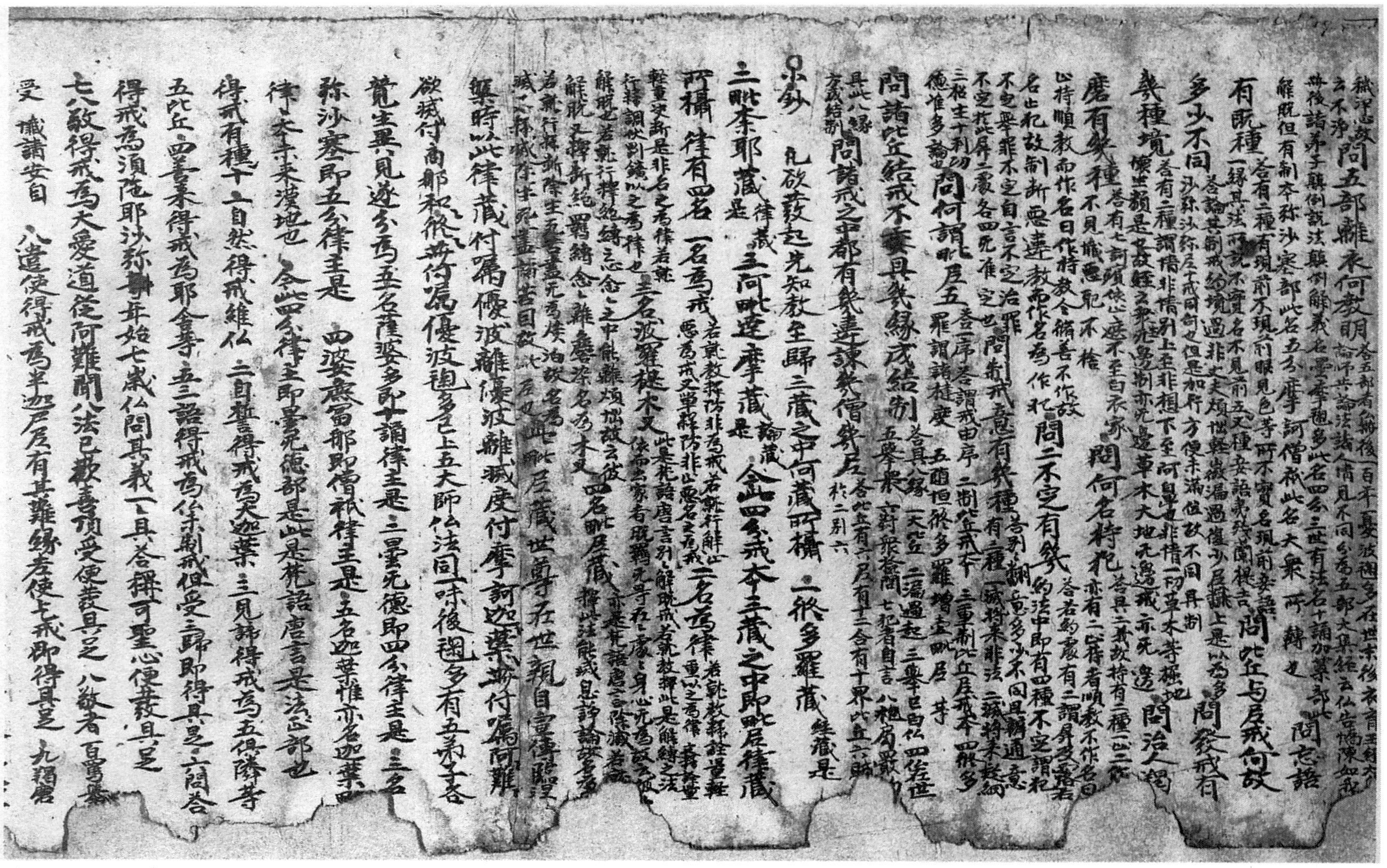

BD02959號　小抄　（8–3）

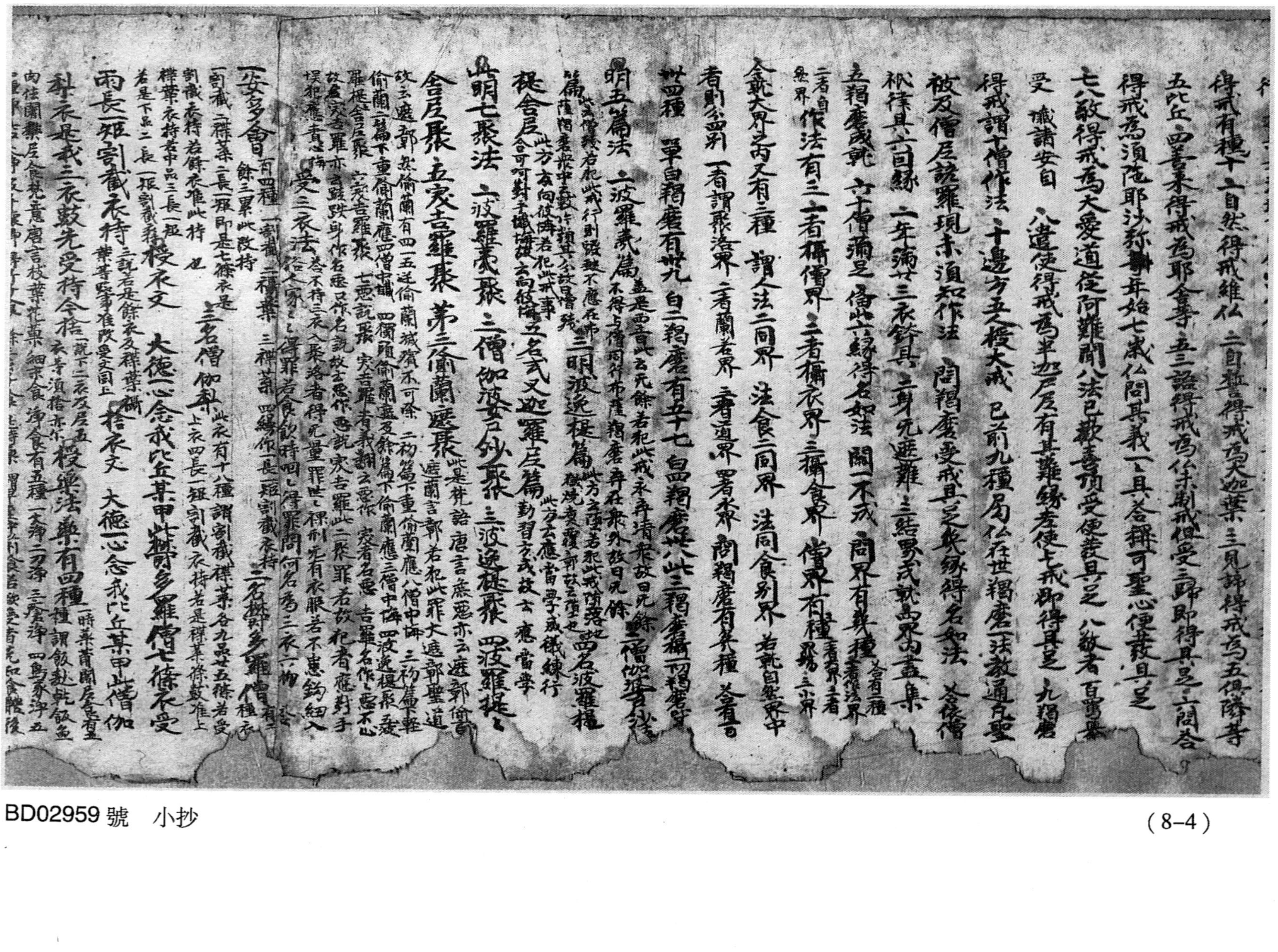

BD02959號　小抄　（8–4）

BD02959號　小抄

（8–5）

BD02959號　小抄

（8–6）

居同作羯磨若施招提僧不須作法　五界内僧得施物唯屬住僧入界
得且取施為定　六施同羯磨僧得施物　唯一處同作法者分之
七施稱名字僧得施物　若言施禪師法師律師咒願師者病僧等不
問親疎八衆中一僧得施物從正坐行之隨取与　隨種越所有捨施依此八法分之
若不先從上座應問於何等施若不依此八法則不得施僧　福若不依此法
而受則輕捐信施違犯處深應差五德分之好惡相参令不見者擲擿
餘人不得乱語利養難消貪負留不在此莫生慊恨蓋人至行也出家之
人不得迴施入己若欲迴者其罪甚重應如法施如法受如法来如法与如法
消如法住　問律以何為宗以何為體　答以戒為宗　諸論同不依東塔疏以戒
為宗　律以何為體者答合是語業為體任意取捨十處中以法為體
依經部以不相應為體依有部以色為體俱是法處攝　問律儀有幾種
答有四種　一淨處律儀是色界尸羅　二无漏律儀為无漏身中所起尸羅
三斷律儀為斷煩惱名斷律儀　四別解脫律儀為欲界尸羅為別別防非名
別解脫律儀　五種受戒謂　自然誓見諦　善来三語問　八敬使十僧受　邊方五之

BD02959號　小抄　（8–7）

三斷律儀為斷煩惱名斷律儀　四別解脫律儀為欲界尸羅為別別防非名
別解脫律儀　五種受戒謂　自然誓見諦　善来三語問　八敬使十僧受　邊方五之

BD02959號　小抄　（8–8）

已便作是念今大沙門甚
火所燒即特徒衆圍遶〻
佛言今時已至可往就食又〻
此夜何故有大火光佛告迦葉〻
光三昧令此石室烟燄大明迦葉念言大
門有大威神於夜靜宿入火光三昧照此石室
汝並在前吾尋後往尒時世尊遣迦葉已詣
閻浮樹提名閻浮提者由有閻浮提樹故如
來往彼取閻浮提菓先至迦葉坐上而坐迦
葉後到見佛先在坐見已白言從何大沙門
先遣我前來今從何已在前至耶佛告迦葉
我發遣汝在前已我詣閻浮提樹取閻浮菓
先來至此坐此菓色好香美汝可食之迦葉
報言已〻大沙門此便為供養我已大沙門
自食此是大沙門所應食迦葉念言此大沙
門有大神足自在淨河羅漢不如我淨河羅
漢時世尊食迦葉食已還本住林時迦葉明
日清旦往詣世尊所到已白言今時已到宜
可就食佛告迦葉汝並在前吾尋後至時世
尊遣迦葉已詣閻浮提去彼不遠有呵梨勒
樹取呵梨勒菓先菓前至在坐而坐時迦

BD02960號　四分律第二分卷九　（20–1）

漢時世尊食迦葉食已還本住林時迦葉明
日清旦往詣世尊所到已白言今時已到宜
可就食佛告迦葉汝並在前吾尋後至時世
尊遣迦葉已詣閻浮提去彼不遠有呵梨勒
樹取呵梨勒菓先菓前至在坐而坐時迦
葉後至見如來先至問言大沙門先遣我言
當尋後至今從何先坐耶佛告迦葉我
遣汝後詣閻浮提去彼不遠有呵梨勒樹我
詣彼取呵梨勒菓來到此〻呵梨勒菓色好
香美可取食之迦葉報言大沙門〻〻此便
為淨供養大沙門可自食此是大沙門所應
食迦葉念言此沙門有神足自在淨河羅
漢雖尒不如我淨河羅漢阿摩勒菓鞞醯勒
菓〻如是時如來食迦葉食已還本林以宿
明日迦葉往詣如來所白言時已到可往就
食佛告迦葉汝並在前吾尋後往世尊遣迦
葉已北詣欝單越地取自然粳米先至在坐
而坐迦葉後至見已問言大沙門先遣我言
並在前吾尋後至從何今者先至耶佛言吾
遣汝後北至欝單越取自然粳米來至此坐
此米色好香味汝可取食之迦葉報言且以
此便為淨供養已可自取食之此是大沙門
所應食者迦葉念言此大沙門有神足自在
淨河羅漢雖尒不如我淨河羅漢時世尊即
食此食已還詣本林以宿明日清旦迦葉往
詣佛所白言時到可就食佛告迦葉汝並在
前吾正尒往後時世尊遣迦葉已往詣忉利
天取曼陀羅華先至迦葉坐上坐時迦葉後

BD02960號　四分律第二分卷九　（20–2）

得河羅漢雖尒不如我得河羅漢時世尊即
食此食已還詣本林止宿明日清旦迦葉往
詣佛所白言時到可就食佛告迦葉汝並在
前吾匝尒往汝時世尊遣迦葉已往詣切利
天取雩池羅華先至迦葉坐上坐時迦葉後
至見已白言大沙門先遣我言吾尋後至云
何今者先至耶佛告迦葉遣汝已後到切
利天取此華先來此至坐此華色好香氣馥
芬迦葉須者便可取之迦葉報言止大沙門
我便為得供養已大沙門可自取用之迦葉
念言甚奇特有大神足自在得河羅漢雖尒
故不如我得河羅漢時世尊食迦葉食已還
詣本林止宿其夜四天王持供養具來詣世
尊所皆欲聞法供養夜闇時放光明照四方
猶如大火聚合掌礼如來已在前而住時迦
葉夜起見彼林有大光明照四方如大火聚
明日清旦往如來所白言時到可往就食又
問言大沙門昨夜有何此光照四方如大
火聚佛告迦葉昨夜四天王持供養具來詣
我所欲聽受法是其光明照四方非是火也
迦葉言甚奇特大沙門有大神力乃使四天
來聽法大沙門有大神足自在得河羅漢雖
尒故不如我得河羅漢時世尊食迦葉食已
還詣本林時釋提桓因持供養具來欲聞法
夜闇時放大光照明四方如大火聚踰於前
光清淨无穢又手合掌礼如來已在前而住
聽法迦葉夜起遥見光明照四方踰於前光
清淨无瑕穢見已明日往世尊所白時到可

BD02960號　四分律第二分卷九　（20–3）

還詣本林時釋提桓因持供養具來欲聞法
夜闇時放大光照明四方如大火聚踰於前
光清淨无穢又手合掌礼如來已在前而住
聽法迦葉夜起遥見光明照四方踰於前光
清淨无瑕穢見已明日往世尊所白時到可
往就食又復問言大沙門昨夜有大光照於
四方如大火聚踰於前光清淨无瑕穢是何
光明佛告迦葉昨夜釋提桓因持供養具來
供養我欲聽法是其光耳迦葉念言甚奇特
大沙門威德乃尒使釋提桓因持供養具來
聽法也大沙門神足自在得河羅漢雖尒故
不如我得河羅漢時世尊食彼食已還詣本
林時梵天王欲與供養於如來所夜闇時放
大光明照四方如大火聚勝於前光清淨无瑕
穢又手合掌礼如來已在前而住迦葉夜起
見林中有大光明照於四方如大火聚清淨无
瑕穢勝於前光見已明日往如來所白言時
已到可往就食又復問言昨夜有大光勝於
前光云何得尒耶佛告迦葉昨夜梵天王來
聽法是其光耳迦葉念言此大沙門有大神德
甚奇特乃能令梵天王來下聽法此大沙門
有大神足自在得河羅漢尒雖故不如我得
河羅漢時世尊食彼食已還彼林中時迦葉
欲大祠祀於摩竭國界多人集會迦葉念言
我祠祀多人集會大沙門不來者亦快也何
以故我今大祠祀摩竭國人皆集大沙門顏
狠端政世所希有若衆見者必當捨我事彼
為師不承事我時世尊知迦葉心所念即詣

BD02960號　四分律第二分卷九　（20–4）

欲大祠祀於摩竭國界多人集會迦葉念言
我祠祀多人集會大沙門不來者亦使也何
以故我今大祠祀摩竭國人皆集大沙門顏
貌端政世所希有若衆見者必當捨我事彼
爲師不承事我時世尊知迦葉心所念即詣
欝單越取自然粳米於阿耨大泉坐晝日坐
處時迦葉生念大沙門今何以不來就食
我今大祠祀摩竭國人大集寧可留分耶即
勑右左留分明日清旦迦葉詣佛白言日時
已到宜知是時又問復言大沙門昨日何以
故不來耶我昨日大祠祀多人集會我作是念
云何今日沙門不來至耶我即留分食佛
告迦葉我亦先知汝意並自念言今使大沙
門不來者耶我大祠何以故我於今大祠
祀摩竭國多人聚會大沙門顏貌端政諸人
見者皆當捨我事彼爲師不復事我我知汝
心中所念已便至欝單越取自然粳米詣阿
耨大泉坐晝日坐處時迦葉念言此大沙門
甚奇特有大神德知我心中所念已乃至欝
單越取自然粳米至阿耨泉坐晝日坐處此
大沙門雖有大神足自然得阿羅漢故不如
我得阿羅漢尒時世尊食迦葉食已還詣本
林中時世尊得一貴賈糞掃衣已念言當云
何得水浣此衣耶尒時釋提桓因知佛心中
所念即於如來前指地成池大溢爲清淨
无有垢濁前白佛言願世尊用此水浣衣
時世尊復作是念當於何物上浣此衣耶尒
時釋提桓因知如來心中所念往詣摩醯鳩

BD02960號　四分律第二分卷九

（20–5）

何得水浣此衣耶尒時釋提桓因知佛心中
所念即於如來前指地成池大溢爲清淨
无有垢濁前白佛言願世尊用此水浣衣
時世尊復作是念當於何物上浣此衣耶尒
時釋提桓因知如來心中所念往詣摩醯鳩
羅山取四方大石置如來前唯願世尊於此
石上浣衣時世尊復作是念浣衣已當於何
處曬衣耶釋提桓因知世尊心中所念已復
詣摩醯鳩羅山更取大方石置如來前願於
此石上曬衣時世尊浣曬衣已復生此念我
今寧可於此指地池中洗浴即脫衣於此池
洗浴世尊復作是念我今當攀何物出此池
也時彼池側有大迦村樹本曲外向世尊
生此念已樹即迴向池世尊得攀而出時迦
葉明日清旦往世尊所白言時已到可往就
食又復問言大沙門何由有此好池本所不
見佛告迦葉我迭者得一貴賈糞掃衣我念
言當云何得水浣此衣時釋提桓因知我所
念即以指地指便有此池清淨无有垢濁願
世尊可於此池浣衣迦葉當知此池名爲指
指池猶若神祠无異復問言何由有此大方
石本所无有佛告迦葉我作是念當於何處
浣衣時釋提桓因知我所念已即詣摩醯鳩
羅山上取此方石來語我言可於此石上浣
衣復問言此第二方石何由而有本所不見
佛告迦葉我浣衣已念言當於何處曬衣釋
提桓因知我心中所念已復詣摩醯鳩羅山
上取此方石來語我言願於此石上曬衣復

BD02960號　四分律第二分卷九

（20–6）

浣衣時釋提桓因知我所念已即詣摩頭鳩
羅山上取此方石來語我言可於此石上浣
衣復問言此第二方石何由而有本所不見
佛告迦葉我浣衣已念言當於何處曬衣釋
提桓因知我心中所念已復詣摩頭鳩羅山
上取此方石來語我言願於此石上曬衣復
問言此池上樹本曲外向今者何由內向佛
告迦葉我浣曬此衣已作是念我寧可入此
池浣浴即便入池浴浴已念言何所攀而出
池於是此樹即迴曲內向令我得攀而出是
故尒耳即告迦葉當知猶如神樹无異時迦
葉念言大沙門甚奇特有大神力使釋提桓
因供給所須乃使无情物隨意迦葉言此大
沙門神足自在得阿羅漢雖尒故不如我得
阿羅漢時世尊食迦葉食已還詣本林時迦
葉復生此念甚有人來至此我當与食時世
尊即化作五百比丘著衣持鉢從遠而至時
迦葉遙見五百比丘著衣持鉢從遠而至即
生此念咄我此諸比丘從何而來我何得食
与之時世尊即捨神足力還使五百比丘不
現迦葉念言此皆是大沙門神力所為時迦
葉復作是念
若有人來至此者我當与食時世尊復以神
力化作五百螺髻梵志手持澡瓶從遠而來
時迦葉遙見五百螺髻梵志手持澡瓶來作
是念言咄我今五百梵志來何由得食与之
時世尊即攝神足令五百梵志不現迦葉念
言此大沙門所為也時迦葉復生此念若有

若有人來至此者我當与食時世尊復以神
力化作五百螺髻梵志手持澡瓶從遠而來
時迦葉遙見五百螺髻梵志手持澡瓶來作
是念言咄我今五百梵志來何由得食与之
時世尊即攝神足令五百梵志不現迦葉念
言此大沙門所為也時迦葉復生此念若有
人來至此我當与食時世尊復化作五百事
火梵志去石室不遠皆共祀事火神時迦葉
見作是念言咄我此何從來我當何由得食
与之時世尊即攝神足令五百梵志不現迦
葉念言此皆是大沙門所為時迦葉弟子諸
梵志日三入水洗浴極寒戰不堪尒時世尊
即化作五百火爐皆无烟炎使諸梵志各得
諸梵志皆欲破薪而不能得破諸梵志念言
此皆是大沙門威力所為遣得破復念言是
大沙門神力所為欲得舉斧不能得舉念言
是大沙門所為遣得舉斧復念言是大沙門
所為諸梵志欲得下斧不能得下念言此大
沙門所為遣得下斧念言是大沙門所為諸
梵志欲然火不能得然念言皆是大沙門所
為火既得然念言大沙門所為欲滅而不能
得滅念言皆是大沙門所為遣得滅念言是
大沙門所為捉澡瓶水欲寫出而不能得出
念言大沙門所為既得出水念言大沙門所
為諸梵志欲得以澡瓶水不出不能得以念
言大沙門所為既得以念言大沙門所為尒
時四面有大黑雲起无大雨滴如鳥屢澡水
齊胃時迦葉念此沙門極為端政人中第一

念言大沙門所為既得去水念言大沙門所
為諸梵志欲得以澡瓶水不出不能得以念
言大沙門所為既得以念言大沙門所為尒
時四面有大黑雲起无大雨須如鳥屋澡水
齊胃時迦葉念此沙門極為端政人中第一
威能為水所漂耶即將徒衆乘一樹船往求
世尊世尊尒時外露地經行地燥如蓋時迦葉
見佛露地經行地燥如蓋猶如屋內念言此
大沙門甚奇甚特使无情之物迴轉如意此
大沙門神足自在得阿羅漢雖尒故不如我
得阿羅漢迦葉他日復往世尊所白言食時
已到可往就食佛言迦葉汝並在前吾尋當
往時世尊遣迦葉已猶如力士屈申臂頃從
經行地沒即於彼實迦葉船底而出見已便
作是言此大沙門有大神德先遣我言後至
今者乃先在船耶佛告迦葉吾遣汝已如力
士屈申臂頃於經行地沒實汝船底而出迦
葉作是念言此沙門有大神力先遣我已
後來更出船耶大沙門有神力得阿羅漢雖
尒故不如我道真尒時世尊知迦葉心中所
念告言汝常稱言大沙門雖得阿羅漢不
如我得羅漢汝今觀如非阿羅漢非向阿羅
漢道迦葉念言此沙門威神感化如是知我心
中所念大沙門有大神足自在得阿羅漢我
今寧可從脩彼梵行耶即前白佛我今欲從
如來所脩梵行佛告迦葉汝有五百弟子從
汝學梵行汝應告彼使知看彼有意樂者自
随所樂脩行時迦葉即往弟子所告言汝等

BD02960號　四分律第二分卷九　（20–9）

如我得羅漢汝今觀如非阿羅漢非向阿羅
漢道迦葉念言此沙門威神感化如是知我心
中所念大沙門有大神足自在得阿羅漢我
今寧可從脩彼梵行耶即前白佛我今欲從
如來所脩梵行佛告迦葉汝有五百弟子從
汝學梵行汝應告彼使知看彼有意樂者自
随所樂脩行時迦葉即往弟子所告言汝等
知不我今欲從沙門瞿曇所脩梵行汝等心
所樂者各自随意諸弟子白言我等久已有
信心於彼沙門所唯待師耳尒時五百弟子
即持螺髻事火具淨衣澡瓶往擲尼連禪水
中已來詣如來所頭面禮足在一面坐時世
尊與五百人漸次為說勝法勸令發歡喜心
所謂法者布施持戒生天之法呵欲不淨讚
嘆出離為樂五百人即於坐上諸塵垢盡得
法眼淨見法得法成就諸法得果證前白佛
言我等欲（於）如來所出家脩梵行佛言如（善）來比丘
於我法中快脩梵行得盡苦源即名為受具
足戒時迦葉中弟名那提迦葉在尼連禪水
下流居有三百弟子於中最為尊上為衆人
師首時彼衆中有一弟子至尼連禪水上看
見水中有有事火具（螺）澡瓶有淨衣為水所
漂見已疾疾來至那提迦葉所語言師當知此
尼連禪水中有（螺）髻事火具淨衣澡瓶為水所
漂不審上流大師將无為惡人所害耶時鬱鞞
羅迦葉小弟名伽耶迦葉居象頭山中有二百
弟子於中為師首時那提迦葉語第一子言
汝速往至象頭山中到已語伽耶迦葉言知

BD02960號　四分律第二分卷九　（20–10）

渤不審上流大師將无為惡人所害耶時鬱鞞
羅迦葉小弟名伽耶迦葉居象頭山中有二百
弟子於中為師首時耶提迦葉語弟一子言
汝速往至象頭山中到已語伽耶迦葉言知
不今尼連禪水有事火具諸物盡為水所渤
汝可速來可共往看兄將无為惡人所害耶
時弟子受耶提迦葉語已往伽耶迦葉所小
師知不師有此語尼連禪水中有澡瓶淨衣
螺
鉢諸事火具為尼連禪水所渤速來共往看
大兄將无為惡人所害耶時小弟聞其語已
將二百弟子詣耶提迦葉所到已耶提迦葉
伽耶迦葉復語一弟子言汝速往大兄所看
將无為惡人所害耶時彼弟子受二師語已
即往看大兄到已問言云何大師從此大沙
門學脩梵行為勝耶迦葉報言汝等當知我
從世尊出家學道無為勝妙時彼弟子還至
二師所已語言諸師當知我大師已將諸弟
子詣大沙門所出家脩梵行時二師念言從
家捨家從彼學梵行者必不虛何以故我兄
聰明捷疾多有智慧而將諸弟子從彼受學
必思量得所故介自而况我等不從受學時
耶提迦葉伽耶迦葉各將諸弟子詣大兄所
到已白兄言大兄此處勝耶兄報二弟言此
處無勝從家捨家大通沙門脩梵行者　乃為
勝妙二弟白兄言我等亦欲從大沙門學脩
梵行介時鬱鞞羅迦葉將二弟并五百弟子
往詣世尊所頭面禮足在一面坐已時鬱鞞

BD02960號　四分律第二分卷九　（20–11）

處無勝從家捨家大通沙門脩梵行者　乃為
勝妙二弟白兄言我等亦欲從大沙門學脩
梵行介時鬱鞞羅迦葉將二弟并五百弟子
往詣世尊所頭面禮足在一面坐已時鬱鞞
迦葉前白佛言我有中弟名耶提迦葉在尼
連禪水邊住常教授三百弟子為師首次弟
三弟在象頭山中住教授二百弟子為人師
首今各來集欲從世尊求脩梵行唯願世尊
聽出家受具足得脩梵行世尊即聽為漸次
与說勝法所謂法者布施持戒生天之法呵
欲不淨讚嘆出離為樂即於坐上諸塵垢盡
得法眼淨見法得法成就諸法得果證各前
白佛言唯然世尊我等欲從如來法中出家
脩梵行佛言善來比丘於我法中快得脩梵行
得盡苦際即名為受具足戒時世尊度此千
梵志受具足已將至象頭山中於象頭山中
千比丘僧以三事教化一者神足教化二者
意念教化三者說法教化彼神足教化或一作
无數或无數還為一內外通達石壁皆過如
遊虛空无所导於中結跏趺坐亦如飛鳥周
旋往來入地如水出沒自在履水如地而不
沒溺身放烟火如大火聚日月有大神德難
可不堪能以手捫摸身至梵天往來无导是
謂世尊神足教化千比丘意念教化者教言
汝當思惟是莫思惟是當念是莫念是當滅
是當成就是謂世尊意念教授千比丘說法
教化者一切熾燃何等一切熾燃眼熾燃色
熾燃眼識熾燃眼觸熾燃眼觸因緣生受

BD02960號　四分律第二分卷九　（20–12）

謂世尊神足教化千比丘意念教化者教言
汝當思惟是莫思惟是當念是莫念是當滅
是當成就是謂世尊意念教授千比丘說法
教化者一切熾然何等一切熾然眼熾然色
熾然眼識熾然眼觸熾然若復眼觸因緣生
受若苦若樂之名為熾然何等熾然熾然者
欲火恚火癡火也復云何為熾然者生老病
死愁憂苦惱熾然我說此苦所生處乃至意
之如是尒時世尊以三事教授千比丘尒時
千比丘受此三事教授已即時无漏心解脫
无量解脫智生時世尊化此千比丘已便作
是念我許瓶沙王語若我成佛得一切智
先來至羅閱城我今應往見瓶沙王即正衣
服將大比丘千人皆是舊學螺髻梵志皆已
得道調柔永得解脫從摩竭國界遊化漸至
杖林中尒時世尊於杖林中善住尼拘律樹
下坐時瓶沙王聞沙門瞿曇出自釋種出家
學道將千弟子遊行摩竭國界皆是舊學螺
髻梵志皆已得道調柔永得解脫從摩竭界
遊行來至杖林中止善住尼拘律樹王下坐
彼沙門瞿曇有大名稱靡所不聞所謂名稱
者如來至真等正覺明行成為善逝世間解
无上士調御丈夫天人師佛世尊於天及世
間人魔若魔天及梵天衆沙門婆羅門衆中
自知得神通智證常自娛樂與人說法上中
下言悉善義味深邃具足演布脩諸梵行若
我乃至得見如是阿羅漢我今寧可自往見
大沙門瞿曇時瓶沙王駕万二千車將八万

自知得神通智證常自娛樂與人說法上中
下言悉善義味深邃具足演布脩諸梵行若
我乃至得見如是阿羅漢我今寧可自往見
大沙門瞿曇時瓶沙王駕万二千車將八万
四千人前後圍遶以王勢力出羅閱城欲見
世尊時王瓶沙往杖林中齊車所至處即
下車步進入林遙見世尊顏貌端政殊特猶
如紫金便發歡喜於如來所前頭面禮足已
在一面坐時摩竭國人或有禮足而坐者或
有舉手相問訊而坐者或有稱名而坐者或
又有手合掌向如來而坐或有嘿然而坐者
時摩竭國人作是念大沙門從鬱鞞羅迦葉
學梵行耶為鬱鞞羅迦葉并弟子衆從大沙
門瞿曇脩梵行耶時世尊如其國人心中所念
即以偈問鬱鞞羅迦葉說
汝見何等變　捨諸事火具　吾今問迦葉　云何捨火具
尒時迦葉復以偈報世尊言
飲食諸美味　愛欲女及祀　我見如是垢　故捨事火具
世尊復以偈問迦葉言
飲食諸美味　捨中无所樂　上天及世間　今說樂何處
迦葉復以偈報世尊言
我見迹休息　亡家无所著　不異不可異　不樂事火具
時摩竭國諸人復生是念大沙門說二偈鬱
鞞羅迦葉之二偈我等猶故未別為大沙門
從迦葉學耶為迦葉及弟子從大沙門學耶
時世尊知摩竭國人心中所念已告迦葉言
汝起為吾扇答言尒時迦葉受佛教已即從
坐起上昇虛空已還下禮世尊足以手摩捫

時世尊知摩竭國人心中所念已告迦葉言
汝起為吾扇吾言尒時迦葉受佛教已即從
坐起上昇虛空已還下礼世尊足以手摩捫
如來足以口嗚之自稱姓名世尊是我師我
是弟子即持扇在如來後而扇時摩竭國人
自相謂言大沙門瞿曇不從迦葉學梵行迦
葉及弟子衆從大沙門學梵行尒時世尊知
摩竭國人无有疑故漸次為說法勸令發歡
喜心所謂法者布施持戒生天之法可欲不
淨讚嘆出離為樂時摩竭國人瓶沙王為首
八万四千人十二那由他天諸塵垢盡得法
眼淨見法得法成就諸法自知得果證前白
言我等歸依佛法僧聽為優婆塞盡形壽不
煞生乃至不飲酒瓶沙王見法得法前白佛
言自念昔日為太子時心生六願一者若父
壽終我紹王位為二二者當我治國時願佛
世出三者使我身見世尊四者設我見佛已
生歡喜心於如來所五者已發歡喜心得聞
正法六者聞法已尋得信解今我父王已命
終得紹王位為王然我治國正值佛出世今
復自見佛已發歡喜心於佛所已發歡喜
心便得聞法聞法已便得信解今正是時唯
願世尊入羅閱城時世尊嘿然受瓶沙王請
已即從坐起著衣持鉢將千大比丘比皆是
舊學螺髻梵志皆得定調柔永得解脫万二千
乘車八万四千衆前後圍遶以佛威神入羅
閱城尒時諸天而世尊前後則清明上有雲

BD02960號　四分律第二分卷九

（20–15）

舊學螺髻梵志皆得定調柔永得解脫万二千
乘車八万四千衆前後圍遶以佛威神入羅
閱城尒時諸天而世尊前後則清明上有雲
蓋世尊現此變化入羅閱城時釋提桓因化
作一異婆羅門手執金杖澡瓶金柄扇身在
空中去地四指在如來前引道復以无數方
便讚嘆佛法僧時摩竭國人皆作是念是誰
威神化作婆羅門形手執金杖金瓶金柄扇
如來身在虛空中去地四指在如來前引導
還却衆人復以无數万便讚嘆佛法僧邪時
摩竭國人向釋提桓因而說頌曰
誰化作梵志　今在衆僧前　讚嘆佛功德　汝所事者誰
尒時釋提桓因復以偈報摩竭國人
勇猛而解　受欲及飲食　慚愧念知足　我是彼弟子
世无有與等　不見相似者　如來至真佛　我是給使者
滅欲瞋恚癡　无明永以盡　漏盡阿羅漢　我是給使者
種着度彌者　瞿曇是法脈　象勝度彼岸　我是給使者
以度四流漈　敏說不死迹　象勝无量者　我是彼給使
尒時摩竭國王瓶沙復作是念若使世尊從
諸弟子入羅閱城先至薗中者我當即以薗
地施之至精舍時羅閱諸薗中迦蘭陀竹薗
最勝時世尊知摩竭國王心中所念即將大
衆詣竹薗所王即下馬自襆馬上褥作四重
敷地前白佛言願世尊坐世尊即就坐而坐時
瓶沙王持金澡瓶水授如來令清淨白佛言
今羅閱城諸薗中此竹薗最勝我今施如來
願慈愍故受佛告王言汝今持此竹薗施佛
及四方僧何以故若如來有薗物房舍[illegible]房

BD02960號　四分律第二分卷九

（20–16）

敷地前白佛言願世尊坐世尊即就坐而坐時
毗沙王持金澡瓶水授如來令清淨白佛言
今羅閱城諸園中此竹園最勝我今施如來
願慈愍故受佛告王言但今持此竹園施佛
及四方僧何以故若如來有園房舍[物][illegible]房
舍物鉢衣尼師檀針筒即是塔物諸天世人魔
若魔天沙門婆羅門所不堪能用王言我今
以此竹園施佛及四方僧時世尊以慈愍心
受彼園已即為呪願

種種諸園林　并作橋船栰　園菓諸浴池　及施人屋舍
如是之人等　晝夜福增長　持戒順正法　彼人得生天
爾時毗沙王前礼世尊足已更取一小林在
如來前坐欲聞法時世尊漸次為王說法
勸令發歡喜心發歡喜心已從坐起礼佛而去
時世尊在羅閱城中尉若夜梵志有二百五十
弟子憂波提舍拘律陀為上首爾時尊者阿
濕卑鉢持如來時到著衣持鉢入城乞食顏
色和悅諸根寂定衣服齊整行步庠序不左右
顧視不失威儀時憂波提舍時到已入園觀
看見阿濕卑威儀如是便生是念今觀此比
丘威儀具足我今寧可往問其義復自念言
此比丘乞食時非問義時今且待彼乞食已
當往問義時憂波提舍尋從其後時阿濕卑
比丘入羅閱城乞食已食已食竟還置鉢在地
疊僧伽梨憂波提舍念言此比丘乞食已竟今
正是問義時我今當問即往問義如是誰師
字誰學何法即報言我師大沙門是我所尊
我從學彼憂波提舍即復問言汝師大沙門說

疊僧伽梨憂波提舍念言此比丘乞食已竟今
正是問義時我今當問即往問義如是誰師
字誰學何法即報言我師大沙門是我所尊
我從學彼憂波提舍即復問言汝師大沙門說
何法耶報言我年幼稚出家日淺未堪廣演
其義今當略說其要憂波提舍言我唯樂聞
為要不在廣略也阿濕卑言汝欲知之如來
說因緣生法亦說因緣滅法若法所因生如
來說此緣若法所因滅大沙門亦說此義此
是我師說時憂波提舍聞已即時諸塵垢盡
得法眼淨時憂波提舍念言脩入如是法至
無憂處無數億百千那由他劫本所不見憂
波提舍拘律池先有要言若先得妙法者當
相告語時憂波提舍即往拘律池所拘律池
見是憂波提舍來便作是語汝今顏色和悅[illegible]
諸根寂定如有所得將不見法耶答言如是
如汝所言問言得何等法報言彼如來說因緣生
法亦說因緣滅法若法所因生如來亦說此
因若法所因滅大沙門亦說此義拘律池聞
是語已即時諸塵垢盡得法眼淨拘律池念
言入此法得至無憂處無數億千那由他劫
本所不見拘律池問言不審世尊今在何處
住報言如來今在迦蘭陀竹園住拘律池語
憂波提舍言今日可共往如來所礼敬問訊
即是我等師憂波提舍報言我等先有二百
五十弟子從我脩梵行當告彼令知隨彼意
所欲時憂波提舍與拘律池詣弟子所語言
汝等知不我等二人欲從大沙門學梵行汝
等各隨意所欲諸弟子白言我等諸人皆從

即是我等師憂波提舍報言我等先有二百
五十弟子從我脩梵行當告彼令知道彼意
所欲時憂波提舍与拘律池詣弟子所語言
汝等知不我等二人欲從大沙門學梵行汝
等各隨意所欲諸弟子白言我等諸人皆從
師受學今大師稱從學我等豈不從學耶
若師所得者我等亦當得之時憂波提舍拘
律池并諸弟子相与俱詣竹薗時世尊与无
數百千衆圍遶而為說法遙見憂波提舍拘
律池并諸弟子來見已告諸比丘彼遠來二
人者一名憂波提舍二名拘律池此二人於
我諸弟子中最為上首黠慧无量无上得二
解脫來至竹薗如來已受記莂二人為同友
二人并諸弟子到如來所頭面禮足已在一
面坐時世尊漸次為說勝法令發歡喜心所
謂法者布施持戒生天之法呵欲不淨讚歎
出離為樂即於坐上諸塵垢盡得法眼淨見
法得法成就諸法自知得果證已前白佛
言我等欲從如來法中出家脩梵行佛言來甚
比丘於我法中快脩梵行盡苦原即名出家
受具足戒時世尊遊羅閱城時尊者欝鞞羅
迦葉与諸弟子出家學道次射若二百五十
梵志出家學道羅閱城中羅貴諸族姓子等
亦出家學道時羅閱城中諸長者自相勸言
汝等有兒者各自慎護婦有夫主者亦慎護
之今沙門瞿曇碍國界度諸梵志自隨今來
此此復當將此諸主人去介時諸比丘乞食時
聞此諸人所說大沙門將諸梵志自隨來此
今復當將此諸人去諸比丘皆懷慚愧往世

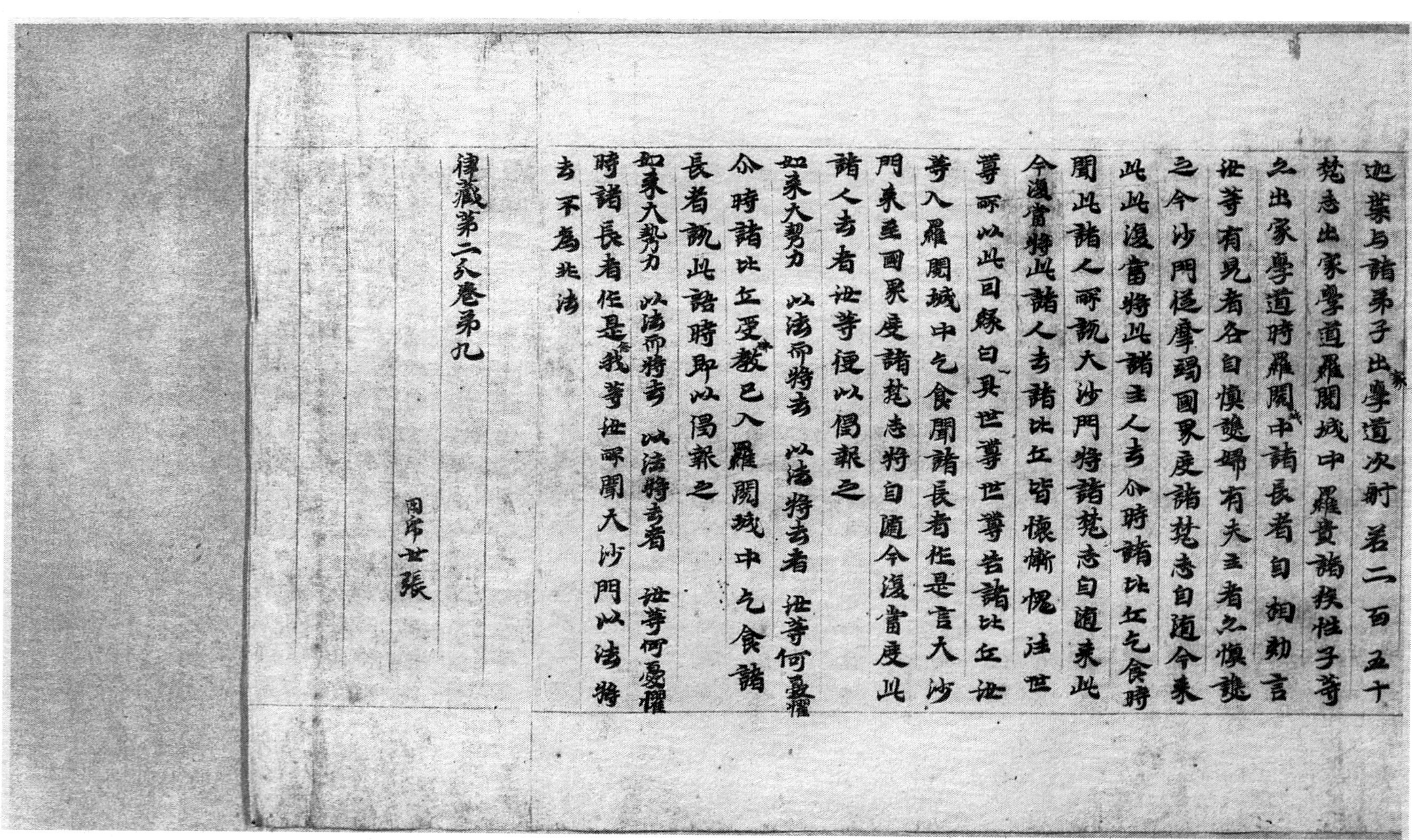
迦葉与諸弟子出家學道次射若二百五十
梵志出家學道羅閱城中羅貴諸族姓子等
亦出家學道時羅閱城中諸長者自相勸言
汝等有兒者各自慎護婦有夫主者亦慎護
之今沙門瞿曇碍國界度諸梵志自隨今來
此此復當將此諸主人去介時諸比丘乞食時
聞此諸人所說大沙門將諸梵志自隨來此
今復當將此諸人去諸比丘皆懷慚愧往世
尊所以此因緣白具世尊世尊告諸比丘汝
等入羅閱城中乞食聞諸長者作是言大沙
門來至國界度諸梵志將自隨今復當度此
諸人去者汝等便以偈報之
如來大勢力　以法而將去　以法將去者　汝等何憂懼
介時諸比丘受教偉已入羅閱城中乞食諸
長者說此語時即以偈報之
如來大勢力　以法而將去　以法將去者　汝等何憂懼
時諸長者作是念我等汝所聞大沙門以法將
去不為非法

律藏第二分卷第九

用紙廿張

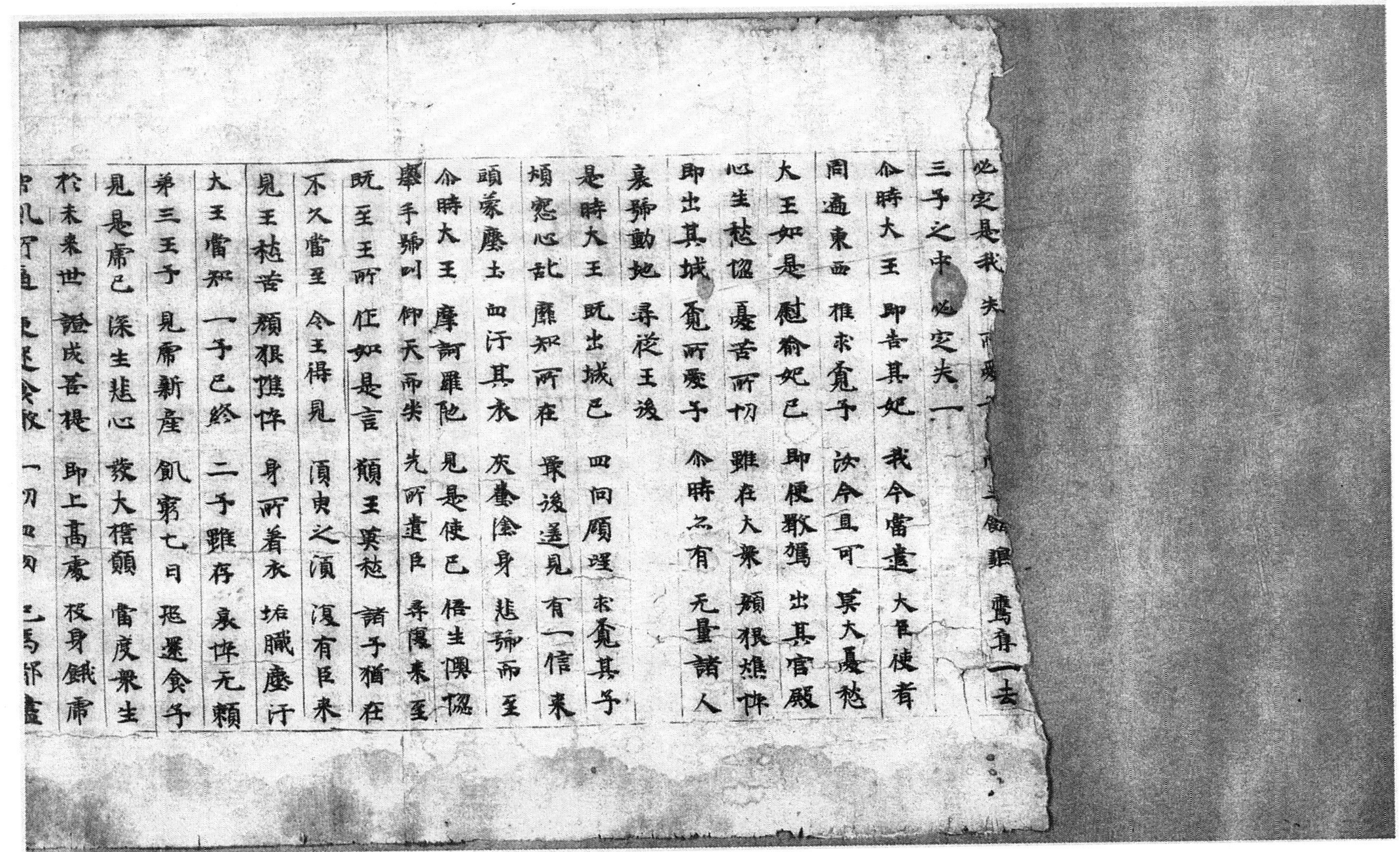

必定是我失所愛□□餓□鷹身一去
三子之中必定失一
尒時大王即告其妃　我今當遣大臣使者
周遍東西推求覓子　汝今且可莫大憂愁
大王如是慰喻妃已　即便嚴駕出其宮殿
心生愁惱憂苦所切　雖在大衆顏狠憔悴
即出其城覓所愛子　尒時亦有无量諸人
哀號動地尋從王後
是時大王既出城已　四向顧望求覓其子
煩冤心亂靡知所在　最後遥見有一信来
頭蒙塵土血汙其衣　灰坌塗身悲號而至
尒時大王摩訶羅陀　見是使已倍生懊惱
舉手號叫仰天而哭　先所遣臣尋復来至
既至王所住如是言　願王莫愁諸子猶在
不久當至令王得見　須臾之頃復有臣来
見王愁苦顏狠憔悴　身所著衣垢膩塵汙
大王當知一子已終　二子雖存哀悴无頼
第三王子見虎新産　飢窮七日恐還食子
見是虎已深生悲心　發大誓願當度衆生
於未来世證成菩提　即上高處投身餓虎
虎飢所逼便起食噉　一切血肉已為都盡

BD02961 號　金光明經卷四　（6–1）

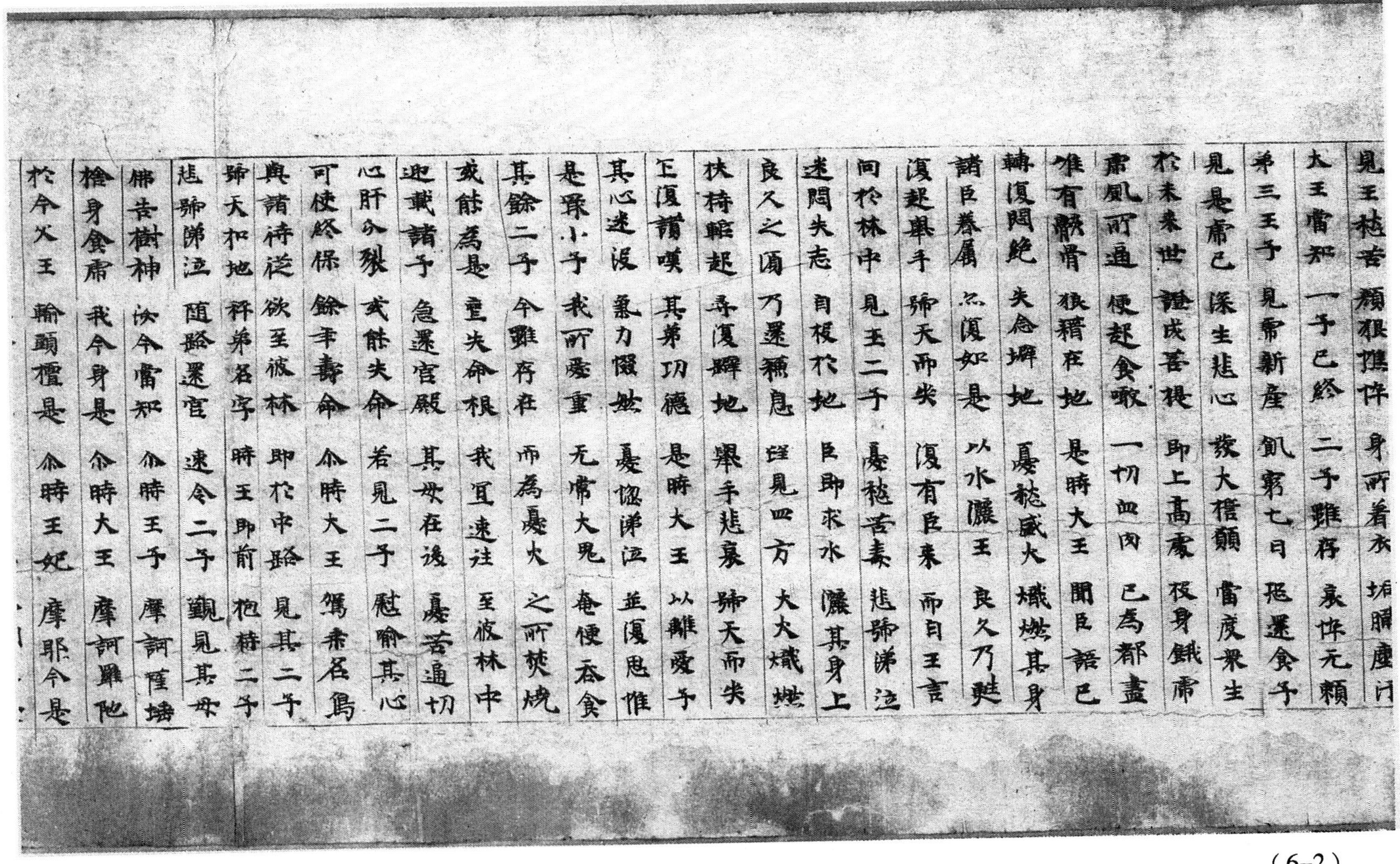

見王愁苦顏狠憔悴　身所著衣垢膩塵汙
大王當知一子已終　二子雖存哀悴无頼
第三王子見虎新産　飢窮七日恐還食子
見是虎已深生悲心　發大誓願當度衆生
於未来世證成菩提　即上高處投身餓虎
虎飢所逼便起食噉　一切血肉已為都盡
唯有骸骨狼藉在地　是時大王聞臣語已
轉復悶絶失念躃地　憂愁盛大熾燃其身
諸臣眷屬亦復如是　以水灑王良久乃穌
復起舉手號天而哭　復有臣来而白王言
向於林中見王二子　憂愁苦毒悲號涕泣
迷悶失志自投於地　臣即求水灑其身上
良久之頃乃還穌息　遥見四方大火熾燃
扶持暫起尋復躃地　舉手悲哀號天而哭
上復讃嘆其弟功德　是時大王以離愛子
其心迷沒氣力惙然　憂惱涕泣並復思惟
是㝡小子我所愛重　无常大鬼奄便吞食
其餘二子今雖存在　而為憂火之所焚燒
或能為是喪失命根　我宜速往至彼林中
迎載諸子急還宮殿　其母在後憂苦逼切
心肝分裂或能失命　若見二子慰喻其心
可使終保餘年壽命　尒時大王駕乘名象
與諸侍從欲至彼林　即於中路見其二子
號天扣地稱弟名字　時王即前抱持二子
悲號涕泣隨路還宮　速令二子覲見其母
佛告樹神汝今當知　尒時王子摩訶薩埵
捨身食虎我今身是　尒時大王摩訶羅陀
於今父王輸頭檀是　尒時王妃摩耶今是

BD02961 號　金光明經卷四　（6–2）

與諸侍從　欲至彼林　即於中路　見其二子
號天扣地　并弟名字　時王即前　抱持二子
悲號涕泣　随路還宮　速令二子　覲見其母
佛告樹神　汝今當知　尒時王子　摩訶薩埵
捨身食虎　我今身是　尒時大王　摩訶羅陁
於今父王　輸頭檀是　尒時王妃　摩耶今是
弟一王子　今弥勒是　弟二王子　今調達是
尒時虎者　今瞿夷是　時虎七子　今五比丘
及舍利弗　目揵連是
尒時大王摩訶羅陁及其妃后悲號涕泣悉
各脫身御服瓔珞與諸大衆往竹林中収其
舍利即於此處起七寶塔是時王子摩訶薩
埵臨捨身時作是誓願願我舍利於未來世
過筭數劫常為衆生而作佛事說是經時无
量阿僧祇天及人發阿耨多羅三藐三菩提
心樹神是名礼塔往昔因緣尒時佛神力故
是七寶塔即沒不現
讃佛品弟十八
尒時无量百千万億諸菩薩衆從此世界至
金寶蓋山如來國土到彼土已五體投地為
佛作礼却一面立向佛合掌異口同音而讃
嘆曰
如來之身　金色微妙　其明照曜　如金山王
身淨柔濡　如金蓮華　无量妙相　以自莊嚴
随形之好　光餝其體　淨潔无比　如紫金山
圓足无垢　如淨滿月　其音清徹　如妙梵聲
師子吼聲　大雷震聲　六種清淨　微妙音聲
迦陵頻伽　孔雀之聲　清淨无垢　威德具足
百福相好　莊嚴其身　光明遠照　无有齊限

BD02961號　金光明經卷四　（6–3）

身淨柔濡　如金蓮華　无量妙相　以自莊嚴
随形之好　光餝其體　淨潔无比　如紫金山
圓足无垢　如淨滿月　其音清徹　如妙梵聲
師子吼聲　大雷震聲　六種清淨　微妙音聲
迦陵頻伽　孔雀之聲　清淨无垢　威德具足
百福相好　莊嚴其身　光明遠照　无有齊限
智慧寂滅　无諸愛習　世尊成就　无量功德
譬如大海　須弥寶山　為諸衆生　生憐愍心
於未來世　能與快樂　如來所說　第一深義
能令衆生　寂滅安隱　能與衆生　无量快樂
能演无上　甘露妙法　能開无上　甘露法門
能入一切　无患密宅　能令衆生　悉得解脫
度於三有　无量苦海　安住正道　无諸憂苦
如來世尊　功德智慧　大慈悲心　精進方便
如是无量　不可稱計　我等今者　不可說喻
諸天世人　於无量劫　盡思度量　不能得知
如來所有　功德智慧　无量大海　一渧少分
我今略讃　如來功德　百千億分　不能宣一
若我功德　得衆集者　迴與衆生　證无上道
尒時信相菩薩即於此會從座而起偏袒右
肩右膝着地合掌向佛而說讃言
世尊百福　相好微妙　功德千數　莊嚴其身
色淨遠照　視之无猒　如日千光　弥滿虛空
光照熾盛　无量无邊　猶如无數　珎寶大聚
其明五色　青紅赤白　瑠璃頗梨　如融真金
光明赫奕　遍徹諸山　悉能遠照　无量佛土
能滅衆生　无量苦惱　又與衆生　上妙快樂
諸根清淨　微妙第一　衆生見者　无有猒足

BD02961號　金光明經卷四　（6–4）

色淨遠照 視之无猒 如日千光 照滿虛空
光明熾盛 无量无邊 猶如无數 琉璃寶聚
其明五色 青紅赤白 瑠璃頗梨 如融真金
光明赫弈 通徹諸山 悉能遠照 无量佛土
能滅眾生 无量苦惱 又與眾生 上妙快樂
諸根清淨 微妙第一 眾生見者 无有猒足
髮紺柔濡 猶孔雀頸 如諸蜂王 集在蓮華
清淨大悲 功德莊嚴 无量三昧 及以大悲
如是功德 悉已聚集 相好妙色 嚴飾其身
種種功德 易成菩提
如來悉能 調伏眾生 令心柔濡 受諸快樂
種種深妙 功德莊嚴 亦為十方 諸佛所讚
其光遠照 遍於諸方 猶如日月 充滿虛空
功德成就 如須彌山 在在亦現 於諸世界
齒白齊密 猶如珂雪 其德如日 處空明顯
眉間豪相 右旋婉轉 光明流出 如琉璃珠
其色微妙 如日處空
尒時道場 菩提樹神復說讚曰
南无清淨 无上正覺 甚深妙法 隨順覺了
遠離一切 非法非道 猶杖而出 成佛正覺
如有非有 本性清淨
希有希有 如來功德 希有希有 如來大海
希有希有 如須彌山 希有希有 佛无邊行
希有希有 佛出於世 如優曇華 時一現耳
希有如來 无量大悲 釋迦牟尼 為人中日
為欲益利 諸眾生故 宣說如是 妙寶經典
善哉如來 諸根寂滅 而復趣入 善寂大城
无垢清淨 甚深三昧 入於諸佛 所行之處

BD02961號　金光明經卷四　（6–5）

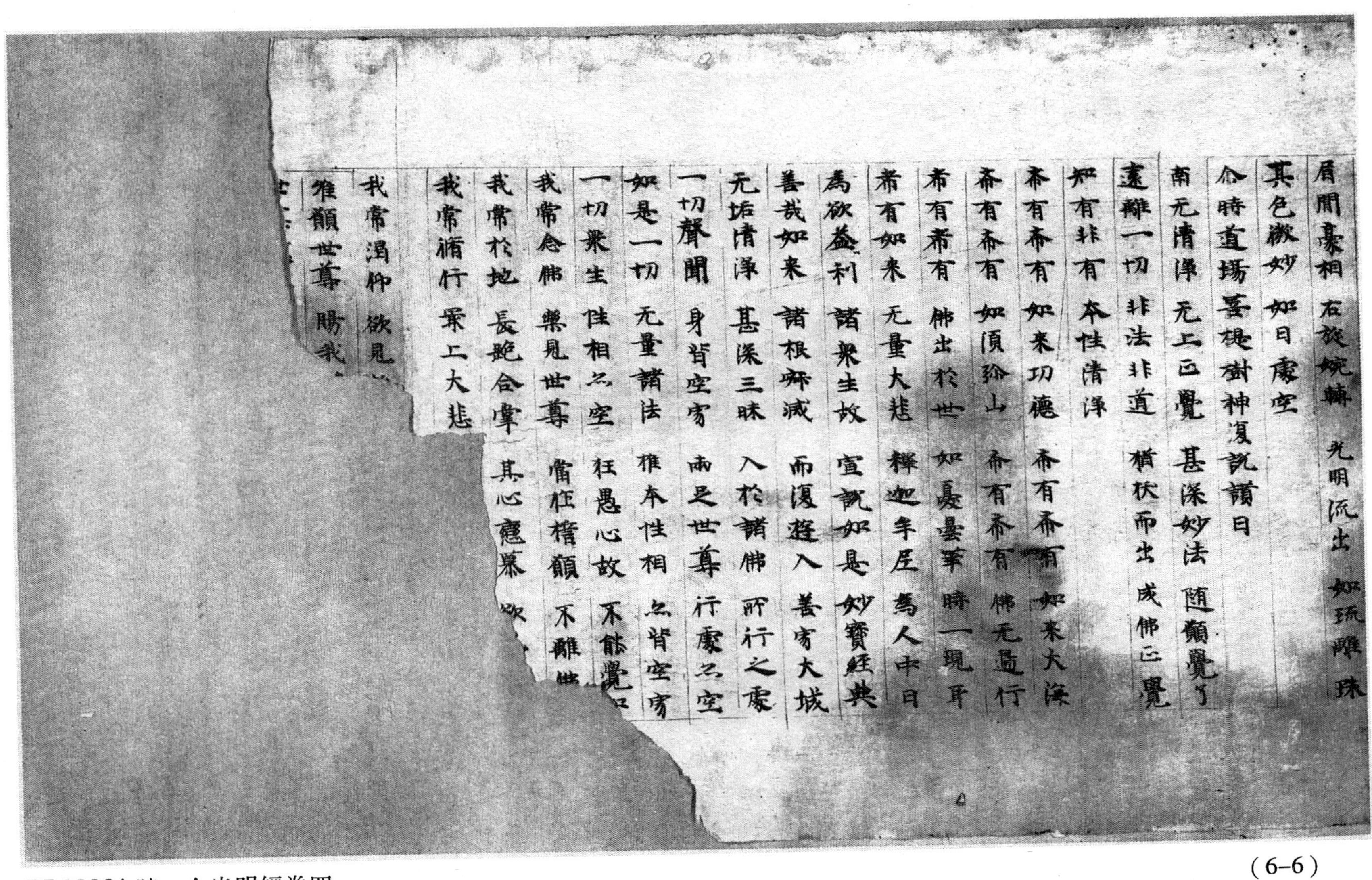

眉間豪相 右旋婉轉 光明流出 如琉璃珠
其色微妙 如日處空
尒時道場 菩提樹神復說讚曰
南无清淨 无上正覺 甚深妙法 隨順覺了
遠離一切 非法非道 猶杖而出 成佛正覺
如有非有 本性清淨
希有希有 如來功德 希有希有 如來大海
希有希有 如須彌山 希有希有 佛无邊行
希有希有 佛出於世 如優曇華 時一現耳
希有如來 无量大悲 釋迦牟尼 為人中日
為欲益利 諸眾生故 宣說如是 妙寶經典
善哉如來 諸根寂滅 而復趣入 善寂大城
无垢清淨 甚深三昧 入於諸佛 所行之處
一切聲聞 身皆空寂 而是世尊 行處亦空
如是一切 无量諸法 推本性相 亦皆空寂
一切眾生 性相亦空 狂愚心故 不能覺…
我常念佛 樂見世尊 常在發願 不離佛…
我常於地 長跪合掌 其心慇懃 欲…
我常循行 眾上大悲
我常渴仰 欲見…
唯願世尊 賜我…

BD02961號　金光明經卷四　（6–6）

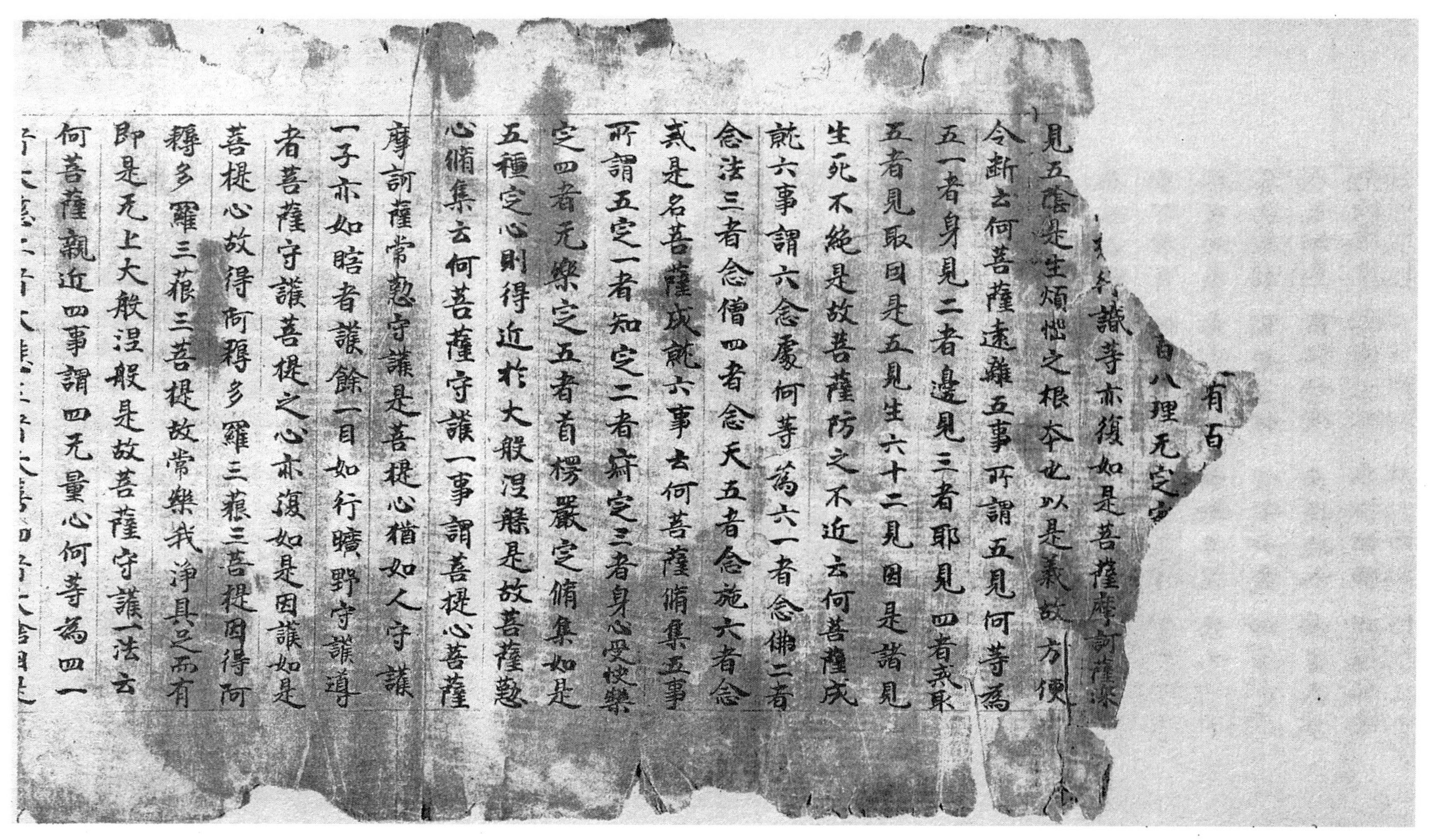

有百
八理无定
識等亦復如是菩薩摩訶薩
見五陰是生煩惱之根本也以是義故方便
令斷云何菩薩遠離五事所謂五見何等爲
五一者身見二者邊見三者耶見四者戒取
五者見取因是五見生六十二見因是諸見
生死不絶是故菩薩防之不近云何菩薩成
就六事謂六念處何等爲六一者念佛二者
念法三者念僧四者念天五者念施六者念
戒是名菩薩成就六事云何菩薩脩集五事
所謂五定一者知定二者寂定三者身心受快樂
定四者无樂定五者首楞嚴定脩集如是
五種定心則得近於大般涅槃是故菩薩慇
心脩集云何菩薩守護一事謂菩提心菩薩
摩訶薩常懃守護是菩提心猶如人守護
一子亦如瞎者護餘一目如行曠野守護導
者菩薩守護菩提之心亦復如是因護如是
菩提心故得阿耨多羅三藐三菩提因得阿
耨多羅三藐三菩提故常樂我淨具足而有
即是无上大般涅槃是故菩薩守護一法云
何菩薩親近四事謂四无量心何等爲四一

BD02962號　大般涅槃經（北本　異卷）卷二六　（30–1）

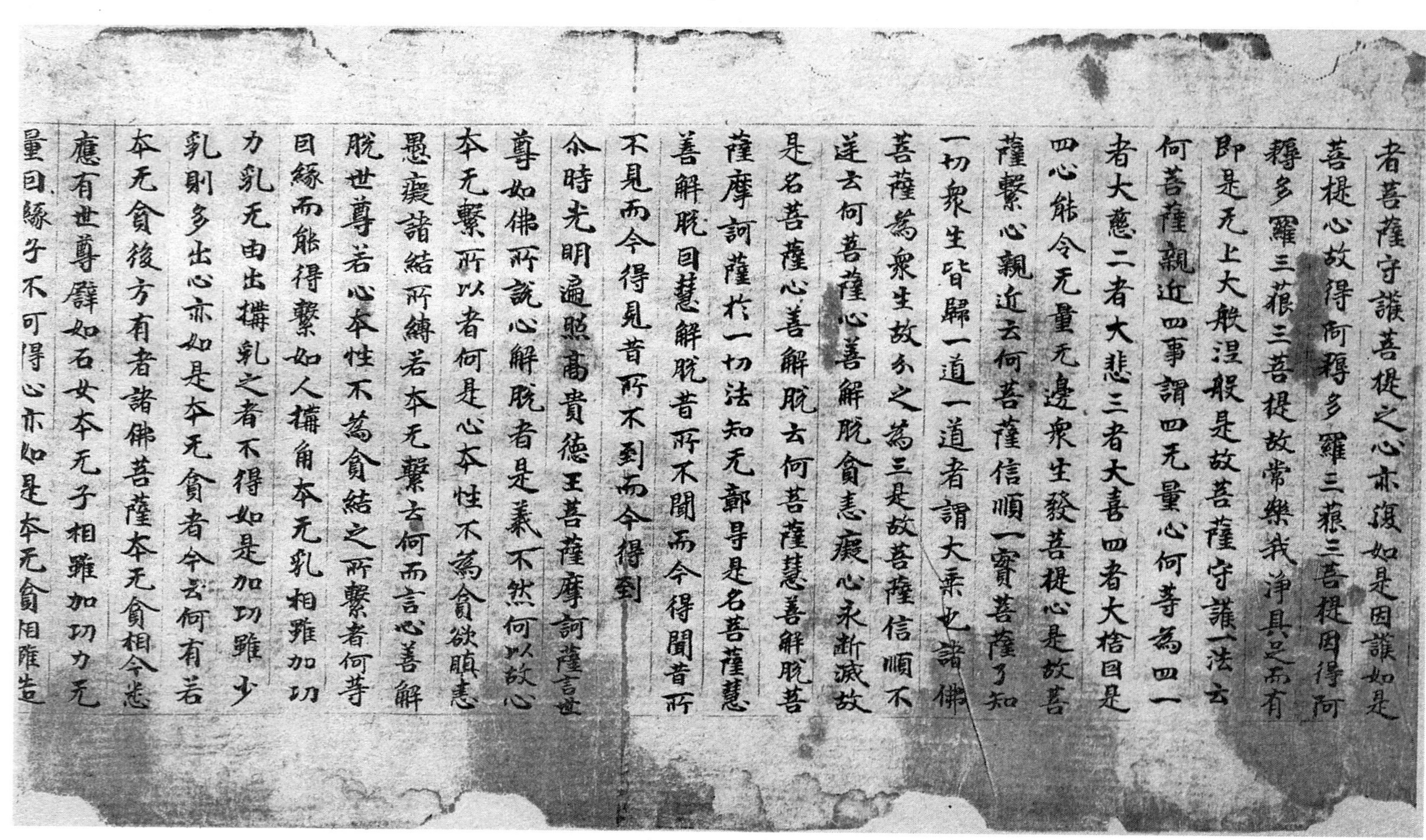

者菩薩守護菩提之心亦復如是因護如是
菩提心故得阿耨多羅三藐三菩提因得阿
耨多羅三藐三菩提故常樂我淨具足而有
即是无上大般涅槃是故菩薩守護一法云
何菩薩親近四事謂四无量心何等爲四一
者大慈二者大悲三者大喜四者大捨因是
四心能令无量无邊衆生發菩提心是故菩
薩繫心親近云何菩薩信順一實菩薩了知
一切衆生皆歸一道一道者謂大乘也諸佛
菩薩爲衆生故分之爲三是故菩薩信順不
逆云何菩薩心善解脫貪恚癡心永斷滅故
是名菩薩心善解脫云何菩薩慧善解脫菩
薩摩訶薩於一切法知无鄣㝵是名菩薩慧
善解脫因慧解脫昔所不聞而今得聞昔所
不見而今得見昔所不到而今得到
尒時光明遍照高貴德王菩薩摩訶薩言世
尊如佛所說心解脫者是義不然何以故心
本无繫所以者何是心本性不爲貪欲瞋恚
愚癡諸結所縛若本无繫云何而言心善解
脫世尊若心本性不爲貪結之所繫者何等
因緣而能得繫如人攝角本无乳相雖加功
力乳无由出攝乳之者不得如是加功雖少
乳則多出心亦如是本无貪者今云何有若
本无貪後方有者諸佛菩薩本无貪相今悉
應有世尊譬如石女本无子相雖加功力无
量因緣子不可得心亦如是本无貪相雖造

BD02962號　大般涅槃經（北本　異卷）卷二六　（30–2）

力乱无由出搆乱之者不得如是加功雖少
乳則多出心亦如是本无貪者今云何有若
本无貪後方有者諸佛菩薩本无貪相今悉
應有世尊譬如石女本无子相雖加功力无
量因緣子不可得心亦如是本无貪相雖造
衆緣貪无由生世尊如攢濕木火不可得心
亦如是雖復攢求貪不可得云何貪結能繫
於心世尊譬如押沙油不可得心亦如是雖
復押之貪不可得當知貪心二理各異設復
有之何能汙心世尊譬如有人安橛於空終
不得住安貪於心亦復如是種種因緣不能
令貪繫縛於心世尊若心无貪名解脫者諸
佛菩薩何故不拔虛空中刺世尊過去世心
不名解脫未來世心亦无解脫現在世心不
與道共何等世心名得解脫世尊如過去燈
不能滅闇未來世燈亦不滅闇現在世燈復
不滅闇何以故明之與闇二不並故心亦如是
云何而言心得解脫世尊貪亦是有若貪
无者見女相時不應生貪若因女相而得生
者當知是貪真實而有以有貪故墮三惡道
世尊譬如有人見畫女像亦復生貪以生貪
故得種種罪若本无貪云何見畫而生於貪
若心无貪云何如來說言菩薩心得解脫若
心有貪云何見相然後方生不見相者則不
生也我今現見有惡果報當知有貪瞋恚愚

BD02962號　大般涅槃經（北本　異卷）卷二六　（30–3）

故得種種罪若本无貪云何見畫而生於貪
若心无貪云何如來說言菩薩心得解脫若
心有貪云何見相然後方生不見相者則不
生也我今現見有惡果報當知有貪瞋恚愚
癡亦復如是世尊譬如衆生有身无我而諸
凡夫橫計我相雖有我相不墮三惡云何貪
者於无女想而起女想墮三惡道世尊譬如
攢木而生於火然是火性衆緣中无以何因
緣而得生也世尊貪亦如是色中无貪香味
觸法亦復无貪云何於色香味觸法生於貪
也若衆緣中悉无貪者云何衆生獨生於貪
諸佛菩薩而不生也世尊心亦不定若心定
者无有貪欲瞋恚愚癡若不定者云何而言
心得解脫貪亦不定若不定者云何因之生
三惡趣貪者境界二俱不定何以故俱緣一
色或生於貪或生於瞋或生於癡是故貪者
及與境界二俱不定若俱不定何故如來說
言菩薩脩大涅槃心得解脫
尒時世尊告光明遍照高貴德王菩薩摩訶
薩言善哉善哉善男子心亦不為貪結所繫
亦非不繫非是解脫非不解脫非有非无非
現在非過去非未來何以故善男子一切諸
法无自性故善男子有諸外道作如是言衆
緣和合則有果生若衆緣中本无生性而能
生者虛空不生亦應生果虛空不生非是因

BD02962號　大般涅槃經（北本　異卷）卷二六　（30–4）

現在非過去非未来何以故善男子一切諸
法无自性故善男子有諸外道作如是言衆
緣和合則有果生若衆緣中本无生性而能
生者虚空不生亦應生果虚空不生非是因
故以衆緣中本有果性是故合集而得生果
所以者何如提婆達欲造墻壁則取壥土不
取綵色欲造畫像則集綵色不取草木作衣
取縷不取涅木作舍取涅不取縷綖以人取
故當知是各能生果以能生果故當知因中
畢先有性若无性者一物之中應當出生一
切諸物若是可取可作可出當知此中必先
有果若无果者人則不取不作不出唯有虚
空无取无作故能出生一切万物以有因故
如尼拘陁子住尼拘陁樹乳有醍醐縷中有
布涅中有瓶善男子一切凡夫无明所盲作
是定說色有著義心有貪性復言凡夫心有
貪性亦解脫性遇貪因緣心則生貪若遇解脫
心則解脫雖作此說是義不然有諸凡夫復
作是言一切因中悉无有果因有二種一者
微細二者麁大細即是常麁即无常從微細
因轉成麁因從此麁因轉復成果麁无常故
果亦无常善男子有諸凡夫復作是言心亦
无因貪亦无因以時節故則生貪心如是等
輩以不能知心因緣故輪迴六趣具受生死
善男子辟如枷犮繫之於柱終日繞柱不能

果亦无常善男子有諸凡夫復作是言心亦
无因貪亦无因以時節故則生貪心如是等
輩以不能知心因緣故輪迴六趣具受生死
善男子辟如枷犮繫之於柱終日繞柱不能
得離一切凡夫亦復如是被无明枷繫生死
柱繞二十五有不能得離善男子辟如有人墮
於清廁既得出已而復還入如人病差還為
病因如人涉路值空曠處既得過已而復還
来又如淨洗還塗涅土一切凡夫亦復如是
已得解脫无所有處唯未得脫非非想處而
復還来至三惡道何以故一切凡夫唯觀於
果不觀因緣如犬逐塊不逐於人凡夫之人亦
復如是唯觀於果不觀因緣以不觀故從非
想退還三惡趣善男子諸佛菩薩終不定說
因中有果因中无果及有无果非有非无果
若言因中先定有果及定无果定有无果定
非有非无果當知是等皆魔伴儻繫屬於
魔即是愛人如是愛人不能永斷生死繫縛
不知心相及以貪相善男子諸佛菩薩顯示
中道何以故雖說諸法非有非无而不決定
所以者何因眼因色因明因心因念識則得
生是識決定不在眼中色中明中心中念中
亦非中間非有非无從緣生故名之為有无
自性故名之為无是故如来說言諸法非有
非无善男子諸佛菩薩終不定說心有淨性

生是識決定不在眼中色中明中心中念中
亦非中間非有非无從緣生故名之爲有无
自性故名之爲无是故如來說言諸法非有
非无善男子諸佛菩薩終不定說心有淨性
及不淨性淨不淨心无住處故從緣生貪故
說非无本无貪性故說非有善男子從因緣
故心則生貪從因緣故心則解脫善男子因
緣有二一者隨於生死二者隨大涅槃善男
子有因緣故心共貪生共貪俱滅有共貪生
不共貪滅有不共貪生共貪俱滅有不共貪生
不共貪滅云何心共貪生共貪俱滅善男子
若有凡夫未斷貪心脩習貪心如是之人心
共貪生心共貪滅一切衆生不斷貪心心共
貪生心共貪滅如欲界衆生一切皆有初地
味禪若脩不脩常得成就遇因緣故即便得
之言因緣者謂火災也一切凡夫亦復如是
若脩不脩心共貪生心共貪滅何以故不斷
貪故云何心共貪生不共貪滅聲聞弟子有
因緣故生於貪心畏貪心故脩白骨觀是名
心共貪生不共貪滅復有心共貪生不共貪
滅如聲聞人未證四果有因緣故生於貪心
證四果時貪心得滅是名心共貪生不共貪
滅菩薩摩訶薩得不動地時心共貪生不共
貪滅云何不共貪生共貪俱滅若菩薩摩
訶薩斷貪心已爲衆生故示現有貪以示現故
能令无量无邊衆生諮受善法具足成就是

BD02962號　大般涅槃經（北本　異卷）卷二六

（30–7）

滅菩薩摩訶薩得不動地時心共貪生不共
貪滅云何不共貪生共貪俱滅若菩薩摩
訶薩斷貪心已爲衆生故示現有貪以示現故
能令无量无邊衆生諮受善法具足成就是
名不共貪生共貪俱滅云何不共貪生不共
貪滅謂阿羅漢緣覺諸佛除不動地其餘
菩薩是名不共貪生不共貪滅以是義故諸佛
菩薩不決定說心性本淨性本不淨善男子
是心不與貪結和合亦復不與瞋癡和合善
男子譬如日月雖爲烟塵雲霧及羅睺羅之
所覆蔽以是因緣令諸衆生不能得見雖不
可見日月之性終不與彼五翳和合心亦如是
以是因緣故生於貪結衆生雖說心與貪
合而是心性實不與合若是貪心即是貪性
若是不貪即不貪性不貪之心不能爲貪貪
結之心不能不貪善男子以是義故貪欲之
結不能汙心諸佛菩薩永破貪結是故說言
心得解脫一切衆生從因緣故生於貪結從
因緣故心得解脫善男子譬如雪山懸峻之
處人與弥猴俱不能行或復有處弥猴能行
人不能行或復有處人與弥猴二俱能行善
男子人與弥猴能行處者如諸獵師純以黐
膠置之案上用捕弥猴弥猴癡故往手觸之
觸已粘手欲脫手故以腳蹋之腳復隨著欲
脫腳故以口齧之口復粘著如是五處悉无
得脫於是獵師以杖貫之負還歸家

BD02962號　大般涅槃經（北本　異卷）卷二六

（30–8）

黐置之案上用捕猕猴猕猴癡故往手触之
触已粘手欲脱手故以脚蹹之脚復随著欲
脱脚故以口嚙之口復粘著如是五處悉无
得脱於是獦師以杖貫之負還歸家雪山嶮
處喻佛菩薩所得正道猕猴者喻諸凡夫獦
師者喻魔波旬黐膠者喻貪欲結人與猕猴
俱不能行者喻諸凡夫魔王波旬俱不能行
猕猴能行人不能者喻諸外道有智慧者諸
惡魔等雖以五欲不能繫縛人與猕猴俱能
行者一切凡夫及魔波旬常處生死不能脩
行凡夫之人五欲所縛令魔波旬自在將去
如彼獦師黐捕猕猴擔負歸家善男子譬如
國王安住己界身心安樂若至他界則得衆
苦一切衆生亦復如是若能自住於己境界
則得安樂若至他界則遇惡魔受諸苦惱自
境界者謂四念處他境界者謂五欲也云何
名爲繫屬於魔有諸衆生无常見常常見无
常苦見於樂樂見於苦不淨見淨淨見不淨
无我見我我見无我非實解脫妄見解脫真
實解脫見非解脫非乘見乘乘見非乘如是
之人名繫屬魔繫屬魔者心不清淨
復次善男子若見諸法真實是有揔別定相
當知是人若見色時便作色相乃至見識亦
作識相見男男相見女女相見日日相見月
月相見歲歲相見陰陰相見入入相見界界

BD02962 號　大般涅槃經（北本　異卷）卷二六　（30–9）

復次善男子若見諸法真實是有揔別定相
當知是人若見色時便作色相乃至見識亦
作識相見男男相見女女相見日日相見月
月相見歲歲相見陰陰相見入入相見界界
相如是見者名繫屬魔繫屬魔者心不清淨
復次善男子若見我是色色中有我我中有
色色屬於我乃至見我是識識中有我我中
有識識屬於我如是見者繫屬於魔非我弟
子善男子我聲聞弟子遠離如來十二部經
脩集種種外道典籍不脩出家寂滅之業純
營世俗在家之事何等名爲在家之事受畜
一切不淨之物奴婢田宅象馬車乘駝驢雞犬
獼猴猪羊種種穀麦遠離師僧親附白衣
違反聖教向諸白衣作如是言佛聽比丘受
畜種種不淨之物是名脩集在家之事有諸
弟子不爲涅槃但爲利養親近聽受十二部
經招提僧物及僧鬘物衣著食噉如自己有
慳惜他家及以稱譽親近國王及諸王子卜
筮吉凶推步盈虛圍碁六博摴蒱投壺親比
丘尼及諸處女畜二沙弥常遊屠獵沽酒之
家及栴陁羅所住之處種種販賣手自作食
受使隣國通致信命如是之人當知即是魔
之眷屬非我弟子以是因緣心共貪生心共
貪滅乃至癡心共生共滅亦復如是善男子
以是因緣心性非淨亦非不淨是故我說心

BD02962 號　大般涅槃經（北本　異卷）卷二六　（30–10）

受使隣國通致信命如是之人當知即是魔
之眷屬非我弟子以是因緣心共貪生心共
貪滅乃至癡心共生共滅亦復如是善男子
以是因緣心性非淨亦非不淨是故我說心
得解脫若有不受不畜一切不淨之物為大
涅槃受持讀誦十二部經書寫解說當知是
等真我弟子不行惡魔波旬境界即是脩集
三十七品以脩集故不共貪生不共貪滅是
名菩薩脩大涅槃微妙經典具足成就第八
功德
復次善男子云何菩薩摩訶薩脩大涅槃微
妙經典具足成就第九功德善男子菩薩摩
訶薩脩大涅槃微妙經典初發五事悉得成
就何等為五一者信二者直心三者戒四者
親近善友五者多聞云何為信菩薩摩訶薩
信於三寶施有果報信於二諦一乘之道更
无異趣為諸衆生速得解脫諸佛菩薩分別
為三信第一義諦信善方便是名為信如是
信者若諸沙門若婆羅門若天魔梵一切衆
生所不能壞因是信故得聖人性脩行布施
若多若少悉得近於大般涅槃不墮生死戒
聞智慧亦復如是是名為信雖有是信而亦
不見是為菩薩脩大涅槃成就初事
云何直心菩薩摩訶薩於諸衆生作質直心
一切衆生若遇因緣則生諂曲菩薩不尒何
以故善解諸法悉因緣故菩薩摩訶薩雖見

BD02962號　大般涅槃經（北本　異卷）卷二六

（30–11）

不見是為菩薩脩大涅槃成就初事
云何直心菩薩摩訶薩於諸衆生作質直心
一切衆生若遇因緣則生諂曲菩薩不尒何
以故善解諸法悉因緣故菩薩摩訶薩雖見
衆生諸惡過咎終不說之何以故恐生煩惱
若生煩惱則墮惡趣如是菩薩若見衆生有
少善事則讚嘆之云何為善所謂佛性讚佛
性故令諸衆生發阿耨多羅三藐三菩提心
尒時光明遍照高貴德王菩薩摩訶薩白佛
言世尊如佛所說菩薩摩訶薩讚歎佛性令
无量衆生發阿耨多羅三藐三菩提心是義
不然何以故如來初開涅槃經時說有三種
一者若有病人得良醫藥及瞻病者病則易
差如其不得則不可愈二者若得不得悉不
可差三者若得不得悉皆可差一切衆生亦
復如是若遇善友諸佛菩薩聞說妙法則得
發於阿耨多羅三藐三菩提心如其不遇則
不能發所謂須陀洹斯陀含阿那含阿羅漢辟
支佛二者雖遇善友諸佛菩薩聞說妙法亦不
能發若其不遇亦不能發謂一闡提三者若
遇不遇一切悉能發阿耨多羅三藐三菩提
心所謂菩薩若言遇與不遇悉發阿耨多羅
三藐三菩提心者如來今者云何說言因讚
佛性令諸衆生發阿耨多羅三藐三菩提心
世尊若遇善友諸佛菩薩聞說妙法及以不

BD02962號　大般涅槃經（北本　異卷）卷二六

（30–12）

心所謂菩薩若言遇與不遇悉發阿耨多羅
三藐三菩提心者如來今者云何說言因讃
佛性令諸衆生發阿耨多羅三藐三菩提心
世尊若遇善友諸佛菩薩聞說妙法及以不
遇悉不能發阿耨多羅三藐三菩提心當知
是義亦復不然何以故如是之人當得阿耨
多羅三藐三菩提故一闡提輩以佛性故若
聞不聞悉亦當得阿耨多羅三藐三菩提故
世尊如佛所說何等名爲一闡提也謂斷善
根如是之義亦復不然何以故不斷佛性故
如是佛性理不可斷云何佛說斷諸善根如
佛往昔說十二部經善有二種一者常二者
无常常者不斷无常者斷无常可斷故墮地
獄常不可斷何故不遮佛性不斷非一闡提如
來何故作如是說言一闡提世尊若因佛性
發阿耨多羅三藐三菩提心何故如來廣爲衆
生說十二部經世尊譬如四河從阿那婆蹹多
池出若有天人諸佛世尊說言是河不入大
海當還本源无有是處菩提之心亦復如是
有佛性者若聞不聞若戒非戒若施非施若
脩不脩若智非智悉皆應得阿耨多羅三藐
三菩提世尊如優陁延山日從中出至于西南日
若念言我不至西還東方者无有是處佛性
亦尒若不聞不戒不施不脩不智不得阿耨
多羅三藐三菩提者无有是處世尊諸佛如

BD02962號　大般涅槃經（北本　異卷）卷二六　（30–13）

脩不脩若智非智悉皆應得阿耨多羅三藐
三菩提世尊如優陁延山日從中出至于西南日
若念言我不至西還東方者无有是處佛性
亦尒若不聞不戒不施不脩不智不得阿耨
多羅三藐三菩提者无有是處世尊諸佛如
來說因果性非有非无如是之義是亦不然
何以故如其乳中无酪性者則无有酪尼拘
陁子无五丈性則不能生五丈之質若佛性
中无阿耨多羅三藐三菩提樹者云何能生
阿耨多羅三藐三菩提樹以是義故所說因
果非有非无如是之義云何相應
尒時世尊讃言善哉善哉善男子世有二人
甚爲希有如優曇華一者不行惡法二者有
罪能悔如是之人甚爲希有復有二人一者作
恩二者念恩復有二人一者諮受新法二
者溫故不忘復有二人一者造新二者脩故
復有二人一樂聞法二樂說法復有二人一
善問難二善能荅善問難者汝身是也善能
荅者謂如來也善男子因是善問即得轉于
无上法輪能枯十二因緣大樹能度无邊生
死大海能與魔王波旬共戰能摧波旬所立
勝幢善男子如我先說三種病人值遇良醫
瞻病好藥及以不遇病悉得差是義云何若
得不得謂定壽命所以者何是人已於无量
世中脩三種善謂上中下以脩如是三種善
故得定壽命如欝單曰人壽命千年有遇病

BD02962號　大般涅槃經（北本　異卷）卷二六　（30–14）

瞻病好藥及以不遇病悉得差是義云何若
得不得謂定壽命所以者何是人已於无量
世中脩三種善謂上中下以脩如是三種善
故得定壽命如欝單曰人壽命千年有遇病
者若得良醫好藥瞻病及以不得悉皆得
差何以故得定命故善男子如我所說若有病
人得遇良醫好藥瞻病病除差若不遇者
則不得差是義云何善男子如是之人壽命
不定命雖不盡有九因緣能夭其壽何等爲
九一者知食不安而反食之二者多食三者
宿食未消而復更食四者大小便利不隨時
節五者病時不隨醫教六者不隨瞻病教勅
七者強耐不吐八者夜行以夜行故惡鬼打
之九者房室過差以是緣故我說病者若遇
良醫好藥病則可差若不遇者則不可愈善
男子如我先說若遇不遇俱不差者是義云
何有人命盡若遇不遇悉不可差何以故以命
盡故以是義故我說病人若遇醫藥及以不遇
悉不得差衆生亦尒發菩提心者若遇善友
諸佛菩薩諮受深法若不遇之皆悉當成何
以故以其能發菩提心故如欝單曰人得定
壽命如我所說從須陁洹至辟支佛若聞善
友諸佛菩薩所說深法則發阿耨多羅三藐
三菩提心若不值遇諸佛菩薩聞說深法則
不能發阿耨多羅三藐三菩提心如不定命以
九因緣命則中夭如彼病人值遇醫藥病則

友諸佛菩薩所說深法則發阿耨多羅三藐
三菩提心若不值遇諸佛菩薩聞說深法則
不能發阿耨多羅三藐三菩提心如不定命以
九因緣命則中夭如彼病人值遇醫藥病則
得差若不遇者病則不差是故我說遇佛菩
薩聞說深法則能發心若不值遇則不能發
如我先說若遇善友諸佛菩薩聞說深法若
不值遇俱不能發是義云何善男子一闡提
輩若遇善友諸佛菩薩聞說深法及以不遇
俱不得離一闡提心何以故斷善根故一闡
提輩亦能得阿耨多羅三藐三菩提所以者何
若能發於菩提之心則不復名一闡提也善
男子以何緣故說一闡提得阿耨多羅三藐
三菩提一闡提輩實不能得阿耨多羅三藐
三菩提如命盡者雖遇良醫好藥瞻病不能
得差何以故以命盡故
善男子一闡名信提名不具不具信故名一
闡提佛性非信衆生非具以不具故云何可
斷一闡名善方便提名不具脩善方便不具
是故名一闡提佛性非是脩善方便衆生非
具以不具故云何可斷一闡名進提名不具
進不具故名一闡提佛性非進衆生非具以
不具故云何可斷一闡名念提名不具念不
具故名一闡提佛性非念衆生非具以不具
故云何可斷一闡名定提名不具定不具故
名一闡提佛性非定衆生非具以不具故云

進不具故名一闡提佛性非進衆生非具以
不具故云何可斷一闡名念提名不具念不
具故名一闡提佛性非念衆生非具以不具
故云何可斷一闡名定提名不具定不具故
名一闡提佛性非定衆生非具以不具故云
何可斷一闡名慧提名不具慧不具故名一
闡提佛性非慧衆生非具以不具故云何可
斷一闡名无常善提名不具以无常善不具
是故名一闡提佛性非无常非善非不善何
以故善法者要從方便而得而是佛性非方
便得是故非善何故復名非不善耶能得善
果故善果即是阿耨多羅三藐三菩提又善
法者生已得故而是佛性非生已得是故非
善以斷生得諸善法故名一闡提
善男子如汝所言若一闡提有佛性者云何
不遮地獄之罪善男子一闡提中无有佛性
善男子譬如有王聞箜篌音其聲清妙心即
躭著喜樂愛念情无捨離即告大臣如是妙
音從何處出大臣答言如是妙音從箜篌出
王復語言持是聲來尒時大臣即持箜篌置
於王前而作是言大王當知此即是聲王語
箜篌出聲出聲而是箜篌聲亦不出尒時大
王即斷其弦聲亦不出取其皮木悉皆析裂
推求其聲了不能得尒時大王即瞋大臣云
何乃作如是妄語大臣白王夫取聲者法不
如是應以衆緣善巧方便聲乃出耳衆生佛

BD02962號　大般涅槃經（北本　異卷）卷二六　　（30–17）

箜篌出聲出聲而是箜篌聲亦不出尒時大
王即斷其弦聲亦不出取其皮木悉皆析裂
推求其聲了不能得尒時大王即瞋大臣云
何乃作如是妄語大臣白王夫取聲者法不
如是應以衆緣善巧方便聲乃出耳衆生佛
性亦復如是无有住處以善方便故得可見
以可見故得阿耨多羅三藐三菩提心一闡提
輩不見佛性云何能遮三惡道罪善男子
若一闡提信有佛性當知是人不至三惡趣是
亦不名一闡提也以不自信有佛性故即墮
三趣墮三趣故名一闡提
善男子如汝所說若乳无酪性不應出酪尼
拘陁子无五丈性則不應有五丈之質愚癡
之人作如是說智者終不發如是言何以故
以无性故善男子如其乳中有酪性者不應
復假衆緣力也善男子如水乳雜卧至一月
終不成酪若以一渧頗求樹汁投之於中即
便成酪若本有酪何故待緣衆生佛性亦復
如是假衆緣故則便可見假衆緣故得成阿
耨多羅三藐三菩提若待衆緣然後成者即
是无性以无性故能得阿耨多羅三藐三菩
提善男子以是義故菩薩摩訶薩常讚人善
不訟彼缺名質直心復次善男子云何菩薩
質直心耶菩薩摩訶薩常不犯惡設有過失
即時懺悔於師同學終不覆藏慚愧自責不

BD02962號　大般涅槃經（北本　異卷）卷二六　　（30–18）

提善男子以是義故菩薩摩訶薩常讚人善
不訟彼缺名質直心復次善男子云何菩薩
質直心耶菩薩摩訶薩常不犯惡設有過失
即時懺悔於師同學終不覆藏慚愧自責不
敢復作於輕罪中生極重想若人詰問荅言
實犯復問是罪爲好不好荅言不好復問是
罪爲善不善荅言不善復問是罪是善果耶
不善果乎荅言是罪實非善果又問是罪誰
之所造將非諸佛法僧所作荅言非佛法僧
我所作也乃是煩惱之所構集以直心故信
有佛性信佛性故則不得名一闡提也以直
心故名佛弟子若受衆生衣服飲食卧具醫
藥種各十万不足爲多是名菩薩質直心也
云何菩薩脩治於戒菩薩摩訶薩受持禁戒
不爲生天不爲恐怖乃至不受狗戒雞戒牛
戒雉戒不作破戒不作缺戒不作瑕戒不作
雜戒不作聲聞戒受持菩薩摩訶薩戒尸羅
波羅蜜戒得具足戒不生憍慢是名菩薩脩
大涅槃具第三戒
云何菩薩親近善友菩薩摩訶薩常爲衆
生說於善道不說惡道說於惡道非善果報
善男子我身即是一切衆生真善知識是故能
斷富迦羅婆羅門所有邪見善男子若有衆
生親近我者雖有應生地獄因緣即得生天
如須那刹多等應墮地獄以見我故即得斷
除地獄因緣生於色天雖有舍利弗目揵連

善男子我身即是一切衆生真善知識是故能
斷富迦羅婆羅門所有邪見善男子若有衆
生親近我者雖有應生地獄因緣即得生天
如須那刹多等應墮地獄以見我故即得斷
除地獄因緣生於色天雖有舍利弗目揵連
等不名衆生真善知識何以故生一闡提心
因緣故善男子我昔住於波羅㮈國時舍利
弗教二弟子一觀白骨令一數息逕歷多年
皆不得定以是因緣即生邪見言无涅槃无
漏之法若其有者我應得之何以故我能善
持所受戒故我於今時見是比丘生此邪心
喚舍利弗而呵責之汝不善教云何乃爲是
二弟子顛倒說法汝二弟子其性各異一主
浣衣一是金師金師之子應教數息浣衣之
人應教骨觀以汝錯教令是二人生於惡邪
我於今時爲是二人如應說法二人聞已得
阿羅漢果是故我爲一切衆生真善知識非
舍利弗目揵連等若使衆生有極重結得遇
我者我以方便即爲斷之如我弟難陁有極
重欲我以種種善巧方便而爲除斷鴦掘魔
羅有重瞋恚以見我故瞋恚即息阿闍世王
有重愚癡以見我故癡心即滅如婆熙伽長
者於无量劫脩集成就極重煩惱以見我故
即便斷滅設有弊惡斯下之人親近於我作
弟子者以是因緣一切人天恭敬愛念尸利
毱多耶見熾盛因見我故耶見即滅因見我

即便斷滅設有弊惡斯下之人親近於我作
弟子者以是因緣一切人天恭敬愛念尸利
毱多耶見熾盛因見我故耶見即滅因見我
故斷地獄因作生天緣如氣噓栴陁羅命盡
終時因見我故還得壽命如憍尸迦狂心錯
亂因見我故還得本心如瘦瞿曇彌屠家之
子常作惡業以見我故即便捨離如闡提比
丘因見我故寧捨身命不毀禁戒如草繫比
丘以是義故阿難比丘說半梵行名善知識
我言不介具足梵行乃名善知識是名菩薩
脩大涅槃具足第四親善知識
云何菩薩具足多聞菩薩摩訶薩為大涅槃
十二部經書寫讀誦分別解說是名菩薩具
足多聞除十一部唯毗佛略受持讀誦書寫
解說亦名菩薩具足多聞除十二部經若能
受持是大涅槃微妙經典書寫讀誦分別解
說是名菩薩具足多聞除是經典具足全體
若能受持一四句偈復除是偈若能受持如
來常住性无變易是名菩薩具足多聞復除
是事若知如來常不說法亦名菩薩具足多
聞何以故法无性故如來雖說一切諸法常
无所說是名菩薩脩大涅槃成就第五具足
多聞
善男子若有善男子善女人為大涅槃具足
成就如是五事難作能作難忍能忍難施能

BD02962號　大般涅槃經（北本　異卷）卷二六　（30–21）

聞何以故法无性故如來雖說一切諸法常
无所說是名菩薩脩大涅槃成就第五具足
多聞
善男子若有善男子善女人為大涅槃具足
成就如是五事難作能作難忍能忍難施能
施云何菩薩難作能作若聞有人食一胡麻
得阿耨多羅三藐三菩提者信是語故乃至
无量阿僧祇劫常食一麻若若聞入火得阿耨
多羅三藐三菩提者於无量劫在阿鼻獄入
熾火聚是名菩薩難作能作云何菩薩難忍
能忍若聞受苦手杖石斫打因緣得大涅
槃即於无量阿僧祇劫身具受之不以為苦
是名菩薩難忍能忍云何菩薩難施能施若
聞能以國城妻子頭目髓腦惠施於人得阿
耨多羅三藐三菩提者即於无量阿僧祇劫
以其所有國城妻子頭目髓腦惠施於人是
名菩薩難施能施菩薩雖復難作能作終不
念言是我所作難忍難施亦復如是善男子
譬如父母唯有一子愛之甚重以好衣裳上
妙甘饍隨時將養令无所乏其子若於是父
母所起輕慢心惡口罵辱父母愛故不生瞋
恨亦不念言我與是兒衣服飲食菩薩摩訶
薩亦復如是視諸衆生猶如一子若子遇病
父母亦病為求醫藥勤加救療病既差已終
不生念我為是兒療治病苦菩薩亦介見諸
衆生遇煩惱病生愛念心而為說法以聞法

BD02962號　大般涅槃經（北本　異卷）卷二六　（30–22）

薩亦復如是視諸衆生猶如一子若子遇病
父母亦病爲求醫藥勤加救療病既差已終
不生念我爲是兒療治病苦菩薩亦尒見諸
衆生遇煩惱病生憂念心而爲説法以聞法
故諸煩惱斷煩惱斷已終不念言我爲衆生
斷諸煩惱若生此念終不得成阿耨多羅三
藐三菩提唯作是念无一衆生我爲説法令
斷煩惱菩薩摩訶薩於諸衆生不瞋不喜何
以故善能脩集空三昧故菩薩若脩空三昧
者當於誰所生瞋生喜善男子辟如山林猛
火所焚若人斫伐或爲水漂而是林木當於
誰所生瞋生喜菩薩摩訶薩亦復如是於諸
衆生无瞋无喜何以故脩空三昧故
尒時光明遍照高貴德王菩薩摩訶薩白佛
言世尊一切諸法性自空耶空故空若性
自空者不應脩空然後見空云何如来言以
脩空而見空耶若性自不空雖復脩空不能
令空善男子一切諸法性本自空何以故一切
法性不可得故善男子色性不可得云何
色性色者非地水火風不離地水火風非青
黄赤白不離青黄赤白非有非无云何當言
色有自性以性不可得故説爲空一切諸法
亦復如是以相似相續故凡夫見已説言諸
法性不空寂菩薩摩訶薩具足五事是故見
法性本空寂善男子若有沙門及婆羅門見

BD02962號　大般涅槃經（北本　異卷）卷二六

（30–23）

亦復如是以相似相續故凡夫見已説言諸
法性不空寂菩薩摩訶薩具足五事是故見
法性本空寂善男子若有沙門及婆羅門見
一切法性不空者當知是人非是沙門非婆
羅門不得脩集般若波羅蜜不得入於大般
涅槃不得現見諸佛菩薩是魔眷屬善男子
一切諸法性本自空亦因菩薩脩集空故見
諸法空善男子如一切法性无常故滅能滅
之若非无常滅不能滅有爲之法有生相故
生能生之有滅相故滅能滅之一切諸法有
苦相故苦能令苦善男子如鹽性醎能醎異
物石蜜性甘能甘異物苦酒性酢能酢異物
薑本性辛能辛異物呵梨勒苦能苦異物
菴羅菓淡能淡異物毒性能害令異物害甘露
之性令人不死若合異物亦能不死菩薩脩
空亦復如是以脩空故見一切法性皆空寂
光明遍照高貴德王菩薩復作是言世尊若
鹽能令非醎作醎脩空三昧若如是者當知
是定非善非妙其性顛倒若空三昧唯見空
者空是无法爲何所見善男子是空三昧見
不空法能令空寂然非顛倒如鹽非醎作醎
是空三昧亦復如是不空作空善男子貪是
有性非是空性貪若是空衆生不應以是因
緣墮於地獄若墮地獄云何貪性當是空耶
善男子色性是有何等色性所謂顛倒以顛

BD02962號　大般涅槃經（北本　異卷）卷二六

（30–24）

不空法能令空竊然非顛倒如醯非醎作醎
是空三昧亦復如是不空作空善男子貪是
有性非是空性貪若是空衆生不應以是因
緣墮於地獄若墮地獄云何貪性當是空耶
善男子色性是有何等色性所謂顛倒以顛
倒故衆生生貪若是色性非顛倒者云何能
令衆生生貪以生貪故當知色性非不是有
以是義故脩空三昧非顛倒也善男子一切
凡夫若見女人即生女相菩薩不介雖見女
人不生女相以不生相貪則不生貪不生故
非顛倒也以世間人見有女故菩薩隨說言
有女人若見男時說言是女則是顛倒是故
我爲闍提說言汝婆羅門若以晝爲夜是即
顛倒以夜爲晝是亦顛倒晝爲晝相夜爲夜
相云何顛倒善男子一切菩薩住九地者見
法有性以是見故不見佛性若見佛性則不
復見一切法性以脩如是空三昧故不見法
性以不見故則見佛性諸佛菩薩有二種說
一者有性二者无性爲衆生故說有法性爲
諸賢聖說无法性爲不空者見法空故脩空
三昧令得見空无法性者亦脩空故空以是
義故脩空見空
善男子汝言見空空是无法爲何所見者善
男子如是如是菩薩摩訶薩實无所見无所
見者即无所有无所有者即一切法菩薩摩
訶薩脩大涅槃於一切法悉[illegible]

義故脩空見空
善男子汝言見空空是无法爲何所見者善
男子如是如是菩薩摩訶薩實无所見无所
見者即无所有无所有者即一切法菩薩摩
訶薩脩大涅槃於一切法悉无所見若有見
者不見佛性不能脩集般若波羅蜜不得入
於大般涅槃是故菩薩見一切法性无所有
善男子菩薩不但因見三昧而見空也般若
波羅蜜亦空禪波羅蜜亦空毗梨耶波羅蜜
亦空羼提波羅蜜亦空尸波羅蜜亦空檀波
羅蜜亦空色亦空眼亦空識亦空如來亦空
大般涅槃亦空是故菩薩見一切法皆悉是
空是故我在迦毗羅城告阿難言汝莫愁惱
悲歸啼哭阿難即言如來世尊我今眷屬悉
皆死喪云何當得不悲泣耶如來與我俱生
此城俱同釋種親慼眷屬云何如來獨不愁
惱光顏更顯善男子我復告言阿難汝見迦
毗真實是有我見空竊悉无所有汝見釋種
悉是親慼我脩空故悉无所見以是因緣汝
生愁苦我身容顏益更光顯諸佛菩薩脩集
如是空三昧故不生愁惱是名菩薩脩大涅
槃微妙經典成就具足第九功德
善男子云何菩薩脩大涅槃微妙經典具足
寂後第十功德善男子菩薩脩集三十七品入
大涅槃常樂我淨爲諸衆生分別解說大涅

如是空三昧故不生愁惱是名菩薩脩大涅
槃微妙經典具足成就第九功德
善男子云何菩薩脩大涅槃微妙經典具足
成就第十功德善男子菩薩脩集三十七品入
大涅槃常樂我淨爲諸衆生分別解說大涅
槃經顯示佛性若須陁洹斯陁含阿那含阿
羅漢辟支佛菩薩信是語者悉得入於大般
涅槃若不信者輪迴生死
尒時光明遍照高貴德王菩薩白佛言世尊
何等衆生於是經中不生恭敬善男子我涅
槃後有聲聞弟子愚癡破戒喜生鬪諍捨
十二部經讀誦種種外道典籍文頌手筆受畜
一切不淨之物言是佛聽如是之人以好栴
檀貿易凡木以金易鍮石銀易白鑞絹易氎
褐以甘露味易於惡毒云何栴檀貿易凡木
如我弟子爲供養故向諸白衣演說經法白
衣情逸不喜聽聞白衣處高比丘在下兼以
種種餚饍飲食而供給之猶不肯聽是名栴
檀貿易凡木云何以金貿易鍮石鍮石譬色
聲香味觸金譬於戒我諸弟子以色因緣破
所受戒是名以金貿易鍮石云何以銀易於
白鑞銀譬十善白鑞譬十惡我諸弟子放捨十
善行十惡法是名以銀貿易白鑞云何以絹
貿易氎褐氎褐以譬无慙无愧絹譬慙愧
我諸弟子放捨慙愧習无慙愧是名以絹貿易
氎褐云何甘露貿易毒藥毒藥以譬種種供

BD02962號　大般涅槃經（北本　異卷）卷二六　（30–27）

白鑞銀譬十善白鑞譬十惡我諸弟子放捨十
善行十惡法是名以銀貿易白鑞云何以絹
貿易氎褐氎褐以譬无慙无愧絹譬慙愧
我諸弟子放捨慙愧習无慙愧是名以絹貿易
氎褐云何甘露貿易毒藥毒藥以譬種種供
養甘露以譬諸无漏法我諸弟子爲利養故
向諸白衣自譽讚言得无漏是名甘露貿
易毒藥以如是等惡比丘故是大涅槃微妙
經典廣行流布於閻浮提當是之時有諸弟
子受持讀誦書寫是經演說流布當爲如是
諸惡比丘之所煞害時惡比丘相與聚集共
立嚴制若有受持大涅槃經書寫讀誦分別
說者一切不得共住共坐談論語言何以故
涅槃經者非佛所說耶見所造耶見之人即
是六師六師所說非佛經典所以者何一切
諸佛悉說諸法无常无我无樂无淨若言諸
法常樂我淨云何當是佛所說經諸佛菩薩
聽諸比丘畜種種物六師所說不聽弟子畜
一切物如是之義云何當是佛之所說諸佛菩
薩不制弟子斷牛五味及以食肉六師不
聽食五種鹽五事牛味及以脂血若斷是者
云何當是佛之正典諸佛菩薩演說三乘而
是經中純說一乘謂大涅槃如此之言云何
當是佛之正典諸佛畢竟入於涅槃是經言
佛常樂我淨不入涅槃是經不在十二部數

BD02962號　大般涅槃經（北本　異卷）卷二六　（30–28）

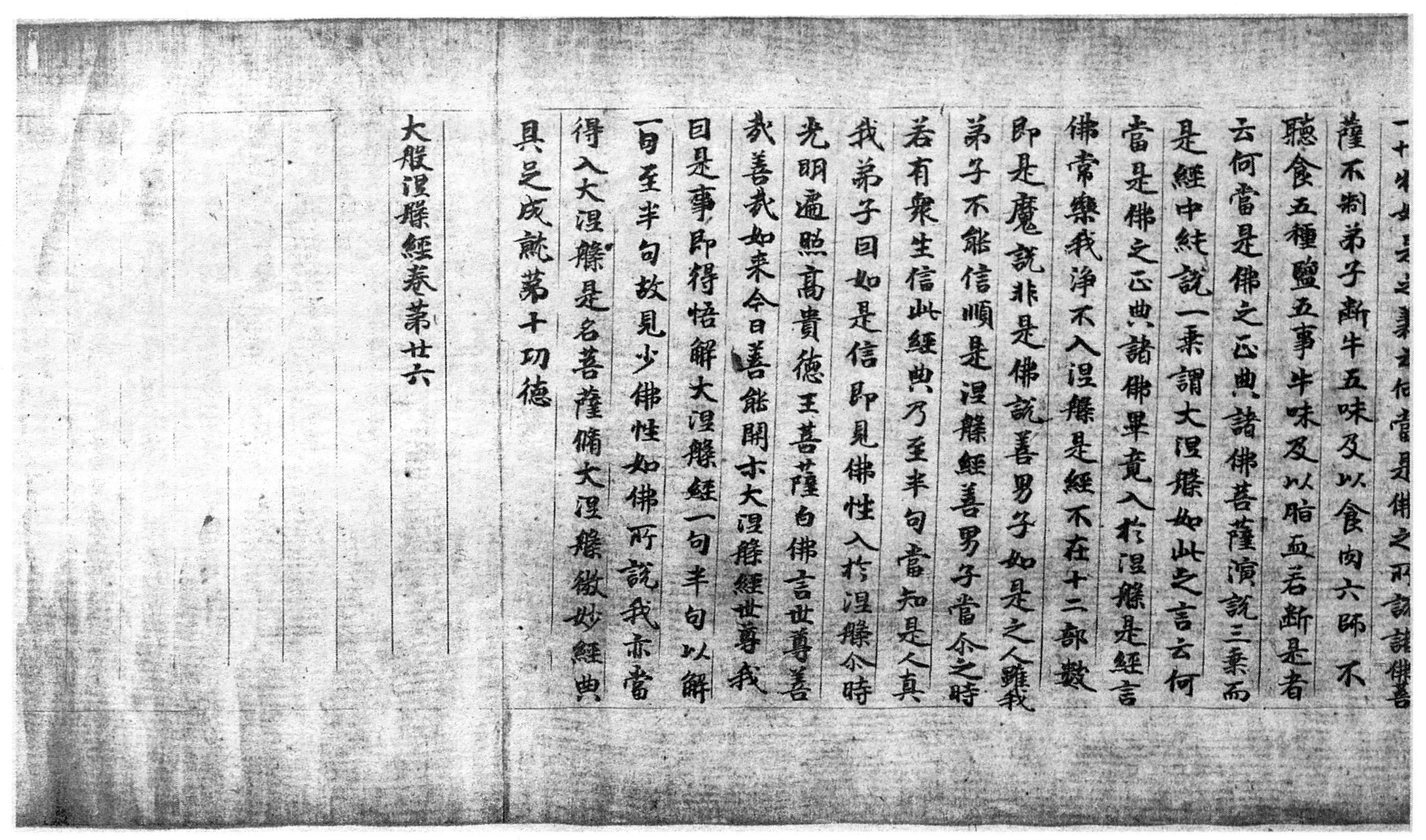

[illegible]如來之義云何當是佛之所說諸佛菩
薩不制弟子斷牛五味及以食肉六師不
聽食五種鹽五事牛味及以脂血若斷是者
云何當是佛之正典諸佛菩薩演說三乘而
是經中純說一乘謂大涅槃如此之言云何
當是佛之正典諸佛畢竟入於涅槃是經言
佛常樂我淨不入涅槃是經不在十二部數
即是魔說非是佛說善男子如是之人雖我
弟子不能信順是涅槃經善男子當尒之時
若有眾生信此經典乃至半句當知是人真
我弟子因如是信即見佛性入於涅槃尒時
光明遍照高貴德王菩薩白佛言世尊善
哉善哉如來今日善能開示大涅槃經世尊我
因是事即得悟解大涅槃經一句半句以解
一句至半句故見少佛性如佛所說我亦當
得入大涅槃是名菩薩脩大涅槃微妙經典
具足成就第十功德

大般涅槃經卷第廿六

BD02962號　大般涅槃經（北本　異卷）卷二六　（30–29）

若有眾生信此經典乃至半句當知是人真
我弟子因如是信即見佛性入於涅槃尒時
光明遍照高貴德王菩薩白佛言世尊善
哉善哉如來今日善能開示大涅槃經世尊我
因是事即得悟解大涅槃經一句半句以解
一句至半句故見少佛性如佛所說我亦當
得入大涅槃是名菩薩脩大涅槃微妙經典
具足成就第十功德

大般涅槃經卷第廿六

BD02962號　大般涅槃經（北本　異卷）卷二六　（30–30）

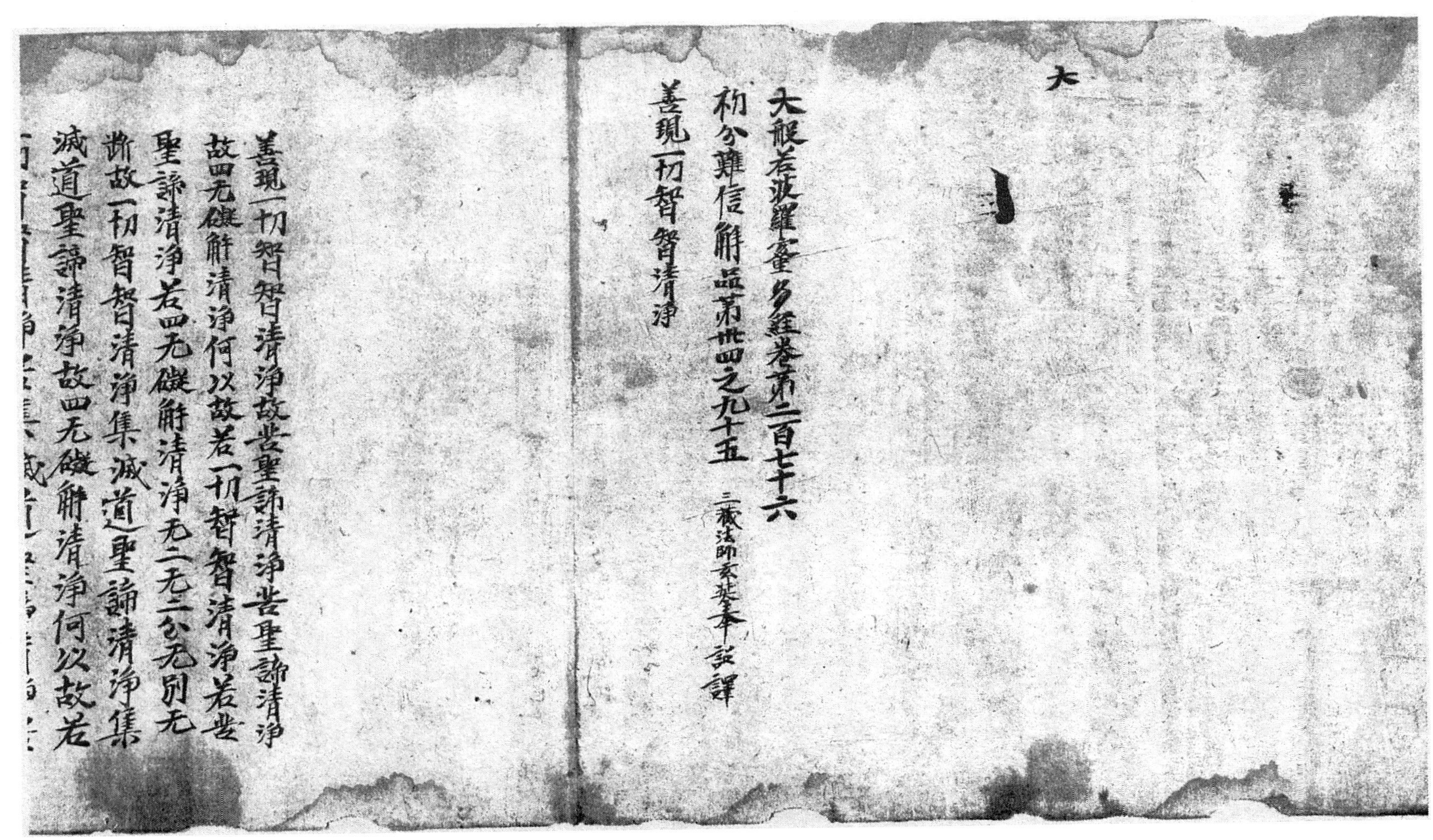

大

大般若波羅蜜多經卷第二百七十六

初分難信解品第卅四之九十五

三藏法師玄奘奉　詔譯

善現一切智智清淨

善現一切智智清淨故苦聖諦清淨苦聖諦清淨

故四无礙解清淨何以故若一切智智清淨若苦

聖諦清淨若四无礙解清淨无二无二分无別无

斷故一切智智清淨集滅道聖諦清淨集

滅道聖諦清淨故四无礙解清淨何以故若

[illegible]

BD02962 號背　大般若波羅蜜多經（兌廢稿）卷二七六　（9–1）

善現一切智智清淨故苦聖諦清淨苦聖諦清淨

故四无礙解清淨何以故若一切智智清淨若苦

聖諦清淨若四无礙解清淨无二无二分无別无

斷故一切智智清淨集滅道聖諦清淨集

滅道聖諦清淨故四无礙解清淨何以故若

一切智智清淨若集滅道聖諦清淨若

四无礙解清淨无二无二分无別无斷故善現

一切智智清淨故靜慮清淨靜慮清淨若

四無礙解清淨无二无二分无別无斷故一切智智清淨

故四无量四无色空清淨四量四色无定清

淨故四无礙解清淨何以故若一切智智清

若四無量四无色定清淨若四無礙解清淨无二

无二分无別无斷故現善切一智智清淨故八解脫

清淨八解脫清淨故四無礙解清淨无二无二分

无別无斷故一切智智清淨故八勝處九次第

定十遍處清淨八勝處九次第定十遍處清

淨故無礙解清淨何以故若一切智智清淨

若八勝處九次第定十遍處清淨若四無礙解

清淨无二无二分无別无斷故善現一切智智清淨

故四念住清淨四念住清淨故四无礙解清淨何

以故若一切智智清淨若四念住清淨若四无

礙解清淨无二无二分无別斷故一切智智清淨故

四正斷四神足五根五力七等覺支清淨四正斷

乃至八聖道支清淨故四无礙解清淨何以故

若一切智智清淨若四正斷乃至八聖道支清淨

若四无礙清淨无二无二分无別斷故善現一切

BD02962 號背　大般若波羅蜜多經（兌廢稿）卷二七六　（9–2）

礙解清淨无二无二分无別斷故一切智智清淨故
四正斷四神足五根五力七等覺支清淨四正斷
乃至八聖道支清淨故四无礙解清淨何以故
若一切智智清淨若四正斷乃至八聖道支清淨
若四无礙清淨无二无二分无別斷故善現一切
智智清淨故空解脫門清淨空解脫門清
淨故四无礙解清淨何以故若一切智智清淨
若空解脫門清淨若四无礙解清淨无二无二分无
別无斷故一切智智清淨故无相无願解脫
清淨門无相无願解脫門清淨故四无礙清
淨何以故若一切智智清淨若无相无願解脫
門清淨若四无礙解清淨无二无二分无別无斷故
善現一切智智清淨故菩薩十地清淨菩薩十
地清淨故四无礙解清淨何以故若一切智智
清淨若菩薩十地清淨若四无礙解清淨
无二无二分无別无斷故善現一切智智清淨故
五眼清淨五眼清淨四无礙解清淨何以故若一切智
智清淨若五眼清淨若四无礙解清淨无二
无二分无別无斷故一切智智清淨故六神通
清淨故六神通積淨六神通清淨故四无礙解
神通清淨若四无礙解清淨无二无二分无別无斷
故善現一切智智清淨故佛十力清淨佛十力淨
清故四无礙解清淨何以故若一切智智清
淨若佛十力清淨若四无礙解清淨无二无二分无
別无斷故一切智智清淨故四无所畏大慈大悲大
喜大捨十八佛不共法清淨四无所畏乃至十八佛
不共法清淨故四无礙解[illegible]

BD02962號背　大般若波羅蜜多經（兌廢稿）卷二七六　（9–3）

故善現一切智智清淨故佛十力清淨佛十力淨
清故四无礙解清淨何以故若一切智智清
淨若佛十力清淨若四无礙解清淨无二无二分无
別无斷故一切智智清淨故四无所畏大慈大悲大
喜大捨十八佛不共法清淨四无所畏乃至十八佛
不共法清淨故四无礙解清淨何以故一切智智
清淨若四无所畏乃至十八佛不共法清淨若四
无礙解清淨无二无二分无別无斷故善現一切智
智清淨故无忘失法清淨无忘失法清淨故四
无礙解清淨何以故若一切智智清淨若无忘失法
清淨若四无礙解清淨无二无二分无別无斷故一切
智智清淨故恒住捨性清淨恒住捨性清淨故四
无礙解清淨何以故若一切智智清淨若恒住捨
清性淨若四无礙解清淨无二无二分无別
无斷故善現一切智清淨故一切智清淨
一切智清淨故四无礙解清淨何以故若一切智智
清淨若一切智智清淨若无礙解清淨无二无二分
无別无斷故一切相智智清淨故道相智一切相
清淨故无礙解清淨何以故若一切智智清淨
一善現一切智智清淨故无忘失法清淨无忘失法
清淨故四无礙解清淨何以故若一切智智清淨
何以故若一切智智清淨恒住捨性清淨无二无二
无二分无別无斷故善現一切智智清淨故一切相智清淨
若道相智一切相智清淨若四无礙解清淨无二无二分无
別无斷故善現一切智智清淨故一切陁羅尼門清淨
一切陁羅尼門清淨故四无礙解清淨何以故若一切智智

BD02962號背　大般若波羅蜜多經（兌廢稿）卷二七六　（9–4）

无二分无别无断故善現一切智智清淨故一切相智清淨
若道相智一切相智清淨若四无礙解清淨无二无二分无
别无断故善現一切智智清淨故一切陀羅尼門清淨
一切陀羅尼門清淨故四无礙解清淨何以故若一切智智
若一切陀羅尼門清淨若四无礙解清淨无二无二无二分
无断故一切智智清淨故一切三摩地門清淨故四
无礙解淨何以故若一切智智清淨若一切三摩地
門清淨若无礙解清淨无二无二分无别故断
善現一切智智清淨故積流果清淨積流果清淨故四无
礙解清淨何以故若一切智智清淨若積流果清淨若四
无礙解清淨无二无二无二分无别无断故一切智智故一来不
還阿羅漢果清淨若四无礙解清淨无二无二分无别无断
故善現一切智智清淨故獨覺菩薩提清淨故无礙解
清淨何以故若一切智智清淨若獨覺菩提清淨若四无
解清淨无二无二分无别无断故善現一切菩薩摩訶薩行
清淨一切菩薩摩訶薩行清淨若四无礙解清淨若一
切菩薩摩訶薩行清淨若四无礙解清淨无二无二分无
别无断故善現一切智智清淨故諸佛无上正等菩提
清淨諸佛无上正等菩提清淨故四无礙解清淨何以故
若一切智智清淨若諸佛无上正等菩提清淨若四无
四无礙解脫門清淨无二无二分无别无断故
復次善現一切智智清淨故色清淨色清淨故大慈
清淨何以故若一切智智清淨若色清淨
故大慈清淨何以故若一切智智清淨若色清淨若大
慈清淨无二无二分无别无断故一切智智清淨故
受想行識清淨受想行識清淨故大慈清淨故何
以故若一切智智清淨若受想行識清淨若大慈

BD02962 號背　大般若波羅蜜多經（兑廢稿）卷二七六

（9–5）

清淨何以故若一切智智清淨若色清淨
故大慈清淨何以故若一切智智清淨若色清淨若大
慈清淨无二无二分无别无断故一切智智清淨故
受想行識清淨受想行識清淨故大慈清淨故何
以故若一切智智清淨若受想行識清淨若大慈
清淨无二无二分无别无断故
善現一切智智清淨故眼處清淨眼處清淨故大
慈清淨何以故若一切智智清淨若眼處清淨若大慈
清淨无二无二分无别无断故一切智智清淨故耳鼻
舌身意處清淨鼻舌身意處清淨若大慈清
无二无二分无别无断故
善現一切智智清淨故色處清淨色處清淨故大
慈清淨何以故若一切智智清淨若色處清淨若大慈
清淨无二无二分无别无断故一切智智清淨故聲香味
觸法處清淨聲香味觸法處清淨故大慈清淨
无二无二分无别无断故善現一切智智清淨故眼界清淨
故一切大慈清淨何以故若一切智智清淨若眼界清淨
若大慈清淨无二无二分无别无断故一切智智清淨故色界
界眼識界及眼解觸眼觸為緣所生諸受清淨色界
乃至眼觸為緣所生諸受清淨故大慈清淨何以故若
一切智智清淨若色界乃至眼觸為緣所生諸受清淨
若大慈清淨无二无二分无别无断故
善現一切智智清淨故眼界清淨故大慈清淨
何以故若一切智智清淨若眼界清淨大慈清
淨故无二无二无分无别无断故一切智智清淨故色
界眼識界及眼觸眼觸為緣所生諸受清淨故大慈
清淨何以故若一切智智清淨若聲界乃至耳觸為
緣所生諸受清淨若大慈清淨无二无二分无别无断故

BD02962 號背　大般若波羅蜜多經（兑廢稿）卷二七六

（9–6）

淨故无二无二分无別无斷故一切智智清淨故色
界眼識界及眼觸眼觸為緣所生諸受清淨故大慈
清淨何以故若一切智智清淨若聲界乃至耳觸為
緣所生諸受清淨若大慈清淨无二无二分无別无斷故
善現一切智智清淨故鼻界清淨鼻界清淨故大
慈清淨何以故若一切智智清淨若鼻界清淨若大
慈清淨无二无二分无別无斷故一切智智清淨故
一切智智清淨故香味鼻識界及鼻觸為緣所生
諸受清淨故大慈清淨何以故
清淨若香界乃至鼻觸為緣所生諸受清淨若
大慈清淨无二无二分无別无斷故善現一切智智
清淨故舌界清淨舌界清淨故大慈清淨何以
故　善現一切智智清淨故身界清淨身界清
淨故大慈清淨何以故若一切清淨若身界清
若大慈清淨无二无二分无別无斷故一切智智清
淨故觸界身識界及身觸身觸為緣所生諸
受清淨故大慈清淨无二无二分无斷故
善現一切智智清淨意界清淨故大慈清淨
何以故一切智智清淨若大慈清淨无二无二分
无別无斷故一切智智清淨故法界意識界
及意觸意觸為緣所生諸受清淨法界乃至
意觸為緣所生諸受清淨故大慈清淨何以故
若一切智智清淨若法界乃至意觸為緣所生
諸受清淨若大慈清淨无二无二分无別无斷故
善現一切智智清淨故地界清淨地界清淨
故大慈清淨故何以故若一切智智清淨若地界
清淨若大慈清淨无二无二分无別无斷故一切智
智清淨故水火風空識界清淨故大慈清淨

BD02962 號背　大般若波羅蜜多經（兌廢稿）卷二七六　（9–7）

諸受清淨若大慈清淨无二无二分无別无斷故
善現一切智智清淨故地界清淨地界清淨
故大慈清淨故何以故若一切智智清淨若地界
清淨若大慈清淨无二无二分无別无斷故一切智
智清淨故水火風空識界清淨故大慈清淨
何以故若一切智智清淨若水火風空識界清淨
若大慈清淨无二无二分无別无斷故
善現一切智智清淨故无明清淨无明清
淨故大慈清淨何以故若一切智智清淨
善現一切智智淨清故无明清淨无明
清淨故大慈清淨何以故若一切智智清淨
若无明清淨若大慈清淨无二无二分无別无
斷故一切智智清淨故行識名色六處觸
受愛取有生老死愁歎苦憂惱清淨行乃
至老死愁歎苦憂惱清淨故大慈清淨何
以故若一切智智清淨若行乃至老死愁歎
故憂惱清淨若大慈清淨无二无二分无別无斷
斷故
善現一切智智清淨故布施波羅蜜多清淨布
施波羅蜜多清淨故大慈清淨无二分无
別无斷故善現一切智智清淨故內外空內空
一切智智清淨若布施波羅蜜多清淨若何以
故若一切智智清淨若大慈清淨无二无二分无斷
一切清淨故淨戒安忍精進靜慮般若波羅多
清淨何以故一切智智清淨戒乃至般若波蜜
多權就實後一頌結之巡初也經請佛方便力至
乃是實滅贊日此勸捨離如是若言智一切智智
无无二无二分无別

BD02962 號背　大般若波羅蜜多經（兌廢稿）卷二七六　（9–8）

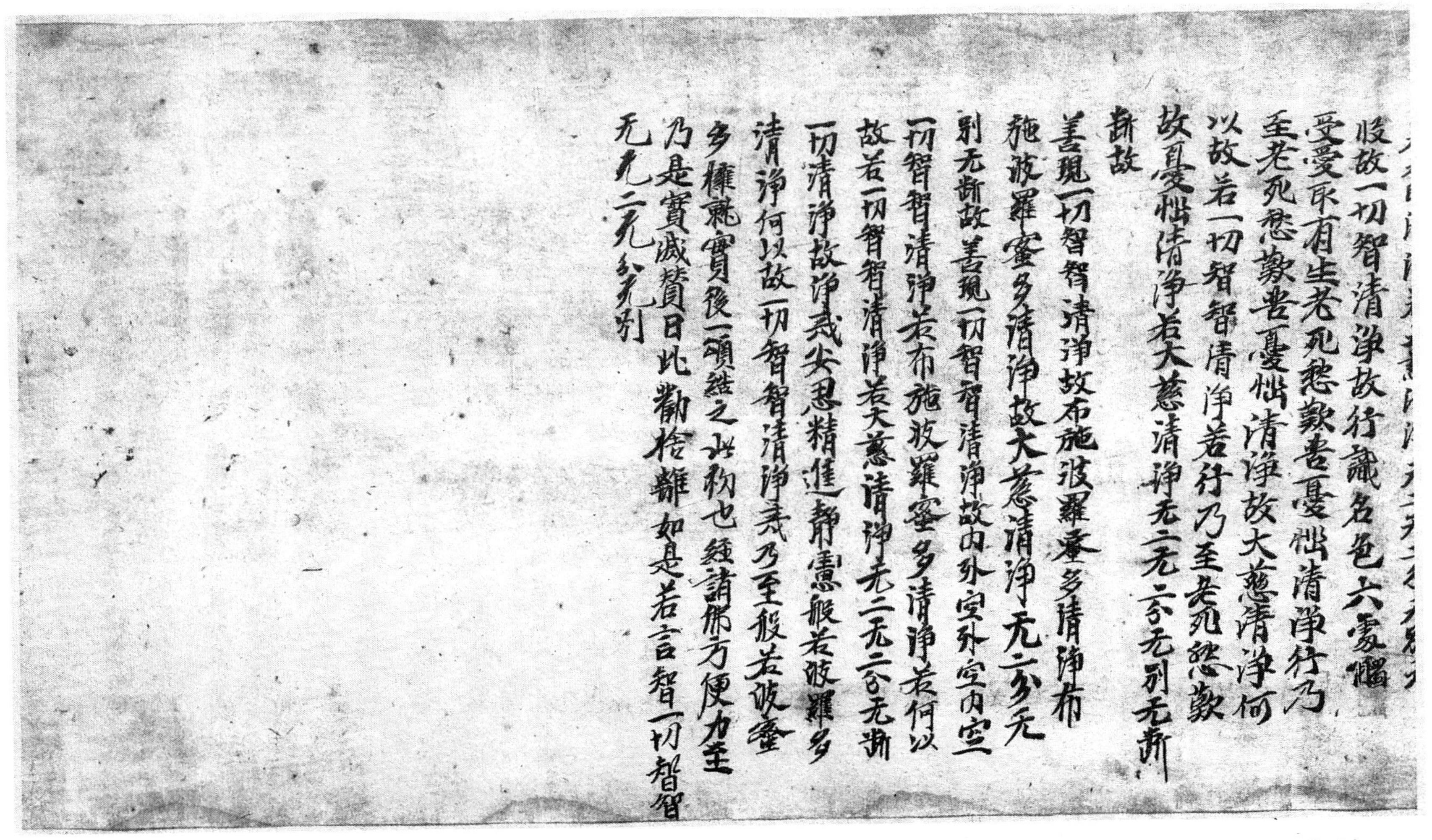

BD02962 號背　大般若波羅蜜多經（兌廢稿）卷二七六　（9–9）

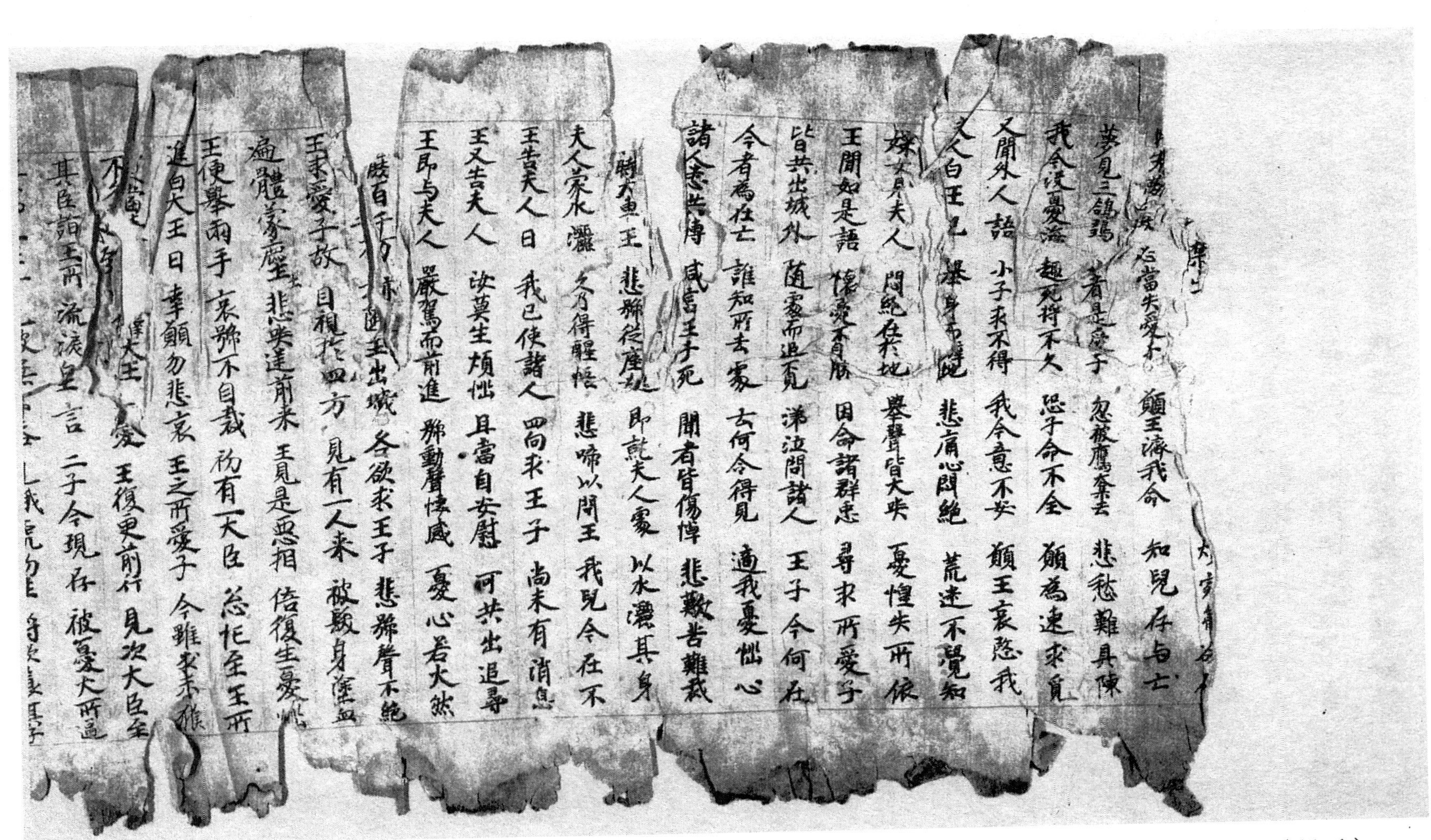

BD02963 號　金光明最勝王經卷一〇　（11–1）

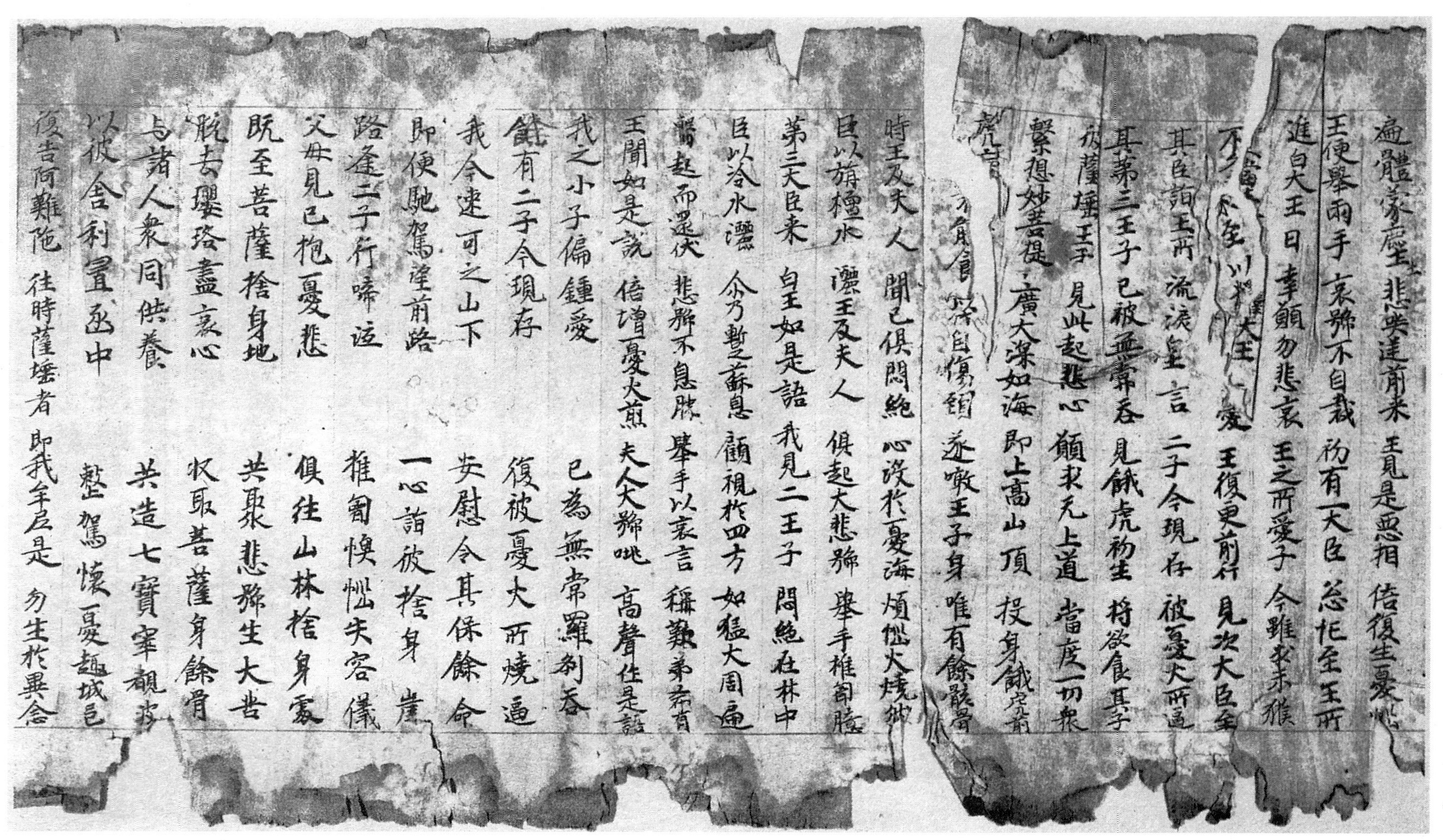
遍體蒙塵土 悲哭迷前來 王見是惡相 倍復生憂惱
王便舉兩手 哀號不自裁 初有一大臣 忽到至王所
進白大王曰 幸願勿悲哀 王之所愛子 今雖求未獲
不久[illegible]至 以[illegible]大王憂 王復更前行 見次大臣至
其臣詣王所 流淚白王言 二子今現存 被憂火所逼
其第三王子 已被無常吞 見餓虎初生 將欲食其子
彼薩埵王子 見此起悲心 願求無上道 當度一切眾
繫想妙菩提 廣大深如海 即上高山頂 投身餓虎前
虎[illegible]有飢食 [illegible]自傷殘 遂噉王子身 唯有餘骸骨
時王及夫人 聞已俱悶絕 心沒於憂海 煩惱火燒然
臣以旃檀水 灑王及夫人 俱起大悲號 舉手椎胸臆
第三大臣來 白王如是語 我見二王子 悶絕在林中
臣以冷水灑 尒乃復蘇息 顧視於四方 如猛火周遍
暫起而還伏 悲號不自勝 舉手以哀言 稱歎弟希有
王聞如是說 倍增憂火煎 夫人大號咷 高聲作是語
我之小子偏鍾愛 已為無常羅剎吞
餘有二子今現存 復被憂火所燒逼
我今速可之山下 安慰令其保餘命
即便馳駕望前路 一心詣彼捨身崖
路逢二子行啼泣 椎胸懊惱失容儀
父母見已抱憂悲 俱往山林捨身處
既至菩薩捨身地 共聚悲號生大苦
脫去瓔珞盡哀心 收取菩薩身餘骨
與諸人眾同供養 共造七寶窣覩波
以彼舍利置函中 整駕懷憂趣城邑
復告阿難陀 往時薩埵者 即我牟尼是 勿生於異念

BD02963 號　金光明最勝王經卷一〇　（11–2）

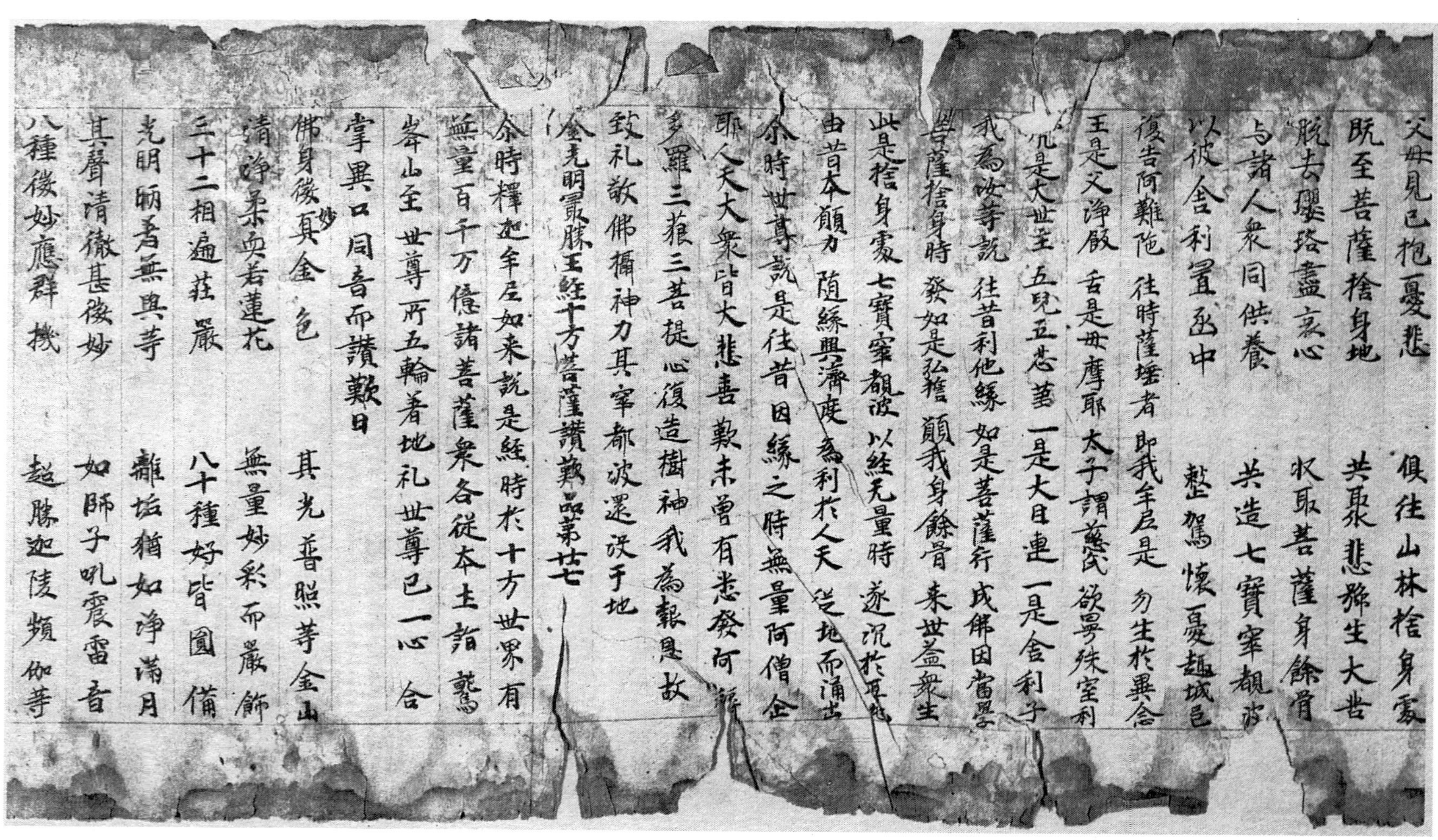
父母見已抱憂悲 俱往山林捨身處
既至菩薩捨身地 共聚悲號生大苦
脫去瓔珞盡哀心 收取菩薩身餘骨
與諸人眾同供養 共造七寶窣覩波
以彼舍利置函中 整駕懷憂趣城邑
復告阿難陀 往時薩埵者 即我牟尼是 勿生於異念
王是父淨飯 后是母摩耶 太子謂慈氏 次曼殊室利
虎是大世主 五兒五苾芻 一是大目連 一是舍利子
我為汝等說 往昔利他緣 如是菩薩行 成佛因當學
菩薩捨身時 發如是弘誓 願我身餘骨 來世益眾生
此是捨身處 七寶窣覩波 以經無量時 遂沉於厚地
由昔本願力 隨緣興濟度 為利於人天 從地而涌出
尒時世尊說是往昔因緣之時 無量阿僧企
耶人天大眾皆大悲喜 歎未曾有 悉發阿耨
多羅三藐三菩提心 復告樹神 我為報恩故
致禮敬佛 攝神力 其窣覩波還沒于地
金光明最勝王經十方菩薩讚歎品第廿七
尒時釋迦牟尼如來說是經時 於十方世界有
無量百千万億諸菩薩眾 各從本土詣鷲
峯山 至世尊所 五輪著地 禮世尊已 一心合
掌 異口同音而讚歎曰
佛身微妙真金色 其光普照等金山
清淨柔軟若蓮花 無量妙彩而嚴飾
三十二相遍莊嚴 八十種好皆圓備
光明晃著無與等 離垢猶如淨滿月
其聲清徹甚微妙 如師子吼震雷音
八種微妙應群機 超勝迦陵頻伽等

BD02963 號　金光明最勝王經卷一〇　（11–3）

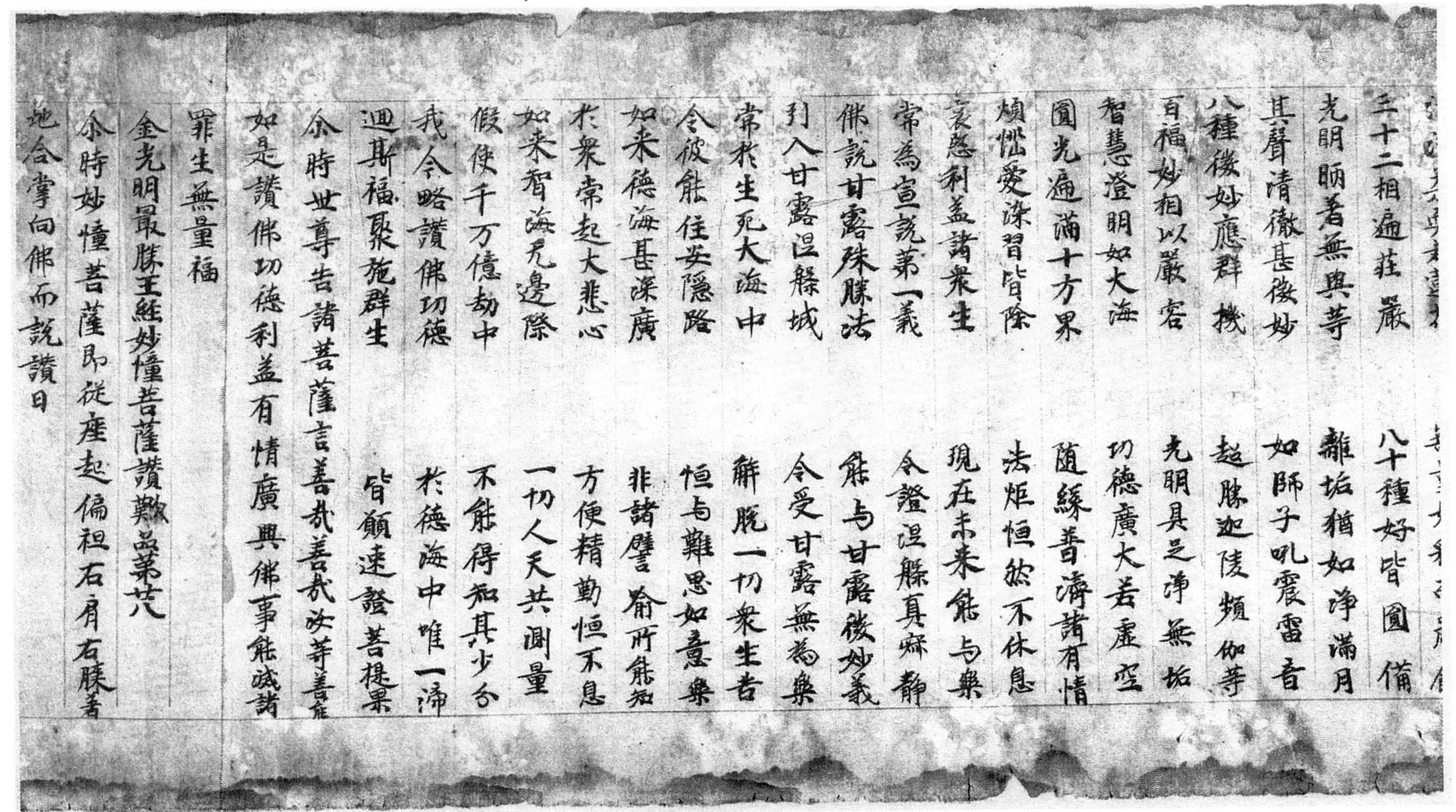
三十二相遍莊嚴　八十種好皆圓備
光明晒著無與等　離垢猶如淨滿月
其聲清徹甚微妙　如師子吼震雷音
八種微妙應群機　超勝迦陵頻伽等
百福妙相以嚴容　光明具足淨無垢
智慧澄明如大海　功德廣大若虛空
圓光遍滿十方界　隨緣普濟諸有情
煩惱愛染習皆除　法炬恒然不休息
哀愍利益諸眾生　現在未來能與樂
常為宣說第一義　令證涅槃真寂靜
佛說甘露殊勝法　能與甘露微妙義
引入甘露涅槃城　令受甘露無為樂
常於生死大海中　解脫一切眾生苦
令彼能住安隱路　恒與難思如意樂
如來德海甚深廣　非諸譬喻所能知
於眾常起大悲心　方便精勤恒不息
如來智海無邊際　一切人天共測量
假使千万億劫中　不能得知其少分
我今略讚佛功德　於德海中唯一滴
迴斯福聚施群生　皆願速證菩提果
尒時世尊告諸菩薩言善哉善哉汝等善能
如是讚佛功德利益有情廣興佛事能滅諸
罪生無量福
金光明最勝王經妙幢菩薩讚歎品第廿八
尒時妙幢菩薩即從座起偏袒右肩右膝著
地合掌向佛而說讚曰

BD02963號　金光明最勝王經卷一〇　（11–4）

如是讚佛功德利益有情廣興佛事能滅諸
罪生無量福
金光明最勝王經妙幢菩薩讚歎品第廿八
尒時妙幢菩薩即從座起偏袒右肩右膝著
地合掌向佛而說讚曰
牟尼百福相圓滿　無量功德以嚴身
廣大清淨人樂觀　猶如千日光明照
焰彩無邊光熾盛　如妙寶聚相端嚴
如日初出映虛空　紅白分明間金色
亦如金山光普照　悉能周遍百千土
能滅眾生無量苦　皆與無邊勝妙樂
諸相具足悉嚴淨　眾生樂觀無厭足
頭髮柔耎紺青色　猶如黑蜂集妙花
大喜大捨淨莊嚴　大慈大悲皆具足
眾妙相好為嚴飾　菩提分法之所成
如來能施眾福利　令彼常蒙大安樂
種種妙德共莊嚴　光明普照千万土
如來光相極圓滿　猶如赫日遍空中
佛如須彌功德具　示現能周於十方
如來金口妙端嚴　齒白齊密如珂雪
如來面貌無倫匹　眉間毫相常右旋
光潤鮮白等頗梨　猶如滿月居空界
佛告妙幢菩薩汝能如是讚佛功德不可思
議利益一切令未知者隨順修學
金光明最勝王經菩提樹神讚歎品第廿九
尒時菩提樹神亦以伽他讚世尊曰

BD02963號　金光明最勝王經卷一〇　（11–5）

光潤鮮白等頗梨　猶如滿月居空界
佛告妙幢菩薩汝能如是讚功德不可思
議利益一切令未知者隨順修學
金光明最勝王經菩提樹神讚歎品第廿九
尒時菩提樹神亦以伽他讚世尊曰
敬礼如来清淨慧　敬礼常求正法慧
敬礼能離非法慧　敬礼恒無分別慧
希有世尊無邊行　希有難見比優曇
希有如海鎮山王　希有善逝光無量
希有調御和柔顏　希有釋種明逾日
能說如是經中寶　哀愍利益諸群生
牟尼寂靜諸根定　能入寂靜涅槃城
能住寂靜等持門　能知寂靜深境界
兩足中尊住空寂　聲聞弟子身亦空
一切法體性皆無　一切衆生悉空寂
我常憶念於諸佛　我常樂見諸世尊
我常發起慇重心　願常得值遇如来日
我常頂礼於世尊　願常渴仰心不捨
悲泣流淚情無間　常得奉事不知猒
唯願世尊起悲心　和顏常得令我見
佛及聲聞衆清淨　願常普濟於人天
佛身本淨若虛空　亦如幻焰及水月
願說涅槃甘露法　能生一切功德聚
世尊所有淨境界　慈悲正行不思議
聲聞獨覺非所里　大仙菩薩不能測
唯願如来哀愍我　常令覩見大悲身

BD02963 號　金光明最勝王經卷一〇　（11–6）

願說涅槃甘露法　能生一切功德聚
世尊所有淨境界　慈悲正行不思議
聲聞獨覺非所里　大仙菩薩不能測
唯願如来哀愍我　常令覩見大悲身
三業無倦奉慈尊　速出生死歸真際
尒時世尊聞是讚已以梵音聲告樹神曰善
哉善哉善女天汝能於我真實無妄清淨法
身自利利他宣揚妙相以此功德令汝速證
最上菩提一切有情同所修習若得聞者皆
入甘露無生法門
金光明最勝王經大辯才天女讚歎品第卅
尒時大辯才天女即從座起合掌恭敬以直
言詞讚世尊曰
南謨釋迦牟尼如来應正等覺身真金色咽
如螺貝面如滿月目類青蓮脣口赤好如頗
梨色鼻高脩直如截金鋌齒白齊密如拘物
頭花身光普照如百千日光彩暎徹如贍部
金所有言詞皆無謬失示三解脫門開三菩
提路心常清淨意樂亦然佛所住處及所行
境亦常清淨離非威儀進止無謬六年苦行
三轉法輪度苦衆生令歸彼岸身相圓滿如
拘陁樹六度熏修三業無失具一切智自他
利滿所有宣說常為衆生言不虛設於釋種
中為大師子堅固勇猛具八解脫我今隨力
稱讚如来少分功德猶如蚊子飲大海水願
以此福廣及有情永離生死成無上道
尒時世尊告大辯才天曰善哉善哉汝久脩習

BD02963 號　金光明最勝王經卷一〇　（11–7）

利滿所有宣說常為衆生言不虛設於釋種
中為大師子堅固勇猛具八解脫我今隨力
稱讚如來少分功德猶如蚊子飲大海水願
以此福廣及有情永離生死成無上道
尒時世尊告大辯才曰善哉善哉汝久脩習
具大辯才今復於我廣陳讚歎令汝速證無
上法門相好圓明普利一切
金光明最勝王經付囑品第卅一
尒時世尊普告無量菩薩及諸人天一切大
衆汝等當知我於無量無數大劫勤修苦行
獲甚深法菩提正因已為汝說汝等誰能發
勇猛心恭敬守護我涅槃後於此法門廣宣
流布能令正法久住世間尒時衆中有六十
俱胝諸大菩薩六十俱胝諸天大衆異口同
音作如是語世尊我等咸有欣樂之心於佛
世尊無量大劫勤修苦行所獲甚深微妙之
法菩提正因恭敬護持不惜身命佛涅槃後
於此法門廣宣流布當令正法久住世間尒
時諸大菩薩即於佛前說伽他曰
世尊真實語　安住於實法　由彼真實故　護於於此經
大悲為甲胄　安住於大慈　由彼慈悲力　護持於此經
福資糧圓滿　生起智資糧　由資糧滿故　護持於此經
降伏一切魔　破滅諸邪論　斷除惡見故　護持於此經
護世并釋梵　乃至阿蘇羅　龍神藥叉等　護持於此經
地上及虛空　久住於斯者　奉持佛教故　護持於此經
四梵住相應　四聖諦嚴飾　降伏四魔故　護持於此經

BD02963號　金光明最勝王經卷一〇　　（11–8）

降伏一切魔　破滅諸邪論　斷除惡見故　護持於此經
護世并釋梵　乃至阿蘇羅　龍神藥叉等　護持於此經
地上及虛空　久住於斯者　奉持佛教故　護持於此經
四梵住相應　四聖諦嚴飾　降伏四魔故　護持於此經
虛空成質礙　質礙成虛空　諸佛所護持　無能傾動者
尒時四大天王聞佛說此護持妙法各生隨
喜護正法心一時同聲說伽他曰
我今於此經　及男女眷屬　皆一心擁護　令得廣流通
若有持經者　能作菩提因　我常於四方　擁護而承事
尒時天帝釋合掌恭敬說伽他曰
諸佛證此法　為欲報恩故　饒益菩薩衆　出世演斯經
我於彼諸佛　報恩常供養　護持如是經　及以持經者
尒時覩史多天子合掌恭敬說伽他曰
佛說如是經　若有能持者　當住菩提位　來生覩史天
世尊我慶悅　捨天殊勝報　住於贍部洲　宣揚是經典
時索訶世界主梵天王合掌恭敬說伽他曰
諸靜慮無量　諸乘及解脫　皆從此經出　是故演斯經
若說是經處　我捨梵天樂　為聽如是經　亦常為擁護
尒時魔王子名曰商主合掌恭敬說伽他曰
若有受持此　正義相應經　不隨魔所行　淨除魔惡業
我等於此經　亦當勤守護　發大精進意　隨處廣流通
尒時魔王合掌恭敬說伽他
若有持此經　能伏諸煩惱　如是衆生類　擁護令安樂
若有說是經　諸魔不得便　由佛威神故　我當擁護彼
尒時妙吉祥天子亦於佛前說伽他曰
諸佛妙菩提　於此經中說　若持此經者　是供養如來

BD02963號　金光明最勝王經卷一〇　　（11–9）

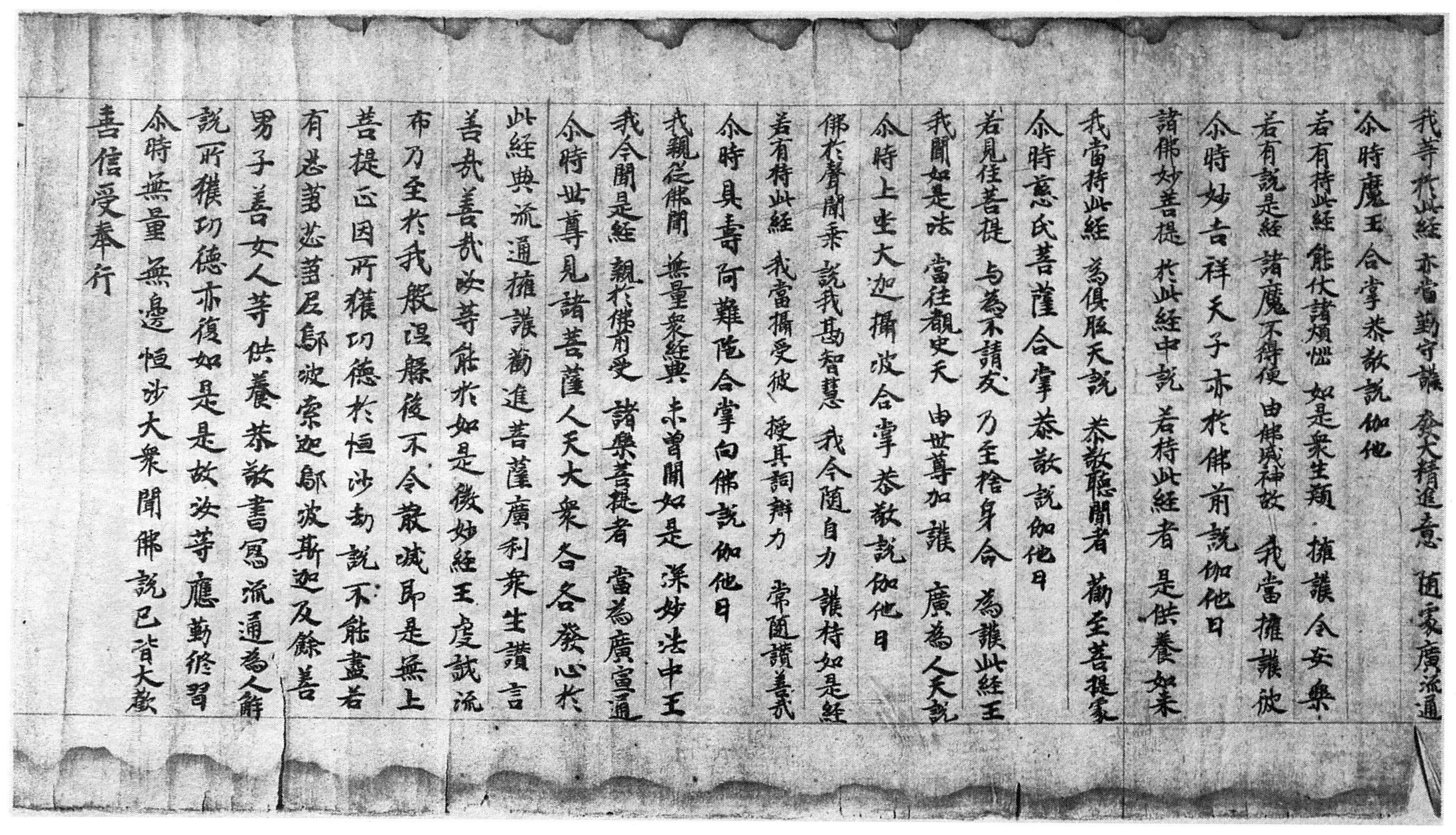

我等於此經　亦當勤守護　發大精進意　隨處廣流通
尒時魔王合掌恭敬說伽他
若有持此經　能伏諸煩惱　如是衆生類　擁護令安樂
若有說是經　諸魔不得便　由佛威神故　我當擁護彼
尒時妙吉祥天子亦於佛前說伽他曰
諸佛妙菩提　於此經中說　若持此經者　是供養如來
我當持此經　為俱胝天說　恭敬聽聞者　勸至菩提處
尒時慈氏菩薩合掌恭敬說伽他曰
若見住菩提　與為不請友　乃至捨身命　為護此經王
我聞如是法　當往覩史天　由世尊加護　廣為人天說
尒時上坐大迦攝波合掌恭敬說伽他曰
佛於聲聞乘　說我為智慧　我今隨自力　護持如是經
若有持此經　我當攝受彼　授其詞辯力　常隨讚善哉
尒時具壽阿難陀合掌向佛說伽他曰
我親從佛聞　無量衆經典　未曾聞如是　深妙法中王
我今聞是經　親於佛前受　諸樂菩提者　當為廣宣通
尒時世尊見諸菩薩人天大衆各各發心於
此經典流通擁護勸進菩薩廣利衆生讚言
善哉善哉汝等能於如是微妙經王虔誠流
布乃至於我般涅槃後不令散滅即是無上
菩提正因所獲功德於恒沙劫說不能盡若
有苾芻苾芻尼鄔波索迦鄔波斯迦及餘善
男子善女人等供養恭敬書寫流通為人解
說所獲功德亦復如是是故汝等應勤修習
尒時無量無邊恒沙大衆聞佛說已皆大歡
喜信受奉行

BD02963號　金光明最勝王經卷一〇　（11–10）

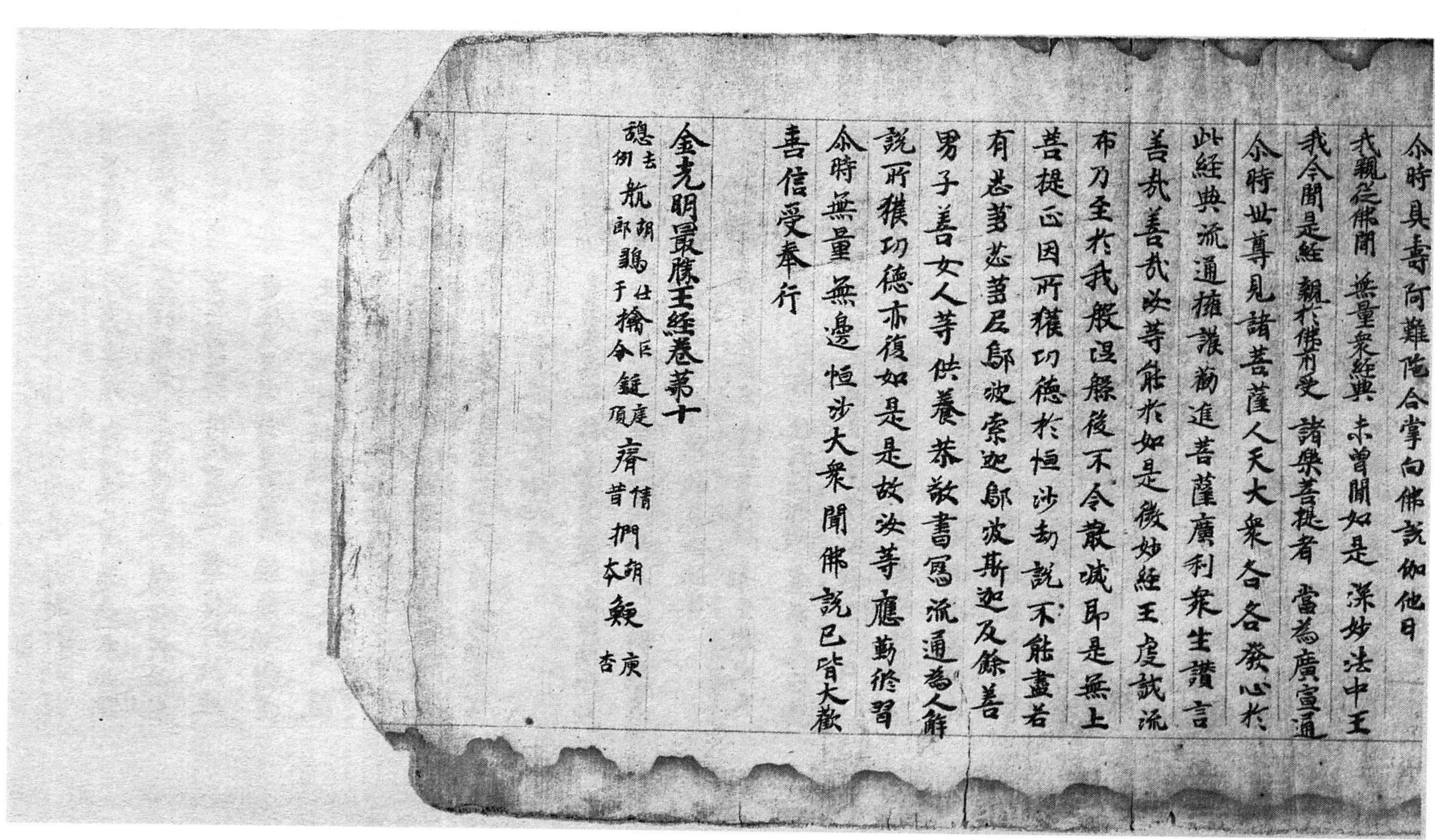

尒時具壽阿難陀合掌向佛說伽他曰
我親從佛聞　無量衆經典　未曾聞如是　深妙法中王
我今聞是經　親於佛前受　諸樂菩提者　當為廣宣通
尒時世尊見諸菩薩人天大衆各各發心於
此經典流通擁護勸進菩薩廣利衆生讚言
善哉善哉汝等能於如是微妙經王虔誠流
布乃至於我般涅槃後不令散滅即是無上
菩提正因所獲功德於恒沙劫說不能盡若
有苾芻苾芻尼鄔波索迦鄔波斯迦及餘善
男子善女人等供養恭敬書寫流通為人解
說所獲功德亦復如是是故汝等應勤修習
尒時無量無邊恒沙大衆聞佛說已皆大歡
喜信受奉行

金光明最勝王經卷第十

憩去例　航胡郎　鵝仕于　擒巨令　鋌庭頂　瘠情昔　捫胡本　鯁庚杏

BD02963號　金光明最勝王經卷一〇　（11–11）

此善根常增長故能行靜慮波羅蜜多成熟
有情嚴淨佛土雖行靜慮而不希求定所得
果謂不迴向可愛境界及勝生處唯爲救護
無救護者及欲解脫未解脫者脩行靜慮波
羅蜜多復次善現若菩薩摩訶薩從初發心
脩行般若波羅蜜多時以一切智智相應作
意脩學妙慧是菩薩摩訶薩諸惡慧他不
能引心不發起我我所執遠離一切我見有
情見乃至知者見見者見有無有見諸惡見
趣遠離攝擾無所分別引發種種殊勝善根
所以者何是菩薩摩訶薩觀一切法自相皆空
無實無成無轉無滅入諸法相知一切法無作無
能入諸行相是菩薩摩訶薩成就如是方便善
巧恒時增長覺分善根由此善根常增長故能
行般若波羅蜜多成熟有情嚴淨佛土雖行
般若而不希求慧所得果謂不迴向可愛境界
及勝生處唯爲救護無救護者及欲解脫未
解脫者脩行般若波羅蜜多復次善現若菩
薩摩訶薩從初發心脩行般若波羅蜜多時
以一切智智相應作意入四靜慮四無量四無色
定是菩薩摩訶薩雖於靜慮無量無色入出自
在而不攝受彼果異熟所以者何是菩薩摩訶
薩成就最勝方便善巧觀諸靜慮無量無色

BD02964號　大般若波羅蜜多經卷四六四　（2–1）

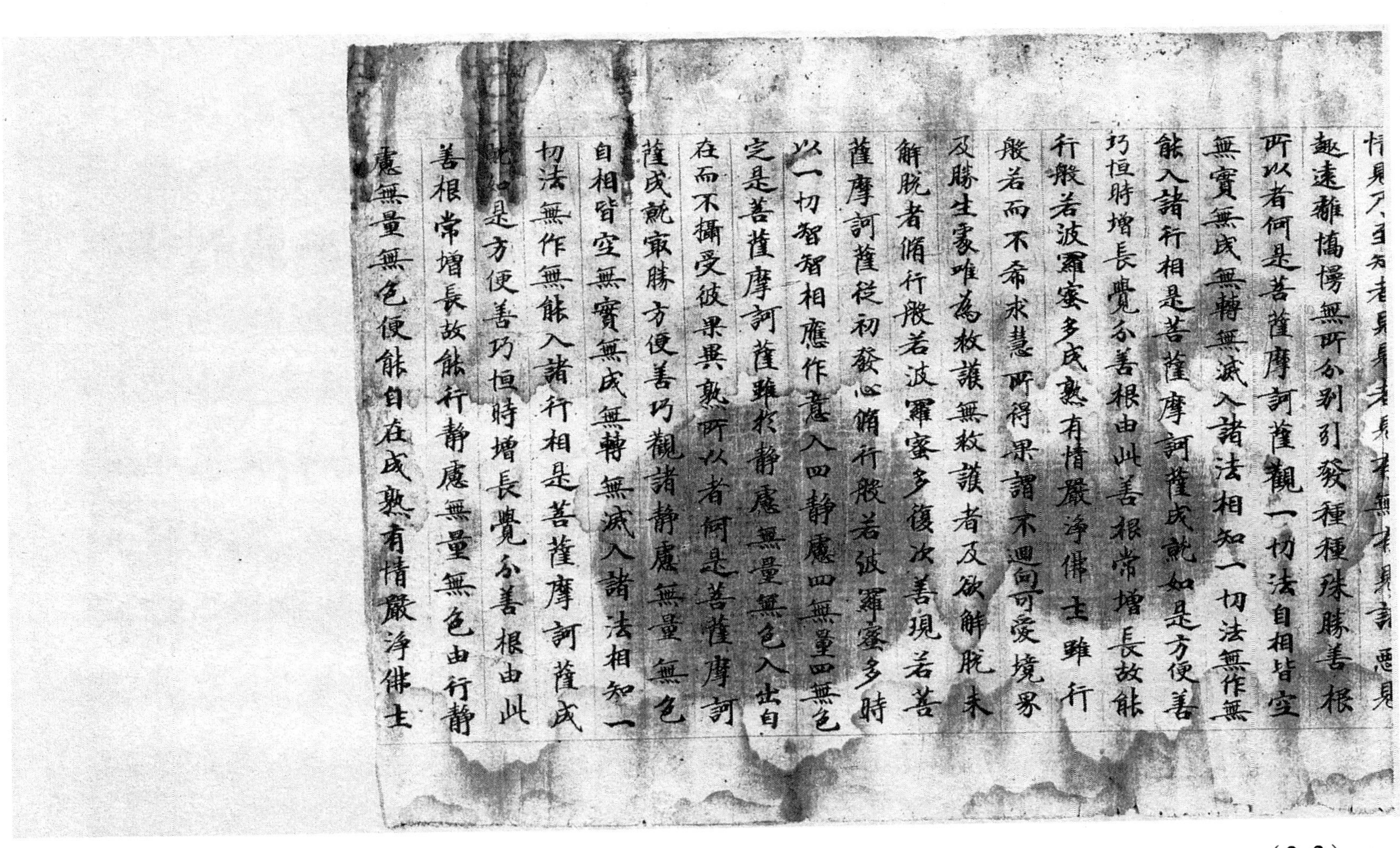
情見乃至知者見見者見有無有見諸惡見
趣遠離攝擾無所分別引發種種殊勝善根
所以者何是菩薩摩訶薩觀一切法自相皆空
無實無成無轉無滅入諸法相知一切法無作無
能入諸行相是菩薩摩訶薩成就如是方便善
巧恒時增長覺分善根由此善根常增長故能
行般若波羅蜜多成熟有情嚴淨佛土雖行
般若而不希求慧所得果謂不迴向可愛境界
及勝生處唯爲救護無救護者及欲解脫未
解脫者脩行般若波羅蜜多復次善現若菩
薩摩訶薩從初發心脩行般若波羅蜜多時
以一切智智相應作意入四靜慮四無量四無色
定是菩薩摩訶薩雖於靜慮無量無色入出自
在而不攝受彼果異熟所以者何是菩薩摩訶
薩成就最勝方便善巧觀諸靜慮無量無色
自相皆空無實無成無轉無滅入諸法相知一
切法無作無能入諸行相是菩薩摩訶薩成
就如是方便善巧恒時增長覺分善根由此
善根常增長故能行靜慮無量無色由行靜
慮無量無色便能自在成熟有情嚴淨佛土

BD02964號　大般若波羅蜜多經卷四六四　（2–2）

事故若乃至三

諸大姉我已説八波羅夷法若比丘尼犯一一波羅夷法不得

與諸比丘尼共住如前後亦如是比丘尼得波羅夷罪不應共住今

問諸大姉是中清淨不如是(至三)諸大姉是清淨中默然故是事如是持

諸大姉是十七僧伽婆尸沙法半月半月説戒經中來

若比丘尼媒嫁持男語語女持女語語男若為成婦事若為

私通乃至須臾是比丘尼初犯法應捨僧伽婆尸沙

若比丘尼瞋恚不喜以無根波羅夷法謗欲破彼清淨行後於

異時若問若不問知 以説我瞋恚如是語是比丘尼

犯初法應捨僧伽

若比丘尼瞋恚不 非波 比丘尼以無根波

羅夷法謗欲破彼人 於 若問 問知是異分事

取片彼比丘尼住瞋恚法故作如是説是比丘尼犯初法應捨僧伽婆尸沙

若比丘尼詣官言居士兒若奴若客作人若晝若夜若一念頃若彈

指頃若須臾頃是比丘尼犯初法應捨僧伽婆尸沙

若比丘尼先知是賊女罪應死多人所知不問王大臣不問種性便

度出家受具足戒是比丘尼犯初法應捨僧伽婆尸沙

若比丘尼知比丘尼為僧所舉如法如律如佛所教不順從未

懺悔僧未與作共住羯磨為愛故不問僧不約勑出界外作

羯磨與解罪是比丘 應捨 婆尸沙

若比丘尼獨渡 行犯初法應捨僧伽婆尸沙

若比丘尼染汙心 從受可 者及食并餘

是比丘尼犯初法應捨僧伽婆尸沙

若比丘尼教比丘尼作如是語大姉彼有染汙心無染汙心能

BD02965號　四分比丘尼戒本

若比丘尼知比丘尼為僧所舉如法如律如佛所教不順從未
懺悔僧未與作共住羯磨為愛故不問僧不約勅出界外住
羯磨與解罪是比丘尼 應捨 婆尸沙
若比丘尼獨渡 行犯 法應捨僧伽婆尸沙
若比丘尼染汙心 受 者及食并餘
是比丘尼犯初法應捨僧伽婆尸沙
若比丘尼教比丘尼作如是語大姊彼有染汙心無染汙心能
耶汝何汝自無染心於彼若得食但以時清淨受此比丘尼
犯初法應捨僧伽婆尸沙
若比丘尼欲壞和合僧方便受破僧法堅持不捨是比丘尼應諫
彼比丘尼言大姊汝莫壞和合僧莫方便壞和合僧莫受壞僧
法堅持不捨大姊應與僧和合與僧和合歡喜不諍同一師學
如水乳合於佛法中有增 安樂住是 尼諫彼比丘尼時
堅持不捨是比丘尼應三諫捨此事故乃至三諫捨者善不捨者
比丘尼犯三法應 若三 無數彼比丘尼語是
若比丘尼有餘比
比丘尼言大姊汝 比丘尼 法語比丘尼律語比丘尼
此比丘尼所說我等心喜樂此比丘尼所說我等忍可是比丘尼語
彼比丘尼言大姊莫作是說言此比丘尼是法語比丘尼律語比丘
尼此比丘尼所說我等喜樂此比丘尼所說我等忍可何以故此
比丘尼所說非法語非律語大姊莫欲破壞和合僧當樂欲和
合僧大姊與僧合和歡喜不諍同一師學如水乳合於佛法中
有增益安樂住是比丘尼諫彼比丘尼時堅持不捨是比丘尼
應三諫捨此事故至三諫捨者善不捨者是比丘尼法應捨僧
伽婆尸沙
若比丘尼依城邑若村落住汙他家行惡行行惡行亦見亦聞汙他
家亦見亦聞是 皮比丘尼言大姊汝汙他家行惡行
行惡行亦見 亦聞大姊汝汙他家行惡行

應三諫捨此事故至三諫捨者善不捨者是比丘尼法應捨僧
伽婆尸沙
若比丘尼依城邑若村落住汙他家行惡行行惡行亦見亦聞汙他
家亦見亦聞是[illegible]彼比丘尼言大姊汝汙他家行惡行
行惡行亦見亦[illegible]亦聞大姊汝汙他家行惡行
今可離此村落去[illegible]此彼[illegible]丘尼語此比丘尼作是言大姊
諸比丘尼有愛有恚有怖有癡有是同罪比丘尼有驅者有
不驅者是諸比丘尼語彼比丘尼言大姊莫作是語有愛有恚
有怖有癡亦莫言有如是同罪比丘尼有驅者有不驅者何
以故而諸比丘尼不愛不恚不怖不癡有如是同罪比丘尼有驅者有
不驅者大姊汙他家行惡行行惡行亦見亦聞汙他家亦見亦聞是
比丘尼諫彼比丘尼時堅持不捨是比丘尼應三諫捨此事故乃至三
諫捨者善不捨者是比丘尼犯三法應捨僧伽婆尸沙
若比丘尼惡性不受人語於戒法中諸比丘尼如法諫已自身不受諫
語言大姊汝莫向我說若好若惡我亦不向汝說若好若惡諸大
姊止莫諫我是比丘尼當諫彼比丘尼言大姊汝莫自身不受
諫語大姊自身當[illegible]如法諫諸比丘尼諸比丘尼亦
亦當如法諫大姊如[illegible]佛弟子衆得增益展轉相
教展轉懺悔是比丘尼如是諫時堅持不捨是比丘尼應三諫
捨此事故乃至三諫捨者善不捨者是比丘尼犯三法應捨僧
伽婆尸沙
若比丘尼相親近住共作惡行惡聲流布展轉共相覆罪是
比丘尼當諫彼比丘尼言大姊汝等莫相親近共作惡行惡
聲流布共相覆罪汝等若不相親近於佛法中得增益安
樂住是比丘尼諫彼比丘尼時堅持不捨是比丘尼應三諫捨
此事故乃至三諫捨者善不捨者是比丘尼犯三法應捨僧
伽婆尸沙
若比丘尼比丘尼僧為作呵諫時餘比丘尼教作如是言汝等
莫別住當共住我[illegible]尼不別住共住惡行惡聲流布

BD02965號　四分比丘尼戒本

（23–3）

樂住是比丘尼諫彼比丘尼時堅持不捨是比丘尼應三諫捨
此事故乃至三諫捨者善不捨者是比丘尼犯三法應捨僧
伽婆尸沙
若比丘尼比丘尼僧為[illegible]住呵諫時餘比丘尼教住如是言汝等
莫別住當共住我[illegible]不別住共住惡行惡聲流布
共相覆罪僧以恚故教汝別住是比丘尼應諫彼比丘尼言大姊汝莫
教餘比丘尼汝等莫別住我亦見餘比丘尼共住作惡行惡聲流
布共相覆罪僧以恚故教汝別住今正有此二比丘尼共住作惡行
惡聲流布共相覆罪更無有餘若此比丘尼別住於佛法中
有增益安樂住是比丘尼諫彼比丘尼時堅持不捨是比丘尼
應三諫令捨此事故乃至三諫捨者善不捨者是比丘尼犯三
法應捨僧伽婆尸沙
若比丘尼趣以小事瞋恚不喜便作是語我捨佛捨法捨僧不獨有
此沙門釋子亦更有餘沙門婆羅門修梵行者我等亦可於
彼修梵行是比丘尼當諫彼比丘尼言大姊汝莫趣以一事瞋恚
不喜便作是語我捨佛捨法捨僧不獨有此沙門釋子亦更有、
餘沙門婆羅門修梵行者我等亦可於彼修梵行若是
比丘尼諫彼比丘尼時堅持不捨彼比丘尼應三諫捨者善不捨
者是比丘尼犯三法應捨僧伽婆尸沙
若比丘尼喜鬪諍不善憶持諍事後瞋恚作是語僧有愛有恚有
怖有癡是比丘尼應諫彼比丘尼言妹汝莫喜鬪諍不善憶
持諍事彼瞋恚作是語僧有愛有恚有怖有癡而僧不愛不
恚不怖不癡汝自有愛有恚有怖有癡是比丘尼諫彼比丘尼
時堅持不捨彼比丘尼應三諫捨此事故乃至三諫捨者善不捨
者是比丘尼犯三法應捨僧伽婆尸沙
諸大姊我已說十七僧伽婆尸沙法九初犯罪八乃至三諫若比丘
尼犯一一罪應半月二部僧中行摩那埵行摩那埵已餘有出
罪應二部僧中各二十眾出是比丘尼罪若少一人不滿四十眾是
比丘尼罪不得除諸比丘尼可呵此是時今問諸大姊是中清淨

（23–4）

BD02965號　四分比丘尼戒本

者是比丘尼犯三法應捨僧伽婆尸沙
諸大姊我已說十七僧伽婆尸沙法九初犯罪八乃至三諫若比丘
尼犯一一罪應二部僧中行摩那埵行摩那埵已餘有出
罪應二部僧中各二十衆出是比丘尼罪若少一人不滿四十衆是
比丘尼罪不得除諸比丘尼可呵與是時今問諸大姊是中清淨
不如是至三諸大姊是中清淨默然故是事如是持
諸大姊是三十尼薩耆波逸提法半月半月說戒經中來
若比丘尼衣已竟迦絺那衣已捨畜長衣經十日不淨施得持
若過者尼薩耆波逸提
若比丘尼衣已竟迦絺那衣已捨五衣中若離一一衣異處宿
經一夜除僧羯磨尼薩耆波逸提
若比丘尼衣已竟迦絺那衣已捨若得非時衣欲須便受
受已疾疾成衣若足者善若不足者得畜一月為滿足
故若過畜者尼薩耆波逸提
若比丘尼從非親里居士居士婦乞衣除餘時尼薩耆波
逸提是中時者若奪衣失衣燒衣漂衣是名時
若比丘尼奪衣失衣燒衣漂衣是非親里居士若居士婦自恣
請多與衣是比丘尼當知足受衣若過尼薩耆波逸提
若比丘尼居士居士婦為比丘尼辦衣價具如是衣價與某甲比丘
尼是比丘尼先不受自恣請到居士家作如是說善哉居士為
我辦如是如是衣價與我為好故若得衣者尼薩耆波逸提
若比丘尼二居士居士婦與比丘尼辦衣價我曹辦如是衣價與某甲
比丘尼是比丘尼先不受自恣請到二居士家作如是言善哉居
士辦如是如是衣價與我共作一衣為好故若得衣者尼薩耆
波逸提
若比丘尼若王若大臣若婆羅門若居士居士婦遣使為
比丘尼送衣價持如是衣價與某甲比丘尼彼使至比丘尼所
語言阿姨為汝送衣價受取是比丘尼語彼使如是言我

BD02965號　四分比丘尼戒本

（23–5）

波逸提
若比丘尼若王若大臣若婆羅門若居士居士婦遣使為
比丘尼送衣價持如是衣價與某甲比丘尼彼使至比丘尼所
語言阿姨為汝送衣價受取是比丘尼語彼使如是言我
不應受此衣價我若須衣合清淨當受彼使語比丘尼
言阿姨有執事人不須衣比丘尼言有若僧伽藍民若優
婆塞此是比丘尼執事人常為比丘尼執事彼使至執
事人所與衣價已還到比丘尼所如是言阿姨所示某甲
執事人我已與衣價大姊知時往彼當得衣比丘尼若
若須衣者當往彼執事人所二反三反語言我須衣若
二反三反為作憶念得衣者善不得衣四反五反六反在前
默然住令彼憶念若四反五反六反在前默然住得衣者善
若不得衣過是求得衣者尼薩耆波逸提若不得衣
隨彼使所來處若自往若遣使往語言汝先遣使持衣價與某甲
比丘尼是比丘尼竟不得汝還取莫使失此是時
若比丘尼自取金銀若教人取若口可受尼薩耆波逸提
若比丘尼種種買賣寶物者尼薩耆波逸提
若比丘尼種種販賣者尼薩耆波逸提
若比丘尼鉢減五綴不漏更求新鉢為好
故尼薩耆波逸提是比丘尼當持此鉢於
尼眾中捨從次第貿至下坐以下坐鉢
與此比丘尼言妹持此鉢乃至破此是
時
若比丘尼自求縷使非親里織師織作衣
者尼薩耆波逸提

BD02965號　四分比丘尼戒本　（23–6）

時
若比丘尼自求縷使非親里織師織作衣
者尼薩耆波逸提
若比丘尼居士居士婦使織師為比丘尼
織作衣彼比丘尼先不受自恣請便往彼
所語織師言此衣為我織極好織令廣
長堅緻齊整好我當少多與汝價若比丘
尼與價乃至一食直得衣者尼薩耆波
逸提
若比丘尼與比丘尼衣已後瞋恚若自奪若
教他奪取還我衣來不與汝是比丘尼
應還衣彼取衣者尼薩耆波逸提
若比丘尼畜諸病藥蘇油生蘇蜜石蜜得
食殘宿乃至七日得服若過七日服者尼
薩耆波逸提
若比丘尼十日未滿夏三月若有急施衣比
丘尼知是急施衣應受受已乃至衣時應
畜若過畜者尼薩耆波逸提
若比丘尼知物向僧自求入已者尼薩
耆波逸提
若比丘尼欲索是更索彼者尼薩耆波提

畜若過畜者尼薩耆波逸提
若比丘尼知物向僧自求入已者尼薩
耆波逸提
若比丘尼欲索是更索彼者尼薩耆波逸提
若比丘尼知擅越所為僧施異迴作餘用者
尼薩耆波逸提
若比丘尼所為施物異自求為僧迴作餘用者
尼薩耆波逸提
若比丘尼擅越所為施物異迴作餘用者
尼薩耆波逸提
若比丘尼擅越所為施物異自求為僧迴
作餘用者尼薩耆波逸提
若比丘尼畜長鉢者尼薩耆波逸提
若比丘尼許他比丘尼𢅨衣後不與者
若比丘尼多畜好色器者尼薩耆波逸提
尼薩耆波逸提
若比丘尼以非時衣受作時衣者尼薩
耆波逸提
若比丘尼與比丘尼貿易衣後瞋恚
奪取若使人奪取還我衣來我不與
汝汝衣屬汝我衣還我者尼薩耆波逸

（23–8）

BD02965號　四分比丘尼戒本

若比丘尼與比丘尼貿易衣後瞋恚還自
奪取若使人奪取妹還我衣來我不與
汝汝衣屬汝我衣還我者尼薩耆波逸提
若比丘尼乞重衣齊價直四張氎過者尼
薩耆波逸提
若比丘尼欲乞輕衣極至價直兩張半氎
過者尼薩耆波逸提
諸大姊已說卅尼薩耆波逸提法今問諸大
姊是中清淨不　第二第三亦如是說　諸大姊是中清淨
默然故是事如是持
諸大姊是一百七十八波逸提法半月半月戒經中說
若比丘尼故妄語者波逸提
若比丘尼毀呰語者波逸提
若比丘尼兩舌語者波逸提
若比丘尼與男子同室宿者波逸提
若比丘尼共未受大戒女人同一室宿若過三宿波逸提
若比丘尼知他有麁惡罪向未受大戒人說除僧羯磨波
逸提　若比丘尼向未受大戒人說過人法言我知是我
見是實者波逸提
若比丘尼與男子說法過五六語除有知女人波逸提

BD02965號　四分比丘尼戒本　（23–9）

若比丘尼知他有麁惡罪向未受大戒人說除僧羯磨波
逸提　若比丘尼向未受大戒人說過人法言我知是我
見是實者波逸提
若比丘尼與男子說法過五六語除有知女人波逸提
若比丘尼自掘地教人掘者波逸提
若比丘尼壞鬼村者波逸提
若比丘尼妄作異語惱他者波逸提
若比丘尼嫌罵者波逸提
若比丘尼取僧繩牀若木牀若臥具坐蓐露地自敷若教
人敷捨去不自舉不教人舉波逸提
若比丘尼於僧房中取僧臥具自敷若教人敷在
中若坐若臥從彼處捨去不自舉不教人舉者波逸提
若比丘尼知比丘尼先住處後來於中間敷臥具止宿
念言彼若嫌迮者自當避我去作如是因緣非餘非
威儀者波逸提
若比丘尼瞋他比丘尼不喜眾僧房中自牽出教他牽出
者波逸提
若比丘尼在重閣上脫脚繩牀若木牀若臥坐若臥波逸提
若比丘尼知水有虫自用澆泥澆草若教人澆者波逸提
若比丘尼作大房排窗牖及餘莊飾具指授覆苫齊二三
節若過者波逸提

若比丘尼知水有虫自用澆泥澆草若教人澆者波逸提
若比丘尼作大房排窓牖及餘莊飾具指授覆苫齊二三
節若過者波逸提
若比丘尼施一食處無病比丘尼應一食若過受者波逸提
若比丘尼別衆食除餘時波逸提餘時者病時作
衣時施衣時道行時船上時大會時沙門施食時此是時
若比丘尼至檀越家慇懃請與餅麨飯比丘尼欲須者二三
鉢應受持至寺內應分與餘比丘尼食若比丘尼無病過二三
鉢受持至寺中不分與餘比丘尼食者波逸提
若比丘尼非時食者波逸提
若比丘尼殘宿食食者波逸提
若比丘尼不受食及藥著口中除水及楊枝波逸提
若比丘尼先受請已前食後食行詣餘家不囑餘比丘尼除餘時
波逸提餘時者病時作衣時施衣時此是時
若比丘尼食家中有寶強安坐者波逸提
若比丘尼家中寶在屏處坐者波逸提
若比丘尼獨與男子露地一處共坐者波逸提 卅
若比丘尼語比丘尼如是語大姊共汝至聚落當與汝食
彼比丘尼竟不教與是比丘尼食如是言大姊去我與汝
一處共坐共語不樂我獨坐獨語樂以是因緣非餘方便
遣他去者波逸提

BD02965號　四分比丘尼戒本

（23–11）

彼比丘尼竟不教與是比丘尼食如是言大姊去我與汝
一處共坐共語不樂我獨坐獨語樂以是因緣非餘方便
遣他去者波逸提
若比丘尼請比丘尼四月與藥無病比丘尼應受若過受除
常請更請分請盡形請者波逸提
若比丘尼往觀軍陣除時因緣波逸提
若比丘尼有因緣至軍中若二宿三宿過者波逸提
若比丘尼軍中住若二宿三宿或時觀軍陣鬪戰若觀
遊軍象馬勢力者波逸提
若比丘尼飲酒者波逸提
若比丘尼水中戲者波逸提
若比丘尼以指相擊攊者波逸提
若比丘尼不受諫者波逸提
若比丘尼恐怖他比丘尼者波逸提　卅
若比丘尼半月洗浴無病比丘尼應受若過除
時波逸提餘時者熱時病時作時大風時雨
遠行來時此是時
若比丘尼無病為炙身故露地然火若教
人然除餘時波逸提
若比丘尼藏他比丘尼若鉢衣若坐具針筒

（23–12）

BD02965號　四分比丘尼戒本

時波逸提餘時者熱時病時作時大風時雨
時遠行時此是時
若比丘尼無病為炙身故露地然火若教
人然除餘時波逸提
若比丘尼藏他比丘尼若鉢衣若坐具針筒
若自藏人藏下至戲咲者波逸提
若比丘尼淨施比丘尼叉式摩那沙彌沙
彌尼衣後不問主取者波逸提
若比丘尼得新衣當作三種染壞色青黑木
蘭若比丘尼得新衣不作三種染壞色青黑木
蘭新衣持者波逸提
若比丘尼故斷畜生命者波逸提
若比丘尼知水有虫飲用者波逸提
若比丘尼故惱他比丘尼乃至少時不樂者波逸提
若比丘尼知比丘尼有麤惡罪覆藏者波逸提
若比丘尼知僧諍事如法懺悔已後更發舉者波逸提
若比丘尼知是賊伴期共一道行乃至聚落者波逸提
若比丘尼作如是語我知佛所說法行婬欲非鄣
道法彼比丘尼諫此比丘尼言大姊莫作是語莫謗世
尊謗世尊者不善世尊不作是語世尊無數方便說

若比丘尼作如是語我知佛所說法行婬欲非是鄣
道法彼比丘尼諫此比丘尼言大姉莫作是語莫謗世
尊謗世尊者不善世尊不語作是世尊無數方便說
行婬欲是鄣道法犯婬欲者是鄣道法彼比丘尼諫
此比丘尼時堅持不捨彼比丘尼乃至三諫令捨是
事乃至三諫時捨者善不捨者波逸提
若比丘尼知如是語人未作法如是耶見不而捨若畜
同一羯磨同一止宿者波逸提
若比丘尼知沙弥尼作如是語我知佛所說法行
婬欲非鄣道法彼比丘尼諫此沙弥尼言汝
莫作是語莫誹謗世尊誹謗世尊不善世尊
不作是語沙弥尼世尊無數方便說行婬欲是
鄣道法犯婬者是鄣道法彼比丘尼諫此沙
弥尼時堅持不捨彼比丘尼應乃至三呵諫
捨此事故乃至三諫時若捨者善不捨者
彼比丘尼應語是沙弥尼言汝自今已去
非佛弟子不得隨餘比丘尼行如諸[illegible]
尼得與比丘尼二宿汝今無是事汝去滅去
不須此中住若比丘尼知如是被儐沙弥尼
若畜共同止宿者波逸提
若比丘尼如法諫時作如是語我今不學是
[illegible]持[illegible]問[illegible]波逸提

BD02965號　四分比丘尼戒本

(23–14)

尼得與比丘尼二宿汝今無是事汝去滅去
不須此中住若比丘尼知如是被儐沙彌尼
若畜共同止宿者波逸提
若比丘尼如法諫時作如是語我今不學是
乃至問有智慧持律者當難問波逸提
若為求解應當難問
若比丘尼說戒時如是語大姊用是雜碎戒
為說是戒時令至惱愧懷疑輕毀戒故波
逸提
若比丘尼說戒時作如是語大姊我今始知
是戒半月說戒經中來餘比丘尼知是比丘
尼若二若三說戒中坐何況多彼比丘尼
無知無解若犯罪應如法治更重增無知
法大姊汝聽法時不一心攝耳聽法無知
故波逸提
若比丘尼共同羯磨已後作如是說諸比丘尼
隨親厚以眾僧物與者波逸提
若比丘尼僧斷事時不與欲而起去者波
逸提
若比丘尼與欲竟後更呵者波逸提 六十
若比丘尼比丘尼共鬭諍後聽此語已欲向彼
說者波逸提

逸提
若比丘尼與欲竟後更呵者波逸提　六十
若比丘尼比丘尼共鬬諍後聽此語已欲向彼
說者波逸提
若比丘尼瞋恚故不喜打彼比丘尼者波逸提
若比丘尼瞋恚故不喜以手搏比丘尼者波逸提
若比丘尼瞋恚故不喜以無根僧伽婆尸沙法
謗者波逸提
若比丘尼剎利水澆頭王王未出藏寶若入過宮
門閫者波逸提
若比丘尼若寶及以寶莊飾具自捉若教人
捉除僧伽藍中及寄宿處波逸提若僧伽
藍中若寄宿處若寶若以寶莊飾具自捉若
教人捉若識者當取如是因緣非餘
若比丘尼非時入聚落又不囑比丘尼者波
逸提
若比丘尼作繩牀若木若木牀足應高如來八指
除入陛引上截竟過者波逸提
若比丘尼持兜羅綿貯作繩牀木牀若臥具坐
具者波逸提
若比丘尼嚴綵者波逸提　七十
若比丘尼剃三處毛者波逸提

（23–16）

BD02965號　四分比丘尼戒本

除入陛孔上截竟過者波逸提
若比丘尼持兜羅綿貯作繩牀木牀臥具坐
具者波逸提
若比丘尼噉蒜者波逸提 七十
若比丘尼剃三處毛者波逸提
若比丘尼以水作淨應齊兩指各一節若過
者波逸提
若比丘尼故以胡膠作男根者波逸提
若比丘尼共相拍者波逸提
若比丘尼比丘無病時供給水以扇扇者
提波逸提
若比丘尼乞生穀者波逸提
若比丘尼在生草上小大便者波逸提
若比丘尼夜便大小便器中晝不看牆外
棄者波逸提
若比丘尼故往觀聽伎樂者波逸提
若比丘尼入村內與男子在屏處共立共語者
波逸提 八十
若比丘尼與男子共入屏處鄣者波逸
提
若比丘尼入村內巷陌中遣使遠去在屏

BD02965號　四分比丘尼戒本　（23–17）

若比丘尼與男子共入屏處處鄣者波逸
提
若比丘尼入村内巷陌中遣使遠去在屏
處與男子共立耳語者波逸提
若比丘尼入白衣家内坐不語主人捨去者波逸提
若比丘尼入白衣家内不語主至輕坐牀
者波逸提
若比丘尼入白衣家内不語主至輕自敷坐
宿者波逸提
若比丘尼與男子共入闇室中者波逸
若比丘尼不審諦受師語便向至說者波逸
提
若比丘尼有小因緣事便呪詛隨三惡道
不生佛法中若我有如是事隨三應道不
生佛法中若汝有是事亦隨三應道
不生佛法中者波逸提
若比丘尼共鬬諍不善憶持諍事推匈
啼哭者波逸提
若比丘尼無病二女共牀卧者波逸提九十

若比丘尼共鬪諍不善憶持諍事椎胷
啼哭者波逸提
若比丘尼無病二女共牀臥者波逸提 九十
若比丘尼共一蓐同一被臥除餘時者波逸
提
若比丘尼知先住後至知先住為惱故在前
誦經問義教授者波逸提
若比丘尼安同活比丘尼病不瞻視者波
逸提
若比丘尼安居初聽餘比丘尼房中安牀後
瞋恚駈去者波逸提
若比丘尼春夏冬一時時至聞遊行除餘因
緣者波逸提
若比丘尼夏安居訖不去者波逸提
若比丘尼邊界有疑恐怖處人間遊
行者波逸提
若比丘尼於界內有疑恐怖處在人間遊行
者波逸提
若比丘親近居士兒共住不隨順行餘比丘尼

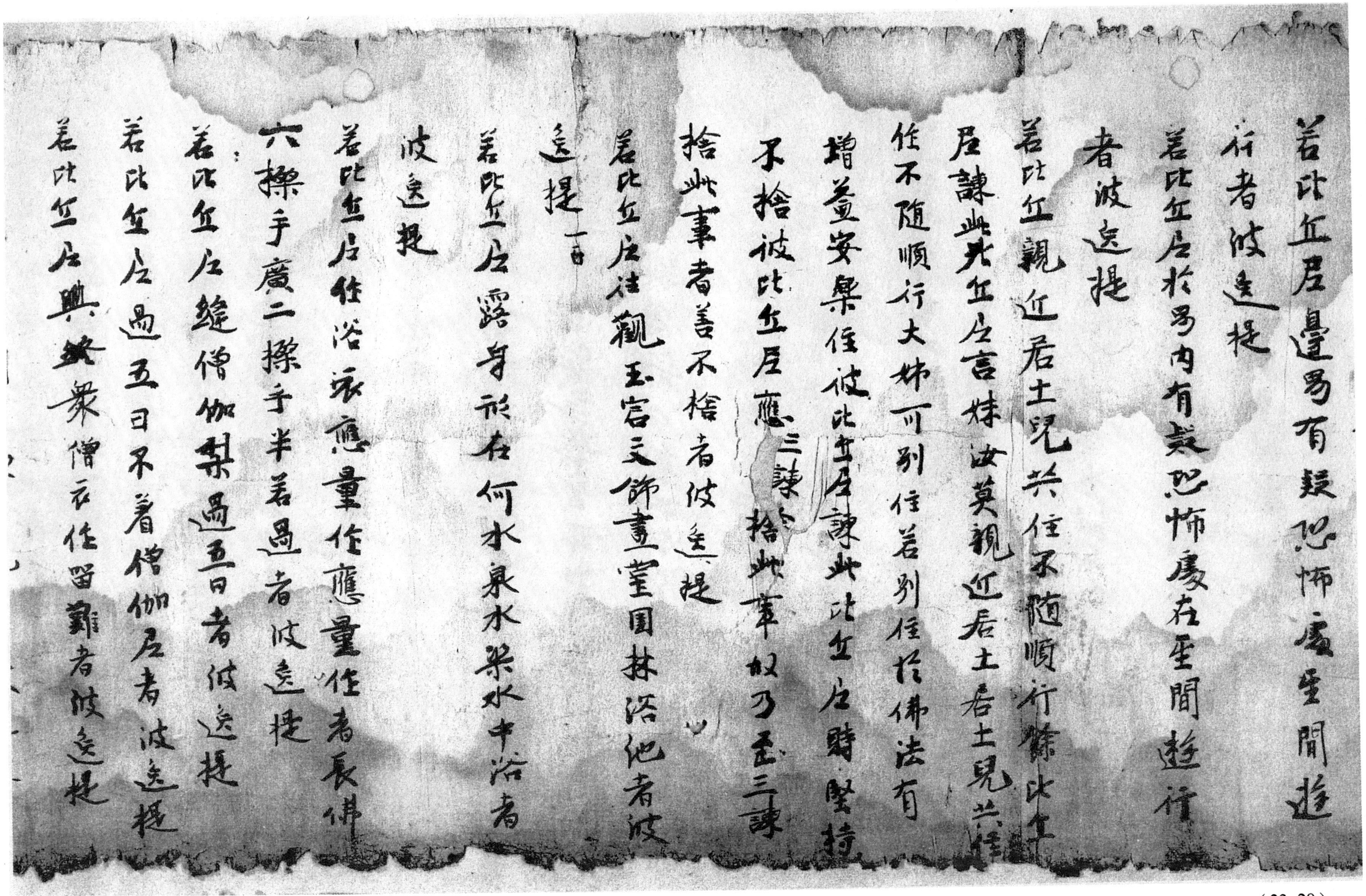

若比丘尼邊界有疑恐怖處在界間遊
行者波逸提
若比丘尼於界內有疑恐怖處在界間遊行
者波逸提
若比丘尼親近居士兒共住不隨順行餘比丘
尼諫此比丘尼言妹汝莫親近居士居士兒共住
作不隨順行大姊可別住若別住於佛法有
增益安樂住彼比丘尼諫此比丘尼時堅持
不捨彼比丘尼應三諫捨此事故乃至三諫
捨此事者善不捨者波逸提
若比丘尼往觀王宮文飾畫堂園林浴池者波
逸提 一百
若比丘尼露身形在河水泉水渠水中浴者
波逸提
若比丘尼作浴衣應量作應量作者長佛
六搩手廣二搩手半若過者波逸提
若比丘尼縫僧伽梨過五日者波逸提
若比丘尼過五日不看僧伽梨者波逸提
若比丘尼與衆僧衣作留難者波逸提

（23–20）

BD02965號　四分比丘尼戒本

若比丘尼過五日不看僧伽梨者波逸提
若比丘尼與衆僧衣作留難者波逸提
若比丘尼不問主便著他衣者波逸提
若比丘尼持沙門衣施與外道白衣者波逸
提
若比丘尼作如是意衆僧如法分衣遮令不
分恐弟子不得者波提
若比丘尼作如是意令衆僧不得出迦絺那
衣後當出欲令五事久得放捨波逸提
若比丘尼餘比丘尼語言為我滅此諍事而
不作方便令滅者波逸提
若比丘尼自手持食與白衣入外道食者
波逸提
若比丘尼為白衣作使者波逸提
若比丘尼自手紡績者波逸提

道食者波逸提　若比丘尼為白衣作使者波逸提
若比丘尼自手紡績者波逸提　若比丘尼入白衣

BD02965號　四分比丘尼戒本

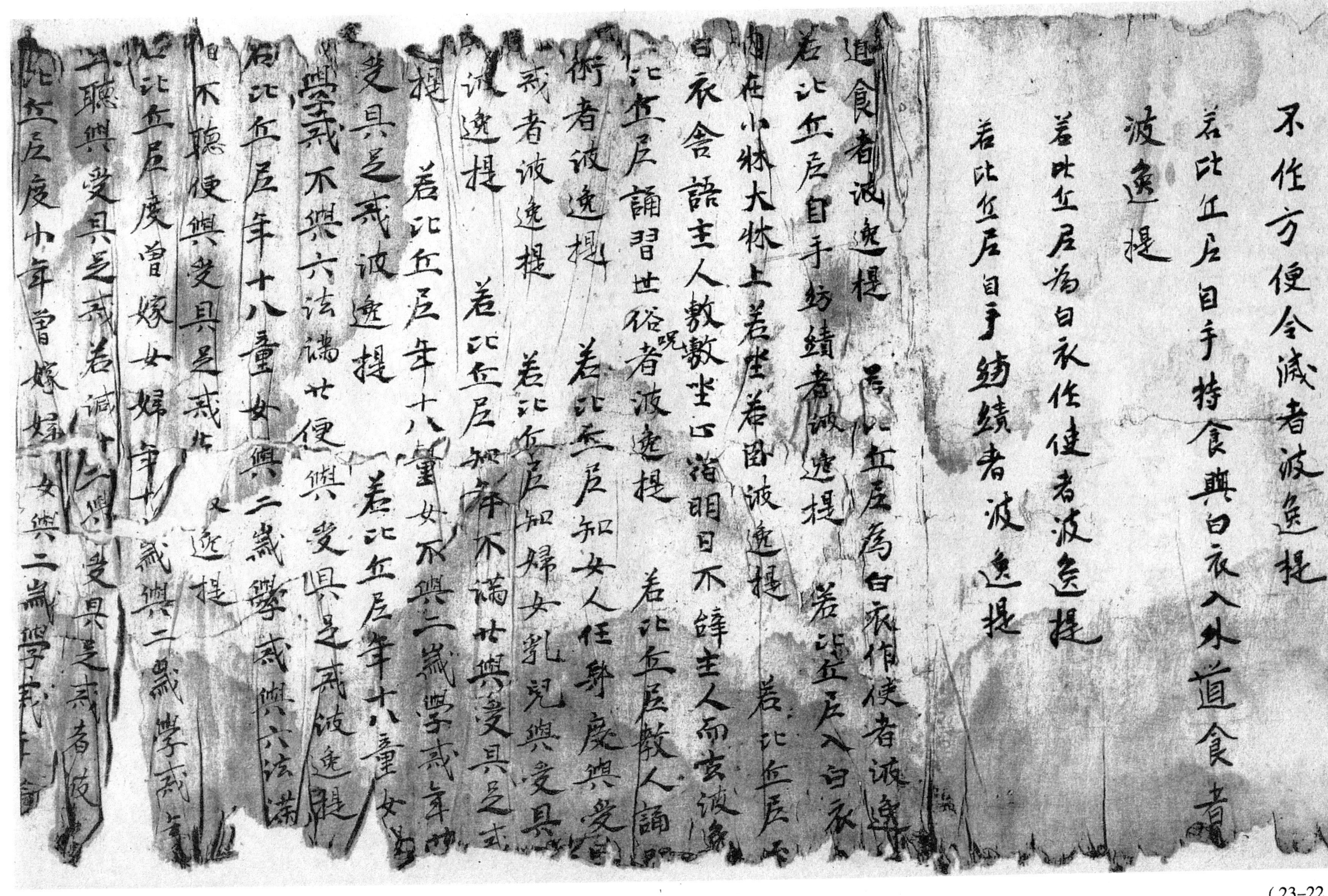

不作方便令滅者波逸提
若比丘尼自手持食與白衣外道食者
波逸提
若比丘尼為白衣作使者波逸提
若比丘尼自手紡績者波逸提
[illegible]食者波逸提　若比丘尼為白衣作使者波逸
若比丘尼自手紡績者波逸提　若比丘尼入白衣
舍在小林大林上若坐若臥波逸提　若比丘尼不
白衣舍語主人敷數坐止宿明日不辭主人而去波逸
比丘尼誦習世俗呪者波逸提　若比丘尼教人誦
術者波逸提　若比丘尼知女人任身度與受
戒者波逸提　若比丘尼知婦女乳兒與受具
[illegible]逸提　若比丘尼知年不滿廿與受具足戒
提　若比丘尼年十八童女不與二歲學戒年滿
受具足戒波逸提　若比丘尼年十八童女
學戒不與六法滿廿便與受具足戒波逸提
若比丘尼年十八童女與二歲學戒與六法滿
[illegible]不聽便與受具足戒[illegible]逸提
比丘尼度曾嫁女婦年十歲與二歲學戒
[illegible]聽與受具足戒若[illegible]受具足戒者波
比丘尼度小年曾嫁婦女與二歲學戒[illegible]

（23–22）

BD02965號　四分比丘尼戒本

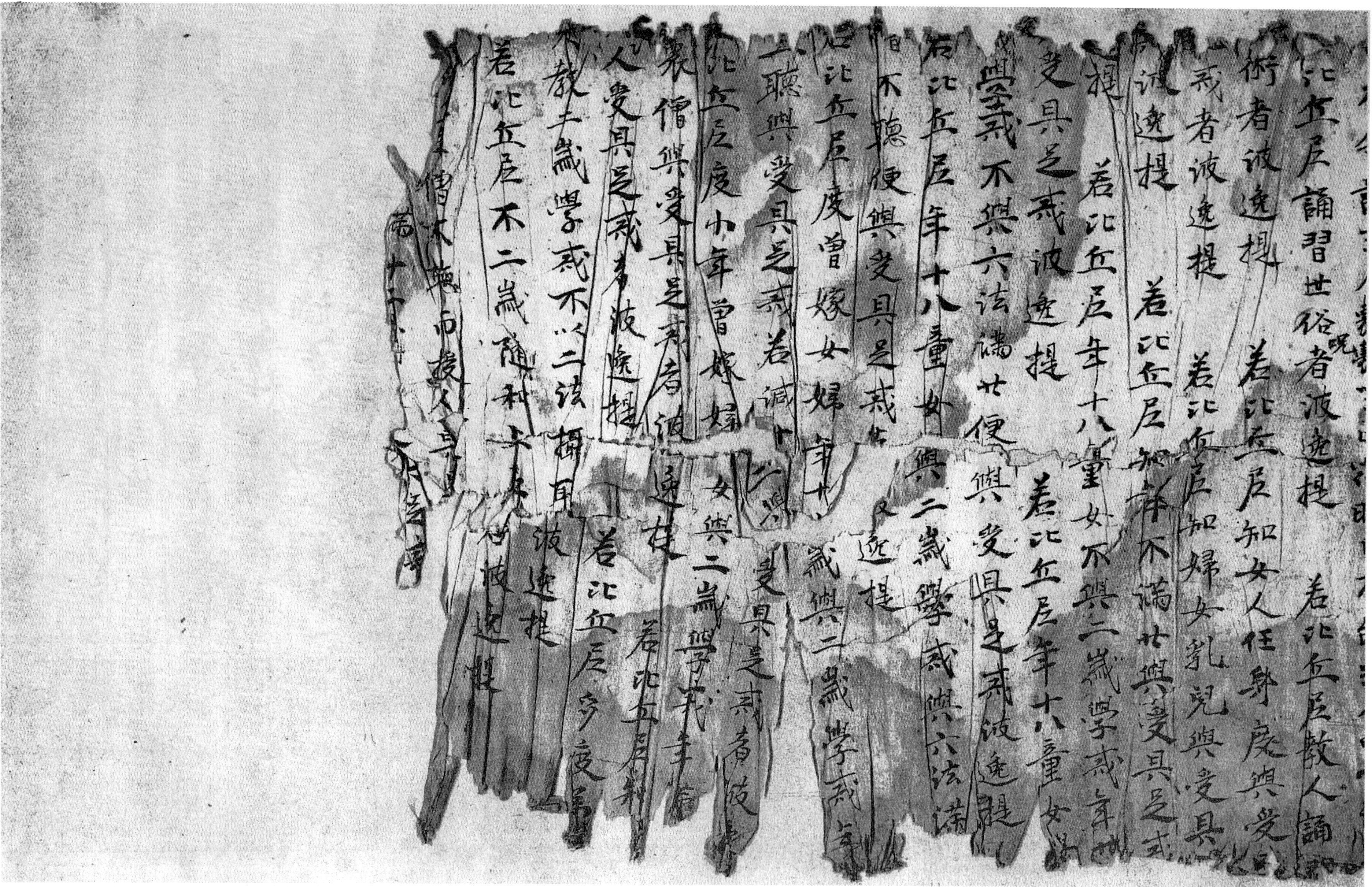

BD02965號　四分比丘尼戒本　（23–23）

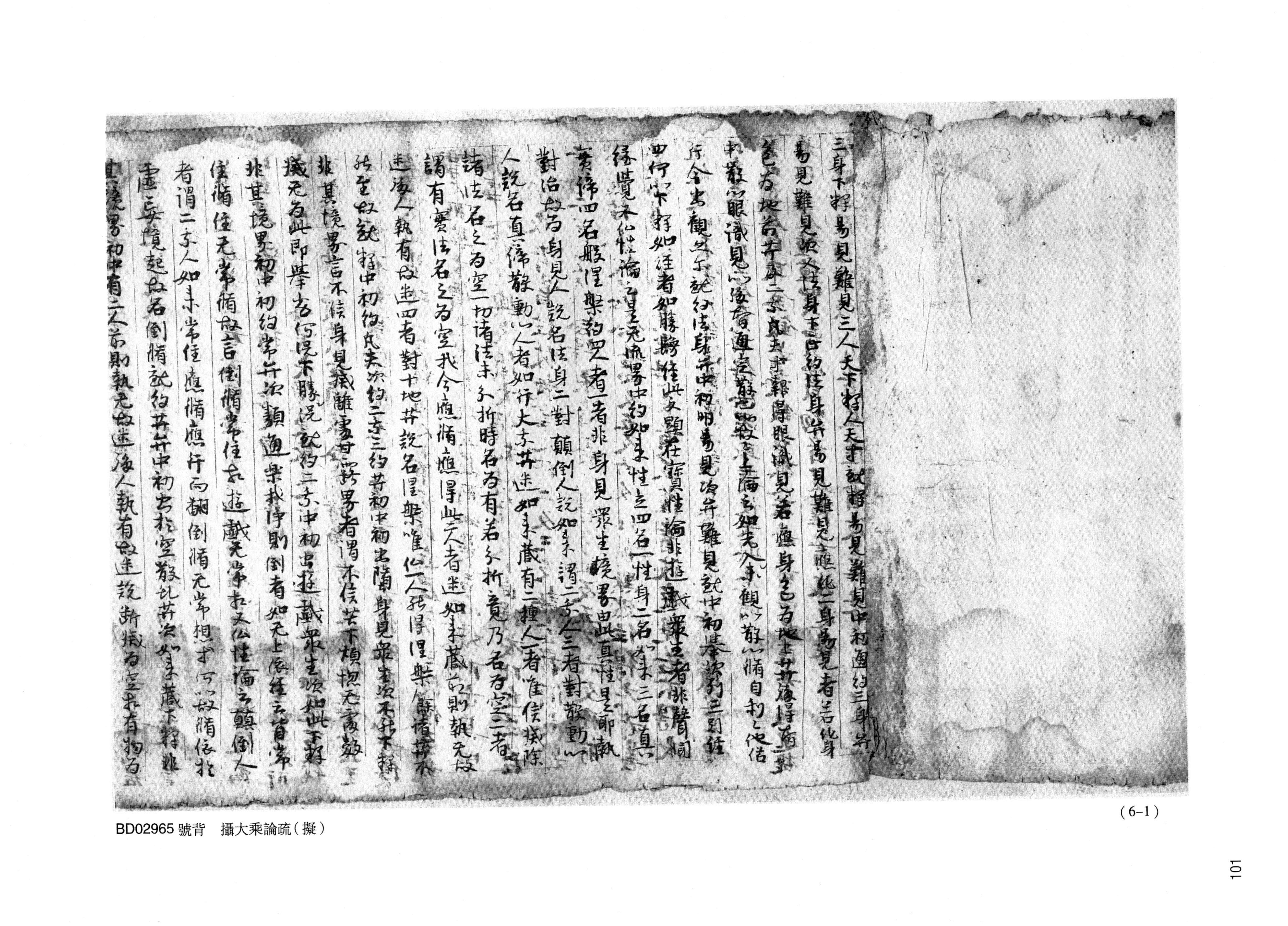

（6–1）

BD02965 號背　攝大乘論疏（擬）

BD02965號背　攝大乘論疏（擬）

（6–2）

大事名我成就大事釋无住爲住中初舉次釋釋中初顯句一明次正釋偈文
就中初明不住甚深次引義證成非永所離者非永離生死滅不盡無者非
般涅槃以二乘入无餘名滅盡故諸佛有法者知涅槃非有故不住涅槃知非
有爲性者知生死非有故不生死无一所得者生死涅槃俱无一所得離其
二着名爲无別離以者離者以得心者得无着心由心平等者不偏住
者因不可得者凡夫住生死因二乘住涅槃因不可得不住因者不住
涅槃因二乘不住生死因不可得釋作事无功用中分文同前号滅者鄣數滅无
依止者鄣以思无作意數不作心者无作意心非運動者於事非作意運
動於非有者於理无功用由宿熟可知已辯者自利已辯未辯者他利未
辯由熟滿可知釋第四食爲食中釋論初顯句所明次義證成三若次第
下約其四食顯所明次會四食者下廣釋四食就證成中初舉次列化不資
食者約實論以顯由食者爲化衆生故依食住四種命緣者謂衣服
飲食房舍醫藥是命外緣文顯可知就所明中次會中初問次答
是第四食者是我顯依止住食就并四食中初勝次并中先并非清淨住
有三初列次釋下并三此依下結并中初并住食次并非清淨依止初中初
句并食次句并住就并淨并淨不淨住食中分文同前此偏約身在上界者
爲論故言三食若身在欲界即具四食就并清淨住食中分文同前此偏約
身在欲界者爲論故言四食若聲聞在上界但者有三食依大乘正義
界雖有書意名食事資身者无就顯依止住食中初列次并三此食
不作下釋通伏意四如此下結并中初並次釋文中以下四食是化食者隨起
梨耶爲化識食隨起心識爲化觸食示等受所受食爲化段食隨起无
明因思爲化思食就釋伏意中有五句此食下爲第一句如來下爲第二句是
如下爲第三句衆生下爲第四句爲食下爲第五句此五句中各順伏意爲
問第一問云此食爲作如來食事不第二問云既不作食事云知此食爲於
何處第三問云諸天何用生第四問云何故如來聽許諸菩
施諸衆生第五問云既不作如來食事何故如來以手自受食就并第二甚深安
立同前安立者安立一異无二中故名安立衆多依止者衆多身也法者是无
生滅諸佛事者是之三乘利益事就第三甚深中分文同前就中初明句
實次明句後假下一頌釋通一異云就釋者不有所顯中初釋有異有顯諸

(6–3)

BD02965 號背　攝大乘論疏（擬）

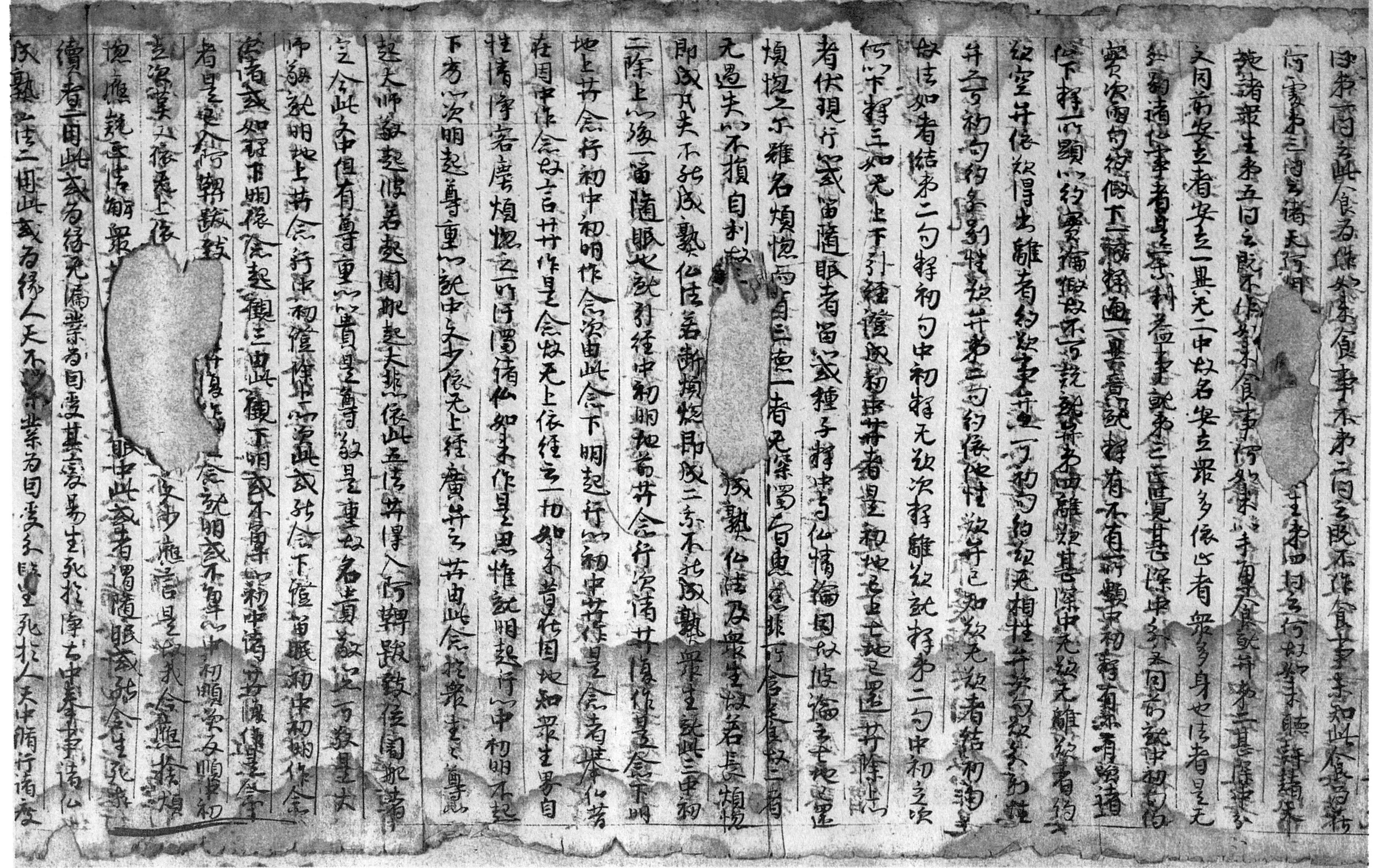

BD02965號背　攝大乘論疏（擬）　（6–4）

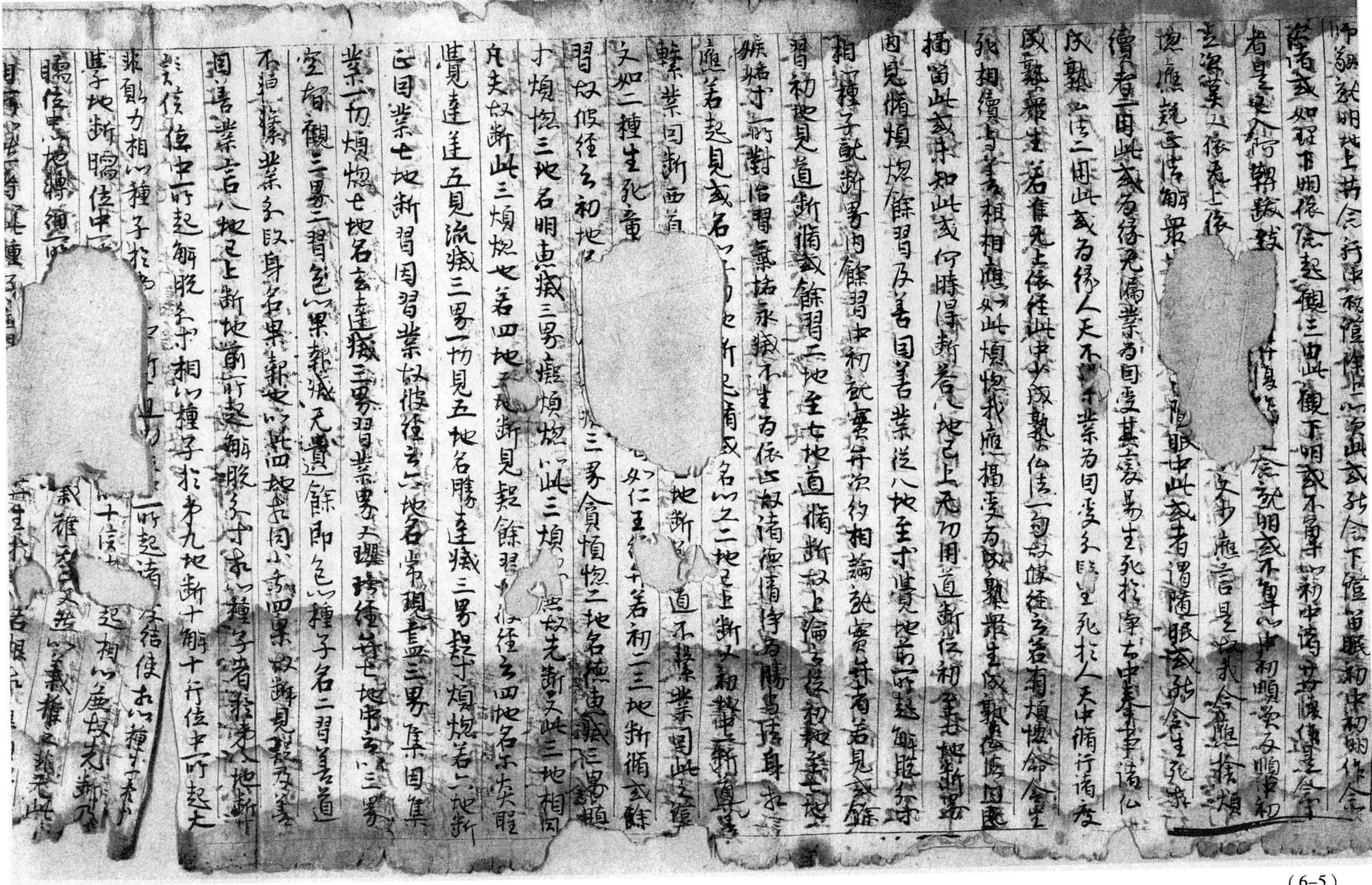

（6–5）

BD02965號背　攝大乘論疏（擬）

（6–6）

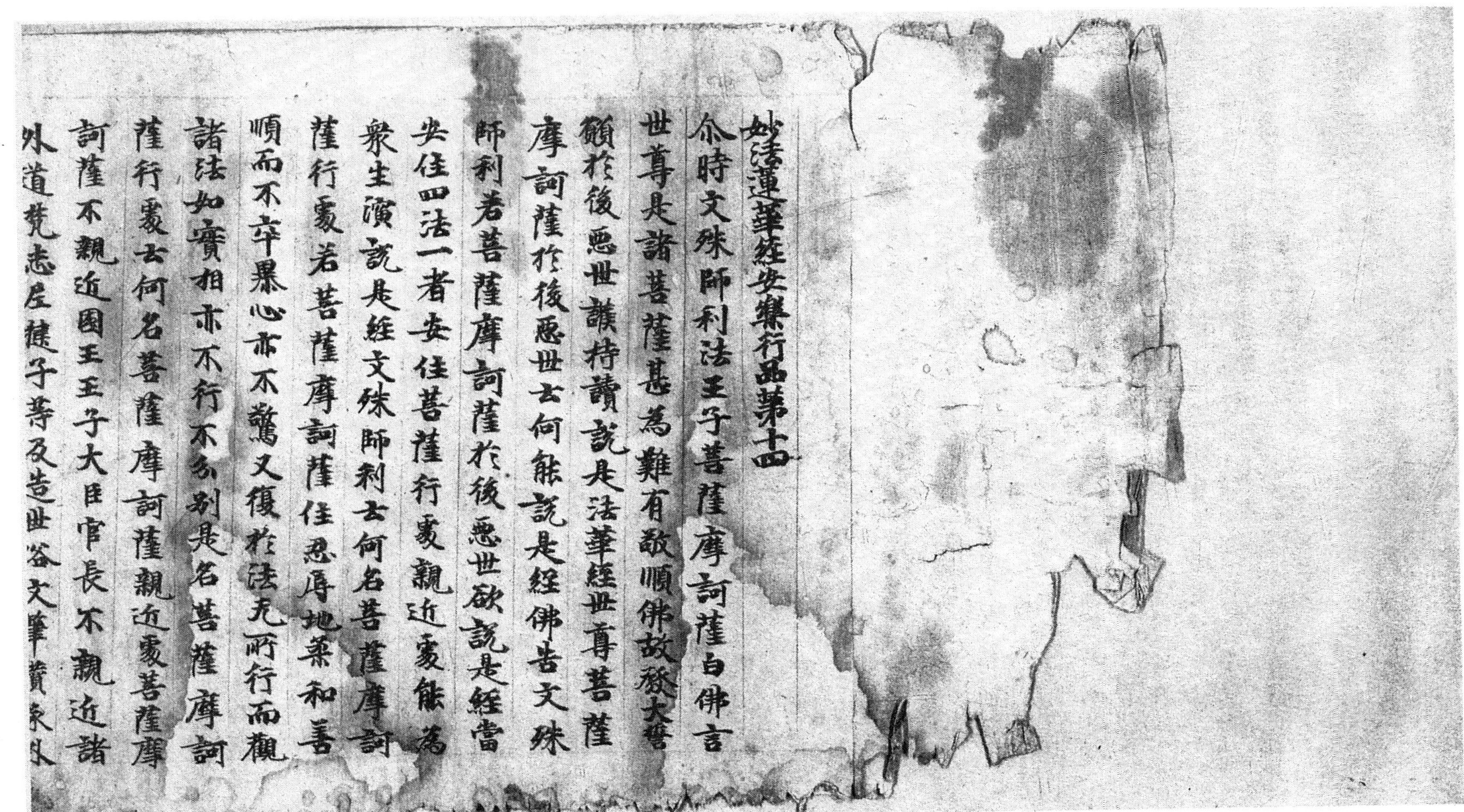
妙法蓮華經安樂行品第十四
尒時文殊師利法王子菩薩摩訶薩白佛言
世尊是諸菩薩甚為難有敬順佛故發大誓
願於後惡世護持讀說是法華經世尊菩薩
摩訶薩於後惡世云何能說是經佛告文殊
師利若菩薩摩訶薩於後惡世欲說是經當
安住四法一者安住菩薩行處親近處能為
衆生演說是經文殊師利云何名菩薩摩訶
薩行處若菩薩摩訶薩住忍辱地柔和善
順而不卒暴心亦不驚又復於法无所行而觀
諸法如實相亦不行不分別是名菩薩摩訶
薩行處云何名菩薩摩訶薩親近處菩薩摩
訶薩不親近國王王子大臣官長不親近諸
外道梵志尼揵子等及造世俗文筆讚詠外

BD02966號　妙法蓮華經卷五　（2–1）

薩行處若菩薩摩訶薩住忍辱地柔和善
順而不卒暴心亦不驚又復於法无所行而觀
諸法如實相亦不行不分別是名菩薩摩訶
薩行處云何名菩薩摩訶薩親近處菩薩摩
訶薩不親近國王王子大臣官長不親近諸
外道梵志尼揵子等及造世俗文筆讚詠外
書及路伽耶陁逆路伽耶陁者亦不親近諸
有凶戲相扠相撲及那羅等種種變現之戲
又不親近旃陁羅及畜猪羊雞狗田獵漁捕
諸惡律儀如是人等或時來者則為說法无
所希望又不親近求聲聞比丘比丘尼優婆
塞優婆夷亦不問訊若於房中若經行處若
在講堂中不共住止或時來者隨宜說法无
所希求文殊師利又菩薩摩訶薩不應於女
人身取能生欲想相而為說法亦不樂見若
入他家不與小女處女寡女等共語亦復不近
五種不男之人以為親厚不獨入他家若有
因緣須獨入時但一心念佛若為女人說法
不露齒咲不現胷臆乃至為法猶不親厚

BD02966號　妙法蓮華經卷五　（2–2）

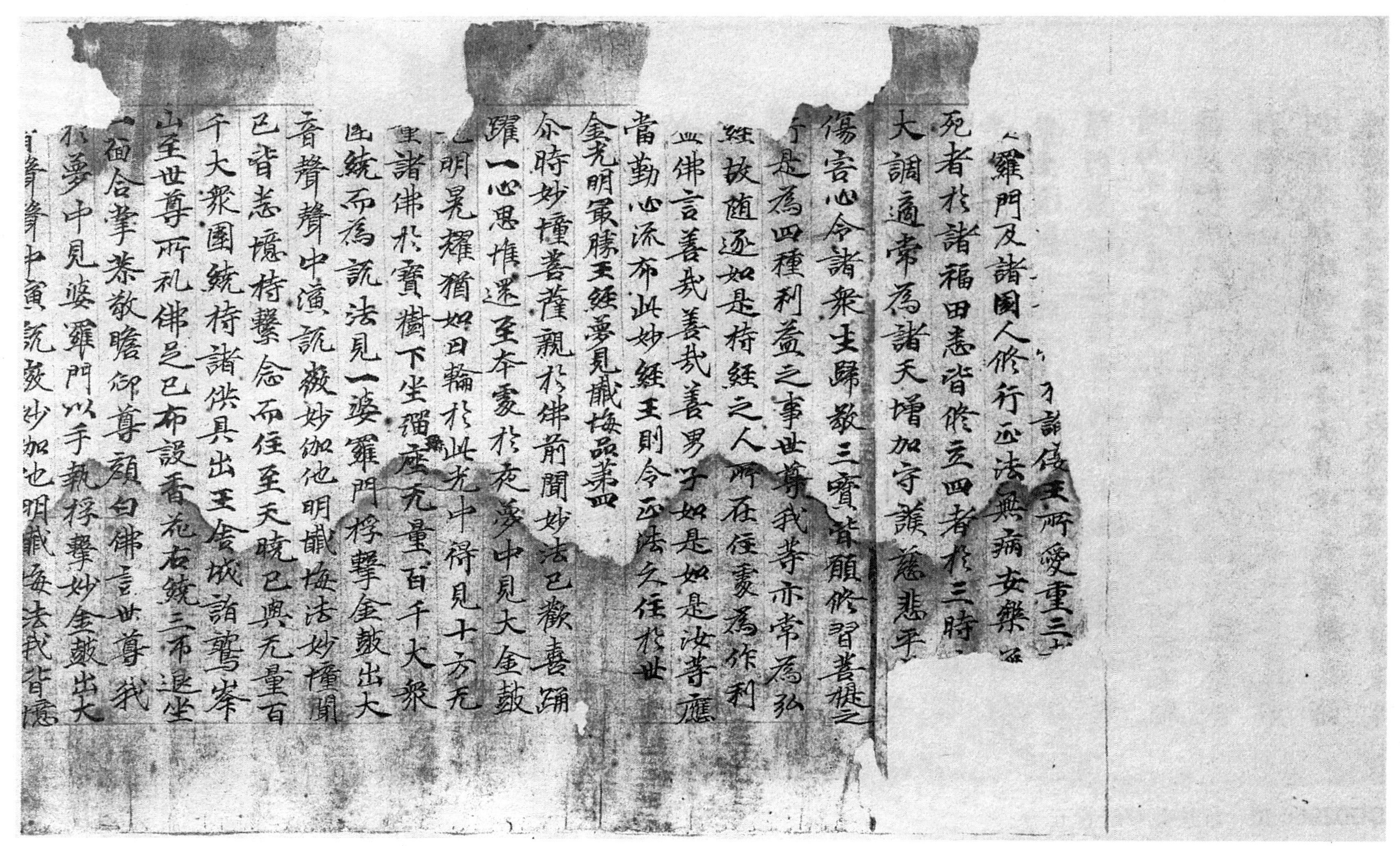

BD02967號　金光明最勝王經卷二　（9–1）

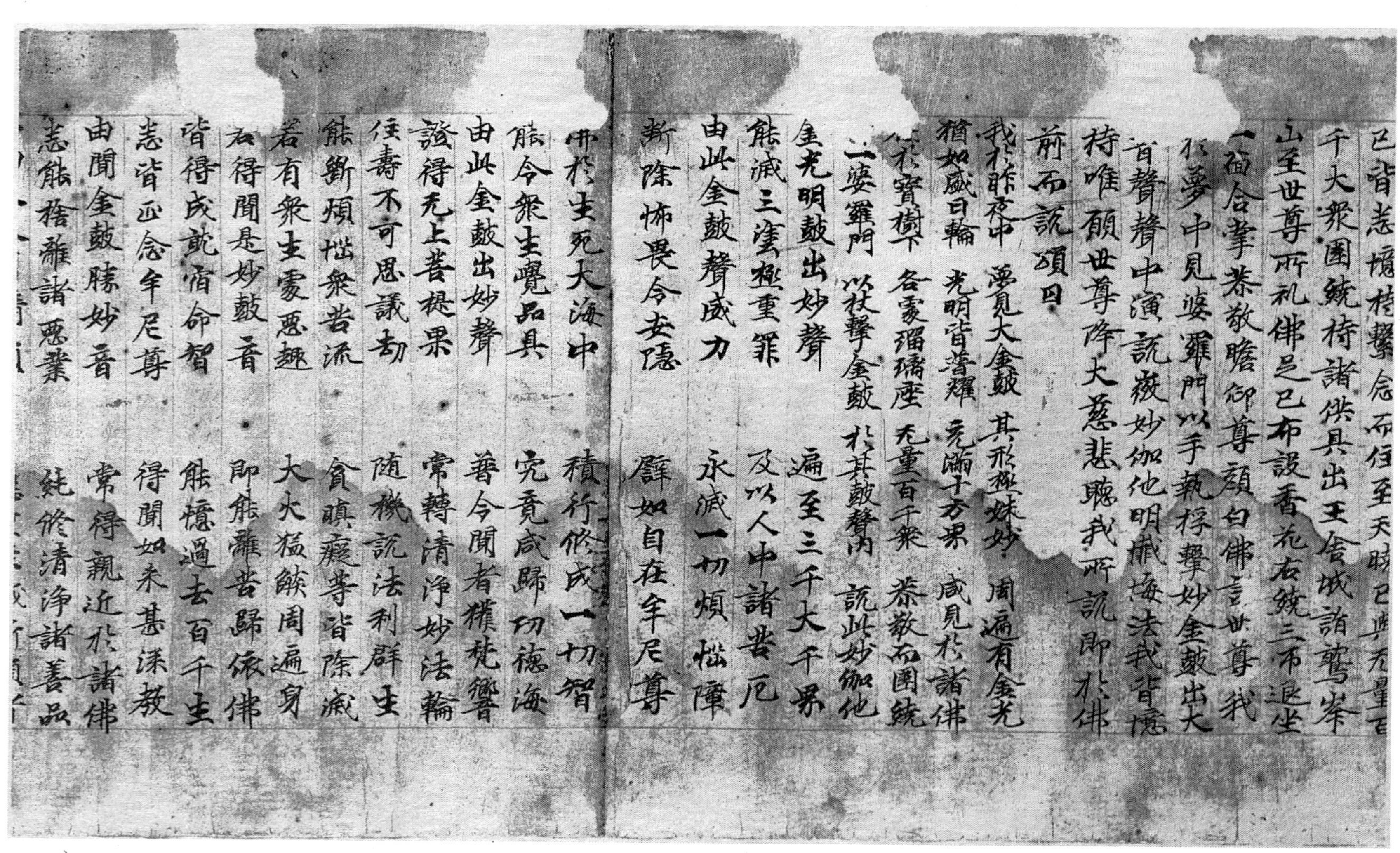

BD02967號　金光明最勝王經卷二　（9–2）

若有衆生處惡趣　大火猛焰周遍身
若得聞是妙鼓音　即能離苦歸依佛
皆得成就宿命智　能憶過去百千生
悉皆正念牟尼尊　得聞如來甚深教
由聞金鼓勝妙音　常得親近於諸佛
悉能捨離諸惡業　純修清淨諸善品
一切天人有情類　殷重至誠祈願者
得聞金鼓妙音聲　能令所求皆滿足
衆生墮在无間獄　猛火炎熾苦焚身
无有救護處輪迴　聞者能令苦除滅
人天餓鬼傍生中　所有現受諸苦難
得聞金鼓發妙響　皆蒙離苦得解脫
現在十方界　常住兩足尊　願以大悲心　哀愍憶念我
衆生无歸依　亦无有救護　為如是等類　能作大歸依
我先所作罪　極重諸惡業　今對十力前　至心皆懺悔
我不信諸佛　亦不敬尊親　不務修衆善　常造諸惡業
或自恃尊高　種姓及財位　盛年行放逸　常造諸惡業
心恒起邪念　口陳於惡言　不見於過罪　常造諸惡業
恒作愚夫行　无明闇覆心　隨順不善友　常造諸惡業
或因諸戲樂　或復懷憂惱　為貪瞋所纏　故我造諸惡
親近不善人　及由慳嫉意　貧窮行諂誑　故我造諸惡
雖不樂衆過　由有怖畏故　及不得自在　故我造諸惡
或為躁動心　或因瞋恚恨　及以飢渴惱　故我造諸惡
由飲食衣服　及貪愛女人　煩惱火所燒　故我造諸惡
於佛法僧衆　不生恭敬心　作如是衆罪　我今悉懺悔
於獨覺菩薩　亦无恭敬心　作如是衆罪　我今悉懺悔
無知謗正法　不孝於父母　作如是衆罪　我今悉懺悔
由愚癡憍慢　及以貪瞋力　作如是衆罪　我今悉懺悔

BD02967號　金光明最勝王經卷二　（9–3）

由飲食衣服　及貪愛女人　煩惱火所燒　故我造諸惡
於佛法僧衆　不生恭敬心　作如是衆罪　我今悉懺悔
於獨覺菩薩　亦无恭敬心　作如是衆罪　我今悉懺悔
無知謗正法　不孝於父母　作如是衆罪　我今悉懺悔
由愚癡憍慢　及以貪瞋力　作如是衆罪　我今悉懺悔
我於十方界　供養无數佛　當願拔衆生　令離諸苦難
願一切有情　皆令住十地　福智圓滿已　成佛導群迷
我為諸衆生　苦行百千劫　以大智慧力　皆令出苦海
我為諸含識　演說甚深經　最勝金光明　能除諸惡業
若人百千劫　造諸極重罪　暫時能發露　衆惡盡消除
依此金光明　作如是懺悔　由斯能速盡　一切諸苦業
能定百千種　不思議總持　根力覺道支　修習常无倦
我當至十地　具足珍寶處　圓滿佛功德　濟度生死流
我於諸佛海　甚深功德藏　妙智難思議　皆令得具足
唯願十方佛　觀察護念我　皆以大悲心　哀受我懺悔
我於多劫中　所造諸惡業　由斯生苦惱　哀愍願消除
我有煩惱障　及以諸報業　願以大悲水　洗濯令清淨
我造諸惡業　常生憂怖心　於四威儀中　曾无歡樂想
諸佛具大悲　能除衆生怖　願受我懺悔　令得離憂苦
我先作諸罪　及現造惡業　至心皆發露　咸願得蠲除
未來諸惡業　防護令不起　設有令違者　終不敢覆藏
身三語四種　意業復有三　繫縛諸有情　无始恒相續
由斯三種行　造作十惡業　如是衆多罪　我今皆懺悔
我造諸惡業　苦報當自受　今於諸佛前　至誠皆懺悔
於此贍部洲　及他方世界　所有諸善業　今我皆隨喜
願離十惡業　修行於十善　安住十地中　常見十方佛
我以身語意　所修福智業　願以此善根　速成无上慧
我今親對十力前　發露衆多苦難事

BD02967號　金光明最勝王經卷二　（9–4）

於此贍部洲 及他方世界 所有諸善業 今我皆隨喜
願離十惡業 修行於十善 安住十地中 常見十方佛
我以身語意 所修福智業 願以此善根 速成无上慧
我今親對十力前 發露衆多苦難事
凡愚迷惑三有難 恒造極重惡業難
我所積集欲邪難 常起貪愛流轉難
於此世間耽著難 一切愚夫煩惱難
狂心散動顛倒難 及以親近惡友難
於生死中貪染難 瞋癡闇鈍造罪難
生八无暇惡處難 未曾積集功德難
我今皆於最勝前 懺悔无邊罪惡業
我今歸依諸善逝 我禮德海无上尊
如大金山照十方 唯願慈悲哀攝受
身色金光淨无垢 目如清淨紺瑠璃
吉祥威德名稱尊 大悲慧日除衆闇
佛日光明常普照 善淨无垢離諸塵
牟尼月照極清涼 能除衆生煩惱熱
三十二相遍莊嚴 八十隨好皆圓滿
福德難思无與等 如日流光照世間
色如瑠璃淨无垢 猶如滿月處虛空
妙頗梨網暎金軀 種種光明以嚴飾
於生死苦暴流內 老病憂愁水所漂
如是苦海難堪忍 佛日舒光令永竭
我今稽首一切智 三千世界希有尊
光明晃耀紫金身 種種妙好皆嚴飾
如大海水量難知 大地微塵不可數
如妙高山叵稱量 亦如虛空无有際

BD02967號　金光明最勝王經卷二　（9–5）

如是苦海難堪忍 佛日舒光令永竭
我今稽首一切智 三千世界希有尊
光明晃耀紫金身 種種妙好皆嚴飾
如大海水量難知 大地微塵不可數
如妙高山叵稱量 亦如虛空无有際
諸佛功德亦如是 一切有情不能知
於无量劫諦思惟 无有能知德海岸
盡此大地諸山岳 析如微塵能算知
毛端渧海尚可量 佛之功德无能數
一切有情皆共讚 世尊名稱諸功德
清淨相好妙莊嚴 不可稱量知分齊
我之所有衆善業 願得速成无上尊
廣說正法利群生 悉令解脫於衆苦
降伏大力魔軍衆 當轉无上正法輪
久住劫數難思議 充足衆生甘露味
猶如過去諸最勝 六波羅蜜皆圓滿
滅諸貪欲及瞋癡 降伏煩惱除衆苦
願我常得宿命智 能憶過去百千生
亦常憶念牟尼尊 得聞諸佛甚深法
願我以斯諸善業 奉事无邊最勝尊
遠離一切不善因 恒得修行真妙法
一切世界諸衆生 悉皆離苦得安樂
所有諸根不具足 令彼身相皆圓滿
若有衆生遭病苦 身形羸瘦无所依
咸令病苦得消除 諸根色力皆充滿
若犯王法當刑戮 衆苦逼迫生憂惱
彼受如斯極苦時 無有歸依能救護
若受鞭杖枷鏁繫 種種苦具切其身

BD02967號　金光明最勝王經卷二　（9–6）

所有諸根不具足　令彼[illegible]
若有衆生遭病苦　身形羸瘦無所依
咸令病苦得消除　諸根色力皆充滿
若犯王法當刑戮　衆苦逼迫生憂惱
彼受如斯極苦時　無有歸依能救護
若受鞭杖枷鏁繫　種種苦具切其身
無量百千憂惱時　逼迫身心無暫樂
皆令得免於繫縛　及以鞭杖苦楚事
將臨刑者得命全　衆苦皆令永除盡
若有衆生飢渴逼　令得種種殊勝味
盲者得視聾者聞　跛者能行瘂能語
貧窮衆生獲寶藏　倉庫盈溢無所乏
皆令得受上妙樂　無一衆生受苦惱
一切人天皆樂見　容儀溫雅甚端嚴
悉皆現受無量樂　受用豐饒福德具
隨彼衆生念伎樂　衆妙音聲皆現前
念水即現清涼池　金色蓮花泛其上
隨彼衆生心所念　飲食衣服及林敷
金銀珎寶妙瑠璃　瓔珞莊嚴皆具足
勿令衆生聞惡響　亦復不見有相違
所受容貌悉端嚴　各各慈心相愛樂
世間資生諸樂具　隨心念時皆滿足
所得珎財無悋惜　分布施與諸衆生
燒香末香及塗香　衆妙雜花非一色
每日三時從樹墮　隨心受用生歡喜
普願衆生咸供養　十方一切最勝尊
三乘清淨妙法門　菩薩獨覺聲聞衆
常願勿處於卑賤　不墮無暇八難中
生在有暇人中尊　恒得親承十方佛

燒香末香及塗香　衆妙雜花非一色
每日三時從樹墮　隨心受用生歡喜
普願衆生咸供養　十方一切最勝尊
三乘清淨妙法門　菩薩獨覺聲聞衆
常願勿處於卑賤　不墮無暇八難中
生在有暇人中尊　恒得親承十方佛
願得常生富貴家　財寶倉庫皆盈滿
顏貌名稱無與等　壽命延長經劫數
悉願女人變為男　勇健聰明多智慧
一切常行菩薩道　勤修六度到彼岸
常見十方無量佛　寶王樹下而安處
處妙瑠璃師子座　恒得親承轉法輪
若於過去及現在　輪迴三有造諸惡
能招可厭不善趣　願得消滅永無餘
一切衆生於有海　生死羂網堅牢縛
願以智劍為斷除　離苦速證菩提處
衆生於此贍部內　或於他方世界中
所作種種勝福因　我今皆悉生隨喜
以此隨喜福德事　及身語意造衆善
願此勝業常增長　速證無上大菩提
所有禮讚佛功德　深心清淨無瑕穢
迴向發願福無邊　當超惡趣六十劫
若有男子及女人　婆羅門等諸勝族
合掌一心讚歎佛　生生常憶宿世事
諸根清淨身圓滿　殊勝功德皆成就
願於未來所生處　常得人天共瞻仰
非於一佛十佛所　修諸善根今得聞
百千佛所種善根　方得聞斯懺悔法
尒時世尊聞此說已讚妙幢菩薩言善哉善

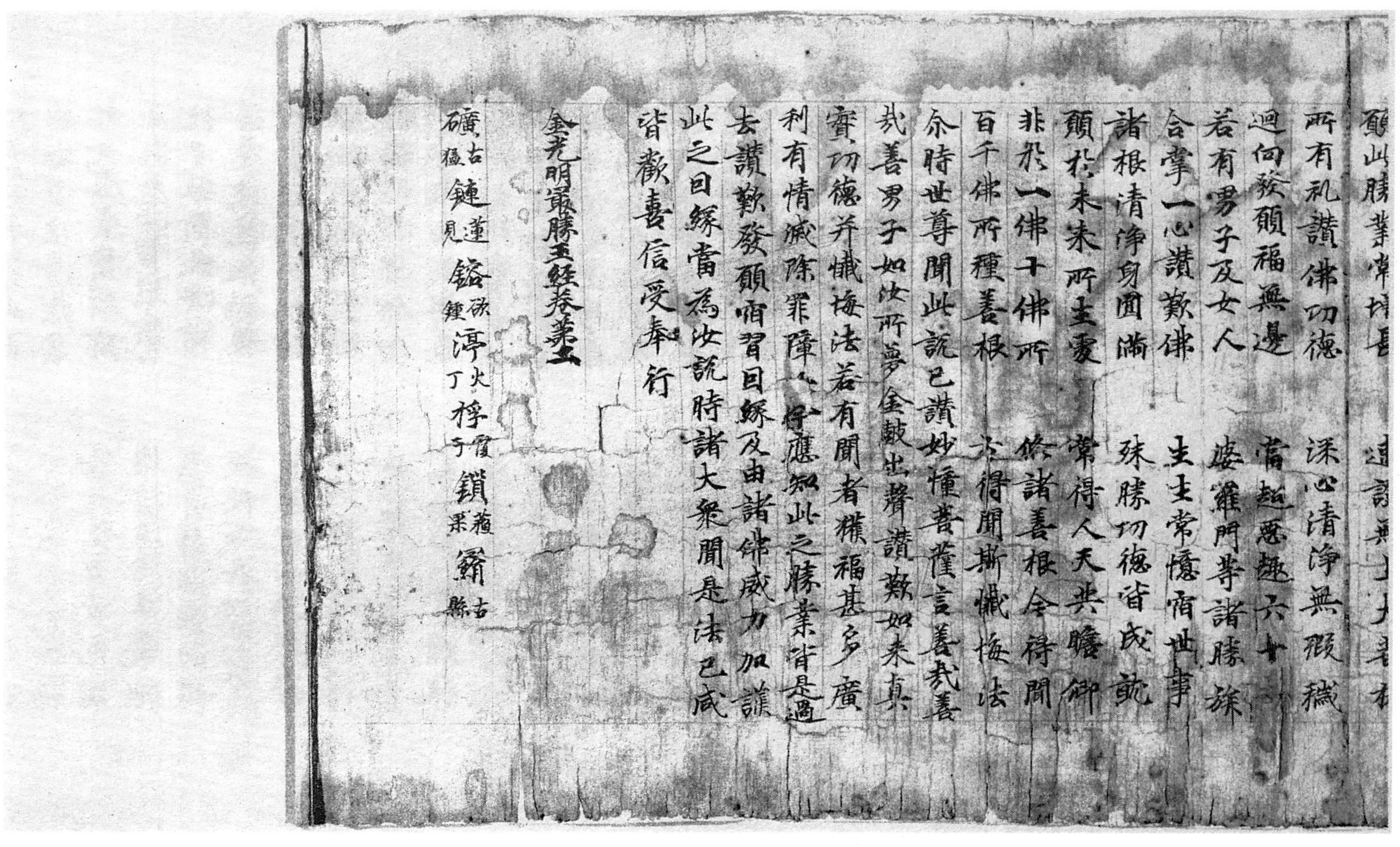

BD02967 號　金光明最勝王經卷二　（9–9）

BD02967 號背　藏文及漢文經文　（1–1）

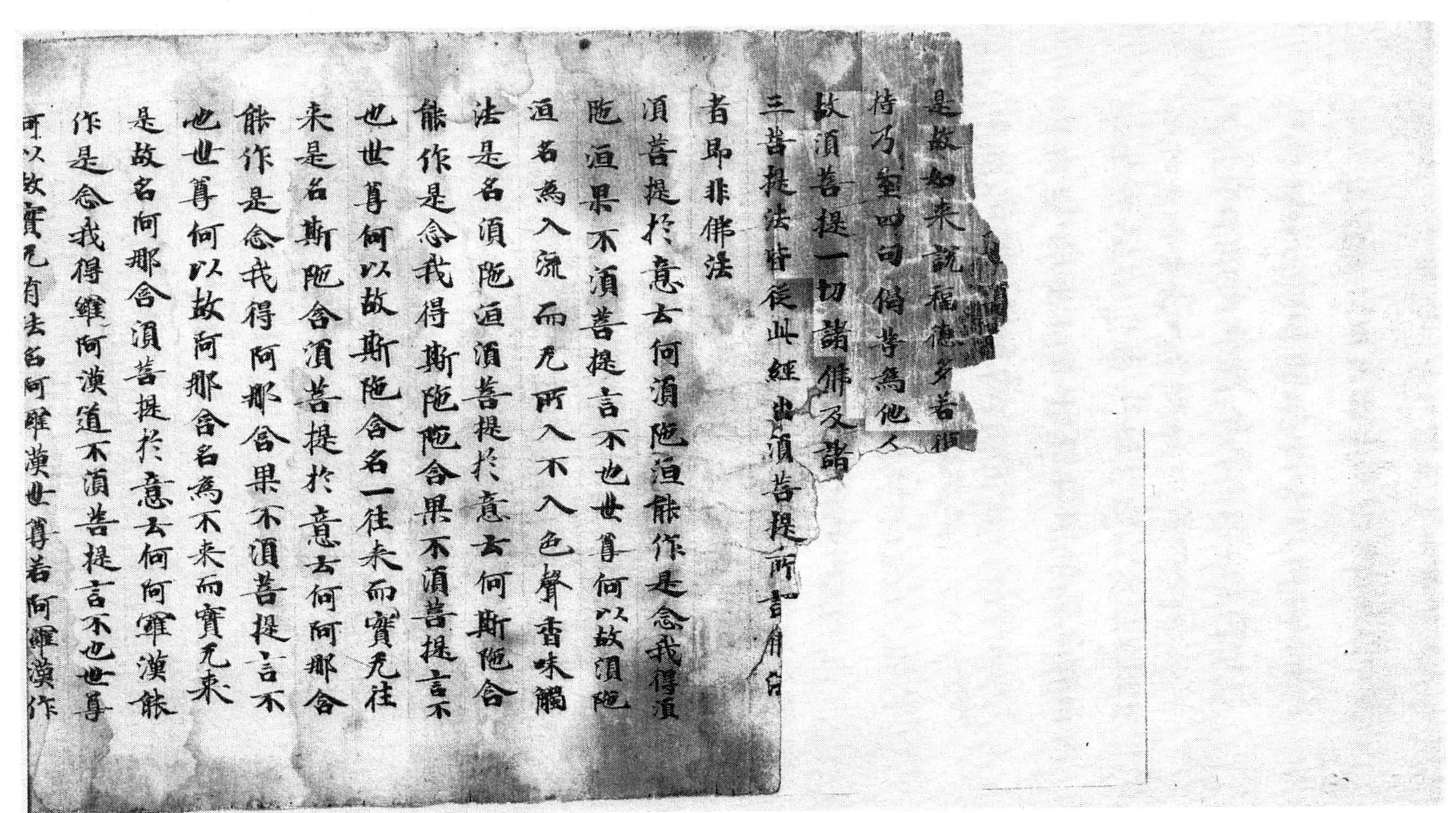

是故如來說福德多若復
持乃至四句偈等為他人
故須菩提一切諸佛及諸
三菩提法皆從此經出須菩提所言佛法
者即非佛法
須菩提於意云何須陁洹能作是念我得須
陁洹果不須菩提言不也世尊何以故須陁
洹名為入流而无所入不入色聲香味觸
法是名須陁洹須菩提於意云何斯陁含
能作是念我得斯陁含果不須菩提言不
也世尊何以故斯陁含名一往來而實无往
來是名斯陁含須菩提於意云何阿那含
能作是念我得阿那含果不須菩提言不
也世尊何以故阿那含名為不來而實无來
是故名阿那含須菩提於意云何阿羅漢能
作是念我得羅阿漢道不須菩提言不也世尊
何以故實无有法名阿羅漢世尊若阿羅漢作

BD02968號　金剛般若波羅蜜經　（13–1）

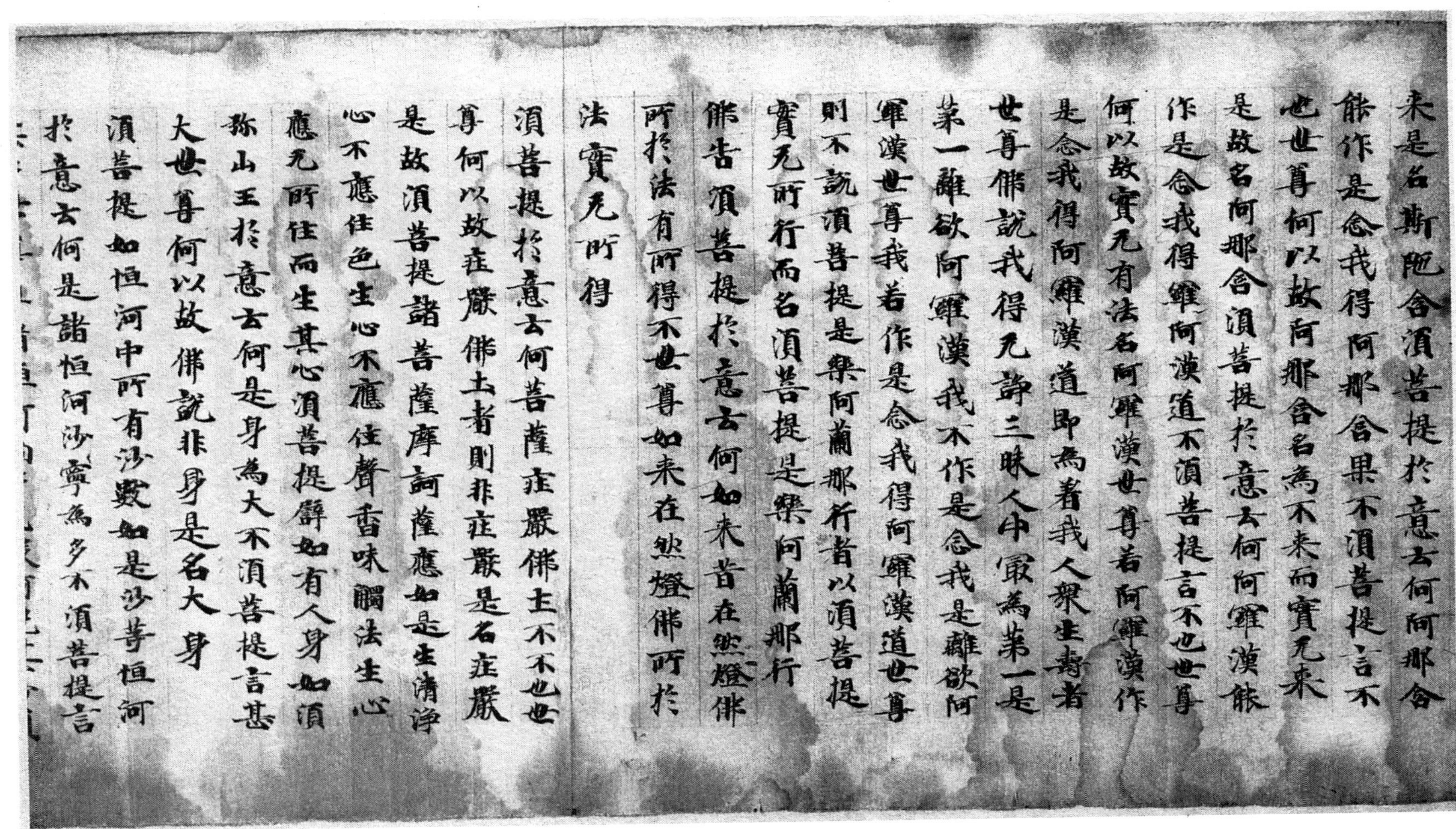

來是名斯陁含須菩提於意云何阿那含
能作是念我得阿那含果不須菩提言不
也世尊何以故阿那含名為不來而實无來
是故名阿那含須菩提於意云何阿羅漢能
作是念我得羅阿漢道不須菩提言不也世尊
何以故實无有法名阿羅漢世尊若阿羅漢作
是念我得阿羅漢道即為著我人衆生壽者
世尊佛說我得无諍三昧人中最為第一是
第一離欲阿羅漢我不作是念我是離欲阿
羅漢世尊我若作是念我得阿羅漢道世尊
則不說須菩提是樂阿蘭那行者以須菩提
實无所行而名須菩提是樂阿蘭那行
佛告須菩提於意云何如來昔在然燈佛
所於法有所得不世尊如來在然燈佛所於
法實无所得
須菩提於意云何菩薩莊嚴佛土不不也世
尊何以故莊嚴佛土者則非莊嚴是名莊嚴
是故須菩提諸菩薩摩訶薩應如是生清淨
心不應住色生心不應住聲香味觸法生心
應无所住而生其心須菩提譬如有人身如須
彌山王於意云何是身為大不須菩提言甚
大世尊何以故佛說非身是名大身
須菩提如恒河中所有沙數如是沙等恒河
於意云何是諸恒河沙寧為多不須菩提言

BD02968號　金剛般若波羅蜜經　（13–2）

彌山王於意云何是身為大不須菩提言甚
大世尊何以故佛說非身是名大身
須菩提如恒河中所有沙數如是沙等恒河
於意云何是諸恒河沙寧為多不須菩提言
甚多世尊但諸恒河尚多无數何況其沙須
菩提我今實言告汝若有善男子善女人以
七寶滿尒所恒河沙數三千大千世界以用
布施得福多不須菩提言甚多世尊佛告
須菩提若善男子善女人於此經中乃至受持
四句偈等為他人說而此福德勝前福德
復次須菩提隨說是經乃至四句偈等當知
此處一切世間天人阿脩羅皆應供養如
佛塔廟何況有人盡能受持讀誦須菩提
當知是人成就最上第一希有之法若是經典
所在之處則為有佛若尊重弟子
尒時須菩提白佛言世尊當何名此經我
等云何奉持佛告須菩提是經名為金剛般
若波羅蜜以是名字汝當奉持所以者何須菩
提佛說般若波羅蜜則非般若波羅蜜須
菩提於意云何如來有所說法不須菩提白
佛言世尊如來无所說須菩提於意云何三千
大千世界所有微塵是為多不須菩提言甚
多世尊須菩提諸微塵如來說非微塵是
名微塵如來說世界非世界是名世界須菩提
於意云何可以三十二相見如來不不也世尊

BD02968號　金剛般若波羅蜜經　（13–3）

佛言世尊如來无所說須菩提於意云何三千
大千世界所有微塵是為多不須菩提言甚
多世尊須菩提諸微塵如來說非微塵是
名微塵如來說世界非世界是名世界須菩提
於意云何可以三十二相見如來不不也世尊
不可以三十二相得見如來何以故如來說
三十二相即是非相是名三十二相
須菩提若有善男子善女人以恒河沙等身
命布施若復有人於此經中乃至受持四句
偈等為他人說其福甚多
尒時須菩提聞說是經深解義趣涕淚悲
泣而白佛言希有世尊佛說如是甚深經
典我從昔來所得慧眼未曾得聞如是之經世
尊若復有人得聞是經信心清淨則生實相
當知是人成就第一希有功德世尊是實相
者則是非相是故如來說名實相世尊我今
得聞如是經典信解受持不足為難若當來世
後五百歲其有眾生得聞是經信解受持
是人則為第一希有何以故此人无我相人相眾
生相壽者相所以者何我相即是非相人相
眾生相壽者相即是非相何以故離一切諸
相則名諸佛
佛告須菩提如是如是若復有人得聞是經
不驚不怖不畏當知是人甚為希有何以故
須菩提如來說第一波羅蜜非第一波羅蜜

BD02968號　金剛般若波羅蜜經　（13–4）

衆生相壽者相即是非相何以故離一切諸
相則名諸佛
佛告須菩提如是如是若復有人得聞是經
不驚不怖不畏當知是人甚為希有何以故
須菩提如來説第一波羅蜜非第一波羅蜜
是名第一波羅蜜
須菩提忍辱波羅蜜如來説非忍辱波羅
蜜何以故須菩提如我昔為歌利王割截身體
我於尒時无我相无人相无衆生相无壽者
相何以故我於往昔節節支解時若有我相
人相衆生相壽者相應生瞋恨須菩提又念
過去於五百世作忍辱仙人於尒所世无我
相无人相无衆生相无壽者相是故須菩提
菩薩應離一切相發阿耨多羅三藐三菩提
心不應住色生心不應住聲香味觸法生心
應生无所住心若心有住則為非住是故佛
説菩薩心不應住色布施須菩提菩薩為利
益一切衆生應如是布施如來説一切諸相即
是非相又説一切衆生則非衆生
須菩提如來是真語者實語者如語者不誑
語者不異語者須菩提如來所得法此法无
實无虚
須菩提若菩薩心住於法而行布施如人入
闇則无所見若菩薩心不住法而行布施如人
有目日光明照見種種色

BD02968號　金剛般若波羅蜜經　（13–5）

語者不異語者須菩提如來所得法此法无
實无虚
須菩提若菩薩心住於法而行布施如人入
闇則无所見若菩薩心不住法而行布施如人
有目日光明照見種種色
須菩提當來之世若有善男子善女人能於
此經受持讀誦則為如來以佛智慧悉知是
人悉見是人皆得成就无量无邊功德
須菩提若有善男子善女人初日分以恒河
沙等身布施中日分復以恒河沙等身布施
後日分亦以恒河沙等身布施如是无量百
千万億劫以身布施若復有人聞此經典信
心不逆其福勝彼何況書寫受持讀誦
為人解説
須菩提以要言之是經有不可思議不可稱
量无邊功德如來為發大乘者説為發最上
乘者説若有人能受持讀誦廣為人説如來
悉知是人悉見是人皆得成就不可量不可
稱无有邊不可思議功德如是人等則為荷
擔如來阿耨多羅三藐三菩提何以故須菩
提若樂小法者著我見人見衆生見壽者見
則於此經不能聽受讀誦為人解説須菩提
在在處處若有此經一切世間天人阿脩羅
所應供養當知此處則為是塔皆應恭敬作

BD02968號　金剛般若波羅蜜經　（13–6）

提若樂小法者著我見人見衆生見壽者見
則於此經不能聽受讀誦爲人解説須菩提
在在處處若有此經一切世間天人阿脩羅
所應供養當知此處則爲是塔皆應恭敬作
礼圍遶以諸華香而散其處
復次須菩提善男子善女人受持讀誦此經
若爲人輕賤是人先世罪業應墮惡道以今
世人輕賤故先世罪業則爲消滅當得阿耨多
羅三藐三菩提須菩提我念過去无量阿僧
祇劫於然燈佛前得值八百四千万億那由
他諸佛悉皆供養承事无空過者若復有
人於後末世能受持讀誦此經所得功德於
我所供養諸佛功德百分不及一千万億分
乃至筭數譬喻所不能及須菩提若善男子
善女人於後末世有受持讀誦此經所得功德
我若具説者或有人聞心則狂亂狐疑不
信須菩提當知是經義不可思議果報亦
不可思議
尒時須菩提白佛言世尊善男子善女人發
阿耨多羅三藐三菩提心云何應住云何降伏
其心佛告須菩提善男子善女人發阿耨多
羅三藐三菩提者當生如是心我應滅度一切
衆生滅度一切衆生已而无有一衆生實滅
度者何以故若菩薩有我相人相衆生相壽

BD02968 號　金剛般若波羅蜜經　（13–7）

其心佛告須菩提善男子善女人發阿耨多
羅三藐三菩提者當生如是心我應滅度一切
衆生滅度一切衆生已而无有一衆生實滅
度者何以故若菩薩有我相人相衆生相壽
者相則非菩薩所以者何須菩提實无有
法發阿耨多羅三藐三菩提者
須菩提於意云何如來於然燈佛所有法得
阿耨多羅三藐三菩提不不也世尊如我解
佛所説義佛於然燈佛所无有法得阿耨多
羅三藐三菩提佛言如是如是須菩提實无
有法如來得阿耨多羅三藐三菩提須菩提
若有法如來得阿耨多羅三藐三菩提者然
燈佛則不與我受記汝於來世當得作佛号
釋迦牟尼以實无有法得阿耨多羅三藐三菩
提是故然燈佛與我受記作是言汝於來世
當得作佛号釋迦牟尼何以故如來者即諸
法如義若有人言如來得阿耨多羅三藐三菩
提須菩提實无有法佛得阿多耨羅三藐三
菩提須菩提如來所得阿耨多羅三藐三
菩提於是中无實无虚是故如來説一切法
皆是佛法須菩提所言一切法者即非一切
法是故名一切法
須菩提譬如人身長大須菩提言世尊如來
説人身長大則爲非大身是名大身

BD02968 號　金剛般若波羅蜜經　（13–8）

菩提於是中无實无虛是故如來說一切法
皆是佛法須菩提所言一切法者即非一切
法是故名一切法
須菩提譬如人身長大須菩提言世尊如來
說人身長大則為非大身是名大身
須菩提菩薩亦如是若作是言我當滅度无
量衆生則不名菩薩何以故須菩提實无有
法名為菩薩是故佛說一切法无我无人无
衆生无壽者須菩提若菩薩作是言我當莊
嚴佛土是不名菩薩何以故如來說莊嚴佛
土者即非莊嚴是名莊嚴須菩提若菩薩
通達无我法者如來說名真是菩薩
須菩提於意云何如來有肉眼不如是世尊
如來有肉眼須菩提於意云何如來有天眼
不如是世尊如來有天眼須菩提於意云何
如來有慧眼不如是世尊如來有慧眼須菩
提於意云何如來有法眼不如是世尊如來
有法眼須菩提於意云何如來有佛眼不如
是世尊如來有佛眼須菩提於意云何恒河
中所有沙佛說是沙不如是世尊如來說是
沙須菩提於意云何如一恒河中所有沙有
如是等恒河是諸恒河所有沙數佛世界如
是寧為多不甚多世尊佛告須菩提尒所國
土中所有衆生若干種心如來悉知何以故
如來說諸心皆為非心是名為心所以者何

BD02968號　金剛般若波羅蜜經　　（13–9）

沙須菩提於意云何如一恒河中所有沙有
如是等恒河是諸恒河所有沙數佛世界如
是寧為多不甚多世尊佛告須菩提尒所國
土中所有衆生若干種心如來悉知何以故
如來說諸心皆為非心是名為心所以者何
須菩提過去心不可得現在心不可得未來心
不可得須菩提於意云何若有人滿三千大
千世界七寶以用布施是人以是因緣得福多
不如是世尊此人以是因緣得福甚多須菩
提若福德有實如來不說得福德多以福德
无故如來說得福德多
須菩提於意云何佛可以具足色身見不不
也世尊如來不應以具足色身見何以故如
來說具足色身即非具足色身是名具足色
身須菩提於意云何如來可以具足諸相見
故如來說諸相具足即非具足是名諸相具足
須菩提汝勿謂如來作是念我當有所說法
莫作是念何以故若人言如來有所說法即為
謗佛不能解我所說故須菩提說法者无
法可說是名說法
須菩提白佛言世尊佛得阿耨多羅三藐三
菩提為无所得耶如是如是須菩提我於阿
耨多羅三藐三菩提乃至无有少法可得是
名阿耨多羅三藐三菩提復次須菩提是法

BD02968號　金剛般若波羅蜜經　　（13–10）

法可說是名說法
須菩提白佛言世尊佛得阿耨多羅三藐三
菩提為无所得耶如是如是須菩提我於阿
耨多羅三藐三菩提乃至无有少法可得是
名阿耨多羅三藐三菩提復次須菩提是法
平等无有高下是名阿耨多羅三藐三菩提
以无我无人无衆生无壽者脩一切善法則得
阿耨多羅三藐三菩提須菩提所言善法者
如來說非善法是名善法
須菩提若三千大千世界中所有諸須弥山王
如是等七寶聚有人持用布施若人以此般若
波羅蜜經乃至四句偈等受持讀誦為他人
說於前福德百分不及一百千万億分乃至
筭數譬喻所不能及
須菩提於意云何汝等勿謂如來作是念我
當度衆生須菩提莫作是念何以故實无有
衆生如來度者若有衆生如來度者如來
則有我人衆生壽者須菩提如來說有我者
則非有我而凡夫之人以為有我須菩提凡
夫者如來說則非凡夫
須菩提於意云何可以三十二相觀如來不須
菩提言如是如是以三十二相觀如來佛言
須菩提若以三十二相觀如來者轉輪聖王則
是如來須菩提白佛言世尊如我解佛所說

BD02968號　金剛般若波羅蜜經　　（13–11）

須菩提於意云何可以三十二相觀如來不須
菩提言如是如是以三十二相觀如來佛言
須菩提若以三十二相觀如來者轉輪聖王則
是如來須菩提白佛言世尊如我解佛所說
義不應以三十二相觀如來尒時世尊而說偈言
若以色見我　以音聲求我　是人行邪道　不能見如來
須菩提汝若作是念如來不以具足相故得
阿耨多羅三藐三菩提須菩提莫作是念
如來不以具足相故得阿耨多羅三藐三菩
提須菩提汝若作是念發阿耨多羅三藐三
菩提者說諸法斷滅莫作是念何以故發
阿耨多羅三藐三菩提者於法不說斷滅相須
菩提若菩薩以滿恒河沙等世界七寶布施
若復有人知一切法无我得成於忍此菩薩勝
前菩薩所得功德須菩提以諸菩薩不受福
德故須菩提白佛言世尊云何菩薩不受福德
須菩提菩薩所作福德不應貪著是故說不
受福德
須菩提若有人言如來若來若去若坐若卧
是人不解我所說義何以故如來者无所從
來亦无所去故名如來
須菩提若善男子善女人以三千大千世界碎
為微塵於意云何是微塵衆寧為多不甚
多世尊何以故若是微塵衆實有者佛則不
說是微塵衆所以者何佛說微塵衆則非微

BD02968號　金剛般若波羅蜜經　　（13–12）

來亦无所去故名如來
須菩提若善男子善女人以三千大千世界碎
為微塵於意云何是微塵衆寧為多不甚
多世尊何以故若是微塵衆實有者佛則不
說是微塵衆所以者何佛說微塵衆則非微
塵衆是名微塵衆世尊如來所說三千大千
世界則非世界是名世界何以故若世界實
有者則是一合相如來說一合相則非一合相
是名一合相須菩提一合相者則是不可說
但凡夫之人貪著其事須菩提若人言佛說
我見人見衆生見壽者見須菩提於意云何
是人解我所說義不世尊是人不解如來所
說義何以故世尊說我見人見衆生見壽者
見即非我見人見衆生見壽者見是名我見
人見衆生見壽者見須菩提發阿耨多羅三
藐三菩提心者於一切法應如是知如是見如
是信解不生法相須菩提所言法相者如來
說即非法相是名法相須菩提若有人以
滿无量阿僧祇世界七寶持用布施若有善
男子善女人發菩薩心者持於此經乃至四句
偈等受持讀誦為人演說其福勝彼云何為

（13–13）

BD02968 號　金剛般若波羅蜜經

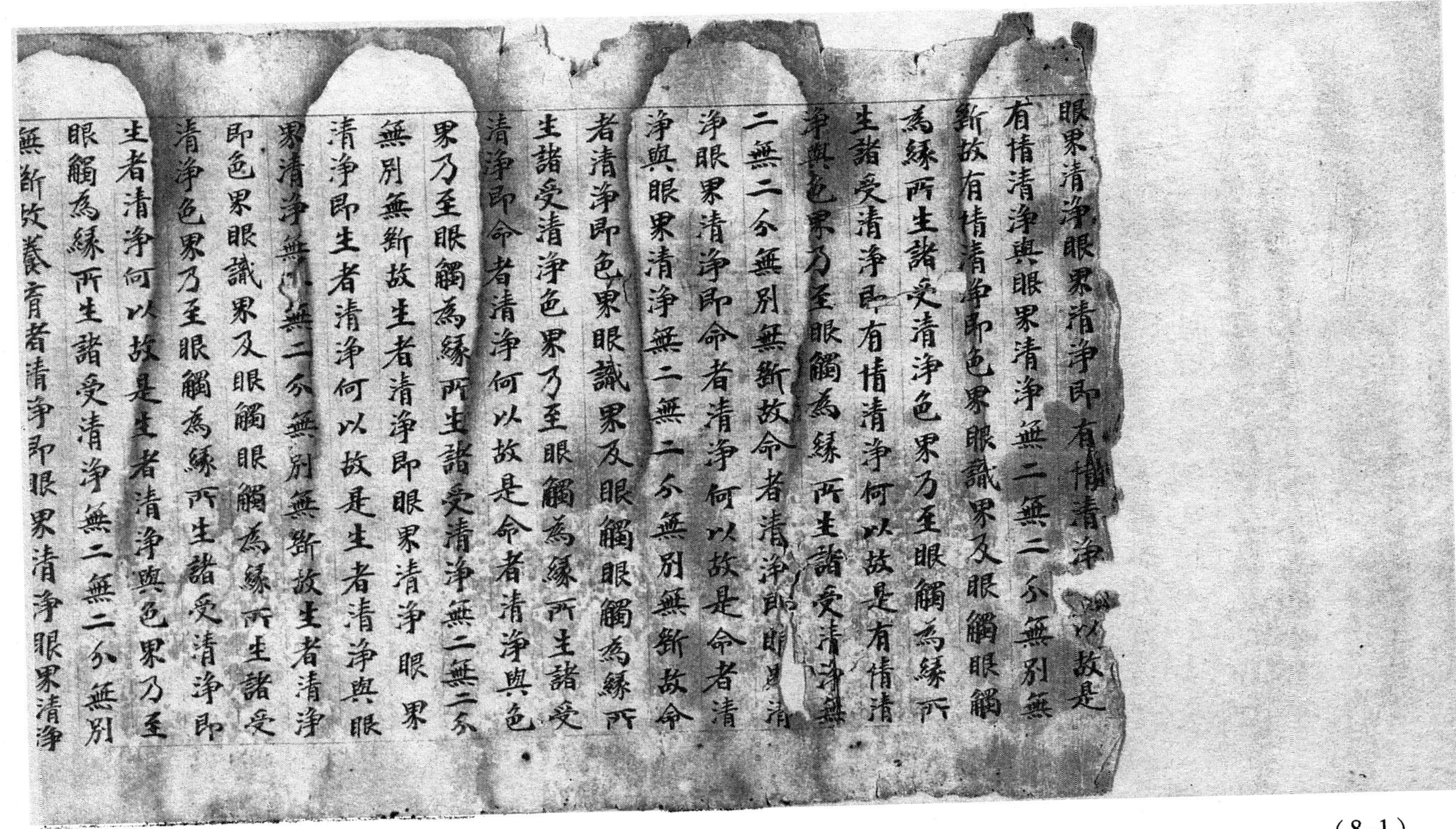
眼界清淨眼界清淨即有情清淨何以故是
有情清淨與眼界清淨無二無二分無別無
斷故有情清淨即色界眼識界及眼觸眼觸
為緣所生諸受清淨色界乃至眼觸為緣所
生諸受清淨即有情清淨何以故是有情清
淨與色界乃至眼觸為緣所生諸受清淨無
二無二分無別無斷故命者清淨即眼界清
淨眼界清淨即命者清淨何以故是命者清
淨與眼界清淨無二無二分無別無斷故命
者清淨即色界眼識界及眼觸眼觸為緣所
生諸受清淨色界乃至眼觸為緣所生諸受
清淨即命者清淨何以故是命者清淨與色
界乃至眼觸為緣所生諸受清淨無二無二分
無別無斷故生者清淨即眼界清淨眼界
清淨即生者清淨何以故是生者清淨與眼
界清淨無二無二分無別無斷故生者清淨
即色界眼識界及眼觸眼觸為緣所生諸受
清淨色界乃至眼觸為緣所生諸受清淨即
生者清淨何以故是生者清淨與色界乃至
眼觸為緣所生諸受清淨無二無二分無別
無斷故養育者清淨即眼界清淨眼界清淨

（8–1）

BD02969 號　大般若波羅蜜多經卷一八五

界清淨無二無二分無別無斷故生者清淨
即色界眼識界及眼觸眼觸為緣所生諸受
清淨色界乃至眼觸為緣所生諸受清淨即
生者清淨何以故是生者清淨與色界乃至
眼觸為緣所生諸受清淨無二無二分無別
無斷故養育者清淨即眼界清淨眼界清淨
即養育者清淨何以故是養育者清淨與眼
界清淨無二無二分無別無斷故養育者清
淨即色界眼識界及眼觸眼觸為緣所生諸
受清淨色界乃至眼觸為緣所生諸受清淨
即養育者清淨何以故是養育者清淨與色
界乃至眼觸為緣所生諸受清淨無二無二
分無別無斷故士夫清淨即眼界清淨眼界
清淨即士夫清淨何以故是士夫清淨與眼
界清淨無二無二分無別無斷故士夫清淨
即色界眼識界及眼觸眼觸為緣所生諸受
清淨色界乃至眼觸為緣所生諸受清淨即
士夫清淨何以故是士夫清淨與色界乃至
眼觸為緣所生諸受清淨無二無二分無別
無斷故補特伽羅清淨即眼界清淨眼界清
淨即補特伽羅清淨何以故是補特伽羅清
淨與眼界清淨無二無二分無別無斷故補
特伽羅清淨即色界眼識界及眼觸眼觸為
緣所生諸受清淨色界乃至眼觸為緣所生
諸受清淨即補特伽羅清淨何以故是補特
伽羅清淨與色界乃至眼觸為緣所生諸受
清淨無二無二分無別無斷故意生清淨即

BD02969號　大般若波羅蜜多經卷一八五　（8–2）

特伽羅清淨即色界眼識界及眼觸眼觸為
緣所生諸受清淨色界乃至眼觸為緣所生
諸受清淨即補特伽羅清淨何以故是補特
伽羅清淨與色界乃至眼觸為緣所生諸受
清淨無二無二分無別無斷故意生清淨即
眼界清淨眼界清淨即意生清淨何以故是
意生清淨與眼界清淨無二無二分無別無
斷故意生清淨即色界眼識界及眼觸眼觸
為緣所生諸受清淨色界乃至眼觸為緣所
生諸受清淨即意生清淨何以故是意生清
淨與色界乃至眼觸為緣所生諸受清淨無
二無二分無別無斷故儒童清淨即眼界清
淨眼界清淨即儒童清淨何以故是儒童清
淨與眼界清淨無二無二分無別無斷故儒
童清淨即色界眼識界及眼觸眼觸為緣所
生諸受清淨色界乃至眼觸為緣所生諸受
清淨即儒童清淨何以故是儒童清淨與色
界乃至眼觸為緣所生諸受清淨無二無二
分無別無斷故作者清淨即眼界清淨眼界
清淨即作者清淨何以故是作者清淨與眼
界清淨無二無二分無別無斷故作者清淨
即色界眼識界及眼觸眼觸為緣所生諸受
清淨色界乃至眼觸為緣所生諸受清淨即
作者清淨何以故是作者清淨與色界乃至
眼觸為緣所生諸受清淨無二無二分無別
無斷故受者清淨即眼界清淨眼界清淨即
受者清淨何以故是受者清淨與眼界清淨

BD02969號　大般若波羅蜜多經卷一八五　（8–3）

清淨色界乃至眼觸為緣所生諸受清淨即
作者清淨何以故是作者清淨與色界乃至
眼觸為緣所生諸受清淨無二無二分無別
無斷故受者清淨即眼界清淨眼界清淨即
受者清淨何以故是受者清淨與眼界清淨
無二無二分無別無斷故受者清淨即色界
眼識界及眼觸眼觸為緣所生諸受清淨色
界乃至眼觸為緣所生諸受清淨即受者清
淨何以故是受者清淨與色界乃至眼觸為
緣所生諸受清淨無二無二分無別無斷故知
者清淨即眼界清淨眼界清淨即知者清
淨何以故是知者清淨與眼界清淨無二無
二分無別無斷故知者清淨即色界眼識界
及眼觸眼觸為緣所生諸受清淨色界乃至
眼觸為緣所生諸受清淨即知者清淨何以
故是知者清淨與色界乃至眼觸為緣所生
諸受清淨無二無二分無別無斷故見者清
淨即眼界清淨眼界清淨即見者清淨何以
故是見者清淨與眼界清淨無二無二分無
別無斷故見者清淨即色界眼識界及眼觸眼
觸為緣所生諸受清淨色界乃至眼觸為緣
所生諸受清淨即見者清淨何以故是見者
清淨與色界乃至眼觸為緣所生諸受清淨
無二無二分無別無斷故
復次善現我清淨即耳界清淨耳界清淨即
我清淨何以故是我清淨與耳界清淨無二

BD02969 號　大般若波羅蜜多經卷一八五　（8–4）

所生諸受清淨即見者清淨何以故是見者
清淨與色界乃至眼觸為緣所生諸受清淨
無二無二分無別無斷故
復次善現我清淨即耳界清淨耳界清淨即
我清淨何以故是我清淨與耳界清淨無二
無二分無別無斷故我清淨即聲界耳識界
及耳觸耳觸為緣所生諸受清淨聲界乃至
耳觸為緣所生諸受清淨即我清淨何以故是
我清淨與聲界乃至耳觸為緣所生諸受
清淨無二無二分無別無斷故有情清淨即
耳界清淨耳界清淨即有情清淨何以故是
有情清淨與耳界清淨無二無二分無別無
斷故有情清淨即聲界耳識界及耳觸耳觸
為緣所生諸受清淨聲界乃至耳觸為緣所
生諸受清淨即有情清淨何以故是有情清
淨與聲界乃至耳觸為緣所生諸受清淨無
二無二分无別無斷故命者清淨即耳界清
淨耳界清淨即命者清淨何以故是命者清
淨與耳界清淨無二無二分无別无斷故命
者清淨即聲界耳識界及耳觸耳觸為緣所
生諸受清淨聲界乃至耳觸為緣所生諸受
清淨即命者清淨何以故是命者清淨與聲
界乃至耳觸為緣所生諸受清淨無二无二
分無別无斷故生者清淨即耳界清淨耳界
清淨即生者清淨何以故是生者清淨與耳
界清淨無二無二分無別無斷故生者清淨
即聲界耳識界及耳觸耳觸為緣所生諸受

BD02969 號　大般若波羅蜜多經卷一八五　（8–5）

分無別无斷故生者清淨即耳界清淨耳界
清淨即生者清淨何以故是生者清淨與耳
界清淨無二無二分無別無斷故生者清淨
即聲界耳識界及耳觸耳觸為緣所生諸受
清淨聲界乃至耳觸為緣所生諸受清淨即
生者清淨何以故是生者清淨與聲界乃至
耳觸為緣所生諸受清淨無二無二分無別
無斷故養育者清淨即耳界清淨耳界清淨
即養育者清淨何以故是養育者清淨與耳
界清淨無二無二分無別無斷故養育者
清淨即聲界耳識界及耳觸耳觸為緣所生諸
受清淨聲界乃至耳觸為緣所生諸受清淨
即養育者清淨何以故是養育者清淨與聲
界乃至耳觸為緣所生諸受清淨無二無二
分無別無斷故士夫清淨即耳界清淨耳界
清淨即士夫清淨何以故是士夫清淨與耳
界清淨無二無二分無別無斷故士夫清淨
即聲界耳識界及耳觸耳觸為緣所生諸受
清淨聲界乃至耳觸為緣所生諸受清淨即
士夫清淨何以故是士夫清淨與聲界乃至
耳觸為緣所生諸受清淨無二無二分無別
無斷故補特伽羅清淨即耳界清淨耳界清
淨即補特伽羅清淨何以故是補特伽羅清
淨與界清淨無二無二分無別無斷故補
特伽羅清淨即聲界耳識界及耳觸耳觸為
緣所生諸受清淨聲界乃至耳觸為緣所生

BD02969 號　大般若波羅蜜多經卷一八五　（8–6）

淨即補特伽羅清淨何以故是補特伽羅清
淨與界清淨無二無二分無別無斷故補
特伽羅清淨即聲界耳識界及耳觸耳觸為
緣所生諸受清淨聲界乃至耳觸為緣所生
諸受清淨即補特伽羅清淨何以故是補特
伽羅清淨與聲界乃至耳觸為緣所生諸受
清淨無二無二分無別無斷故意生清淨即
耳界清淨耳界清淨即意生清淨何以故是
意生清淨與耳界清淨無二無二分無別無
斷故意生清淨即聲界耳識界及耳觸耳觸
為緣所生諸受清淨聲界乃至耳觸為緣所
生諸受清淨即意生清淨何以故是意生清
淨與聲界乃至耳觸為緣所生諸受清淨無
二無二分無別無斷故儒童清淨即耳界清
淨耳界清淨即儒童清淨何以故是儒童清
淨與耳界清淨無二無二分無別無斷故儒
童清淨即聲界耳識界及耳觸耳觸為緣所
生諸受清淨聲界乃至耳觸為緣所生諸受
清淨即儒童清淨何以故是儒童清淨與聲
界乃至耳觸為緣所生諸受清淨無二無二
分無別無斷故作者清淨即耳界清淨耳界
清淨即作者清淨何以故是作者清淨與耳
界清淨無二無二分無別無斷故作者清淨
即聲界耳識界及耳觸耳觸為緣所生諸受
清淨聲界乃至耳觸為緣所生諸受清淨即
作者清淨何以故是作者清淨與聲界乃至

BD02969 號　大般若波羅蜜多經卷一八五　（8–7）

清淨即作者清淨何以故是作者清淨與耳
界清淨無二無二分無別無斷故作者清淨
即聲界耳識界及耳觸耳觸為緣所生諸受
清淨聲界乃至耳觸為緣所生諸受清淨即
作者清淨何以故是作者清淨與聲界乃至
耳觸為緣所生諸受清淨無二無二分無別
無斷故受者清淨即耳界清淨耳界清淨即
受者清淨何以故是受者清淨與耳界清淨
無二無二分無別無斷故受者清淨即聲界
耳識界及耳觸耳觸為緣所生諸受清淨聲
界乃至耳觸為緣所生諸受清淨即受者清
淨何以故是受者清淨與聲界乃至耳觸為
緣所生諸受清淨無二無二分無別無斷故
知者清淨即耳界清淨耳界清淨即知者清
淨何以故是知者清淨與耳界清淨無二無
二分無別無斷故知者清淨即聲界耳識界
及耳觸耳觸為緣所生諸受清淨聲界乃至
耳觸為緣所生諸受清淨即知者清淨何以
故是知者清淨與聲界乃至耳觸為緣所生
諸受清淨無二無二分無別無斷故見者清
淨即耳界清淨耳界清淨即見者清淨何以
故是見者清淨與耳界清淨無二無二分無

BD02969號　大般若波羅蜜多經卷一八五　（8–8）

處執著聲香味觸法處執著眼界執著耳鼻
舌身意界執著色界執著聲香味觸法界執
著眼識界執著耳鼻舌身意識界執著眼觸
執著耳鼻舌身意觸執著眼觸為緣所生諸
受執著耳鼻舌身意觸為緣所生諸受執著
地界執著水火風空識界執著因緣性執著
等無間緣所緣緣增上緣性執著無明執著
行識名色六處觸受愛取有生老死執著我
執著有情命者生者養者士夫補特伽羅意
生儒童作者受者知者見者執著布施波羅
蜜多執著淨戒安忍精進靜慮般若波羅蜜
多執著內空執著外空內外空空空大空勝
義空有為空無為空畢竟空無際空散空無
變異空本性空自相空共相空一切法空不
可得空無性空自性空無性自性空執著真
如執著法界法性不虛妄性不變異性平等
性離生性法定法住實際虛空界不思議界
執著苦聖諦執著集滅道聖諦執著四念住
執著四正斷四神足五根五力七等覺支八
道支執著四靜慮執著四無量四無色

BD02970號　大般若波羅蜜多經卷三三一　（13–1）

可得空無性空自性空無性自性空執著真
如執著法界法性不虛妄性不變異性平等
性離生性法定法住實際虛空界不思議界
執著苦聖諦執著集滅道聖諦執著四念住
執著四正斷四神足五根五力七等覺支八
聖道支執著四靜慮執著四無量四無色定
執著八解脫執著八勝處九次第定十遍處
執著空解脫門執著無相無願解脫門執著
極喜地執著離垢地發光地焰慧地極難勝
地現前地遠行地不動地善慧地法雲地執
著五眼執著六神通執著三摩地門執著陀
羅尼門執著佛十力執著四無所畏四無礙
解大慈大悲大喜大捨十八佛不共法執著
無忘失法執著恒住捨性執著一切智執著
道相智一切相智執著預流果執著一來不
還阿羅漢果執著獨覺菩提執著菩薩摩訶
薩行執著無上正等菩提善現菩薩摩訶薩
見此事已作是思惟我當云何救濟如是諸
有情類令離執著既思惟已作是願言我當
精勤不顧身命脩行六種波羅蜜多成熟有
情嚴淨佛土令速圓滿疾證無上正等菩提
我佛土中諸有情類無如是等種種執著善
現是菩薩摩訶薩由此六種波羅蜜多速得
圓滿隣近無上正等菩提
復次善現有菩薩摩訶薩具脩六種波羅蜜
多見有如來應正等覺光明有量壽命有量

BD02970號　大般若波羅蜜多經卷三三一　（13–2）

我佛土中諸有情類無如是等種種執著善
現是菩薩摩訶薩由此六種波羅蜜多速得
圓滿隣近無上正等菩提
復次善現有菩薩摩訶薩具脩六種波羅蜜
多見有如來應正等覺光明有量壽命有量
諸弟子衆數有分限善現是菩薩摩訶薩見
此事已作是思惟我云何得光明無量壽命
無量諸弟子衆數無分限既思惟已作是願
言我當精勤不顧身命脩行六種波羅蜜多
成熟有情嚴淨佛土令速圓滿疾證無上正
等菩提尒時我身光明無量壽命無量諸弟
子衆數無分限善現是菩薩摩訶薩由此六
種波羅蜜多速得圓滿隣近無上正等菩提
復次善現有菩薩摩訶薩具脩六種波羅蜜
多見有如來應正等覺所居佛土周圓有量
善現是菩薩摩訶薩見此事已作是思惟我
云何得所居佛土周圓無量既思惟已作是
願言我當精勤不顧身命脩行六種波羅蜜
多成熟有情嚴淨佛土令速圓滿疾證無上
正等菩提十方各如殑伽沙數大千世界合
爲一土我住其中說法教化無量無數無邊
有情善現是菩薩摩訶薩由此六種波羅蜜
多速得圓滿隣近無上正等菩提
復次善現有菩薩摩訶薩具脩六種波羅蜜
多見諸有情生死長遠諸有情界其數無邊
善現是菩薩摩訶薩見此事已作是思惟生

BD02970號　大般若波羅蜜多經卷三三一　（13–3）

復次善現有菩薩摩訶薩具修六種波羅蜜
多見諸有情生死長遠諸有情界其數無邊
善現是菩薩摩訶薩見此事已作是思惟生
死邊際猶如虛空諸有情界亦復如是雖無真
實諸有情類流轉生死或得涅槃而諸有情
妄執為有輪迴生死受苦無邊我當云何方
便救濟既思惟已作是願言我當精勤不顧
身命修行六種波羅蜜多成熟有情嚴淨佛
土令速圓滿疾證無上正等菩提為諸有情
說無上法皆令解脫生死大苦名令證知生
死解脫都無所有皆畢竟空善現是菩薩摩
訶薩由此六種波羅蜜多速得圓滿隣近無
上正等菩提

初分殑伽天品第五十二

尒時會中有一天女名殑伽天從坐而起偏
覆左肩右膝著地合掌向佛白言世尊我當
修行布施淨戒安忍精進靜慮般若波羅蜜
多成熟有情嚴淨佛土所求佛土如今如來
應正等覺為諸大衆於此般若波羅蜜多甚
深經中所說土相一切具足時殑伽天作是
語已即取種種金華銀華水陸生華諸莊嚴
具及持金色天衣一雙恭敬至誠而散佛上
佛神力故上踊虛空宛轉右旋於佛頂上變
成四柱四角寶臺綺飾莊嚴甚可愛樂於是
天女持此寶臺與諸有情平等共有迴向無
上正等菩提尒時如來知彼天女志願深廣

BD02970號　大般若波羅蜜多經卷三三一　（13–4）

佛神力故上踊虛空宛轉右旋於佛頂上變
成四柱四角寶臺綺飾莊嚴甚可愛樂於是
天女持此寶臺與諸有情平等共有迴向無
上正等菩提尒時如來知彼天女志願深廣
即便微笑諸佛法尒於微笑時有種種光從
口而出今佛亦尒於其面門放種種光青黃
赤白紅碧紫緣遍照十方無量無邊無數世
界還來此土現大神變遶佛三帀入佛頂中
尒時阿難覩斯事已從坐而起右膝著地合
掌向佛白言世尊何因何緣現此微笑諸佛
微笑非無因緣佛告阿難今此天女於未來
世當得作佛劫名星喻佛號金華如來應正
等覺明行圓滿善逝世間解無上丈夫調御
士天人師佛薄伽梵阿難當知今此天女即是
最後所受女身捨此身已便受男身盡未
來際不復作女從此歿已生於東方不動如
來應正等覺甚可愛樂佛世界中於彼佛所
勤修梵行此女彼界亦号金華修諸菩薩摩
訶薩行阿難此金華菩薩摩訶薩於彼歿已
復生他方從一佛土至一佛土於生生處常
不離佛如轉輪王從一臺觀至一臺觀歡娛
受樂乃至命終足不履地金華菩薩亦復如
是從一佛國往一佛國乃至無上正等菩提
於生生中常不離佛聽受正法修菩薩行尒
時阿難竊作是念金華菩薩當作佛時亦應
宣說甚深般若波羅蜜多彼會菩薩摩訶薩

BD02970號　大般若波羅蜜多經卷三三一　（13–5）

是從一佛國往一佛國乃至無上正等菩提
於生生中常不離佛聽受正法脩菩薩行尒
時阿難竊作是念金華菩薩當作佛時亦應
宣說甚深般若波羅蜜多彼會菩薩摩訶薩
衆其數多少應如今佛菩薩衆會佛知其念告
告阿難言如是如是如汝所念金華菩薩當
作佛時久為衆會宣說如是甚深般若波羅
蜜多彼會菩薩摩訶薩衆其數多少亦如今
佛菩薩衆會阿難當知是金華菩薩摩訶薩
當作佛時彼佛世界出家弟子其量甚多不
可稱數謂不可數若百若千若百千若俱胝
若百俱胝若千俱胝若百千俱胝若那庾多
若百那庾多若千那庾多若百千那庾多大
苾芻衆但可說無數無量無邊百千俱胝
那庾多大苾芻衆阿難當知是金華菩薩摩
訶薩當作佛時其土無有如此般若波羅蜜
多經中所說衆多過患尒時具壽阿難復白
佛言世尊今此天女先於何佛已發無上正
等覺心種諸善根迴向發願今得遇佛恭敬
供養而得受於不退轉記佛告阿難今此天
女於然燈佛已發無上正等覺心種諸善根
迴向發願故今遇我恭敬供養而得受於不
退轉記阿難當知我於過去然燈佛所以五
莖華奉散彼佛迴向發願然燈如來應正等
覺知我根熟而授我記天女尒時聞佛授我
大菩提記歡喜踊躍即以金華奉散佛上便

迴向發願故今遇我恭敬供養而得受於不
退轉記阿難當知我於過去然燈佛所以五
莖華奉散彼佛迴向發願然燈如來應正等
覺知我根熟而授我記天女尒時聞佛授我
大菩提記歡喜踊躍即以金華奉散佛上便
發無上正等覺心種諸善根迴向發願使我
來世於此菩薩當作佛時亦如今佛現前授
我大菩提記故我今者與彼授記具壽阿難
聞佛所說歡喜踊躍復白佛言今此天女久
為無上正等菩提植衆德本今得成熟佛為
受記佛告阿難如是如是今此天女久為無
上正等菩提植衆德本今既成熟我為授記
初分善學品第五十三
尒時具壽善現白佛言世尊行深般若波羅
蜜多諸菩薩摩訶薩云何習近空三摩地云
何入空三摩地云何習近無相三摩地云何
入無相三摩地云何習近無願三摩地云何
入無願三摩地云何習近四念住云何脩四
念住云何習近四正斷四神足五根五力七
等覺支八聖道支云何脩四正斷乃至八聖
道支云何習近佛十力云何脩佛十力云何
習近四無所畏四無礙解大慈大悲大喜大
捨十八佛不共法云何脩四無所畏乃至十
八佛不共法佛言善現行深般若波羅蜜多
諸菩薩摩訶薩應觀色空應觀受想行識空
應觀眼處空應觀耳鼻舌身意處空應觀色

習近四無所畏四無礙解大慈大悲大喜大
捨十八佛不共法云何脩四無所畏乃至十
八佛不共法佛言善現行深般若波羅蜜多
諸菩薩摩訶薩應觀色空應觀受想行識空
應觀眼處空應觀耳鼻舌身意處空應觀色
處空應觀聲香味觸法處空應觀眼界空應
觀耳鼻舌身意界空應觀色界空應觀聲香
味觸法界空應觀眼識界空應觀耳鼻舌身
意識界空應觀眼觸空應觀耳鼻舌身意觸
空應觀眼觸為緣所生諸受空應觀耳鼻舌
身意觸為緣所生諸受空應觀地界空應觀
水火風空識界空應觀無明空應觀行識名
色六處觸受愛取有生老死空應觀布施波
羅蜜多應觀淨戒安忍精進靜慮般若波
羅蜜多空應觀內空應觀外空內外空空
空大空勝義空有為空無為空畢竟空無際
空散空無變異空本性空自相空共相空一
切法空不可得空無性空自性空無性自性
空空應觀真如空應觀法界法性不虛妄性
不變異性平等性離生性法定法住實際
虛空界不思議界空應觀苦聖諦空應觀集
滅道聖諦空應觀四靜慮空應觀四無量四
無色定空應觀八解脫空應觀八勝處九次
第定十遍處空應觀四念住空應觀四正斷
四神足五根五力七等覺支八聖道支空應
觀空解脫門空應觀無相無願解脫門空應

BD02970號　大般若波羅蜜多經卷三三一　（13–8）

無色定空應觀八解脫空應觀八勝處九次
第定十遍處空應觀四念住空應觀四正斷
四神足五根五力七等覺支八聖道支空應
觀空解脫門空應觀無相無願解脫門空應
觀三乘菩薩十地空應觀五眼空應觀六神
通空應觀佛十力空應觀四無所畏四無礙
解大慈大悲大喜大捨十八佛不共法空應
觀無忘失法空應觀恒住捨性空應觀一切
智空應觀道相智一切相智空應觀一切陁
羅尼門空應觀一切三摩地門空應觀預流
果空應觀一來不還阿羅漢果空應觀獨覺
菩提空應觀一切菩薩摩訶薩行空應觀諸
佛無上正等菩提空應觀有漏法空應觀無
漏法空應觀世間法空應觀出世間法空應
觀有為法空應觀無為法空應觀過去法空
應觀未來現在法空應觀善法空應觀不善
無記法空應觀欲界法空應觀色無色界法
空
善現是菩薩摩訶薩作是觀時不令心亂若
心不亂則不見法若不見法則不作證所以
者何善現是菩薩摩訶薩善學諸法自相皆
空無法可增無法可減故於諸法不見不證
何以故善現於一切法勝義諦中能證所證
證處證時及由此證若合若離皆不可得不
可見故時具壽善現白佛言世尊如佛所言
諸菩薩摩訶薩於諸法空不應作證世尊云

BD02970號　大般若波羅蜜多經卷三三一　（13–9）

空無法可增無法可減故於諸法不見不證
何以故善現於一切法勝義諦中能證所證
證處證時及由此證若合若離皆不可得不
可見故時具壽善現白佛言世尊如佛所言
諸菩薩摩訶薩於諸法空不應作證世尊云
何諸菩薩摩訶薩住諸法空而不作證佛言
善現諸菩薩摩訶薩觀法空時先作是念我
應觀法諸相皆空不應作證我為學故觀諸
法空不為證故觀諸法空今是學時非為證
時善現是菩薩摩訶薩未入定位繫心於所
緣已入定時不繫心於境善現是菩薩摩訶
薩於此時中不退布施波羅蜜多不證漏盡
不退淨戒安忍精進靜慮般若波羅蜜多不
證漏盡不退內空不證漏盡不退外空內外
空空空大空勝義空有為空無為空畢竟空
無際空散空無變異空本性空自相空共相
空一切法空不可得空無性空自性空無性
自性空不證漏盡不退真如不證漏盡不退
法界法性不虛妄性不變異性平等性離生
性法定法住實際虛空界不思議界不證漏
盡不退苦聖諦不證漏盡不退集滅道聖諦
不證漏盡不退四靜慮不證漏盡不退四無
量四無色定不證漏盡不退八解脫不證漏
盡不退八勝處九次第定十遍處不證漏盡
不退四念住不證漏盡不退四正斷四神足
五根五力七等覺支八聖道支不證漏盡不

BD02970 號　大般若波羅蜜多經卷三三一　（13–10）

不證漏盡不退四靜慮不證漏盡不退四無
量四無色定不證漏盡不退八解脫不證漏
盡不退八勝處九次第定十遍處不證漏盡
不退四念住不證漏盡不退四正斷四神足
五根五力七等覺支八聖道支不證漏盡不
退空解脫門不證漏盡不退無相無願解脫
門不證漏盡不退五眼不證漏盡不退六神
通不證漏盡不退佛十力不證漏盡不退四
無所畏四無礙解大慈大悲大喜大捨十八
佛不共法不證漏盡不退無忘失法不證漏
盡不退恒住捨性不證漏盡不退一切智不
證漏盡不退道相智一切相智不證漏盡不
退一切陀羅尼門不證漏盡不退一切三摩
地門不證漏盡不退菩薩摩訶薩行不證漏
盡不退無上正等菩提不證漏盡
何以故善現是菩薩摩訶薩成就如是微妙
大智善住法空及一切種菩提分法作如是
念今時應學非為證時善現是菩薩摩訶薩
行深般若波羅蜜多應作是念我於布施波
羅蜜多今時應學不應作證我於淨戒安忍
精進靜慮般若波羅蜜多今時應學不應作
證我於內空今時應學不應作證我於外空
空外空空空大空勝義空有為空無為空畢
竟空無際空散空無變異空本性空自相空
共相空一切法空不可得空無性空自性空
無性自性空今時應學不應作證我於真如
今時應學不應作證我於法界法性不虛妄

BD02970 號　大般若波羅蜜多經卷三三一　（13–11）

竟空無際空散空無變異空本性空自相空
共相空一切法空不可得空無性空自性空
無性自性空今時應學不應作證我於真如
今時應學不應作證我於法界法性不虛妄
性不變異性平等性離生性法定法住實際
虛空界不思議界今時應學不應作證我於
苦聖諦今時應學不應作證我於集滅道聖
諦今時應學不應作證我於四靜慮今時應
學不應作證我於四無量四無色定今時應
學不應作證我於八解脫今時應學不應作
證我於八勝處九次第定十遍處今時應學
不應作證我於四念住今時應學不應作證
我於四正斷四神足五根五力七等覺支八
聖道支今時應學不應作證我於空解脫門
今時應學不應作證我於無相無願解脫門
今時應學不應作證我於五眼今時應學不
應作證我於六神通今時應學不應作證我
於佛十力今時應學不應作證我於四無所
畏四無礙解大慈大悲大喜大捨十八佛不
共法今時應學不應作證我於無忘失法今
時應學不應作證我於恒住捨性今時應學
不應作證我於一切智今時於學不應作證
我於道相智一切相智今時應學不應作證
我於一切陀羅尼門今時應學不應作證我
於一切三摩地門今時應學不應作證我於
一切菩薩摩訶行今時應學不應作證我

BD02970號　大般若波羅蜜多經卷三三一　　(13–12)

時應學不應作證我於恒住捨性今時應學
不應作證我於一切智今時於學不應作證
我於道相智一切相智今時應學不應作證
我於一切陀羅尼門今時應學不應作證我
於一切三摩地門今時應學不應作證我於
一切菩薩摩訶行今時應學不應作證我
於無上正等菩提今時應學不應作證我今
應學一切智智不應證預流果我今應學一
切智智不應證一來不還阿羅漢果我今應
學一切智智不應證獨覺菩提

大般若波羅蜜多經卷第三百卌一

王潮寬　一校　第二校　第三校

畫十八紙

BD02970號　大般若波羅蜜多經卷三三一　　(13–13)

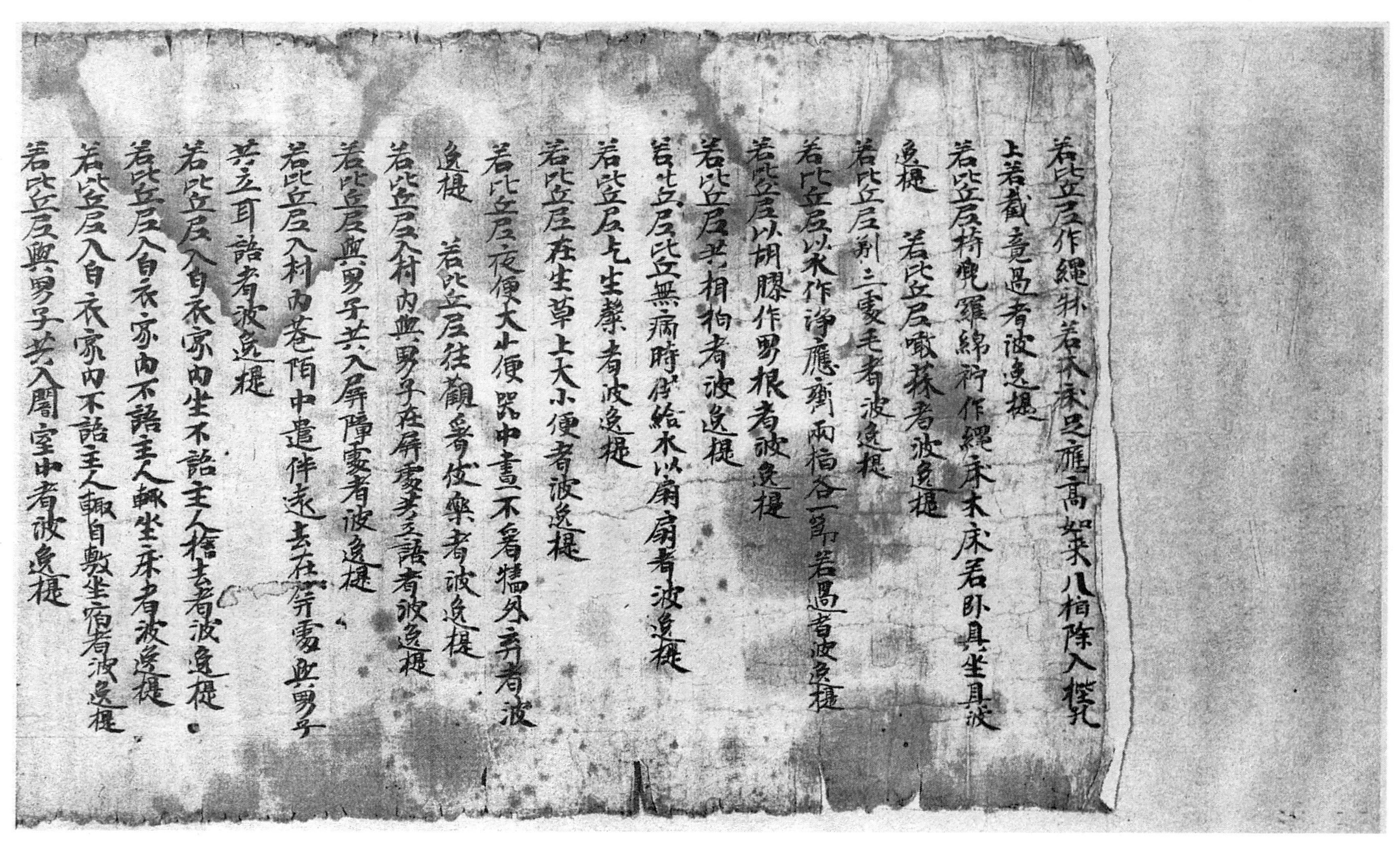

若比丘尼作繩牀若木牀足應高如來八指除入梐孔
上若截竟過者波逸提
若比丘尼持兜羅綿貯作繩牀木牀若卧具坐具波
逸提　若比丘尼噉蒜者波逸提
若比丘尼剃三處毛者波逸提
若比丘尼以水作淨應齊兩指各一節若過者波逸提
若比丘尼以胡膠作男根者波逸提
若比丘尼共相拍者波逸提
若比丘尼比丘無病時供給水以扇扇者波逸提
若比丘尼乞生穀者波逸提
若比丘尼在生草上大小便者波逸提
若比丘尼夜便大小便器中晝不看牆外棄者波
逸提　若比丘尼往觀看伎樂者波逸提
若比丘尼入村內與男子在屏處共立語者波逸提
若比丘尼與男子共入屏障處者波逸提
若比丘尼入村內巷陌中遣伴遠去在屏處與男子
共立耳語者波逸提
若比丘尼入白衣家內坐不語主人捨去者波逸提
若比丘尼入白衣家內不語主人輒坐牀者波逸提
若比丘尼入白衣家內不語主人輒自敷坐宿者波逸提
若比丘尼與男子共入闇室中者波逸提

BD02971 號　四分比丘尼戒本　（15–1）

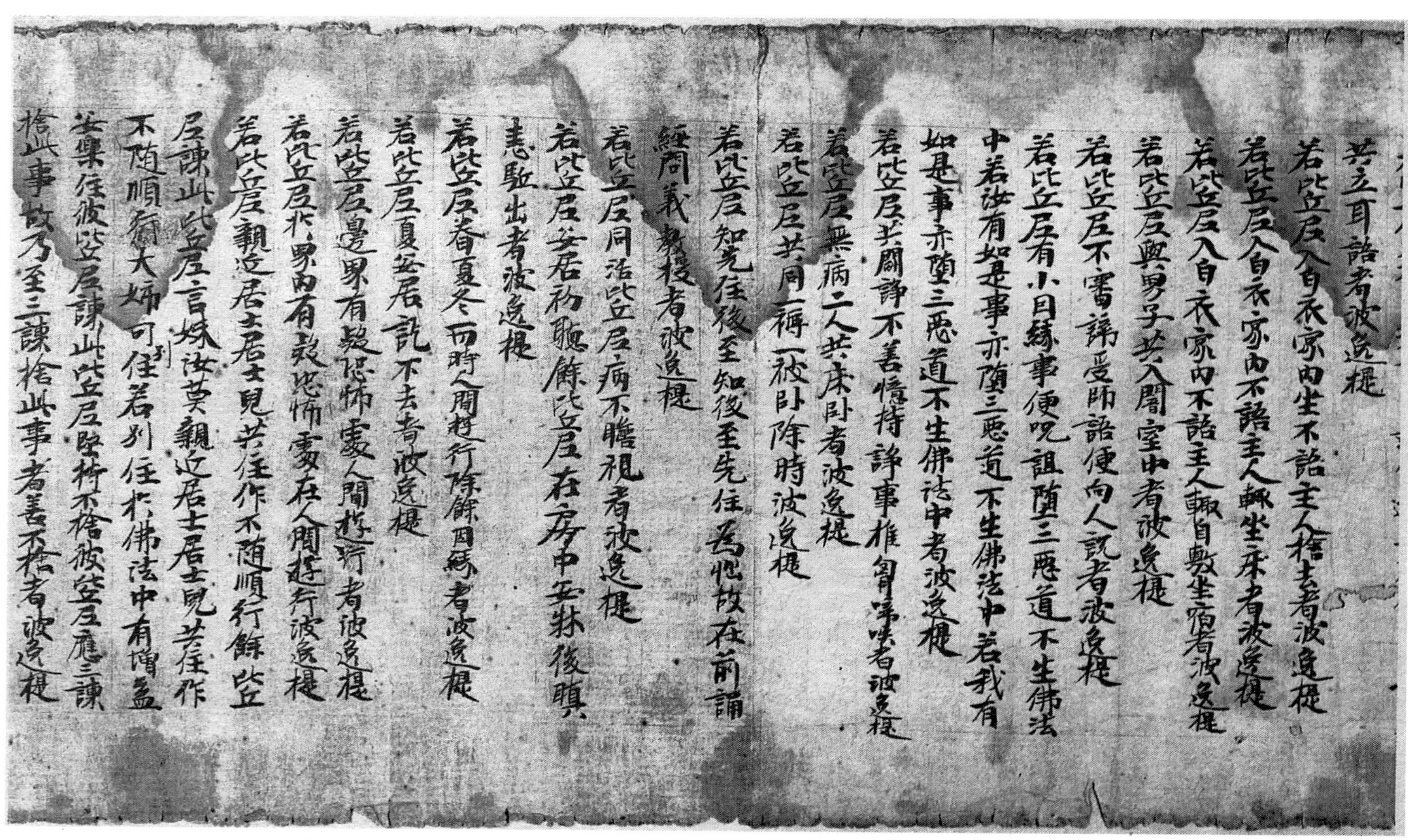

共立耳語者波逸提
若比丘尼入白衣家內坐不語主人捨去者波逸提
若比丘尼入白衣家內不語主人輒坐牀者波逸提
若比丘尼入白衣家內不語主人輒自敷坐宿者波逸提
若比丘尼與男子共入闇室中者波逸提
若比丘尼不審諦受師語便向人說者波逸提
若比丘尼有小因緣事便呪詛墮三惡道不生佛法
中若汝有如是事亦墮三惡道不生佛法中若我有
如是事亦墮三惡道不生佛法中者波逸提
若比丘尼共鬪諍不善憶持諍事椎胸啼哭者波逸提
若比丘尼無病二人共牀卧者波逸提
若比丘尼共同一褥一被卧除時波逸提
若比丘尼知先住後至知後至先住為惱故在前誦
經問義教授者波逸提
若比丘尼同活比丘尼病不瞻視者波逸提
若比丘尼安居初聽餘比丘尼在房中安牀後瞋
恚駈出者波逸提
若比丘尼春夏冬一切時人間遊行除餘因緣者波逸提
若比丘尼夏安居訖不去者波逸提
若比丘尼邊界有疑恐怖處人間遊行者波逸提
若比丘尼於界內有疑恐怖處在人間遊行波逸提
若比丘尼親近居士居士兒共住作不隨順行餘比丘
尼諫此比丘尼言妹汝莫親近居士居士兒共住作
不隨順行大姊可別住若別住於佛法中有增益
安樂住彼比丘尼諫此比丘尼堅持不捨彼比丘尼應三諫
捨此事故乃至三諫捨此事者善不捨者波逸提

BD02971 號　四分比丘尼戒本　（15–2）

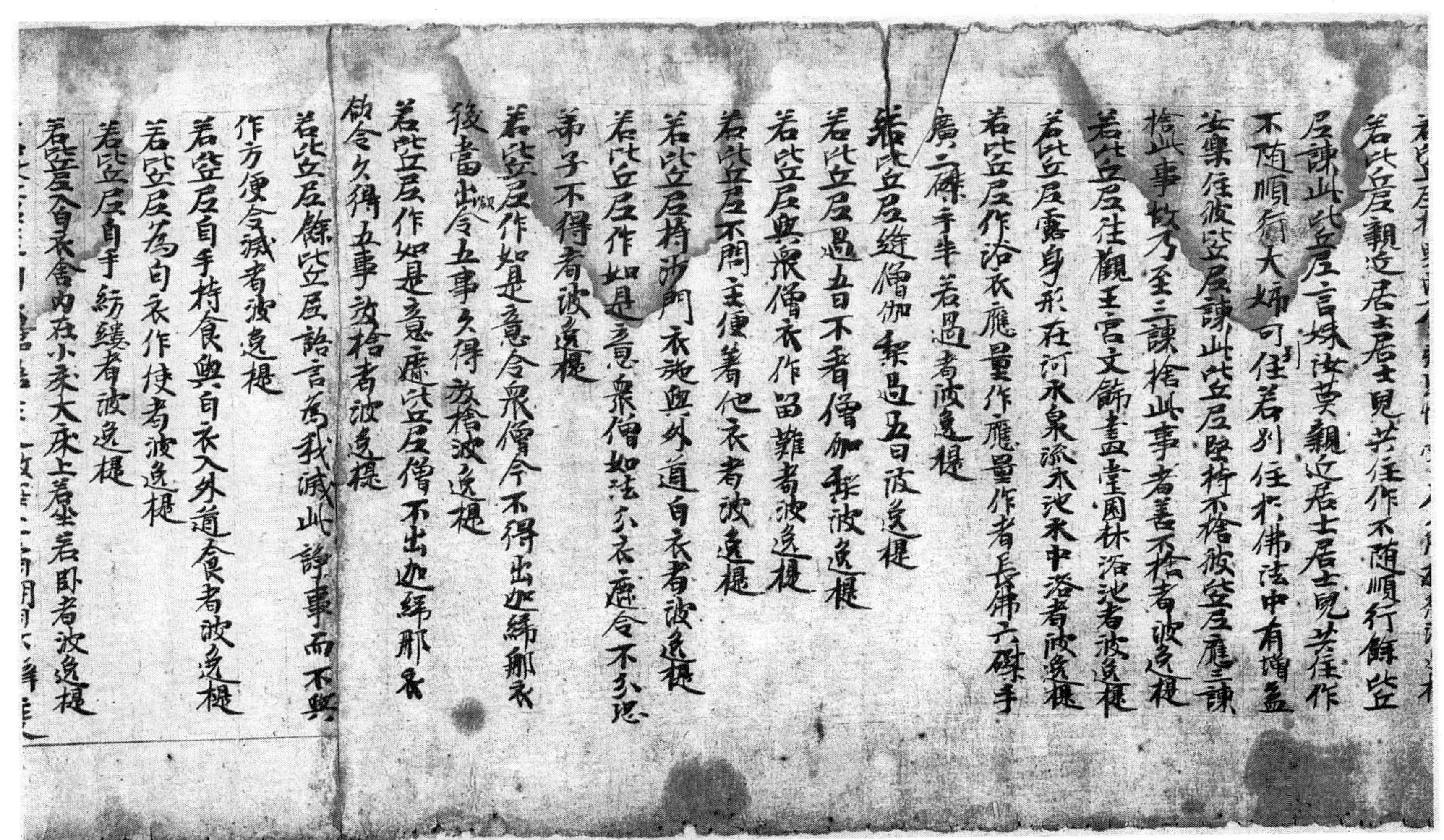
若比丘尼親近居士居士兒共住作不隨順行餘比
丘尼諫此比丘尼言妹汝莫親近居士居士兒共住作
不隨順行大姊可別住若別住於佛法中有增益
安樂住彼比丘尼諫此比丘尼堅持不捨彼比丘尼應三諫
捨此事故乃至三諫捨此事者善不捨者波逸提
若比丘尼往觀王宮文飾畫堂園林浴池者波逸提
若比丘尼露身形在河水泉流水池水中浴者波逸提
若比丘尼作浴衣應量作應量作者長佛六磔手
廣二磔手半若過者波逸提
若比丘尼縫僧伽梨過五日波逸提
若比丘尼過五日不看僧伽梨波逸提
若比丘尼與眾僧衣作留難者波逸提
若比丘尼不問主便著他衣者波逸提
若比丘尼持沙門衣施與外道白衣者波逸提
若比丘尼作如是意眾僧如法分衣遮令不分恐
弟子不得者波逸提
若比丘尼作如是意令眾僧今不得出迦絺那衣
後當出欲令五事久得放捨波逸提
若比丘尼作如是意遮比丘尼僧不出迦絺那衣
欲令久得五事放捨者波逸提
若比丘尼餘比丘尼語言為我滅此諍事而不與
作方便令滅者波逸提
若比丘尼自手持食與白衣入外道食者波逸提
若比丘尼為白衣作使者波逸提
若比丘尼自手紡縷者波逸提
若比丘尼入白衣舍內在小床大床上若坐若臥者波逸提

BD02971號　四分比丘尼戒本　（15–3）

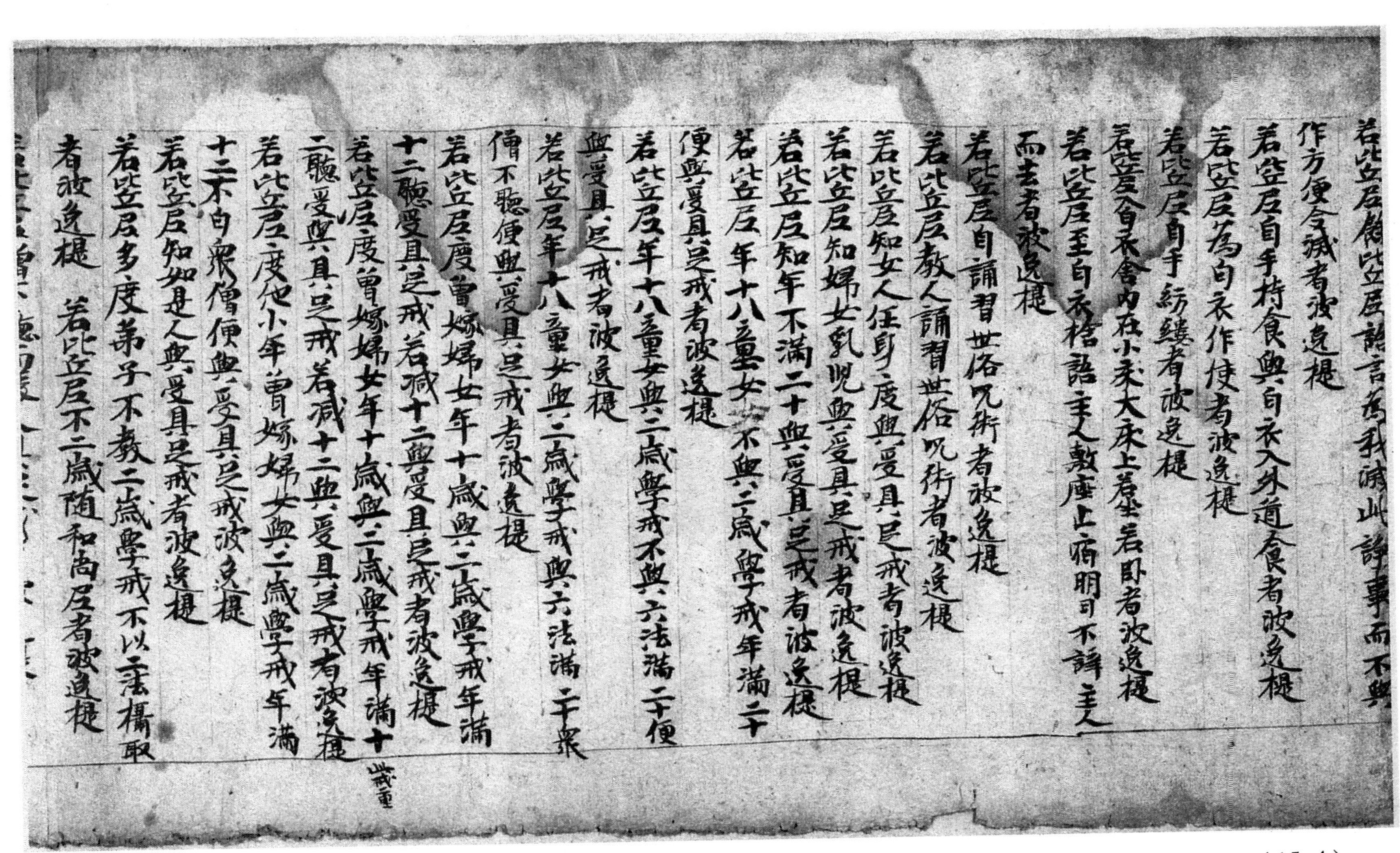
若比丘尼餘比丘尼語言為我滅此諍事而不與
作方便令滅者波逸提
若比丘尼自手持食與白衣入外道食者波逸提
若比丘尼為白衣作使者波逸提
若比丘尼自手紡縷者波逸提
若比丘尼入白衣舍內在小床大床上若坐若臥者波逸提
若比丘尼至白衣舍語主人敷座止宿明日不辭主人
而去者波逸提
若比丘尼自誦習世俗呪術者波逸提
若比丘尼教人誦習世俗呪術者波逸提
若比丘尼知女人任身度與受具足戒者波逸提
若比丘尼知婦女乳兒與受具足戒者波逸提
若比丘尼知年不滿二十與受具足戒者波逸提
若比丘尼年十八童女不與二歲學戒年滿二十
便與受具足戒者波逸提
若比丘尼年十八童女與二歲學戒不與六法滿二十便
與受具足戒者波逸提
若比丘尼年十八童女與二歲學戒與六法滿二十眾
僧不聽便與受具足戒者波逸提
若比丘尼度曾嫁婦女年十歲與二歲學戒年滿
十二聽受具足戒若減十二與受具足戒者波逸提
若比丘尼度曾嫁婦女年十歲與二歲學戒年滿十
二聽受具足戒若減十二與受具足戒者波逸提
若比丘尼度他小年曾嫁婦女與二歲學戒年滿
十二不白眾僧便與受具足戒波逸提
若比丘尼知如是人與受具足戒者波逸提
若比丘尼多度弟子不教二歲學戒不以二法攝取
者波逸提　若比丘尼不二歲隨和尚尼者波逸提

BD02971號　四分比丘尼戒本　（15–4）

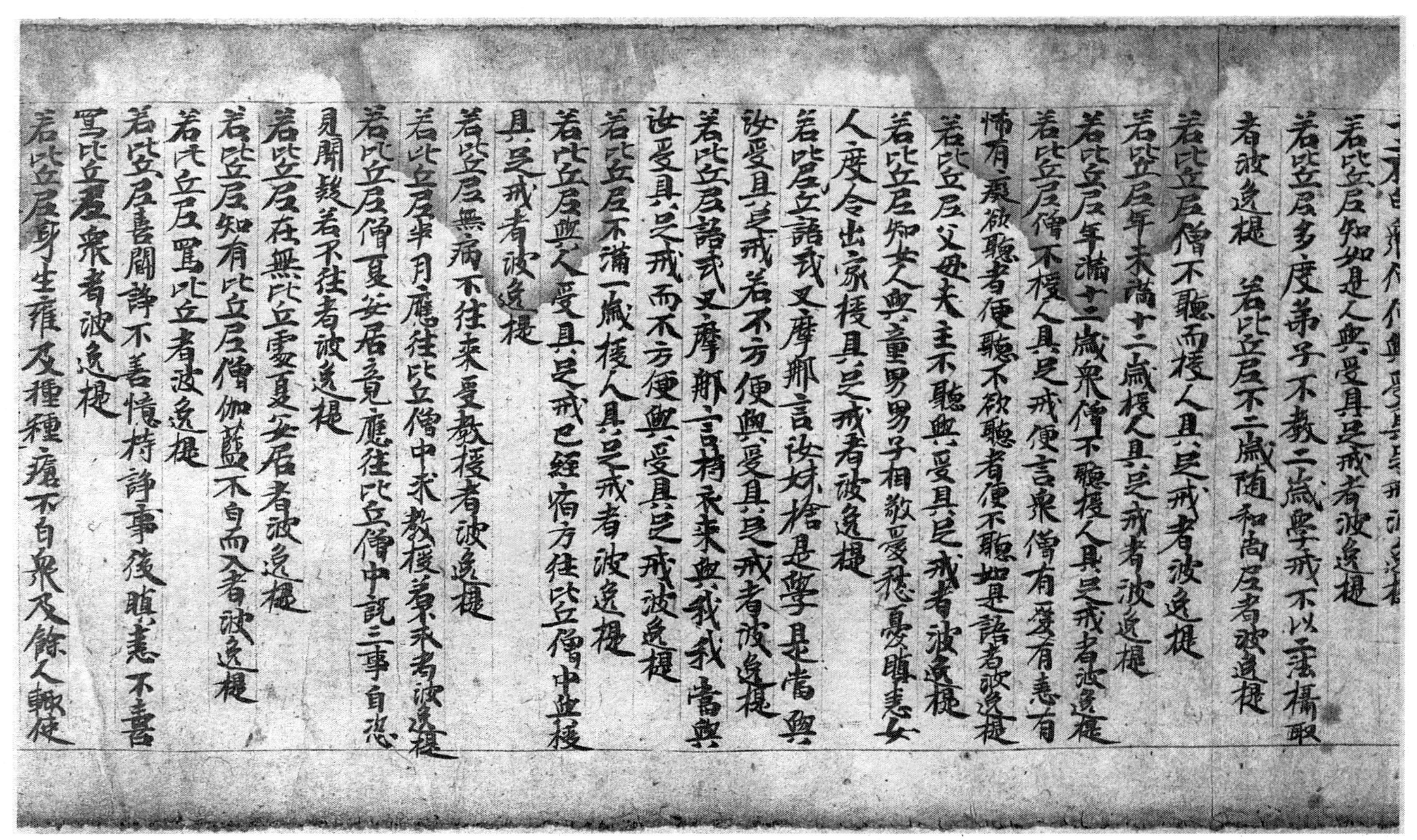

若比丘尼知如是人與受具足戒者波逸提
若比丘尼多度弟子不教二歲學戒不以二法攝取
者波逸提　若比丘尼不二歲隨和尚尼者波逸提
若比丘尼僧不聽而授人具足戒者波逸提
若比丘尼年未滿十二歲授人具足戒者波逸提
若比丘尼年滿十二歲衆僧不聽授人具足戒者波逸提
若比丘尼僧不授人具足戒便言衆僧有愛有恚有
怖有癡欲聽者便聽不欲聽者便不聽如是語者波逸提
若比丘尼父母夫主不聽與受具足戒者波逸提
若比丘尼知女人與童男男子相敬愛愁憂瞋恚女
人度令出家授具足戒者波逸提
若比丘尼語式叉摩那言汝妹捨是學是當與
汝受具足戒若不方便與受具足戒者波逸提
若比丘尼語式叉摩那言持衣來與我我當與
汝受具足戒而不方便與受具足戒波逸提
若比丘尼不滿一歲授人具足戒者波逸提
若比丘尼與人受具足戒已經宿方往比丘僧中求授
具足戒者波逸提
若比丘尼無病不往受教授者波逸提
若比丘尼半月應往比丘僧中求教授若不求者波逸提
若比丘尼僧夏安居竟應往比丘僧中說三事自恣
見聞疑若不往者波逸提
若比丘尼在無比丘處夏安居者波逸提
若比丘尼知有比丘尼僧伽藍不白而入者波逸提
若比丘尼罵比丘者波逸提
若比丘尼喜鬪諍不善憶持諍事後瞋恚不喜
罵比丘尼衆者波逸提
若比丘尼身生癰及種種瘡不白衆及餘人輒使

BD02971 號　四分比丘尼戒本　（15–5）

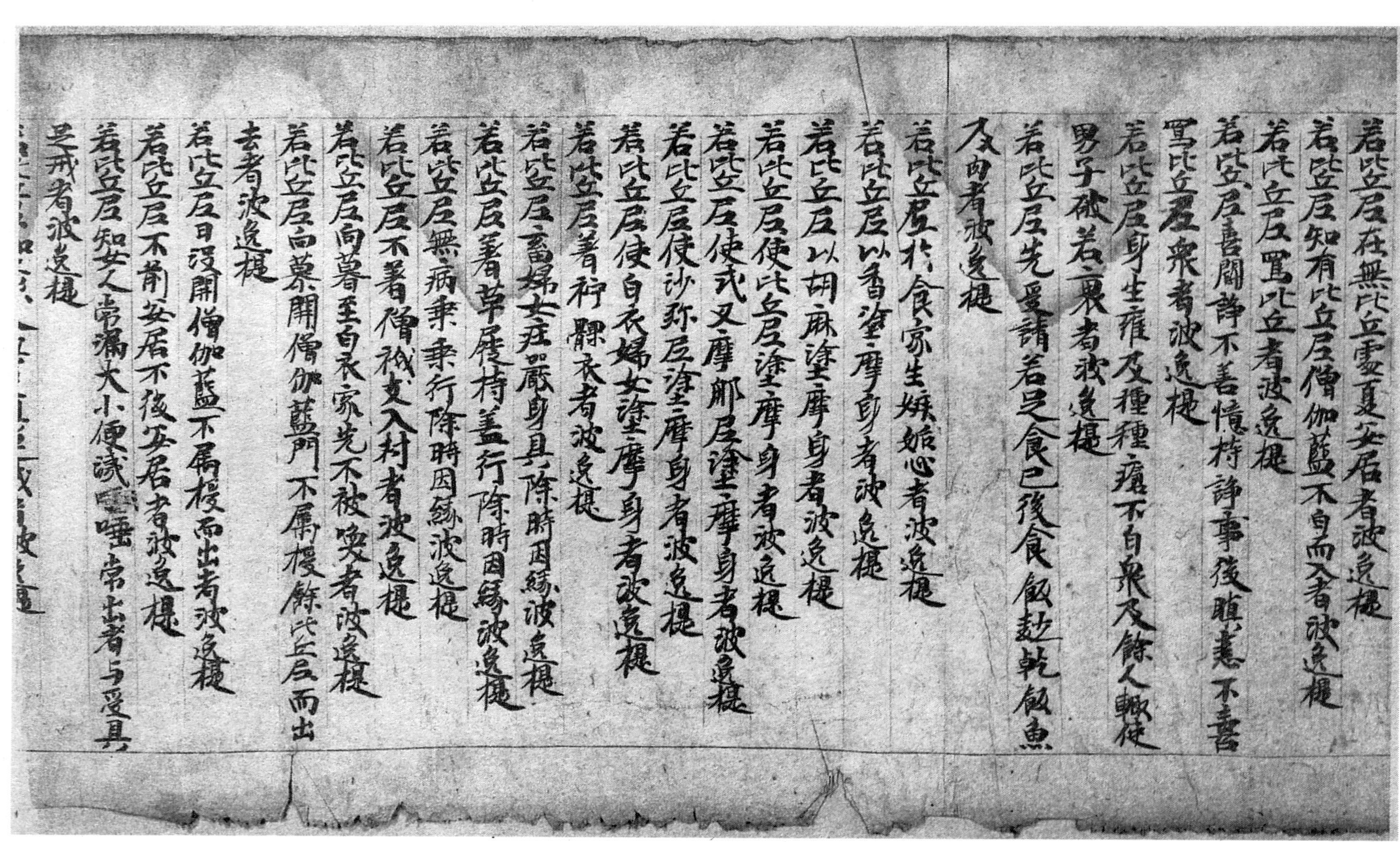

若比丘尼在無比丘處夏安居者波逸提
若比丘尼知有比丘尼僧伽藍不白而入者波逸提
若比丘尼罵比丘者波逸提
若比丘尼喜鬪諍不善憶持諍事後瞋恚不喜
罵比丘尼衆者波逸提
若比丘尼身生癰及種種瘡不白衆及餘人輒使
男子破若裹者波逸提
若比丘尼先受請若足食已後食飯麨乾飯魚
及肉者波逸提
若比丘尼於食家生嫉妬心者波逸提
若比丘尼以香塗摩身者波逸提
若比丘尼以胡麻滓塗摩身者波逸提
若比丘尼使比丘尼塗摩身者波逸提
若比丘尼使式叉摩那尼塗摩身者波逸提
若比丘尼使沙弥尼塗摩身者波逸提
若比丘尼使白衣婦女塗摩身者波逸提
若比丘尼著紵䙫衣者波逸提
若比丘尼畜婦女莊嚴身具除時因緣波逸提
若比丘尼著革屣持蓋行除時因緣波逸提
若比丘尼無病乘乘行除時因緣波逸提
若比丘尼不著僧祇支入村者波逸提
若比丘尼向暮至白衣家先不被喚者波逸提
若比丘尼向暮開僧伽藍門不屬授餘比丘尼而出
去者波逸提
若比丘尼日沒開僧伽藍門不屬授而出者波逸提
若比丘尼不前安居不後安居者波逸提
若比丘尼知女人常漏大小便涕唾常出者與受具
足戒者波逸提

BD02971 號　四分比丘尼戒本　（15–6）

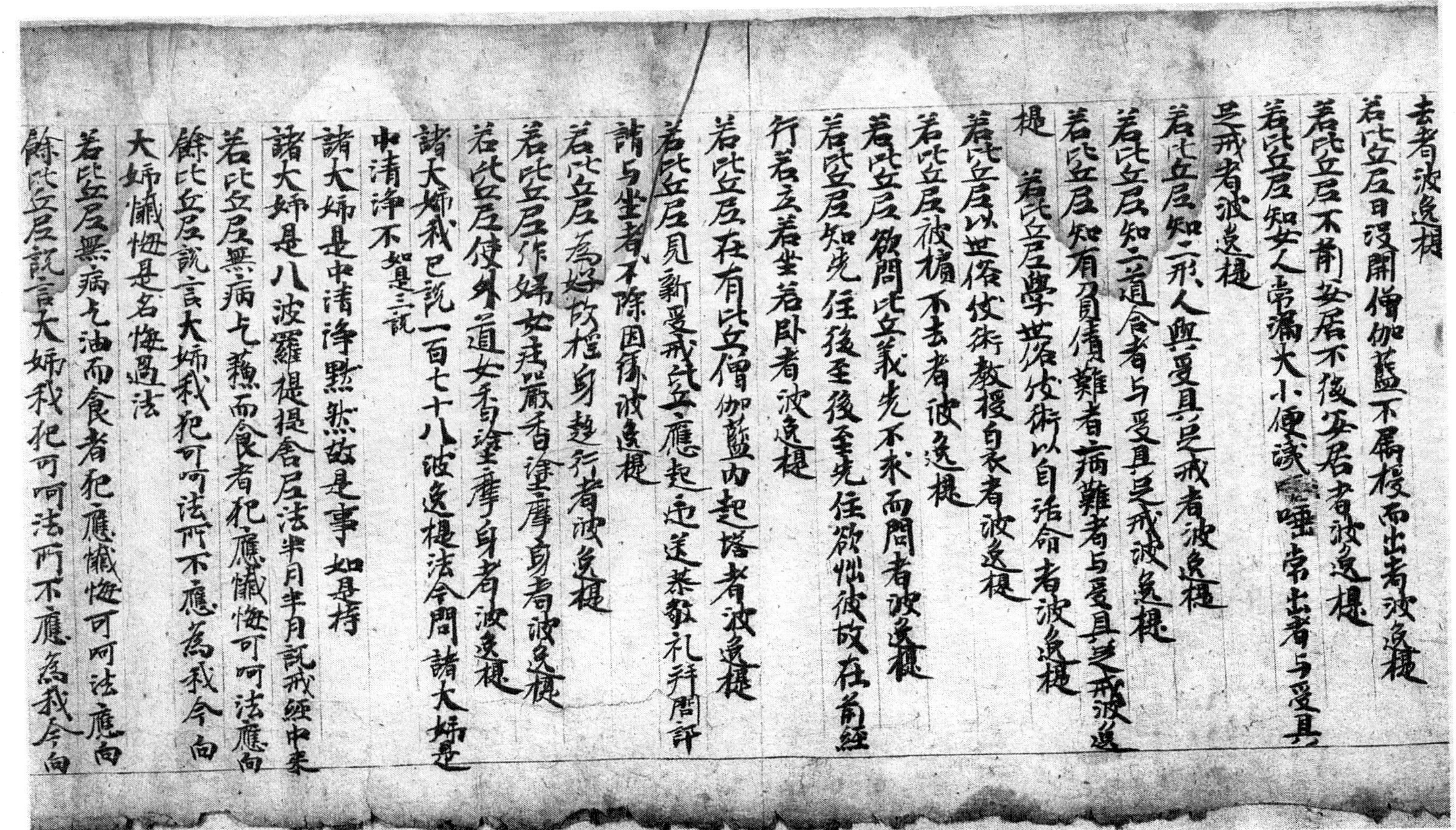
去者波逸提
若比丘尼日沒開僧伽藍門不屬授而出者波逸提
若比丘尼不前安居不後安居者波逸提
若比丘尼知女人常漏大小便涕唾常出者与受具
足戒者波逸提
若比丘尼知二形人與受具足戒者波逸提
若比丘尼知二道合者与受具足戒者波逸提
若比丘尼知有負債難者病難者与受具足戒波逸
提　若比丘尼學世俗伎術以自活命者波逸提
若比丘尼以世俗伎術教授白衣者波逸提
若比丘尼被擯不去者波逸提
若比丘尼欲問比丘義先不求而問者波逸提
若比丘尼知先住後至後至先住欲惱彼故在前經
行若立若坐若臥者波逸提
若比丘尼在有比丘僧伽藍內起塔者波逸提
若比丘尼見新受戒比丘應起迎逆恭敬礼拜問訊
請与坐者不除因緣波逸提
若比丘尼為好故搖身趨行者波逸提
若比丘尼作婦女莊嚴香塗摩身者波逸提
若比丘尼使外道女香塗摩身者波逸提
諸大姊我已說一百七十八波逸提法今問諸大姊是
中清淨不 如是三說
諸大姊是中清淨默然故是事如是持
諸大姊是八波羅提提舍尼法半月半月說戒經中來
若比丘尼無病乞蘇而食者犯應懺悔可呵法應向
餘比丘尼說言大姊我犯可呵法所不應為我今向
大姊懺悔是名悔過法
若比丘尼無病乞油而食者犯應懺悔可呵法應向
餘比丘尼說言大姊我犯可呵法所不應為我今向

BD02971 號　四分比丘尼戒本

（15-7）

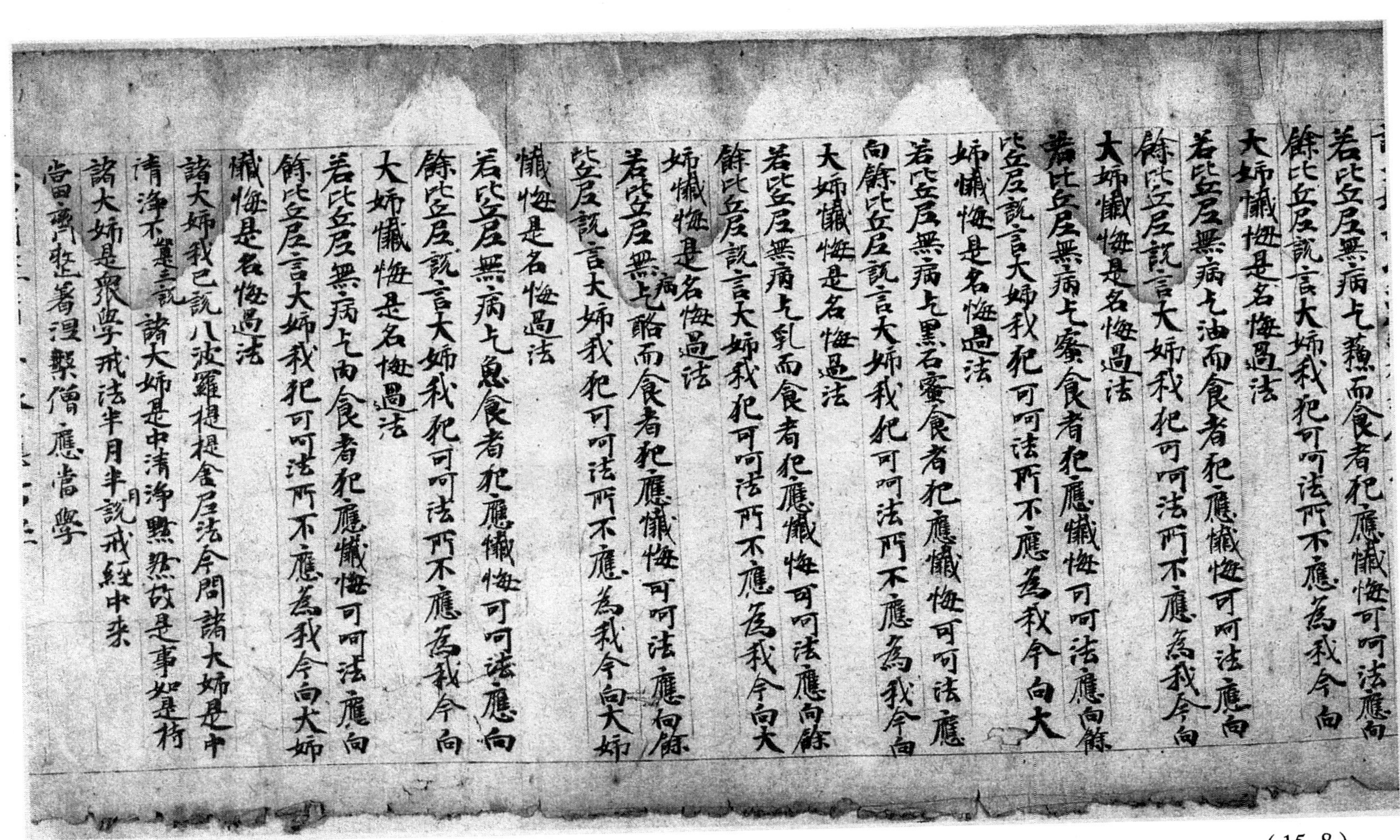
若比丘尼無病乞蘇而食者犯應懺悔可呵法應向
餘比丘尼說言大姊我犯可呵法所不應為我今向
大姊懺悔是名悔過法
若比丘尼無病乞油而食者犯應懺悔可呵法應向
餘比丘尼說言大姊我犯可呵法所不應為我今向
大姊懺悔是名悔過法
若比丘尼無病乞蜜食者犯應懺悔可呵法應向餘
比丘尼說言大姊我犯可呵法所不應為我今向大
姊懺悔是名悔過法
若比丘尼無病乞黑石蜜食者犯應懺悔可呵法應
向餘比丘尼說言大姊我犯可呵法所不應為我今向
大姊懺悔是名悔過法
若比丘尼無病乞乳而食者犯應懺悔可呵法應向餘
比丘尼說言大姊我犯可呵法所不應為我今向大
姊懺悔是名悔過法
若比丘尼無病乞酪而食者犯應懺悔可呵法應向餘
比丘尼說言大姊我犯可呵法所不應為我今向大姊
懺悔是名悔過法
若比丘尼無病乞魚食者犯應懺悔可呵法應向
餘比丘尼說言大姊我犯可呵法所不應為我今向
大姊懺悔是名悔過法
若比丘尼無病乞肉食者犯應懺悔可呵法應向
餘比丘尼言大姊我犯可呵法所不應為我今向大姊
懺悔是名悔過法
諸大姊我已說八波羅提提舍尼法今問諸大姊是中
清淨不 如是三說 諸大姊是中清淨默然故是事如是持
諸大姊是眾學戒法半月半月說戒經中來
當齊整著涅槃僧應當學

BD02971 號　四分比丘尼戒本

（15-8）

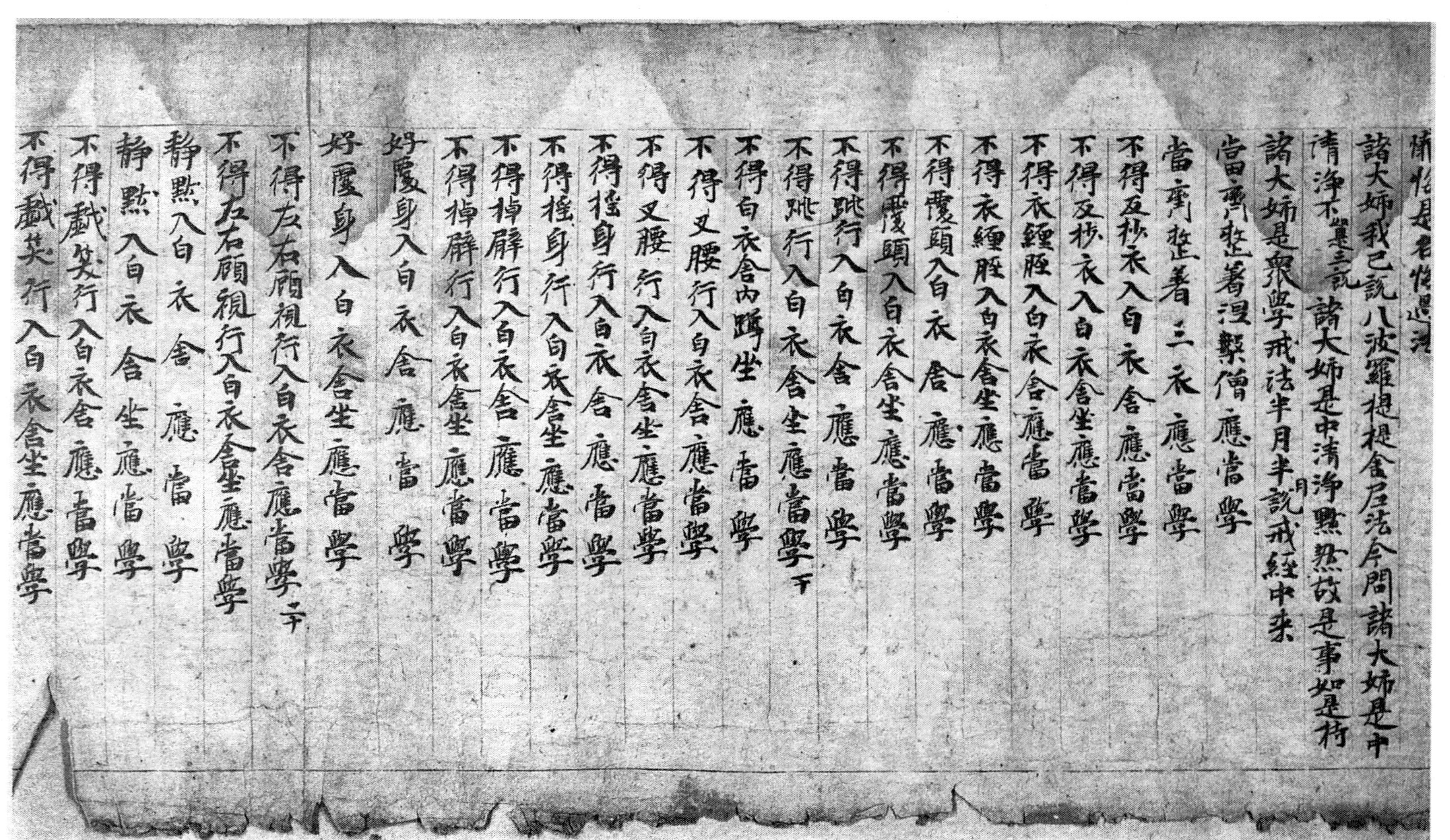

悔過是名悔過法
諸大姊我已説八波羅提提舍尼法今問諸大姊是中
清淨不 如是三説 諸大姊是中清淨默然故是事如是持
諸大姊是衆學戒法半月半月説戒經中來
當齊整著涅槃僧應當學
當齊整著三衣應當學
不得反抄衣入白衣舍應當學
不得反抄衣入白衣舍坐應當學
不得衣纏頸入白衣舍應當學
不得衣纏頸入白衣舍坐應當學
不得覆頭入白衣舍應當學
不得覆頭入白衣舍坐應當學
不得跳行入白衣舍應當學
不得跳行入白衣舍坐應當學十
不得白衣舍内蹲坐應當學
不得叉腰行入白衣舍應當學
不得叉腰行入白衣舍坐應當學
不得搖身行入白衣舍應當學
不得搖身行入白衣舍坐應當學
不得掉臂行入白衣舍應當學
不得掉臂行入白衣舍坐應當學
好覆身入白衣舍應當學
好覆身入白衣舍坐應當學
不得左右顧視行入白衣舍應當學廿
不得左右顧視行入白衣舍坐應當學
靜默入白衣舍應當學
靜默入白衣舍坐應當學
不得戲笑行入白衣舍應當學
不得戲笑行入白衣舍坐應當學

BD02971 號　四分比丘尼戒本　（15–9）

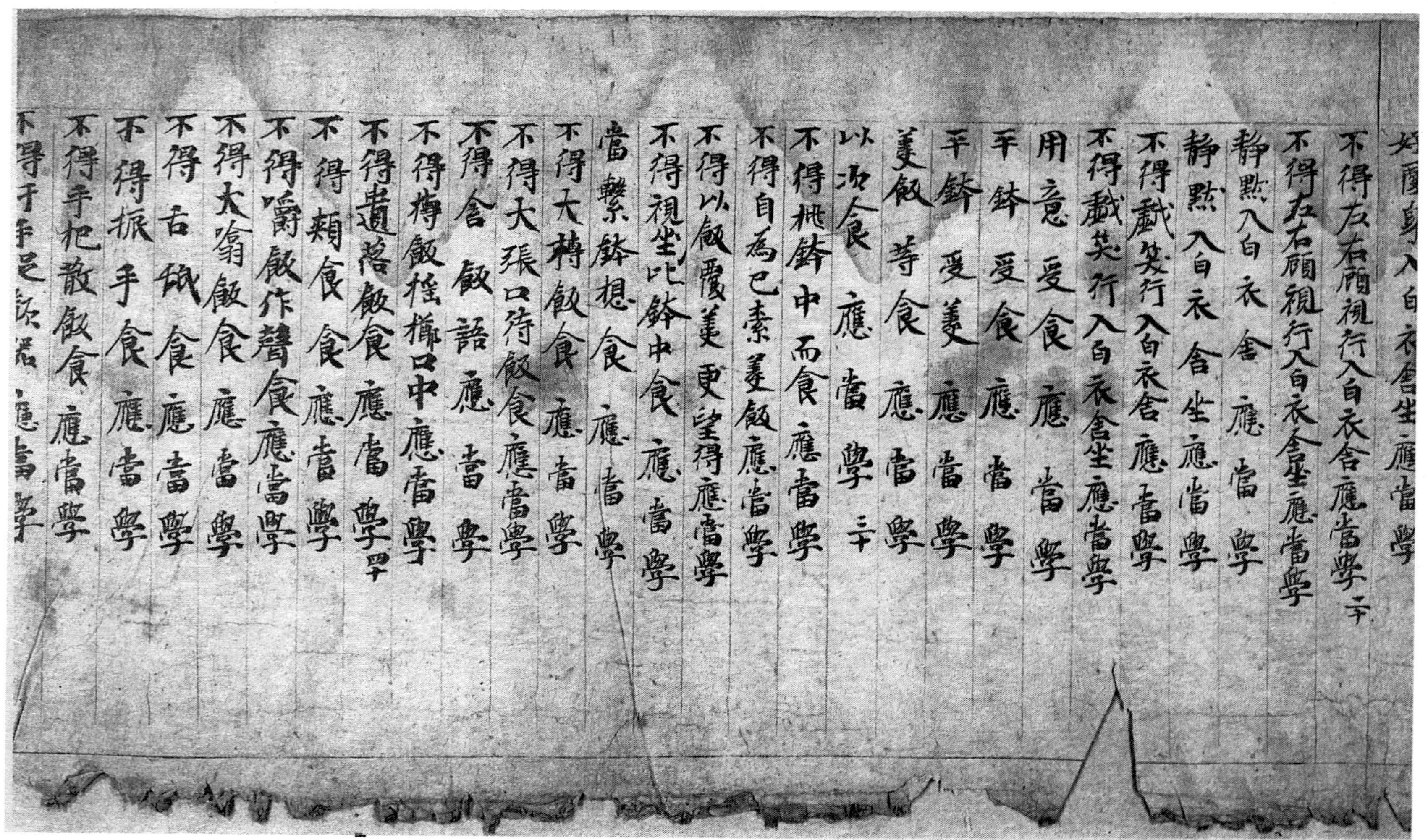

好覆身入白衣舍坐應當學
不得左右顧視行入白衣舍應當學廿
不得左右顧視行入白衣舍坐應當學
靜默入白衣舍應當學
靜默入白衣舍坐應當學
不得戲笑行入白衣舍應當學
不得戲笑行入白衣舍坐應當學
用意受食應當學
平鉢受食應當學
平鉢受羹應當學
羹飯等食應當學
以次食應當學卅
不得挑鉢中而食應當學
不得自爲己索羹飯應當學
不得以飯覆羹更望得應當學
不得視坐比鉢中食應當學
當繫鉢想食應當學
不得大摶飯食應當學
不得大張口待飯食應當學
不得含飯語應當學
不得摶飯遥擲口中應當學
不得遺落飯食應當學卌
不得頰食食應當學
不得嚼飯作聲食應當學
不得大噏飯食應當學
不得舌舐食應當學
不得振手食應當學
不得手把散飯食應當學
不得汙手捉飲器應當學

BD02971 號　四分比丘尼戒本　（15–10）

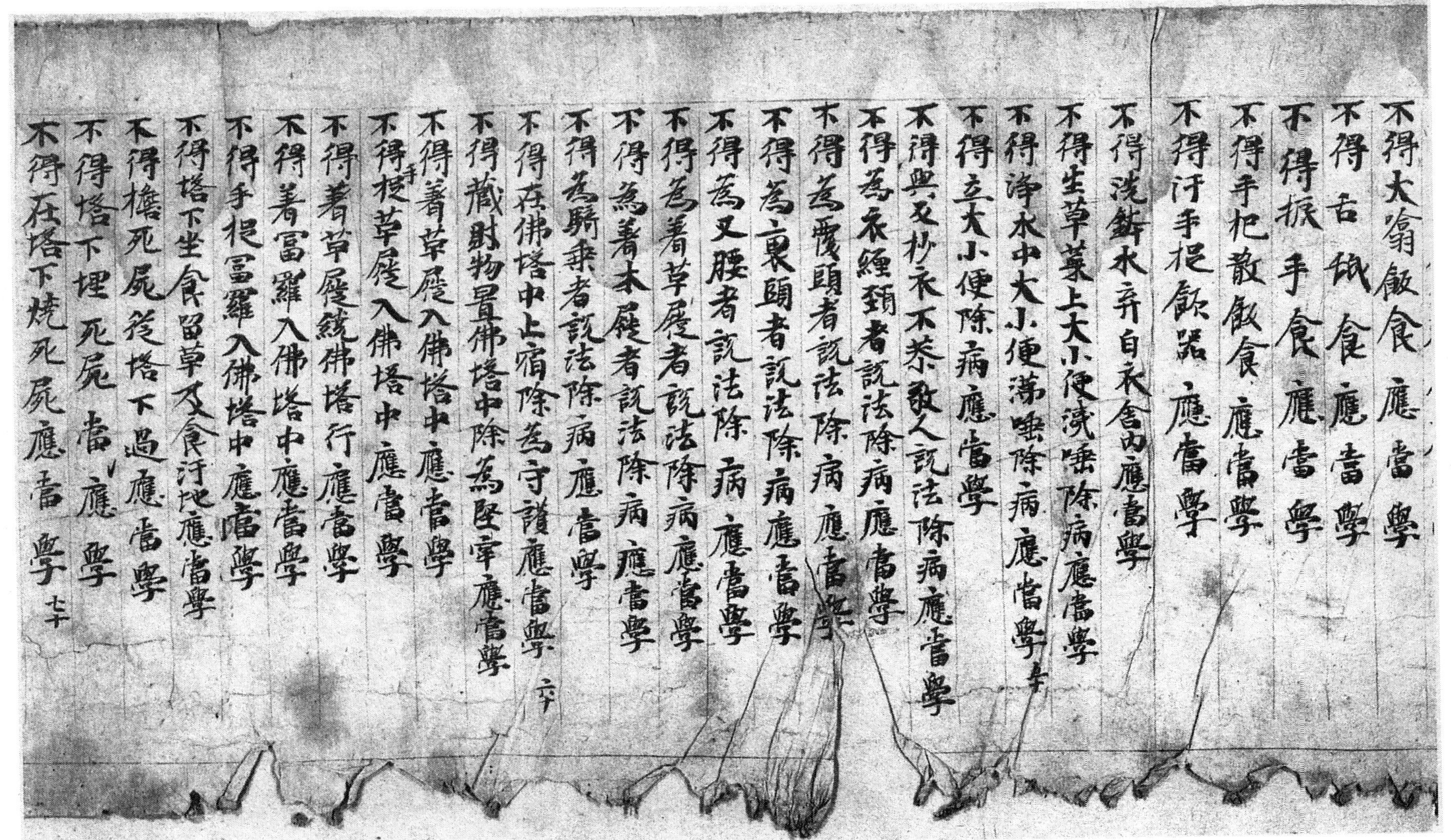
不得大噏飯食應當學
不得舌舐食應當學
不得振手食應當學
不得手把散飯食應當學
不得汙手捉飲器應當學
不得洗鉢水棄白衣舍內應當學
不得生草菜上大小便涕唾除病應當學 五十
不得淨水中大小便涕唾除病應當學
不得立大小便除病應當學
不得與反抄衣不恭敬人說法除病應當學
不得為衣纏頸者說法除病應當學
不得為覆頭者說法除病應當學
不得為裹頭者說法除病應當學
不得為叉腰者說法除病應當學
不得為著革屣者說法除病應當學
不得為著木屐者說法除病應當學
不得為騎乘者說法除病應當學
不得在佛塔中止宿除為守護應當學 六十
不得藏財物置佛塔中除為堅牢應當學
不得著革屣入佛塔中應當學
不得捉革屣入佛塔中應當學
不得著革屣繞佛塔行應當學
不得著富羅入佛塔中應當學
不得手捉富羅入佛塔中應當學
不得塔下坐食留草及食汙地應當學
不得擔死屍從塔下過應當學
不得塔下埋死屍應當學
不得在塔下燒死屍應當學 七十

BD02971號　四分比丘尼戒本　（15–11）

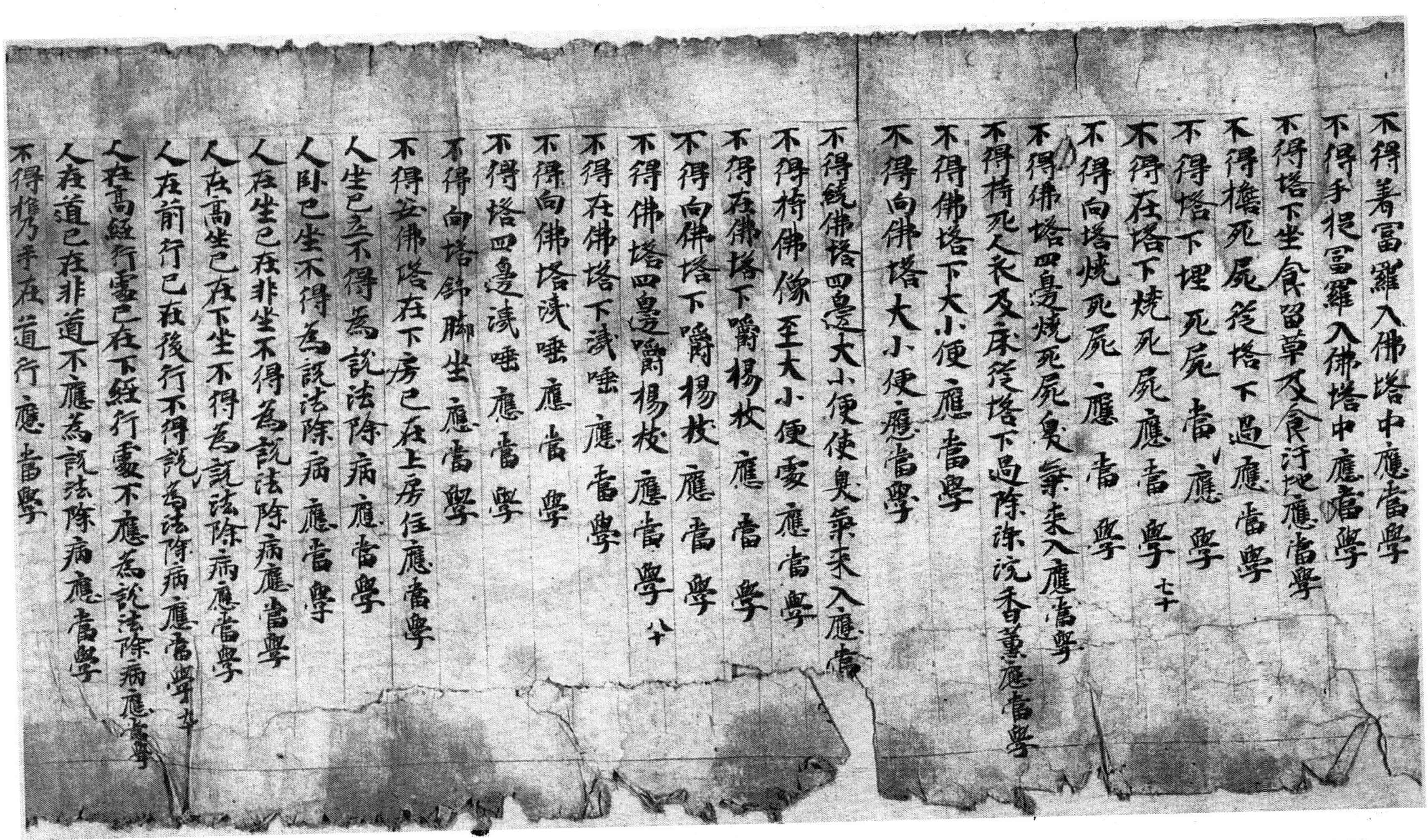
不得著富羅入佛塔中應當學
不得手捉富羅入佛塔中應當學
不得塔下坐食留草及食汙地應當學
不得擔死屍從塔下過應當學
不得塔下埋死屍應當學
不得在塔下燒死屍應當學 七十
不得向塔燒死屍應當學
不得佛塔四邊燒死屍臭氣來入應當學
不得持死人衣及床從塔下過除浣染香薰應當學
不得佛塔下大小便應當學
不得向佛塔大小便應當學
不得繞佛塔四邊大小便使臭氣來入應當學
不得持佛像至大小便處應當學
不得在佛塔下嚼楊枝應當學
不得向佛塔下嚼楊枝應當學
不得佛塔四邊嚼楊枝應當學 八十
不得在佛塔下涕唾應當學
不得向佛塔涕唾應當學
不得向塔舒脚坐應當學
不得安佛塔在下房已在上房住應當學
人坐已立不得為說法除病應當學
人臥已坐不得為說法除病應當學
人在坐已在非坐不得為說法除病應當學
人在高坐已在下坐不得為說法除病應當學
人在前行已在後行不得為說法除病應當學 九十
人在高經行處已在下經行處不應為說法除病應當學
人在道已在非道不應為說法除病應當學
不得攜手在道行應當學

BD02971號　四分比丘尼戒本　（15–12）

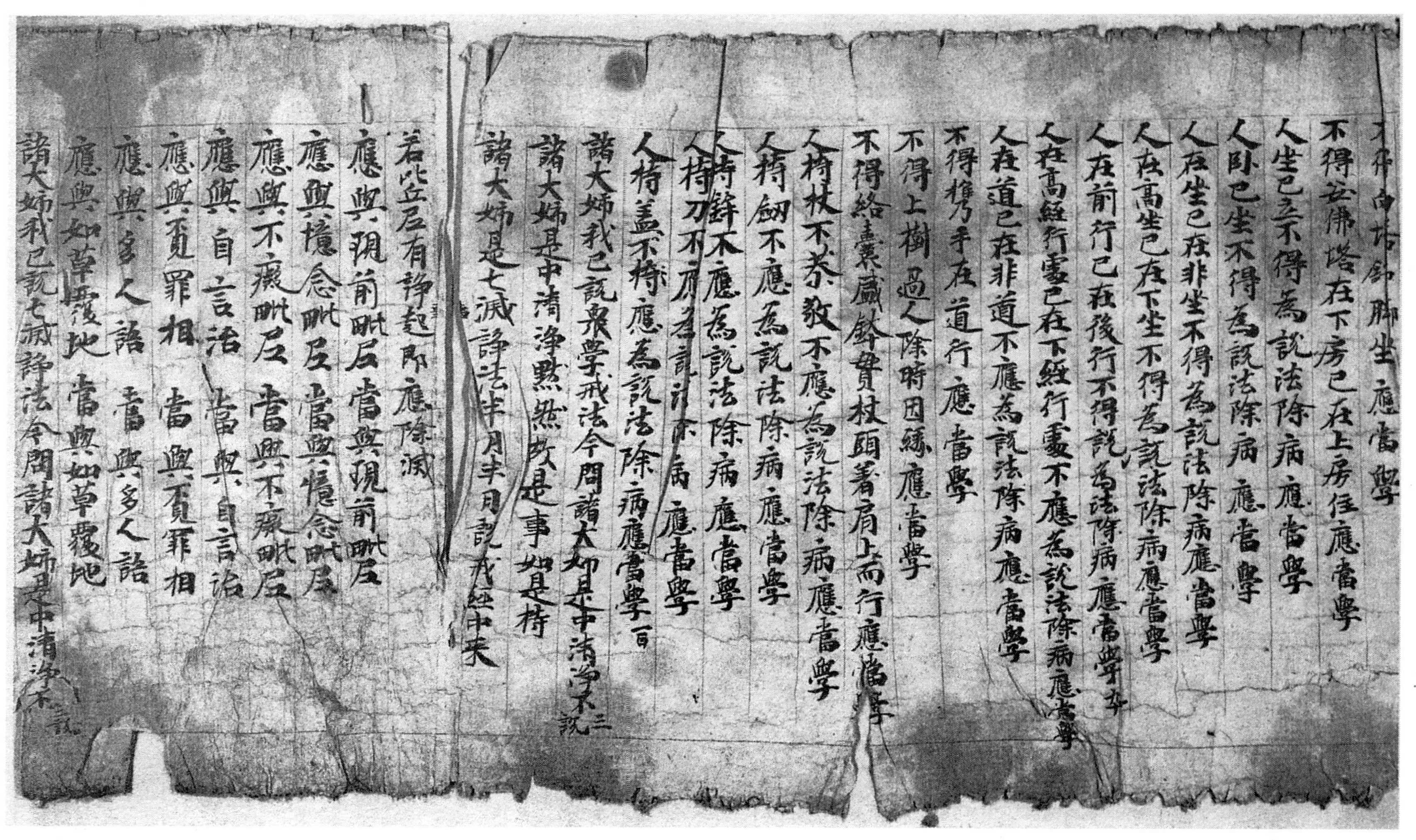
[illegible]舒脚坐 應當學
不得安佛塔在下房已在上房住 應當學
人坐已立不得為說法除病 應當學
人臥已坐不得為說法除病 應當學
人在坐已在非坐不得為說法除病 應當學
人在高坐已在下坐不得為說法除病 應當學
人在前行已在後行不得說為法除病 應當學
人在高經行處已在下經行處不應為說法除病 應當學
人在道已在非道不應為說法除病 應當學
不得攜手在道行 應當學
不得上樹過人除時因緣 應當學
不得絡囊盛鉢貫杖頭著肩上而行 應當學
人持杖不恭敬不應為說法除病 應當學
人持劍不應為說法除病 應當學
人持鉾不應為說法除病 應當學
人持刀不應為說法除病 應當學
人持蓋不恭敬不應為說法除病 應當學
諸大姊我已說眾學戒法今問諸大姊是中清淨不 三說
諸大姊是中清淨默然故是事如是持
諸大姊是七滅諍法半月半月說戒經中來
若比丘尼有諍事起即應除滅
應與現前毗尼 當與現前毗尼
應與憶念毗尼 當與憶念毗尼
應與不癡毗尼 當與不癡毗尼
應與自言治 當與自言治
應與覓罪相 當與覓罪相
應與多人語 當與多人語
應與如草覆地 當與如草覆地
諸大姊我已說七滅諍法今問諸大姊是中清淨不 三說

BD02971號　四分比丘尼戒本　　（15–13）

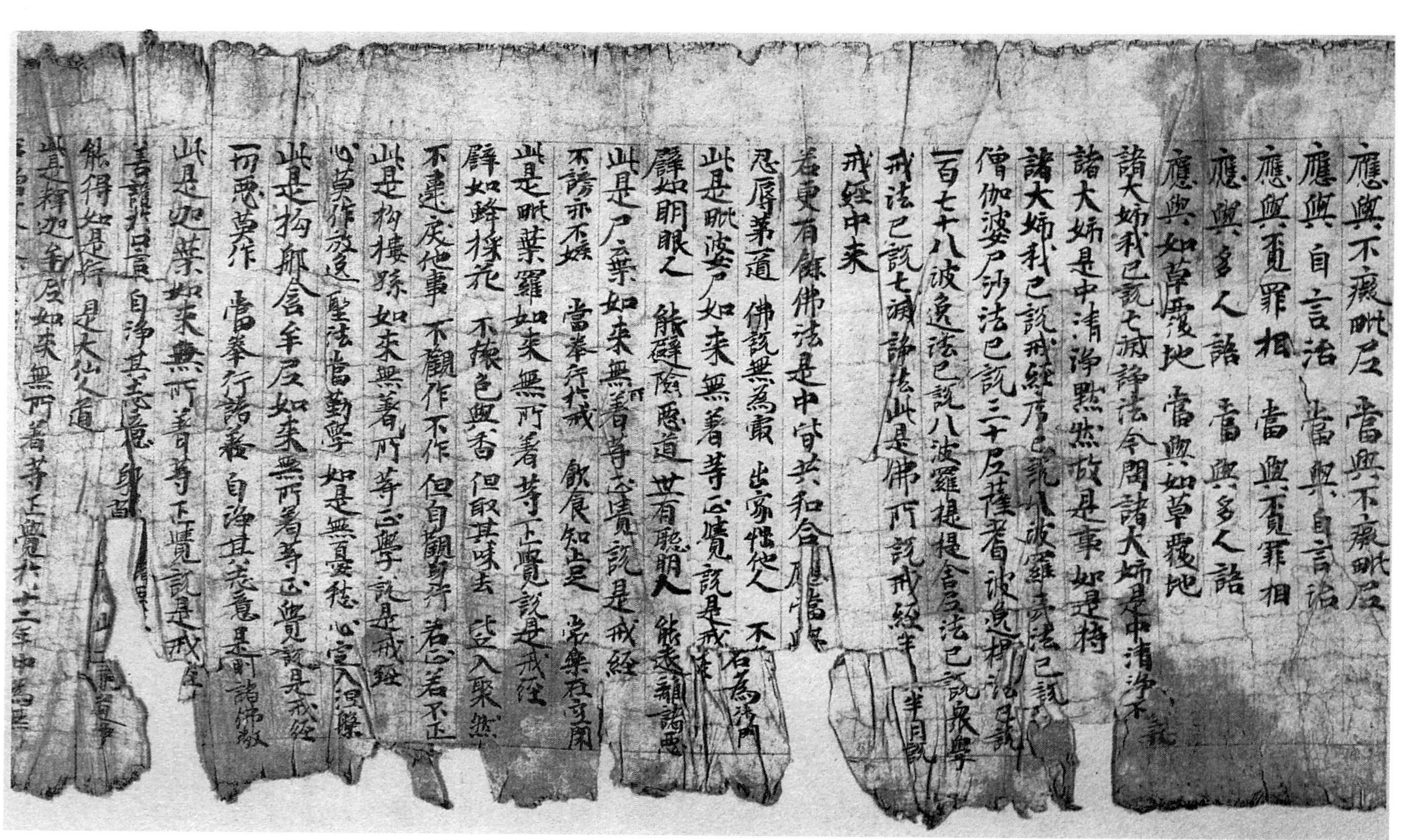
應與不癡毗尼 當與不癡毗尼
應與自言治 當與自言治
應與覓罪相 當與覓罪相
應與多人語 當與多人語
應與如草覆地 當與如草覆地
諸大姊我已說七滅諍法今問諸大姊是中清淨不 三說
諸大姊是中清淨默然故是事如是持
諸大姊我已說戒經序已說八波羅夷法已說
僧伽婆尸沙法已說三十尼薩耆波逸提法已說
一百七十八波逸提法已說八波羅提提舍尼法已說眾學
戒法已說七滅諍法此是佛所說戒經半月半月說
戒經中來
若更有餘佛法是中皆共和合應當學
忍辱第道 佛說無為最 出家惱他人 不名為沙門
此是毗婆尸如來無著等正覺說是戒經
譬如明眼人 能避險惡道 世有聰明人 能遠離諸惡
此是尸棄如來無著等正覺說是戒經
不謗亦不嫉 當奉行持戒 飲食知止足 常樂在空閑
此是毗葉羅如來無所著等正覺說是戒經
譬如蜂採花 不壞色與香 但取其味去 比丘入聚然
不違戾他事 不觀作不作 但自觀身行 若正若不正
此是拘樓孫如來無著等正覺說是戒經
心莫作放逸 聖法當勤學 如是無憂愁 心定入涅槃
此是拘那含牟尼如來無所著等正覺說是戒經
一切惡莫作 當奉行諸善 自淨其志意 是則諸佛教
此是迦葉如來無所著等正覺說是戒經
善護於口言 自淨其志意 身
能得如是行 是大仙人道
此是釋迦牟尼如來無所著等正覺於十二年中為

BD02971號　四分比丘尼戒本　　（15–14）

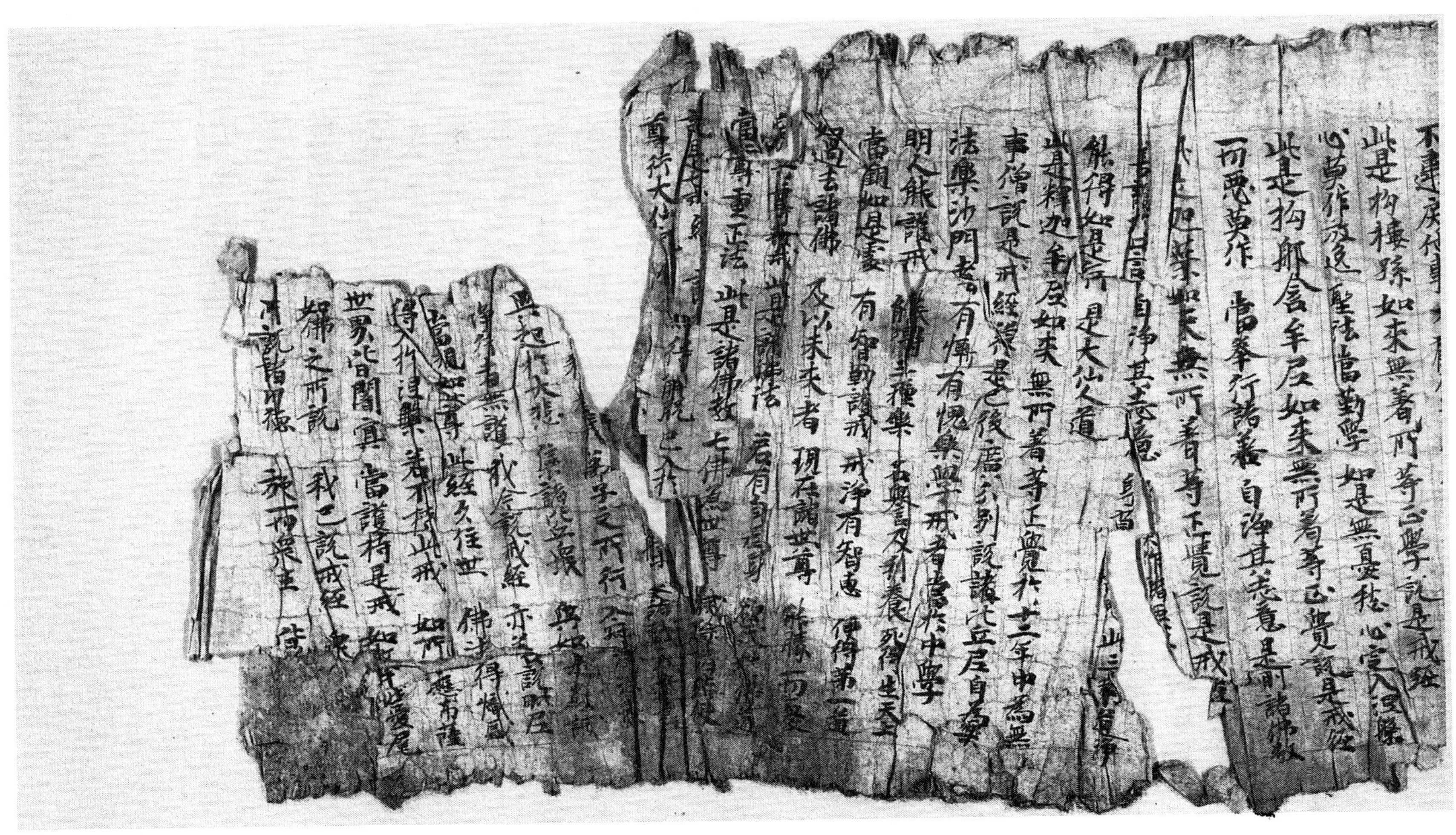

BD02971 號　四分比丘尼戒本　　（15–15）

BD02971 號背　題記　　（1–1）

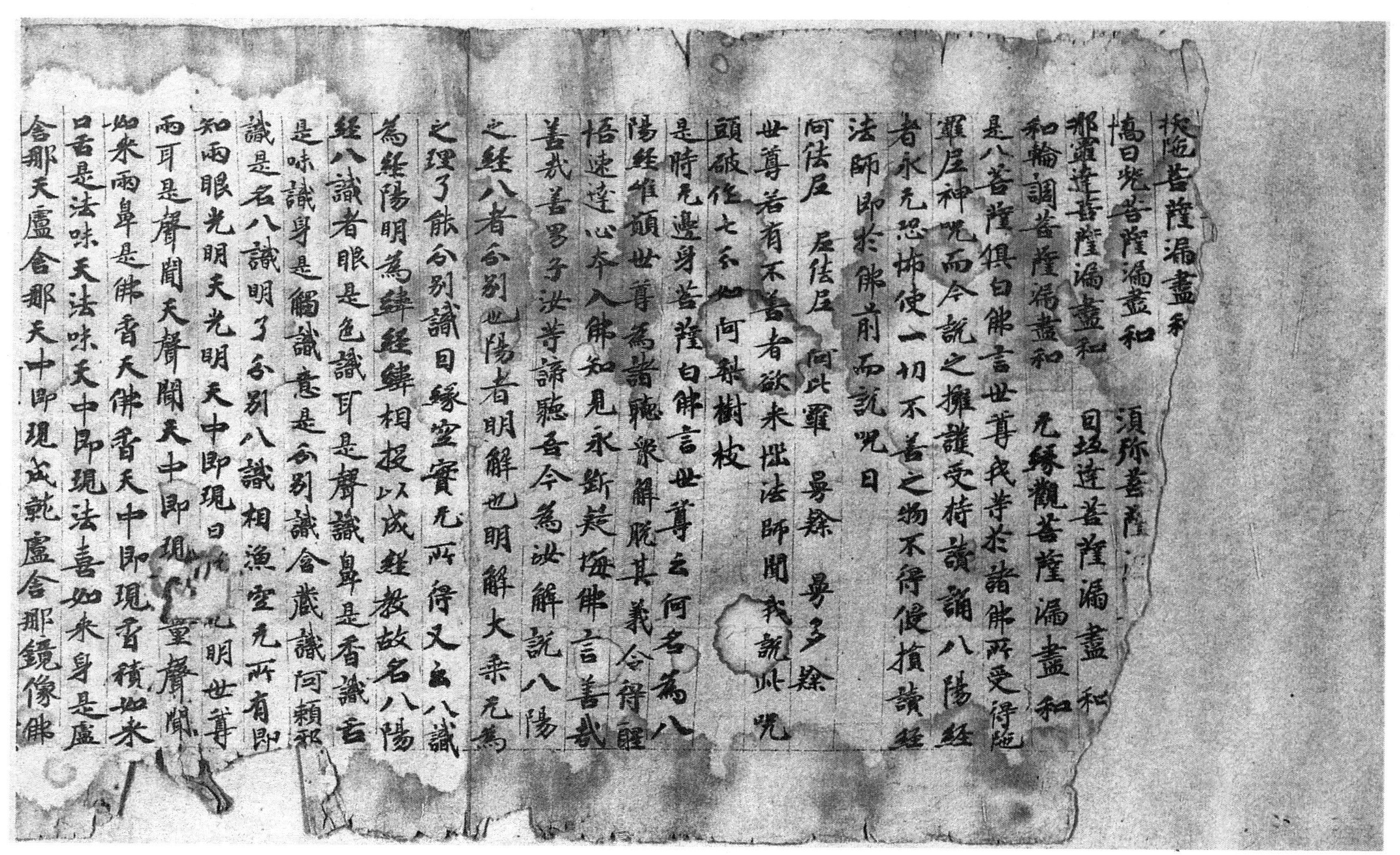
跋陁菩薩漏盡和
憍日兜菩薩漏盡和　須彌菩薩
那羅達菩薩漏盡和　因坻達菩薩漏盡和
和輪調菩薩漏盡和　无緣觀菩薩漏盡和
是八菩薩俱白佛言世尊我等於諸佛所受得陁
羅尼神呪而今說之擁護受持讀誦八陽經
者永无恐怖使一切不善之物不得侵損讀經
法師即於佛前而說呪曰
阿佉尼　尼佉尼　阿比羅　曼隸　曼多隸
世尊若有不善者欲來惱法師聞我說此呪
頭破作七分如阿梨樹枝
是時无邊身菩薩白佛言世尊云何名為八
陽經唯願世尊為諸聽衆解脫其義令得醒
悟速達心本入佛知見永斷疑悔佛言善哉
善哉善男子汝等諦聽吾今為汝解說八陽
之經八者分別也陽者明解也明解大乘无為
之理了能分別識因緣空實无所得又云八識
為經陽明為緯經緯相投以成經教故名八陽
經八識者眼是色識耳是聲識鼻是香識舌
是味識身是觸識意是分別識含藏識阿賴耶
識是名八識明了分別八識相漁空无所有即
知兩眼光明天光明天中即現日月光明世尊
兩耳是聲聞天聲聞天中即現无量聲聞
如來兩鼻是佛香天佛香天中即現香積如來
口舌是法味天法味天中即現法喜如來身是盧
舍那天盧舍那天中即現成就盧舍那鏡像佛

BD02972 號　天地八陽神咒經　（3–1）

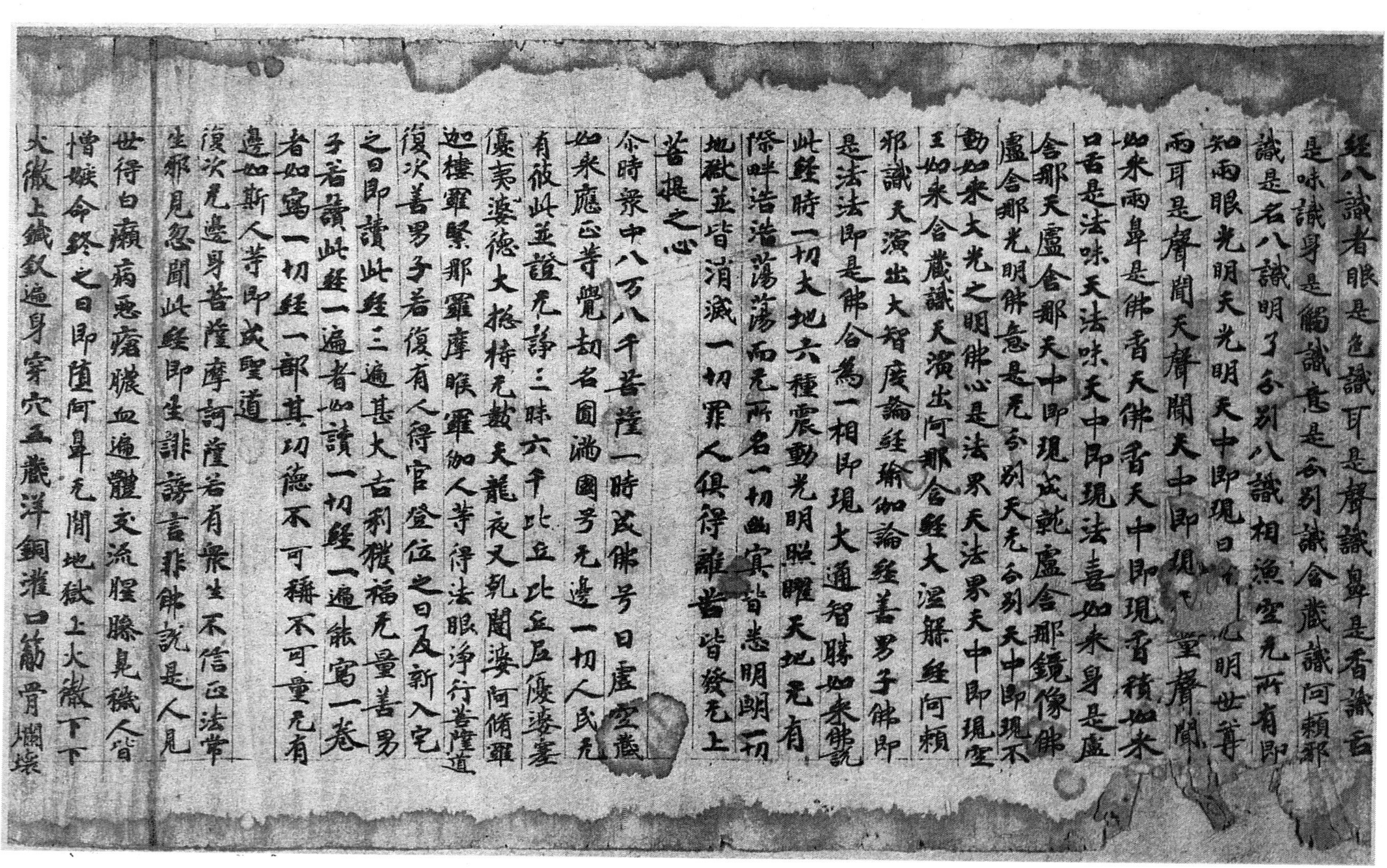
經八識者眼是色識耳是聲識鼻是香識舌
是味識身是觸識意是分別識含藏識阿賴耶
識是名八識明了分別八識相漁空无所有即
知兩眼光明天光明天中即現日月光明世尊
兩耳是聲聞天聲聞天中即現无量聲聞
如來兩鼻是佛香天佛香天中即現香積如來
口舌是法味天法味天中即現法喜如來身是盧
舍那天盧舍那天中即現成就盧舍那鏡像佛
盧舍那光明佛意是无分別天无分別天中即現不
動如來大光明佛心是法界天法界天中即現空
王如來含藏識天演出阿那含經大涅槃經阿賴
耶識天演出大智度論經瑜伽論經善男子佛即
是法法即是佛合為一相即現大通智勝如來說
此經時一切大地六種震動光明照曜天地无有
際畔浩浩蕩蕩而无所名一切幽冥皆悉明朗一切
地獄並皆消滅一切罪人俱得離苦皆發无上
菩提之心
尒時衆中八万八千菩薩一時成佛号曰虛空藏
如來應正等覺劫名圓滿國号无邊一切人民
有彼此並證无諍三昧六千比丘比丘尼優婆塞
優婆夷得大揔持无數天龍夜叉乾闥婆阿脩羅
迦樓羅緊那羅摩睺羅伽人非人等得法眼淨行菩薩道
復次善男子若復有人得官登位之日及新入宅
之日即讀此經三遍甚大吉利獲福无量善男
子若讀此經一遍者如讀一切經一遍能寫一卷
者如寫一切經一部其功德不可稱不可量无有
邊如斯人等即成聖道
復次无邊身菩薩摩訶薩若有衆生不信正法常
生邪見忽聞此經即生誹謗言非佛說是人見
世得白癩病惡瘡膿血遍體交流腥臊臭穢人皆
憎嫉命終之日即墮阿鼻无間地獄上火徹下下
火徹上鐵叉遍身穿穴五藏洋銅灌口筋骨爛壞

BD02972 號　天地八陽神咒經　（3–2）

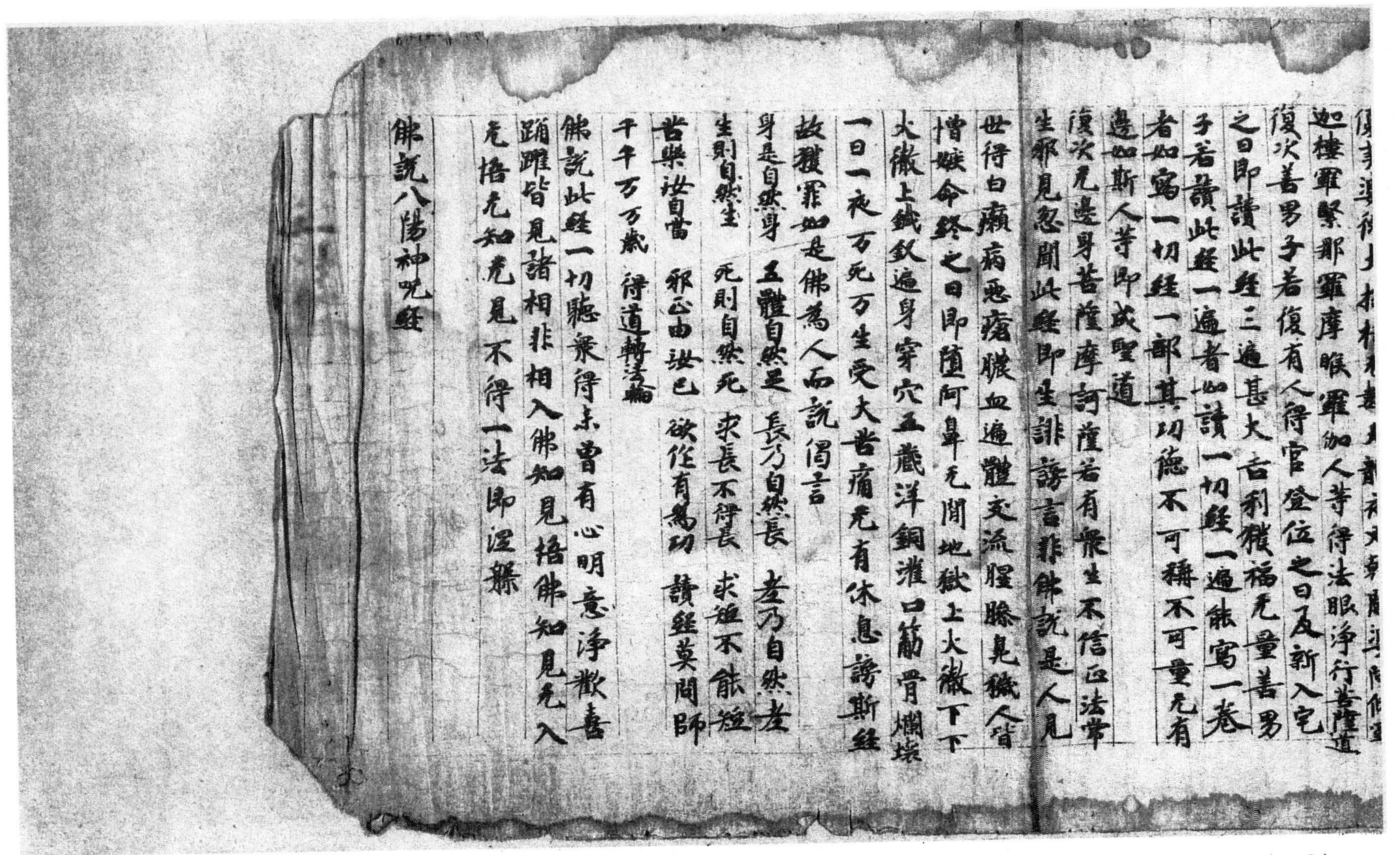

BD02972 號　天地八陽神咒經　　（3–3）

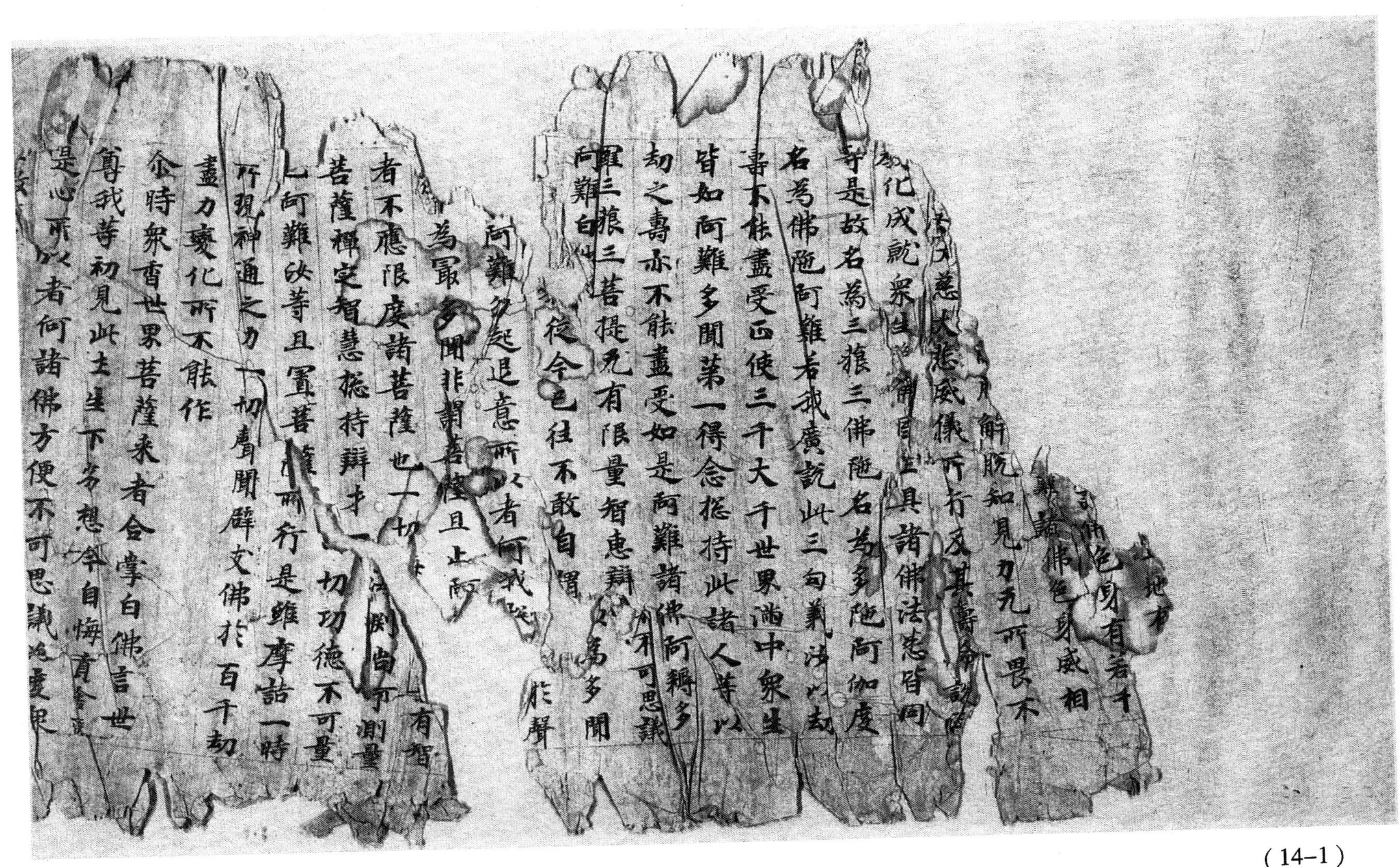

BD02973 號　維摩詰所說經卷下　　（14–1）

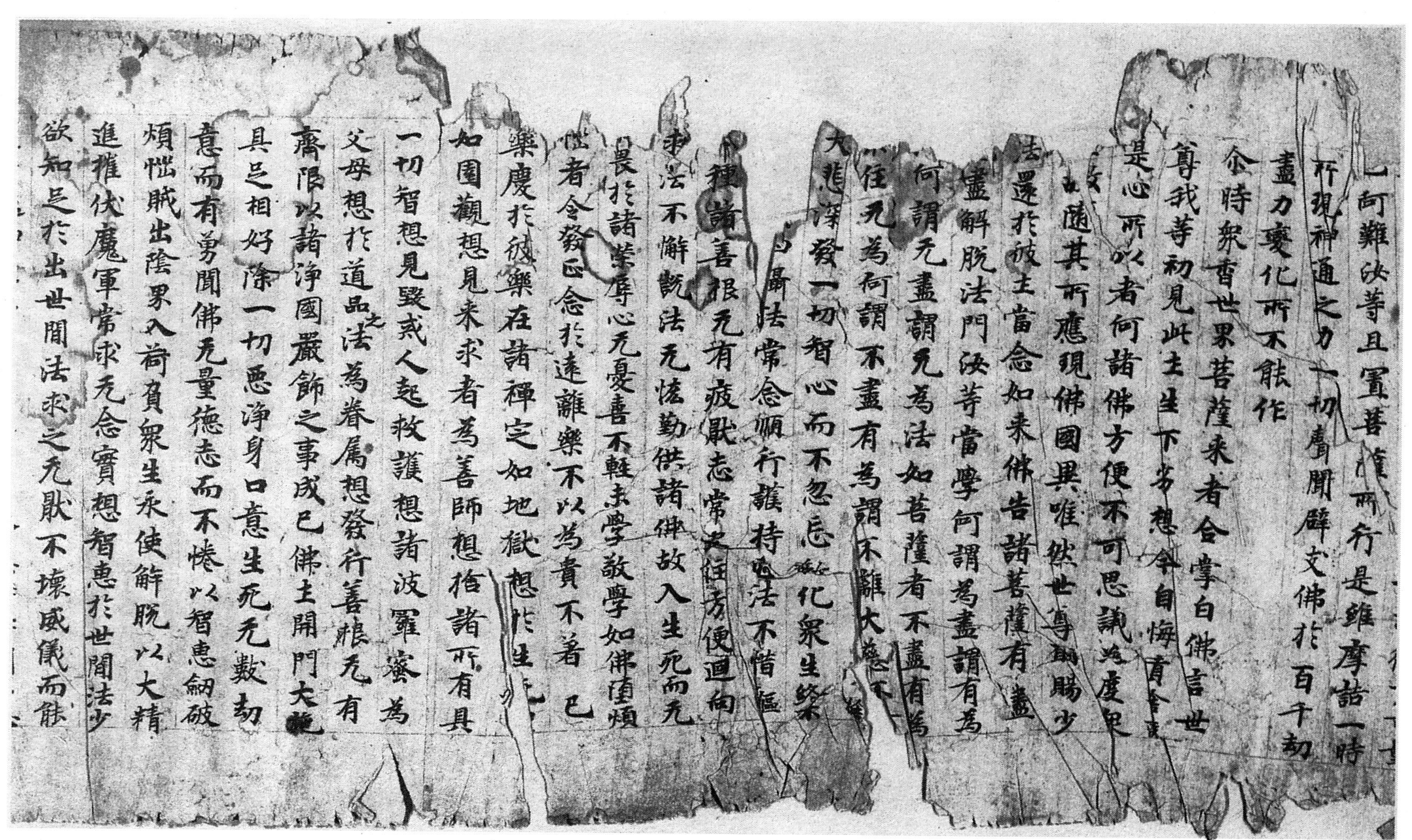
阿難汝等且置菩薩所行是維摩詰一時
所現神通之力一切聲聞辟支佛於百千劫
盡力變化所不能作
尒時衆香世界菩薩來者合掌白佛言世
尊我等初見此土生下劣想今自悔責捨
離是心所以者何諸佛方便不可思議為度衆
故隨其所應現佛國異唯然世尊願賜少
法還於彼土當念如來佛告諸菩薩有盡
盡解脫法門汝等當學何謂為盡謂有為
法何謂无盡謂无為法如菩薩者不盡有為
不住无為何謂不盡有為謂不離大慈不
捨大悲深發一切智心而不忽忘教化衆生終
不厭倦於四攝法常念順行護持正法不惜軀
命種諸善根无有疲厭志常安住方便迴向
求法不懈說法无悋勤供諸佛故入生死而无
所畏於諸榮辱心无憂喜不輕未學敬學如佛墮煩
惱者令發正念於遠離樂不以為貴不著己
樂慶於彼樂在諸禪定如地獄想於生死
如園觀想見來求者為善師想捨諸所有具
一切智想見毀戒人起救護想諸波羅蜜為
父母想於道品之法為眷屬想發行善根无有
齊限以諸淨國嚴飾之事成己佛土開門大施
具足相好除一切惡淨身口意生死无數劫
意而有勇聞佛无量德志而不惓以智慧劍破
煩惱賊出陰界入荷負衆生永使解脫以大精
進摧伏魔軍常求无念實相智慧於世間法少
欲知足於出世間法求之无厭不壞威儀而能

BD02973 號　維摩詰所說經卷下　（14–2）

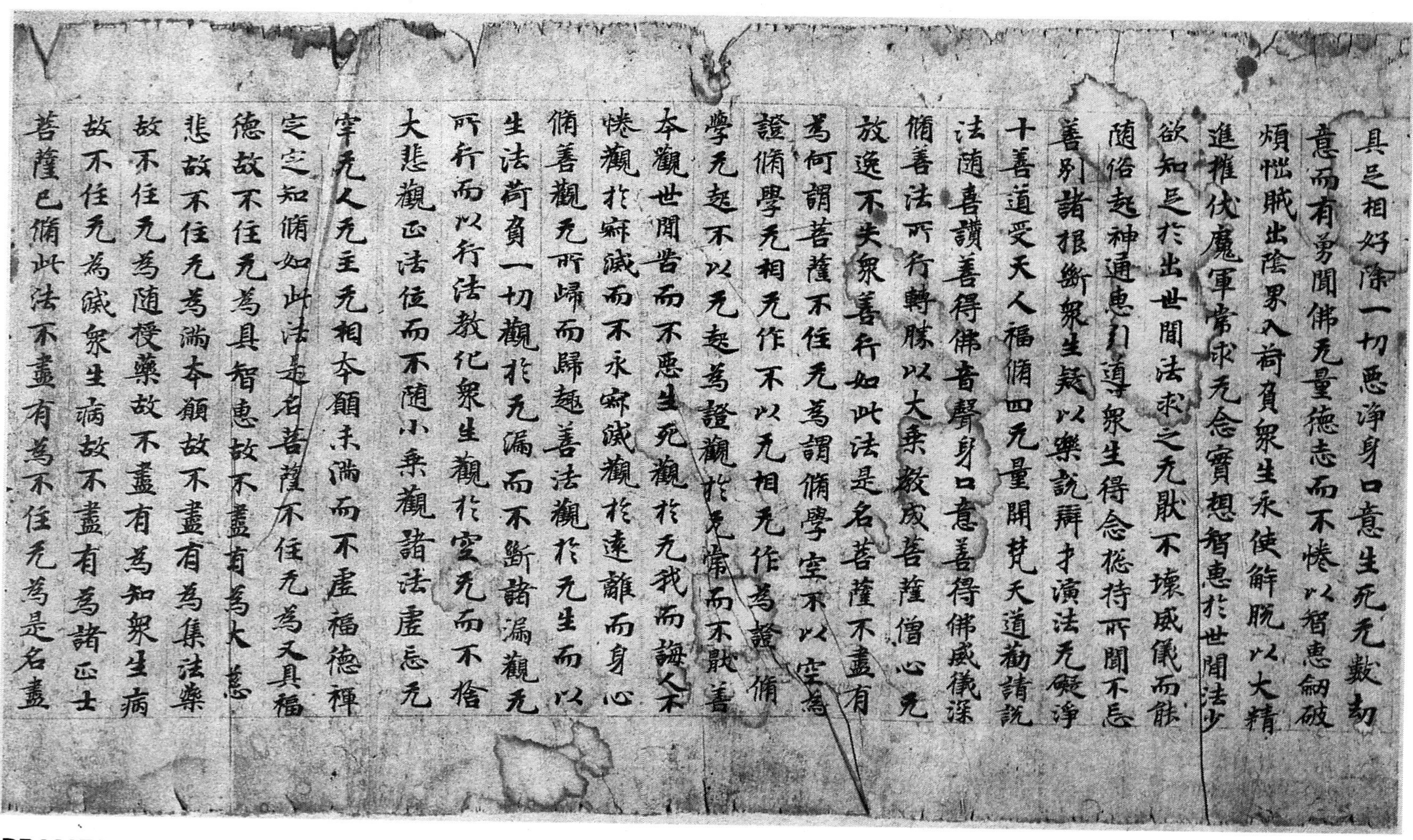
具足相好除一切惡淨身口意生死无數劫
意而有勇聞佛无量德志而不惓以智慧劍破
煩惱賊出陰界入荷負衆生永使解脫以大精
進摧伏魔軍常求无念實相智慧於世間法少
欲知足於出世間法求之无厭不壞威儀而能
隨俗起神通慧引導衆生得念總持所聞不忘
善別諸根斷衆生疑以樂說辯演法无礙淨
十善道受天人福脩四无量開梵天道勸請說
法隨喜讚善得佛音聲身口意善得佛威儀深
脩善法所行轉勝以大乘教成菩薩僧心无
放逸不失衆善行如此法是名菩薩不盡有
為何謂菩薩不住无為謂脩學空不以空為
證脩學无相无作不以无相无作為證脩
學无起不以无起為證觀於无常而不猒善
本觀世間苦而不惡生死觀於无我而誨人不
惓觀於寂滅而不永寂滅觀於遠離而身心
脩善觀无所歸而歸趣善法觀於无生而以
生法荷負一切觀於无漏而不斷諸漏觀无
所行而以行法教化衆生觀於空无而不捨
大悲觀正法位而不隨小乘觀諸法虛妄无
牢无人无主无相本願未滿而不虛福德禪
定智慧脩如此法是名菩薩不住无為又具福
德故不住无為具智慧故不盡有為大慈
悲故不住无為滿本願故不盡有為集法藥
故不住无為隨授藥故不盡有為知衆生病
故不住无為滅衆生病故不盡有為諸正士
菩薩已脩此法不盡有為不住无為是名盡

BD02973 號　維摩詰所說經卷下　（14–3）

徳故不住无為具智慧故不盡有為大慈
悲故不住无為滿本願故不盡有為集法藥
故不住无為隨授藥故不盡有為知衆生病
故不住无為滅衆生病故不盡有為諸正士
菩薩已脩此法不盡有為不住无為是名盡
无盡解脫法門汝等當學尒時彼諸菩薩聞
說是法皆大歡喜以衆妙華若干種色若干
種香散遍三千大千世界供養於佛及此
經法并諸菩薩已稽首佛足歎未曾有言
釋迦牟尼佛乃能於此善行方便言已忽然
不現還到彼國

維摩詰所說經見阿閦佛品第十二

尒時世尊問維摩詰汝欲見如來為以何等
觀如來乎維摩詰言如自觀身實相觀佛亦
然我觀如來前際不來後際不去今則不住
不觀色不觀色如不觀色性不觀受想行識
不觀識不觀識如不觀識性非四大起同於虛空六
入无積眼耳鼻舌身心已過不在三界三垢
已離順三脫門具足三明與无明等不一相不
異相不自相不他相非无相非取相不此岸不彼
岸不中流而化衆生觀於寂滅亦不永滅不
此不彼不在此不在彼不可以智知不可以識
識无晦无明无名无相无強无弱非淨非穢
不在方不離方非有為非无為无示无說不
施不慳不戒不犯不忍不恚不進不怠不
定不亂不智不愚不誠不欺不來不去不出
不入一切言語道斷非福田非不福田非應
供養非不應供養非取非捨

BD02973號　維摩詰所說經卷下　（14-4）

不在方不離方非有為非无為无示无說不
施不慳不戒不犯不忍不恚不進不怠不
定不亂不智不愚不誠不欺不來不去不出
不入一切言語道斷非福田非不福田非應
供養非不應供養非取非捨非有相非无相
同真際等法性不可稱不可量過諸稱量非大
非小非見非聞非覺非知離衆結縛等諸智
同衆生於諸法无分別一切无失无濁无惱无
作无起无生无滅无畏无憂无喜无猒无著
无已有无當有无今有不可以一切言說
分別顯示世尊如來身為若此作如是觀以
斯觀者名為正觀若他觀者名為邪觀
尒時舍利弗問維摩詰汝於何沒而來生此
維摩詰言汝所得法有沒生乎舍利弗言无
沒生也若諸法无沒生相云何問言汝於何
沒而來生此於意云何譬如幻師幻作男女
寧沒生耶舍利弗言无沒生也汝豈不聞佛
說諸法如幻相乎答曰如是若一切法如幻相
者云何問言汝於何沒而來生此舍利弗沒
者為虛誑法壞敗之相生者為虛誑法相
續之相菩薩雖沒不盡善本雖生不長諸
惡是時佛告舍利弗有國名妙喜佛号无動
是維摩詰於彼國沒而來生此舍利弗言未
曾有也世尊是人乃能捨清淨土而來樂此多
怒害處維摩詰語舍利弗於意云何日光出
時與冥合乎答曰不也日光出時則无衆冥
維摩詰言夫日何故行閻浮提答曰欲以明

BD02973號　維摩詰所說經卷下　（14-5）

是維摩詰於彼國沒而來生此會舍利弗言未
曾有也世尊是人乃能捨清淨土而來樂此多
怒害處維摩詰語舍利弗於意云何日光出
時與冥合乎荅曰不也日光出時則无衆冥
維摩詰言夫日何故行閻浮提荅曰欲以明
照為之除冥維摩詰言菩薩如是雖生不淨
佛土為化衆生不與愚闇而共合也但滅衆
生煩惱闇耳
是時大衆渴仰欲見妙喜世界不動如來及
其菩薩聲聞之衆佛知一切衆會所念告維
摩詰言善男子為此衆會現妙喜國不動如
來及諸菩薩聲聞之衆皆欲見於是維摩
詰心念吾當不起于坐接妙喜國鐵圍山川
溪谷江河大海泉源須弥諸山及日月星宿
天龍鬼神梵天等宮并諸菩薩聲聞之衆城
邑聚落男女大小乃至无動如來及菩提樹
諸妙蓮華能於十方作佛事者三道寶階
從閻浮提至忉利天以此寶皆諸天來下悉
為礼敬无動如來聽受經法閻浮提人亦登其
階上昇忉利見彼諸天妙喜世界成就如是无
量功德上至阿迦尼吒天下至水際以右手
斷取如陶家輪入此世界猶持華鬘示一切
衆作是念已入於三昧現神通力以其右手
斷取妙喜世界置於此土彼得神通菩薩
及聲聞衆并餘天人俱發聲言唯然世尊
誰取我去願見救護无動佛言非我所為是
維摩詰神力所作其餘未得神通者不覺不
知已之所往妙喜世界雖入此土而不增減於

斷取妙喜世界置於此土彼得神通菩薩
及聲聞衆并餘天人俱發聲言唯然世尊
誰取我去願見救護无動佛言非我所為是
維摩詰神力所作其餘未得神通者不覺不
知已之所往妙喜世界雖入此土而不增減於
是世界亦不迫隘如本无異
尒時釋迦牟尼佛告諸大衆汝等且觀妙喜
世界无動如來其國嚴餝菩薩行淨弟子清
白皆曰唯然已見佛言若菩薩欲得如是清
淨佛土當學无動如來所行之道現此妙喜
國時娑婆世界十四那由他人發阿耨多羅
三藐三菩提心皆願生於妙喜佛土釋迦牟
尼佛即記之曰當生彼國時妙喜世界於此
國土所應饒益其事訖已還復本處舉衆
皆見佛告舍利弗汝見此妙喜世界及无動
佛不唯然已見世尊願使一切衆生得清淨
土如无動佛獲神通力如維摩詰世尊我等
快得善利得見是人親近供養其諸衆生若
今現在若佛滅後聞此經者亦得善利況復
聞已信解受持讀誦解說如法脩行若有
手持是經典者便為已得法寶之藏若有
讀誦解釋其義如說脩行則為諸佛之所護
念其有供養如是人者當知則為供養於
佛其有書持此經卷者當知其室則有如來
若聞是經能隨喜者斯人則為取一切智若能
信解此經乃至一四句偈為他說者當知此
人即是受阿耨多羅三藐三菩提記

佛其有書持此經卷者當知其室則有如來
若聞是經能隨喜者斯人則為取一切智若能
信解此經乃至一四句偈為他說者當知此
人即是受阿耨多羅三藐三菩提記
維摩詰說經法供養品第十三
尒時釋提桓因於大衆中白佛言世尊我雖
從佛及文殊師利聞百千經未曾聞此不可
思議自在神通決定實相經典如我解佛所
說義趣若有衆生聞是經法信解受持讀誦
之者必得是法不疑何況如說脩行斯人則
為閉衆惡趣開諸善門常為諸佛之所護
念降伏外學摧滅魔怨脩菩提道安處道
場履踐如來所行之跡世尊若有受持讀誦
如說脩行者我當與諸眷屬供養給事所在
聚落城邑山林曠野有是經處我亦與諸眷
屬聽受法故共到其所其未信者當令生信
其已信者當為作護佛言善哉善哉天帝
如汝所說吾助汝喜此經廣說過去未來現
在諸佛不可思議阿耨多羅三藐三菩提是
故天帝若善男子善女人受持讀誦供養是經
者則為供養去來今佛天帝正使三千大千世界
如來滿中譬如甘蔗竹葦稻麻叢林若有善
男子善女人或一劫或減一劫恭敬尊重讚歎
供養奉諸所安乃至諸佛滅後以一一全身
舍利起七寶塔縱廣一四天下高至梵天
表剎莊嚴以一切華香瓔珞幢幡伎樂微妙
第一若一劫若減一劫而供養之於天帝意云

BD02973 號　維摩詰所說經卷下　（14–8）

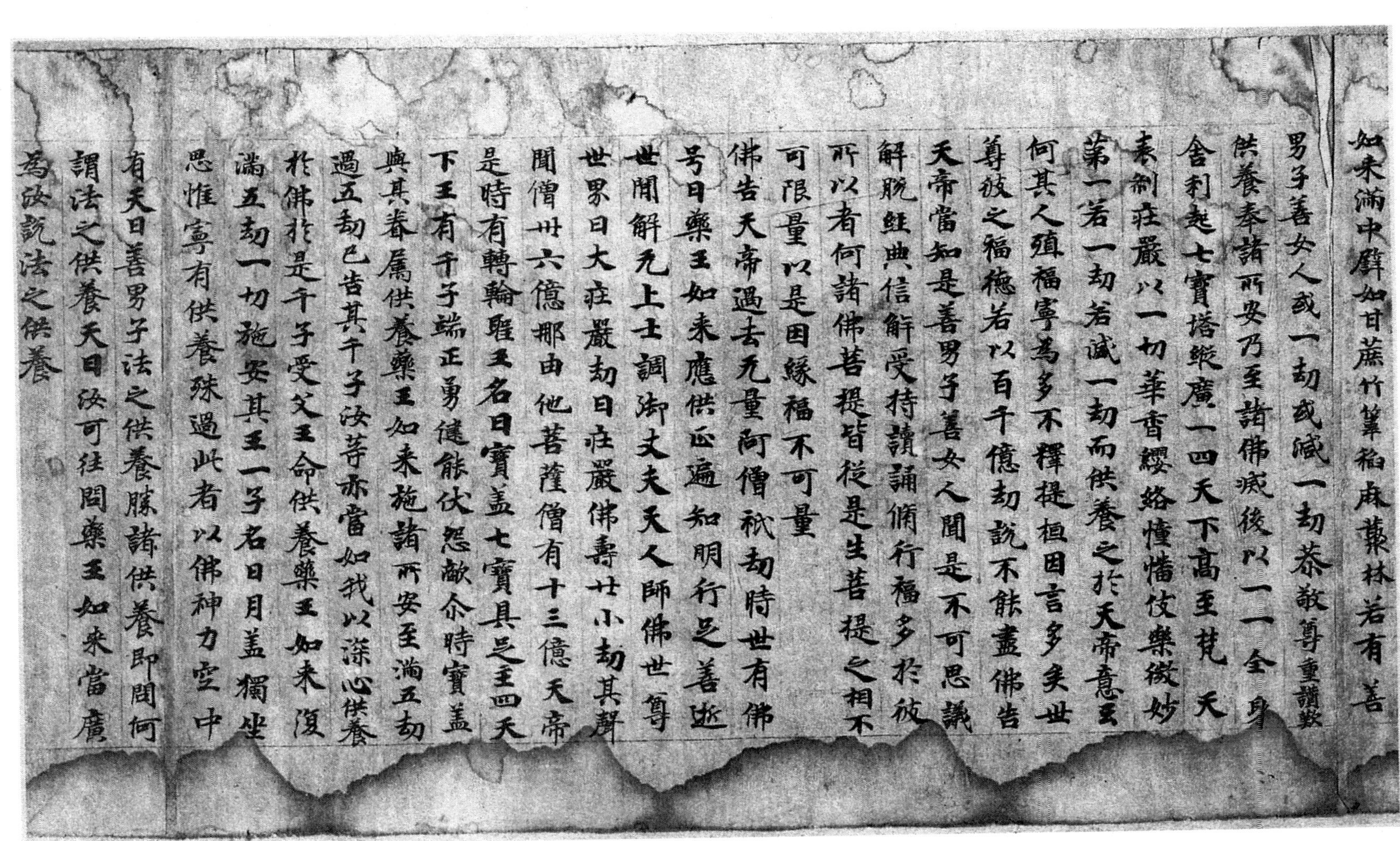

如來滿中譬如甘蔗竹葦稻麻叢林若有善
男子善女人或一劫或減一劫恭敬尊重讚歎
供養奉諸所安乃至諸佛滅後以一一全身
舍利起七寶塔縱廣一四天下高至梵天
表剎莊嚴以一切華香瓔珞幢幡伎樂微妙
第一若一劫若減一劫而供養之於天帝意云
何其人殖福寧為多不釋提桓因言多矣世
尊彼之福德若以百千億劫說不能盡佛告
天帝當知是善男子善女人聞是不可思議
解脫經典信解受持讀誦脩行福多於彼
所以者何諸佛菩提皆從是生菩提之相不
可限量以是因緣福不可量
佛告天帝過去无量阿僧祇劫時世有佛
号曰藥王如來應供正遍知明行足善逝
世間解无上士調御丈夫天人師佛世尊
世界曰大莊嚴劫曰莊嚴佛壽廿小劫其聲
聞僧卅六億那由他菩薩僧有十二億天帝
是時有轉輪聖王名曰寶蓋七寶具足王四天
下王有千子端正勇健能伏怨敵尒時寶蓋
與其眷屬供養藥王如來施諸所安至滿五劫
過五劫已告其千子汝等亦當如我以深心供養
於佛於是千子受父王命供養藥王如來復
滿五劫一切施安其王一子名曰月蓋獨坐
思惟寧有供養殊過此者以佛神力空中
有天曰善男子法之供養勝諸供養即問何
謂法之供養天曰汝可往問藥王如來當廣
為汝說法之供養

BD02973 號　維摩詰所說經卷下　（14–9）

思惟寧有供養殊過此者以佛神力空中
有天曰善男子法之供養勝諸供養即問何
謂法之供養天曰汝可往問藥王如來當廣
為汝說法之供養
即時月蓋王子行詣藥王如來所稽首佛足却
住一面白佛言世尊諸供養中法供養勝云
何為法供養佛言善男子法供養者諸佛所
說深經一切世間難信難受微妙難見清淨
无染非但分別思惟之所能得菩薩法藏所
攝陁羅尼印印之至不退轉成就六度善分
別義順菩提法眾經之上入大慈悲離眾魔
事及諸邪見順因緣法无我无人无眾生无壽
命空无相无作无起能令眾生坐於道場而轉
法輪諸天龍神乾闥婆等所共歎譽能令眾
生入佛法藏攝諸賢聖一切智慧說眾菩薩
所行之道依於諸法實相之義明宣无常苦
空无我寂滅能救一切毀禁眾生諸魔外道
及貪著者能使怖畏諸佛賢聖所共稱歎背
生死苦示涅槃樂十方三世諸佛所說若聞
如是等經信解受持讀誦以方便力為諸眾
生分別解說顯示分明守護法故是名法之
供養又於諸法如說脩行隨順十二因緣離
諸邪見得无生忍決定无我无有眾生而於因緣
果報无違无諍離諸我所依於義不依語依
於智不依識依了義經不依不了義經依於
法不依人隨順法相无所入无所歸无明畢
竟滅故諸行亦畢竟滅乃至生畢竟滅故老

BD02973號　維摩詰所說經卷下　（14-10）

諸邪見得无生忍決定无我无有眾生而於因緣
果報无違无諍離諸我所依於義不依語依
於智不依識依了義經不依不了義經依於
法不依人隨順法相无所入无所歸无明畢
竟滅故諸行亦畢竟滅乃至生畢竟滅故老
死亦畢竟滅作如是觀十二因緣无有盡相
不復起見是名最上法之供養佛告天帝王
子月蓋從藥王佛聞如是法得柔順忍即解
寶衣嚴身之具以供養佛白佛言世尊如來
滅後我當行法供養守護正法願以威神加
哀建立令我得降魔怨脩菩薩行佛知其
深心所念而記之曰汝於末後守護法城天帝
時王子月蓋見法清淨聞佛受記以信出家
脩集善法精進不久得五神通通菩薩道
得陁羅尼无斷辯才於佛滅後以其所得神
通總持辯才之力滿十小劫藥王如來所轉法
輪隨而分布月蓋比丘以護法故勤行精進
即於此身化百万億人於阿耨多羅三藐三菩
提立不退轉十四那由他人深發聲聞辟支
佛心无量眾生得生天上天帝時王寶蓋
豈異人乎今現得佛号寶焰如來其王千子
即賢劫中千佛是也從迦羅鳩孫馱為始得
佛最後如來号曰樓至月蓋比丘則我身是
如是天帝當知此要以法供養於諸供養
為上為最第一无比是故天帝當以法之供
養供養於佛
維摩詰所說經囑累品第十四

BD02973號　維摩詰所說經卷下　（14-11）

佛最後如来号曰樓至月蓋比丘則我身是
如是天帝當知此要以法供養於諸供養
為上為最第一无比是故天帝當以法之供
養供養於佛
維摩詰所說經囑累品第十四
於是佛告弥勒菩薩言弥勒我今以是无量
億阿僧祇劫所集阿耨多羅三藐三菩提付
囑於汝如是輩經於佛滅後末世之中汝等
當以神力廣宣流布於閻浮提无令斷絶所
以者何未来世中當有善男子善女人及天
龍鬼神乹闥婆羅刹等發阿耨多羅三藐三
菩提心樂于大法若使不聞如是等經則失
善利如是輩人聞是等經必多信樂發希有
心當以頂受隨諸衆生所應得利而為廣說
弥勒當知菩薩有二相何謂為二一者好雜
句文飾之事二者不畏深義如實能入若好
雜句文飾事者當知是為新學菩薩若於如
是无染无著甚深經典无有恐畏能入其中
聞已心淨受持讀誦如說脩行當知是為久
脩道行弥勒復有二法名新學者不能決定
於甚深法何等為二一者所未聞深經聞之
驚怖生疑不能隨順毀謗不信而作是言我
初不聞從何所来二者若有護持解脫如是
深經者不肯親近供養恭敬或時於中說其
過悪有此二法當知是新學菩薩為自毀
傷不能於深法中調伏其心弥勒復有二法
菩薩雖信解深法猶自毀傷而不能得无生法

BD02973號　維摩詰所説經卷下

（14–12）

驚怖生疑不能隨順毀謗不信而作是言我
初不聞從何所来二者若有護持解脫如是
深經者不肯親近供養恭敬或時於中說其
過悪有此二法當知是新學菩薩為自毀
傷不能於深法中調伏其心弥勒復有二法
菩薩雖信解深法猶自毀傷而不能得无生法
忍何等為二一者輕慢新學菩薩而不教誨
二者雖解深法而取相分別是為二法弥勒
菩薩聞說是已白佛言世尊未曾有也如佛
所說我當遠離如斯之悪奉持如来无數阿
僧祇劫所集阿耨多羅三藐三菩提法若未
来世善男子善女人求大乘者當令手得如
是等經與其念力使受持讀誦為他廣說世
尊於後末世有能受持讀誦為他說者當知
是弥勒神力之所建立佛言善哉善哉弥勒
如汝所說佛助尒喜於是一切菩薩合掌白
佛我等亦於如来滅後十方國土廣宣流布
阿耨多羅三藐三菩提復當開導諸說法者
令得是經
尒時四天王白佛言世尊在在處處城邑
聚落山林曠野有是經卷讀誦解說者我當
率諸官屬為聽法故往詣其所擁護其人面
百由旬令无伺求得其便者是時佛告阿難
受持是經廣宣流布阿難言唯然已受持要
者世尊當何名斯經佛言阿難是經名為維
摩詰所說亦名不可思議解脫法門如是受
持佛說是經已長者維摩詰文殊師利舍利

BD02973號　維摩詰所説經卷下

（14–13）

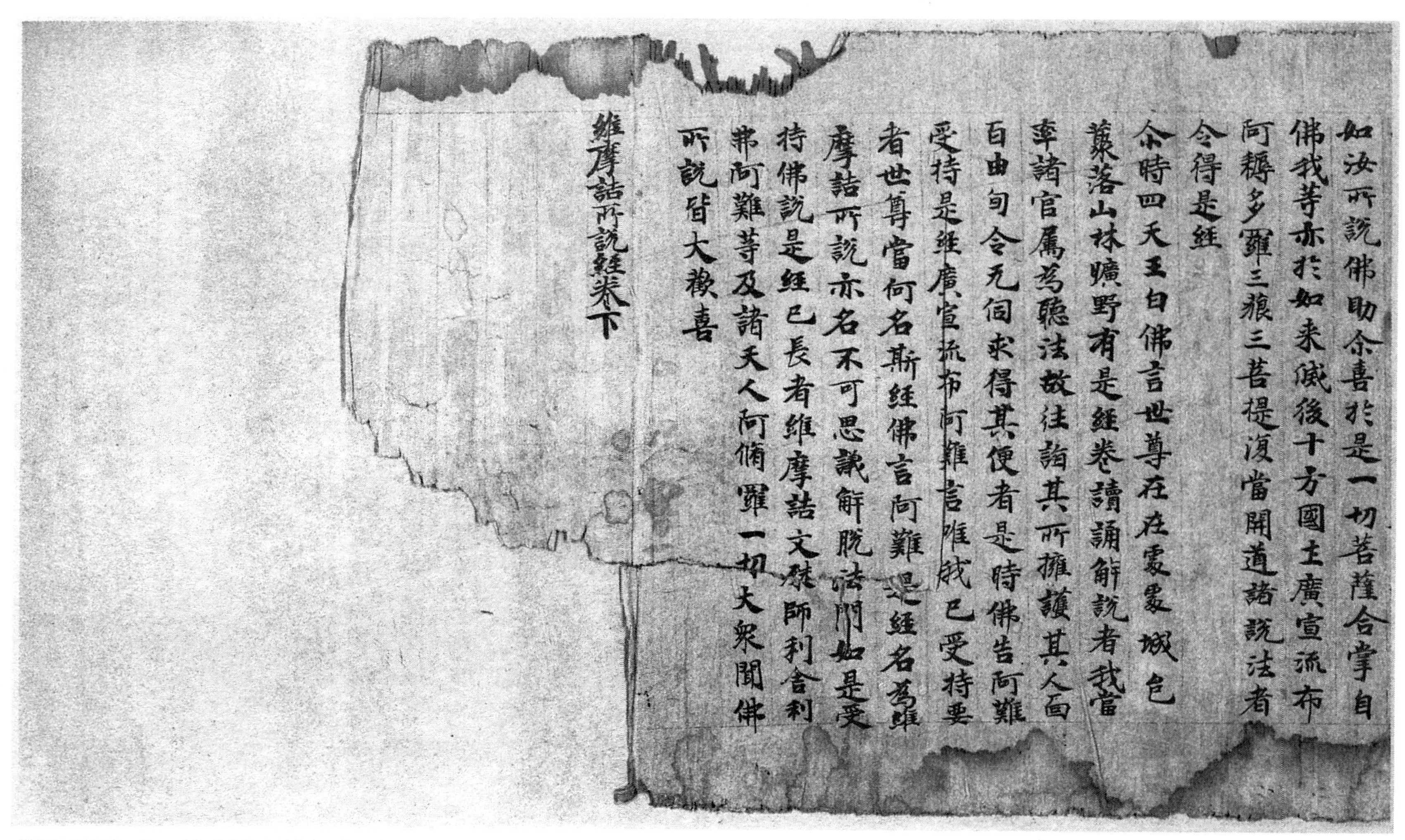
如汝所說佛助尒喜於是一切菩薩合掌白
佛我等亦於如来滅後十方國土廣宣流布
阿耨多羅三藐三菩提復當開導諸說法者
令得是經
尒時四天王白佛言世尊在在處處城邑
聚落山林曠野有是經卷讀誦解說者我當
率諸官屬爲聽法故往詣其所擁護其人面
百由旬令无伺求得其便者是時佛告阿難
受持是經廣宣流布阿難言唯然已受持要
者世尊當何名斯經佛言阿難是經名爲維
摩詰所說亦名不可思議解脫法門如是受
持佛說是經已長者維摩詰文殊師利舍利
弗阿難等及諸天人阿脩羅一切大衆聞佛
所說皆大歡喜
維摩詰所說經卷下

BD02973 號　維摩詰所說經卷下　（14–14）

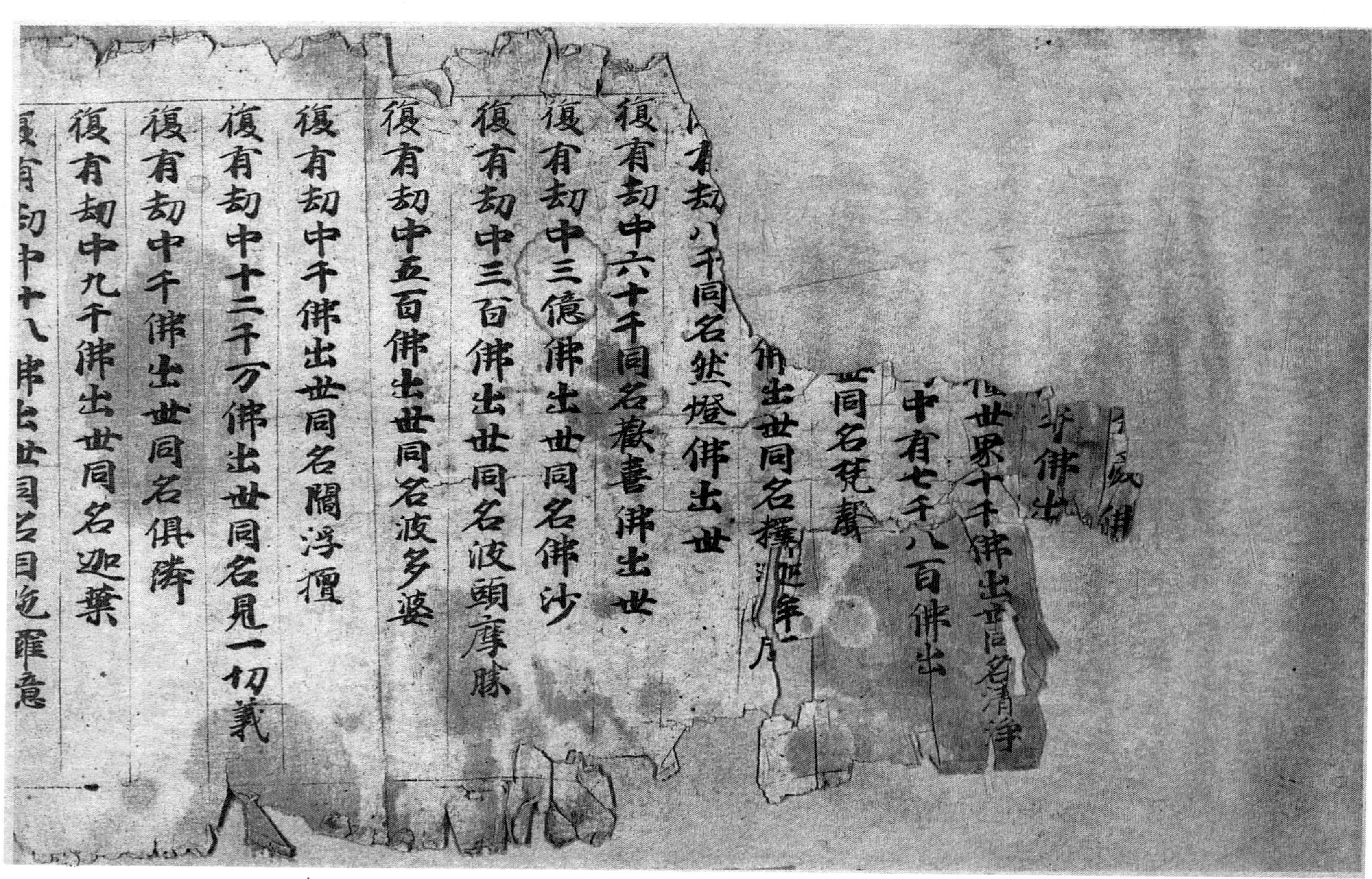
佛出
世界十千佛出世同名清淨
中有七千八百佛出
世同名梵聲
佛出世同名釋迦牟尼
有劫八千同名然燈佛出世
復有劫中六十千同名歡喜佛出世
復有劫中三億佛出世同名佛沙
復有劫中三百佛出世同名波頭摩勝
復有劫中五百佛出世同名波多婆
復有劫中千佛出世同名閻浮檀
復有劫中十二千万佛出世同名見一切義
復有劫中千佛出世同名俱隣
復有劫中九千佛出世同名迦葉
復有劫中十八千佛出世同名

BD02974 號　佛名經（十六卷本）卷一〇　（40–1）

復有劫中十二千万佛出世同名見一切義
復有劫中千佛出世同名俱隣
復有劫中九千佛出世同名迦葉
復有劫中十八佛出世同名目陁羅憶
復有劫中十五佛出世同名日佛
復有劫中六十億佛出世同名大莊嚴
復有劫中六十佛出世同名日陁幢
復有劫中五百佛出世同名日佛
復有劫中六十二百佛出世同名齊行
復有劫中六十億佛出世同名莎羅自在王
復有劫中八千佛出世同名堅精進
復有劫中百億佛出世同名决定光明
復有劫中六十二佛出世同名毗留那
復有劫中六十千佛出世同名妙波頭摩
復有劫中四十千佛出世同名顛莊嚴
復有劫中五百佛出世同名華勝王
復有劫中四十億那由他佛出世同名妙聲
復有劫中千佛出世同名功徳蓋安隱自在王
復有劫中六十千佛出世同名堅脩柔濡

BD02974號　佛名經（十六卷本）卷一〇　（40-2）

復有劫中千佛出世同名功徳蓋安隱自在王
復有劫中六十千佛出世同名堅脩柔濡
復有劫中十佛國土微塵數百千万不可說不可
說佛出世同名普賢
復有劫中七千佛出世同名法莊嚴
比丘舉要言之未來諸佛无量无邊不可說不
可說不可窮盡比丘汝等應當一心歸命是等
諸佛尒時舍利弗從坐而起偏袒右肩右膝着地
胡跪合掌白佛言世尊同緣佛現在佛告舍利
弗言如是汝見我現在我世舍利弗言如是世尊
我今實見佛身復告舍利弗我今見佛身復
告舍利弗我今見十方无量无邊不可說不可
說世界同我名釋迦牟尼佛
在世者如汝見我无異如是同名然燈佛
同名毗婆尸佛　同名尸棄佛
同名毗舍浮佛　同名拘留孫佛
同名拘那含佛　同名迦葉佛
舍利弗舉要言之我若一劫若百千万億那由他

BD02974號　佛名經（十六卷本）卷一〇　（40-3）

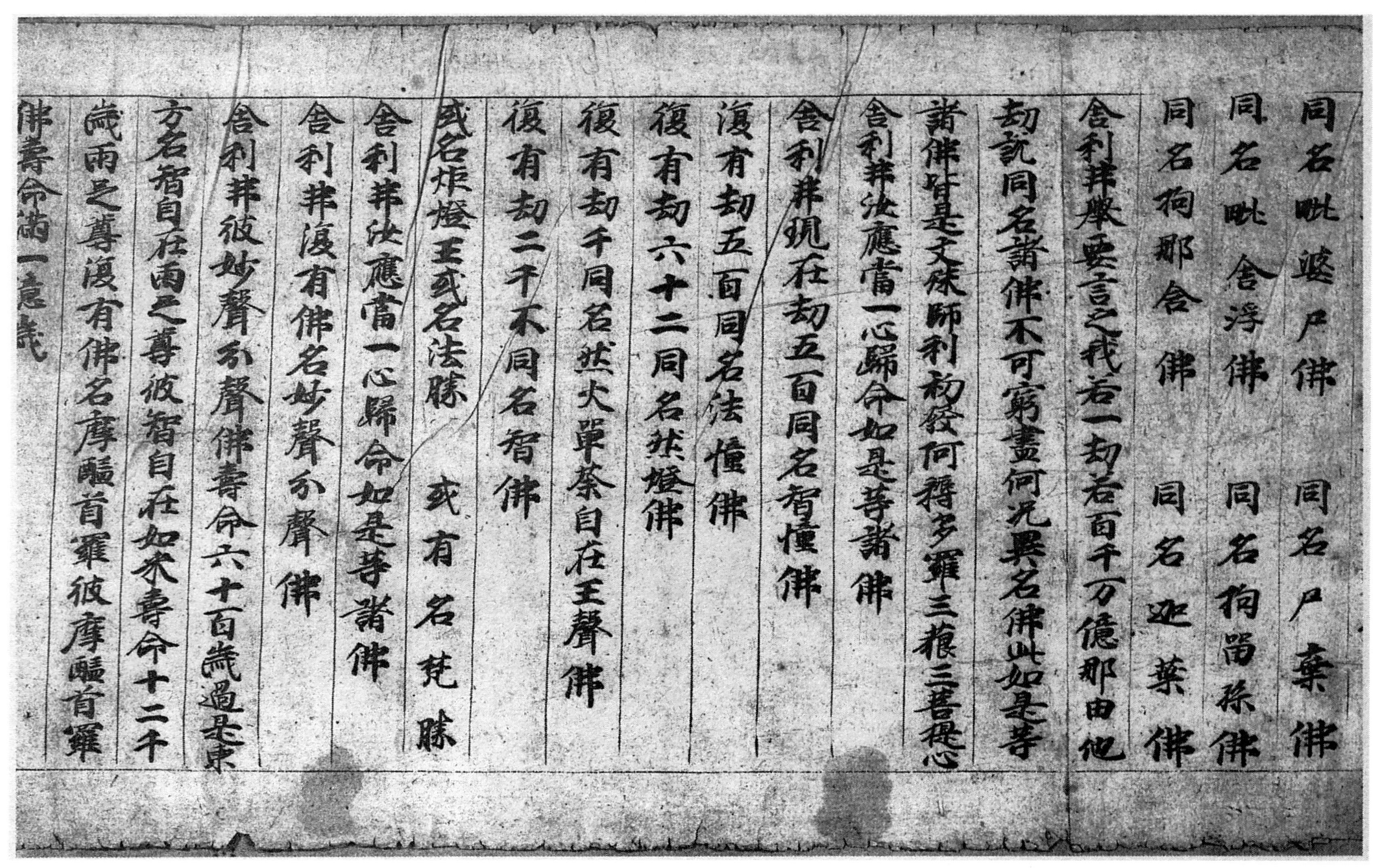
同名毗婆尸佛　同名尸棄佛
同名毗舍浮佛　同名拘留孫佛
同名拘那含佛　同名迦葉佛
舍利弗舉要言之我若一劫若百千万億那由他
劫說同名諸佛不可窮盡何況異名佛此如是等
諸佛皆是文殊師利初發阿耨多羅三藐三菩提心
舍利弗汝應當一心歸命如是等諸佛
舍利弗現在劫五百同名智幢佛
復有劫五百同名法幢佛
復有劫六十二同名然燈佛
復有劫千同名然大單荼自在王聲佛
復有劫二千不同名智佛
或名炬燈王或名法勝　或有名梵勝
舍利弗汝應當一心歸命如是等諸佛
舍利弗復有佛名妙聲分聲佛
舍利弗彼妙聲分聲佛壽命六十百歲過是東
方名智自在雨之尊彼智自在如來壽命十二千
歲雨之尊復有佛名摩醯首羅彼摩醯首羅
佛壽命滿一億歲

BD02974號　佛名經（十六卷本）卷一〇　（40-4）

舍利弗彼妙聲分聲佛壽命六十百歲過是東
方名智自在雨之尊彼智自在如來壽命十二千
歲雨之尊復有佛名摩醯首羅彼摩醯首羅
佛壽命滿一億歲
過摩醯首羅復有佛名梵聲彼梵聲佛壽命
滿之十億
過梵聲世尊復有佛名大衆自在彼大衆自
在佛壽命滿之六千歲
過大衆自在世尊復有佛名聲自在彼聲自在
佛壽命滿之一億歲
過聲自在世尊復有佛名勝聲彼勝聲佛壽
命滿之百億歲
過彼勝聲世尊有佛名月面佛壽一日一夜過
月面世尊復有佛名日面佛壽命滿之千八百歲
過日面世尊復有佛名梵面彼梵面佛壽命滿之
世三千歲
過梵面世尊復有佛名梵河莎婆彼梵河莎
婆佛過梵面世尊復有佛名梵河莎婆彼梵河

BD02974號　佛名經（十六卷本）卷一〇　（40-5）

過梵面世尊復有佛名梵河莎婆彼梵河莎
婆佛過梵面世尊復有佛名梵河莎婆彼梵河
莎婆佛壽命滿足千八百歲
舍利弗汝應當一心歸命如是等佛
舍利弗復過一劫中二百佛出世我說彼佛名汝
當歸命
南无不可嫌身佛　南无稱名佛
南无威德佛　南无稱吼佛
南无稱佛　南无聲清淨佛
南无智勝佛　南无智解佛
南无黠慧佛　南无智通佛
南无智成就佛　南无智供養佛
南无智妙佛　南无智炎佛
南无智勇猛佛　南无淨上佛
南无梵天佛　南无善梵天佛
南无淨婆藪佛　南无妙梵聲佛
南无梵自在佛　南无梵天自在佛
南无因那陁佛　南无梵吼佛

BD02974號　佛名經（十六卷本）卷一〇　（40–6）

南无梵自在佛　南无梵天自在佛
南无因那陁佛　南无梵吼佛
南无梵德佛　南无威德力佛
南无威德自在佛　南无善威德佛
從此以上七千八百佛十二部經一切賢聖
南无威德自在佛　南无威德起佛
南无善決定威德佛　南无威德天佛
南无威德勝佛　南无无驚怖佛
南无驚怖意佛　南无驚怖慧佛
南无驚怖衆生佛　南无驚怖面佛
南无驚怖起佛　南无威德決定畢竟佛
南无威德天佛　南无驚怖實佛
南无見驚怖佛　南无善眼佛
南无月勝佛　南无深聲佛
南无无邊聲佛　南无淨聲佛
南无清淨聲佛　南无无量聲佛
南无放聲佛　南无降伏魔力聲佛
南无持聲佛　南无降伏魔力聲佛

BD02974號　佛名經（十六卷本）卷一〇　（40–7）

南无清淨聲佛　南无无量聲佛
南无放聲佛　南无降伏魔力聲佛
南无持聲佛　南无降伏魔力聲佛
南无清淨面佛　南无善照佛
南无无邊眼佛　南无普眼佛
南无稱眼佛　南无眼莊嚴佛
南无不可嫌眼佛　南无調柔語佛
南无調勝佛　南无善調心佛
南无善師根佛　南无善師意佛
南无師妙佛　南无善師行佛
南无善師去佛　南无善師彼岸佛
南无善師勇猛佛　南无住勝佛
南无善師淨心佛　南无衆上首自在王佛
南无有衆佛　南无衆自在佛
南无衆勝佛　南无清淨智佛
南无大衆自在佛　南无衆勇猛佛
南无放妙香佛　南无法方佛
南无法鶏兜佛　南无法行佛

BD02974號　佛名經（十六卷本）卷一〇　（40–8）

南无大衆自在佛　南无衆勇猛佛
南无放妙香佛　南无法方佛
南无法鶏兜佛　南无法行佛
南无法寶佛　南无法力佛
南无法佛　南无善法佛
南无法勇猛佛　南无法樂決定佛
南无實法決定一劫中八十億同名佛
南无二劫中八十億亦同名定佛
過決定佛　名勝成就佛　亦應一心敬礼
南无安隱佛　南无拘隣佛
南无善歡喜佛　南无善眼佛
南无頭陁羅吒佛　南无毗留博叉佛
南无善眼佛　南无妙眼佛
南无善見佛　南无善解佛
南无擇迦牟尼佛　南无妙去佛
南无勝佛　南无旃檀佛
南无度佛　南无滅惡佛
南无大功德佛　南无摩梨支佛

BD02974號　佛名經（十六卷本）卷一〇　（40–9）

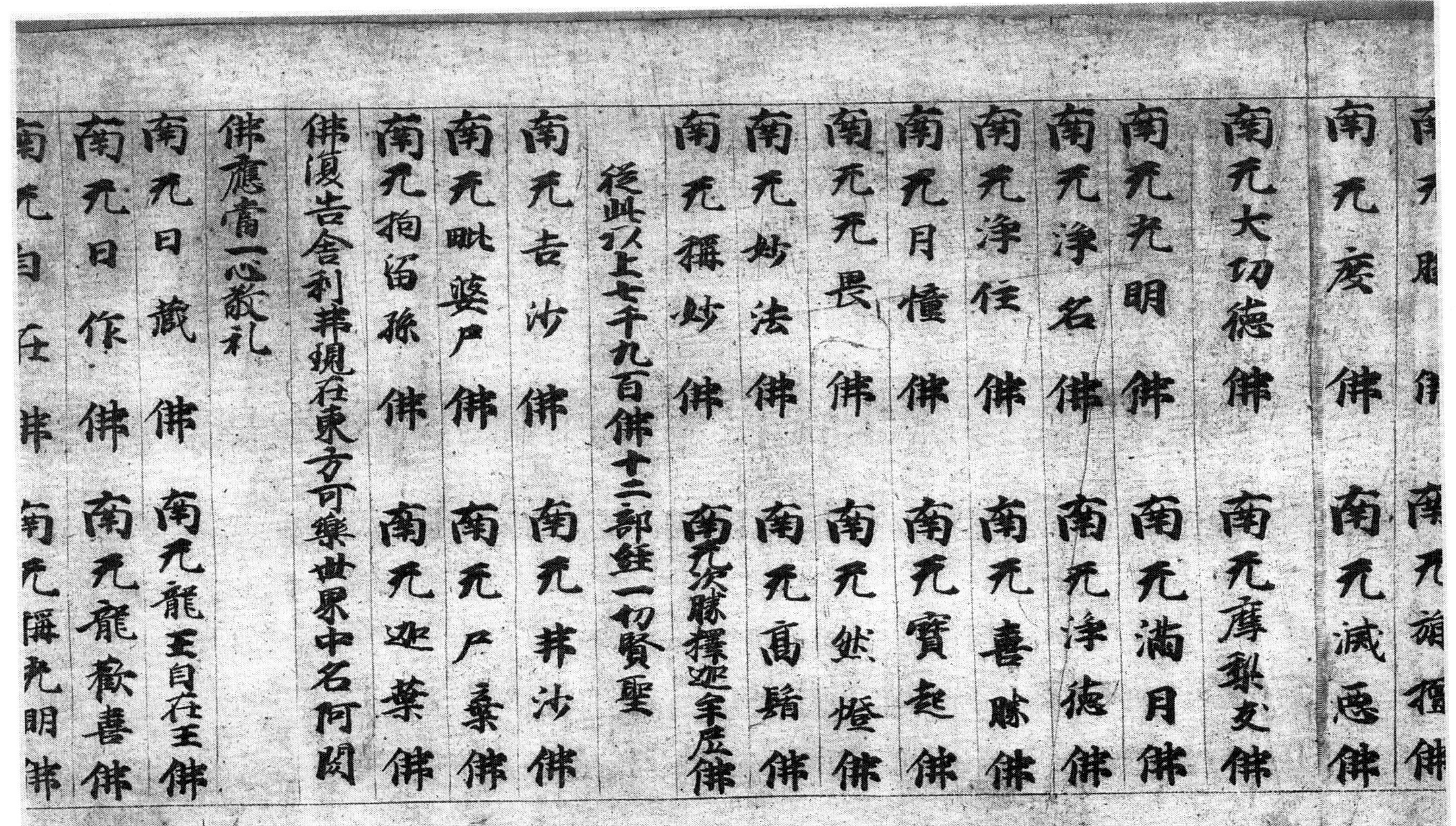
南无□佛　南无旃檀佛
南无慶佛　南无滅惡佛
南无大功德佛　南无摩梨支佛
南无无明佛　南无滿月佛
南无淨名佛　南无淨德佛
南无淨住佛　南无善勝佛
南无月幢佛　南无寶起佛
南无无畏佛　南无然燈佛
南无妙法佛　南无高踊佛
南无稱妙佛　南无次勝釋迦牟尼佛
從此以上七千九百佛十二部經一切賢聖
南无吉沙佛　南无菩沙佛
南无毗婆尸佛　南无尸棄佛
南无拘留孫佛　南无迦葉佛
佛復告舍利弗現在東方可樂世界中名阿閦
佛應當一心敬礼
南无日藏佛　南无龍王自在王佛
南无日作佛　南无龍歡喜佛
南无自在佛　南无稱光明佛

BD02974號　佛名經（十六卷本）卷一〇　（40–10）

佛應當一心敬礼
南无日藏佛　南无龍王自在王佛
南无日作佛　南无龍歡喜佛
南无自在佛　南无稱光明佛
南无城佛　南无普次佛
南无普寶佛　南无稱自在王佛
南无行法行稱佛　南无初智慧佛
南无智山佛　南无因光明佛
南无生勝佛　南无弥留藏佛
南无智海佛　南无大精進佛
南无高山勝佛　南无功德藏佛
南无智法界佛　南无无畏自在佛
南无大精進成就佛　南无智成就佛
南无无㝵王佛　南无地力精進佛
南无持佛　南无力王佛
南无善見佛　南无法光明佛
南无降伏魔佛　南无不斷炎佛
南无功德山佛　南无智齊佛

BD02974號　佛名經（十六卷本）卷一〇　（40–11）

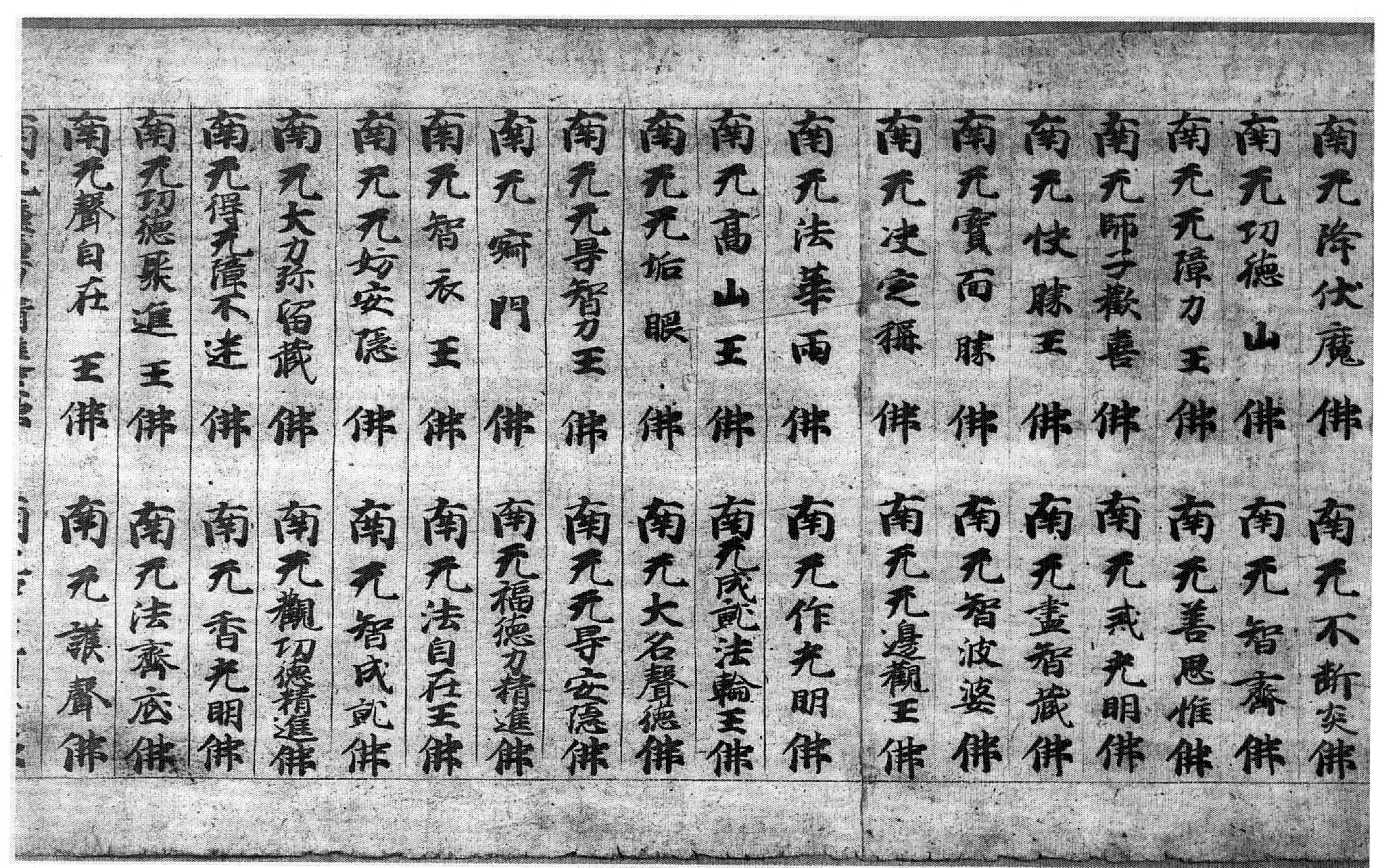
南无降伏魔佛　南无不斷炎佛
南无切德山佛　南无智齋佛
南无无障力王佛　南无善思惟佛
南无師子歡喜佛　南无戒光明佛
南无伏勝王佛　南无盡智藏佛
南无寳面勝佛　南无智波婆佛
南无决定稱佛　南无无邊觀王佛
南无法華雨佛　南无作光明佛
南无高山王佛　南无成就法輪王佛
南无无垢眼佛　南无大名聲德佛
南无无㝵智力王佛　南无无㝵安隱佛
南无獅門佛　南无福德力精進佛
南无智衣王佛　南无法自在王佛
南无无妨安隱佛　南无智成就佛
南无大力弥留藏佛　南无觀切德精進佛
南无得无障不迷佛　南无香光明佛
南无切德聚進王佛　南无法齋庅佛
南无聲自在王佛　南无讃聲佛

BD02974號　佛名經（十六卷本）卷一〇　（40–12）

南无得无障不迷佛　南无香光明佛
南无切德聚進王佛　南无法齋庅佛
南无聲自在王佛　南无讃聲佛
南无種種力精進王佛　南无寳光明勝王佛
南无過一切須弥山王佛　南无寳光佛
南无不動法佛　南无堅固蓋王佛
南无普切德佛　南无法弥羅弥留佛
南无聚集香聲佛　南无智炎華月王佛
南无龍王自在佛　南无最㬌赤華王佛
南无真金王佛　南无增長法幢王佛
南无旃檀波羅光佛　南无住法切德稱佛
南无堅固意精進佛　南无然座燈佛
南无精進步佛　南无无邊堅固幢佛
南无寂法稱佛　南无法王佛
南无降伏大衆佛　南无有光炎華高王佛
南无智勝眼佛　南无千威德然燈佛
從此以上八千佛十二部經一切賢聖
南无无諍无畏佛　南无智化聲佛

BD02974號　佛名經（十六卷本）卷一〇　（40–13）

南无智勝眼佛　南无才盛德然燈佛
從此以上八千佛十二部經一切賢聖
南无无諍无畏佛　南无智化聲佛
南无二輪武勢佛　南无妙身盖佛
南无勝莊嚴王佛　南无師子生善生佛
南无放月光王佛
復次舍利弗現在南方佛汝應當一心歸命
南无法自在吼佛　南无初發心香自在菩羅佛
南无師子奮迅王佛　南无那羅延香自在藏稱自勝佛
南无星宿方便稱佛　南无功德力菩羅王佛
南无妙聲吼奮迅佛　南无得一切衆生意佛
南无大意佛　南无妙聲佛
南无寶地山佛　南无法雲吼聲佛
南无光波婆吒佛　南无香波頭摩精進去威吼佛
南无无垢光明佛　南无功德蹟佛
南无因緣光明佛　南无无邊功德王佛
次礼十二部尊經大藏法輪
南无數東意章經　南无龍施本起經

BD02974號　佛名經（十六卷本）卷一〇　（40–14）

南无因緣光明佛　南无无邊功德王佛
次礼十二部尊經大藏法輪
南无數東意章經　南无龍施本起經
南无道德章經　南无師子畜生王經
南无更出小品經　南无摩訶厭難門經
南无昊維摩詰經　南无摩經
南无浮光經　南无問所眼種經
南无摩調王經　南无勇伏經
南无色爲非常念經　南无摩達經
南无癰瘡一旦經　南无賦藏經
南无菩法義經　南无奇異道家難問住處經
南无奇異道家難問法本經　南无鳥步經
南无治身經　南无衆祐經
南无濟方等經　南无獨居思惟息念經
南无无本經　次礼十方諸大菩薩
南无金剛瓔珞明德菩薩　南无離諸陰菩薩
南无心无等菩薩　南无一切行淨菩薩
南无等見菩薩　南无等不等見菩薩
南无三昧遊戲菩薩　南无去自在菩薩

BD02974號　佛名經（十六卷本）卷一〇　（40–15）

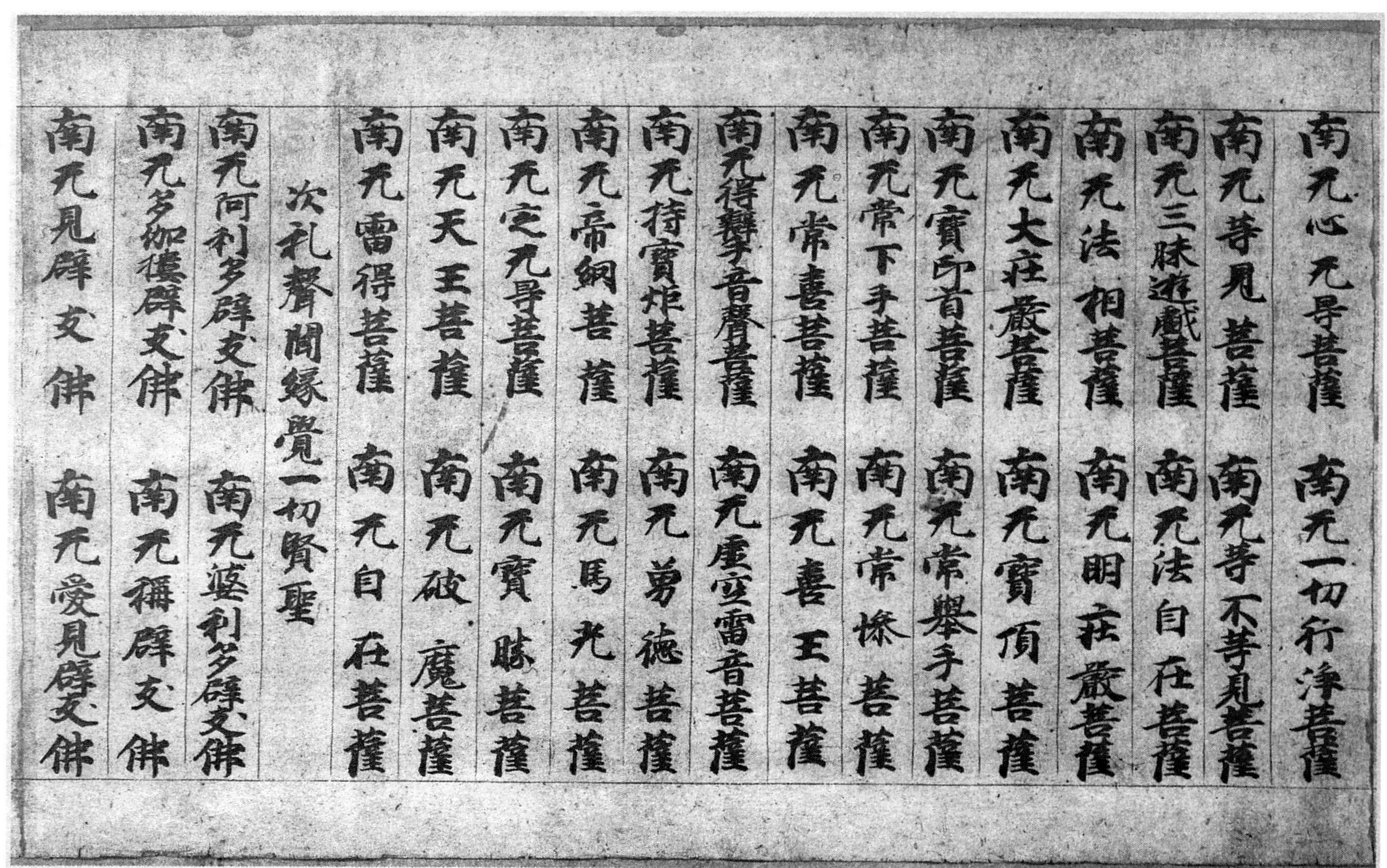

南无心无导菩薩　南无一切行淨菩薩
南无等見菩薩　南无等不等見菩薩
南无三昧遊戲菩薩　南无法自在菩薩
南无法相菩薩　南无明莊嚴菩薩
南无大莊嚴菩薩　南无寶頂菩薩
南无寶印首菩薩　南无常舉手菩薩
南无常下手菩薩　南无常慘菩薩
南无常喜菩薩　南无喜王菩薩
南无得辯才音聲菩薩　南无虛空雷音菩薩
南无持寶炬菩薩　南无勇德菩薩
南无帝網菩薩　南无馬光菩薩
南无定无导菩薩　南无寶勝菩薩
南无天王菩薩　南无破魔菩薩
南无雷得菩薩　南无自在菩薩
次礼聲聞緣覺一切賢聖
南无阿利多辟支佛　南无婆利多辟支佛
南无多伽樓辟支佛　南无稱辟支佛
南无見辟支佛　南无愛見辟支佛

BD02974號　佛名經（十六卷本）卷一〇　（40–16）

南无阿利多辟支佛　南无婆利多辟支佛
南无多伽樓辟支佛　南无稱辟支佛
南无見辟支佛　南无愛見辟支佛
南无見辟支佛　南无乾陁羅辟支佛
南无无妻辟支佛　南无梨沙婆辟支佛
歸命如是等无量无邊辟支佛
礼三寶已次復懺悔
次懺劫盜之業經中說言若物屬他他所守護於
此物中一草一葉不與不取何況盜竊但自衆生惟
見現在利故以種種不道而取致使未來受此殃
累是故經言劫盜之罪能令衆生墮於地獄餓
鬼受苦若在畜生則受牛馬驢騾駱駝等形以其
所有身力血肉償他宿債若生人中為他奴婢衣不
蔽形食不充命貧寒困苦人理殆盡劫盜既有如
是苦報是故弟子今日至到稽首歸依於佛
南无東方懷諸損惱佛　南无南方妙音自在佛
南无西方大雲光佛　南无北方雲自在王佛
從此以上八千一百佛十二部經一切賢聖
[illegible]

BD02974號　佛名經（十六卷本）卷一〇　（40–17）

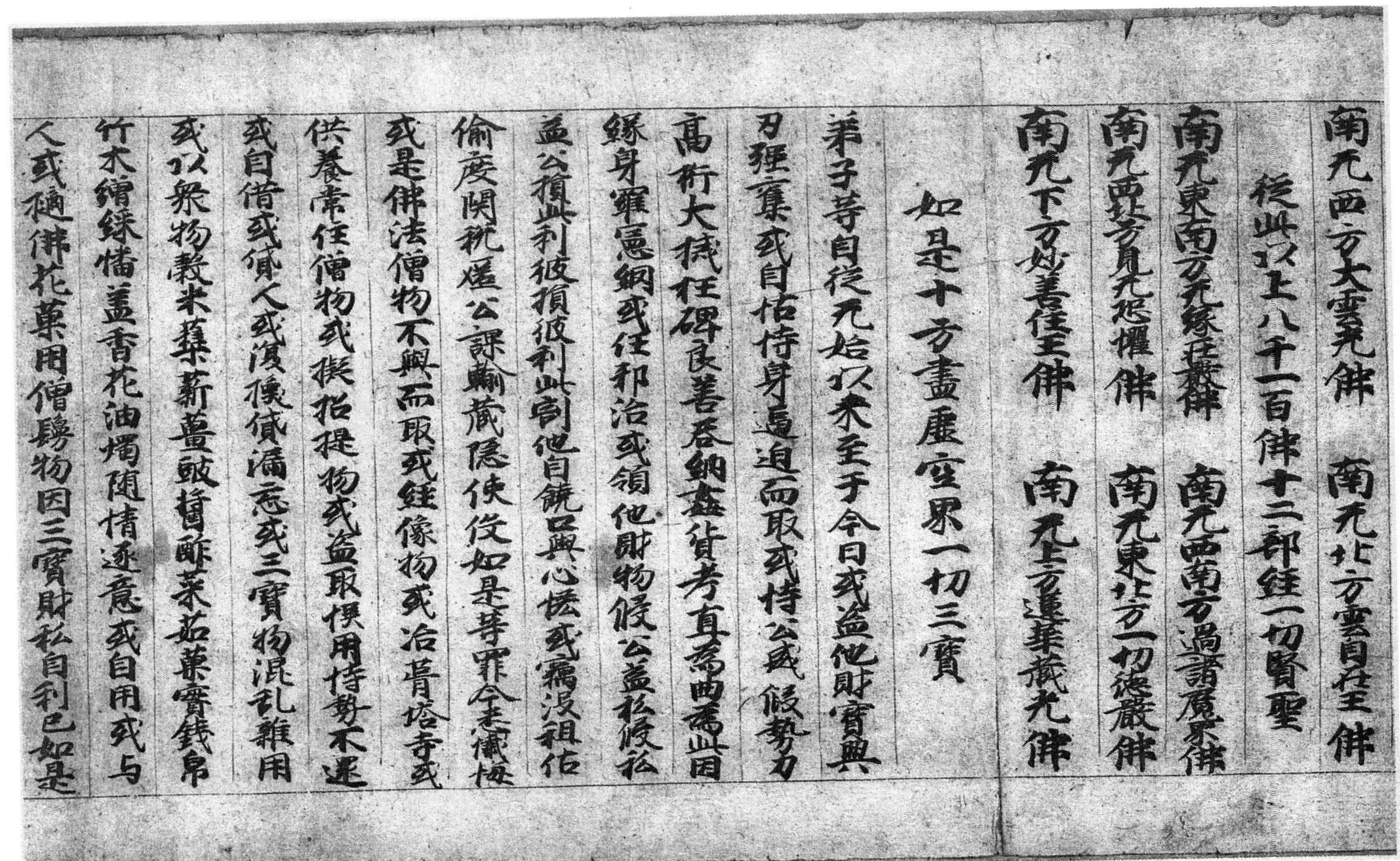
南无西方大雲光佛　南无北方雲自在王佛
從此以上八千一百佛十二部經一切賢聖
南无東南方无緣莊嚴佛　南无西南方過諸魔界佛
南无西北方見无怨懼佛　南无東北方一切德嚴佛
南无下方妙善住王佛　南无上方蓮華藏光佛
如是十方盡虛空界一切三寶
弟子等自從无始以來至于今日或盜他財寶興
刃强奪或自恃侍身逼迫而取或恃公威假勢力
高樹大械枉壓良善吞納姦貨考直為曲為此因
緣身羅憲網或任邪治或領他財物假公益私假私
益公損此利彼損彼利此割他自饒口與心悋或竊沒租估
偷度關稅匿公課輸藏隱使役如是等罪今悉懺悔
或是佛法僧物不與而取或經像物或治眥塔寺或
供養常住僧物或撩拾提物或盜取俁用恃勢不還
或自借或借人或復換貸漏忘或三寶物混亂雜用
或以衆物穀米薪蕘菽麥鹽豉醋菜茹菓實錢帛
竹木繒綵幡蓋香花油燭隨情逐意或自用或与
人或適佛花菓用僧鬘物因三寶財私自利己如是

BD02974號　佛名經（十六卷本）卷一〇

（40–18）

或以衆物穀米薪蕘鹽豉醋菜茹菓實錢帛
竹木繒綵幡蓋香花油燭隨情逐意或自用或与
人或適佛花菓用僧鬘物因三寶財私自利己如是
等罪无量无邊今日慚愧皆悉懺悔
又復无始以來至於今日或作周旋朋友師僧同學
父母兄弟六親眷屬共住同止百一所須更相欺因
或於鄉隣比近籬拓墻假他田宅改攞易記夐略田
園因公益私奪人邸店及以巿肆如是等罪今悉懺悔
又復无始以來或攻破邑燒村壞柴偷賣良民
誘他奴婢或復枉押无罪之使其形組血肉身被徒
鏁家業破散骨肉生離分張異域生死隔絶如是等罪
无量无邊今悉懺悔　又復无始以來至於今日
或商侶博貨邸店市易輕秤小升減割尺寸盜竊
分銖欺罔秾合以麁易好以短換長巧欺百端希望
毫利如是等罪今悉懺悔　又復无始以來至於
今日穿踰墻壁斷道抄掠抵捍債息負情違要
面欺心口或非道陵死神禽獸四生之物或假託卜相取人
財寶如是乃至以利惡求多求无猒无足如是等
罪无量无邊不可說盡今日至到向十方佛尊法

BD02974號　佛名經（十六卷本）卷一〇

（40–19）

今日穿踰墻壁斬道抄掠拉得債息負情違要
面欺心口或非道陵呪神禽獸四生之物或飯託相取之
財寶如是乃至以利惡求多求无猒无足之如是等
罪无量无邊不可說盡今日至到向十方佛尊法
聖衆皆悉懺悔　願弟子等承是懺悔劫盜
等罪所生功德生生世世得如意寶常雨七珎上妙
衣服百味甘露種種湯藥隨意所須應念即至
一切衆生无偷奪想一切皆能少欲知足不耽不染
常樂惠施行急濟道頭目髓腦捨身如棄涕唾
迴向滿足檀波羅蜜　礼一拜
南无增長眼佛　南无師子奮迅佛
南无大力師子奮迅佛　南无觀法佛
南无法華通佛　南无敬法清淨佛
南无堅精進奮迅佛　南无自精進佛
南无弥留光佛　南无一切德阿尼羅佛
南无淨根佛　南无喚智佛
南无智慧佛　南无不破廣慧佛
南无力慧佛　南无長頭鉢佛

BD02974號　佛名經（十六卷本）卷一〇　（40–20）

南无淨根佛　南无喚智佛
南无智慧佛　南无不破廣慧佛
南无力慧佛　南无長頭鉢佛
南无法堅固奮佛　南无堅固意自在佛
南无平等須弥山佛　南无發捨成就佛
南无清淨藏佛　南无一切衆生自在佛
南无勝葉清淨佛　南无智自在佛
南无善快奮迅佛　南无无障无著精進佛
南无世間自在佛　南无廣法行佛
南无一切德成就佛　南无不怯弱成就佛
南无城如意通佛　南无如觀法佛
南无旃檀蹟佛　南无教重或王佛
南无寶名佛　南无龍王自在聲佛
南无智大莊嚴佛　南无孫獨功德佛
南无阿羅摩佛　南无不滅莊嚴佛
南无淨一切莊嚴佛　南无自在相好莊嚴稱佛
南无行自在王佛　南无法華弥留佛
南无法性莊嚴佛　南无願滿足佛
南无大捨莊嚴佛　南无千法无畏佛

BD02974號　佛名經（十六卷本）卷一〇　（40–21）

南无法[illegible]佛　南无[illegible]莊嚴稱佛
南无行自在王佛　南无法華弥留佛
南无法性莊嚴佛　南无願滿足佛
南无大陰莊嚴佛　南无千法无畏佛
南无有自在成就佛　南无樂法奮迅佛
南无穹王佛　南无解脱王佛
南无肩弥留佛　南无如意刃電王佛
南无无障佛月佛　南无不讚嘆世間勝佛
南无法王决定佛　南无寶星雲王佛
南无阿私多寶勝佛　南无法行自在佛
南无地勇名佛　南无无邊勝寶佛
南无名智奮迅王佛　南无名樹遮那伽王佛
南无名增長慧佛　南无法華通直心佛
南无名伏照光明精進佛　南无名眼觀佛王佛
南无名智盡天佛　南无名不著惡勝佛
南无名勝妙法佛　南无名大智聲智惠聲佛
南无名見一切世間不畏佛　南无名見无畏佛
南无名聲去佛　南无如來行无量王佛
復次舍利弗現在西方佛法應當一心敬礼

BD02974號　佛名經（十六卷本）卷一〇　（40–22）

南无名勝妙法佛　南无名大智聲智惠聲佛
南无名見一切世間不畏佛　南无名見无畏佛
南无名聲去佛　南无如來行无量王佛
復次舍利弗現在西方佛法應當一心敬礼
南无初光明華心眼佛　南无妙聲脩行光佛
南无住勝智稱佛　南无普現佛
南无作非作心華光佛　南无法行然燈佛
南无普勝佛　南无智光稱王佛
南无梵聲歡喜光佛　南无眼佛
南无海香炎佛　南无千月自在藏佛
從此以上八千二百佛十二部經一切賢聖
南无法速樂行佛　南无身賢速光佛
南无師子廣眼佛　南无十方光明勝佛
南无智來佛　南无无邊精進勝面佛
南无大勝成就法佛　南无不空見佛
南无不可畫色佛　南无觀法智佛
南无无妨王佛　南无无邊德佛
南无智察法佛　南无一切善根菩提通佛

BD02974號　佛名經（十六卷本）卷一〇　（40–23）

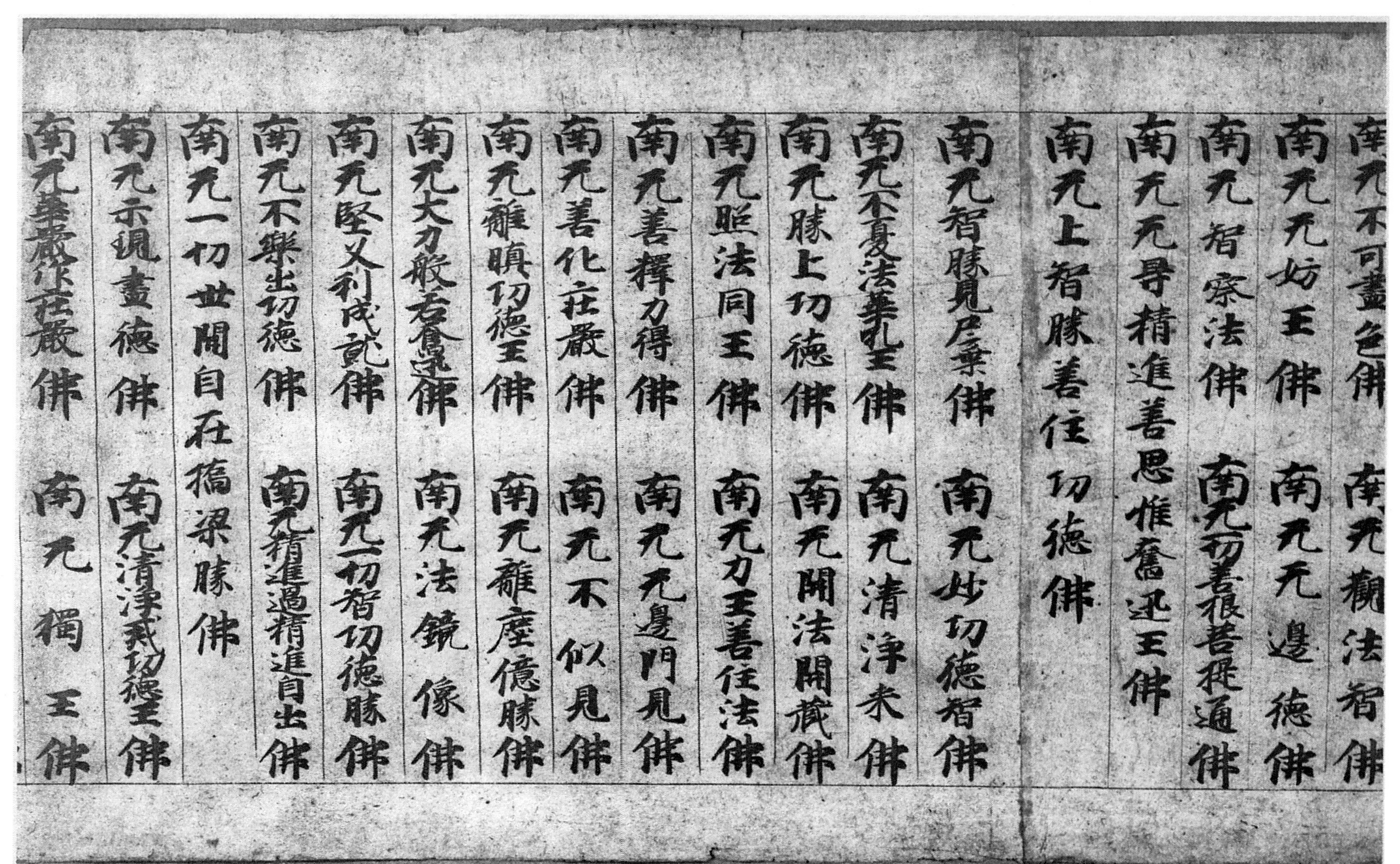
南无不可盡色佛　南无觀法智佛
南无无妨王佛　南无无邊德佛
南无智察法佛　南无切善根甚從通佛
南无无尋精進善思惟奮迅王佛
南无上智勝善住切德佛
南无智勝見尼乘佛　南无妙切德智佛
南无不虚法華乳王佛　南无清淨求佛
南无勝上切德佛　南无開法開藏佛
南无照法同王佛　南无力王善住法佛
南无善擇力得佛　南无无邊門見佛
南无善化莊嚴佛　南无不似見佛
南无離瞋切德王佛　南无離塵億勝佛
南无大力般若奮迅佛　南无法鏡像佛
南无堅叉利成就佛　南无一切智切德勝佛
南无不樂出切德佛　南无精進遍精進自出佛
南无一切世間自在橋梁勝佛
南无示現盡德佛　南无清淨我切德王佛
南无華嚴作莊嚴佛　南无獨王佛

BD02974號　佛名經（十六卷本）卷一〇　（40–24）

南无一切世間自在橋梁勝佛
南无示現盡德佛　南无清淨我切德王佛
南无華嚴作莊嚴佛　南无獨王佛
南无得大神通願力佛　南无吼聲速精進佛
南无勝身羅延智佛　南无那羅延佛
南无寶光阿尼羅勝佛　南无大海彌留勝王佛
南无不住出我勝切德王佛　南无初不濁天王佛
南无虚空樂說无尋稱佛　南无勝慧佛
南无无比藏稱佛　南无天自在梵僧上佛
南无善行見王佛　南无種種行王佛
南无盧舍那勝切德佛　南无自在佛
南无住華佛　南无智善根成就住佛
南无无礙尋智成就佛　南无善決法佛
南无法性莊嚴觀樂說稱佛
南无二寶伏幢佛　南无摩訶思惟藏佛
南无不可思議王佛　南无自在億佛
南无師子句藏佛　南无智王莊嚴佛
南无自在根佛　南无離聲眼佛

BD02974號　佛名經（十六卷本）卷一〇　（40–25）

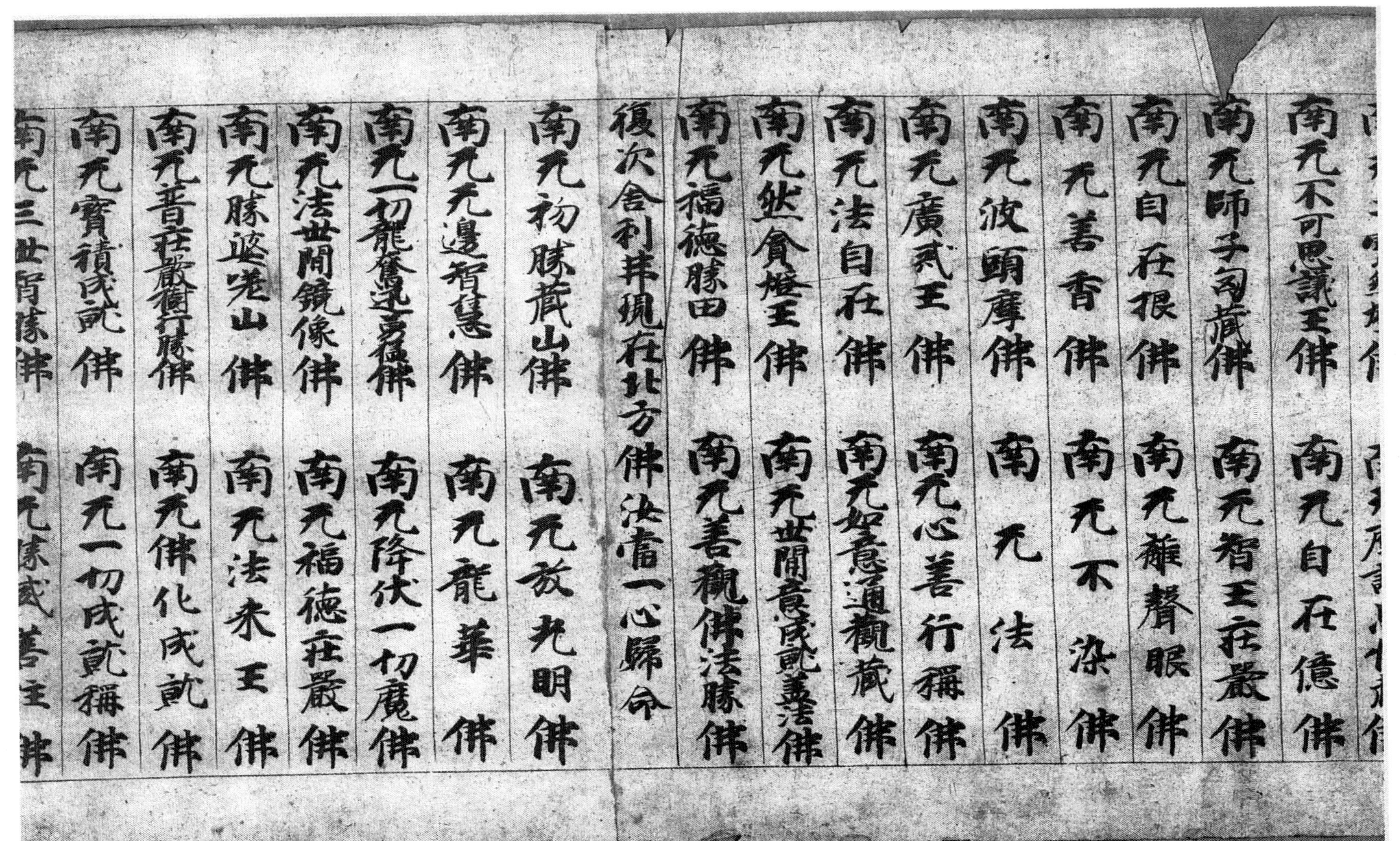
南无不可思議王佛　南无自在億佛
南无師子司藏佛　南无智王莊嚴佛
南无自在根佛　南无離聲眼佛
南无善香佛　南无不染佛
南无波頭摩佛　南无法佛
南无廣戒王佛　南无心善行稱佛
南无法自在佛　南无如意道觀藏佛
南无然貪燈王佛　南无世間意成就善法佛
南无福德勝田佛　南无善觀佛法勝佛
復次舍利弗現在北方佛汝當一心歸命
南无初勝藏山佛　南无放光明佛
南无无邊智慧佛　南无龍華佛
南无一切龍奮迅勇猛佛　南无降伏一切魔佛
南无法世間鏡像佛　南无福德莊嚴佛
南无勝婆娑山佛　南无法來王佛
南无普莊嚴樹行勝佛　南无佛化成就佛
南无寶積成就佛　南无一切成就稱佛
南无三世智勝佛　南无勝威善住佛

BD02974號　佛名經（十六卷本）卷一〇　（40–26）

南无勝婆娑山佛　南无法來王佛
南无普莊嚴樹行勝佛　南无佛化成就佛
南无寶積成就佛　南无一切成就稱佛
南无三世智勝佛　南无勝威善住佛
南无種種願光佛
從此以上八千三百佛十二部經一切賢聖
南无不退百勝光佛　南无分闍羅勝佛
南无棄一切見佛　南无得佛眼輪佛
南无得一切佛智佛　南无大慈悲救護勝佛
南无師子智橋梁佛　南无住實際王佛
南无諸善根福德法成就佛　南无智勝王佛
南无佛法波頭摩佛　南无大无垢智佛
南无與一切相佛　南无隨一切意法雲佛
南无滿足精進寶慧佛　南无大毗留嗏佛
南无勝光明佛　南无不動法智光佛
南无旃檀雲王佛　南无不染波頭摩聲佛
南无法增上聲王佛　南无撰擇法无等華稱佛
南无无垢劫佛　南无佛眼无垢精進增上輪佛

BD02974號　佛名經（十六卷本）卷一〇　（40–27）

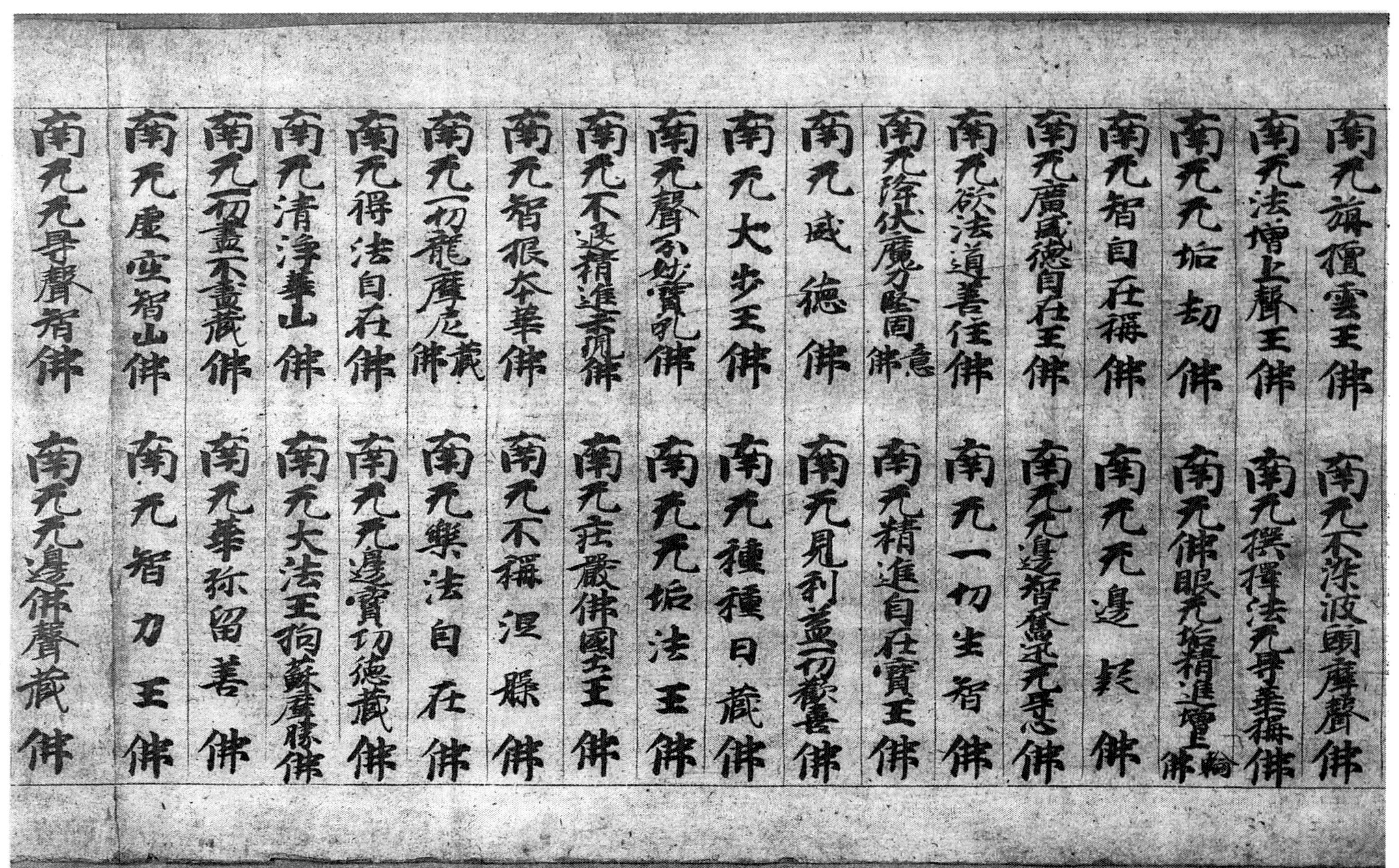

BD02974號　佛名經（十六卷本）卷一〇　（40–28）

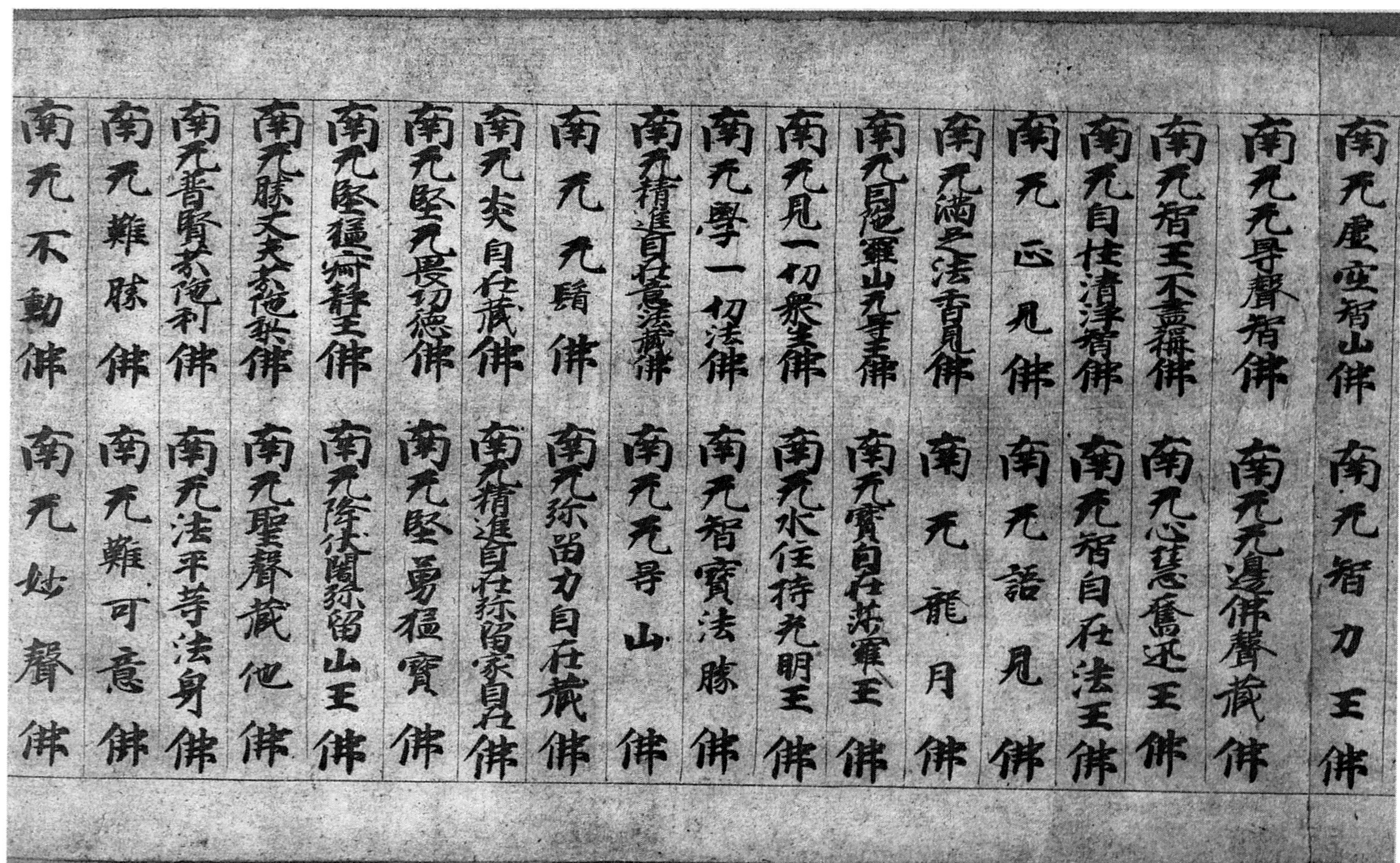

BD02974號　佛名經（十六卷本）卷一〇　（40–29）

南无普賢亦俺利佛　南无法平等法身佛
南无難勝佛　南无難可意佛
南无不動佛　南无妙聲佛
南无勝聲佛　南无蘇羅奮迅佛
南无寶聲佛　南无愛見佛
南无然燈佛　南无須弥劫佛
南无月光佛　南无日佛
南无佛　南无藥樹王佛
南无星宿佛
從此以上八千四百佛十二部經一切賢聖
南无覺佛　南无受記佛
南无愛作佛　南无无畏作佛
南无華寶旃檀佛　南无
南无龍功德佛　南无盧舍那佛
南无无垢佛　南无无煩惱佛
南无善求佛　南无舍色佛
南无无根本地佛　南无須弥燈佛
南无可樂見光佛　南无能作光佛
南无一切滿佛　南无……佛

BD02974號　佛名經（十六卷本）卷一〇　（40–30）

南……
南无无根本地佛　南无須弥燈佛
南无可樂見光佛　南无能作光佛
南无一切滿佛　南无无染佛
南无淨佛　南无解勝佛
南无華樹佛　南无法佛
南无善護聲佛　南无得意佛
南无斷愛佛　南无內外佛
南无成就幢佛　南无梵聲佛
南无妙聲佛　南无勝聲佛
南无佛　南无大通佛
南无无畏佛　南无離一切煩惱佛
南无離怖佛　南无離怯弱佛
南无不可動佛　南无樂解脫佛
南无成佛　南无二足尊佛
南无一切種智佛　南无相莊嚴佛
南无不可動可量言佛　南无不畏言佛
南无常相應言佛　南无梵衆相應佛
南无世……佛

BD02974號　佛名經（十六卷本）卷一〇　（40–31）

南无不可動可量言佛　南无不畏言佛
南无常相應言佛　南无梵衆相應佛
南无世天衆相應佛　南无字金色佛
南无捨佛　南无莎羅華佛
南无金華佛　南无拘牟頭相佛
南无頂勝佛　南无一切通智佛
南无得一切法岸佛　南无不可相佛
南无善住佛　南无莊嚴相佛
南无妙窮佛　南无捨浮羅奮迅佛
南无清淨衆生佛　南无常香佛
南无畢竟大悲佛　南无成就堅佛
南无常微咲佛　南无離濁佛
南无百相功德佛　南无隨順佛
南无勝藏佛　南无般若幢佛
南无般若畢竟佛　南无滿足意佛
南无觀世自在王佛　南无大炎聚佛
南无勝功德威德佛　南无梵勝天佛
南无內寶佛　南无三菩提幢佛

BD02974號　佛名經（十六卷本）卷一〇　（40-32）

南无觀世自在王佛　南无大炎聚佛
南无勝功德威德佛　南无梵勝天佛
南无內寶佛　南无三菩提幢佛
南无勝燈佛　南无善攝領契勝莎羅王佛
南无无垢光明佛　南无照佛
南无无畏觀佛　南无樂說莊嚴佛
南无无垢月鷄兜佛　南无華莊嚴光明作佛
南无火奮迅佛　南无寶上佛
南无无畏智觀佛　南无師子奮迅齊佛
南无遠離一切驚怖毛竪等稱光佛
南无伽耶伽王光明威德佛　南无觀世音佛
南无尼彌佛　南无寶火佛
南无山佛　南无自在佛
南无寶精進日月光明莊嚴威德量聲王佛
南无初發心念觀一切疑即斷煩惱佛
南无斷三昧勝王佛　南无寶炎佛
南无大聚佛
從此以上八千五百佛十二部經一切賢聖
南无[illegible]佛　南无[illegible]佛

BD02974號　佛名經（十六卷本）卷一〇　（40-33）

南无[illegible]三時勝王佛　南无寶炎佛
南无大聚佛
從此以上八千五百佛十二部經一切賢聖
南无旃檀香佛　南无虛空平等佛
南无礼拜增上佛　南无不動作佛
南无歡喜佛　南无離畏佛
南无善清淨勝佛　南无光明王佛
南无不可降伏幢佛　南无勝一切佛
南无聞聲勝佛　南无善解佛
南无寶高佛　南无善解佛
南无月高佛　南无善見佛
南无毗賢首勝佛　南无得聖佛
南无成就一切事佛　南无山峯佛
南无普寶蓋莊嚴佛　南无廣光明王佛
南无寶善喜佛　南无清一切煩威德王佛
南无毗賢勝佛　南无樂日佛
南无普賢佛　南无功德王光明佛
南无普光明佛　南无普香佛
[illegible]

南无毗賢勝佛　南无樂日佛
南无普賢佛　南无功德王光明佛
南无普光明佛　南无普香佛
南无善清淨佛
次礼十二部尊經大藏法輪
南无檀若經　南无月明童子經
南无无憂施經　南无无思議孩童佛
南无隋藍經　南无法律三昧經
南无給孤獨四生家問受施經
南无禪行法相經　南无法受塵佛
南无須多和多經　南无羅云母經
南无嚴調經　南无七處三觀經
南无貧女經　南无決捴持經
南无七智經　南无所祇經
南无章經　南无耆闍崛山解經
南无留多經　南无未生王經
南无三乘經　南无便賢者稱佛
南无颰陁悔過經　南无三轉月明經
南无德施經　南无[illegible]經

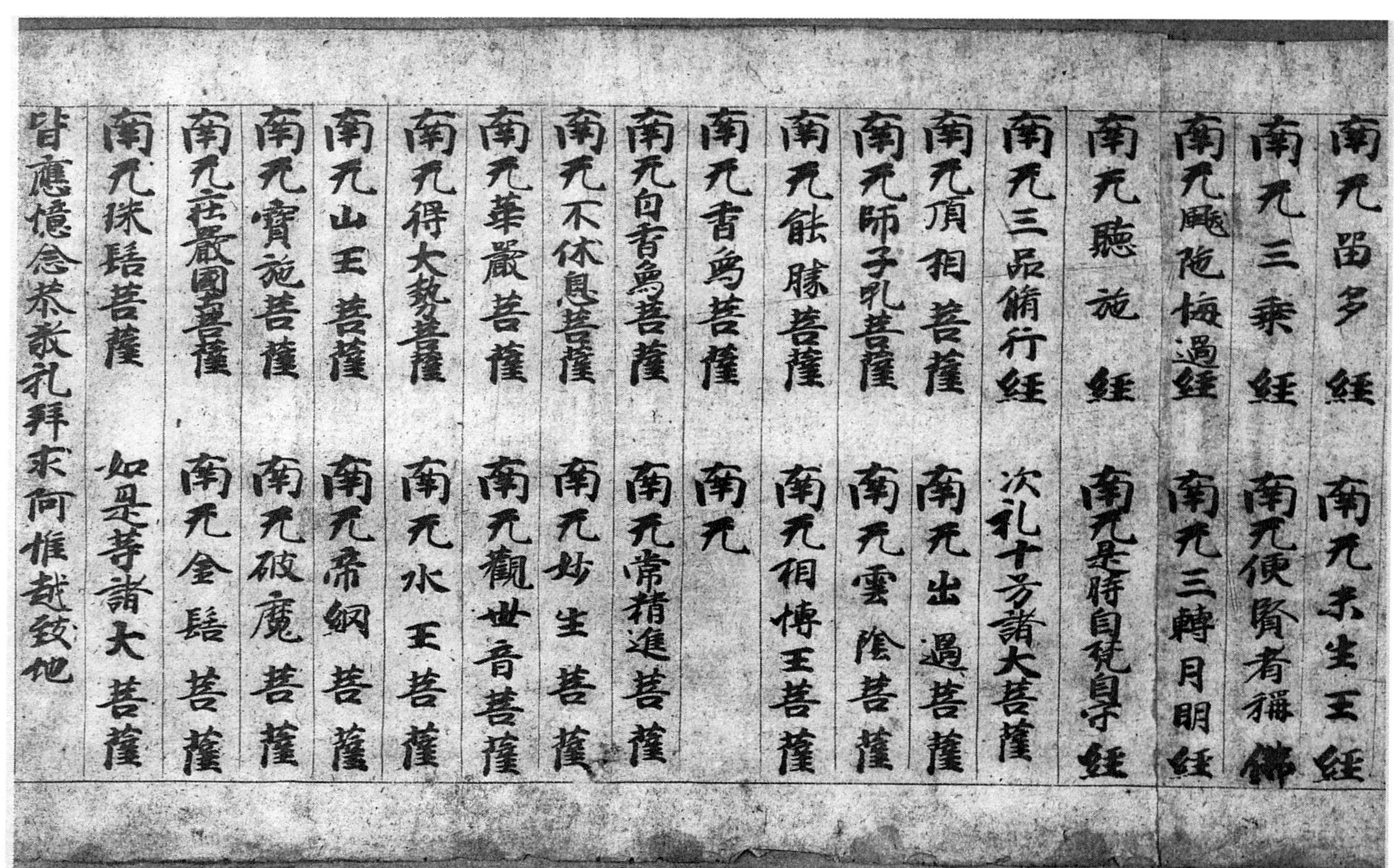
南无畄多経　南无未生王経
南无三乘経　南无便賢者稱佛
南无颰陁悔過経　南无三轉月明経
南无聽施経　南无是時自梵自守経
南无三品脩行経　次礼十方諸大菩薩
南无頂相菩薩　南无出過菩薩
南无師子乳菩薩　南无雲陰菩薩
南无能勝菩薩　南无相博王菩薩
南无香象菩薩　南无
南无白香象菩薩　南无常精進菩薩
南无不休息菩薩　南无妙生菩薩
南无華嚴菩薩　南无觀世音菩薩
南无得大勢菩薩　南无水王菩薩
南无山王菩薩　南无帝網菩薩
南无寶施菩薩　南无破魔菩薩
南无莊嚴國菩薩　南无金髻菩薩
南无珠髻菩薩　如是等諸大菩薩
皆應憶念恭敬礼拜求向惟越致地

BD02974號　佛名經（十六卷本）卷一〇　（40–36）

南无莊嚴國菩薩　南无金髻菩薩
南无珠髻菩薩　如是等諸大菩薩
皆應憶念恭敬礼拜求向惟越致地
次礼聲聞緣覺一切賢聖
南无毗耶離辟支佛　南无俱薩羅辟支佛
南无波毅陁辟支佛　南无无妻淨心辟支佛
南无寶无垢辟支佛　南无福德辟支佛
南无黑辟支佛　南无唯黑辟支佛
南无直福德辟支佛　南无識辟支佛
南无香辟支佛　南无有香辟支佛
歸命如是等无量无邊辟支佛
從此以上八千六百佛十二部経一切賢聖
礼三寶已次復懺悔
次復懺悔貪愛之罪経中說言但為貪欲閉在癡
獄没生死河莫之能出衆生為是五欲因緣從昔以
來流轉生死一一衆生一劫之中所積身骨如王舍
城毗富羅山所飲母乳如四大海水身所出血復過於此
父母兄弟六親眷屬命終哭泣所出目淚如四海水是

BD02974號　佛名經（十六卷本）卷一〇　（40–37）

獄沒生死河莫之能出衆生爲是五欲因緣從昔以
來流轉生死一一衆生一劫之中所積身骨如王舍
城毗富羅山所飲母乳如四大海水身所出血復過於此
父母兄弟六親眷屬命終哭泣所出目淚如四海水是
故說言有愛則生愛盡則滅故知生死貪愛爲本所
以經言婬欲之罪能令衆生墮於地獄餓鬼受苦若
在畜生則受鴿雀鴛鴦等身若生人中妻不
貞良得不隨意眷屬婬欲既有如此惡業是故
弟子今日至到稽顙歸依佛
南无東方師音王佛　南无南方大雲藏佛
南无西方无量壽佛　南无北方紅蓮華光佛
南无東南方无垢留佛　南无西南方勝調伏上佛
南无西北方散華生佛　南无東北方心同虛空佛
南无下方无垢稱王佛　南无上方淨智慧海佛
如是十方盡虛空界一切三寶
弟子自從无始以來至於今日或通人妻妾侵他婦
女侵陵貞潔汙比丘尼破他梵行逼迫不道濁心
耶視言語嘲調或復恥他門戶汙賢善名或於男
子五種人所起不淨行如是等罪今悉懺悔

BD02974號　佛名經（十六卷本）卷一〇　（40–38）

弟子自從无始以來至於今日或通人妻妾侵他婦
女侵陵貞潔汙比丘尼破他梵行逼迫不道濁心
耶視言語嘲調或復恥他門戶汙賢善名或於男
子五種人所起不淨行如是等罪今悉懺悔
又復无始以來至於今日或眼爲色或愛染玄黃紅
綠朱紫珎玩寶飾或取男女長短黑白姿態之相
起非法想耳貪好聲宮商弦管伎樂歌唱或取男
子音聲語言啼咲之相起非法想或鼻著名香
瘟麝幽蘭鬱金蘇合起非法想或舌貪好味鮮美
甘肥衆生肉血恣養四大更增苦本起非法想身樂
華綺綾羅繒縠一切細滑七珎靡服起非法想或意
亂想觸向乖法有六想造罪无甚如是等罪无量
无邊今日至到向十方佛尊法聖衆皆悉懺悔
願弟子等承是懺悔婬欲等罪所生功德願生生
世世自然化生不由胞胎清淨皎潔相好光麗六情
開朗聰利明了達恩愛猶如桎梏觀此六塵如幻如
化於五欲境決定厭離乃至夢中不起邪想內外
因緣永不能動願以懺悔眼根功德願今此眼徹見
十方諸佛菩薩清淨法身不以二乘下人二目

BD02974號　佛名經（十六卷本）卷一〇　（40–39）

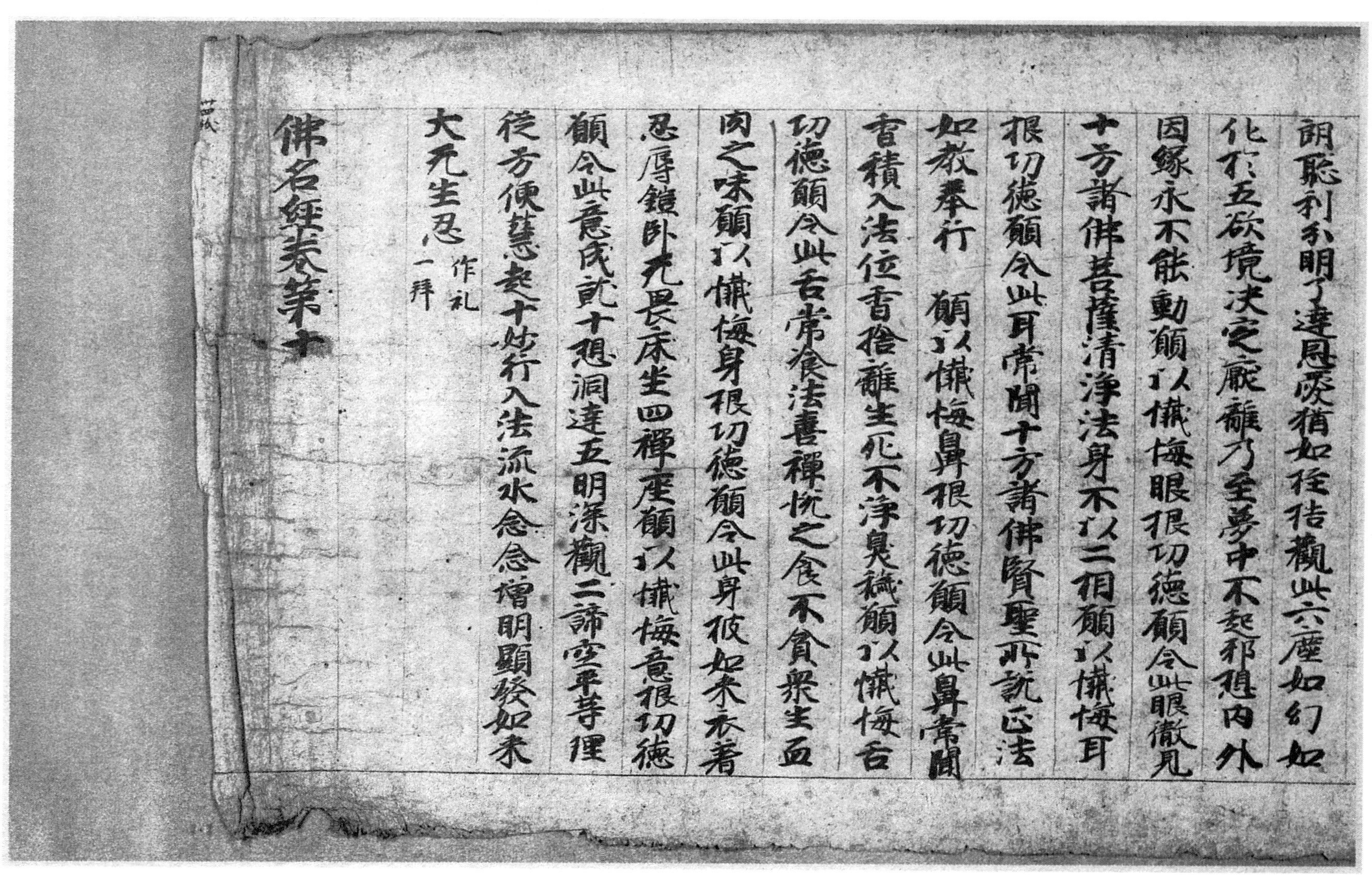
朗聰利亦明了達恩惑猶如狂待觀此六塵如幻如
化於五欲境决定厭離乃至夢中不起邪想内外
因緣永不能動願以懺悔眼根功德願令此眼徹見
十方諸佛菩薩清淨法身不以二相願以懺悔耳
根功德願令此耳常聞十方諸佛賢聖所說正法
如教奉行　願以懺悔鼻根功德願令此鼻常聞
香積入法位香捨離生死不淨臭穢願以懺悔舌
功德願令此舌常食法喜禪悅之食不貪衆生血
肉之味願以懺悔身根功德願令此身披如來衣著
忍辱鎧卧无畏床坐四禪座願以懺悔意根功德
願令此意成就十想洞達五明深觀二諦空平等理
從方便慧起十地行入法流水念念增明顯發如來
大无生忍　作礼一拜

佛名經卷第十

BD02974 號　佛名經（十六卷本）卷一〇　（40–40）

破有法王　出現世間　隨衆生欲　種種說法
如來尊重　智慧深遠　久默斯要　不務速說
有智若聞　則能信解　無智疑悔　則為永失
是故迦葉　隨力為說　以種種緣　令得正見
迦葉當知　譬如大雲　起於世間　遍覆一切
慧雲含潤　電光晃曜　雷聲遠震　令衆悅豫
日光掩蔽　地上清涼　靉靆垂布　如可承攬
其雨普等　四方俱下　流澍無量　率土充洽
山川險谷　幽邃所生　卉木藥草　大小諸樹
百穀苗稼　甘蔗蒲桃　雨之所潤　無不豐足
乾地普洽　藥木並茂　其雲所出　一味之水
草木叢林　隨分受潤　一切諸樹　上中下等
稱其大小　各得生長　根莖枝葉　華菓光色
一雨所及　皆得鮮澤　如其體相　性分大小
所潤是一　而各滋茂　佛亦如是　出現於世
譬如大雲　普覆一切　既出于世　為諸衆生
分別演說　諸法之實　大聖世尊　於諸天人
一切衆中　而宣是言　我為如來　兩足之尊
出于世間　猶如大雲　充潤一切　枯槁衆生
皆令離苦　得安隱樂　世間之樂　及涅槃樂
諸天人衆　一心善聽　皆應到此　覲無上尊

BD02975 號　妙法蓮華經卷三　（24–1）

一切衆中　而宣是言　我為如來　兩足之尊
出于世間　猶如大雲　充潤一切　枯槁衆生
皆令離苦　得安隱樂　世間之樂　及涅槃樂
諸天人衆　一心善聽　皆應到此　覲無上尊
我為世尊　無能及者　安隱衆生　故現於世
為大衆說　甘露淨法　其法一味　解脫涅槃
以一妙音　演暢斯義　常為大乘　而作因緣
我觀一切　普皆平等　無有彼此　愛憎之心
我無貪著　亦無限礙　恒為一切　平等說法
如為一人　衆多亦然　常演說法　曾無他事
去來坐立　終不疲猒　充足世間　如雨普潤
貴賤上下　持戒毀戒　威儀具足　及不具足
正見邪見　利根鈍根　等雨法雨　而無懈惓
一切衆生　聞我法者　隨力所受　住於諸地
或處人天　轉輪聖王　釋梵諸王　是小藥草
知無漏法　能得涅槃　起六神通　及得三明
獨處山林　常行禪定　得緣覺證　是中藥草
求世尊處　我當作佛　行精進定　是上藥草
又諸佛子　專心佛道　常行慈悲　自知作佛
決定無疑　是名小樹　安住神通　轉不退輪
度無量億　百千衆生　如是菩薩　名為大樹
佛平等說　如一味雨　隨衆生性　所受不同
如彼草木　所稟各異　佛以此喻　方便開示
種種言辭　演說一法　於佛智慧　如海一渧
我雨法雨　充滿世間　一味之法　隨力脩行
如彼叢林　藥草諸樹　隨其大小　漸增茂好
諸佛之法　常以一味　令諸世間　普得具足

BD02975號　妙法蓮華經卷三　（24–2）

度無量億　百千衆生　如是菩薩　名為大樹
佛平等說　如一味雨　隨衆生性　所受不同
如彼草木　所稟各異　佛以此喻　方便開示
種種言辭　演說一法　於佛智慧　如海一渧
我雨法雨　充滿世間　一味之法　隨力脩行
如彼叢林　藥草諸樹　隨其大小　漸增茂好
諸佛之法　常以一味　令諸世間　普得具足
漸次脩行　皆得道果　聲聞緣覺　處於山林
住最後身　聞法得果　是名藥草　各得增長
若諸菩薩　智慧堅固　了達三界　求最上乘
是名小樹　而得增長　復有住禪　得神通力
聞諸法空　心大歡喜　放無數光　度諸衆生
是名大樹　而得增長　如是迦葉　佛所說法
譬如大雲　以一味雨　潤於人華　各得成實
迦葉當知　以諸因緣　種種譬喻　開示佛道
是我方便　諸佛亦然　今為汝等　說最實事
諸聲聞衆　皆非滅度　汝等所行　是菩薩道
漸漸脩學　悉當成佛

妙法蓮華經授記品第六

尒時世尊說是偈已告諸大衆唱如是言我
此弟子摩訶迦葉於未來世當得奉覲三百
萬億諸佛世尊供養恭敬尊重讚歎廣宣諸
佛無量大法於最後身得成為佛名曰光明
如來應供正遍知明行足善逝世間解無上
士調御丈夫天人師佛世尊國名光德劫名
大莊嚴佛壽十二小劫正法住世二十小劫
像法亦住二十小劫國界嚴飾無諸穢惡瓦

BD02975號　妙法蓮華經卷三　（24–3）

佛無量大法於最後身得成為佛名曰光明
如來應供正遍知明行足善逝世間解無上
士調御丈夫天人師佛世尊國名光德劫名
大莊嚴佛壽十二小劫正法住世二十小劫
像法亦住二十小劫國界嚴飾無諸穢惡瓦
礫荊棘便利不淨其土平正無有高下坑坎
堆阜瑠璃為地寶樹行列黃金為繩以界道
側散諸寶華周遍清淨其國菩薩無量千億
諸聲聞眾亦復無數無有魔事雖有魔及魔
民皆護佛法尒時世尊欲重宣此義而說偈
言
告諸比丘　我以佛眼　見是迦葉　於未來世
過無數劫　當得作佛　而於來世　供養奉覲
三百萬億　諸佛世尊　為佛智慧　淨脩梵行
供養最上　二足尊已　脩習一切　無上之慧
於最後身　得成為佛　其土清淨　瑠璃為地
多諸寶樹　行列道側　金繩界道　見者歡喜
常出好香　散眾名華　種種奇妙　以為莊嚴
其地平正　無有丘坑　諸菩薩眾　不可稱計
其心調柔　逮大神通　奉持諸佛　大乘經典
諸聲聞眾　無漏後身　法王之子　亦不可計
乃以天眼　不能數知　其佛當壽　十二小劫
正法住世　二十小劫　像法亦住　二十小劫
光明世尊　其事如是
尒時大目揵連須菩提摩訶迦旃延等皆悉
悚慄一心合掌瞻仰世尊目不暫捨即共同
聲而說偈言

BD02975號　妙法蓮華經卷三　（24–4）

光明世尊　其事如是
尒時大目揵連須菩提摩訶迦旃延等皆悉
悚慄一心合掌瞻仰世尊目不暫捨即共同
聲而說偈言
大雄猛世尊　諸釋之法王　哀愍我等故　而賜佛音聲
若知我深心　見為授記者　如以甘露灑　除熱得清涼
如從飢國來　忽遇大王饍　心猶懷疑懼　未敢即便食
若復得王教　然後乃敢食　我等亦如是　每惟小乘過
不知當云何　得佛無上慧　雖聞佛音聲　言我等作佛
心尚懷憂懼　如未敢便食　若蒙佛授記　尒乃快安樂
大雄猛世尊　常欲安世間　願賜我等記　如飢須教食
尒時世尊知諸大弟子心之所念告諸比丘
是須菩提於當來世奉覲三百万億那由他
佛供養恭敬尊重讚歎常脩梵行具菩薩道
於最後身得成為佛號曰名相如來應供正
遍知明行足善逝世間解無上士調御丈夫
天人師佛世尊劫名有寶國名寶生其土平
正頗梨為地寶樹莊嚴無諸丘坑沙礫荊棘
便利之穢寶華覆地周遍清淨其土人民皆
處寶臺珍妙樓閣聲聞弟子無量無邊算數
譬喻所不能知諸菩薩眾無數千萬億那由
他佛壽十二小劫正法住世二十小劫像法
亦住二十小劫其佛常處虛空為眾說法度
脫無量菩薩及聲聞眾尒時世尊欲重宣此
義而說偈言
諸比丘眾　今告汝等　皆當一心　聽我所說

BD02975號　妙法蓮華經卷三　（24–5）

亦住二十小劫其佛常處虛空為衆說法度
脫無量菩薩及聲聞衆尒時世尊欲重宣此
義而說偈言
諸比丘衆　今告汝等　皆當一心　聽我所說
我大弟子　須菩提者　當得作佛　号曰名相
當供無數　萬億諸佛　隨佛所行　漸具大道
最後身得　三十二相　端正姝妙　猶如寶山
其佛國土　嚴淨第一　衆生見者　無不愛樂
佛於其中　度無量衆　其佛法中　多諸菩薩
皆悉利根　轉不退輪　彼國常以　菩薩莊嚴
諸聲聞衆　不可稱數　皆得三明　具六神通
住八解脫　有大威德　其佛說法　現於無量
神通變化　不可思議　諸天人民　數如恒沙
皆共合掌　聽受佛語　其佛當壽　十二小劫
正法住世　二十小劫　像法亦住　二十小劫
尒時世尊復告諸比丘衆我今語汝是大迦
旃延於當來世以諸供具供養奉事八千億
佛恭敬尊重諸佛滅後各起塔廟高千由旬
縱廣正等五百由旬以金銀瑠璃車璖馬瑙
真珠玫瑰七寶合成衆華瓔珞塗香末香燒
香繒蓋幢幡供養塔廟過是已後當復供養
二萬億佛亦復如是供養是諸佛已具菩薩
道當得作佛号曰閻浮那提金光如來應供
正遍知明行足善逝世間解無上士調御丈
夫天人師佛世尊其土平正頗梨為地寶樹
莊嚴黃金為繩以界道側妙華覆地周遍清

BD02975號　妙法蓮華經卷三

(24–6)

道當得作佛号曰閻浮那提金光如來應供
正遍知明行足善逝世間解無上士調御丈
夫天人師佛世尊其土平正頗梨為地寶樹
莊嚴黃金為繩以界道側妙華覆地周遍清
淨見者歡喜無四惡道地獄餓鬼畜生阿脩
羅道多有天人諸聲聞衆及諸菩薩無量万
億莊嚴其國佛壽十二小劫正法住世二十
小劫像法亦住二十小劫尒時世尊欲重宣
此義而說偈言
諸比丘衆　皆一心聽　如我所說　真實無異
是迦旃延　當以種種　妙好供具　供養諸佛
諸佛滅後　起七寶塔　亦以華香　供養舍利
其最後身　得佛智慧　成等正覺　國土清淨
度脫無量　萬億衆生　皆為十方　之所供養
佛之光明　無能勝者　其佛号曰　閻浮金光
菩薩聲聞　斷一切有　無量無數　莊嚴其國
尒時世尊復告大衆我今語汝是大目揵連
當以種種供具供養八千諸佛恭敬尊重諸
佛滅後各起塔廟高千由旬縱廣正等五百
由旬以金銀瑠璃車璖馬瑙真珠玫瑰七寶
合成衆華瓔珞塗香末香燒香繒蓋幢幡以
用供養過是已後當復供養二百萬億諸佛
亦復如是當德成佛号曰多摩羅跋栴檀香
如來應供正遍知明行足善逝世間解無上
士調御丈夫天人師佛世尊劫名喜滿國名
意樂其土平正頗梨為地寶樹莊嚴散真珠

BD02975號　妙法蓮華經卷三

(24–7)

亦復如是當德成佛号曰多摩羅跋栴檀香
如来應供正遍知明行足善逝世間解無上
士調御丈夫天人師佛世尊劫名喜滿國名
意樂其土平正頗梨為地寶樹莊嚴散真珠
華周遍清淨見者歡喜多諸天人菩薩聲聞
其數無量佛壽二十四小劫正法住世四十
小劫像法亦住四十小劫尒時世尊欲重宣
此義而說偈言
我此弟子　大目揵連　捨是身已　得見八千
二百万億　諸佛世尊　為佛道故　供養恭敬
於諸佛所　常脩梵行　於無量劫　奉持佛法
諸佛滅後　起七寶塔　長表金剎　華香伎樂
而以供養　諸佛塔廟　漸漸具足　菩薩道已
於意樂國　而得作佛　号多摩羅　栴檀之香
其佛壽命　二十四劫　常為天人　演說佛道
聲聞無量　如恒河沙　三明六通　有大威德
菩薩無數　志固精進　於佛智慧　皆不退轉
佛滅度後　正法當住　四十小劫　像法亦尒
我諸弟子　威德具足　其數五百　皆當授記
於未来世　咸得成佛　我及汝等　宿世因緣
吾今當說　汝等善聽

妙法蓮華經化城喻品第七

佛告諸比丘乃往過去無量無邊不可思議
阿僧祇劫尒時有佛名大通智勝如来應供
正遍知明行足善逝世間解無上士調御丈
夫天人師佛世尊其國名好成劫名大相諸

BD02975號　妙法蓮華經卷三　（24-8）

佛告諸比丘乃往過去無量無邊不可思議
阿僧祇劫尒時有佛名大通智勝如来應供
正遍知明行足善逝世間解無上士調御丈
夫天人師佛世尊其國名好成劫名大相諸
比丘彼佛滅度已来甚大久遠譬如三千大
千世界所有地種假使有人磨以為墨過於
東方千國土乃下一點大如微塵又過千國
土復下一點如是展轉盡地種墨於汝等意
云何是諸國土若算師若算師弟子能得邊
際知其數不不也世尊諸比丘是人所經國
土若點不點盡末為塵一塵一劫彼佛滅度
已来復過是數無量無邊百千萬億阿僧祇
劫我以如来知見力故觀彼久遠猶若今日
尒時世尊欲重宣此義而說偈言
我念過去世　無量無邊劫　有佛兩足尊　名大通智勝
如人以力磨　三千大千土　盡此諸地種　皆悉以為墨
過於千國土　乃下一塵點　如是展轉點　盡此諸塵墨
如是諸國土　點與不點等　復盡末為塵　一塵為一劫
此諸微塵數　其劫復過是　彼佛滅度来　如是無量劫
如来無礙智　知彼佛滅度　及聲聞菩薩　如見今滅度
諸比丘當知　佛智淨微妙　無漏無所礙　通達無量劫
佛告諸比丘大通智勝佛壽五百四十萬億
那由他劫其佛本坐道場破魔軍已垂得阿
耨多羅三藐三菩提而諸佛法不現在前如
是一小劫乃至十小劫結跏趺坐身心不動
而諸佛法猶不在前尒時忉利諸天先為彼
佛於菩提樹下敷師子座高一由旬佛於此

BD02975號　妙法蓮華經卷三　（24-9）

那由他劫其佛本坐道場破魔軍已垂得阿
耨多羅三藐三菩提而諸佛法不現在前如
是一小劫乃至十小劫結跏趺坐身心不動
而諸佛法猶不在前尒時忉利諸天先為彼
佛於菩提樹下敷師子座高一由旬佛於此
座當得阿耨多羅三藐三菩提適坐此座時
諸梵天王雨衆天華面百由旬香風時来吹
去萎華更雨新者如是不絕滿十小劫供養
於佛乃至滅度常雨此華四王諸天為供養
佛常擊天皷其餘諸天作天伎樂滿十小劫
至于滅度亦復如是諸比丘大通智勝佛過
十小劫諸佛之法乃現在前成阿耨多羅三
藐三菩提其佛未出家時有十六子其苐一
者名曰智積諸子各有種種珎異玩好之具
聞父得成阿耨多羅三藐三菩提皆捨所珎
往詣佛所諸母涕泣而隨送之其祖轉輪聖
王與一百大臣及餘百千萬億人民皆共圍
繞隨至道場咸欲親近大通智勝如来供養
恭敬尊重讚歎到已頭面礼足繞佛畢已一
心合掌瞻仰世尊以偈頌曰
大威德世尊　為度衆生故　於无量億歲　尒乃得成佛
諸願已具足　善哉吉無上　世尊甚希有　一坐十小劫
身體及手足　静然安不動　其心常惔怕　未曾有散亂
究竟永寂滅　安住无漏法　今者見世尊　安隱成佛道
我等得善利　稱慶大歡喜　衆生常苦惱　盲瞑无導師
不識苦盡道　不知求解脫　長夜增惡趣　減損諸天衆

諸願已具足　善哉吉無上　世尊甚希有　一坐十小劫
身體及手足　静然安不動　其心常惔怕　未曾有散亂
究竟永寂滅　安住无漏法　今者見世尊　安隱成佛道
我等得善利　稱慶大歡喜　衆生常苦惱　盲瞑无導師
不識苦盡道　不知求解脫　長夜增惡趣　減損諸天衆
從瞑入於瞑　永不聞佛名　今佛得最上　安隱无漏法
我等及天人　為得最大利　是故咸稽首　歸命無上尊
尒時十六王子偈讚佛已勸請世尊轉於法
輪咸作是言世尊說法多所安隱憐愍饒益
諸天人民重說偈言
世雄無等倫　百福自莊嚴　得無上智慧　願為世間說
度脫於我等　及諸衆生類　為分別顯示　令得是智慧
若我等得佛　衆生亦復然　世尊知衆生　深心之所念
亦知所行道　又知智慧力　欲樂及脩福　宿命所行業
世尊悉知已　當轉無上輪
佛告諸比丘大通智勝佛得阿耨多羅三藐
三菩提時十方各五百萬億諸佛世界六種
震動其國中間幽瞑之處日月威光所不能
照而皆大明其中衆生各得相見咸作是言
此中云何忽生衆生又其國界諸天宮殿乃
至梵宮六種震動大光普照遍滿世界勝諸
天光尒時東方五百万億諸國土中梵天宮
殿光明照曜倍於常明諸梵天王各作是念
今者宮殿光明昔所未有以何因緣而現此
相是時諸梵天王即各相詣共議此事而彼
衆中有一大梵天王名救一切為諸梵衆而

殿光明照曜倍於常明諸梵天王各作是念
今者宮殿光明昔所未有以何因緣而現此
相是時諸梵天王即各相詣共議此事而彼
衆中有一大梵天王名救一切爲諸梵衆而
說偈言
我等諸宮殿　光明昔未有　此是何因緣　宜各共求之
爲大德天生　爲佛出世間　而此大光明　遍照於十方
尒時五百万億國土諸梵天王與宮殿俱各
以衣裓盛諸天華共詣西方推尋是相見大
通智勝如來處于道場菩提樹下坐師子座
諸天龍王乾闥婆緊那羅摩睺羅伽人非人
等恭敬圍遶及見十六王子請佛轉法輪即
時諸梵天王頭面礼佛繞百千帀即以天華
而散佛上其所散華如須弥山并以供養佛
菩提樹其菩提樹高十由旬華供養已各以
宮殿奉上彼佛而作是言唯見哀愍饒益我
等所獻宮殿願垂納處時諸梵天王即於佛
前一心同聲以偈頌曰
世尊甚希有　難可得值遇　具無量功德　能救護一切
天人之大師　哀愍於世間　十方諸衆生　普皆蒙饒益
我等所從來　五百萬億國　捨深禪定樂　爲供養佛故
我等先世福　宮殿甚嚴飾　今以奉世尊　唯願哀納受
尒時諸梵天王偈讚佛已各作是言唯願世
尊轉於法輪度脫衆生開涅槃道時諸梵天
王一心同聲而說偈言
世雄兩足尊　唯願演說法　以大慈悲力　度苦惱衆生

BD02975號　妙法蓮華經卷三　（24–12）

我等先世福　宮殿甚嚴飾　今以奉世尊　唯願哀納受
尒時諸梵天王偈讚佛已各作是言唯願世
尊轉於法輪度脫衆生開涅槃道時諸梵天
王一心同聲而說偈言
世雄兩足尊　唯願演說法　以大慈悲力　度苦惱衆生
尒時大通智勝如來默然許之又諸比丘東南
方五百萬億國土諸大梵王各自見宮殿光
明照曜昔所未有歡喜踊躍生希有心即各
相詣共議此事而彼衆中有一大梵天王名
曰大悲爲諸梵衆而說偈言
是事何因緣　而現如此相　我等諸宮殿　光明昔未有
爲大德天生　爲佛出世間　未曾見此相　當共一心求
過千万億土　尋光共推之　多是佛出世　度脫苦衆生
尒時五百萬億諸梵天王與宮殿俱各以衣
裓盛諸天華共詣西北方推尋是相見大通
智勝如來處于道場菩提樹下坐師子座諸
天龍王乾闥婆緊那羅摩睺羅伽人非人等
恭敬圍遶及見十六王子請佛轉法輪時諸
梵天王頭面礼佛繞百千帀即以天華而散
佛上所散之華如須弥山并以供養佛菩提
樹華供養已各以宮殿奉上彼佛而作是言
唯見哀愍饒益我等所獻宮殿願垂納處尒
時諸梵天王即於佛前一心同聲以偈頌曰
聖主天中天　迦陵頻伽聲　哀愍衆生者　我等今敬礼
世尊甚希有　久遠乃一現　一百八十劫　空過無有佛
三惡道充滿　諸天衆減少　今佛出於世　爲衆生作眼
世間所歸趣　救護於一切　爲衆生之父　哀愍饒益者

BD02975號　妙法蓮華經卷三　（24–13）

唯見哀愍饒益我等所獻宮殿願垂納處尒
時諸梵天王即於佛前一心同聲以偈頌曰
聖主天中天 迦陵頻伽聲 哀愍衆生者 我等今敬礼
世尊甚希有 久遠乃一現 一百八十劫 空過無有佛
三惡道充滿 諸天衆減少 今佛出於世 爲衆生作眼
世間所歸趣 救護於一切 爲衆生之父 哀愍饒益者
我等宿福慶 今得值世尊
尒時諸梵天王偈讚佛已各作是言唯願世
尊哀愍一切轉於法輪度脫衆生時諸梵天
王一心同聲而說偈言
大聖轉法輪 顯示諸法相 度苦惱衆生 令得大歡喜
衆生聞此法 得道若生天 諸惡道減少 忍善者增益
尒時大通智勝如来默然許之又諸比丘南
方五百萬億國土諸大梵王各自見宮殿光
明照曜昔所未有歡喜踊躍生希有心即各
相詣共議此事以何因緣我等宮殿有此光
曜而彼衆中有一大梵天王名曰妙法爲諸
梵衆而說偈言
我等諸宮殿 光明甚威曜 此非無因緣 是相宜求之
過於百千劫 未曾見是相 爲大德天生 爲佛出世間
尒時五百萬億諸梵天王與宮殿俱各以衣
裓盛諸天華共詣北方推尋是相見大通智
勝如来處于道場菩提樹下坐師子座諸天
龍王乾闥婆緊那羅摩睺羅伽人非人等恭
敬圍繞及見十六王子請佛轉法輪時諸梵
天王頭面礼佛繞百千帀即以天華而散佛

BD02975號 妙法蓮華經卷三 （24–14）

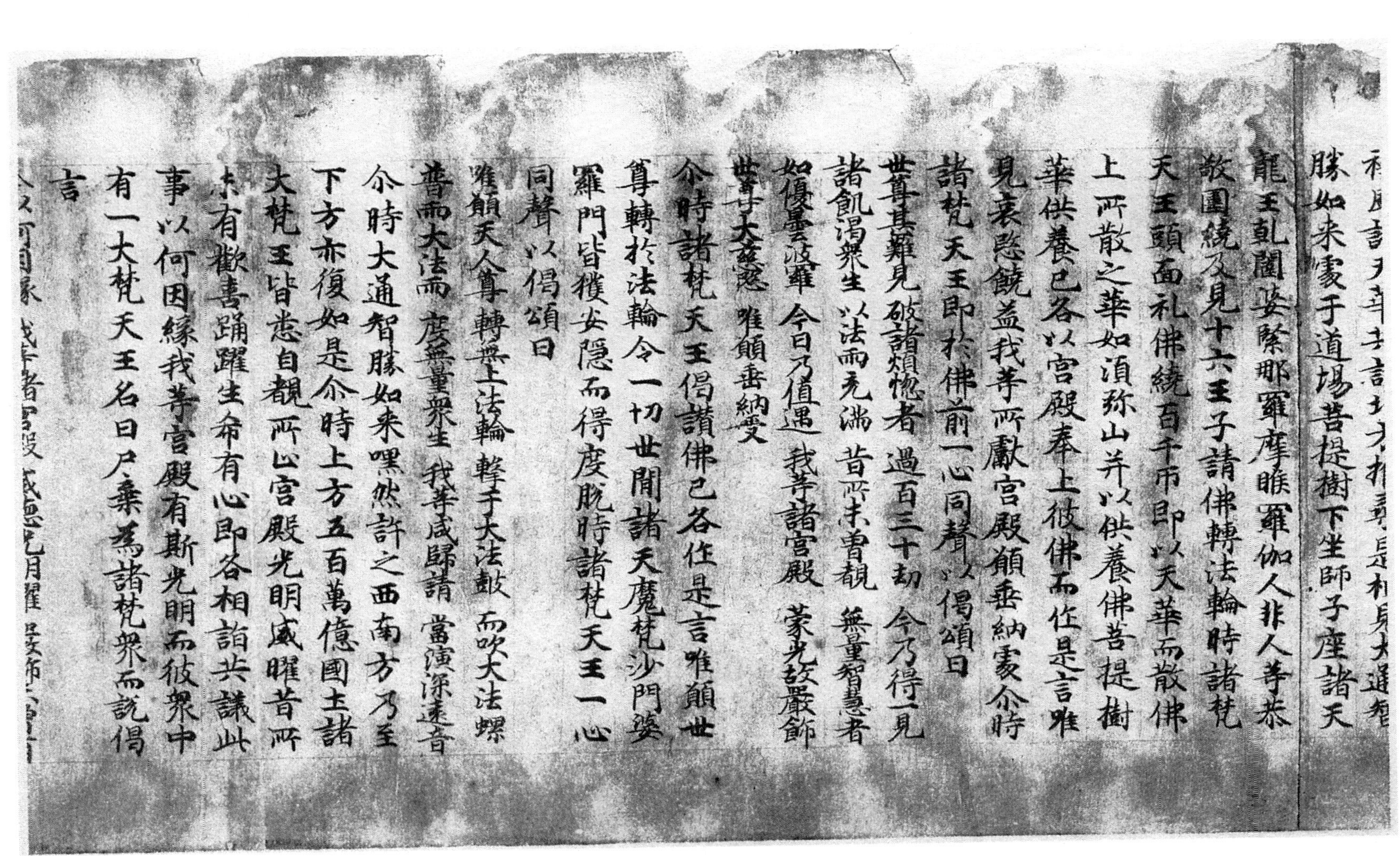

裓盛諸天華共詣北方推尋是相見大通智
勝如来處于道場菩提樹下坐師子座諸天
龍王乾闥婆緊那羅摩睺羅伽人非人等恭
敬圍繞及見十六王子請佛轉法輪時諸梵
天王頭面礼佛繞百千帀即以天華而散佛
上所散之華如須弥山并以供養佛菩提樹
華供養已各以宮殿奉上彼佛而作是言唯
見哀愍饒益我等所獻宮殿願垂納處尒時
諸梵天王即於佛前一心同聲以偈頌曰
世尊甚難見 破諸煩惱者 過百三十劫 今乃得一見
諸飢渴衆生 以法雨充滿 昔所未曾覩 無量智慧者
如優曇波羅 今日乃值遇 我等諸宮殿 蒙光故嚴飾
世尊大慈愍 唯願垂納受
尒時諸梵天王偈讚佛已各作是言唯願世
尊轉於法輪令一切世間諸天魔梵沙門婆
羅門皆獲安隱而得度脫時諸梵天王一心
同聲以偈頌曰
唯願天人尊 轉無上法輪 擊于大法鼓 而吹大法螺
普雨大法雨 度無量衆生 我等咸歸請 當演深遠音
尒時大通智勝如来默然許之西南方乃至
下方亦復如是尒時上方五百萬億國土諸
大梵王皆悉自覩所止宮殿光明威曜昔所
未有歡喜踊躍生希有心即各相詣共議此
事以何因緣我等宮殿有斯光明而彼衆中
有一大梵天王名曰尸棄爲諸梵衆而說偈
言

BD02975號 妙法蓮華經卷三 （24–15）

事以何因緣我等宮殿有斯光明而彼衆中
有一大梵天王名曰尸棄為諸梵衆而說偈
言
今以何因緣 我等諸宮殿 威德光明曜 嚴飾未曾有
如是之妙相 昔所未聞見 為大德天生 為佛出世間
爾時五百萬億諸梵天王與宮殿俱各以衣
裓盛諸天華共詣下方推尋是相見大通智
勝如來處于道場菩提樹下坐師子座諸天
龍王乾闥婆緊那羅摩睺羅伽人非人等恭
敬圍繞及見十六王子請佛轉法輪時諸梵
天王頭面禮佛繞百千帀即以天華而散佛
上所散之華如須彌山并以供養佛菩提樹
華供養已各以宮殿奉上彼佛而作是言唯
見哀愍饒益我等所獻宮殿願垂納處時諸
梵天王即於佛前一心同聲以偈頌曰
善哉見諸佛 救世之聖尊 能於三界獄 勉出諸衆生
普智天人尊 哀愍群萌類 能開甘露門 廣度於一切
於昔無量劫 空過無有佛 世尊未出時 十方常暗瞑
三惡道增長 阿修羅亦盛 諸天衆轉減 死多墮惡道
不從佛聞法 常行不善事 色力及智慧 斯等皆減少
罪業因緣故 失樂及樂想 住於邪見法 不識善儀則
不蒙佛所化 常墮於惡道 佛為世間眼 久遠時乃出
哀愍諸衆生 故現於世間 超出成正覺 我等甚欣慶
及餘一切衆 喜歎未曾有 我等諸宮殿 蒙光故嚴飾
今以奉世尊 唯垂哀納受 願以此功德 普及於一切
我等與衆生 皆共成佛道

BD02975號　妙法蓮華經卷三　（24–16）

哀愍諸衆生 故現於世間 超出成正覺 我等甚欣慶
及餘一切衆 喜歎未曾有 我等諸宮殿 蒙光故嚴飾
今以奉世尊 唯垂哀納受 願以此功德 普及於一切
我等與衆生 皆共成佛道
爾時五百萬億諸梵天王偈讚佛已各白佛
言唯願世尊轉於法輪多所安隱多所度脫
時諸梵天王而說偈言
世尊轉法輪 擊甘露法鼓 度苦惱衆生 開示涅槃道
唯願受我請 以大微妙音 哀愍而敷演 无量劫習法
爾時大通智勝如來受十方諸梵天王及十
六王子請即時三轉十二行法輪若沙門婆
羅門若天魔梵及餘世間所不能轉謂是苦
是苦集是苦滅是苦滅道及廣說十二因緣
法無明緣行行緣識識緣名色名色緣六入
六入緣觸觸緣受受緣愛愛緣取取緣有有
緣生生緣老死憂悲苦惱無明滅則行滅行
滅則識滅識滅則名色滅名色滅則六入滅
六入滅則觸滅觸滅則受滅受滅則愛滅愛
滅則取滅取滅則有滅有滅則生滅生滅則
老死憂悲苦惱滅佛於天人大衆之中說是
法時六百万億那由他人以不受一切法故
而於諸漏心得解脫皆得深妙禪定三明六
通具八解脫第二第三第四說法時千万億
恒河沙那由他等衆生亦以不受一切法故
而於諸漏心得解脫從是已後諸聲聞衆無
量無邊不可稱數爾時十六王子皆以童子

BD02975號　妙法蓮華經卷三　（24–17）

通具八解脫第二第三第四說法時千万億
恒河沙那由他等衆生亦以不受一切法故
而於諸漏心得解脫從是已後諸聲聞衆無
量無邊不可稱數尒時十六王子皆以童子
出家而為沙弥諸根通利智慧明了已曾供
養百千万億諸佛淨脩梵行求阿耨多羅三
藐三菩提俱白佛言世尊是諸無量千万億
大德聲聞皆已成就世尊亦當為我等說阿
耨多羅三藐三菩提法我等聞已皆共脩學
世尊我等志願如来知見深心所念佛自證
知尒時轉輪聖王所將衆中八万億人見十
六王子出家亦求出家王即聽許尒時彼佛
受沙弥請過二万劫已乃於四衆之中說是
大乘經名妙法蓮華教菩薩法佛所護念說
是經已十六沙弥為阿耨多羅三藐三菩提
故皆共受持諷誦通利說是經時十六菩薩
沙弥皆悉信受聲聞衆中亦有信解其餘衆
生千万億種皆生疑惑佛說是經於八千劫
未曾休廢說此經已即入靜室住於禪定八
万四千劫是時十六菩薩沙弥知佛入室寂
然禪定各昇法座亦於八万四千劫為四部
衆廣說分別妙法華經一一皆度六百万億
那由他恒河沙等衆生示教利喜令發阿耨
多羅三藐三菩提心大通智勝佛過八万四
千劫已從三昧起往詣法座安詳而生普告
大衆是十六菩薩沙弥甚為希有諸根通利

BD02975號　妙法蓮華經卷三　（24–18）

那由他恒河沙等衆生示教利喜令發阿耨
多羅三藐三菩提心大通智勝佛過八万四
千劫已從三昧起往詣法座安詳而生普告
大衆是十六菩薩沙弥甚為希有諸根通利
智慧明了已曾供養无量千万億數諸佛於
諸佛所常脩梵行受持佛智開示衆生令入
其中汝等皆當數數親近而供養之所以者
何若聲聞辟支佛及諸菩薩能信是十六菩
薩所說經法受持不毀者是人皆當得阿耨
多羅三藐三菩提如来之慧佛告諸比丘是
十六菩薩常樂說是妙法蓮華經一一菩薩
所化六百万億那由他恒河沙等衆生世世
所生與菩薩俱從其聞法悉皆信解以此因
緣得值四万億諸佛世尊于今不盡諸比丘
我今語汝彼佛弟子十六沙弥今皆得阿耨
多羅三藐三菩提於十方國土現在說法有
無量百千万億菩薩聲聞以為眷屬其二沙
弥東方作佛一名阿閦在歡喜國二名須弥
頂東南方二佛一名師子音二名師子相南
方二佛一名虛空住二名常滅西南方二佛
一名帝相二名梵相西方二佛一名阿弥陁
二名度一切世間苦惱西北方二佛一名多
摩羅跋栴檀香神通二名須弥相北方二佛
一名雲自在二名雲自在王東北方佛名壞
一切世間怖畏第十六我釋迦牟尼佛於娑
婆國土成阿耨多羅三藐三菩提諸比丘我

BD02975號　妙法蓮華經卷三　（24–19）

二名度一切世間苦惱西北方二佛一名多
摩羅跋栴檀香神通二名須弥相北方二佛
一名雲自在二名雲自在王東北方佛名壞
一切世間怖畏苐十六我釋迦牟尼佛於娑
婆國土成阿耨多羅三藐三菩提諸比丘我
等為沙弥時各各教化無量百千万億恒河
沙等衆生從我聞法為阿耨多羅三藐三菩
提此諸衆生于今有住聲聞地者我常教化
阿耨多羅三藐三菩提是諸人等應以是法
漸入佛道所以者何如来智慧難信難解尒
時所化無量恒河沙等衆生者汝等諸比丘
及我滅度後未来世中聲聞弟子是也我滅
度後復有弟子不聞是經不知不覺菩薩所
行自於所得功德生滅度想當入涅槃我於
餘國作佛更有異名是人雖生滅度之想入
於涅槃而於彼土求佛智慧得聞是經唯以
佛乘而得滅度更無餘乘除諸如来方便說
法諸比丘若如来自知涅槃時到衆又清淨
信解堅固了達空法深入禪定便集諸菩薩
及聲聞衆為說是經世間無有二乘而得滅
度唯一佛乘得滅度耳比丘當知如来方便
深入衆生之性知其志樂小法深著五欲為
是等故說於涅槃是人若聞則便信受譬如
五百由旬險難惡道曠絕無人怖畏之處若
有多衆欲過此道至珎寶處有一導師聰慧
明達善知險道通塞之相將導衆人欲過此

五百由旬險難惡道曠絕無人怖畏之處若
有多衆欲過此道至珎寶處有一導師聰慧
明達善知險道通塞之相將導衆人欲過此
難所將人衆中路懈退白導師言我等疲極
而復怖畏不能復進前路猶遠今欲退還導
師多諸方便而作是念此等可愍云何捨大
珎寶而欲退還作是念已以方便力於險道
中過三百由旬化作一城告衆人言汝等勿
怖莫得退還今此大城可於中止隨意所作
若入是城快得安隱若能前至寶所亦可得
去是時疲極之衆心大歡喜歎未曾有我等
今者免斯惡道快得安隱於是衆人前入化
城生已度想生安隱想尒時導師知此人衆
既得止息無復疲惓即滅化城語衆人言汝
等去来寶處在近向者大城我所化作為止
息耳諸比丘如来亦復如是今為汝等作大
導師知諸生死煩惱惡道險難長遠應去應
度若衆生但聞一佛乘者則不欲見佛不欲
親近便作是念佛道長遠久受勤苦乃可得
成佛知是心怯弱下劣以方便力而於中道
為止息故說二涅槃若衆生住於二地如来
尒時即便為說汝等所作未辦汝所住地近
於佛慧當觀察籌量所得涅槃非真實也但
是如来方便之力於一佛乘分別說三如彼
導師為止息故化作大城既知息已而告之
言寶處在近此城非實我化作耳尒時世尊
欲重宣此義而說偈言

尒時即便為說汝等所作未辦汝所住地近
於佛慧當觀察籌量所得涅槃非真實也但
是如来方便之力於一佛乘分別說三如彼
導師為止息故化作大城既知息已而告之
言寶處在近此城非實我化作耳尒時世尊
欲重宣此義而說偈言
大通智勝佛　十劫坐道場　佛法不現前　不得成佛道
諸天神龍王　阿脩羅衆等　常雨於天華　以供養彼佛
諸天擊天皷　并作衆伎樂　香風吹萎華　更雨新好者
過十小劫已　乃得成佛道　諸天及世人　心皆懷踊躍
彼佛十六子　皆與其眷屬　千万億圍繞　俱行至佛所
頭面礼佛足　而請轉法輪　聖師子法雨　充我及一切
世尊甚難值　久遠時一現　為覺悟群生　震動於一切
東方諸世界　五百万億國　梵宮殿光曜　昔所未曾有
諸梵見此相　尋来至佛所　散華以供養　并奉上宮殿
請佛轉法輪　以偈而讚歎　佛知時未至　受請嘿然坐
三方及四維　上下亦復尒　散華奉宮殿　請佛轉法輪
世尊甚難值　願以大慈悲　廣開甘露門　轉無上法輪
無量慧世尊　受彼衆人請　為宣種種法　四諦十二緣
無明至老死　皆從生緣有　如是衆過患　汝等應當知
宣暢是法時　六百万億姟　得盡諸苦際　皆成阿羅漢
第二說法時　千万恒沙衆　於諸法不受　亦得阿羅漢
從是後得道　其數無有量　万億劫筭數　不能得其邊
時十六王子　出家作沙門　皆共請彼佛　演說大乘法
我等及營從　皆當成佛道　願得如世尊　慧眼第一淨
佛知童子心　宿世之所行　以無量因緣　種種諸譬喻
說六波羅蜜　及諸神通事　分別真實法　菩薩所行道

BD02975 號　妙法蓮華經卷三　（24–22）

從是後得道　其數無有量　万億劫筭數　不能得其邊
時十六王子　出家作沙門　皆共請彼佛　演說大乘法
我等及營從　皆當成佛道　願得如世尊　慧眼第一淨
佛知童子心　宿世之所行　以無量因緣　種種諸譬喻
說六波羅蜜　及諸神通事　分別真實法　菩薩所行道
說是法華經　如恒河沙偈　彼佛說經已　靜室入禪定
一心一處坐　八万四千劫　是諸沙弥等　知佛禪未出
為無量億衆　說佛無上慧　各各坐法坐　說是大乘經
於佛宴寂後　宣揚助法化　一一沙弥等　所度諸衆生
有六百万億　恒河沙等衆　彼佛滅度後　是諸聞法者
在在諸佛土　常與師俱生　是十六沙弥　具足行佛道
今現在十方　各得成正覺　尒時聞法者　各在諸佛所
其有住聲聞　漸教以佛道　我在十六數　曾亦為汝說
是故以方便　引汝趣佛慧　以是本因緣　今說法華經
令汝入佛道　慎勿懷驚懼　譬如險惡道　迥絕多毒獸
又復無水草　人所怖畏處　無數千万衆　欲過此險道
其路甚曠遠　經五百由旬　時有一導師　強識有智慧
明了心決定　在險濟衆難　衆人皆疲惓　而白導師言
我等今頓乏　於此欲退還　導師作是念　此輩甚可愍
如何欲退還　而失大珍寶　尋時思方便　當設神通力
化作大城郭　莊嚴諸舍宅　周帀有園林　渠流及浴池
重門高樓閣　男女皆充滿　即作是化已　慰衆言勿懼
汝等入此城　各可隨所樂　諸人既入城　心皆大歡喜
皆生安隱想　自謂已得度　導師知息已　集衆而告言
汝等當前進　此是化城耳　我見汝疲極　中路欲退還
故以方便力　權化作此城　汝今勤精進　當共至寶所

BD02975 號　妙法蓮華經卷三　（24–23）

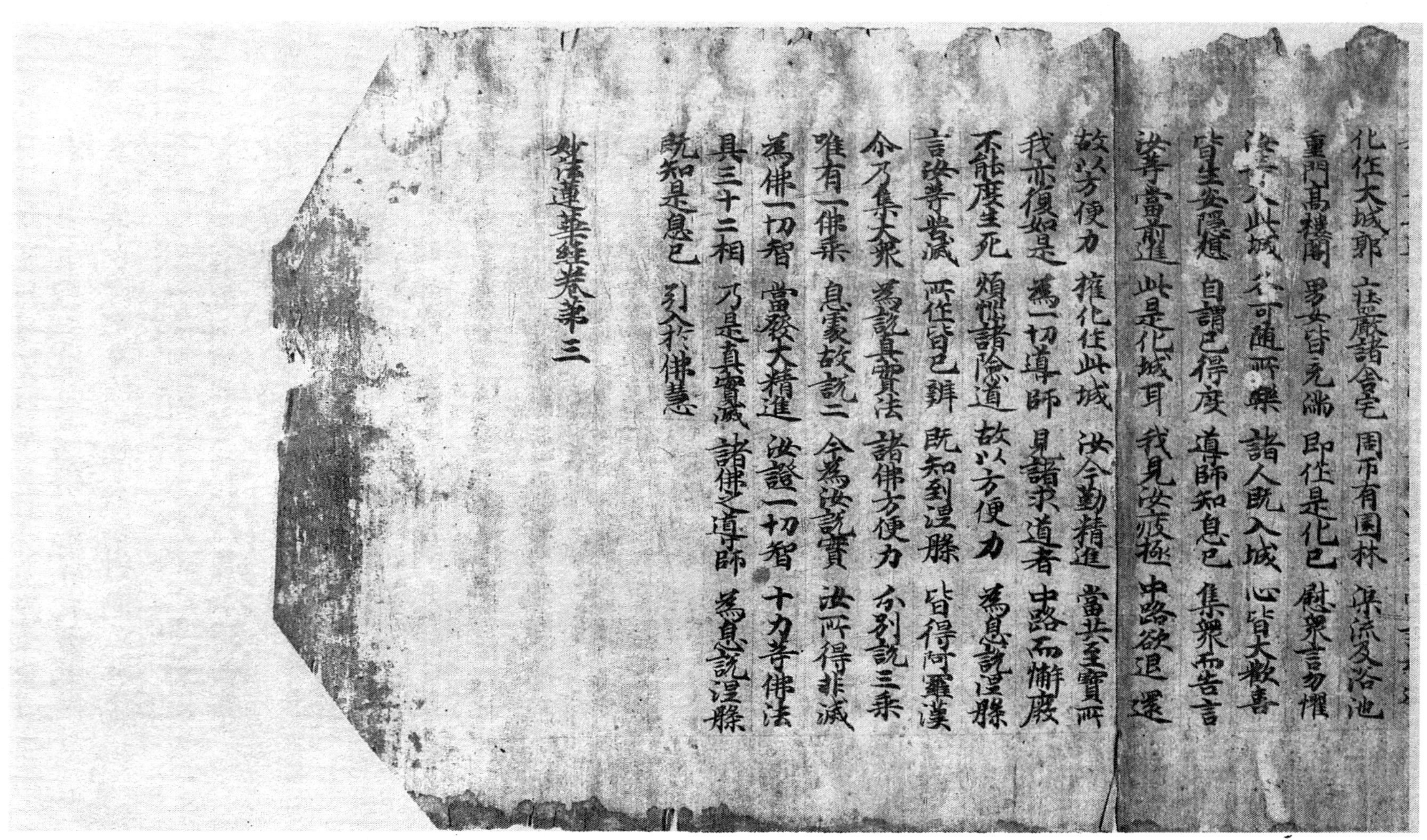

化作大城郭　莊嚴諸舍宅　周帀有園林　渠流及浴池
重門高樓閣　男女皆充滿　即作是化已　慰衆言勿懼
汝等入此城　各可隨所樂　諸人既入城　心皆大歡喜
皆生安隱想　自謂已得度　導師知息已　集衆而告言
汝等當前進　此是化城耳　我見汝疲極　中路欲退還
故以方便力　權化作此城　汝今勤精進　當共至寶所
我亦復如是　為一切導師　見諸求道者　中路而懈廢
不能度生死　煩惱諸險道　故以方便力　為息說涅槃
言汝等苦滅　所作皆已辦　既知到涅槃　皆得阿羅漢
尒乃集大衆　為說真實法　諸佛方便力　分別說三乘
唯有一佛乘　息處故說二　今為汝說實　汝所得非滅
為佛一切智　當發大精進　汝證一切智　十力等佛法
具三十二相　乃是真實滅　諸佛之導師　為息說涅槃
既知是息已　引入於佛慧

妙法蓮華經卷第三

BD02975 號　妙法蓮華經卷三　　（24–24）

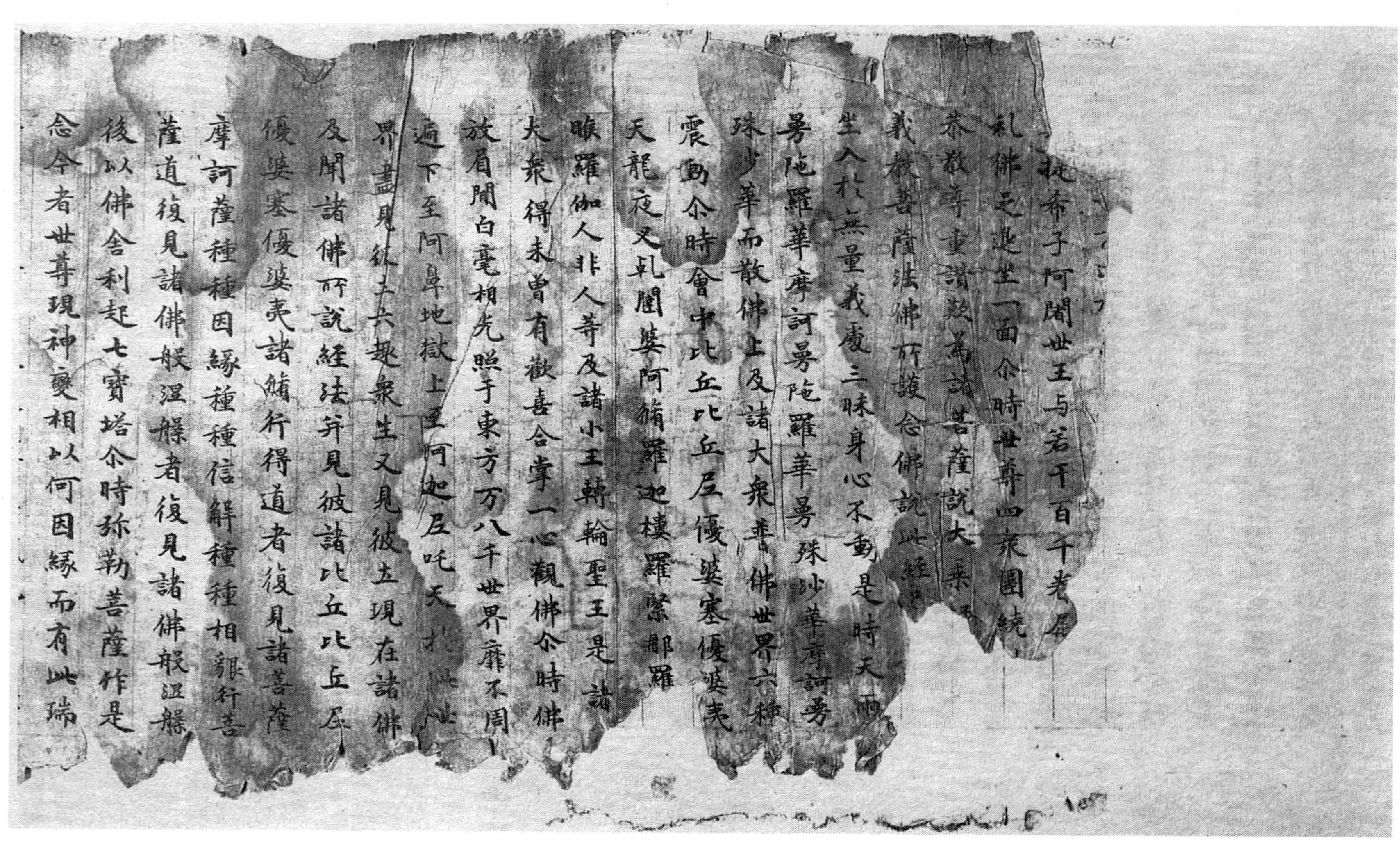

提希子阿闍世王与若干百千眷屬
礼佛足退坐一面尒時世尊四衆圍繞
恭敬尊重讚歎為諸菩薩說大乘
義教菩薩法佛所護念佛說此經
坐入於無量義處三昧身心不動是時天雨
曼陀羅華摩訶曼陀羅華曼殊沙華摩訶曼
殊沙華而散佛上及諸大衆普佛世界六種
震動尒時會中比丘比丘尼優婆塞優婆夷
天龍夜叉乾闥婆阿脩羅迦樓羅緊那羅
睺羅伽人非人等及諸小王轉輪聖王是諸
大衆得未曾有歡喜合掌一心觀佛尒時佛
放眉間白毫相光照于東方万八千世界靡不周
遍下至阿鼻地獄上至阿迦尼吒天於此世
界盡見彼土六趣衆生又見彼土現在諸佛
及聞諸佛所說經法并見彼諸比丘比丘尼
優婆塞優婆夷諸脩行得道者復見諸菩薩
摩訶薩種種因緣種種信解種種相貌行菩
薩道復見諸佛般涅槃者復見諸佛般涅槃
後以佛舍利起七寶塔尒時彌勒菩薩作是
念今者世尊現神變相以何因緣而有此瑞

BD02976 號　妙法蓮華經卷一　　（25–1）

優婆塞優婆夷諸脩行得道者復見諸菩薩
摩訶薩種種因緣種種信解種種相貌行菩
薩道復見諸佛般涅槃者復見諸佛般涅槃
後以佛舍利起七寶塔尒時弥勒菩薩作是
念今者世尊現神變相以何因緣而有此瑞
今佛世尊入于三昧是不可思議現希有事
當以問誰誰能荅者復作此念是文殊師利
法王之子已曾親近供養過去無量諸佛必
應見此希有之相我今當問尒時比丘比丘
尼優婆塞優婆夷及諸天龍鬼神等咸作此
念是佛光明神通之相今當問誰尒時弥勒
菩薩欲自決疑又觀四衆比丘比丘尼優婆
塞優婆夷及諸天龍鬼神等衆會之心而問
文殊師利言以何因緣而有此瑞神通之相
放大光明照于東方万八千土悉見彼佛國
界莊嚴於是弥勒菩薩欲重宣此義以偈問
曰
文殊師利　導師何故　眉間白毫　大光普照
雨曼陁羅　曼殊沙華　栴檀香風　悅可衆心
以是因緣　地皆嚴淨　而此世界　六種震動
時四部衆　咸皆歡喜　身意快然　得未曾有
眉間光明　照于東方　万八千土　皆如金色
從阿鼻獄　上至有頂　諸世界中　六道衆生
生死所趣　善惡業緣　受報好醜　於此悉見
又覩諸佛　聖主師子　演說經典　微妙第一

BD02976號　妙法蓮華經卷一　（25–2）

眉間光明　照于東方　万八千土　皆如金色
從阿鼻獄　上至有頂　諸世界中　六道衆生
生死所趣　善惡業緣　受報好醜　於此悉見
又覩諸佛　聖主師子　演說經典　微妙第一
其聲清淨　出柔軟音　教諸菩薩　無數億万
梵音深妙　令人樂聞　各於世界　講說正法
種種因緣　以無量喻　照明佛法　開悟衆生
若人遭苦　猒老病死　為說涅槃　盡諸苦際
若人有福　曾供養佛　志求勝法　為說緣覺
若有佛子　脩種種行　求無上慧　為說淨道
文殊師利　我住於此　見聞若斯　及千億事
如是衆多　今當略說　我見彼土　恒沙菩薩
種種因緣　而求佛道　或有行施　金銀珊瑚
真珠摩尼　車璖馬瑙　金剛諸珎　奴婢車乘
寶飾輦轝　歡喜布施　迴向佛道　願得是乘
三界第一　諸佛所歎　或有菩薩　駟馬寶車
欄楯華蓋　軒飾布施　復見菩薩　身肉手足
及妻子施　求無上道　又見菩薩　頭目身體
欣樂施与　求佛智慧　文殊師利　我見諸王
往詣佛所　問無上道　便捨樂土　宮殿臣妾
剃除鬚髮　而被法服　或見菩薩　而作比丘
獨處閑靜　樂誦經典　又見菩薩　勇猛精進
入於深山　思惟佛道　又見離欲　常處空閑
深脩禪定　得五神通　又見菩薩　安禪合掌
以千万偈　讚諸法王　復見菩薩　智深志固
能問諸佛　聞悉受持　又見佛子　定慧具足

BD02976號　妙法蓮華經卷一　（25–3）

獨處閑靜 樂誦經典 又見菩薩 勇猛精進
入於深山 思惟佛道 又見離欲 常處空閑
深脩禪定 得五神通 又見菩薩 安禪合掌
以千万偈 讚諸法王 復見菩薩 智深志固
能問諸佛 聞悉受持 又見佛子 定慧具足
以無量喻 為衆講法 欣樂說法 化諸菩薩
破魔兵衆 而擊法鼓 又見菩薩 寂然宴默
天龍恭敬 不以為喜 又見菩薩 處林放光
濟地獄苦 令入佛道 又見佛子 未嘗睡眠
經行林中 懃求佛道 又見具戒 威儀無缺
淨如寶珠 以求佛道 又見佛子 住忍辱力
增上慢人 惡罵捶打 皆悉能忍 以求佛道
又見菩薩 離諸戲笑 及癡眷屬 親近智者
一心除亂 攝念山林 億千万歲 以求佛道
或見菩薩 餚饍飲食 百種湯藥 施佛及僧
名衣上服 價直千万 或無價衣 施佛及僧
千万億種 栴檀寶舍 衆妙卧具 施佛及僧
清淨園林 華菓茂盛 流泉浴池 施佛及僧
如是等施 種種微妙 歡喜無厭 求無上道
或有菩薩 說寂滅法 種種教詔 無數衆生
或見菩薩 觀諸法性 無有二相 猶如虛空
又見佛子 心無所着 以此妙慧 求無上道
文殊師利 又有菩薩 佛滅度後 供養舍利
又見佛子 造諸塔廟 無數恒沙 嚴飾國界
寶塔高妙 五千由旬 縱廣正等 二千由旬

BD02976 號　妙法蓮華經卷一　（25–4）

或見菩薩 觀諸法性 無有二相 猶如
又見佛子 心無所着 以此妙慧 求無上道
文殊師利 又有菩薩 佛滅度後 供養舍利
又見佛子 造諸塔廟 無數恒沙 嚴飾國界
寶塔高妙 五千由旬 縱廣正等 二千由旬
一一塔廟 各千幢幡 珠交露幔 寶鈴和鳴
諸天龍神 人及非人 香華伎樂 常以供養
文殊師利 諸佛子等 為供舍利 嚴飾塔廟
國界自然 殊特妙好 如天樹王 其華開敷
佛放一光 我及衆會 見此國界 種種殊妙
諸佛神力 智慧希有 放一淨光 照無量國
我等見此 得未曾有 佛子文殊 願決衆疑
四衆欣仰 瞻仁及我 世尊何故 放斯光明
佛子時答 決疑令喜 何所饒益 演斯光明
佛坐道場 所得妙法 為欲說此 為當授記
示諸佛土 衆寶嚴淨 及見諸佛 此非小緣
文殊當知 四衆龍神 瞻察仁者 為說何等
尒時文殊師利語彌勒菩薩摩訶薩及諸大
士善男子等如我惟忖今佛世尊欲說大法
雨大法雨吹大法螺擊大法鼓演大法義諸
善男子我於過去諸佛曾見此瑞放斯光已
即說大法是故當知今佛現光亦復如是欲
令衆生咸得聞知一切世間難信之法故現
斯瑞諸善男子如過去無量無邊不可思議
阿僧祇劫尒時有佛号日月燈明如來應供
正遍知明行足善逝世間解無上士調御丈

BD02976 號　妙法蓮華經卷一　（25–5）

即說大法是故當知今佛現光亦復如是欲
令衆生咸得聞知一切世間難信之法故現
斯瑞諸善男子如過去無量無邊不可思議
阿僧祇劫尒時有佛号日月燈明如來應供
正遍知明行足善逝世間解無上士調御丈
夫天人師佛世尊演說正法初善中善後善
其義深遠其語巧妙純一無雜具足清白梵
行之相為求聲聞者說應四諦法度生老病
死究竟涅槃為求辟支佛者說應十二因緣
法為諸菩薩說應六波羅蜜令得阿耨多羅
三藐三菩提成一切種智次復有佛亦名日
月燈明次復有佛亦名日月燈明如是二万
日月燈明次復有佛亦名日月燈明如是二万
佛皆同一字号日月燈明又同一姓姓頗羅
墮弥勒當知初佛後佛皆同一字名日月
燈明十号具足所可說法初中後善其最後
佛未出家時有八王子一名有意二名善意
三名无量意四名寶意五名增意六名除疑意
七名響意八名法意是八王子威德自在各
領四天下是諸王子聞父出家得阿耨多羅三
藐三菩提悉捨王位亦隨出家發大乘意常
脩梵行皆為法師已於千万佛所殖諸善本是
時日月燈明佛說大乘經名无量義教菩
薩法佛所護念說是經已即於大衆中結
跏趺坐入於无量義處三昧身心不動是時

BD02976號　妙法蓮華經卷一　（25–6）

藐三菩提悉捨王位亦隨出家發大乘意常
脩梵行皆為法師已於千万佛所殖諸善本是
時日月燈明佛說大乘經名无量義教菩
薩法佛所護念說是經已即於大衆中結
跏趺坐入於无量義處三昧身心不動是時
天雨曼陁羅華摩訶曼陁羅華曼殊沙華摩
訶曼殊沙華而散佛上及諸大衆普佛世界
六種震動尒時會中比丘比丘尼優婆塞優
婆夷天龍夜叉乹闥婆阿脩羅迦樓羅緊那
羅摩睺羅伽人非人及諸小王轉輪聖王等是
諸大衆得未曾有歡喜合掌一心觀佛尒時
如來放眉間白毫相光照東方万八千佛土靡
不周遍如今所見是諸佛土弥勒當知尒時
會中有二十億菩薩樂欲聽法是諸菩薩
見此光明普照佛土得未曾有欲知此光所
為因緣時有菩薩名曰妙光有八百弟子是
時日月燈明佛從三昧起因妙光菩薩說大
乘經名妙法蓮華教菩薩法佛所護念六十
小劫不起于座時會聽者亦坐一處六十小
劫身心不動聽佛所說謂如食頃是時衆中
无有一人若身若心而生懈惓日月燈明佛
於六十小劫說是經已即於梵魔沙門婆羅
門及天人阿脩羅衆中而宣此言如來於今
日中夜當入无餘涅槃時有菩薩名曰德藏

BD02976號　妙法蓮華經卷一　（25–7）

於六十小劫說是經已即於梵魔沙門婆羅
門及天人阿脩羅衆中而宣此言如來於今
日中夜當入无餘涅槃時有菩薩名曰德藏
日月燈明佛即授其記告諸比丘是德藏菩
薩次當作佛号曰淨身多陁阿伽度阿羅訶
三藐三佛陁佛授記已便於中夜入无餘涅
槃佛滅度後妙光菩薩持妙法蓮華經滿八
十小劫為人演說日月燈明佛八子皆師妙
光妙光教化令其堅固阿耨多羅三藐三菩
提是諸王子供養无量百千万億佛已皆成
佛道其最後成佛者名曰然燈八百弟子中
有一人号曰求名貪著利養雖復讀誦衆
經而不通利多所忘失故号求名是人亦以種
諸善根因緣故得值无量百千万億諸佛
供養恭敬尊重讚歎弥勒當知尒時妙光菩
薩豈異人乎我身是也求名菩薩汝身是也
今見此瑞与本无異是故惟忖今日如來當說
大乘經名妙法蓮華教菩薩法佛所護念尒
時文殊師利於大衆中欲重宣此義而說偈言
我念過去世　无量无數劫　有佛人中尊　号日月燈明
世尊演說法　度无量衆生　无數億菩薩　令入佛智慧
佛未出家時　所生八王子　見大聖出家　亦隨脩梵行
時佛說大乘　經名无量義　於諸大衆中　而為廣分別

BD02976號　妙法蓮華經卷一　（25–8）

世尊演說法　度无量衆生　无數億菩薩　令入佛智慧
佛未出家時　所生八王子　見大聖出家　亦隨脩梵行
時佛說大乘　經名无量義　於諸大衆中　而為廣分別
佛說此經已　即於法座上　跏趺坐三昧　名无量義處
天雨曼陁華　天鼓自然鳴　諸天龍鬼神　供養人中尊
一切諸佛土　即時大震動　佛放眉間光　現諸希有事
此光照東方　万八千佛土　示一切衆生　生死業報處
有見諸佛土　以衆寶莊嚴　瑠璃頗梨色　斯由佛光照
及見諸天人　龍神夜叉衆　乾闥緊那羅　各供養其佛
又見諸如來　自然成佛道　身色如金山　端嚴甚微妙
如淨瑠璃中　內現真金像　世尊在大衆　敷演深法義
一一諸佛土　聲聞衆无數　因佛光所照　悉見彼大衆
或有諸比丘　在於山林中　精進持淨戒　猶如護明珠
又見諸菩薩　行施忍辱等　其數如恒沙　斯由佛光照
又見諸菩薩　深入諸禪定　身心寂不動　以求无上道
又見諸菩薩　知法寂滅相　各於其國土　說法求佛道
尒時四部衆　見日月燈佛　現大神通力　其心皆歡喜
各各自相問　是事何因緣　天人所奉尊　適從三昧起
讚妙光菩薩　汝為世間眼　一切所歸信　能奉持法藏
如我所說法　唯汝能證知　世尊既讚歎　令妙光歡喜
說是法華經　滿六十小劫　不起於此座　所說上妙法
是妙光法師　悉皆能受持　佛說是法華　令衆歡喜已
尋即於是日　告於天人衆　諸法實相義　已為汝等說

BD02976號　妙法蓮華經卷一　（25–9）

如我所說法　唯汝能證知　世尊既讚歎　令妙光歡喜
說是法華經　滿六十小劫　不起於此座　所說上妙法
是妙光法師　悉皆能受持　佛說是法華　令眾歡喜已
尋即於是日　告於天人眾　諸法實相義　已為汝等說
我今於中夜　當入於涅槃　汝一心精進　當離於放逸
諸佛甚難值　億劫時一遇　世尊諸子等　聞佛入涅槃
各各懷悲惱　佛滅一何速　聖主法之王　安慰无量眾
我若滅度時　汝等勿憂怖　是德藏菩薩　於无漏實相
心已得通達　其次當作佛　号曰為淨身　亦度无量眾
佛此夜滅度　如薪盡火滅　分布諸舍利　而起无量塔
比丘比丘尼　其數如恒沙　倍復加精進　以求无上道
是妙光法師　奉持佛法藏　八十小劫中　廣宣法華經
是諸八王子　妙光所開化　堅固无上道　當見无數佛
供養諸佛已　隨順行大道　相繼得成佛　轉次而授記
最後天中天　号曰燃燈佛　諸仙之導師　度脫无量眾
是妙光法師　時有一弟子　心常懷懈怠　貪著於名利
求名利无猒　多遊族姓家　棄捨所習誦　廢忘不通利
以是因緣故　号之為求名　亦行眾善業　得見无數佛
供養於諸佛　隨順行大道　具六波羅蜜　今見釋師子
其後當作佛　号名曰彌勒　廣度諸眾生　其數无有量
彼佛滅度後　懈怠者汝是　妙光法師者　今則我身是
我見燈明佛　本光瑞如此　以是知今佛　欲說法華經
今相如本瑞　是諸佛方便　今佛放光明　助發實相義
諸人今當知　合掌一心待　佛當雨法雨　充足求道者

BD02976號　妙法蓮華經卷一　（25–10）

彼佛滅度後　懈怠者汝是　妙光法師者　今則我身是
我見燈明佛　本光瑞如此　以是知今佛　欲說法華經
今相如本瑞　是諸佛方便　今佛放光明　助發實相義
諸人今當知　合掌一心待　佛當雨法雨　充足求道者
諸求三乘人　若有疑悔者　佛當為除斷　令盡无有餘

妙法蓮華經方便品第二

尒時世尊從三昧安詳而起告舍利弗諸佛
智慧甚深无量其智慧門難解難入一切聲
聞辟支佛所不能知所以者何佛曾親近百
千万億无數諸佛盡行諸佛无量道法勇猛
精進名稱普聞成就甚深未曾有法隨宜所
說意趣難解舍利弗吾從成佛已來種種因
緣種種譬喻廣演言教无數方便引導眾生
令離諸著所以者何如來方便知見波羅蜜皆
已具足舍利弗如來知見廣大深遠无量无
礙力无所畏禪定解脫三昧深入无際成就
一切未曾有法舍利弗如來能種種分別巧
說諸法言辭柔軟悅可眾心舍利弗取要言
之无量无邊未曾有法佛悉成就止舍利弗
不須復說所以者何佛所成就第一希有難
解之法唯佛與佛乃能究盡諸法實相所謂
諸法如是相如是性如是體如是力如是作如
是因如是緣如是果如是報如是本末究
竟等尒時世尊欲重宣此義而說偈言

BD02976號　妙法蓮華經卷一　（25–11）

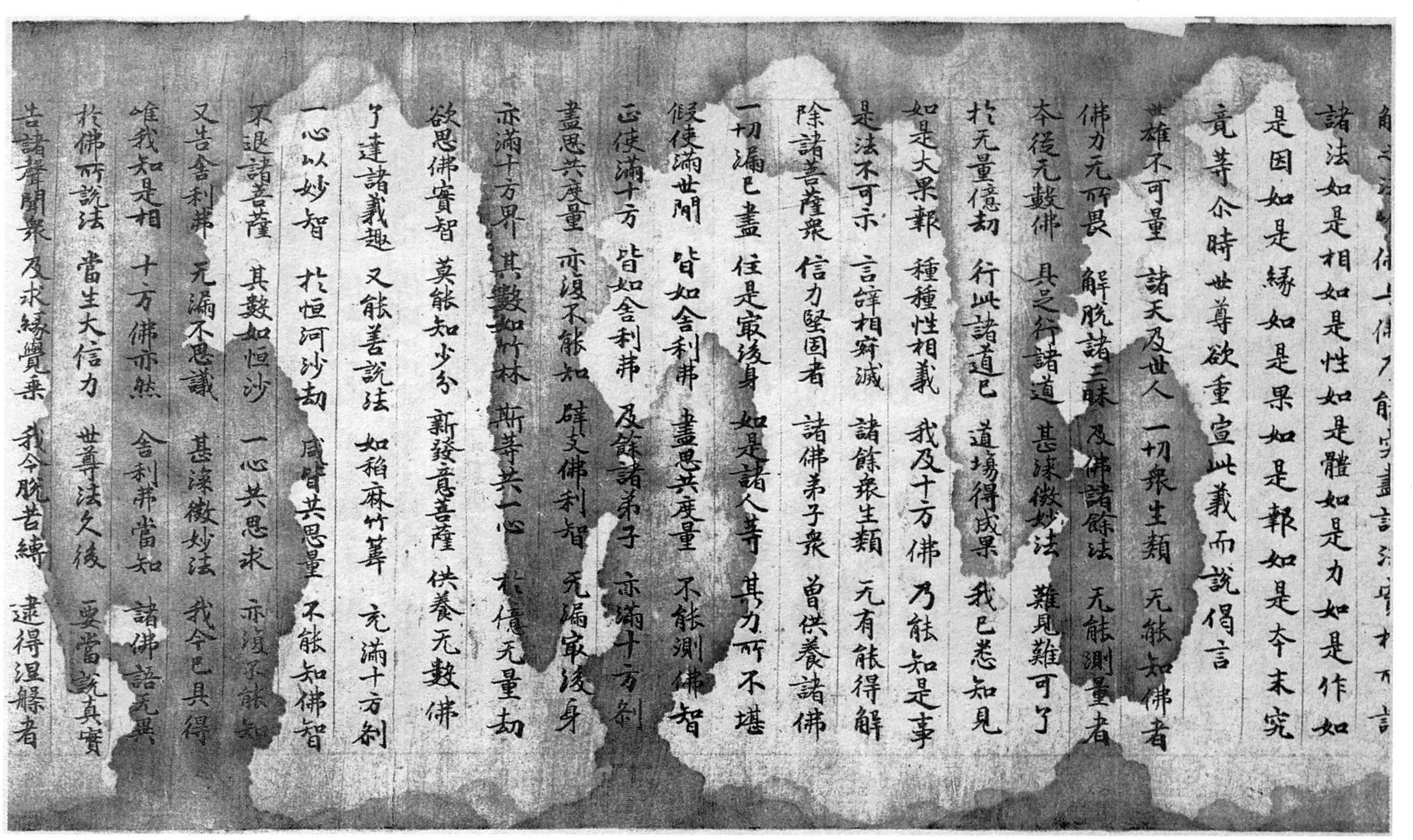
BD02976 號　妙法蓮華經卷一　　（25–12）

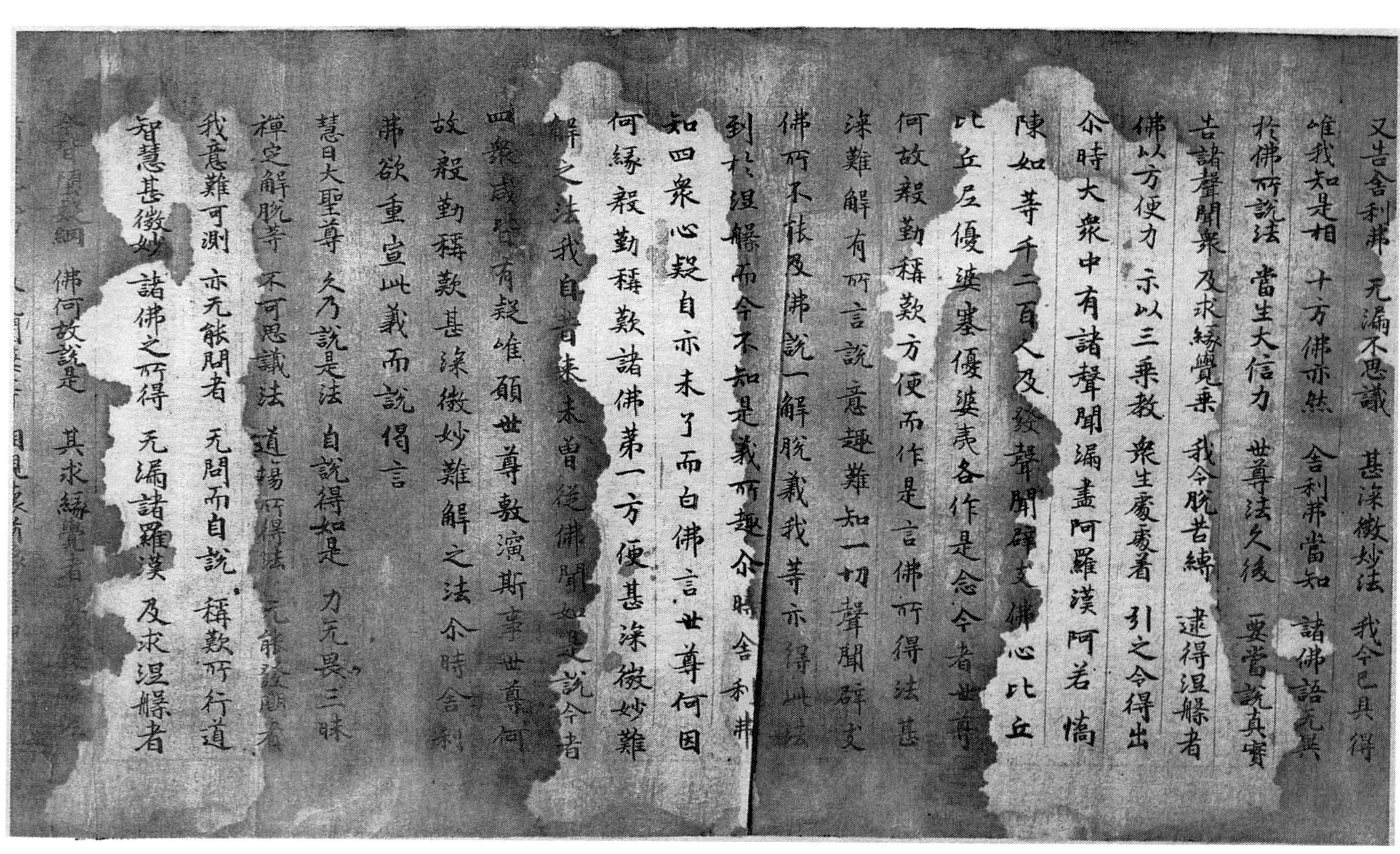
BD02976 號　妙法蓮華經卷一　　（25–13）

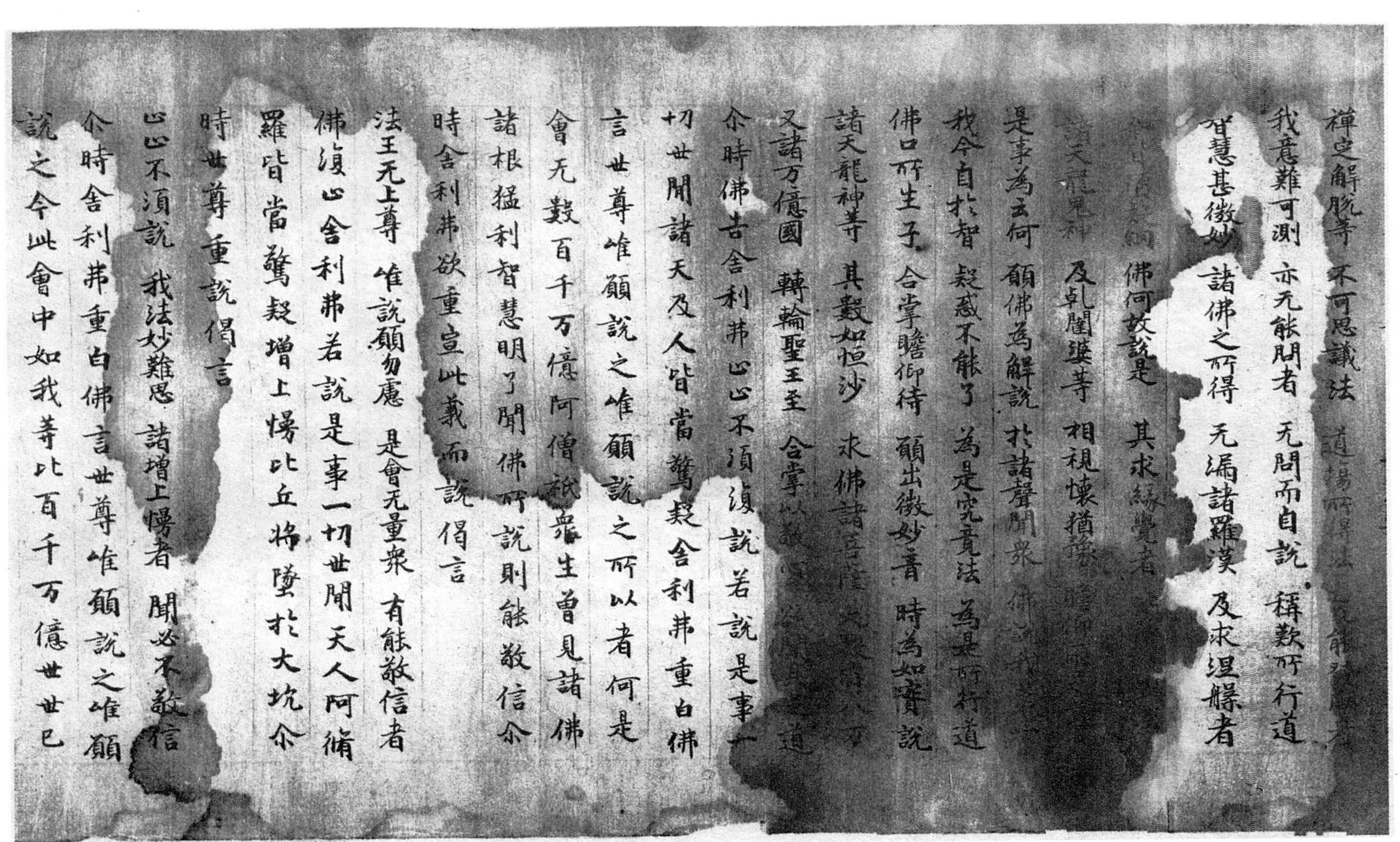
禪定解脫等 不可思議法 道場所得法 无能發問者
我意難可測 亦无能問者 无問而自說 稱歎所行道
智慧甚微妙 諸佛之所得 无漏諸羅漢 及求涅槃者
今皆墮疑網 佛何故說是 其求緣覺者 比丘比丘尼
諸天龍鬼神 及乾闥婆等 相視懷猶豫 瞻仰兩足尊
是事為云何 願佛為解說 於諸聲聞眾 佛說我第一
我今自於智 疑惑不能了 為是究竟法 為是所行道
佛口所生子 合掌瞻仰待 願出微妙音 時為如實說
諸天龍神等 其數如恒沙 求佛諸菩薩 大數有八萬
又諸万億國 轉輪聖王至 合掌以敬心 欲聞具足道
尒時佛告舍利弗 止止不須復說 若說是事 一
切世間諸天及人皆當驚疑 舍利弗重白佛
言 世尊 唯願說之 唯願說之 所以者何 是
會无數百千万億阿僧祇眾生曾見諸佛
諸根猛利 智慧明了 聞佛所說 則能敬信 尒
時舍利弗欲重宣此義 而說偈言
法王无上尊 唯說願勿慮 是會无量眾 有能敬信者
佛復止舍利弗 若說是事 一切世間天人阿脩
羅皆當驚疑 增上慢比丘將墜於大坑 尒
時世尊重說偈言
止止不須說 我法妙難思 諸增上慢者 聞必不敬信
尒時舍利弗重白佛言 世尊 唯願說之 唯願
說之 今此會中如我等比百千万億 世世已

BD02976 號 妙法蓮華經卷一 (25–14)

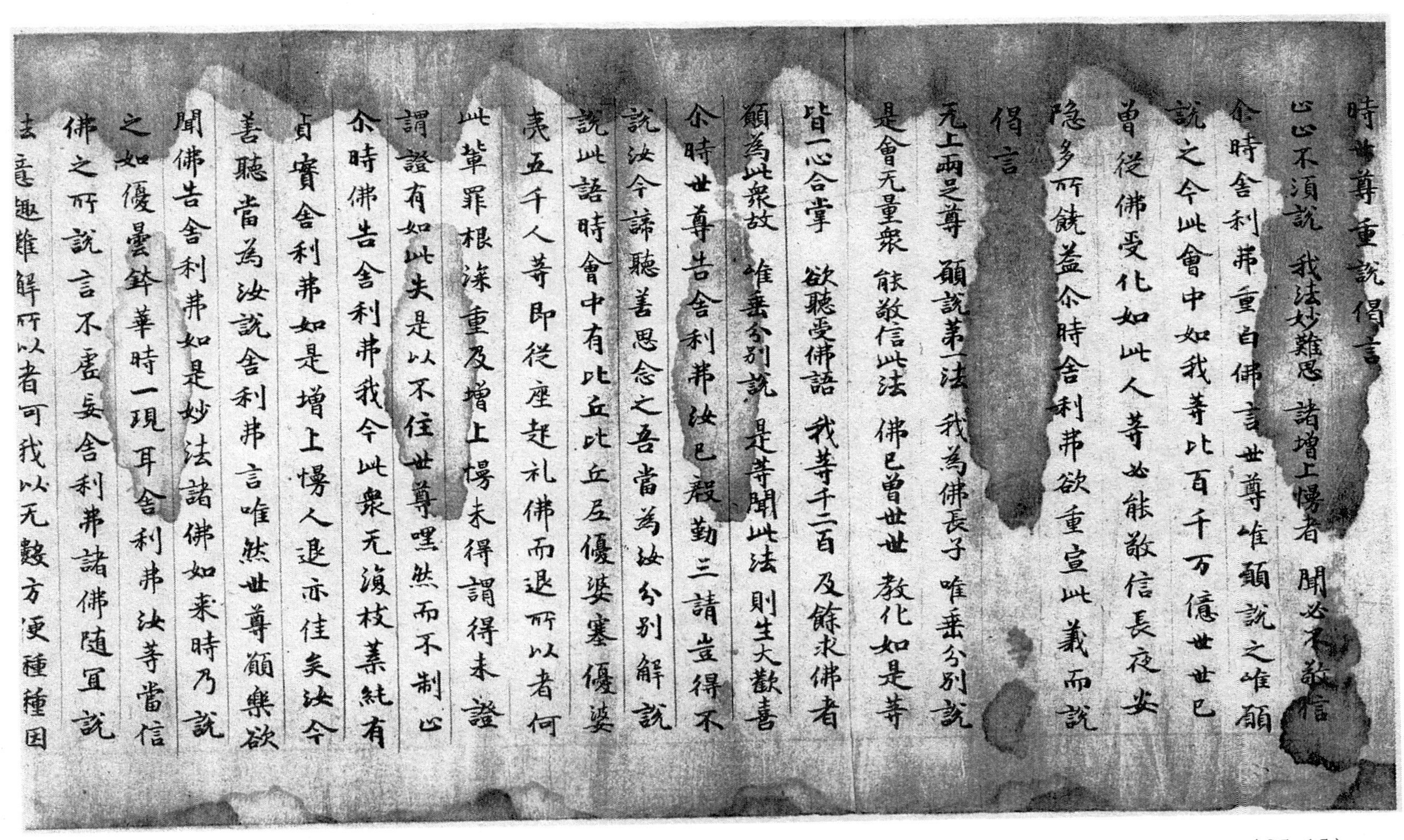
時世尊重說偈言
止止不須說 我法妙難思 諸增上慢者 聞必不敬信
尒時舍利弗重白佛言 世尊 唯願說之 唯願
說之 今此會中如我等比百千万億 世世已
曾從佛受化 如此人等必能敬信 長夜安
隱 多所饒益 尒時舍利弗欲重宣此義 而說
偈言
无上兩足尊 願說第一法 我為佛長子 唯垂分別說
是會无量眾 能敬信此法 佛已曾世世 教化如是等
皆一心合掌 欲聽受佛語 我等千二百 及餘求佛者
願為此眾故 唯垂分別說 是等聞此法 則生大歡喜
尒時世尊告舍利弗 汝已慇懃三請 豈得不
說 汝今諦聽 善思念之 吾當為汝分別解說
說此語時 會中有比丘比丘尼優婆塞優婆
夷五千人等 即從座起 礼佛而退 所以者何
此輩罪根深重 及增上慢 未得謂得 未證
謂證 有如此失 是以不住 世尊嘿然而不制止
尒時佛告舍利弗 我今此眾 无復枝葉 純有
貞實 舍利弗 如是增上慢人 退亦佳矣 汝今
善聽 當為汝說 舍利弗言 唯然 世尊 願樂欲
聞 佛告舍利弗 如是妙法 諸佛如來時乃說
之 如優曇鉢華 時一現耳 舍利弗 汝等當信
佛之所說 言不虛妄 舍利弗 諸佛隨宜說
法 意趣難解 所以者何 我以无數方便種種因

BD02976 號 妙法蓮華經卷一 (25–15)

善聽當為汝說舍利弗言唯然世尊願樂欲
聞佛告舍利弗如是妙法諸佛如来時乃說
之如優曇鉢華時一現耳舍利弗汝等當信
佛之所說言不虛妄舍利弗諸佛隨宜說
法意趣難解所以者何我以无數方便種種因
緣譬喻言辞演說諸法是法非思量分別之
所能解唯有諸佛乃能知之所以者何諸佛
世尊唯以一大事因緣故出現於世舍利弗
云何名諸佛世尊唯以一大事因緣故出現於
世諸佛世尊欲令衆生開佛知見使得清
淨故出現於世欲示衆生佛之知見故出現於
世欲令衆生悟佛知見故出現於世欲令衆
生入佛知見道故出現於世舍利弗是為諸
佛唯以一大事因緣故出現於世佛告舍利弗
諸佛如来但教化菩薩諸有所作常為一事
唯以佛之知見示悟衆生舍利弗如来但以
一佛乘故為衆生說法无有餘乘若二若三
舍利弗一切十方諸佛法亦如是舍利弗過
去諸佛以无量无數方便種種因緣譬喻
言辞而為衆生演說諸法是法皆為一佛乘
故是諸衆生從諸佛聞法究竟皆得一切種
智舍利弗未来諸佛當出於世亦以无量无
數方便種種因緣譬喻言辞而為衆生演說
諸法是法皆為一佛乘故是諸衆生從佛聞

BD02976號　妙法蓮華經卷一　（25–16）

去諸佛以无量无數方便種種因緣譬喻
言辞而為衆生演說諸法是法皆為一佛乘
故是諸衆生從諸佛聞法究竟皆得一切種
智舍利弗未来諸佛當出於世亦以无量无
數方便種種因緣譬喻言辞而為衆生演說
諸法是法皆為一佛乘故是諸衆生從佛聞
法究竟皆得一切種智舍利弗現在十方无量
百千万億佛土中諸佛世尊多所饒益安樂
衆生是諸佛亦以无量无數方便種種因緣
譬喻言辞而為衆生演說諸法是法皆為一
佛乘故是諸衆生從佛聞法究竟皆得一切
種智舍利弗是諸佛但教化菩薩欲以佛之
知見示衆生故欲以佛之知見悟衆生故欲令
衆生入佛之知見故舍利弗我今亦復如是
知諸衆生有種種欲深心所着隨其本性
以種種因緣譬喻言辞方便力故而為說法
舍利弗如此皆為得一佛乘一切種智故舍
利弗十方世界中尚无二乘何况有三舍利
弗諸佛出於五濁惡世所謂劫濁煩惱濁衆
生濁見濁命濁如是舍利弗劫濁亂時衆生
垢重慳貪嫉妒成就諸不善根故諸佛以方
便力於一佛乘分別說三舍利弗若我弟子
自謂阿羅漢辟支佛者不聞不知諸佛如来
但教化菩薩事此非佛弟子非阿羅漢非辟

BD02976號　妙法蓮華經卷一　（25–17）

垢重慳貪嫉妬成就諸不善根故諸佛以方
便力於一佛乘分別說三舍利弗若我弟子
自謂阿羅漢辟支佛者不聞不知諸佛如來
但教化菩薩事此非佛弟子非阿羅漢非辟
支佛又舍利弗是諸比丘比丘尼自謂已得阿
羅漢是最後身究竟涅槃便不復志求阿
耨多羅三藐三菩提當知此輩皆是增上慢
人所以者何若有比丘實得阿羅漢若不信
此法无有是處除佛滅度後現前无佛所以
者何佛滅度後如是等經受持讀誦解其義
者是人難得若遇餘佛於此法中便得決了
舍利弗汝等當一心信解受持佛語諸佛如
來言无虛妄无有餘乘唯一佛乘尒時世尊
欲重宣此義而說偈言
比丘比丘尼　有懷增上慢　優婆塞我慢　優婆夷不信
如是四衆等　其數有五千　不自見其過　於戒有缺漏
護惜其瑕疵　是小智已出　衆中之糟糠　佛威德故去
斯人尠福德　不堪受是法　此衆无枝葉　唯有諸貞實
舍利弗善聽　諸佛所得法　无量方便力　而為衆生說
衆生心所念　種種所行道　若干諸欲性　先世善惡業
佛悉知是已　以諸緣譬喻　言辭方便力　令一切歡喜
或說脩多羅　伽陁及本事　本生未曾有　亦說於因緣
譬喻并祇夜　優波提舍經　鈍根樂小法　貪着於生死
於諸无量佛　不行深妙道　衆苦所惱亂　為是說涅槃

BD02976號　妙法蓮華經卷一　（25–18）

佛悉知是已　以諸緣譬喻　言辭方便力　令一切歡喜
或說脩多羅　伽陁及本事　本生未曾有　亦說於因緣
譬喻并祇夜　優波提舍經　鈍根樂小法　貪着於生死
於諸无量佛　不行深妙道　衆苦所惱亂　為是說涅槃
我設是方便　令得入佛慧　未曾說汝等　當得成佛道
所以未曾說　說時未至故　今正是其時　決定說大乘
我此九部法　隨順衆生說　入大乘為本　以故說是經
有佛子心淨　柔軟亦利根　无量諸佛所　而行深妙道
為此諸佛子　說是大乘經　我記如是人　來世成佛道
以深心念佛　脩持淨戒故　此等聞得佛　大喜充遍身
佛知彼心行　故為說大乘　聲聞若菩薩　聞我所說法
乃至於一偈　皆成佛无疑　十方佛土中　唯有一乘法
无二亦无三　除佛方便說　但以假名字　引導於衆生
說佛智慧故　諸佛出於世　唯此一事實　餘二則非真
終不以小乘　濟度於衆生　佛自住大乘　如其所得法
定慧力莊嚴　以此度衆生　自證无上道　大乘平等法
若以小乘化　乃至於一人　我則墮慳貪　此事為不可
若人信歸佛　如來不欺誑　亦无貪嫉意　斷諸法中惡
故佛於十方　而獨无所畏　我以相嚴身　光明照世間
无量衆所尊　為說實相印　舍利弗當知　我本立誓願
欲令一切衆　如我等无異　如我昔所願　今者已滿足
化一切衆生　皆令入佛道　若我遇衆生　盡教以佛道
无智者錯亂　迷惑不受教　我知此衆生　未曾脩善本

BD02976號　妙法蓮華經卷一　（25–19）

无量衆所尊 爲說實相印 舍利弗當知 我本立誓願
欲令一切衆 如我等无異 如我昔所願 今者已滿足
化一切衆生 皆令入佛道 若我遇衆生 盡教以佛道
无智者錯亂 迷惑不受教 我知此衆生 未曾脩善本
堅着於五欲 癡愛故生惱 以諸欲因緣 墜墮三惡道
輪迴六趣中 備受諸苦毒 受胎之微形 世世常增長
薄德少福人 衆苦所逼迫 入耶見稠林 若有若无等
依止此諸見 具足六十二 深着虛妄法 堅受不可捨
我慢自矜高 諂曲心不實 於千万億劫 不聞佛名字
亦不聞正法 如是人難度 是故舍利弗 我爲設方便
說諸盡苦道 示之以涅槃 我雖說涅槃 是亦非真滅
諸法從本來 常自寂滅相 佛子行道已 來世得作佛
我有方便力 開示三乘法 一切諸世尊 皆說一乘道
今此諸大衆 皆應除疑惑 諸佛語无異 唯一无二乘
過去无數劫 无量滅度佛 百千万億種 其數不可量
如是諸世尊 種種緣譬喻 无數方便力 演說諸法相
是諸世尊等 皆說一乘法 化无量衆生 令入於佛道
又諸大聖主 知一切世間 天人羣生類 深心之所欲
更以異方便 助顯第一義 若有衆生類 值諸過去佛
若聞法布施 或持戒忍辱 精進禪智等 種種脩福德
如是諸人等 皆已成佛道 諸佛滅度已 若人善軟心
如是諸衆生 皆已成佛道 諸佛滅度已 供養舍利者
起万億種塔 金銀及頗梨 車𤦲与馬瑙 玫瑰瑠璃珠
清淨廣嚴飾 莊挍於諸塔 或有起石廟 栴檀及沈水

BD02976號　妙法蓮華經卷一　(25–20)

若聞法布施 或持戒忍辱 精進禪智等 種種脩福德
如是諸人等 皆已成佛道 諸佛滅度已 若人善軟心
如是諸衆生 皆已成佛道 諸佛滅度已 供養舍利者
起万億種塔 金銀及頗梨 車𤦲与馬瑙 玫瑰瑠璃珠
清淨廣嚴飾 莊挍於諸塔 或有起石廟 栴檀及沈水
木櫁并餘材 塼瓦泥土等 若於曠野中 積土成佛廟
乃至童子戲 聚沙爲佛塔 如是諸人等 皆已成佛道
若人爲佛故 建立諸形像 刻雕成衆相 皆已成佛道
或以七寶成 鍮石赤白銅 白鑞及鈆錫 鐵木及与泥
或以膠漆布 嚴飾作佛像 如是諸人等 皆已成佛道
采畫作佛像 百福莊嚴相 自作若使人 皆已成佛道
乃至童子戲 若草木及筆 或以指爪甲 而畫作佛像
如是諸人等 漸漸積功德 具足大悲心 皆已成佛道
但化諸菩薩 度脫无量衆 若人於塔廟 寶像及畫像
以華香幡蓋 敬心而供養 若使人作樂 擊鼓吹角貝
簫笛琴箜篌 琵琶鐃銅鈸 如是衆妙音 盡持以供養
或以歡喜心 歌唄頌佛德 乃至一小音 皆已成佛道
若人散亂心 乃至以一華 供養於畫像 漸見无數佛
或有人礼拜 或復但合掌 乃至舉一手 或復小低頭
以此供養像 漸見无量佛 自成无上道 廣度无數衆
入无餘涅槃 如薪盡火滅 若人散亂心 入於塔廟中
一稱南无佛 皆已成佛道 於諸過去佛 在世或滅後
若有聞是法 皆已成佛道 未來諸世尊 其數无有量
是諸如來等 亦方便說法 一切諸如來 以无量方便
度脫諸衆生 入佛无漏智 若有聞法者 无一不成佛

BD02976號　妙法蓮華經卷一　(25–21)

入无餘涅槃　如薪盡火滅　若人散亂心　入於塔廟中
一稱南无佛　皆已成佛道　於諸過去佛　在世或滅後
若有聞是法　皆已成佛道　未來諸世尊　其數无有量
是諸如來等　亦方便說法　一切諸如來　以无量方便
度脫諸衆生　入佛无漏智　若有聞法者　无一不成佛
諸佛本誓願　我所行佛道　普欲令衆生　亦同得此道
未來世諸佛　雖說百千億　无數諸法門　其實為一乘
諸佛兩足尊　知法常无性　佛種從緣起　是故說一乘
是法住法位　世間相常住　於道場知已　導師方便說
天人所供養　現在十方佛　其數如恒沙　出現於世間
安隱衆生故　亦說如是法　知第一寂滅　以方便力故
雖示種種道　其實為佛乘　知衆生諸行　深心之所念
過去所習業　欲性精進力　及諸根利鈍　以種種因緣
譬喻亦言辞　隨應方便說　今我亦如是　安隱衆生故
以種種法門　宣示於佛道　我以智慧力　知衆生性欲
方便說諸法　皆令得歡喜　舍利弗當知　我以佛眼觀
見六道衆生　貧窮无福慧　入生死險道　相續苦不斷
深著於五欲　如牦牛愛尾　以貪愛自蔽　盲瞑无所見
不求大勢佛　及与斷苦法　深入諸邪見　以苦欲捨苦
為是衆生故　而起大悲心　我始坐道場　觀樹亦經行
於三七日中　思惟如是事　我所得智慧　微妙㝡第一
衆生諸根鈍　著樂癡所盲　如斯之等類　云何而可度
尒時諸梵王　及諸天帝釋　護世四天王　及大自在天
并餘諸天衆　眷屬百千万　恭敬合掌礼　請我轉法輪

BD02976號　妙法蓮華經卷一　（25–22）

於三七日中　思惟如是事　我所得智慧　微妙㝡第一
衆生諸根鈍　著樂癡所盲　如斯之等類　云何而可度
尒時諸梵王　及諸天帝釋　護世四天王　及大自在天
并餘諸天衆　眷屬百千万　恭敬合掌礼　請我轉法輪
我即自思惟　若但讚佛乘　衆生沒在苦　不能信是法
破法不信故　墜於三惡道　我寧不說法　疾入於涅槃
尋念過去佛　所行方便力　我今所得道　亦應說三乘
作是思惟時　十方佛皆現　梵音慰喻我　善哉釋迦文
第一之導師　得是无上法　隨諸一切佛　而用方便力
我等亦皆得　㝡妙第一法　為諸衆生類　分別說三乘
少智樂小法　不自信作佛　是故以方便　分別說諸果
雖復說三乘　但為教菩薩　舍利弗當知　我聞聖師子
深淨微妙音　喜稱南无佛　復作如是念　我出濁惡世
如諸佛所說　我亦隨順行　思惟是事已　即趣波羅柰
諸法寂滅相　不可以言宣　以方便力故　為五比丘說
是名轉法輪　便有涅槃音　及以阿羅漢　法僧差別名
從久遠劫來　讚示涅槃法　生死苦永盡　我常如是說
舍利弗當知　我見佛子等　志求佛道者　无量千万億
咸以恭敬心　皆來至佛所　曾從諸佛聞　方便所說法
我即作是念　所以出於世　為說佛慧故　今正是其時
舍利弗當知　鈍根小智人　著相憍慢者　不能信是法
今我喜无畏　於諸菩薩中　正直捨方便　但說无上道
菩薩聞是法　疑網皆已除　千二百羅漢　悉亦當作佛
如三世諸佛　說法之儀式　我今亦如是　說无分別法
諸佛興出世　懸遠值遇難　正使出于世　說是法復難

BD02976號　妙法蓮華經卷一　（25–23）

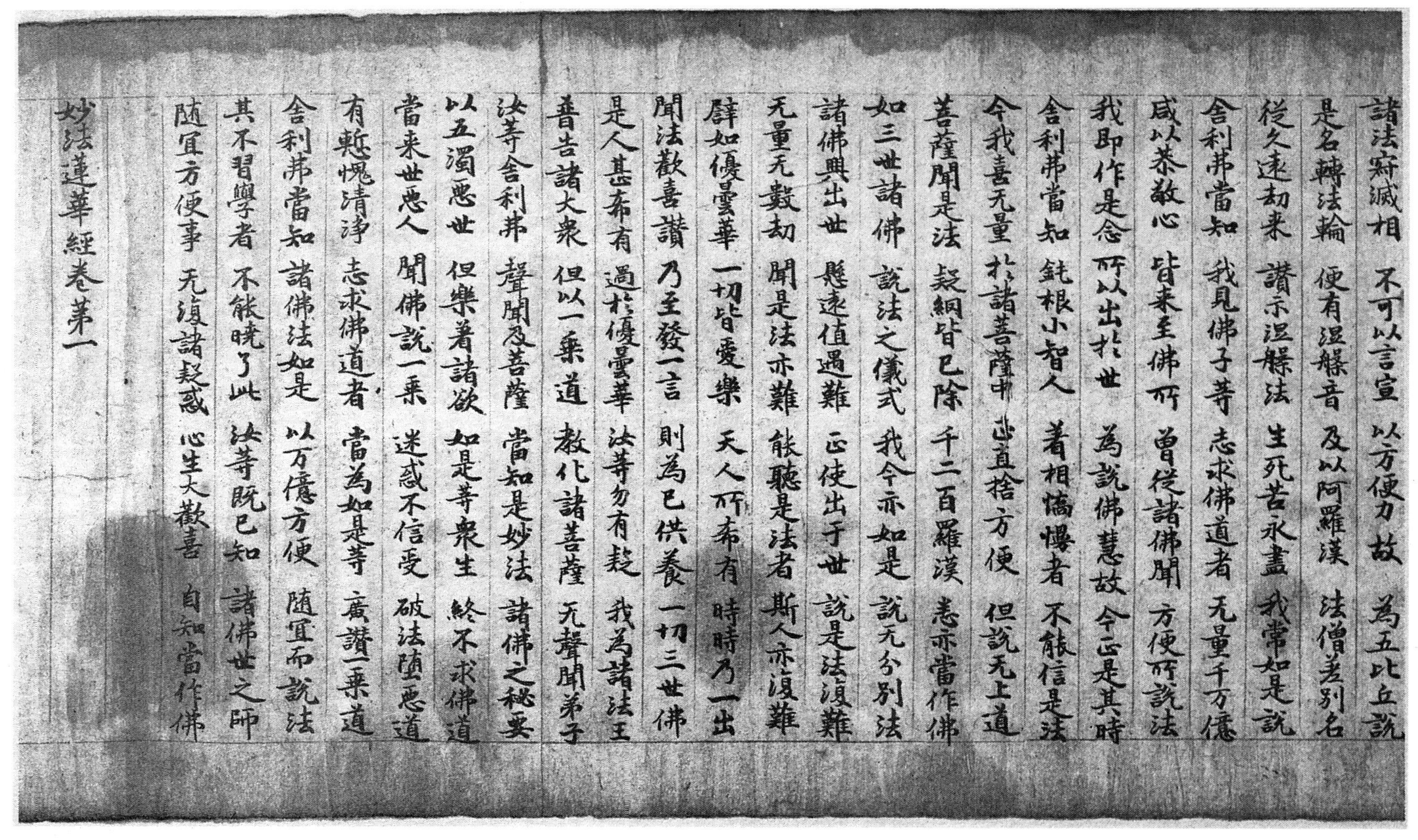

諸法寂滅相　不可以言宣　以方便力故　為五比丘說
是名轉法輪　便有涅槃音　及以阿羅漢　法僧差別名
從久遠劫來　讚示涅槃法　生死苦永盡　我常如是說
舍利弗當知　我見佛子等　志求佛道者　无量千万億
咸以恭敬心　皆來至佛所　曾從諸佛聞　方便所說法
我即作是念　所以出於世　為說佛慧故　今正是其時
舍利弗當知　鈍根小智人　著相憍慢者　不能信是法
今我喜无畏　於諸菩薩中　正直捨方便　但說无上道
菩薩聞是法　疑網皆已除　千二百羅漢　悉亦當作佛
如三世諸佛　說法之儀式　我今亦如是　說无分別法
諸佛興出世　懸遠值遇難　正使出于世　說是法復難
无量无數劫　聞是法亦難　能聽是法者　斯人亦復難
譬如優曇華　一切皆愛樂　天人所希有　時時乃一出
聞法歡喜讚　乃至發一言　則為已供養　一切三世佛
是人甚希有　過於優曇華　汝等勿有疑　我為諸法王
普告諸大眾　但以一乘道　教化諸菩薩　无聲聞弟子
汝等舍利弗　聲聞及菩薩　當知是妙法　諸佛之祕要
以五濁惡世　但樂著諸欲　如是等眾生　終不求佛道
當來世惡人　聞佛說一乘　迷惑不信受　破法墮惡道
有慙愧清淨　志求佛道者　當為如是等　廣讚一乘道
舍利弗當知　諸佛法如是　以万億方便　隨宜而說法
其不習學者　不能曉了此　汝等既已知　諸佛世之師
隨宜方便事　无復諸疑惑　心生大歡喜　自知當作佛

妙法蓮華經卷第一

BD02976號　妙法蓮華經卷一　（25–24）

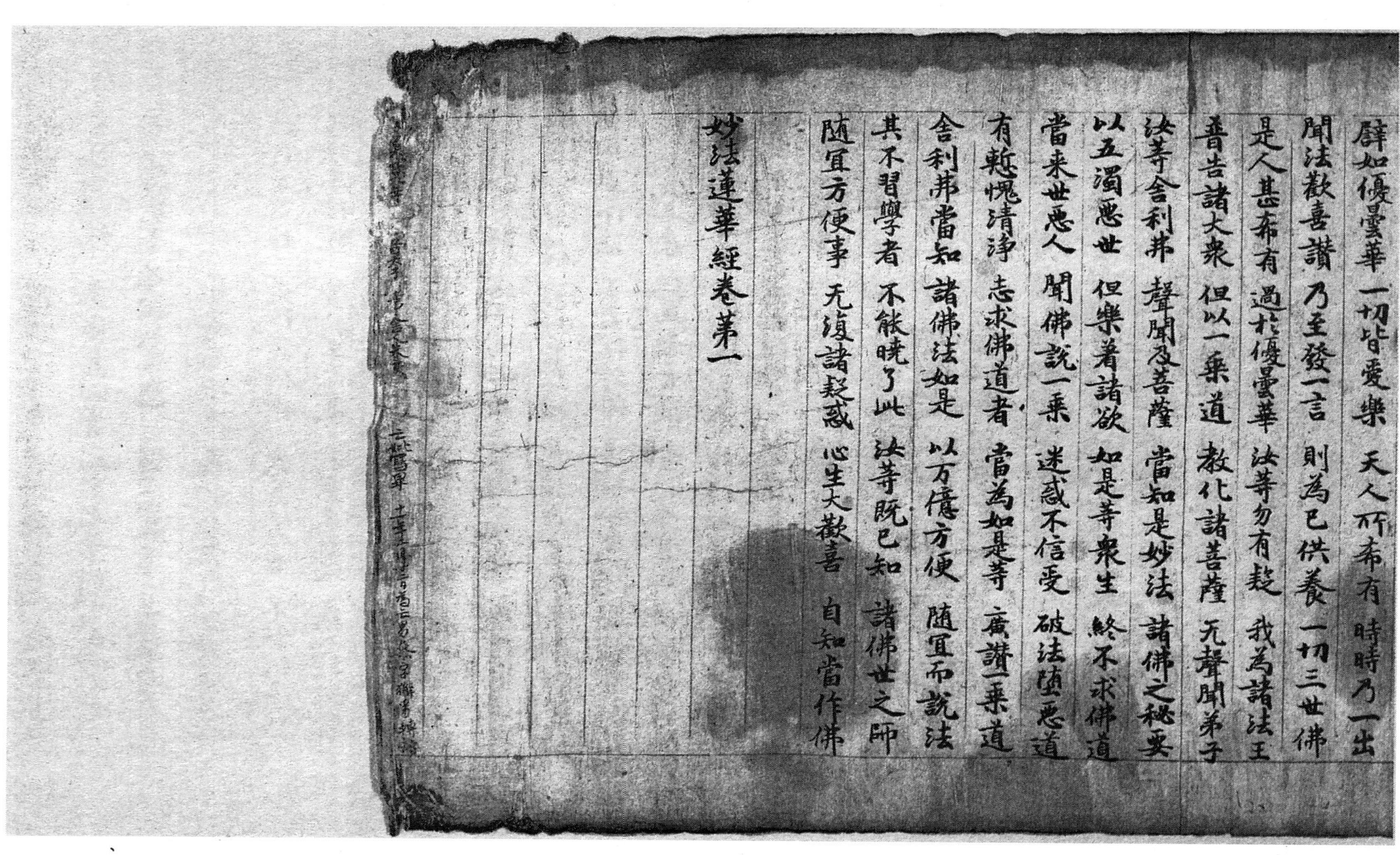

譬如優曇華　一切皆愛樂　天人所希有　時時乃一出
聞法歡喜讚　乃至發一言　則為已供養　一切三世佛
是人甚希有　過於優曇華　汝等勿有疑　我為諸法王
普告諸大眾　但以一乘道　教化諸菩薩　无聲聞弟子
汝等舍利弗　聲聞及菩薩　當知是妙法　諸佛之祕要
以五濁惡世　但樂著諸欲　如是等眾生　終不求佛道
當來世惡人　聞佛說一乘　迷惑不信受　破法墮惡道
有慙愧清淨　志求佛道者　當為如是等　廣讚一乘道
舍利弗當知　諸佛法如是　以万億方便　隨宜而說法
其不習學者　不能曉了此　汝等既已知　諸佛世之師
隨宜方便事　无復諸疑惑　心生大歡喜　自知當作佛

妙法蓮華經卷第一

BD02976號　妙法蓮華經卷一　（25–25）

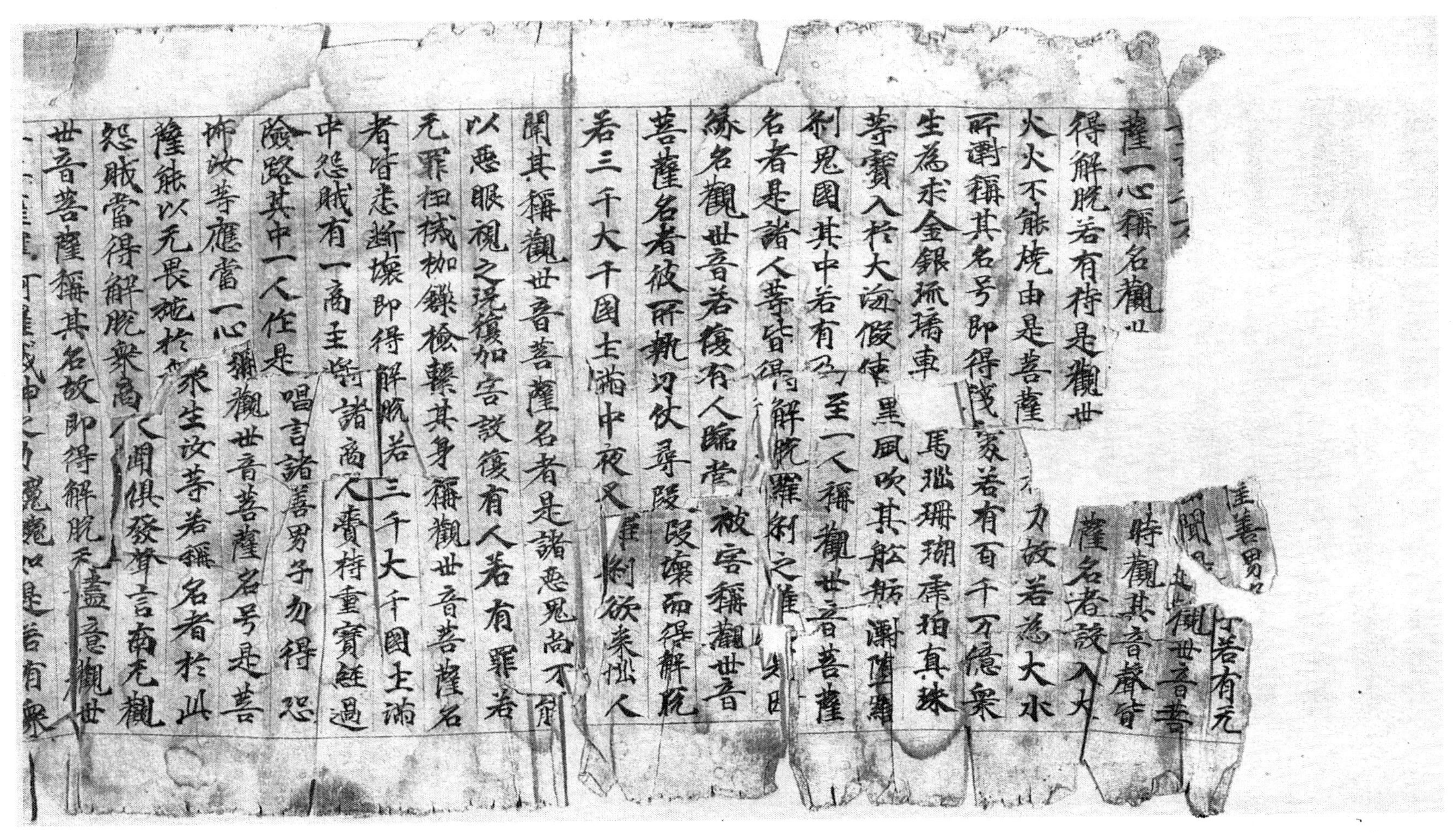

BD02977 號　妙法蓮華經卷七　（17–1）

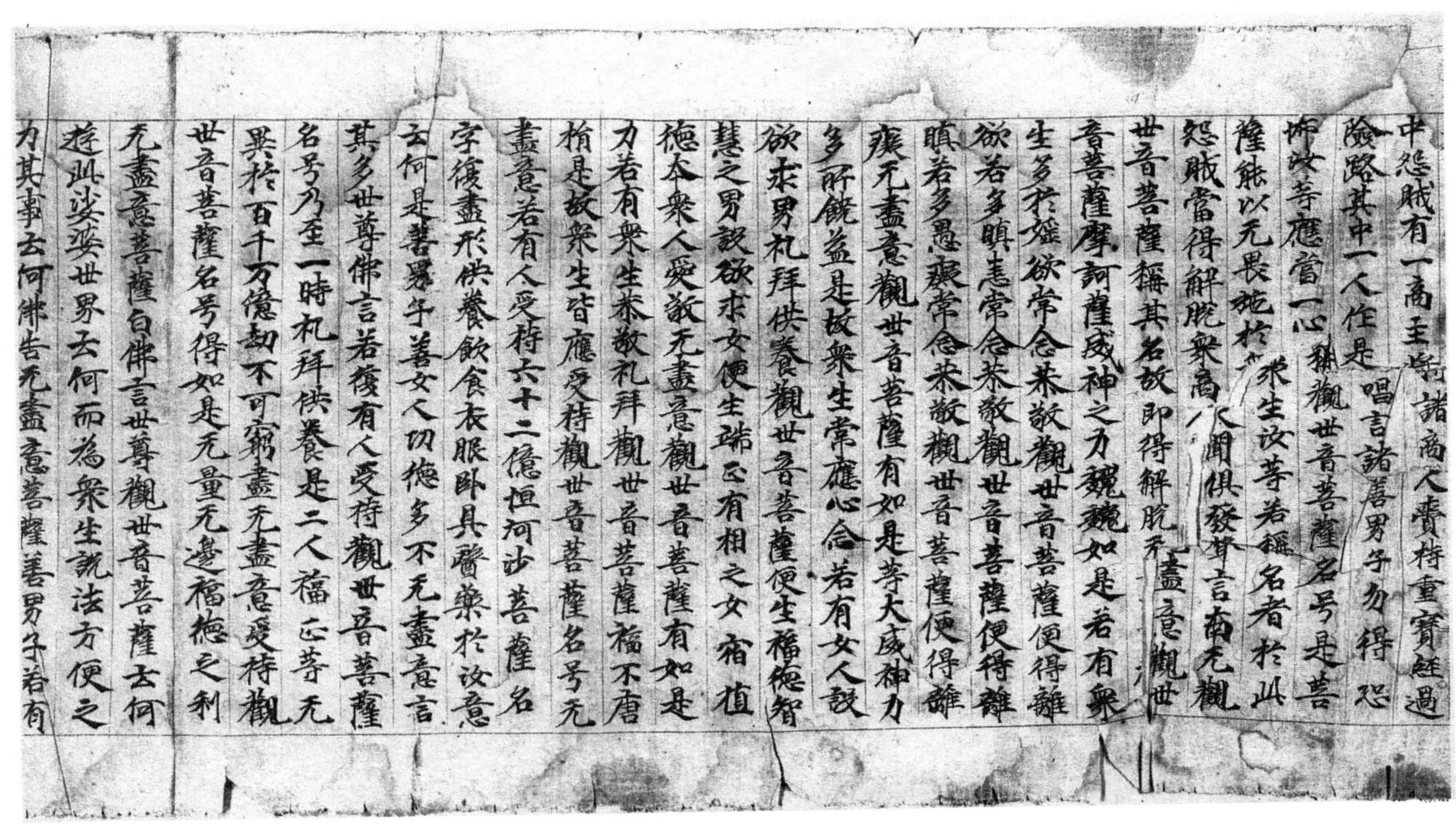

BD02977 號　妙法蓮華經卷七　（17–2）

世音菩薩名号得如是无量无邊福德之利
无盡意菩薩白佛言世尊觀世音菩薩云何
遊此娑婆世界云何而為衆生說法方便之
力其事云何佛告无盡意菩薩善男子若有
國土衆生應以佛身得度者觀世音菩薩即
現佛身而為說法應以辟支佛身得度者即
現辟支佛身而為說法應以聲聞身得度者
即現聲聞身而為說法應以梵王身得度者
即現梵王身而為說法應以帝釋身得度者
即現帝釋身而為說法應以自在天身得度
者即現自在天身而為說法應以大自在天
身得度者即現大自在天身而為說法應以
天大將軍身得度者即現天大將軍身而為
說法應以毗沙門身得度者即現毗沙門身
而為說法應以小王身得度者即現小王身
而為說法應以長者身得度者即現長者身
而為說法應以居士身得度者即現居士身
而為說法應以宰官身得度者即現宰官身
而為說法應以婆羅門身得度者即現婆羅
門身而為說法應以比丘比丘尼優婆塞優
婆夷身得度者即現比丘比丘尼優婆塞優
婆夷身而為說法應以長者居士宰官婆羅
門婦女身得度者即現婦女身而為說法應
以童男童女身得度者即現童男童女身而
為說法應以天龍夜叉乾闥婆阿脩羅迦樓
羅緊那羅摩睺羅伽人非人等身得度者即
皆現之而為說法應以執金剛神得度者即

BD02977號　妙法蓮華經卷七　（17–3）

門婦女身得度者即現婦女身而為說法應
以童男童女身得度者即現童男童女身而
為說法應以天龍夜叉乾闥婆阿脩羅迦樓
羅緊那羅摩睺羅伽人非人等身得度者即
皆現之而為說法應以執金剛神得度者即
現執金剛神而為說法无盡意是觀世音菩
薩成就如是功德以種種形遊諸國土度脫衆
生是故汝等應當一心供養觀世音菩薩是
觀世音菩薩摩訶薩於怖畏急難之中能施
无畏是故此娑婆世界皆号之為施无畏者
无盡意菩薩白佛言世尊我今當供養觀世
音菩薩即解頸衆寶珠瓔珞價直百千兩金
而以與之作是言仁者受此法施珎寶瓔珞
時觀世音菩薩不肯受之无盡意復白觀世
音菩薩言仁者愍我等故受此瓔珞尒時佛
告觀世音菩薩當愍此无盡意菩薩及四衆
天龍夜叉乾闥婆阿脩羅迦樓羅緊那羅摩
睺羅伽人非人等故受是瓔珞即時觀世音
菩薩愍諸四衆及於天龍人非人等受其瓔
珞分作二分一分奉釋迦牟尼佛一分奉多
寶佛塔无盡意觀世音菩薩有如是自在神
力遊於娑婆世界尒時无盡意菩薩以偈問
曰
世尊妙相具　我今重問彼　佛子何因緣　名為觀世音
具足妙相尊　偈荅无盡意　汝聽觀音行　善應諸方所
弘誓深如海　歷劫不思議　侍多千億佛　發大清淨願
我為汝略說　聞名及見身　心念不空過　能滅諸有苦

BD02977號　妙法蓮華經卷七　（17–4）

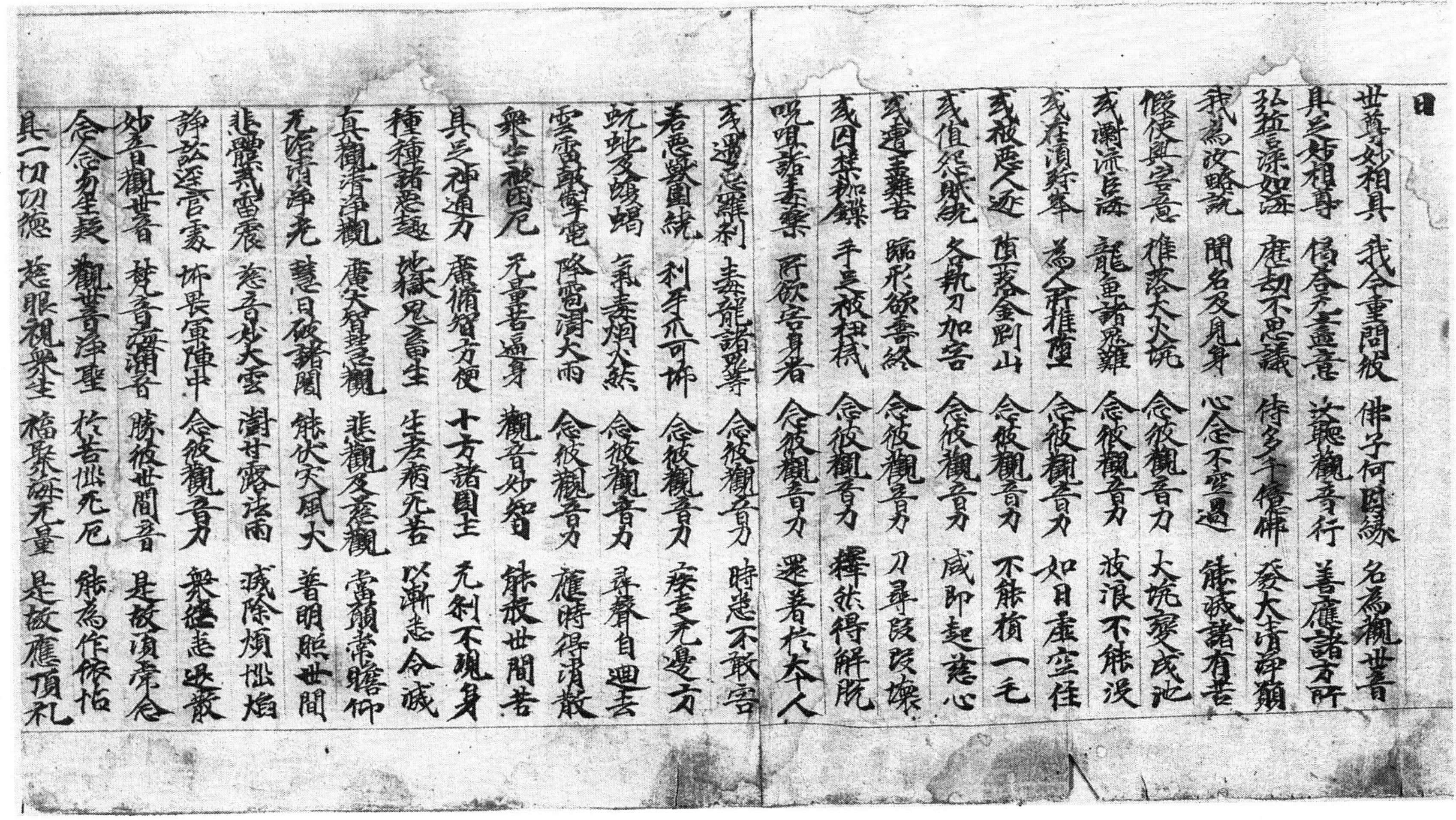

世尊妙相具　我今重問彼　佛子何因緣　名為觀世音
具足妙相尊　偈答无盡意　汝聽觀音行　善應諸方所
弘誓深如海　歷劫不思議　侍多千億佛　發大清淨願
我為汝略說　聞名及見身　心念不空過　能滅諸有苦
假使興害意　推落大火坑　念彼觀音力　火坑變成池
或漂流巨海　龍魚諸鬼難　念彼觀音力　波浪不能沒
或在須弥峯　為人所推墮　念彼觀音力　如日虛空住
或被惡人逐　墮落金剛山　念彼觀音力　不能損一毛
或值怨賊繞　各執刀加害　念彼觀音力　咸即起慈心
或遭王難苦　臨刑欲壽終　念彼觀音力　刀尋段段壞
或囚禁枷鎖　手足被杻械　念彼觀音力　釋然得解脫
呪咀諸毒藥　所欲害身者　念彼觀音力　還著於本人
或遇惡羅剎　毒龍諸鬼等　念彼觀音力　時悉不敢害
若惡獸圍繞　利牙爪可怖　念彼觀音力　疾走无邊方
蚖蛇及蝮蠍　氣毒煙火然　念彼觀音力　尋聲自迴去
雲雷鼓掣電　降雹澍大雨　念彼觀音力　應時得消散
衆生被困厄　无量苦逼身　觀音妙智力　能救世間苦
具足神通力　廣脩智方便　十方諸國土　无剎不現身
種種諸惡趣　地獄鬼畜生　生老病死苦　以漸悉令滅
真觀清淨觀　廣大智慧觀　悲觀及慈觀　常願常瞻仰
无垢清淨光　慧日破諸闇　能伏灾風火　普明照世間
悲體戒雷震　慈意妙大雲　澍甘露法雨　滅除煩惱焰
諍訟經官處　怖畏軍陣中　念彼觀音力　衆怨悉退散
妙音觀世音　梵音海潮音　勝彼世間音　是故須常念
念念勿生疑　觀世音淨聖　於苦惱死厄　能為作依怙
具一切功德　慈眼視衆生　福聚海无量　是故應頂礼

BD02977號　妙法蓮華經卷七　（17–5）

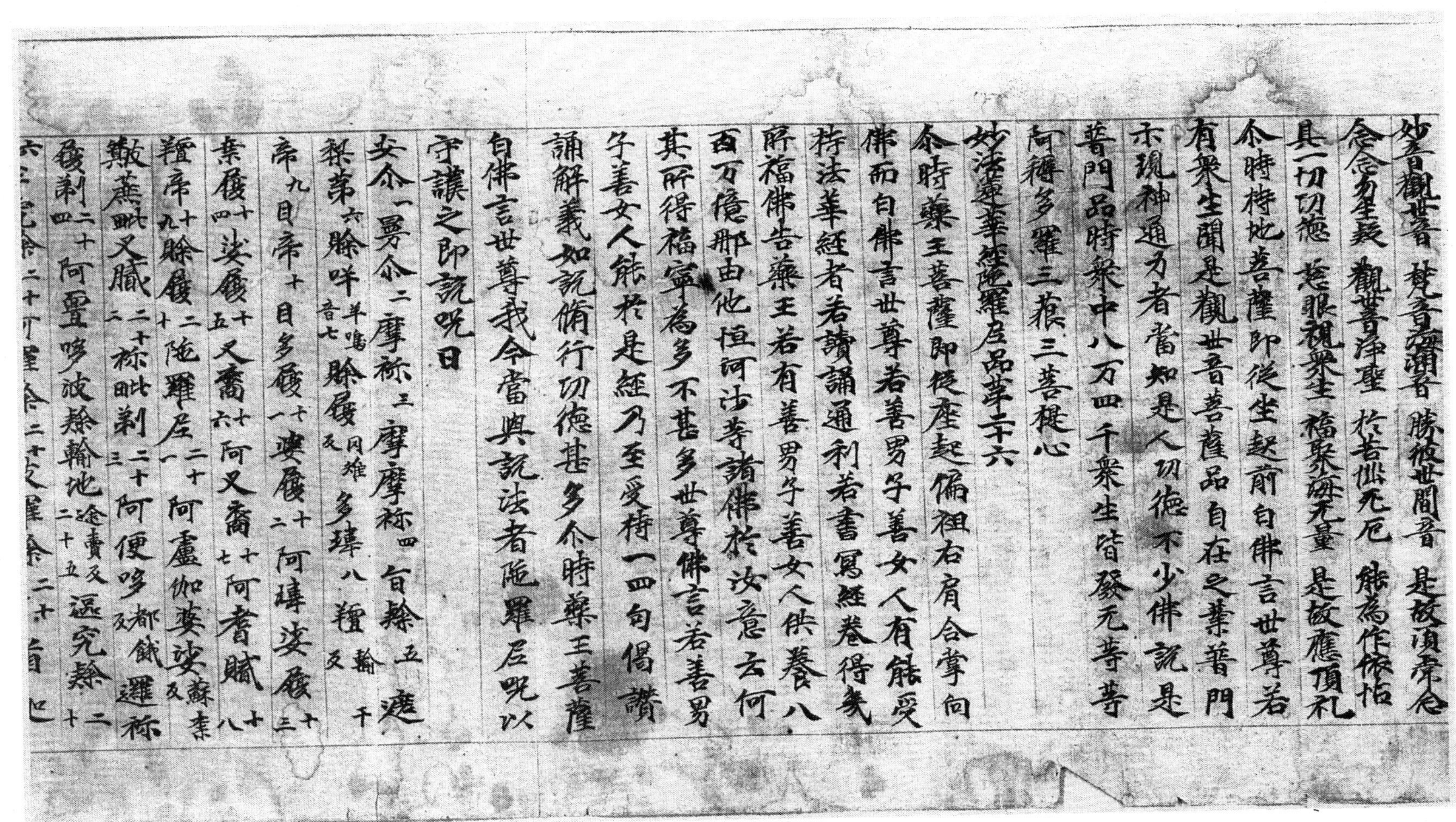

妙音觀世音　梵音海潮音　勝彼世間音　是故須常念
念念勿生疑　觀世音淨聖　於苦惱死厄　能為作依怙
具一切功德　慈眼視衆生　福聚海无量　是故應頂礼
尒時持地菩薩即從座起前白佛言世尊若
有衆生聞是觀世音菩薩品自在之業普門
示現神通力者當知是人功德不少佛說是
普門品時衆中八万四千衆生皆發无等等
阿耨多羅三藐三菩提心
妙法蓮華經陁羅尼品第二十六
尒時藥王菩薩即從座起偏袒右肩合掌向
佛而白佛言世尊若善男子善女人有能受
持法華經者若讀誦通利若書寫經卷得幾
所福佛告藥王若有善男子善女人供養八
百万億那由他恒河沙等諸佛於汝意云何
其所得福寧為多不甚多世尊佛言若善男
子善女人能於是經乃至受持一四句偈讀
誦解義如說脩行功德甚多尒時藥王菩薩
白佛言世尊我今當與說法者陁羅尼呪以
守護之即說呪曰
安尒一 曼尒二 摩祢三 摩摩祢四 旨隷五 遮
棃第六 賒咩羊鳴音七 賒履冈雉反多瑋八 羶帝輸千反
帝九 目帝十 目多履十一 娑履十二 阿瑋娑履十三
桑履十四 娑履十五 叉裔十六 阿叉裔十七 阿耆膩十八
羶帝十九 賒履二十 陁羅尼二十一 阿盧伽婆娑蘇柰反
簸蔗毗叉膩二十二 祢毗剃二十三 阿便哆都餓反邏祢
履剃二十四 阿亶哆波隷輸地途賣反二十五 漚究隷二十
六 [illegible]二十七 阿羅[illegible]二十八 [illegible]二十九 首[illegible]

BD02977號　妙法蓮華經卷七　（17–6）

帝目帝目多履一娑履二阿瑋娑履三
桑履十四娑履十五叉裔十六阿叉裔十七阿耆膩十八
羶帝十九賒履二十陀羅尼二十一阿盧伽婆娑蘇柰反
簸蔗毗叉膩二十二禰毗剃二十三阿便哆都餓反邏禰
履剃二十四阿亶哆波隷輸地途賣反二十五漚究隷二十
六牟究隷二十七阿羅隷二十八波羅隷二十九首迦
差初几反三十阿三磨三履三十一佛馱毗吉利袠
帝三十二達磨波利差猜離反帝三十三僧伽涅瞿
沙禰三十四婆舍婆舍輸地三十五曼哆邏三十六
曼哆邏叉夜多三十七郵樓哆三十八郵樓哆憍
舍略三十九惡叉邏四十惡叉冶多冶四十一阿婆
盧四十二阿摩若荏蔗反那多夜四十三
世尊是陀羅尼神呪六十二億恒河沙等諸
佛所說若有侵毀此法師者則為侵毀是諸
佛已時釋迦牟尼佛讚藥王菩薩言善哉善
哉藥王汝愍念擁護此法師故說是陀羅尼
於諸衆生多所饒益尒時勇施菩薩白佛言
世尊我亦為擁護讀誦受持法華經者說陀
羅尼若此法師得是陀羅尼若夜叉若羅剎
若富單那若吉蔗若鳩槃荼若餓鬼等伺求
其短无能得便即於佛前而說呪曰
痤誓螺反隸一摩訶痤隸二郁枳三目枳四阿
隸五阿羅婆第六涅隸第七涅隸多婆第八
伊緻猪履反柅九韋緻柅十旨緻柅十一涅隸墀
柅十二涅犁墀婆底十三
世尊是陀羅尼神呪恒河沙等諸佛所說亦
皆隨喜若有侵毀此法師者則為侵毀是諸

BD02977號　妙法蓮華經卷七　（17–7）

伊緻猪履反柅九韋緻柅十旨緻柅十一涅隸墀
柅十二涅犁墀婆底十三
世尊是陀羅尼神呪恒河沙等諸佛所說亦
皆隨喜若有侵毀此法師者則為侵毀是諸
佛已尒時毗沙門天王護世者白佛言世尊
我亦為愍念衆生擁護此法師故說是陀羅
尼即說呪曰
阿梨一那梨二㝹那梨三阿那盧四那履五
拘那履六
世尊以是神呪擁護法師我亦自當擁護持
是經者令百由旬内无諸衰患尒時持國天
王在此會中與千万億那由他乹闥婆衆恭
敬圍繞前詣佛所合掌白佛言世尊我亦以
陀羅尼神呪擁護持法華經者即說呪曰
阿伽祢一伽祢二瞿利三乹陀利四栴陀利
五摩蹬耆六常求利七浮樓莎柅八頞底九
世尊是陀羅尼神呪四十二億諸佛所說若
有侵毀此法師者則為侵毀是諸佛已尒時
有羅剎女等一名藍婆二名毗藍婆三名曲
齒四名華齒五名黑齒六名多髮七名无厭
足八名持瓔珞九名睪帝十名奪一切衆生
精氣是十羅剎女與鬼子母并其子及眷屬
俱詣佛所同聲白佛言世尊我等亦欲擁護
讀誦受持法華經者除其衰患若有伺求法
師短者令不得便即於前而說呪曰
伊提履一伊提泯二伊提履三阿提履四伊

BD02977號　妙法蓮華經卷七　（17–8）

精氣是十羅刹女與鬼子母并其子及眷屬
俱詣佛所同聲白佛言世尊我等亦欲擁護
讀誦受持法華經者除其衰患若有伺求法
師短者令不得便即於佛前而說呪曰
伊提履一 伊提泯二 伊提履三 阿提履四 伊
提履五 泥履六 泥履七 泥履八 泥履九 泥履
十 樓醯十一 樓醯十二 樓醯十三 樓醯十四 多醯十五 多
醯十六 多醯十七 兜醯十八 㝹醯十九
寧上我頭上莫惱於法師若夜叉若羅刹若
餓鬼若富單那若吉蔗若毗陀羅若揵馱若
烏摩勒伽若阿跋摩羅若夜叉吉蔗若人吉
蔗若熱病若一日若二日若三日若四日若
至七日若常熱病若男形若女形若童男形
若童女形乃至夢中亦復莫惱即於佛前而
說偈言
若不順我呪　惱亂說法者　頭破作七分　如阿梨樹枝
如殺父母罪　亦如壓油殃　斗秤欺誑人　調達破僧罪
犯此法師者　當獲如是殃
諸羅刹女說此偈已白佛言世尊我等亦當
身自擁護受持讀誦修行是經者令得安隱
離諸衰患消衆毒藥佛告諸羅刹女善哉善
哉汝等但能擁護受持法華名者福不可量
何況擁護具足受持供養經卷華香瓔珞末
香塗香燒香幡蓋伎樂然種種燈酥燈油燈
諸香油燈蘇摩那華油燈瞻蔔華油燈婆師
迦華油燈優鉢羅華油燈如是等百千種供

BD02977號　妙法蓮華經卷七　　（17–9）

何況擁護具足受持供養經卷華香瓔珞末
香塗香燒香幡蓋伎樂然種種燈酥燈油燈
諸香油燈蘇摩那華油燈瞻蔔華油燈婆師
迦華油燈優鉢羅華油燈如是等百千種供
養者睪帝汝等及眷屬應當擁護如是法師
說是陀羅尼品時六万八千人得无生法忍
妙法蓮華經妙莊嚴王本事品第二十七
尒時佛告諸大衆乃往古世過无量无邊不
可思議阿僧祇劫有佛名雲雷音宿王華智
多陀阿伽度阿羅呵三藐三佛陀國名光明
莊嚴劫名憙見彼佛法中有王名妙莊嚴其
王夫人名曰淨德有二子一名淨藏二名淨
眼是二子有大神力福德智慧久脩菩薩所
行之道所謂檀波羅蜜尸羅波羅蜜羼提波
羅蜜毗梨耶波羅蜜禪波羅蜜般若波羅蜜
方便波羅蜜慈悲喜捨乃至三十七助道法
皆悉明了通達又得菩薩淨三昧日星宿三
昧淨光三昧淨色三昧淨照明三昧長莊嚴
三昧大威德藏三昧於此三昧亦悉通達尒
時彼佛欲引導妙莊嚴王及愍念衆生故說
是法華經時淨藏淨眼二子到其母所合十
指爪掌白言願母往詣雲雷音宿王華智佛
所我等亦當侍從親近供養礼拜所以者何
此佛於一切天人衆中說法華經宜應聽受
母告子言汝父信受外道深著婆羅門法汝
等應往白父與共俱去淨藏淨眼合十爪指
白母我等是法王子而生此邪見家母告

BD02977號　妙法蓮華經卷七　　（17–10）

所我等亦當侍從親近供養礼拜所以者何
此佛於一切天人衆中說法華經宜應聽受
母告子言汝父信受外道深著婆羅門法汝
等應往白父與共俱去淨藏淨眼合十爪指
掌白母我等是法王子而生此邪見家母告
子言汝等當憂念汝父為現神變若得見者
心必清淨或聽我等往至佛所於是二子念
其父故踊在虛空高七多羅樹現種種神變
於虛空中行住坐卧身上出水身下出火身
下出水身上出火或現大身滿虛空中而復
現小小復現大於空中滅忽然在地入地如
水履水如地現如是等種種神變令其父王
心淨信解時父見子神力如是心大歡喜得
未曾有合掌向子言汝等師為是誰誰之弟
子二子白言大王彼雲雷音宿王華智佛今
在七寶菩提樹下法座上坐於一切世間天
人衆中廣說法華經是我等師我是弟子父
語子言我今亦欲見汝等師可共俱往於是
二子從空中下到其母所合掌白母父王今
已信解堪任發阿耨多羅三藐三菩提心我
等為父已作佛事願母見聽於彼佛所出家
脩道尒時二子欲重宣其意以偈白母
願母放我等　出家作沙門　諸佛甚難值　我等隨佛學
如優曇波羅　值佛復難是　脫諸難亦難　願聽我出家
母即告言聽汝出家所以者何佛難值故於
是二子白父母言善哉父母願時往詣雲雷音

BD02977號　妙法蓮華經卷七　（17–11）

願母放我等　出家作沙門　諸佛甚難值
如優曇波羅　值佛復難是　脫諸難亦難　願聽我出家
母即告言聽汝出家所以者何佛難值故於
是二子白父母言善哉父母願時往詣雲雷音
宿王華智佛所親近供養所以者何佛難
得值如優曇波羅華又如一眼之龜值浮木
孔而我等宿福深厚生值佛法是故父母當
聽我等令得出家所以者何諸佛難值時亦
難遇彼時妙莊嚴王後宮八万四千人皆悉
堪任受持是法華經淨眼菩薩於法華三昧
久已通達淨藏菩薩已於无量百千万億劫
通達離諸惡趣三昧欲令一切衆生離諸惡
趣故其王夫人得諸佛習三昧能知諸佛秘
密之藏二子如是以方便力善化其父令心
信解好樂佛法於是妙莊嚴王與羣臣眷屬
俱淨德夫人與後宮采女眷屬俱其王二子
與四万二千人俱一時共詣佛所到已頭面
礼足繞佛三帀却住一面尒時彼佛為王說
法示教利喜王大歡悅尒時妙莊嚴王及其
夫人解頸真珠瓔珞價直百千以散佛上於
虛空中化成四柱寶臺臺中有大寶床敷百
千万天衣其上有佛結加趺坐放大光明尒
時妙莊嚴王作是念佛身希有端嚴殊特成
就第一微妙之色時雲雷音宿王華智佛告
四衆言汝等見是妙莊嚴王於我前合掌立
不此王於我法中作比丘精勤脩習助佛道
法當得作佛号娑羅樹王國名大光劫名大

BD02977號　妙法蓮華經卷七　（17–12）

就第一微妙之色時雲雷音宿王華智佛告
四衆言汝等見是妙莊嚴王於我前合掌立
不此王於我法中作比丘精勤脩習助佛道
法當得作佛号娑羅樹王國名大光劫名大
高王其娑羅樹王佛有无量菩薩衆及无量
聲聞其國平正功德如是其王即時以國付
弟與夫人二子并諸眷屬於佛法中出家脩
道王出家已於八万四千歲常勤精進脩行
妙法華經過是已後得一切淨功德莊嚴三
昧即外虛空高七多羅樹而白佛言世尊此
我二子已作佛事以神通變化轉我邪心令
得安住於佛法中得見世尊此二子者是我
善知識為欲發起宿世善根饒益我故來生
我家尒時雲雷音宿王華智佛告妙莊嚴王
言如是如是如汝所言若善男子善女人種
善根故世世得善知識其善知識能作佛事
示教利喜令入阿耨多羅三藐三菩提大王
當知善知識者是大因緣所謂化導令得見
佛發阿耨多羅三藐三菩提心大王汝見此
二子不此二子已曾供養六十五百千万億
那由他恒河沙諸佛親近恭敬於諸佛所受
持法華經愍念邪見衆生令住正見妙莊嚴
王即從虛空中下而白佛言世尊如來甚希
有以功德智慧故頂上肉髻光明顯照其眼
長廣而紺青色眉間毫相白如珂月齒白齊
密常有光明脣色赤好如頻婆果尒時妙莊
嚴王讚歎佛如是等无量百千万億功德已

王即從虛空中下而白佛言世尊如來甚希
有以功德智慧故頂上肉髻光明顯照其眼
長廣而紺青色眉間毫相白如珂月齒白齊
密常有光明脣色赤好如頻婆果尒時妙莊
嚴王讚歎佛如是等无量百千万億功德已
於如來前一心合掌復白佛言世尊未曾有
也如來之法具足成就不可思議微妙功德教
戒所行安隱快善我從今日不復自隨心
行不生耶見憍慢瞋恚諸惡之心說是語已
礼佛而出佛告大衆於意云何妙莊嚴王豈
異人乎今華德菩薩是其淨德夫人今佛前
光照莊嚴相菩薩是哀愍妙莊嚴王及諸眷
屬故於彼中生其二子者今藥王菩薩藥上
菩薩是是藥王藥上菩薩成就如此諸大功
德已於无量百千万億諸佛所植衆德本成
就不可思議諸善功德若有人識是二菩薩
名字者一切世間諸天人民亦應礼拜佛說
是妙莊嚴王本事品時八万四千人遠塵離
垢於諸法中得法眼淨

妙法蓮華經普賢菩薩勸發品第二十八

尒時普賢菩薩以自在神通威德名聞與大
菩薩无量无邊不可稱數從東方來所經諸
國普皆震動雨寶蓮華作无量百千万億種
種伎樂又與无數諸天龍夜叉乾闥婆阿脩
羅迦樓羅緊那羅摩睺羅伽人非人等大衆
圍繞各現威德神通之力到娑婆世界耆闍

菩薩无量无邊不可稱數從東方來所經諸
國普皆震動雨寶蓮華作无量百千万億種
種伎樂又與无數諸天龍夜叉乾闥婆阿脩
羅迦樓羅緊那羅摩睺羅伽人非人等大衆
圍繞各現威德神通之力到娑婆世界耆闍
崛山中頭面礼釋迦牟尼佛右繞七帀白佛
言世尊我於寶威德上王佛國遥聞此娑婆
世界說法華經與无量无邊百千万億諸菩
薩衆共來聽受唯願世尊當為說之若善男
子善女人於如來滅後云何能得是法華經
佛告普賢菩薩若善男子善女人成就四法
於如來滅後當得是法華經一者為諸佛護
念二者植衆德本三者入正定聚四者發救
一切衆生之心善男子善女人如是成就四
法於如來滅後必得是經尒時普賢菩薩白
佛言世尊於後五百歲濁惡世中其有受持
是經典者我當守護除其衰患令得安隱使
无伺求得其便者若魔若魔子若魔女若魔
民若為魔所著者若夜叉若羅剎若鳩槃荼
若毗舍闍若吉蔗若富單那若韋陁羅等諸
惱人者皆不得便是人若行若立讀誦此經
我尒時乘六牙白象王與大菩薩衆俱詣其
所而自現身供養守護安慰其心亦為供養
法華經故是人若坐思惟此經尒時我復乘
白象王現其人前其人若於法華經有所忘
失一句一偈我當教之與共讀誦還令通利

BD02977號　妙法蓮華經卷七

(17-15)

民若為魔所著者若夜叉若羅剎若鳩槃荼
若毗舍闍若吉蔗若富單那若韋陁羅等諸
惱人者皆不得便是人若行若立讀誦此經
我尒時乘六牙白象王與大菩薩衆俱詣其
所而自現身供養守護安慰其心亦為供養
法華經故是人若坐思惟此經尒時我復乘
白象王現其人前其人若於法華經有所忘
失一句一偈我當教之與共讀誦還令通利
尒時受持讀誦法華經者得見我身甚大歡
喜轉復精進以見我故即得三昧及陁羅尼
名為旋陁羅尼百千万億旋陁羅尼法音方
便陁羅尼得如是等陁羅尼世尊若後世後
五百歲濁惡世中比丘比丘尼優婆塞優婆
夷求索者受持者讀誦者書寫者欲脩習是
法華經於三七日中應一心精進滿三七日
已我當乘六牙白象與无量菩薩而自圍繞
以一切衆生所喜見身現其人前而為說法
示教利喜亦復與其陁羅尼呪得是陁羅尼
故无有非人能破壞者亦不為女人之所惑
亂我身亦自常護是人唯願世尊聽我說此
陁羅尼呪即於佛前而說呪曰
阿檀地 途賣反 一 檀陁婆地 二 檀陁婆帝 三 檀陁
鳩舍隸 四 檀陁脩陁隸 五 脩陁隸 六 脩陁羅
婆底 七 佛䭾波羶禰 八 薩婆陁羅尼阿婆多
尼 九 薩婆婆沙阿婆多尼 十 脩阿婆多尼 十一
僧伽婆履叉尼 十二 僧伽涅伽陁尼 十三 阿僧祇

BD02977號　妙法蓮華經卷七

(17-16)

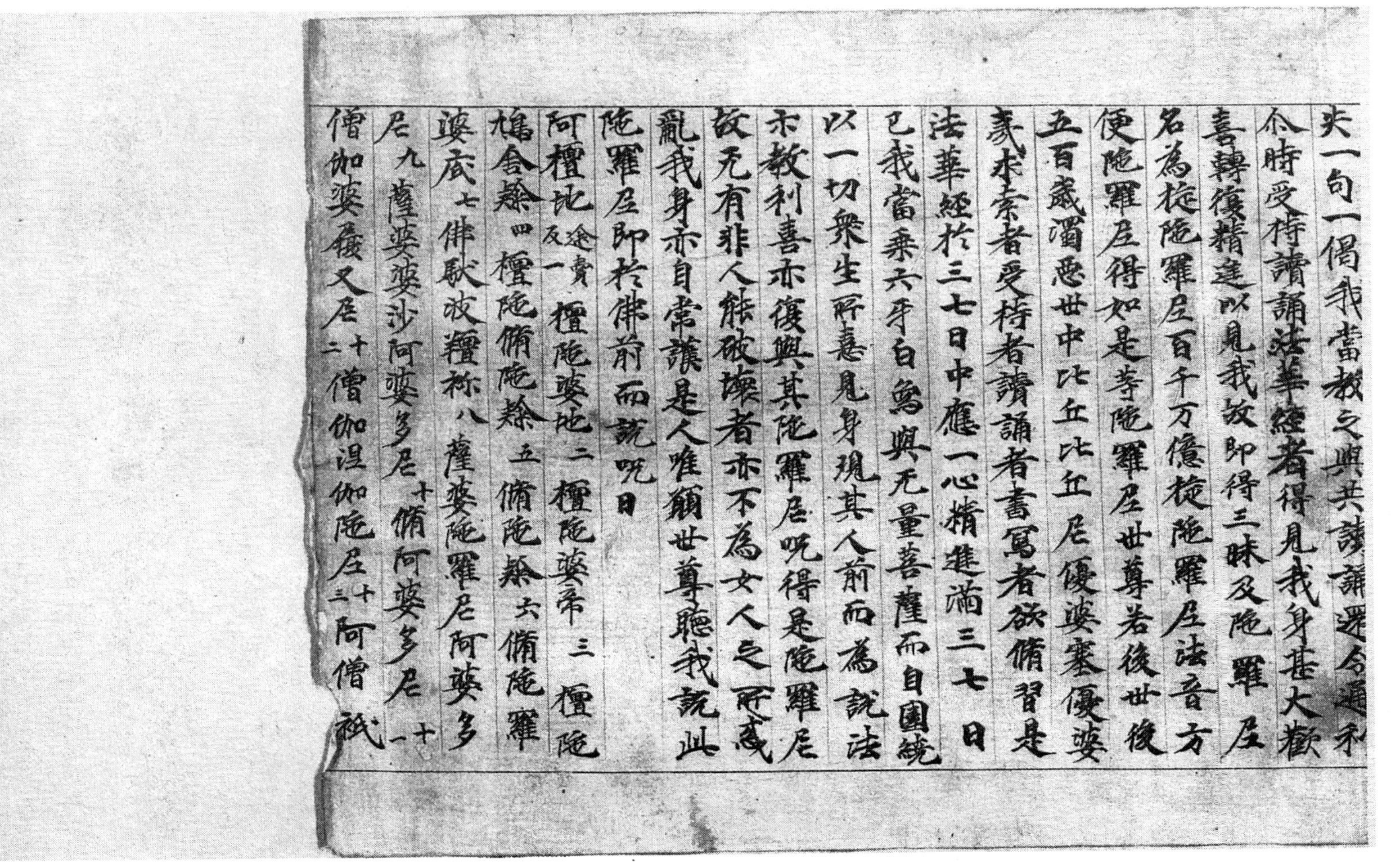

BD02977號　妙法蓮華經卷七　　（17–17）

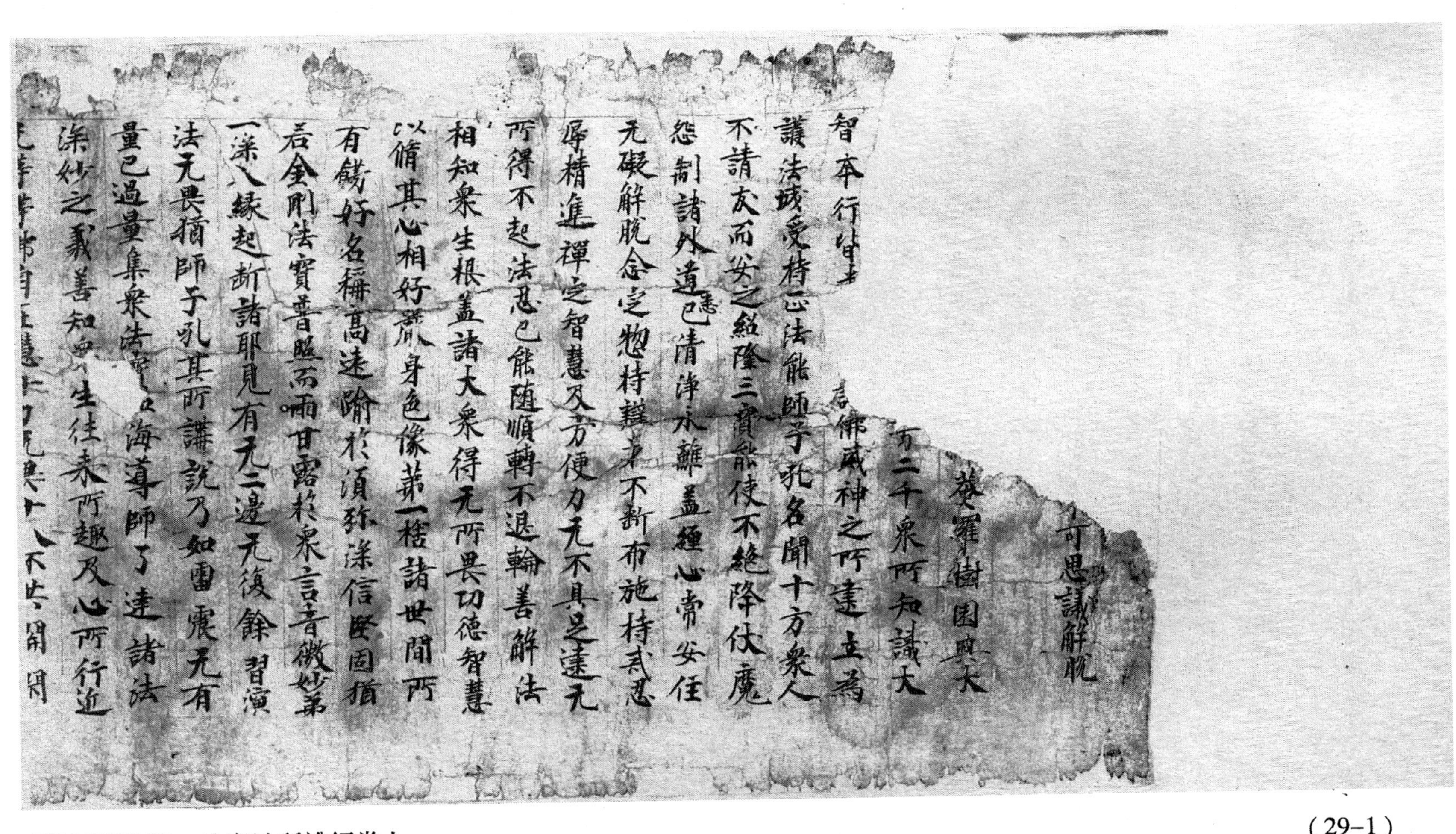

BD02978號　維摩詰所說經卷上　　（29–1）

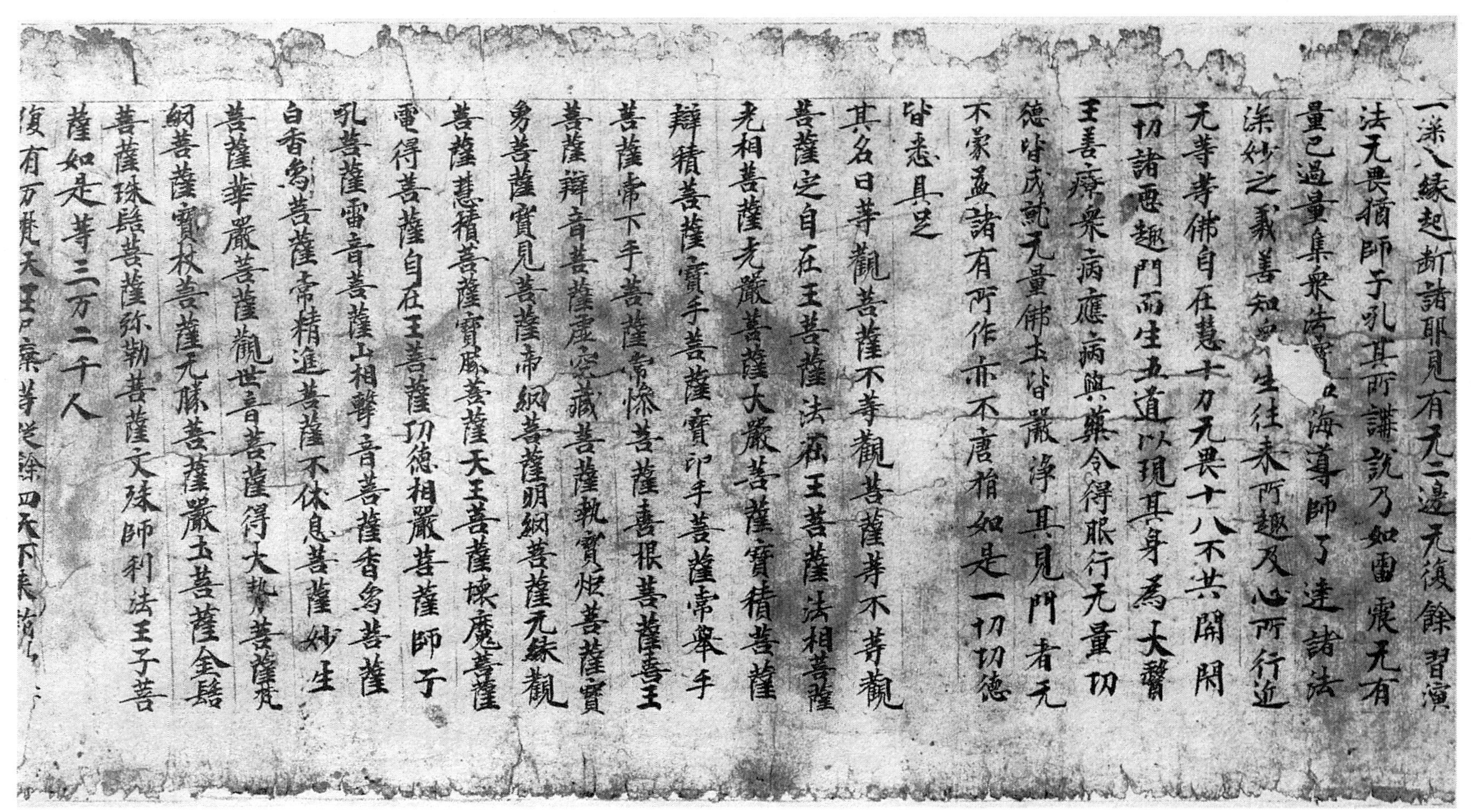

深入緣起斷諸耶見有无二邊无復餘習演
法无畏猶師子吼其所講說乃如雷震无有
量已過量集衆法寶如海導師了達諸法
深妙之義善知衆生往來所趣及心所行近
无等等佛自在慧十力无畏十八不共關閉
一切諸惡趣門而生五道以現其身為大醫
王善療衆病應病與藥令得服行无量功
德皆成就无量佛土皆嚴淨其見聞者无
不蒙益諸有所作亦不唐捐如是一切功德
皆悉具足
其名曰等觀菩薩不等觀菩薩等不等觀
菩薩定自在王菩薩法自在王菩薩法相菩薩
光相菩薩光嚴菩薩大嚴菩薩寶積菩薩
辯積菩薩寶手菩薩寶印手菩薩常舉手
菩薩常下手菩薩常慘菩薩喜根菩薩喜王
菩薩辯音菩薩虛空藏菩薩執寶炬菩薩寶
勇菩薩寶見菩薩帝網菩薩明網菩薩无緣觀
菩薩慧積菩薩寶勝菩薩天王菩薩壞魔菩薩
電得菩薩自在王菩薩功德相嚴菩薩師子
吼菩薩雷音菩薩山相擊音菩薩香象菩薩
白香象菩薩常精進菩薩不休息菩薩妙生
菩薩華嚴菩薩觀世音菩薩得大勢菩薩梵
網菩薩寶杖菩薩无勝菩薩嚴土菩薩金髻
菩薩珠髻菩薩弥勒菩薩文殊師利法王子菩
薩如是等三万二千人
復有万梵天王尸棄等從餘四天下來詣

BD02978 號　維摩詰所說經卷上　　（29–2）

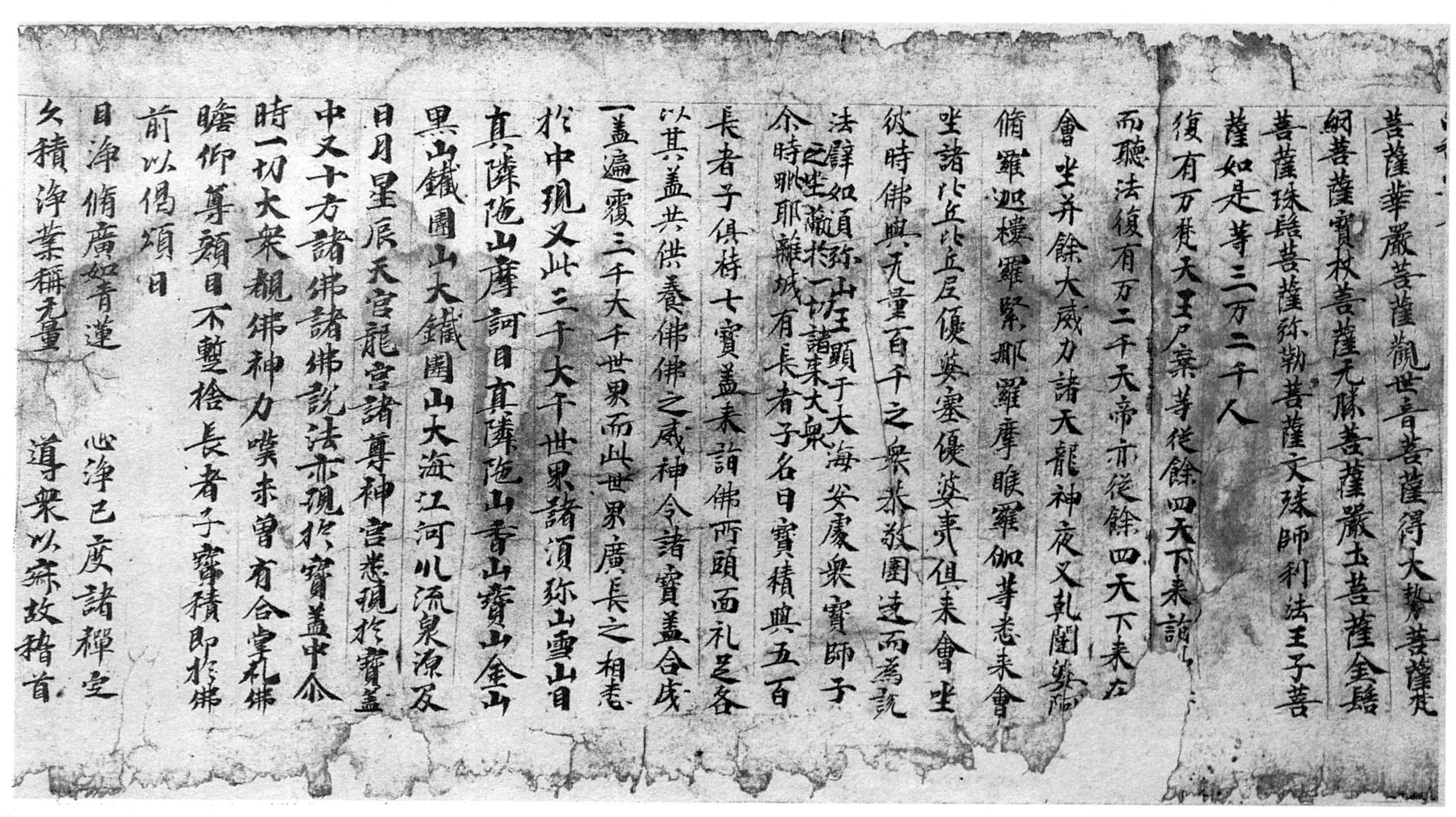

菩薩華嚴菩薩觀世音菩薩得大勢菩薩梵
網菩薩寶杖菩薩无勝菩薩嚴土菩薩金髻
菩薩珠髻菩薩弥勒菩薩文殊師利法王子菩
薩如是等三万二千人
復有万梵天王尸棄等從餘四天下來詣
而聽法復有万二千天帝亦從餘四天下來在
會坐并餘大威力諸天龍神夜叉乾闥婆阿
脩羅迦樓羅緊那羅摩睺羅伽等悉來會
坐諸比丘比丘尼優婆塞優婆夷俱來會坐
彼時佛與无量百千之衆恭敬圍遶而為說
法譬如須弥山王顯于大海安處衆寶師子
之座蔽於一切諸來大衆
尒時毗耶離城有長者子名曰寶積與五百
長者子俱持七寶蓋來詣佛所頭面礼足各
以其蓋共供養佛佛之威神令諸寶蓋合成
一蓋遍覆三千大千世界而此世界廣長之相悉
於中現又此三千大千世界諸須弥山雪山目
真隣陁山摩訶目真隣陁山香山寶山金山
黑山鐵圍山大鐵圍山大海江河川流泉源及
日月星辰天宮龍宮諸尊神宮悉現於寶蓋
中又十方諸佛諸佛說法亦現於寶蓋中尒
時一切大衆覩佛神力嘆未曾有合掌礼佛
瞻仰尊顏目不暫捨長者子寶積即於佛
前以偈頌曰
目淨脩廣如青蓮　心淨已度諸禪定
久積淨業稱无量　導衆以寂故稽首

BD02978 號　維摩詰所說經卷上　　（29–3）

時一切大衆覩佛神力歎未曾有合掌礼佛
瞻仰尊顏目不蹔捨長者子寶積即於佛
前以偈頌曰
目淨脩廣如青蓮　心淨已度諸禪定
久積淨業稱无量　導衆以寂故稽首
既見大聖以神變　普現十方无量土
其中諸佛演說法　於是一切悉見聞
法王法力超群生　常以法財施一切
能善分別諸法相　於第一義而不動
已於諸法得自在　是故稽首此法王
說法不有亦不无　以因緣故諸法生
无我无造无受者　善惡之業亦不亡
始在佛樹力降魔　得甘露滅覺道成
已无心意无受行　而悉摧伏諸外道
三轉法輪於大千　其輪本來常清淨
天人得道此為證　三寶於是現世間
以斯妙法濟群生　一受不退常寂然
度老病死大醫王　當礼法海德无邊
毀譽不動如須弥　於善不善等以慈
心行平等如虛空　孰聞人寶不敬承
今奉世尊此微蓋　於中現我三千界
諸天龍神所居宮　乾闥婆等及夜叉
悉見世間諸所有　十力哀現是化變
衆覩希有皆歎佛　今我稽首三界尊
大聖法王衆所歸　淨心觀佛靡不欣
各見世尊在其前　斯則神力不共法

諸天龍神所居宮　乾闥婆等及夜叉
悉見世間諸所有　十力哀現是化變
衆覩希有皆歎佛　今我稽首三界尊
大聖法王衆所歸　淨心觀佛靡不欣
各見世尊在其前　斯則神力不共法
佛以一音演說法　衆生隨類各得解
皆謂世尊同其語　斯則神力不共法
佛以一音演說法　衆生各各隨所解
普得受行獲其利　斯則神力不共法
佛以一音演說法　或有恐畏或歡喜
或生猒離或斷疑　斯則神力不共法
稽首十力大精進　稽首已得无所畏
稽首住於不共法　稽首一切大道師
稽首能斷衆結縛　稽首已到於彼岸
稽首能度諸世間　稽首永離生死道
悉知衆生來去相　善於諸法得解脫
不著世間如蓮華　常善入於空寂行
達諸法相无罣閡　稽首如空无所依
尒時長者子寶積說此偈已白佛言世尊
是五百長者子皆已發阿耨多羅三藐三菩提
心願聞得佛國土清淨唯願世尊說諸菩薩
淨土之行佛言善哉寶積乃能為諸菩薩
問於如來淨土之行諦聽諦聽善思念之當
為汝說於是寶積及五百長者子受教而聽佛
言寶積衆生之類是菩薩佛土所以者何菩薩
[illegible]

問於如来淨土之行諦聽諦聽善思念之當
為汝說於是寶積及五百長者子受教而聽佛
言寶積衆生之類是菩薩佛土所以者何菩薩
隨所化衆生而取佛土隨所調伏衆生而取佛
土隨諸衆生應以何國入佛智慧而取佛土
隨諸衆生應以何國起菩薩根而取佛土所
以者何菩薩取於淨國皆為饒益諸衆生故
辟如有人欲於空地造立宮室隨意无閡若
於虚空終不能成菩薩如是為成就衆生故
願取佛國願取佛國者非於空也　寶積當
知直心是菩薩淨土菩薩成佛時不諂衆生
来生其國深心是菩薩淨土菩薩成佛時具
足功德衆生来生其國大乘心是菩薩淨土菩
薩成佛時大乘衆生来生其國布施是菩
薩淨土菩薩成佛時一切能捨衆生来生其國
持戒是菩薩淨土菩薩成佛時行十善道滿
願衆生来生其國忍辱是菩薩淨土菩薩成
佛時卅二相莊嚴衆生来生其國精進是菩
薩淨土菩薩成佛時懃修一切功德衆生来
生其國禪定是菩薩淨土菩薩成佛時攝
心不乱衆生来生其國智慧是菩薩淨土菩薩
成佛時正定衆生来生其國四无量心是菩薩
淨土菩薩成佛時成就慈悲喜捨衆生来生
其國四攝法是菩薩淨土菩薩成佛時解
脫所攝衆生来生其國方便是菩薩淨土菩

BD02978 號　維摩詰所說經卷上　（29–6）

成佛時正定衆生来生其國四无量心是菩薩
淨土菩薩成佛時成就慈悲喜捨衆生来生
其國四攝法是菩薩淨土菩薩成佛時解
脫所攝衆生来生其國方便是菩薩淨土菩
薩成佛時於一切法方便无㝵衆生来生其國
卅七道品是菩薩淨土菩薩成佛時念處正
懃神足根力覺道衆生来生其國迴向心是
菩薩淨土菩薩成佛時得一切具足功德國
土說除八難是菩薩淨土菩薩成佛時國
土无有三惡八難自守戒行不譏彼闕是菩薩
淨土菩薩成佛時國土无有犯禁之名十善
道是菩薩淨土菩薩成佛時命不中夭大
富梵行所言誠諦常以濡語眷屬不離善
和諍訟言必饒益不嫉不恚正見衆生来生
其國如是寶積菩薩隨其直心則能發行隨
其發行則得深心隨其深心則意調伏隨意
調伏則如說行隨如說行則能迴向隨其迴
向則有方便隨其方便則成就衆生隨成就
衆生則佛土淨隨佛土淨則說法淨隨說法
淨則智慧淨隨智慧淨則其心淨隨其心淨
則一切功德淨是故寶積若菩薩欲得淨土
當淨其心隨其心淨則佛土淨
尒時舍利弗承佛威神作是念若菩薩心淨則
佛土淨者我世尊本為菩薩時意豈不淨
而是佛土不淨若此佛知其念即告之言於

BD02978 號　維摩詰所說經卷上　（29–7）

當淨其心隨其心淨則佛土淨
尒時舍利弗承佛威神作是念若菩薩心淨則
佛土淨者我世尊本為菩薩時意豈不淨
而是佛土不淨若此佛知其念即告之言於
意云何日月豈不淨耶而盲者不見對曰不也
世尊是盲者過非日月咎舍利弗衆生罪故
不見如來佛國嚴淨非如來咎舍利弗我此
土淨而汝不見尒時螺髻梵王語舍利弗勿
作是意謂此佛土以為不淨所以者何我見釋
迦牟尼佛土清淨譬如自在天宮舍利弗言
我見此土丘陵坑坎荊棘沙礫土石諸山穢
惡充滿螺髻梵言仁者心有高下不依佛慧
故見此土為不淨耳舍利弗菩薩於一切衆生
悉皆平等深心清淨依佛智慧則能見
此佛土清淨於是佛以足指案地即時三
千大千世界若干百千珍寶嚴飾譬如寶莊
嚴佛无量功德寶莊嚴土一切大衆嘆未曾
有而皆自見坐寶蓮華佛告舍利弗汝且
觀是佛土嚴淨舍利弗言唯然世尊本所不
見本所不聞今佛國土嚴淨悉現佛語舍利
弗我佛國土常淨若此為欲度斯下劣人故
示是衆惡不淨土耳譬如諸天共寶器食隨
其福德飯色有異如是舍利弗若人心淨便
見此土功德莊嚴當佛現此國土嚴淨之時
寶積所將五百長者子皆得无生法忍八

弗我佛國土常淨若此為欲度斯下劣人故
示是衆惡不淨土耳譬如諸天共寶器食隨
其福德飯色有異如是舍利弗若人心淨便
見此土功德莊嚴當佛現此國土嚴淨之時
寶積所將五百長者子皆得无生法忍八
万四千人發阿耨多羅三藐三菩提心佛攝神
足於是世界還復如故求聲聞乘三万二千
天及人知有為法皆悉无常遠塵離垢得
法眼淨八千比丘不受諸法漏盡意解

方便品第二

尒時毗耶離大城中有長者名維摩詰已曾
供養无量諸佛深殖善本得无生忍辯才无
㝵遊戲神通逮諸總持獲无所畏降魔勞
怨入深法門善於智度通達方便大願成就明
了衆生心之所趣又能分別諸根利鈍久於佛道
心已淳淑決定大乘諸有所作能善思量住佛
威儀心大如海諸佛咨嗟弟子釋梵世主所
敬欲度人故以善方便居毗耶離資財无量
攝諸貧民奉戒清淨攝諸毀禁以忍調行攝
諸恚怒以大精進攝諸懈怠一心禪寂攝
諸亂意以決定慧攝諸无智雖為白衣奉持
沙門清淨律行雖處居家不著三界亦有
妻子常脩梵行現有眷屬常樂遠離雖服
寶飾而以相好莊嚴其身雖復飲食而以禪悅為
味若至博弈戲處輒以度人受諸異道不毀正信

沙門清淨律行雖處居家不著三界亦有
妻子常脩梵行現有眷屬常樂遠離雖服
寶飾而以相好莊嚴其身雖復飲食而以禪悅為
味若至博弈戲處輒以度人受諸異道不毀正信
雖明世典常樂佛法一切見敬為供養中最
執持正法攝諸長幼一切治生諧偶雖獲俗
利不以喜悅遊諸四衢饒益眾生入治正法救
護一切入講論處導以大乘入諸學堂誘開
童蒙入諸婬舍示欲之過入諸酒肆能立其志
若在長者長者中尊為說勝法若在居士居
士中尊斷其貪著若在剎利剎利中尊教以
忍辱若在婆羅門婆羅門中尊除其我慢
若在大臣大臣中尊教以正法若在王子王
子中尊示以忠孝若在內官內官中尊化政
宮女若在庶民庶民中尊令興福力若在梵
天梵天中尊誨以勝慧若在帝釋帝釋中
尊示現无常若在護世護世中尊護諸眾
生長者維摩詰以如是等无量方便饒益眾
生其以方便現身有疾以其疾故國王大臣長
者居士婆羅門等及諸王子并餘官屬无數
千人皆往問疾其往者維摩詰因以身疾廣
為說法諸仁者是身无常无強无力无堅速朽
之法不可信也為苦為惱眾病所集諸仁者
如此身明智者所不怙是身如聚沫不可撮
摩是身如泡不得久立是身如炎從渴愛生

BD02978 號　維摩詰所說經卷上　（29–10）

之法不可信也為苦為惱眾病所集諸仁者
如此身明智者所不怙是身如聚沫不可撮
摩是身如泡不得久立是身如炎從渴愛生
是身如芭蕉中无有堅是身如幻從顛倒起
是身如夢為虛妄見是身如影從業緣現
是身如響屬諸因緣是身如浮雲須臾變滅
是身如電念念不住是身无主為如地是身
无我為如火是身无壽為如風是身无人為如
水是身不實四大為家是身為空離我我所
是身无知如草木瓦礫是身无作風力所轉是
身不淨穢惡充滿是身為虛偽雖假以澡
浴衣食必歸磨滅是身為災百一病惱是身
如丘井為老所逼是身无定為要當死是身
如毒蛇如怨賊如空聚陰界諸入所共合成諸
仁者此可患厭當樂佛身所以者何佛身者
即法身也從无量功德智慧生從戒定慧解
脫解脫知見生從慈悲喜捨生從布施持戒
忍辱柔和勤行精進禪定解脫三昧多聞智
慧諸波羅蜜生從方便生從六通生從三明
生從卅七道品生從止觀生從十力四无所畏
十八不共法生從斷一切不善法集一切善法生
從真實生從不放逸生從如是无量清淨
法生如來身諸仁者欲得佛身斷一切眾生
病者當發阿耨多羅三藐三菩提心如是
長者維摩詰為諸問疾者如應說法令千

BD02978 號　維摩詰所說經卷上　（29–11）

從真實生從不放逸生從如是无量清淨
法生如來身諸仁者欲得佛身斷一切衆生
病者當發阿耨多羅三藐三菩提心如是
長者維摩詰爲諸問疾者如應說法令
數千人皆發阿耨多羅三藐三菩提心

弟子品第三

尒時長者維摩詰自念寢疾于牀世尊大慈
寧不垂愍佛知其意即告舍利弗汝行詣維
摩詰問疾舍利弗白佛言世尊我不堪任詣
彼問疾所以者何憶念我昔曾於林中宴坐
樹下時維摩詰來謂我言唯舍利弗不必
是坐爲宴坐也夫宴坐者不於三界現身意是
爲宴坐不起滅定而現諸威儀是爲宴坐不
捨道法而現凡夫事是爲宴坐心不住内亦不
在外是爲宴坐於諸見不動而脩行三十七
品是爲宴坐不斷煩惱而入涅槃是爲宴坐
若能如是坐者佛所印可時我世尊聞是語已
默然而止不能加報故我不任詣彼問疾
佛告大目揵連汝行詣維摩詰問疾目連白
佛言世尊我不堪任詣彼問疾所以者何憶念我
昔入毗耶離大城於里巷中爲諸居士說法
時維摩詰來謂我言唯大目連爲白衣居士
說法不當如仁者所說夫說法者當如法說法
无衆生離衆生垢故法无有我離我垢故法
无壽命離生死故法无有人前後際斷故法常
寂然滅諸相故法離於相无所緣故法无名字

說法不當如仁者所說夫說法者當如法說法
无衆生離衆生垢故法无有我離我垢故法
无壽命離生死故法无有人前後際斷故法常
寂然滅諸相故法離於相无所緣故法无名字
言語斷故法无有說離覺觀故法无形相如虛
空故法无戲論畢竟空故法无我所離我所
故法无分別離諸識故法无有比无相待故法
不屬因不在緣故法同法性入諸法故法隨
於如无所隨故法住實際諸邊不動故法无動
搖不依六塵故法无去來常不住故法順空
隨无相應无作法離好醜法无增損法无生
法滅法无所歸法過眼耳鼻舌身心法无高下
法常住不動法離一切觀行唯大目連法相
如是豈可說乎夫說法者无說无示其聽法
者无聞无得譬如幻士爲幻人說法當建是
意而爲說法當了衆生根有利鈍善於知見
无所罣㝵以大悲心讚于大乘念報佛恩不
斷三寶然後說法維摩詰說是法時八百
居士發阿耨多羅三藐三菩提心我无此辯
是故不任詣彼問疾
佛告大迦葉汝行詣維摩詰問疾迦葉白佛
言世尊我不堪任詣彼問疾所以者何憶念我
昔於貧里而行乞時維摩詰來謂我言唯
大迦葉有慈悲心而不能普捨豪富從貧
乞迦葉住平等法應次行乞食爲不食故應行

言世尊我不堪任詣彼問疾所以者何憶念我
昔於貧里而行乞時維摩詰來謂我言唯
大迦葉有慈悲心而不能普捨豪富從貧
乞迦葉住平等法應次行乞食為不食故應行
乞食為壞和合相故應取揣食為不受故應
受彼食以空聚相入於聚落所見色與盲等所
聞聲與響等所齅香與風等所食味不分別
受諸觸如智證知諸法如幻相无自性无他性
本自不然今則无滅迦葉若能不捨八邪入
八解脫以邪相入正法以一食施一切供養諸佛
及衆賢聖然後可食如是食者非有煩惱
非離煩惱非入定意非起定意非住世間
非住涅槃其有施者无大福无小福不為益
不為損是為正入佛道不依聲聞迦葉若如
是食為不空食人之施也時我世尊聞說是
語得未曾有即於一切菩薩深起敬心復作
是念斯有家名辯才智慧乃能如是其誰
不發阿耨多羅三藐三菩提心我從是來不
復勸人以聲聞辟支佛行是故不任詣彼
問疾
佛告須菩提汝行詣維摩詰問疾須菩提
白佛言世尊我不堪任詣彼問疾所以者何憶
念我昔入其舍從乞食時維摩詰取我鉢
盛滿飯謂我言唯須菩提若能於食等者
諸法亦等諸法等者於食亦等如是行乞乃可

BD02978 號　維摩詰所說經卷上　（29–14）

白佛言世尊我不堪任詣彼問疾所以者何憶
念我昔入其舍從乞食時維摩詰取我鉢
盛滿飯謂我言唯須菩提若能於食等者
諸法亦等諸法等者於食亦等如是行乞乃可
取食若須菩提不斷婬怒癡亦不與俱不壞於
身而隨一相不滅癡愛起於明脫以五逆相而
得解脫亦不解不縛不見四諦非不見諦非
得果非不得果非凡夫非離凡夫法非聖人非不
聖人雖成就一切法而離諸法相乃可取食若須
菩提不見佛不聞法彼外道六師富蘭那
迦葉末伽梨拘賒梨子刪闍夜毗羅胝子阿
耆多翅舍欽婆羅迦羅鳩馱迦旃延尼犍陀
若提子等是汝之師因其出家彼師所墮汝亦
隨墮乃可取食若須菩提入諸邪見不到彼
岸住於八難不得无難同於煩惱離清淨
法汝得无諍三昧一切衆生亦得是定其施
汝者不名福田供養汝者墮三惡道為與衆魔
共一手作諸勞侶汝與衆魔及諸塵勞等无
有異於一切衆生而有怨心謗諸佛毀於法不
入衆數終不得滅度汝若如是乃可取食時
我世尊聞此語茫然不識是何言不知以
何荅便置鉢欲出其舍維摩詰言唯須菩
提取鉢勿懼於意云何如來所作化人若以是
事詰寧有懼不我言不也維摩詰言一切諸
法如幻化相汝今不應有所懼也所以者何

BD02978 號　維摩詰所說經卷上　（29–15）

何答便置鉢欲出其舍維摩詰言唯須菩
提取鉢勿懼於意云何如來所作化人若以是
事詰寧有懼不我言不也維摩詰言一切諸
法如幻化相汝今不應有所懼也所以者何
一切言說不離是相至於智者不著文字故
无所懼何以故文字性離无有文字是則解
脫解脫相者則諸法也維摩詰說是法時二
百天子得法眼淨故我不任詣彼問疾
佛告富樓那弥多羅尼子汝行詣維摩詰問
疾富樓那白佛言世尊我不堪任詣彼問疾所
以者何憶念我昔於大林中在一樹下為諸新
學比丘說法時維摩詰來謂我言唯富樓
那先當入定觀此人心然後說法无以穢食
置於寶器當知是比丘心之所念无以琉璃同彼
水精汝不能知眾生根原无得發起以小乘
法彼自无瘡勿傷之也欲行大道莫示小徑
无以大海內於牛跡无以日光等彼螢火富
樓那此比丘久發大乘心中忘此意如何以小
乘法而教導之我觀小乘智慧微淺猶
如盲人不能分別一切眾生根之利鈍時維摩
詰即入三昧令此比丘自識宿命曾於五
百佛所殖眾德本迴向阿耨多羅三藐三菩
提即時豁然還得本心於是諸比丘稽首礼
維摩詰足時維摩詰因為說法於阿耨多羅
三藐三菩提不復退轉我念聲聞不觀人根

百佛所殖眾德本迴向阿耨多羅三藐三菩
提即時豁然還得本心於是諸比丘稽首礼
維摩詰足時維摩詰因為說法於阿耨多羅
三藐三菩提不復退轉我念聲聞不觀人根
不應說法是故不任詣彼問疾
佛告摩訶迦栴延汝行詣維摩詰問疾迦栴
延白佛言世尊我不堪任詣彼問疾所以者
何憶念昔者佛為諸比丘略說法要我即於
後敷演其義謂无常義苦義空義无我義
寂滅義時維摩詰來謂我言唯迦栴延无
以生滅心行說實相法迦栴延諸法畢竟不生
不滅是无常義五受陰洞達空无所起是苦
義諸法究竟无所有是空義於我无我而不
二是我義法本不然今則无滅是寂滅義說
是法時彼諸比丘心得解脫故我不任詣彼
問疾
佛告阿那律汝行詣維摩詰問疾阿那律
白佛言世尊我不堪任詣彼問疾所以者何憶
念我昔於一處經行時有梵王名曰嚴淨與
万梵俱放淨光明來詣我所稽首作礼問我
言幾何阿那律天眼所見我即答言仁者吾
見此釋迦牟尼佛土三千大千世界如觀掌中
阿摩勒菓時維摩詰來謂我言唯阿那律
天眼所見為作相耶无作相耶假使作相則與
外道五通等若无作相即是无為不應有見世

阿摩勒菓時維摩詰來謂我言唯阿那律
天眼所見為作相耶无作相耶假使作相則與
外道五通等若无作相即是无為不應有見世
尊我時嘿然彼諸梵聞其言得未曾有即為
作礼而問曰世孰有真天眼者維摩詰言有
佛世尊得真天眼常在三昧悉見諸佛國不
以二相於是嚴淨梵王及其眷屬五百梵天
皆發阿耨多羅三藐三菩提心礼維摩詰足
已忽然不現故我不任詣彼問疾
佛告優波離汝行詣維摩詰問疾優波離白
佛言世尊我不堪任詣彼問疾所以者何憶念
昔者有二比丘犯律行以為恥不敢問佛來問
我言唯優波離我等犯律誠以為恥不敢
問佛願解疑悔得免斯咎我即為其如法解
說時維摩詰來謂我言唯優波離无重增
此二比丘罪當直除滅勿擾其心所以者何彼罪
性不在內不在外不在中間如佛所說心垢故
衆生垢心淨故衆生淨心亦不在內不在外不
在中間如其心然罪垢亦然諸法亦然不出
於如如優波離以心相得解脫時寧有垢
不我言不也維摩詰言一切衆生心相无垢
亦復如是唯優波離妄想是垢无妄想是
淨顛倒是垢无顛倒是淨取我是垢不取我是
淨優波離一切法生滅不住如幻如電諸法不
相待乃至一念不住諸法皆妄見如夢如炎

BD02978號　維摩詰所說經卷上　（29–18）

不我言不也維摩詰言一切衆生心相无垢
亦復如是唯優波離妄想是垢无妄想是
淨顛倒是垢无顛倒是淨取我是垢不取我是
淨優波離一切法生滅不住如幻如電諸法不
相待乃至一念不住諸法皆妄見如夢如炎
如水中月如鏡中像以妄想生其知此者是
名奉律其知此者是名善解於是二比丘
言上智哉是優波離所不能及持律之上而
不能說我即答言自捨如來未有聲聞及菩
薩能制其樂說之辯其智慧明達為若此
也時二比丘疑悔即除發阿耨多羅三藐三菩
提心作是願言令一切衆生皆得是辯故我
不任詣彼問疾
佛告羅睺羅汝行詣維摩詰問疾羅睺羅
白佛言世尊我不堪任詣彼問疾所以者何憶
念昔時毗耶離諸長者子來詣我所稽首
作礼問我言唯羅睺羅汝佛之子捨轉輪
王位出家為道其出家者有何等利我即如法
為說出家功德之利時維摩詰來謂我言唯
羅睺羅不應說出家功德之利所以者何无利
无功德是為出家有為法者可說有利有功德
夫出家者為无為法无為法中无利无功德
羅睺羅出家者无彼无此亦无中間離六
十二見處於涅槃智者所受聖所行處降伏
衆魔度五道淨五眼得五力立五根不惱於

BD02978號　維摩詰所說經卷上　（29–19）

羅睺羅出家者无彼无此亦无中間離六
十二見處於涅槃智者所受聖所行處降伏
衆魔度五道淨五眼得五力立五根不惱於
彼離衆雜惡摧諸外道超越假名出淤
泥无繫著无我所无所受无擾亂內懷喜護彼
意隨禪定離衆過若能如是是真出家於是
維摩詰語諸長者子汝等於正法中宜共出家
所以者何佛世難值諸長者子言居士我聞佛
言父母不聽不得出家維摩詰言然汝等便
發阿耨多羅三藐三菩提心是即出家是即
具足尒時卅二長者子皆發阿耨多羅三藐三
菩提心故我不任詣彼問疾
佛告阿難汝行詣維摩詰問疾阿難白佛
言世尊我不堪任詣彼問疾所以者何憶念昔
時世尊身小有疾當用牛乳我即持鉢詣大
婆羅門家門下立時維摩詰來謂我言唯阿
難何為晨朝持鉢住此我言居士世尊身小
有疾當用牛乳故來至此維摩詰言止止阿
難莫作是語如來身者金剛之體諸惡已斷
衆善普會當有何疾當有何惱嘿往阿難
勿謗如來莫使異人聞此麁言无令大威德諸
天及他方淨土諸來菩薩得聞斯語阿難轉
輪聖王以少福故尚得无病豈況如來无量福
會普勝者哉行矣阿難勿使我等受斯恥也
外道梵志若聞此語當作是念何名為師

BD02978號　維摩詰所說經卷上　（29–20）

天及他方淨土諸來菩薩得聞斯語阿難轉
輪聖王以少福故尚得无病豈況如來无量福
會普勝者哉行矣阿難勿使我等受斯恥也
外道梵志若聞此語當作是念何名為師
自疾不能救而能救諸疾人可密速去勿使
人聞當知阿難諸如來身即是法身非思欲
身佛為世尊過於三界佛身无漏諸漏已盡
佛身无為不墮諸數如此之身當有何疾時我
世尊實懷慚愧得无近佛而謬聽耶即聞空
中聲曰阿難如居士言但為佛出五濁惡世現
行斯法度脫衆生行矣阿難取乳勿慙世
尊維摩詰智慧辯才為若此也是故不任詣
彼問疾如是五百大弟子各各向佛說其本
緣稱述維摩詰所言皆曰不任詣彼問疾
菩薩品第四
於是佛告彌勒菩薩汝行詣維摩詰問疾彌
勒白佛言世尊我不堪任詣彼問疾所以者
何憶念我昔為兜率天王及其眷屬說不退
轉地之行時維摩詰來謂我言彌勒世尊授
仁者記一生當得阿耨多羅三藐三菩提為用
何生得受記乎過去耶未來耶現在耶若
過去生過去生已滅若未來生未來生未至
若現在生現在生无住如佛所說比丘汝今
即時亦生亦老亦滅若以无生得受記者无
生即是正位於正位中亦无受記亦无得阿耨

BD02978號　維摩詰所說經卷上　（29–21）

若現在生現在生无住如佛所說比丘汝今
即時亦生亦老亦滅若以无生得受記者无
生即是正位於正位中亦无受記亦无得阿耨
多羅三藐三菩提云何弥勒受一生記乎爲
從如生得受記耶爲從如滅得受記耶若
以如生得受記者如无有生若以如滅得受記
者如无有滅一切衆生皆如也一切法亦如也衆
聖賢亦如也至於弥勒亦如也若弥勒得受
記者一切衆生亦應受記所以者何夫如者不
二不異若弥勒得阿耨多羅三藐三菩提者
一切衆生皆亦應得所以者何一切衆生即菩
提相若弥勒得滅度者一切衆生亦當
滅度所以者何諸佛知一切衆生畢竟寂滅
即涅槃相不復更滅是故弥勒无以此法誘
諸天子實无發阿耨多羅三藐三菩提心
者亦无退者弥勒當令此諸天子捨於分
別菩提之見所以者何菩提者不可以身得
不可以心得寂滅是菩提滅諸相故不觀是
菩提離諸緣故不行是菩提无憶念故斷是
菩提捨諸見故離是菩提離諸妄想故鄣
是菩提鄣諸顛故不入是菩提无貪著故順
是菩提順於如故住是菩提住法性故至是
菩提至實際故不二是菩提離意法故等是
菩提等虛空故无爲是菩提无生住滅故

BD02978號　維摩詰所說經卷上　（29–22）

是菩提鄣諸顛故不入是菩提无貪著故順
是菩提順於如故住是菩提住法性故至是
菩提至實際故不二是菩提離意法故等是
菩提等虛空故无爲是菩提无生住滅故
智是菩提了衆生心行故不會是菩提諸入
不會故不合是菩提離煩惱習故无處是菩
提无形色故假名是菩提名字空故如化是
菩提无取捨故无亂是菩提常自靜故善寂
是菩提性清淨故无取是菩提離攀緣故无
異是菩提諸法等故无比是菩提无可喻故
微妙是菩提諸法難知故世尊維摩詰說
是法時二百天子得无生法忍故我不任詣彼問疾
佛告光嚴童子汝行詣維摩詰問疾光嚴
佛言世尊我不堪任詣彼問疾所以者何憶
念我昔出毗耶離大城時維摩詰方入城我
即爲作礼而問言居士從何所來荅我言吾
從道場來我問道場者何所是荅曰直心是
道場无虛假故發行是道場能辯事故深心
是道場增益功德故菩提心是道場无錯謬
故布施是道場不望報故持戒是道場得願
具故忍辱是道場於諸衆生心无㝵故精進
是道場不懈怠故禪定是道場心調柔故智
慧是道場現見諸法故慈是道場等衆生故
悲是道場忍疲苦故喜是道場悅樂法故捨
是道場憎愛斷故神通是道場成就六通故

BD02978號　維摩詰所說經卷上　（29–23）

具故忍辱是道場於諸衆生心无㝵故精進
是道場不懈怠故禪定是道場心調柔故智
慧是道場現見諸法故慈是道場等衆生故
悲是道場忍疲苦故喜是道場悅樂法故捨
是道場憎愛斷故神通是道場成就六通故
解脫是道場能背捨故方便是道場教化衆
生故四攝是道場攝衆生故多聞是道場如
聞行故伏心是道場正觀諸法故卅七品是道
場捨有爲法故諦是道場不誑世間故緣
起是道場无明乃至老死皆无盡故諸煩惱
是道場知如實故衆生是道場知无我故一
切法是道場知諸法空故降魔是道場不傾
動故三界是道場无所趣故師子吼是道場无
所畏故力无畏不共法是道場无諸過故三
明是道場无餘㝵故一念知一切法是道場
成就一切智故如是善男子菩薩若應諸
波羅蜜教化衆生諸有所作舉足之下之
當知皆從道場來住於佛法矣說是法時五
百天人皆發阿耨多羅三藐三菩提心故我
不任詣彼問疾
佛告持世菩薩汝行詣維摩詰問疾持世白
佛言世尊我不堪任詣彼問疾所以者何憶
念我昔住於靜室時魔波旬從万二千天女
狀如帝釋鼓樂絃歌來詣我所與其眷屬
稽首我足合掌恭敬於一面立我意謂是
帝釋而語之言善來憍尸迦雖福應有不

佛言世尊我不堪任詣彼問疾所以者何憶
念我昔住於靜室時魔波旬從万二千天女
狀如帝釋鼓樂絃歌來詣我所與其眷屬
稽首我足合掌恭敬於一面立我意謂是
帝釋而語之言善來憍尸迦雖福應有不
當自恣當觀五欲无常以求善本於身命
財而脩堅法即語我言正士受是万二千天女
可備掃灑我言憍尸迦无以此非法之物要我
沙門釋子此非我宜所言未訖時維摩詰
來謂我言非帝釋也是爲魔來嬈固汝耳即
語魔言是諸女等可以與我如我應受魔即
驚懼念維摩詰將无惱我欲隱形去而不
能隱盡其神力亦不得去即聞空中聲曰波
旬以女與之乃可得去魔以畏故俛仰而與尒時
維摩詰語諸女言魔以汝等與我今汝皆當
發阿耨多羅三藐三菩提心即隨所應而爲
說法令發道意復言汝等已發道意有法
樂可以自娛不應復樂五欲樂也天女即問何
謂法樂答言樂常信佛樂欲聽法樂供養衆
樂離五欲樂觀五陰如怨賊樂觀四大如毒
蛇樂觀內入如空聚樂隨護道意樂饒益衆
生樂敬養師樂廣行施樂堅持戒樂忍辱柔
和樂懃集善根樂禪定不亂樂離垢明慧
樂廣菩提心樂降伏衆魔樂斷諸煩惱樂淨
佛國土樂成就相好故脩諸功德樂莊嚴道場樂

和樂懃集善根樂禪定不亂樂離垢明慧
樂廣菩提心樂降伏衆魔樂斷諸煩惱樂淨
佛國土樂成就相好故脩諸功德樂庄嚴道場樂
聞深法不畏樂三脫門不樂非時樂近同學樂
於非同學中心无恚㝵樂將護惡知識樂近
善知識樂心喜清淨樂脩无量道品之法是
為菩薩法樂於是波旬告諸女言我欲與
汝俱還天宮諸女言以我等與此居士有法樂
我等甚樂不復樂五欲樂也魔言居士可捨
此女一切所有施於彼者是為菩薩維摩詰
言我已捨矣汝便將去令一切衆生得法願具
足於是諸女問維摩詰我等云何止於魔宮
維摩詰言諸姉有法門名无盡燈汝等當
學无盡燈者譬如一燈然百千燈冥者皆明
明終不盡如是諸姉夫一菩薩開導百千衆生
令發阿耨多羅三藐三菩提心於其道意
亦不滅盡隨所說法而自增益一切善法是名
无盡燈也汝等雖住魔宮以是无盡燈令无
數天子天女發阿耨多羅三藐三菩提心
者為報佛恩亦大饒益一切衆生尒時天女
頭面礼維摩詰足隨魔還宮忽然不現世
尊維摩詰有如是自在神力智慧辯才
故我不任詣彼問疾
佛告長者子善得汝行詣維摩詰問疾善得
白佛言世尊我不堪任詣彼問疾所以者何

BD02978號　維摩詰所說經卷上　（29–26）

者為報佛恩亦大饒益一切衆生尒時天女
頭面礼維摩詰足隨魔還宮忽然不現世
尊維摩詰有如是自在神力智慧辯才
故我不任詣彼問疾
佛告長者子善得汝行詣維摩詰問疾善得
白佛言世尊我不堪任詣彼問疾所以者何
憶念我昔自於父舍設大施會供養一切沙門
婆羅門及諸外道貧窮下賤孤獨乞人期
滿七日時維摩詰來入會中謂我言長者子
夫大施會不當如汝所設當為法施之會何
用是財施會為我言居士何謂法施之會法
施會者无前无後一時供養一切衆生是名
法施之會何謂也謂以菩提起於慈心以救衆
生起大悲心以持正法起於喜心以攝智慧
行於捨心以攝慳貪起檀波羅蜜以化犯
戒起尸羅波羅蜜以无我法起羼提波羅蜜
以離身心相起毗梨耶波羅蜜以菩提相起
禪波羅蜜以一切智起般若波羅蜜教化衆
生而起於空不捨有為法而起无相示現受生
而起无作護持正法起方便力以度衆生起四
攝法以敬事一切起除慢法於身命財起三
堅法於六念中起思念法於六和敬起質直
心正行善法起於淨命心淨歡喜起近賢聖
不憎惡人起調伏心以出家法起於深心以
如說行起於多聞以无諍法起空閑處起

BD02978號　維摩詰所說經卷上　（29–27）

攝法以敬事一切起除憍法於身命財起三
堅法於六念中起思念法於六和敬起質直
心正行善法起於淨命心淨歡喜起近賢聖
不憎惡人起調伏心以出家法起於深心以
如說行起於多聞以无諍法起空閑處起
向佛慧起於宴坐解衆生縛起脩行地以具
相好及淨佛土起福德業知一切衆生心念如
應說法起於智業知一切法不取不捨入一
相門起於慧業斷一切煩惱一切鄣碍一切不
善法起一切善業以得一切智慧一切善法起
於一切助佛道法如是善男子是為法
施之會若菩薩住是法施會者為大施
亦主為一切世間福田世尊維摩詰說是
法時婆羅門衆中二百人皆發阿耨多羅三藐
三菩提心我時心得清淨嘆未曾有稽首
礼維摩詰足即解瓔珞價直百千以上之不
肯取我言居士願必納受隨意所與維摩
詰乃受瓔珞分作二分持一分施此會中一
最下乞人持一分奉彼難勝如來一切衆會皆
見光明國土難勝如來又見珠瓔在彼佛上變
成四柱寶臺四面嚴飾不相鄣蔽時維摩詰
現神變已作是言若施主等心施一最下乞人
猶如如來福田之相无所分別等于大悲不
求果報是則名為具足法施城中一最下乞
人見是神力聞其所說皆發阿耨多羅三藐

BD02978號　維摩詰所說經卷上　(29–28)

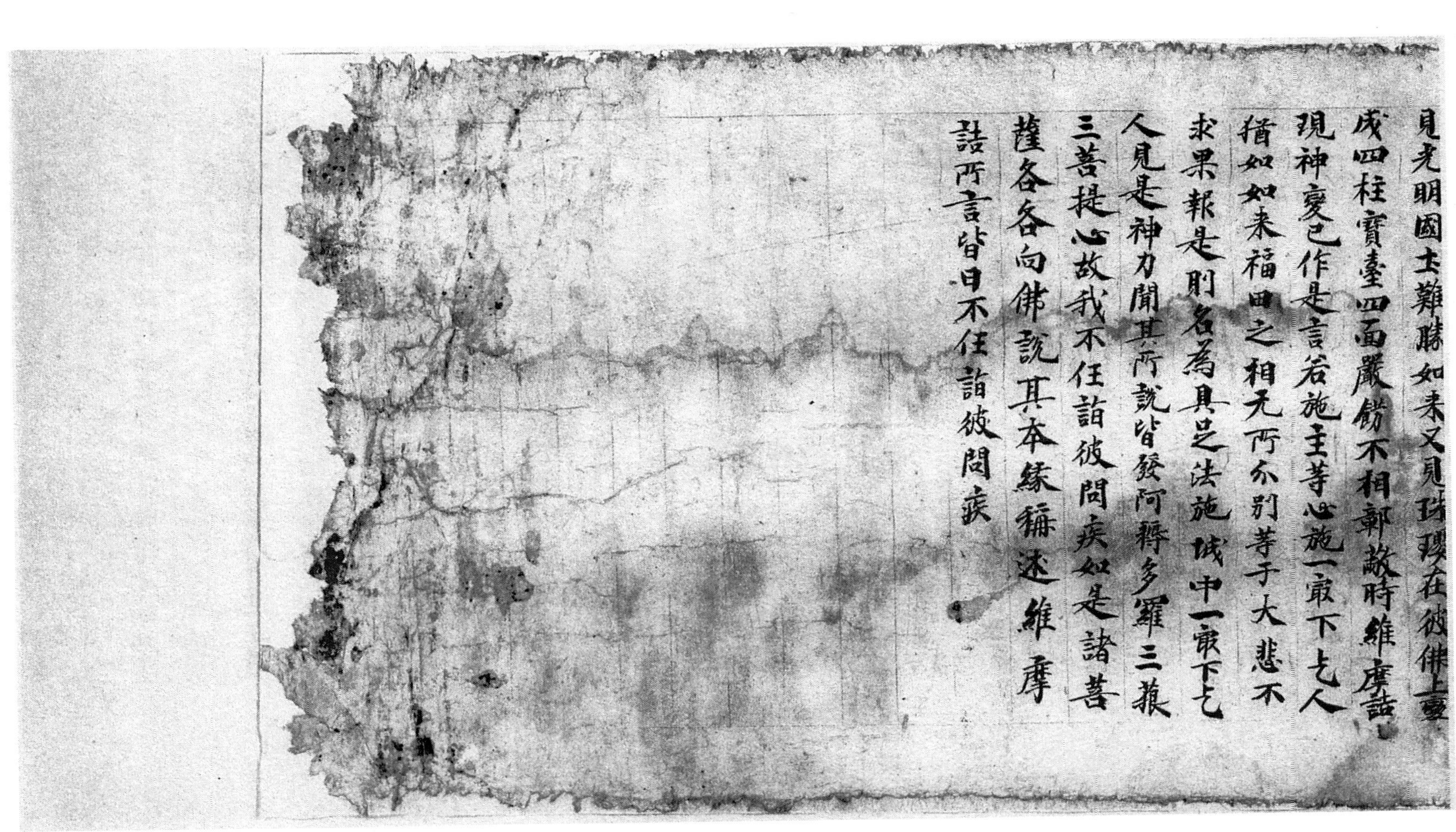
見光明國土難勝如來又見珠瓔在彼佛上變
成四柱寶臺四面嚴飾不相鄣蔽時維摩詰
現神變已作是言若施主等心施一最下乞人
猶如如來福田之相无所分別等于大悲不
求果報是則名為具足法施城中一最下乞
人見是神力聞其所說皆發阿耨多羅三藐
三菩提心故我不任詣彼問疾如是諸菩
薩各各向佛說其本緣稱述維摩
詰所言皆曰不任詣彼問疾

BD02978號　維摩詰所說經卷上　(29–29)

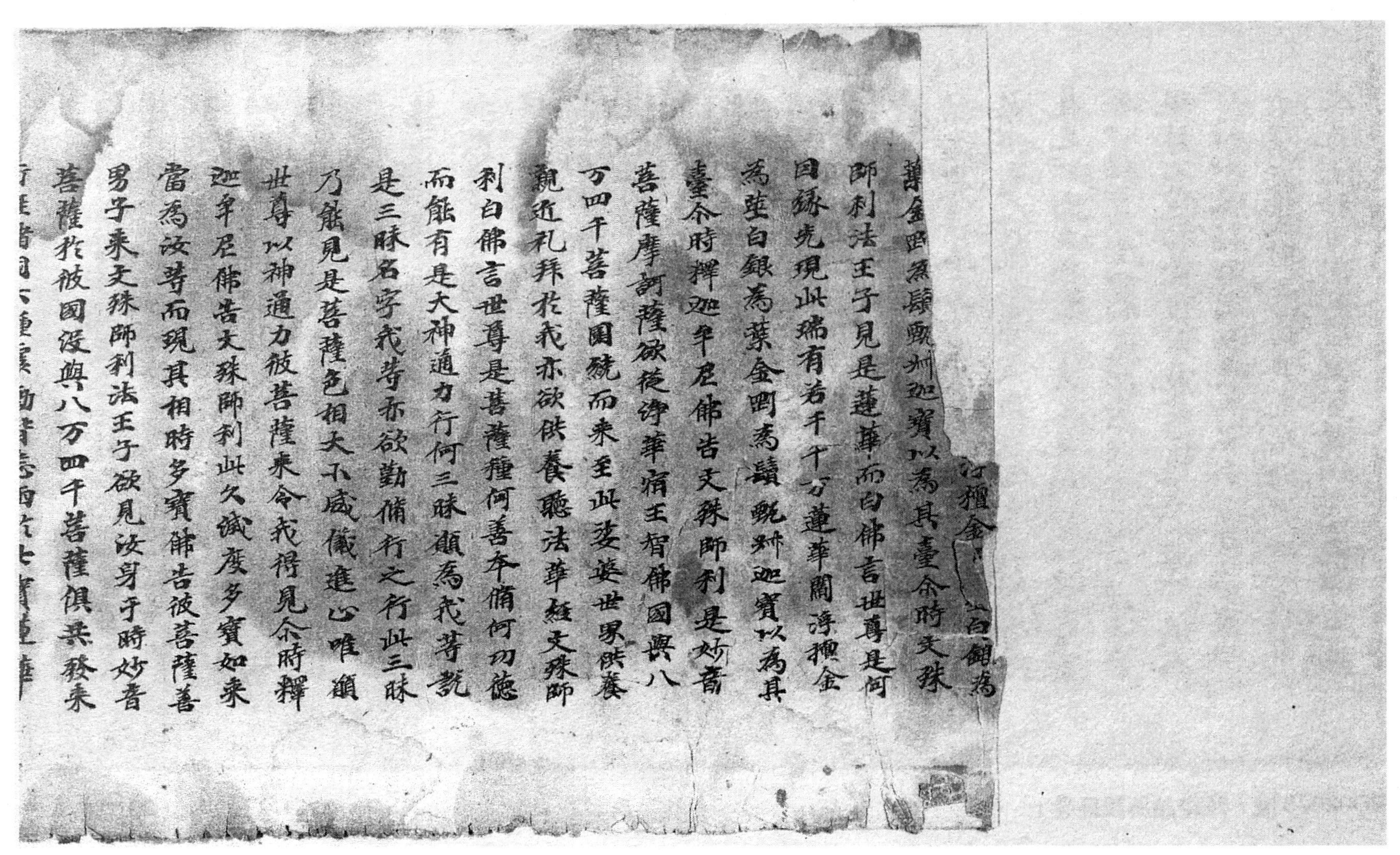

……檀金……白銀為
葉金剛為鬚甄叔迦寶以為其臺尒時文殊
師利法王子見是蓮華而白佛言世尊是何
因緣先現此瑞有若千千万蓮華閻浮檀金
為莖白銀為葉金剛為鬚甄叔迦寶以為其
臺尒時釋迦牟尼佛告文殊師利是妙音
菩薩摩訶薩欲從淨華宿王智佛國與八
万四千菩薩圍繞而來至此娑婆世界供養
親近礼拜於我亦欲供養聽法華經文殊師
利白佛言世尊是菩薩種何善本脩何功德
而能有是大神通力行何三昧願為我等說
是三昧名字我等亦欲勤脩行之行此三昧
乃能見是菩薩色相大小威儀進止唯願
世尊以神通力彼菩薩來令我得見尒時釋
迦牟尼佛告文殊師利此久滅度多寶如來
當為汝等而現其相時多寶佛告彼菩薩善
男子來文殊師利法王子欲見汝身于時妙音
菩薩於彼國沒與八万四千菩薩俱共發來
所經諸國六種震動皆悉雨於七寶蓮華

BD02979 號　妙法蓮華經卷七　（24–1）

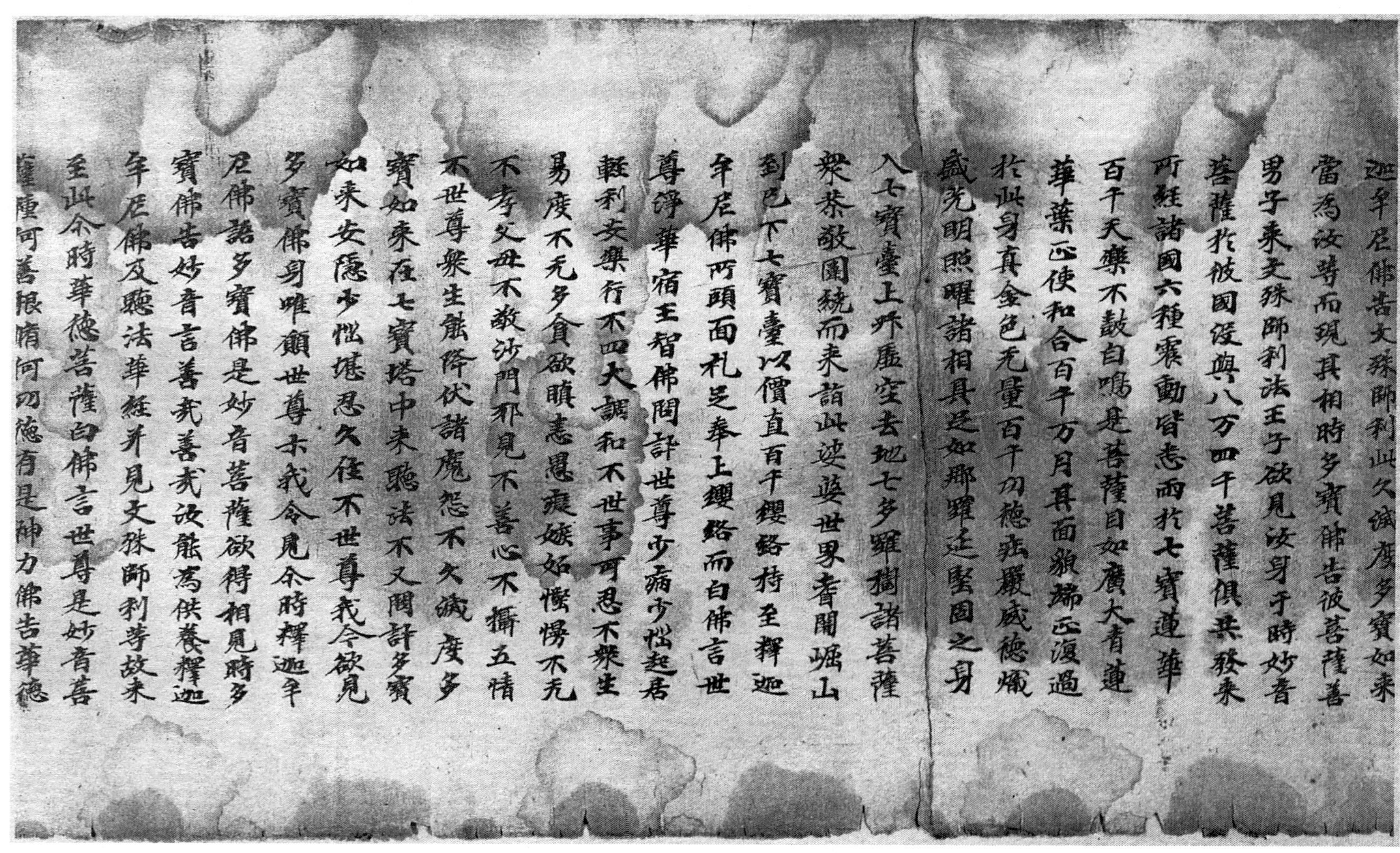

迦牟尼佛告文殊師利此久滅度多寶如來
當為汝等而現其相時多寶佛告彼菩薩善
男子來文殊師利法王子欲見汝身于時妙音
菩薩於彼國沒與八万四千菩薩俱共發來
所經諸國六種震動皆悉雨於七寶蓮華
百千天樂不鼓自鳴是菩薩目如廣大青蓮
華葉正使和合百千万月其面貌端正復過
於此身真金色无量百千功德莊嚴威德熾
盛光明照曜諸相具足如那羅延堅固之身
入七寶臺上昇虛空去地七多羅樹諸菩薩
眾恭敬圍繞而來詣此娑婆世界耆闍崛山
到已下七寶臺以價直百千瓔珞持至釋迦
牟尼佛所頭面礼足奉上瓔珞而白佛言世
尊淨華宿王智佛問訊世尊少病少惱起居
輕利安樂行不四大調和不世事可忍不眾生
易度不无多貪欲瞋恚愚癡嫉妬慳慢不无
不孝父母不敬沙門邪見不善心不攝五情
不世尊眾生能降伏諸魔怨不久滅度多
寶如來在七寶塔中來聽法不又問訊多寶
如來安隱少惱堪忍久住不世尊我今欲見
多寶佛身唯願世尊示我令見尒時釋迦牟
尼佛語多寶佛是妙音菩薩欲得相見時多
寶佛告妙音言善哉善哉汝能為供養釋迦
牟尼佛及聽法華經并見文殊師利等故來
至此尒時華德菩薩白佛言世尊是妙音菩
薩種何善根脩何功德有是神力佛告華德

BD02979 號　妙法蓮華經卷七　（24–2）

多寶佛身唯願世尊示我令見尒時釋迦牟
尼佛語多寶佛是妙音菩薩欲得相見時多
寶佛告妙音言善哉善哉汝能為供養釋迦
牟尼佛及聽法華經并見文殊師利等故來
至此尒時華德菩薩白佛言世尊是妙音菩
薩種何善根脩何功德有是神力佛告華德
菩薩過去有佛名雲雷音王多陁阿伽度阿
羅呵三藐三佛陁國名現一切世間劫名憙
見妙音菩薩於万二千歲以十万種伎樂供
養雲雷音王佛并奉上八万四千七寶鉢以
是因緣果報今生淨華宿王智佛國有是神
力華德於汝意云何尒時雲雷音王佛所妙
音菩薩伎樂供養奉上寶器者豈異人乎
今此妙音菩薩摩訶薩是華德是妙音菩
薩已曾供養親近无量諸佛久植德本又值
恒河沙等百千万億那由他佛華德汝但見
妙音菩薩其身在此而是菩薩現種種身處處
為諸眾生說是經典或現梵王身或現帝釋
身或現自在天身或現大自在天身或現天大將
軍身或現毗沙門天王身或現轉輪聖王身或
現諸小王身或現長者身或現居士身或現
宰官身或現婆羅門身或現比丘比丘尼優
婆塞優婆夷身或現長者居士婦女身或現
宰官婦女身或現婆羅門婦女身或現童男
童女身或現天龍夜叉乾闥婆阿脩羅迦樓
羅緊那羅摩睺羅伽人非人等身而說是經

BD02979號　妙法蓮華經卷七

（24–3）

宰官身或現婆羅門身或現比丘比丘尼優
婆塞優婆夷身或現長者居士婦女身或現
宰官婦女身或現婆羅門婦女身或現童男
童女身或現天龍夜叉乾闥婆阿脩羅迦樓
羅緊那羅摩睺羅伽人非人等身而說是經
諸有地獄餓鬼畜生及眾難處皆能救濟乃
至於王後宮變為女身而說是經華德是妙
音菩薩能救護娑婆世界諸眾生者是妙音
菩薩如是種種變化現身在此娑婆國土為
諸眾生說是經典於神通變化智慧无所損
減是菩薩以若干智慧明照娑婆世界令一切
眾生各得所知於十方恒河沙世界中亦復如
是若應以聲聞形得度者現聲聞形而為說
法應以辟支佛形得度者現辟支佛形而
為說法應以菩薩形得度者現菩薩形而
為說法應以佛形得度者即現佛形而為說
法如是種種隨所應度而為現形乃至應以
滅度而得度者示現滅度華德妙音菩薩摩
訶薩成就大神通智慧之力其事如是尒時
華德菩薩白佛言世尊是妙音菩薩深種
善根世尊是菩薩住何三昧而能如是在所
變現度脫眾生佛告華德菩薩善男子其三
昧名現一切色身妙音菩薩住是三昧中能如
是饒益无量眾生說是妙音菩薩品時與妙
音菩薩俱來者八万四千人皆得現一切色身

BD02979號　妙法蓮華經卷七

（24–4）

變現度脫衆生佛告華德菩薩善男子其三
昧名現一切色身妙音菩薩住是三昧中能如
是饒益无量衆生說是妙音菩薩品時與妙
音菩薩俱來者八万四千人皆得現一切色身
三昧此娑婆世界无量菩薩亦得是三昧及
陁羅尼尒時妙音菩薩摩訶薩供養釋迦
牟尼佛及多寶佛塔已還歸本土所經諸國
六種震動雨寶蓮華作百千万億種種伎樂
既到本國與八万四千菩薩圍繞至淨華宿王
智佛所白佛言世尊我到娑婆世界饒益衆生
見釋迦牟尼佛及見多寶佛塔礼拜供養
又見文殊師利法王子菩薩及見藥王菩薩
得勤精進力菩薩勇施菩薩等亦令八万四
千菩薩得現一切色身三昧說是妙音菩薩
來往品時四万二千天子得无生法忍華德
菩薩得法華三昧

妙法蓮華經觀世音菩薩普門品第二十五

尒時无盡意菩薩即從座起偏袒右肩合掌
向佛而作是言世尊觀世音菩薩以何因緣名
觀世音佛告无盡意菩薩善男子若有无量
百千万億衆生受諸苦惱聞是觀世音菩薩
一心稱名觀世音菩薩即時觀其音聲皆
得解脫若有持是觀世音菩薩名者設入大
火火不能燒由是菩薩威神力故若為大水
所漂稱其名号即得淺處若有百千万億衆

BD02979號　妙法蓮華經卷七　（24–5）

一心稱名觀世音菩薩即時觀其音聲皆
得解脫若有持是觀世音菩薩名者設入大
火火不能燒由是菩薩威神力故若為大水
所漂稱其名号即得淺處若有百千万億衆
生為求金銀琉璃車璖馬瑙珊瑚虎珀真珠
等寶入於大海假使黑風吹其船舫飄墮羅刹
鬼國其中若有乃至一人稱觀世音菩薩名者
是諸人等皆得解脫羅刹之難以是因緣名觀
世音若復有人臨當被害稱觀世音菩薩名
者彼所執刀杖尋段段壞而得解脫若三
千大千國土滿中夜叉羅刹欲來惱人聞
其稱觀世音菩薩名者是諸惡鬼尚不能以
惡眼視之況復加害設復有人若有罪若无
罪杻械枷鎖檢繫其身稱觀世音菩薩名
者皆悉斷壞即得解脫若三千大千國土滿
中怨賊有一商主將諸商人齎持重寶經過
險路其中一人作是唱言諸善男子勿得恐
怖汝等應當一心稱觀世音菩薩名号是菩
薩能以无畏施於衆生汝等若稱名者於此
怨賊當得解脫衆商人聞俱發聲言南无觀
世音菩薩稱其名故即得解脫无盡意觀世
音菩薩摩訶薩威神之力巍巍如是若有衆
生多於婬欲常念恭敬觀世音菩薩便得離
欲若多瞋恚常念恭敬觀世音菩薩便得離
瞋若多愚癡常念恭敬觀世音菩薩便得離
癡无盡意觀世音菩薩有如是等大威神力

BD02979號　妙法蓮華經卷七　（24–6）

欲若多瞋恚常念恭敬觀世音菩薩便得離
瞋若多愚癡常念恭敬觀世音菩薩便得離
癡无盡意觀世音菩薩有如是等大威神力
多所饒益是故衆生常應心念若有女人設
欲求男礼拜供養觀世音菩薩便生福德智
慧之男設欲求女便生端正有相之女宿植
德本衆人愛敬无盡意觀世音菩薩有如是
力若有衆生恭敬礼拜觀世音菩薩福不唐
捐是故衆生皆應受持觀世音菩薩名号无
盡意若有人受持六十二億恒河沙菩薩名
字復盡形供養飲食衣服卧具醫藥於汝
意云何是善男子善女人功德多不无盡意言
甚多世尊佛言若復有人受持觀世音菩薩
名号乃至一時礼拜供養是二人福正等无
異於百千万億劫不可窮盡无盡意受持
觀世音菩薩名号得如是无量无邊福德之
利无盡意菩薩白佛言世尊觀世音菩薩云
何遊此娑婆世界云何而為衆生說法方便之
力其事云何佛告无盡意菩薩善男子若有
國土衆生應以佛身得度者觀世音菩薩即
現佛身而為說法應以辟支佛身得度者即現
辟支佛身而為說法應以聲聞身得度者即
現聲聞身而為說法應以梵王身得度者即
現梵王身而為說法應以帝釋身得度者
即現帝釋身而為說法應以自在天身得度

辟支佛身而為說法應以聲聞身得度者即
現聲聞身而為說法應以梵王身得度者即
現梵王身而為說法應以帝釋身得度者
即現帝釋身而為說法應以自在天身得度
者即現自在天身而為說法應以大自在天身
得度者即現大自在天身而為說法應以天
大将軍身得度者即現天大将軍身而為說法
應以毗沙門身得度者即現毗沙門身而為說法
應以小王身得度者即現小王身而為說法應
以長者身得度者即現長者身而為說法應
以居士身得度者即現居士身而為說法應以
宰官身得度者即現宰官身而為說法
應以婆羅門身得度者即現婆羅門身而
為說法應以比丘比丘尼優婆塞優婆夷
身得度者即現比丘比丘尼優婆塞優婆
夷身而為說法應以長者居士宰官婆羅
門婦女身得度者即現婦女身而為說法應
以童男童女身得度者即現童男童女身而
為說法應以天龍夜叉乾闥婆阿脩羅迦樓羅
緊那羅摩睺羅伽人非人等身得度者即皆
現之而為說法應以執金剛神得度者即現
執金剛神而為說法无盡意是觀世音菩薩
成就如是以種種形遊諸國土度脫衆生是故
汝等應當一心供養觀世音菩薩是觀世音
菩薩摩訶薩於怖畏急難之中能施无畏

現之而為說法應以執金剛神得度者即現
執金剛神而為說法无盡意是觀世音菩薩
成就如是功德以種種形遊諸國土度脫眾生是故
汝等應當一心供養觀世音菩薩是觀世音
菩薩摩訶薩於怖畏急難之中能施无畏
是故此娑婆世界皆号之為施无畏者无
盡意菩薩白佛言世尊我今當供養觀世
音菩薩即解頸眾寶珠瓔珞價直百千兩金
而以與之作是言仁者受此法施珎寶瓔珞時
觀世音菩薩不肯受之无盡意復白觀世音
菩薩言仁者愍我等故受此瓔珞尒時佛告觀
世音菩薩當愍此无盡意菩薩及四眾天龍
夜叉乾闥婆阿脩羅迦樓羅緊那羅摩睺羅
伽人非人等故受是瓔珞即時觀世音菩薩
愍諸四眾及於天龍人非人等受其瓔珞分
作二分一分奉釋迦牟尼佛一分奉多寶
佛塔无盡意觀世音菩薩有如是自在神
力遊於娑婆世界尒時无盡意菩薩以偈問曰
世尊妙相具　我今重問彼　佛子何因緣　名為觀世音
具足妙相尊　偈答无盡意　汝聽觀音行　善應諸方所
弘誓深如海　歷劫不思議　侍多千億佛　發大清淨願
我為汝略說　聞名及見身　心念不空過　能滅諸有苦
假使興害意　推落大火坑　念彼觀音力　火坑變成池
或漂流巨海　龍魚諸鬼難　念彼觀音力　波浪不能沒
或在須弥峯　為人所推墮　念彼觀音力　如日虛空住
或被惡人逐　墮落金剛山　念彼觀音力　不能損一毛

BD02979號　妙法蓮華經卷七　（24-9）

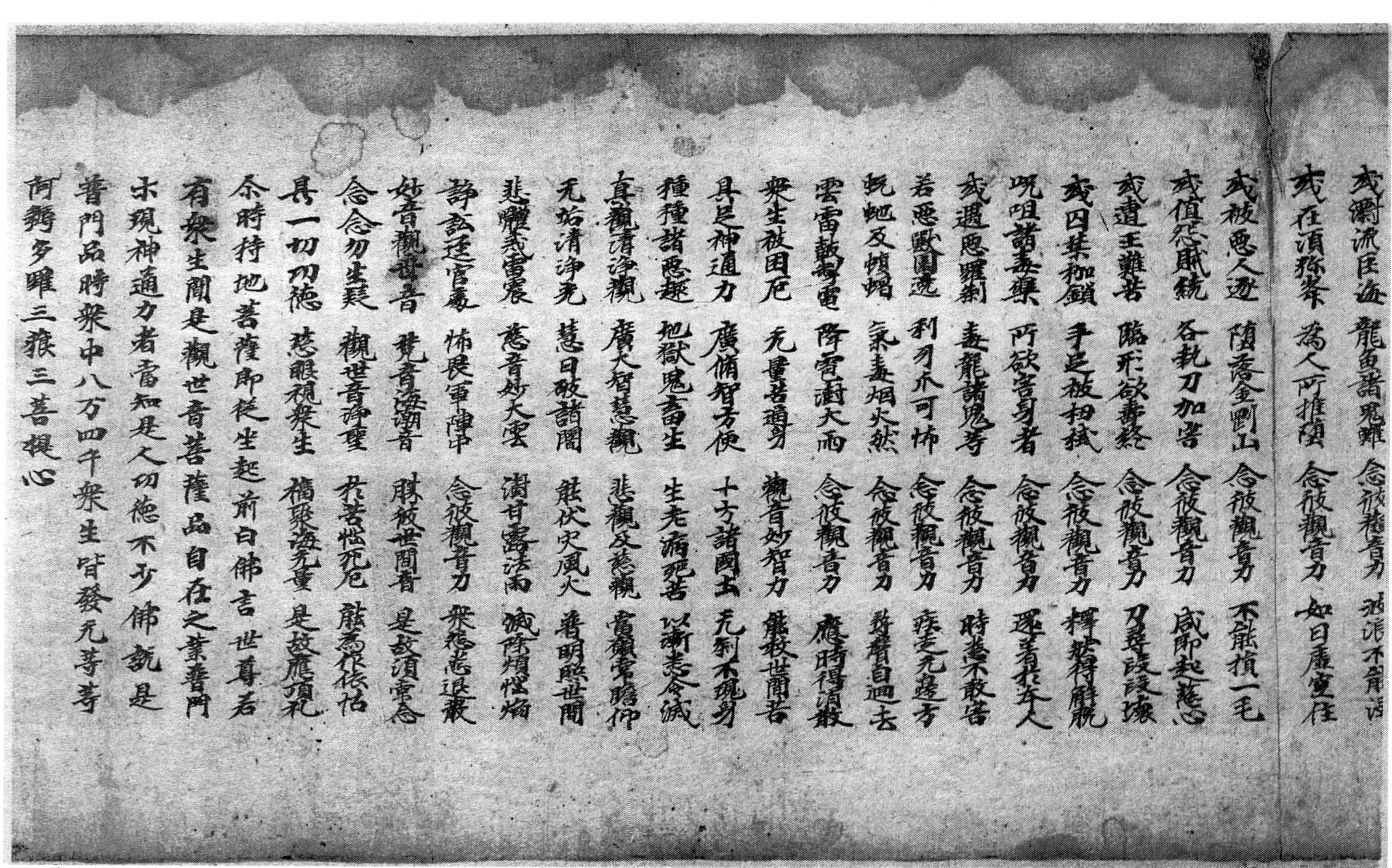
或漂流巨海　龍魚諸鬼難　念彼觀音力　波浪不能沒
或在須弥峯　為人所推墮　念彼觀音力　如日虛空住
或被惡人逐　墮落金剛山　念彼觀音力　不能損一毛
或值怨賊繞　各執刀加害　念彼觀音力　咸即起慈心
或遭王難苦　臨刑欲壽終　念彼觀音力　刀尋段段壞
或囚禁枷鎖　手足被杻械　念彼觀音力　釋然得解脫
呪咀諸毒藥　所欲害身者　念彼觀音力　還著於本人
或遇惡羅剎　毒龍諸鬼等　念彼觀音力　時悉不敢害
若惡獸圍遶　利牙爪可怖　念彼觀音力　疾走无邊方
蚖蛇及蝮蝎　氣毒煙火然　念彼觀音力　尋聲自迴去
雲雷鼓掣電　降雹澍大雨　念彼觀音力　應時得消散
眾生被困厄　无量苦逼身　觀音妙智力　能救世間苦
具足神通力　廣脩智方便　十方諸國土　无剎不現身
種種諸惡趣　地獄鬼畜生　生老病死苦　以漸悉令滅
真觀清淨觀　廣大智慧觀　悲觀及慈觀　常願常瞻仰
无垢清淨光　慧日破諸闇　能伏災風火　普明照世間
悲體戒雷震　慈意妙大雲　澍甘露法雨　滅除煩惱焰
諍訟經官處　怖畏軍陣中　念彼觀音力　眾怨悉退散
妙音觀世音　梵音海潮音　勝彼世間音　是故須常念
念念勿生疑　觀世音淨聖　於苦惱死厄　能為作依怙
具一切功德　慈眼視眾生　福聚海无量　是故應頂禮
尒時持地菩薩即從坐起前白佛言世尊若
有眾生聞是觀世音菩薩品自在之業普門
示現神通力者當知是人功德不少佛說是
普門品時眾中八万四千眾生皆發无等等
阿耨多羅三藐三菩提心

BD02979號　妙法蓮華經卷七　（24-10）

有衆生聞是觀世音菩薩品自在之業普門示現神通力者當知是人功德不少佛說是普門品時衆中八万四千衆生皆發无等等阿耨多羅三藐三菩提心

妙法蓮華經陀羅尼品第二十六

尒時藥王菩薩即從座起偏袒右肩合掌向佛而白佛言世尊若善男子善女人有能受持法華經者若讀誦通利若書寫經卷得幾所福佛告藥王若有善男子善女人供養八百万億那由他恒河沙等諸佛於汝意云何其所得福寧為多不甚多世尊佛言若善男子善女人能於是經乃至受持一四句偈讀誦解義如說脩行功德甚多尒時藥王菩薩白佛言世尊我今當與說法者陀羅尼咒以守護之即說咒曰

安尒一曼尒二摩祢三摩摩祢四旨隸五遮梨第六賖咩羊鳴音七賖履冈雉反多瑋八羶輸千反帝九目帝十目多履十一娑履十二阿瑋娑履十三桑履十四娑履十五叉裔十六阿叉裔十七阿耆膩十八羶帝十九賖履二十陀羅尼二十一阿盧伽婆娑蘇柰反簸蔗毘叉膩二十二祢毘剃二十三阿便哆都餓反邏祢履剃二十四阿亶哆波隸輸地途賣反二十五漚究隸二十六牟究隸二十七阿羅隸二十八波羅隸二十九首迦差初几反三十阿三磨三履三十一佛馱毘吉利袠帝三十二達磨波利差猜雉反帝三十三僧伽涅瞿沙祢三十四婆舍婆舍輸地三十五曼哆邏三十六曼哆邏

BD02979號　妙法蓮華經卷七　（24–11）

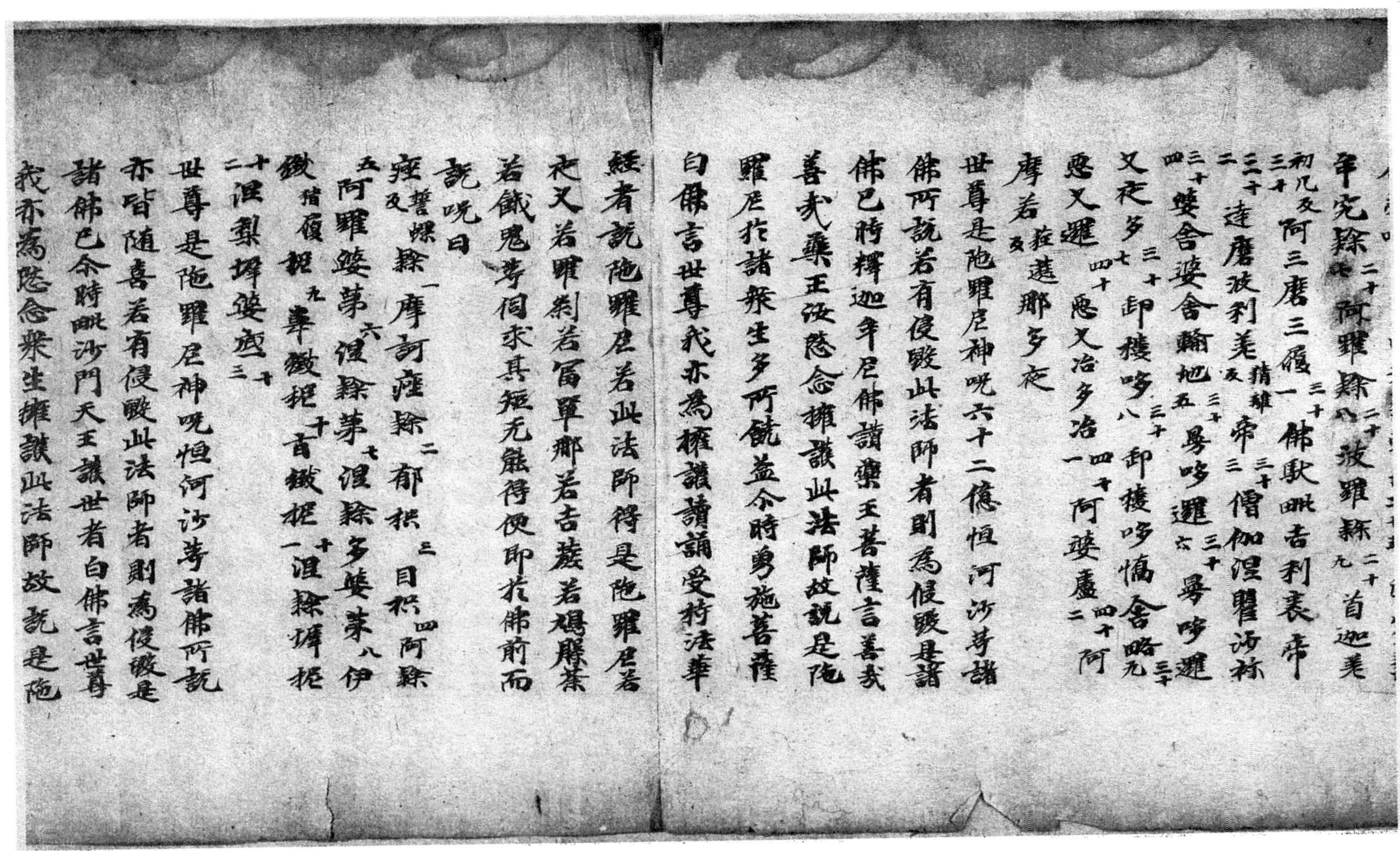

牟究隸二十七阿羅隸二十八波羅隸二十九首迦差初几反三十阿三磨三履三十一佛馱毘吉利袠帝三十二達磨波利差猜雉反帝三十三僧伽涅瞿沙祢三十四婆舍婆舍輸地三十五曼哆邏三十六曼哆邏叉夜多三十七郵樓哆三十八郵樓哆憍舍略來加反三十九惡叉邏四十惡叉冶多冶四十一阿婆盧四十二阿摩若荏蔗反那多夜

世尊是陀羅尼神咒六十二億恒河沙等諸佛所說若有侵毀此法師者則為侵毀是諸佛已時釋迦牟尼佛讚藥王菩薩言善哉善哉藥王汝愍念擁護此法師故說是陀羅尼於諸衆生多所饒益尒時勇施菩薩白佛言世尊我亦為擁護讀誦受持法華經者說陀羅尼若此法師得是陀羅尼若夜叉若羅剎若富單那若吉蔗若鳩槃茶若餓鬼等伺求其短无能得便即於佛前而說咒曰

痤誓螺反一摩訶痤隸二郁枳三目枳四阿隸五阿羅婆第六涅隸第七涅隸多婆第八伊緻猪履反九韋緻梶十旨緻梶十一涅隸墀梶十二涅犁墀婆底十三

世尊是陀羅尼神咒恒河沙等諸佛所說亦皆隨喜若有侵毀此法師者則為侵毀是諸佛已尒時毗沙門天王護世者白佛言世尊我亦為愍念衆生擁護此法師故說是陀

BD02979號　妙法蓮華經卷七　（24–12）

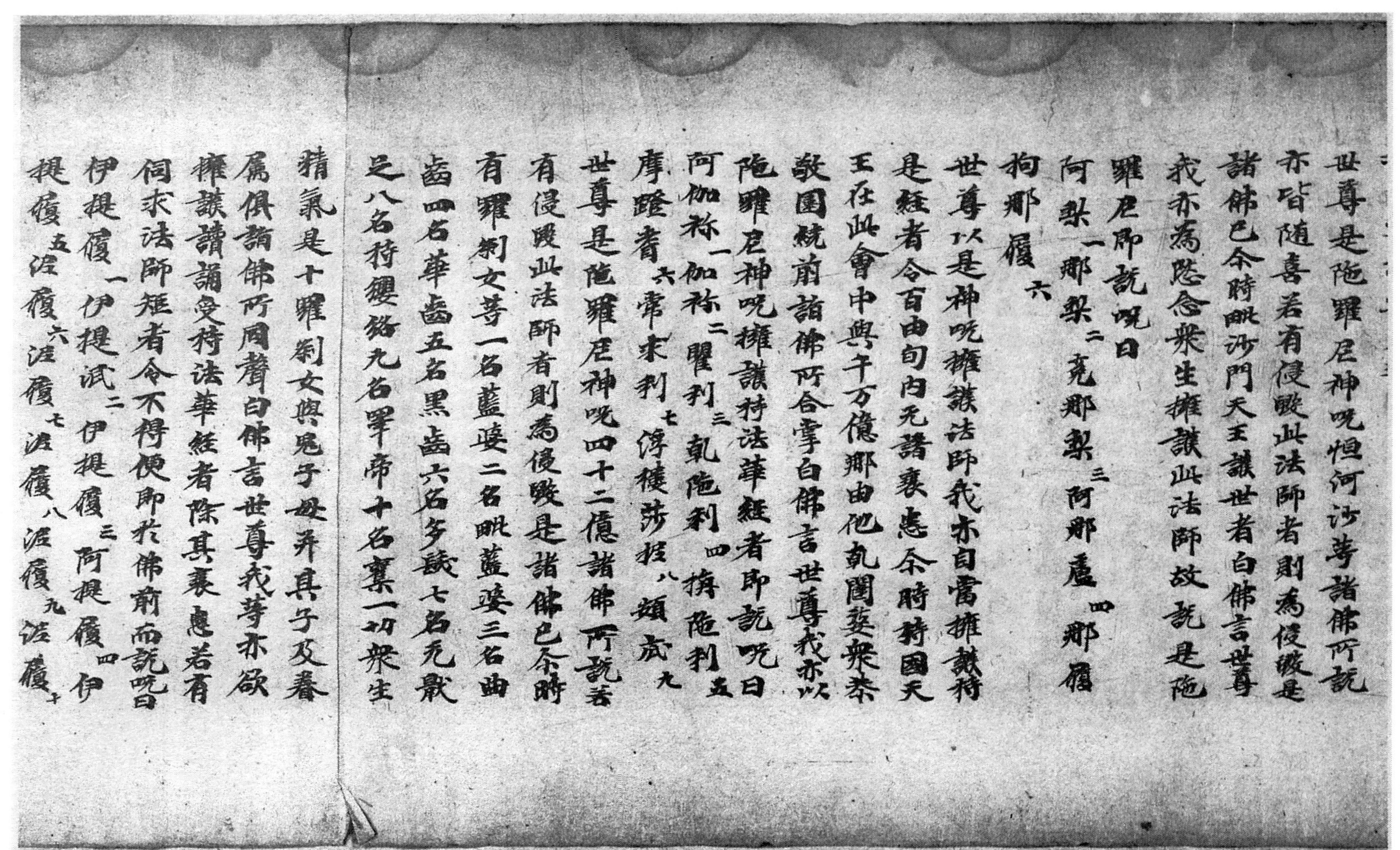
世尊是陀羅尼神呪恒河沙等諸佛所說
亦皆隨喜若有侵毀此法師者則為侵毀是
諸佛已尒時毗沙門天王護世者白佛言世尊
我亦為愍念衆生擁護此法師故說是陀
羅尼即說呪曰
阿梨一那梨二菟那梨三阿那盧四那履
拘那履六
世尊以是神呪擁護法師我亦自當擁護持
是經者令百由旬内无諸衰患尒時持國天
王在此會中與千万億那由他乹闥婆衆恭
敬圍繞前詣佛所合掌白佛言世尊我亦以
陀羅尼神呪擁護持法華經者即說呪曰
阿伽祢一伽祢二瞿利三乹陀利四旃陀利五
摩蹬耆六常求利七浮樓莎柅八頞底九
世尊是陀羅尼神呪四十二億諸佛所說若
有侵毀此法師者則為侵毀是諸佛已尒時
有羅刹女等一名藍婆二名毗藍婆三名曲
齒四名華齒五名黑齒六名多髮七名无猒
足八名持瓔珞九名睪帝十名奪一切衆生
精氣是十羅刹女與鬼子母并其子及眷
屬俱詣佛所同聲白佛言世尊我等亦欲
擁護讀誦受持法華經者除其衰患若有
伺求法師短者令不得便即於佛前而說呪曰
伊提履一伊提泯二伊提履三阿提履四伊
提履五泥履六泥履七泥履八泥履九泥履十

BD02979號　妙法蓮華經卷七　（24–13）

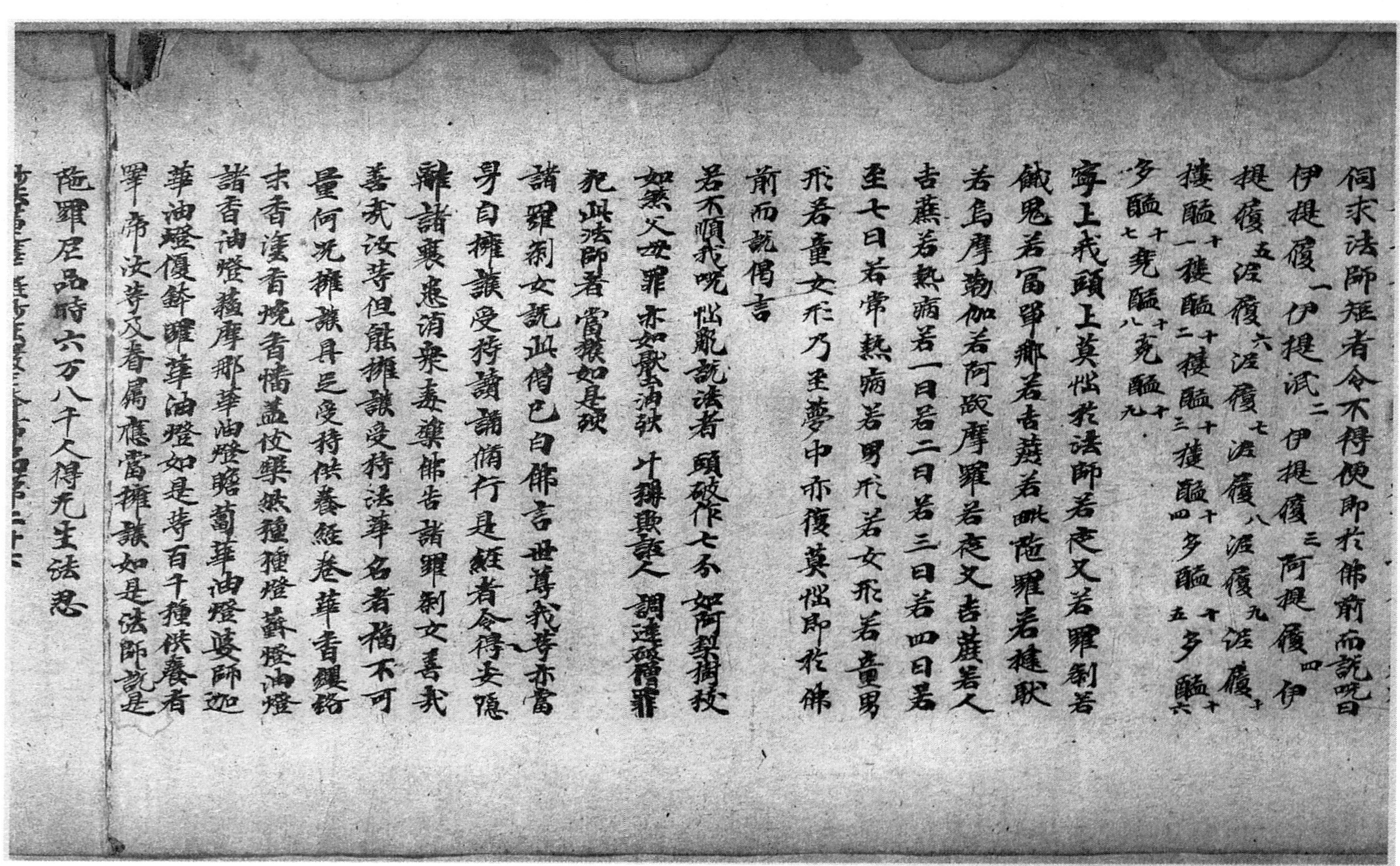
伺求法師短者令不得便即於佛前而說呪曰
伊提履一伊提泯二伊提履三阿提履四伊
提履五泥履六泥履七泥履八泥履九泥履十
樓醯十一樓醯十二樓醯十三樓醯十四多醯十五多醯十六
多醯十七兜醯十八兜醯十九
寧上我頭上莫惱於法師若夜叉若羅刹若
餓鬼若富單那若吉蔗若毗陀羅若揵䭾
若烏摩勒伽若阿䟦摩羅若夜叉吉蔗若人
吉蔗若熱病若一日若二日若三日若四日若
至七日若常熱病若男形若女形若童男
形若童女形乃至夢中亦復莫惱即於佛
前而說偈言
若不順我呪　惱亂說法者　頭破作七分　如阿梨樹枝
如殺父母罪　亦如壓油殃　斗秤欺誑人　調達破僧罪
犯此法師者　當獲如是殃
諸羅刹女說此偈已白佛言世尊我等亦當
身自擁護受持讀誦脩行是經者令得安隱
離諸衰患消衆毒藥佛告諸羅刹女善哉
善哉汝等但能擁護受持法華名者福不可
量何況擁護具足受持供養經卷華香瓔珞
末香塗香燒香幡蓋伎樂然種種燈蘇燈油燈
諸香油燈蘇摩那華油燈瞻蔔華油燈婆師迦
華油燈優鉢羅華油燈如是等百千種供養者
睪帝汝等及眷屬應當擁護如是法師說是
陀羅尼品時六万八千人得无生法忍

BD02979號　妙法蓮華經卷七　（24–14）

羅帝汝等及眷屬應當擁護如是法師說是
陁羅尼品時六万八千人得无生法忍

妙法蓮華經妙莊嚴王本事品第二十七

尒時佛告諸大衆乃往古世過无量无邊不可
思議阿僧祇劫有佛名雲雷音宿王華智多
陁阿伽度阿羅呵三藐三佛陁國名光明莊
嚴劫名憙見彼佛法中有王名妙莊嚴其王
夫人名曰淨德有二子一名淨藏二名淨眼是
二子有大神力福德智慧久脩菩薩所行之
道所謂檀波羅蜜尸羅波羅蜜羼提波羅蜜
毗梨耶波羅蜜禪波羅蜜般若波羅蜜方便
波羅蜜慈悲喜捨乃至三十七助道法皆
悉明了通達又得菩薩淨三昧日星宿三
昧淨光三昧淨色三昧淨照明三昧長莊嚴
三昧大威德藏三昧於此三昧亦悉通達尒時
彼佛欲引導妙莊嚴王及愍念衆生故說是
法華經時淨藏淨眼二子到其母所合十指
爪掌白言願母往詣雲雷音宿王華智佛所
我等亦當侍從親近供養礼拜所以者何
此佛於一切天人衆中說法華經宜應聽受
母告子言汝父信受外道深著婆羅門法汝
等應往白父與共俱去淨藏淨眼合十爪指
掌白母我等是法王子而生此邪見家母告
子言汝等當憂念汝父為現神變若得見者
心必清淨或聽我等往至佛所於是二子念

掌白母我等是法王子而生此邪見家母告
子言汝等當憂念汝父為現神變若得見者
心必清淨或聽我等往至佛所於是二子念
其父故踊在虛空高七多羅樹現種種神變
於虛空中行住坐卧身上出水身下出火身
下出水身上出火或現大身滿虛空而復現小
小復現大於空中滅忽然在地入地如水履
水如地現如是等種種神變令其父王心淨
信解時父見子神力如是心大歡喜得未曾
有合掌向子言汝等師為是誰誰之弟子
二子白言大王彼雲雷音宿王華智佛今在
七寶菩提樹下法座上坐於一切世間天人
衆中廣說法華經是我等師我是弟子父
語子言我今亦欲見汝等師可共俱往於是二
子從空中下到其母所合掌白母父王今已信
解堪任發阿耨多羅三藐三菩提心我等為
父已作佛事願母見聽於彼佛所出家脩道
尒時二子欲重宣其意以偈白母
願母放我等　出家作沙門　諸佛甚難值　我等隨佛學
如優曇波羅　值佛復難是　脫諸難亦難　願聽我出家
母即告言聽汝出家所以者何佛難值故於
是二子白父母言善哉父母願時往詣雲雷
音宿王華智佛所親近供養所以者何佛難
得值如優曇波羅華又如一眼之龜值浮木
孔而我等宿福深厚生值佛法是故父母當聽

音宿王華智佛所親近供養所以者何佛難
得值如優曇波羅華又如一眼之龜值浮木
孔而我等宿福深厚生值佛法是故父母當聽
我等令得出家所以者何諸佛難值時亦難
遇彼時妙莊嚴王後宮八万四千人皆悉堪
任受持是法華經淨眼菩薩於法華三昧久
已通達淨藏菩薩已於無量百千万億劫通
達離諸惡趣三昧欲令一切衆生離諸惡趣
故其王夫人得諸佛集三昧能知諸佛秘密
之藏二子如是以方便力善化其父令心信解
好樂佛法於是妙莊嚴王與群臣眷屬俱淨
德夫人與後宮婇女眷屬俱其王二子與四万
二千人俱一時共詣佛所到已頭面禮足繞佛
三帀却住一面尒時彼佛為王說法示教利
喜王大歡喜尒時妙莊嚴王及其夫人解
頸真珠瓔珞價直百千以散佛上於虛空
中化成四柱寶臺臺中有大寶床敷百千
万天衣其上有佛結加趺坐放大光明尒時
妙莊嚴王作是念佛身希有端嚴殊特成
就第一微妙之色時雲雷音宿王華智佛告
四衆言汝等見是妙莊嚴王於我前合掌立
不此王於我法中作比丘精勤修習助佛道
法當得作佛号娑羅樹王國名大光劫名大
高王其娑羅樹王佛有無量菩薩衆及無量
聲聞其國平正功德如是其王即時以國付

法當得作佛号娑羅樹王國名大光劫名大
高王其娑羅樹王佛有無量菩薩衆及無量
聲聞其國平正功德如是其王即時以國付
弟與夫人二子并諸眷屬於佛法中出家修
道王出家已於八万四千歲常勤精進修行
妙法華經過是已後得一切淨功德莊嚴三
昧即昇虛空高七多羅樹而白佛言世尊此
我二子已作佛事以神通變化轉我邪心令
得安住於佛法中得見世尊此二子者是我
善知識為欲發起宿世善根饒益我故來生
我家尒時雲雷音宿王華智佛告妙莊嚴王
言如是如是如汝所言若善男子善女人種
善根故世世得善知識其善知識能作佛事
示教利喜令入阿耨多羅三藐三菩提大王當
知善知識者是大因緣所謂化導令得見佛
發阿耨多羅三藐三菩提心大王汝見此二子
不此二子已曾供養六十五百千万億那由
他恒河沙諸佛親近恭敬於諸佛所受持
法華經愍念邪見衆生令住正見妙莊嚴
王即從虛空中下而白佛言世尊如來甚希
有以功德智慧故頂上肉髻光明顯照其眼
長廣而紺青色眉間毫相白如珂月齒白齊
密常有光明脣色赤好如頻婆果尒時妙莊
嚴王讚歎佛如是等無量百千万億功德已
於如來前一心合掌復白佛言世尊未曾有

長廣而紺青色眉間毫相白如珂月齒白齊
密常有光明脣色赤好如頻婆果尒時妙莊
嚴王讚歎佛如是等无量百千万億功德已
於如來前一心合掌復白佛言世尊未曾有
也如來之法具足成就不可思議微妙功德
教戒所行安隱快善我從今日不復自隨心
行不生邪見憍慢瞋恚諸惡之心說是語
已礼佛而出佛告大衆於意云何妙莊嚴王
豈異人乎今華德菩薩是淨德夫人今佛前
光照莊嚴相菩薩是哀愍妙莊嚴王及諸眷
屬故於彼中生其二子者今藥王菩薩藥上
菩薩是是藥王藥上菩薩成就如此諸大功
德已於无量百千万億諸佛所殖衆德本成
就不可思議諸善功德若有人識是二菩薩
名字者一切世間諸天人民亦應礼拜佛說
是妙莊嚴王本事品時八万四千人遠塵離
垢於諸法中得法眼淨

妙法蓮華經普賢菩薩勸發品第二十八

尒時普賢菩薩以自在神通力威德名聞與大
菩薩无量无邊不可稱數從東方來所經諸
國普皆震動雨寶蓮華作无量百千万億種
種伎樂又與无數諸天龍夜叉乾闥婆阿脩
羅迦樓羅緊那羅摩睺羅伽人非人等大衆
圍繞各現威德神通之力到娑婆世界耆闍
崛山中頭面礼釋迦牟尼佛右繞七帀白佛

BD02979號　妙法蓮華經卷七　（24–19）

種伎樂又與无數諸天龍夜叉乾闥婆阿脩
羅迦樓羅緊那羅摩睺羅伽人非人等大衆
圍繞各現威德神通之力到娑婆世界耆闍
崛山中頭面礼釋迦牟尼佛右繞七帀白佛
言世尊我於寶威德上王佛國遙聞此娑
婆世界說法華經與无量无邊百千万億諸
菩薩衆共來聽受唯願世尊當為說之若
善男子善女人於如來滅後云何能得是法
華經佛告普賢菩薩若善男子善女人成
就四法於如來滅後當得是法華經一者為
諸佛護念二者殖衆德本三者入正定聚四者
發救一切衆生之心善男子善女人如是成就四法
於如來滅後必得是經尒時普賢菩薩白
佛言世尊於後五百歲濁惡世中其有受持
是經典者我當守護除其衰患令得安隱使
无伺求得其便者若魔若魔子若魔女若魔
民若為魔所著者若夜叉若羅剎若鳩槃荼
若毗舍闍若吉蔗若富單那若韋陁羅等
諸惱人者皆不得便是人若行若立讀誦此經
我尒時乘六牙白象王與大菩薩衆俱詣其
所而自現身供養守護安慰其心亦為供養
法華經故是人若坐思惟此經尒時我復乘
白象王現其人前其人若於法華經有所忘
失一句一偈我當教之與共讀誦還令通利

BD02979號　妙法蓮華經卷七　（24–20）

法華經故是人若坐思惟此經尒時我復乘
白象王現其人前其人若於法華經有所忘
失一句一偈我當教之與共讀誦還令通利
尒時受持讀誦法華經者得見我身甚大歡
喜轉復精進以見我故即得三昧及陁羅尼名
為旋陁羅尼百千万億旋陁羅尼法音方
便陁羅尼得如是等陁羅尼世尊若後世後
五百歲濁惡世中比丘比丘尼優婆塞優婆
夷求索者受持者讀誦者書寫者欲脩習是
法華經於三七日中應一心精進滿三七日已
我當乘六牙白象與无量菩薩而自圍繞以
一切眾生所憙見身現其人前而為說法示
教利喜亦復與其陁羅尼呪得是陁羅尼
故无有非人能破壞者亦不為女人之所惑
亂我身亦自常護是人唯願世尊聽我說此
陁羅尼即於佛前而說呪曰
阿檀地（途賣反）一 檀陁婆地二 檀陁婆帝三 檀陁鳩
舍隸四 檀陁脩陁隸五 脩陁隸六 脩陁羅
婆底七 佛䭾波羶祢八 薩婆陁羅尼阿婆多
尼九 薩婆婆沙阿婆多尼十 脩阿婆多尼十一 僧
伽婆履叉尼十三 僧伽涅伽陁尼十三 阿僧祇十四 僧
伽波伽地十五 帝隸阿惰僧伽兜略（盧遮反） 阿羅帝
波羅帝十六 薩婆僧伽三摩地伽蘭地十七 薩婆
達磨脩波利剎帝十八 薩婆薩埵樓䭾憍舍略
[illegible]

BD02979 號　妙法蓮華經卷七　（24–21）

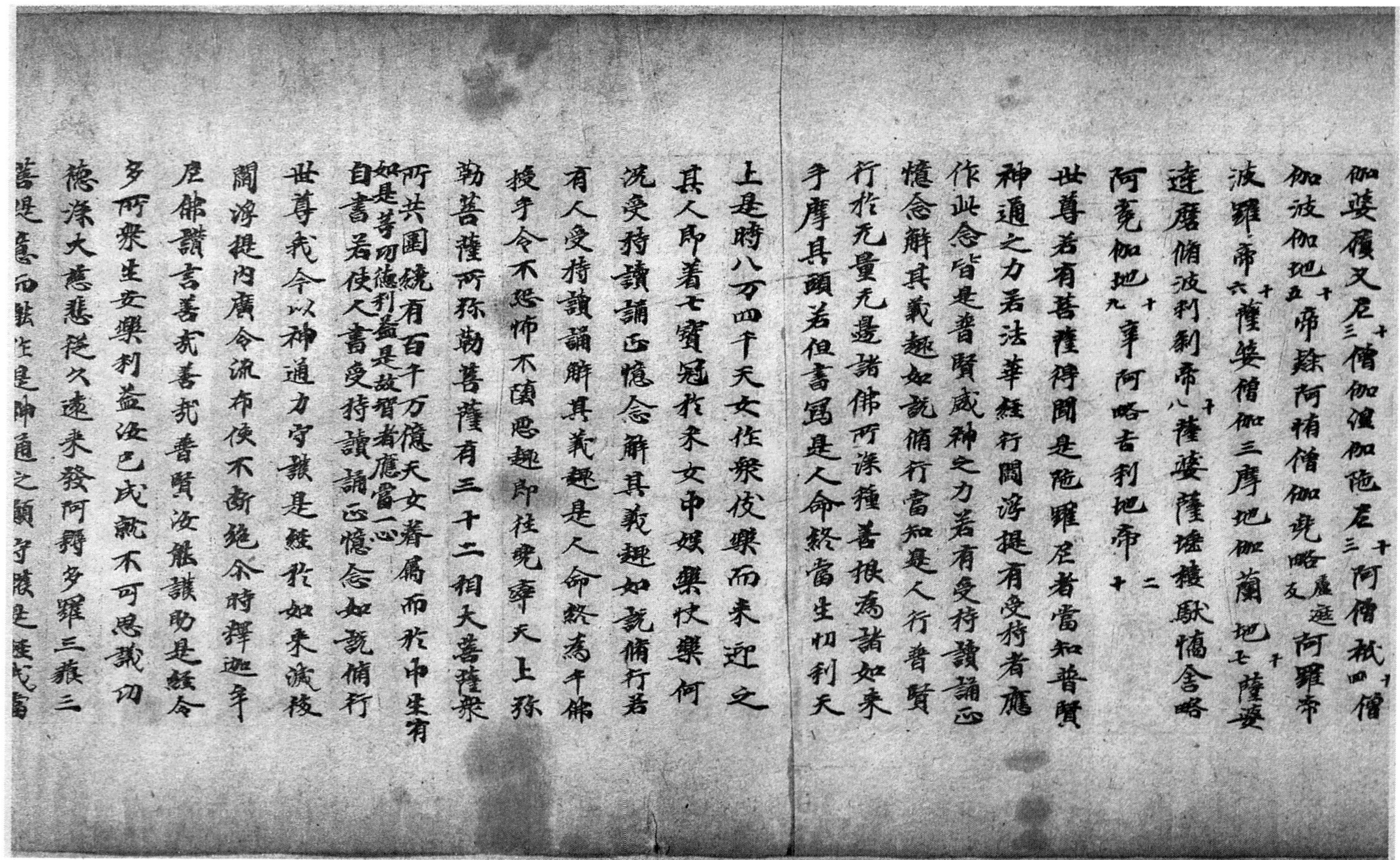
伽婆履叉尼十三 僧伽涅伽陁尼十三 阿僧祇十四 僧
伽波伽地十五 帝隸阿惰僧伽兜略（盧遮反） 阿羅帝
波羅帝十六 薩婆僧伽三摩地伽蘭地十七 薩婆
達磨脩波利剎帝十八 薩婆薩埵樓䭾憍舍略
阿㝹伽地十九 辛阿毗吉利地帝二十
世尊若有菩薩得聞是陁羅尼者當知普賢
神通之力若法華經行閻浮提有受持者應
作此念皆是普賢威神之力若有受持讀誦正
憶念解其義趣如說脩行當知是人行普賢
行於无量无邊諸佛所深種善根為諸如來
手摩其頭若但書寫是人命終當生忉利天
上是時八万四千天女作眾伎樂而來迎之
其人即著七寶冠於婇女中娛樂快樂何
況受持讀誦正憶念解其義趣如說脩行若
有人受持讀誦解其義趣是人命終為千佛
授手令不恐怖不墮惡趣即往兜率天上彌
勒菩薩所彌勒菩薩有三十二相大菩薩眾
所共圍繞有百千万億天女眷屬而於中生有
如是等功德利益是故智者應當一心
自書若使人書受持讀誦正憶念如說脩行
世尊我今以神通力守護是經於如來滅後
閻浮提內廣令流布使不斷絕尒時釋迦牟
尼佛讚言善哉善哉普賢汝能護助是經令
多所眾生安樂利益汝已成就不可思議功
德深大慈悲從久遠來發阿耨多羅三藐三
菩提意而能作是神通之願守護是經我當

BD02979 號　妙法蓮華經卷七　（24–22）

尼佛讃言善哉善哉普賢汝能護助是經令
多所衆生安樂利益汝已成就不可思議功
德深大慈悲從久遠来發阿耨多羅三藐三
菩提意而能作是神通之願守護是經我當
以神通力守護能受持普賢菩薩名者普賢
若有受持讀誦正憶念脩習書寫是法華經
者當知是人則見釋迦牟尼佛如從佛口聞此
經典當知是人供養釋迦牟尼佛當知是人佛
讃善哉當知是人為釋迦牟尼佛手摩其
頭當知是人為釋迦牟尼佛衣之所覆如是
之人不復貪著世樂不好外道經書手筆亦
復不憙親近其人及諸悪者若屠兒若畜猪
羊雞狗若獵師若衒賣女色是人心意質直
有正憶念有福德力是人不為三毒所惱亦
不為嫉妬我慢邪慢增上慢所惱是人少欲
知足能脩普賢之行普賢若如来滅後後五
百歲若有人見受持讀誦法華經者應作是
念此人不久當詣道場破諸魔衆得阿耨多
羅三藐三菩提轉法輪擊法鼓吹法螺雨法
雨當坐天人大衆中師子法座上普賢若於後
世受持讀誦是經典者是人不復貪著
衣服卧具飲食資生之物所願不虛亦於現
世得其福報若有人輕毀之言汝狂人耳空作
是行終无所獲如是罪報當世世无眼若有
供養讃歎之者當於今世得現果報若復見

BD02979號　妙法蓮華經卷七　（24–23）

衣服卧具飲食資生之物所願不虛亦於現
世得其福報若有人輕毀之言汝狂人耳空作
是行終无所獲如是罪報當世世无眼若有
供養讃歎之者當於今世得現果報若復見
受持是經者出其過悪若實若不實此人現
世得白癩病若有輕咲之者當世世牙齒踈缺
醜脣平鼻手脚繚戾眼目角睞身體臭穢
悪瘡膿血水腹短氣諸悪重病是故普賢若
見受持是經典者當起遠迎當如敬佛說是
普賢勸發品時恒河沙等无量无邊菩薩
得百千万億旋陀羅尼三千大千世界微塵等
諸菩薩具普賢道佛說是經時普賢等諸
菩薩舍利弗等諸聲聞及諸天龍人非人等
一切大會皆大歡喜受持佛語作礼而去

妙法蓮華經卷第七

BD02979號　妙法蓮華經卷七　（24–24）

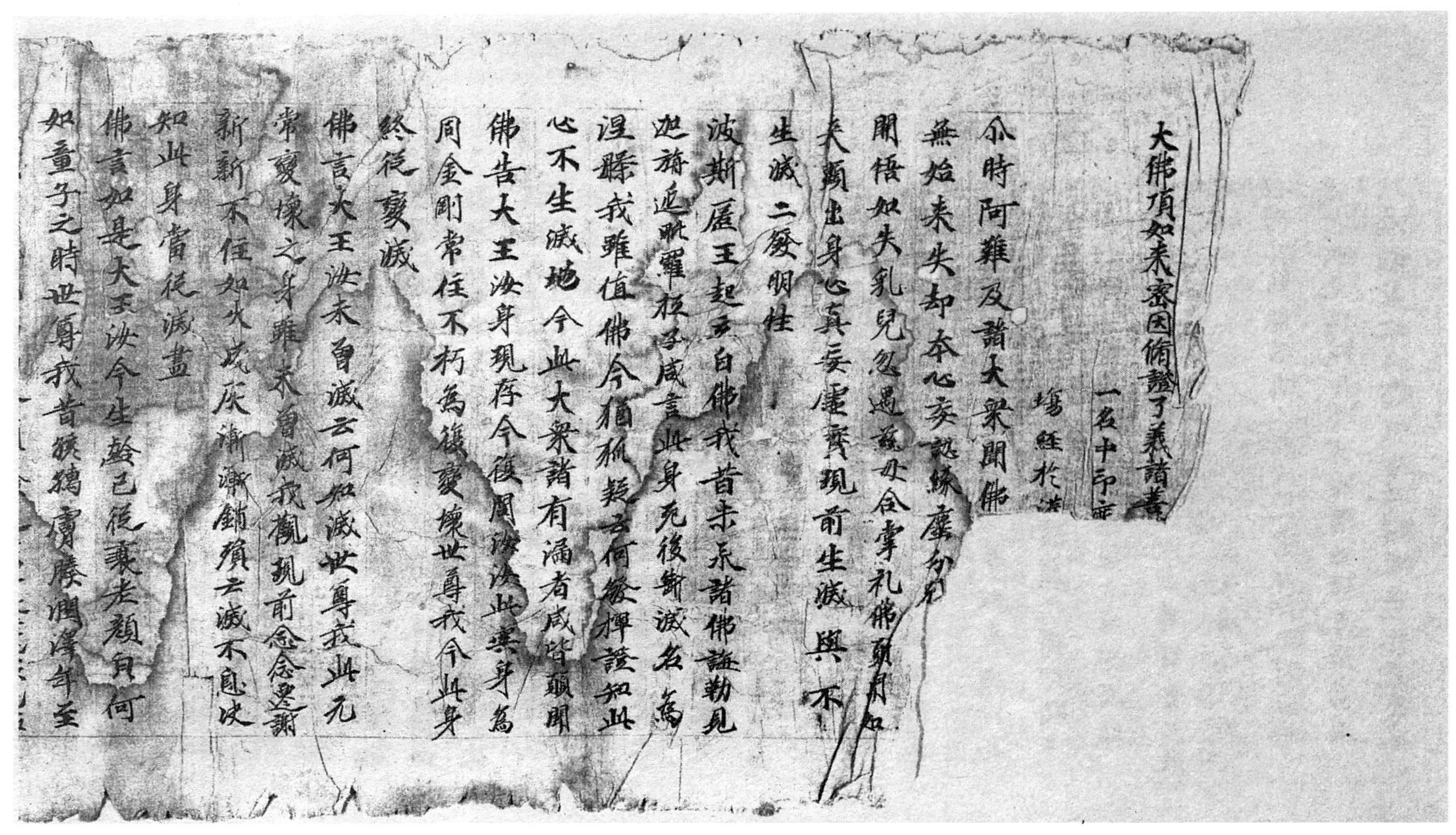

大佛頂如來密因脩證了義諸菩

一名十方□

塲經於□

尒時阿難及諸大衆聞佛

無始來失却本心妄認緣塵分別

開悟如失乳兒忽遇慈母合掌礼佛願聞如

來顯出身心真妄虛實現前生滅與不

生滅二發明性

波斯匿王起立白佛我昔未承諸佛誨勅見

迦旃延毗羅胝子咸言此身死後斷滅名為

涅槃我雖值佛今猶狐疑云何發揮證知此

心不生滅地今此大衆諸有漏者咸皆願聞

佛告大王汝身現存今復問汝汝此肉身為

同金剛常住不朽為復變壞世尊我今此身

終從變滅

佛言大王汝未曾滅云何知滅世尊我此无

常變壞之身雖未曾滅我觀現前念念遷謝

新新不住如火成灰漸漸銷殞殞亡不息決

知此身當從滅盡

佛言如是大王汝今生齡已從衰老顏貌何

如童子之時世尊我昔孩孺膚腠潤澤年至

BD02980號　大佛頂如來密因修證了義諸菩薩萬行首楞嚴經卷二　（15–1）

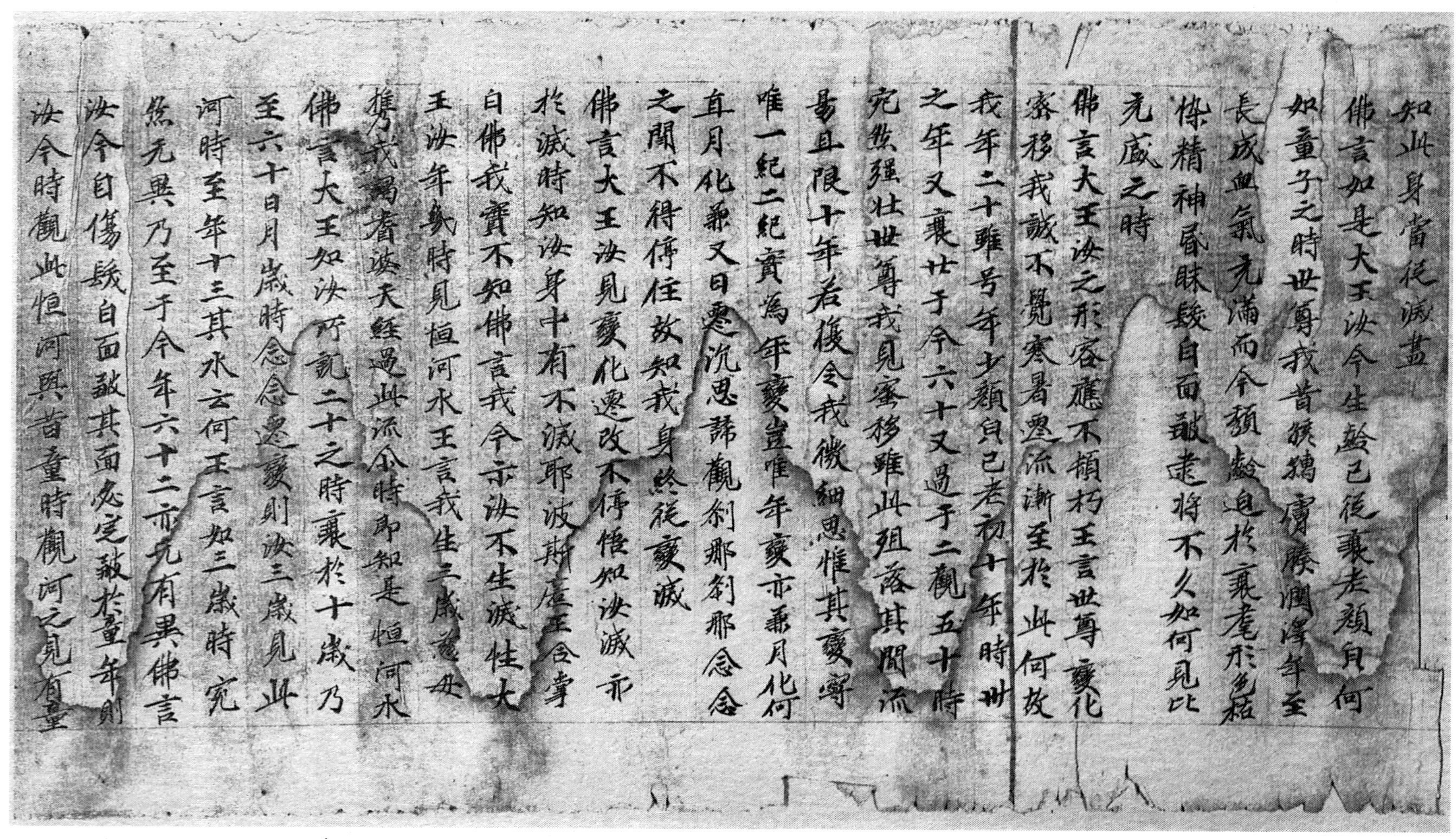

如此身當從滅盡

佛言如是大王汝今生齡已從衰老顏貌何

如童子之時世尊我昔孩孺膚腠潤澤年至

長成血氣充滿而今頹齡迫於衰耄形色枯

悴精神昏昧髮白面皺逮將不久如何見比

充盛之時

佛言大王汝之形容應不頓朽王言世尊變化

密移我誠不覺寒暑遷流漸至於此何以故

我年二十雖号年少顏貌已老初十年時卅

之年又衰廿于今六十又過于二觀五十時

宛然強壯世尊我見密移雖此殂落其間流

易且限十年若復令我微細思惟其變寧

唯一紀二紀實為年變豈唯年變亦兼月化何

直月化兼又日遷沉思諦觀剎那剎那念念

之間不得停住故知我身終從變滅

佛言大王汝見變化遷改不停悟知汝滅亦

於滅時知汝身中有不滅耶波斯匿王合掌

白佛我實不知佛言我今示汝不生滅性大

王汝年幾時見恒河水王言我生三歲慈母

攜我謁耆婆天經過此流尒時即知是恒河水

佛言大王如汝所說二十之時衰於十歲乃

至六十日月歲時念念遷變則汝三歲見此

河時至年十三其水云何王言如三歲時宛

然無異乃至于今年六十二亦無有異佛言

汝今自傷髮白面皺其面必定皺於童年則

汝今時觀此恒河與昔童時觀河之見有童

BD02980號　大佛頂如來密因修證了義諸菩薩萬行首楞嚴經卷二　（15–2）

河時至年十三其水云何王言如三歲時宛
然无異乃至于今年六十二亦无有異佛言
汝今自傷髮白面皺其面必定皺於童年則
汝今時觀此恒河與昔童時觀河之見有童
耄不王言不也世尊佛言大王汝面雖皺而
此見精性未曾皺皺者為變不皺不變變者
受滅彼不變者元无生滅云何於中受汝生
死而猶引彼末伽棃等都言此身死後全滅
王聞是言信知身後捨生趣生與諸大衆踊
躍歡喜得未曾有
阿難即從座起礼佛合掌長跪白佛世尊
若此見聞必不生滅云何世尊名我等輩遺失
真性顛倒行事願興慈悲洗我塵垢
即時如來垂金色臂輪手下指示阿難言汝今
見我母陀羅手為正為倒阿難言世間衆
生以此為倒而我不知誰正誰倒佛告阿難
若世間人以此為倒即世間人將何為正阿
難言如來竪臂兜羅綿手指於空則名為正
佛即竪臂告阿難言若此顛倒首尾相換
諸世間人一倍瞻視則知汝身與諸如來清
淨法身比類發明如來之身名正遍知汝等
之身号性顛倒隨汝諦觀汝身佛身稱顛
倒者名字何處号為顛倒
于時阿難與諸大衆瞪瞢瞻佛目精不瞬不
知身心顛倒所在佛興慈悲哀愍阿難及
諸大衆發海潮音遍告同會諸善男子我

BD02980號　大佛頂如來密因修證了義諸菩薩萬行首楞嚴經卷二　（15–3）

之身号性顛倒隨汝諦觀汝身佛身稱顛
倒者名字何處号為顛倒
于時阿難與諸大衆瞪瞢瞻佛目精不瞬不
知身心顛倒所在佛興慈悲哀愍阿難及
諸大衆發海潮音遍告同會諸善男子我
常說言色心諸緣及心所使諸所緣法唯心所
現汝身汝心皆是妙明真精妙心中所現物云
何汝等遺失本妙圓妙明心寶明妙性認悟
中迷晦昧為空空晦暗中結暗為色色雜妄
想想相為身聚緣內搖趣外奔逸昏擾擾相
以為心性一迷為心決定惑為色身之內不知
色身外泊山河虛空大地咸是妙明真心中
物譬如澄清百千大海棄之唯認一浮漚體
目為全潮窮盡瀛渤汝等即是迷中倍人如
如我垂手等无差別如來說為可憐愍者
阿難承佛悲救深誨垂泣叉手而白佛言我
雖承佛如是妙音悟妙明心元所圓滿常住
心地而我悟佛現說法音現以緣心允所瞻
仰徒獲此心未敢認為本元心地願佛哀愍
宣示圓音拔我疑根歸无上道
佛告阿難汝等尚以緣心聽法此法亦緣非得
法性如人以手指月示人彼人因指當應看
月若復觀指以為月體此人豈唯亡失月
輪亦亡其指何以故以所標指為明月故豈
唯亡指亦復不識明之與暗何以故即以指
體為月明性明暗二性无所了故汝亦如是

BD02980號　大佛頂如來密因修證了義諸菩薩萬行首楞嚴經卷二　（15–4）

月若復觀指以為月體此人豈唯亡失月
輪亦亡其指何以故以所標指為明月故豈
唯亡指亦復不識明之與暗何以故即以指
體為月明性明暗二性无所了故汝亦如是
若以分別我說法音為汝心者此心自應離
分別音有分別性譬如有客寄宿旅亭暫止
便去終不常住而掌亭人都无所去名為亭
主此亦如是若真汝心則无所去云何離聲无
分別性斯則豈唯聲分別心分別我容離
諸色相无分別性如是乃至分別都无非色
非空拘舍離等昧為冥諦離諸法緣无分別
性則汝心性各有所還云何為主
阿難言若我心性各有所還則如來說妙明
元心云何无還唯垂哀愍為我宣說
精明心如第二月非是月影汝應諦聽今當
示汝无所還地阿難此大講堂洞開東方日
輪昇天則有明耀中夜黑月雲霧晦暝則復
昏暗戶牖之隙則復見通牆宇之間則復觀
壅分別之處則復見緣頑虛之中遍是空性
鬱勃之象則紆昏塵澄霽斂氛又觀清淨
阿難汝咸看此諸變化相吾今各還本所因處
云何本因阿難此諸變化明還日輪何以故
无日不明明因屬日是故還日暗還黑月通
還戶牖壅還牆宇緣還分別頑虛還空鬱
勃還塵清明還霽則諸世間一切所有不出
斯類汝見八種見精明性當欲誰還何以故

BD02980號　大佛頂如來密因修證了義諸菩薩萬行首楞嚴經卷二　（15–5）

還戶牖壅還牆宇緣還分別頑虛還空鬱
勃還塵清明還霽則諸世間一切所有不出
斯類汝見八種見精明性當欲誰還何以故
若還於明則不明時无復見暗雖明暗等種種
差別見无差別諸可還者自然非汝不汝
還者非汝而誰則知汝心本妙明淨汝自迷悶
喪本受輪於生死中常被漂溺是故如來名
可憐愍
阿難言我雖識此見性无還云何得知是我
真性
佛告阿難吾今問汝今汝未得无漏清淨承
佛神力見於初禪得无障礙而阿那律見閻
浮提如觀掌中菴摩羅菓諸菩薩等見百千
界十方如來窮盡微塵清淨國土无所不矚
眾生洞視不過分寸阿難且吾與汝觀四天
王所住宮殿中間遍覽水陸空行雖有昏明
種種形像无非前塵分別留礙汝應於此分
別自他今吾將汝擇於見中誰是我體誰為
物象阿難極汝見源從日月宮是物非汝至
七金山周遍諦觀雖種種光亦物非汝漸漸
更觀雲騰鳥飛風動塵起樹木山川草芥
人畜咸物非汝阿難是諸近遠諸有物性雖
復差殊同汝見精清淨所矚則諸物類自有差
別見性无殊此精妙明誠汝見性若見是物
則汝亦可見吾之見若同見者名為見吾吾
不見時何不見吾不見之處若見不見自然

BD02980號　大佛頂如來密因修證了義諸菩薩萬行首楞嚴經卷二　（15–6）

別見性无殊此精妙明誠汝見性若見是物
則汝亦可見吾之見若同見者名爲見吾吾
不見時何不見吾不見之處若見不見自然
非彼不見之相若不見吾不見之地自然非物
云何非汝又則汝今見物之時汝既見物物
亦見汝體性紛雜則汝與我并諸世間不
成安立阿難若汝見時是汝非我見性周遍
非汝而誰云何自疑汝之真性性汝不真取
我求實
阿難白佛言世尊若此見性必我非餘我與
如來觀四天王勝藏寶居及日月宮此見周遍
娑婆國土退歸精舍祇見伽藍清心戶堂但瞻
簷廡世尊此見如是其體本來周遍一界今
在室中唯滿一室爲復此見縮大爲小爲當
墻宇夾令斷絕我今不知斯義所在願垂
弘慈爲我敷演
佛告阿難一切世間大小內外諸所事業各屬
前塵不應說言見有舒縮譬如方器中見方空
吾復問汝此方器中所見方空爲復定方
爲不定方若定方者別安圓器空應不圓
若不定者在方器中應无方空汝言不知斯
義所在義性如是云何爲在阿難若復欲令
入无方圓但除器方空體无方不應說言更
除虛空方相所在若如汝問入室之時縮見令
小仰觀日時汝豈挽見齊於日面若築墻

BD02980號　大佛頂如來密因修證了義諸菩薩萬行首楞嚴經卷二　（15–7）

入无方圓但除器方空體无方不應說言更
除虛空方相所在若如汝問入室之時縮見令
小仰觀日時汝豈挽見齊於日面若築墻
宇能夾見斷穿爲小竇寧无竇跡是義不
然一切衆生從无始來迷己爲物失於本心爲
物所轉故於是中觀大觀小若能轉物則同
如來身心圓明不動道場於一毛端遍能含
受十方國土
阿難白佛言世尊若此見精必我妙性今此
妙性見在我前見必我真我今身心復是何
物而今身心分別有實彼見无別分辯我身
若實我心令我今見見性實我而身非我何
殊如來先所難言物能見我唯垂大慈開
發未悟
佛告阿難今汝所言見在汝前是義非實若
實汝前汝實見者則此見精既有方所非无
指示且今與汝坐祇陁林遍觀林渠及與殿堂
上至日月前對恒河汝今於我師子座前舉
手指陳是種種相陰者是林明者是日礙者
是壁通者是空如是乃至草樹纖毫大小雖
殊但可有形无不指著若必其見現在汝前
汝應以手確實指陳何者是見阿難當知若
空是見既已成見何者是空若物是見既已
是見何者爲物汝可微細披剝萬象析出精
明淨妙見元指陳示我同彼諸物分明无惑

BD02980號　大佛頂如來密因修證了義諸菩薩萬行首楞嚴經卷二　（15–8）

汝應以手確實指陳何者是見阿難當知若
空是見既已成見何者是空若物是見既已
是見何者爲物汝可微細披剝萬象析出精
明淨妙見元指陳示我同彼諸物分明无惑
阿難言我今於此重閣講堂遠洎恒河上觀
日月舉手所指縱目所觀指皆是物无是見
者世尊如佛所說況我有漏初學聲聞乃至
菩薩亦不能於萬物象前剖出精見離一切
物別有自性佛言如是如是
佛復告阿難如汝所言无有精見離一切物
別有自性則汝所指是物之中无是見者今
復告汝汝與如來坐祇陁林更觀林苑乃至
日月種種象殊必无見精受汝所指汝又發
明此諸物中何者非見阿難言我實遍見此
祇陁林不知是中何者非見何以故若樹非
見云何見樹若樹即見復云何樹如是乃至
若空非見云何見空若空即見復云何空我
又思惟是万象中微細發明无非見者佛言
如是如是
於是大衆非无學者聞佛此言茫然不知是
義終始一時惶悚失其所守如來知其魂慮
變慴心生憐愍安慰阿難及諸大衆諸善男
子无上法王是真實語如所如說不誑不妄
非末伽黎四種不死矯乱論議汝諦思惟无
忝哀慕

BD02980號　大佛頂如來密因修證了義諸菩薩萬行首楞嚴經卷二　（15–9）

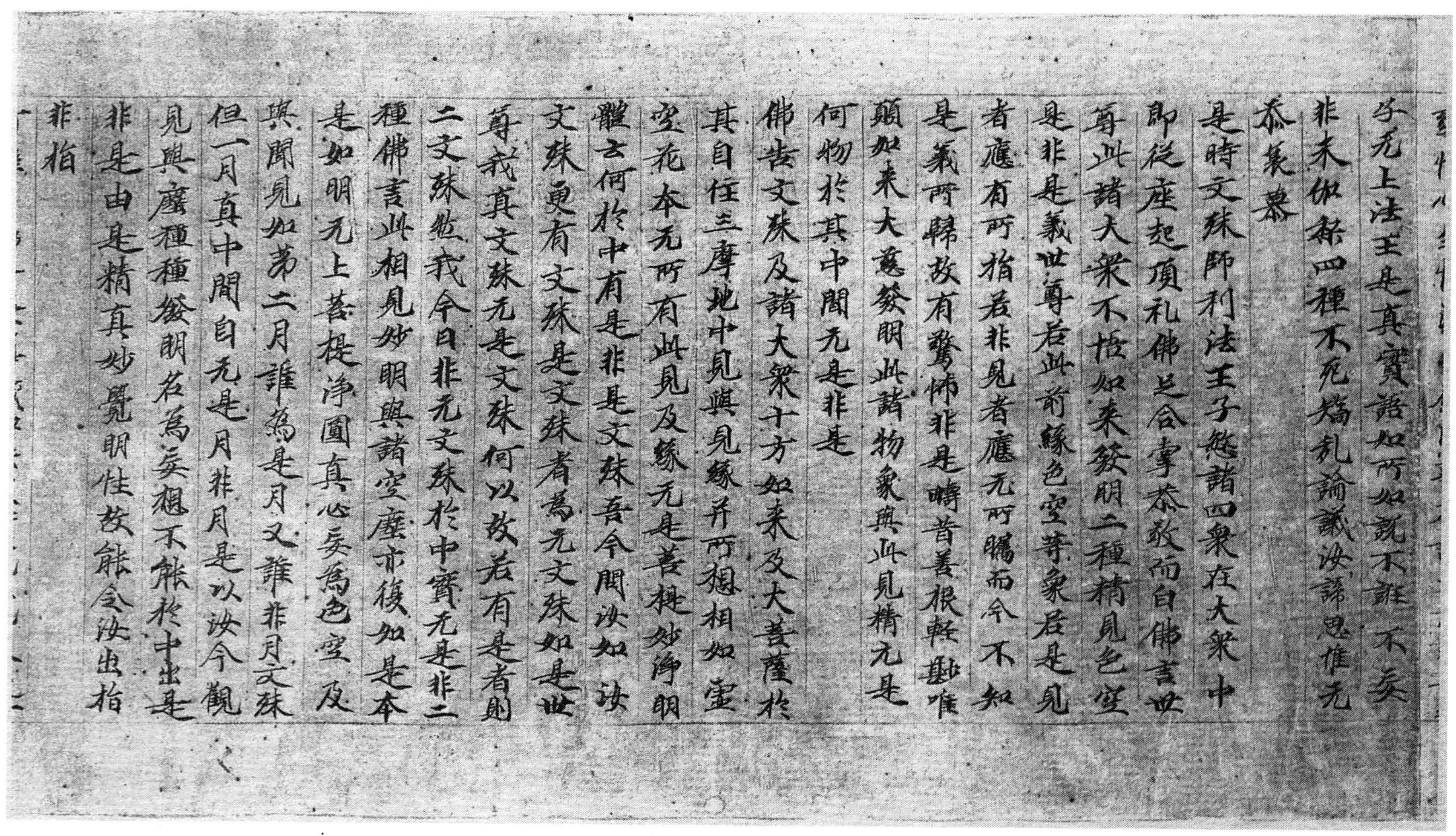

子无上法王是真實語如所如說不誑不妄
非末伽黎四種不死矯乱論議汝諦思惟无
忝哀慕
是時文殊師利法王子愍諸四衆在大衆中
即從座起頂礼佛足合掌恭敬而白佛言世
尊此諸大衆不悟如來發明二種精見色空
是非是義世尊若此前緣色空等象若是見
者應有所指若非見者應无所矚而今不知
是義所歸故有驚怖非是疇昔善根輕尠唯
願如來大慈發明此諸物象與此見精元是
何物於其中間无是非是
佛告文殊及諸大衆十方如來及大菩薩於
其自住三摩地中見與見緣并所想相如虛
空花本无所有此見及緣元是菩提妙淨明
體云何於中有是非是文殊吾今問汝如汝
文殊更有文殊是文殊者爲无文殊如是世
尊我真文殊无是文殊何以故若有是者則
二文殊然我今日非无文殊於中實无是非二
種佛言此相見妙明與諸空塵亦復如是本
是妙明无上菩提淨圓真心妄爲色空及
與聞見如第二月誰爲是月又誰非月文殊
但一月真中間自无是月非月是以汝今觀
見與塵種種發明名爲妄想不能於中出是
非是由是精真妙覺明性故能令汝出指
非指

BD02980號　大佛頂如來密因修證了義諸菩薩萬行首楞嚴經卷二　（15–10）

但一月真中間自无是月非月是以汝今觀
見與塵種種發明名為妄想不能於中出是
非是由是精真妙覺明性故能令汝出指
非指
阿難白佛言世尊誠如法王所說覺緣遍十
方界湛然常住性非生滅與先梵志娑毗
迦羅所談冥諦及投灰等諸外道種說有真我
遍滿十方有何差別世尊亦曾於楞伽山為
大慧等敷演斯義彼外道等常說自然我
說因緣非彼境界我今觀此覺性自然非生非
滅遠離一切虛妄顛倒似非因緣與彼自然
云何開示不入群邪獲真實心妙覺明性
佛告阿難我今如是開示方便真實告
汝汝猶未悟惑為自然阿難若必自然自須甄
明有自然體汝且觀此妙明見中以何為自
此見為復以明為自以暗為自以空為自以塞
為自阿難若明為自應不見暗若復以空
為自體者應不見塞如是乃至諸暗等相以
為自者則於明時見性斷滅云何見明
阿難言必此妙見性非自然我今發明是因
緣生心猶未明諮詢如來是義云何合因緣
性佛言汝言因緣吾復問汝汝今因見見性
現前此見為復因明有見因暗有見因空有
見因塞有見阿難若因明有應不見暗如因
暗有應不見明如是乃至因空因塞同於明
暗復次阿難此見又復緣明有見緣暗有見

現前此見為復因明有見因暗有見因空有
見因塞有見阿難若因明有應不見暗如因
暗有應不見明如是乃至因空因塞同於明
暗復次阿難此見又復緣明有見緣暗有見
緣空有見緣塞有見阿難若緣空有應不
見塞若緣塞有應不見空如是乃至緣明緣暗
同於空塞當知如是精覺妙明非因非緣亦
非自然无非不自然无非不非无是非是離
一切相即一切法汝今云何於中措心以諸
世間戲論名相而得分別如以手掌撮摩虛
空秖益自勞虛空云何隨汝執捉
阿難白佛言世尊必妙覺性非因非緣世尊
云何常與比丘宣說見性具四種緣所謂因空
因明因心因眼是義云何
佛言阿難我說世間諸因緣相非第一義阿
難吾復問汝諸世間人說我能見云何名見
云何不見阿難言世人因於日月燈光見種
種相名之為見若復无此三種光明則不能
見阿難若无明時名不見者應不見暗若必
見暗此但无明云何无見阿難若在暗時不
見明故名為不見今在明時不見暗相還名
不見如是二相俱名不見若復二相自相陵
奪非汝見性於中暫无如是則知二俱名見
云何不見是故阿難汝今當知見明之時見
非是明見暗之時見非是暗見空之時見非
是空見塞之時見非是塞四義成就汝復應

不見如是二相俱名不見若復二相自相淩
奪非汝見性於中暫无如是則知二俱名見
云何不見是故阿難汝今當知見明之時見
非是明見暗之時見非是暗見空之時見非
是空見塞之時見非是塞四義成就汝復應
知見見之時見非是見見猶離見見不能及
云何復說因緣自然及和合相汝等聲聞狹
劣无識不能通達清淨實相吾今誨汝當善
思惟无得疲怠妙菩提路
阿難白佛言世尊如佛世尊為我等輩宣
說因緣及與自然諸和合相與不和合心猶未
開而今更聞見見非見重增迷悶伏願弘慈
施大慧目開示我等覺心明淨作是語已悲
淚頂禮承受聖旨
尒時世尊憐愍阿難及諸大衆將欲敷演
大陁羅尼諸三摩提妙脩行路告阿難言汝雖
強記但益多聞於奢摩他微密觀照心猶未
了汝今諦聽吾當為汝分別開示亦令將來
諸有漏者獲菩提果阿難一切衆生輪迴世
間由二顛倒分別見妄當處發生當業輪轉
云何二見一者衆生別業妄見二者衆生同
分妄見
云何名為別業妄見阿難如世間人目有青
赤夜見燈光別有圓影五色重疊於意云
何此夜燈明所現圓光為是燈色為當見色

BD02980號　大佛頂如來密因修證了義諸菩薩萬行首楞嚴經卷二　（15–13）

云何二見一者衆生別業妄見二者衆生同
分妄見
云何名為別業妄見阿難如世間人目有青
赤夜見燈光別有圓影五色重疊於意云
何此夜燈明所現圓光為是燈色為當見色
阿難此若燈色則非眚人何不同見而此圓
影唯眚之觀若是見色見已成色則彼眚
人見圓影者名為何等復次阿難若此圓影離
燈別有則合傍觀屏帳几筵有圓影出離見
別有應非眼矚云何眚人目見圓影是故當知
色實在燈見病為影影見俱眚見眚非病
終不應言是燈是見於是中有非燈非見如
第二月非體非影何以故第二之觀捏所成故諸
有智者不應說言此捏根元是形非形離
見非見此亦如是目眚所成今欲名誰是燈
是見何况分別非燈非見
云何名為同分妄見阿難此閻浮提除大海
水中間平陸有三千洲正中大洲東西括量
大國凡有二千三百其餘小洲在諸海中其
間或有三兩百國或一或二至于卌五十阿
難若復此中有一小洲秖有兩國唯一國
人同感惡緣則彼小洲當土衆生覩諸一切
不祥境界或見二日或見兩月其中乃至暈
適珮玦彗孛飛流負耳虹蜺種種惡相但此
國見彼國衆生本所不見亦復不聞阿難

BD02980號　大佛頂如來密因修證了義諸菩薩萬行首楞嚴經卷二　（15–14）

終不應言是燈是見於是中有非燈非見如
第二月非體非影何以故第二之觀揑所成故諸
有智者不應說言此揑根元是形非形離
見非見此亦如是目眚所成今欲名誰是燈
是見何況分別非燈非見
云何名為同分妄見阿難此閻浮提除大海
水中間平陸有三千洲正中大洲東西括量
大國凡有二千三百其餘小洲在諸海中其
間或有三兩百國或一或二至于卅五十阿
難若復此中有一小洲祇有兩國唯一國
人同感惡緣則彼小洲當土眾生覩諸一切
不祥境界或見二日或見兩月其中乃至暈
適珮玦彗孛飛流負耳虹蜺種種惡相但此
國見彼國眾生本所不見亦復不聞阿難
吾今為汝以此二事進退合明阿難如彼眾生
別業妄見矚燈光中所現圓影雖現似境終
彼見者目眚所成眚即見勞非色所造然

BD02980 號　大佛頂如來密因修證了義諸菩薩萬行首楞嚴經卷二　（15–15）

如是不可田
須菩提於意云何可以身
世尊不可以身相得見如來何以
說身相即非身相佛告須菩提凡
是虛妄若見諸相非相則見如來
須菩提白佛言世尊頗有眾生得
說章句生實信不佛告須菩提
來滅後後五百歲有持戒脩
能生信心以此為實當知是人
佛三四五佛而種善根已於
種諸善根聞是章句乃至一念
菩提如來悉知悉見是諸眾生得
福德何以故是諸眾生无復我相
相壽者相无法相亦无非法相何以
眾生若心取相則為著我人眾生壽者若
法相即著我人眾生壽者何以故若取非法
相即著我人眾生壽者是故不應取法不應
取非法以是義故如來常說汝等比丘知我
說法如筏喻者法尚應捨何況非法
須菩提於意云何如來得阿耨多羅三藐三
菩提耶如來有所說法耶須菩提言如我解
佛所說義无有定法名阿耨多羅三藐三菩
提亦无有定法如來可說何以故如來所說
可

BD02981 號　金剛般若波羅蜜經　（12–1）

須菩提於意云何如來得阿耨多羅三藐三
菩提耶如來有所說法耶須菩提言如我解
佛所說義无有定法名阿耨多羅三藐三菩
提亦无有定法如來可說何以故如來所說
法皆不可取不可說非法非非法所以者何
一切賢聖皆以无為法而有差別
須菩提於意云何若人滿三千大千世界七
寶以用布施是人所得福德寧為多不須菩
提言甚多世尊何以故是福德即非福德性
是故如來說福德多若復有人於此經中受
持乃至四句偈等為他人說其福勝彼何以
故須菩提一切諸佛及諸佛阿耨多羅三藐
三菩提法皆從此經出須菩提所謂佛法者
即非佛法
須菩提於意云何須陁洹能作是念我得須
陁洹果不須菩提言不也世尊何以故須陁
洹名為入流而无所入不入色聲香味觸法
是名須陁洹須菩提於意云何斯陁含能作
是念我得斯陁含果不須菩提言不也世尊
何以故斯陁含名一往來而實无往來是名
斯陁含須菩提於意云何阿那含能作是念
我得阿那含果不須菩提言不也世尊何以
故阿那含名為不來而實无來是故名阿那
含須菩提於意云何阿羅漢能作是念我得
阿羅漢道不須菩提言不也世尊何以故實
无有法名阿羅漢世尊若阿羅漢作是念我

BD02981號　金剛般若波羅蜜經　（12–2）

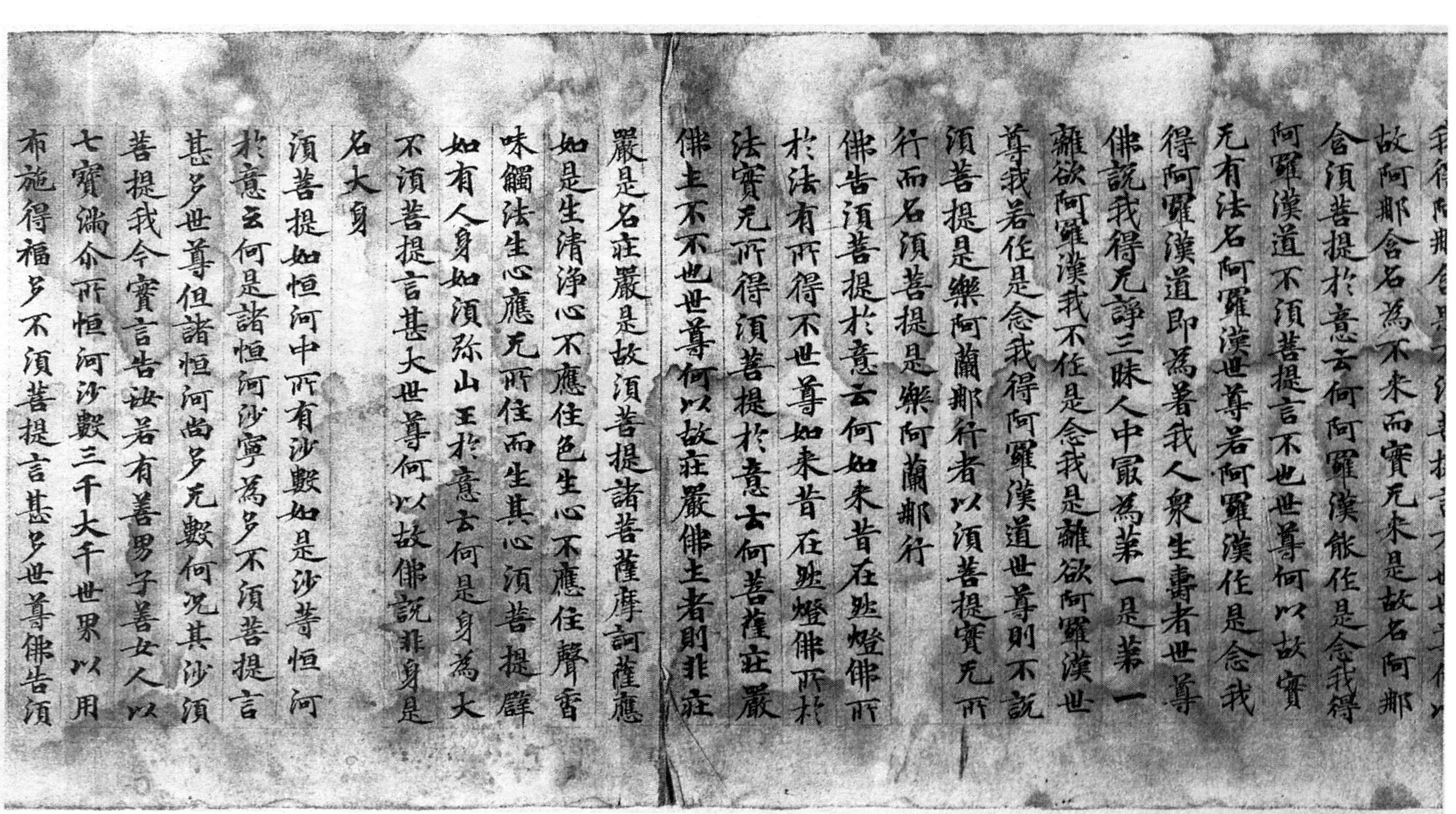
故阿那含名為不來而實无來是故名阿那
含須菩提於意云何阿羅漢能作是念我得
阿羅漢道不須菩提言不也世尊何以故實
无有法名阿羅漢世尊若阿羅漢作是念我
得阿羅漢道即為著我人眾生壽者世尊
佛說我得无諍三昧人中冣為第一是第一
離欲阿羅漢我不作是念我是離欲阿羅漢世
尊我若作是念我得阿羅漢道世尊則不說
須菩提是樂阿蘭那行者以須菩提實无所
行而名須菩提是樂阿蘭那行
佛告須菩提於意云何如來昔在然燈佛所
於法有所得不世尊如來昔在然燈佛所於
法實无所得須菩提於意云何菩薩莊嚴
佛土不不也世尊何以故莊嚴佛土者則非莊
嚴是名莊嚴是故須菩提諸菩薩摩訶薩應
如是生清淨心不應住色生心不應住聲香
味觸法生心應无所住而生其心須菩提譬
如有人身如須弥山王於意云何是身為大
不須菩提言甚大世尊何以故佛說非身是
名大身
須菩提如恒河中所有沙數如是沙等恒河
於意云何是諸恒河沙寧為多不須菩提言
甚多世尊但諸恒河尚多无數何況其沙須
菩提我今實言告汝若有善男子善女人以
七寶滿尒所恒河沙數三千大千世界以用
布施得福多不須菩提言甚多世尊佛告須

BD02981號　金剛般若波羅蜜經　（12–3）

甚多世尊但諸恒河尚多无數何況其沙須
菩提我今實言告汝若有善男子善女人以
七寶滿尒所恒河沙數三千大千世界以用
布施得福多不須菩提言甚多世尊佛告須
菩提若善男子善女人於此經中乃至受持
四句偈等為他人說而此福德勝前福德復
次須菩提隨說是經乃至四句偈等當知此
處一切世間天人阿脩羅皆應供養如佛塔
廟何況有人盡能受持讀誦須菩提當知是
人成就最上第一希有之法若是經典所在
之處則為有佛若尊重弟子
尒時須菩提白佛言世尊當何名此經我等
云何奉持佛告須菩提是經名為金剛般若
波羅蜜以是名字汝當奉持所以者何須菩
提佛說般若波羅蜜則非般若波羅蜜須菩
提於意云何如來有所說法不須菩提白佛
言世尊如來无所說須菩提於意云何三千
大千世界所有微塵是為多不須菩提言甚
多世尊須菩提諸微塵如來說非微塵是名
微塵如來說世界非世界是名世界須菩提
於意云何可以三十二相見如來不不也世
尊何以故如來說三十二相即是非相是名
三十二相須菩提若有善男子善女人以恒河
沙等身命布施若復有人於此經中乃至受持
四句偈等為他人說其福甚多
尒時須菩提聞說是經深解義趣涕淚悲泣

BD02981 號　金剛般若波羅蜜經　（12–4）

尒時須菩提聞說是經深解義趣涕淚悲泣
而白佛言希有世尊佛說如是甚深經典我
從昔來所得慧眼未曾得聞如是之經世尊
若復有人得聞是經信心清淨則生實相當
知是人成就第一希有功德世尊是實相者
則是非相是故如來說名實相世尊我今得
聞如是經典信解受持不足為難若當來世
後五百歲其有眾生得聞是經信解受持是
人則為第一希有何以故此人无我相人相
眾生相壽者相所以者何我相即是非相人
相眾生相壽者相即是非相何以故離一切
諸相則名諸佛
佛告須菩提如是如是若復有人得聞是經
不驚不怖不畏當知是人甚為希有何以故
須菩提如來說第一波羅蜜非第一波羅蜜
是名第一波羅蜜須菩提忍辱波羅蜜如來
說非忍辱波羅蜜何以故須菩提如我昔為
歌利王割截身體我於尒時无我相无人相
无眾生相无壽者相何以故我於往昔節節
支解時若有我相人相眾生相壽者相應生
瞋恨須菩提又念過去於五百世作忍辱仙
人於尒所世无我相无人相无眾生相无壽
者相是故須菩提菩薩應離一切相發阿耨
多羅三藐三菩提心不應住色生心不應住
聲香味觸法生心應生无所住心若心有住
則為非住是故佛說菩薩心不應住色布施

BD02981 號　金剛般若波羅蜜經　（12–5）

則為非住是故佛說菩薩心不應住色布施
須菩提菩薩為利益一切衆生應如是布施
如來說一切諸相即是非相又說一切衆生
即非衆生須菩提如來是真語者實語者如
語者不誑語者不異語者須菩提如來所得
法此法无實无虛須菩提若菩薩心住於法
而行布施如人入闇則无所見若菩薩心不
住法而行布施如人有目日光明照見種種
色須菩提當來之世若有善男子善女人能
於此經受持讀誦則為如來以佛智慧悉知
是人悉見是人皆得成就无量无邊功德
須菩提若有善男子善女人初日分以恒河
沙等身布施中日分復以恒河沙等身布施
後日分亦以恒河沙等身布施如是无量百
千万億劫以身布施若復有人聞此經典信
心不逆其福勝彼何況書寫受持讀誦為人
解說須菩提以要言之是經有不可思議不
可稱量无邊功德如來為發大乘者說為發
最上乘者說若有人能受持讀誦廣為人說
如來悉知是人悉見是人皆得成就不可量不
可稱无有邊不可思議功德如是人等則為
荷擔如來阿耨多羅三藐三菩提何以故須
菩提若樂小法者著我見人見衆生見壽者
見則於此經不能聽受讀誦為人解說須菩
提在在處處若有此經一切世間天人阿脩
羅所應供養當知此處則為是塔皆應恭敬

BD02981 號　金剛般若波羅蜜經　（12–6）

羅所應供養當知此處則為是塔皆應恭敬
作禮圍遶以諸華香而散其處
復次須菩提若善男子善女人受持讀誦此
經若為人輕賤是人先世罪業應墮惡道以今
世人輕賤故先世罪業則為消滅當得阿耨
多羅三藐三菩提須菩提我念過去无量阿
僧祇劫於然燈佛前得值八百四千万億那
由他諸佛悉皆供養承事无空過者若復有
人於後末世能受持讀誦此經所得功德於
我所供養諸佛功德百分不及一千万億分
乃至算數譬喻所不能及須菩提若善男子
善女人於後末世有受持讀誦此經所得功
德我若具說者或有人聞心則狂亂狐疑不
信須菩提當知是經義不可思議果報亦不
可思議
尒時須菩提白佛言世尊善男子善女人發
阿耨多羅三藐三菩提心云何應住云何降
伏其心佛告須菩提善男子善女人發阿耨
多羅三藐三菩提者當生如是心我應滅度
一切衆生滅度一切衆生已而无有一衆生
實滅度者何以故若菩薩有我相人相衆生
相壽者相則非菩薩所以者何須菩提實无
有法發阿耨多羅三藐三菩提者須菩提於
意云何如來於然燈佛所有法得阿耨多羅
三藐三菩提不不也世尊如我解佛所說義
佛於然燈佛所无有法得阿耨多羅三藐三

BD02981 號　金剛般若波羅蜜經　（12–7）

佛於然燈佛所无有法得阿耨多羅三藐三
菩提佛言如是如是須菩提實无有法如来
得阿耨多羅三藐三菩提須菩提若有法如
来得阿耨多羅三藐三菩提然燈佛則不與
我受記汝於来世當得作佛号釋迦牟尼以
實无有法得阿耨多羅三藐三菩提是故然
燈佛與我受記作是言汝於来世當得作佛
号釋迦牟尼何以故如来者即諸法如義若
有人言如来得阿耨多羅三藐三菩提須菩
提實无有法佛得阿耨多羅三藐三菩提須
菩提如来所得阿耨多羅三藐三菩提於是
中无實无虛是故如来說一切法皆是佛法
須菩提所言一切法者即非一切法是故名
一切法須菩提譬如有人身長大須菩提言
世尊如来說人身長大則為非大身是名大
身須菩提菩薩亦如是若作是言我當滅度
无量衆生則不名菩薩何以故須菩提實无
有法名為菩薩是故佛說一切法无我无人无衆
生无壽者須菩提若菩薩作是言我當庄嚴
佛土是不名菩薩何以故如来說庄嚴佛土
者即非庄嚴是名庄嚴須菩提若菩薩通達
无我法者如来說名真是菩薩
須菩提於意云何如来有肉眼不如是世尊
如来有肉眼須菩提於意云何如来有天眼
不如是世尊如来有天眼須菩提於意云何
如来有慧眼不如是世尊如来有慧眼須菩

如来有慧眼不如是世尊如来有慧眼須菩
提於意云何如来有法眼不如是世尊如来
有法眼須菩提於意云何如来有佛眼不如
是世尊如来有佛眼須菩提於意云何恒河
中所有沙佛說是沙不如是世尊如来說是
沙須菩提於意云何如一恒河中所有沙有
如是等恒河是諸恒河所有沙數佛世界如
是寧為多不甚多世尊佛告須菩提尒所
國土中所有衆生若干種心如来悉知何以故
如来說諸心皆為非心是名為心所以者何
須菩提過去心不可得現在心不可得未来
心不可得須菩提於意云何若有人滿三千
大千世界七寶以用布施是人以是因緣得
福多不如是世尊此人以是因緣得福甚多
須菩提若福德有實如来不說得福德多
以福德無故如来說得福德多
須菩提於意云何佛可以具足色身見不不
也世尊如来不應以色身見何以故如来說
具足色身即非具足色身是名具足色身須
菩提於意云何如来可以具足諸相見不不
也世尊如来不應以具足諸相見何以故如
来說諸相具足即非具足是名諸相具足須
菩提汝勿謂如来作是念我當有所說法莫
作是念何以故若人言如来有所說法即為
謗佛不能解我所說故須菩提說法者无法
可說是名說法須菩提白佛言世尊佛得阿

謗佛不能解我所說故須菩提說法者无法
可說是名說法須菩提白佛言世尊佛得阿
耨多羅三藐三菩提為無所得邪如是如是
須菩提我於阿耨多羅三藐三菩提乃至无
有少法可得是名阿耨多羅三藐三菩提復
次須菩提是法平等無有高下是名阿耨多
羅三藐三菩提以無我無人无衆生无壽者
脩一切善法則得阿耨多羅三藐三菩提須
菩提所言善法者如来說非善法是名善法
須菩提若三千大千世界中所有諸須弥山
王如是等七寶聚有人持用布施若人以此
般若波羅蜜經乃至四句偈等受持為他
人說於前福德百分不及一百千万億分乃
至筭數譬喻所不能及
須菩提於意云何汝等勿謂如来作是念我
當度衆生須菩提莫作是念何以故實无有
衆生如来度者若有衆生如来度者如来則
有我人衆生壽者須菩提如来說有我者則
非有我而凡夫之人以為有我須菩提凡夫
者如来說則非凡夫須菩提於意云何可以
三十二相觀如来不須菩提言如是如是以
三十二相觀如来佛言須菩提若以三十二
相觀如来者轉輪聖王則是如来須菩提白
佛言世尊如我解佛所說義不應以三十二
相觀如来尒時世尊而說偈言
若以色見我　以音聲求我　是人行邪道　不能見如来

BD02981號　金剛般若波羅蜜經　（12–10）

佛言世尊如我解佛所說義不應以三十二
相觀如来尒時世尊而說偈言
若以色見我　以音聲求我　是人行邪道　不能見如来
須菩提汝若作是念如来不以具足相故得
阿耨多羅三藐三菩提須菩提莫作是念如
来不以具足相故得阿耨多羅三藐三菩提
須菩提汝若作是念發阿耨多羅三藐三菩
提者說諸法斷滅相莫作是念何以故發阿
耨多羅三藐三菩提者於法不說斷滅相須
菩提若菩薩以滿恒河沙等世界七寶布施
若復有人知一切法无我得成於忍此菩薩
勝前菩薩所得功德須菩提以諸菩薩不受
福德故須菩提白佛言世尊云何菩薩不受
福德須菩提菩薩所作福德不應貪著是故
說不受福德須菩提若有人言如来若来若
去若坐若卧是人不解我所說義何以故如
来者无所從来亦无所去故名如来
須菩提若善男子善女人以三千大千世界
碎為微塵於意云何是微塵衆寧為多不甚
多世尊何以故若是微塵衆實有者佛則不
說是微塵衆所以者何佛說微塵衆則非微
塵衆是名微塵衆世尊如来所說三千大千
世界則非世界是名世界何以故若世界實
有者則是一合相如来說一合相則非一合
相是名一合相須菩提一合相者則是不可
說但凡夫之人貪著其事須菩提若人言佛
說我見人見衆生見壽者見須菩提於意云

BD02981號　金剛般若波羅蜜經　（12–11）

塵衆是名微塵衆世尊如來所說三千大千
世界則非世界是名世界何以故若世界實
有者則是一合相如來說一合相則非一合
相是名一合相須菩提一合相者則是不可
說但凡夫之人貪著其事須菩提若人言佛
說我見人見衆生見壽者見須菩提於意云
何是人解我所說義不世尊是人不解如來
所說義何以故世尊說我見人見衆生見壽
者見即非我見人見衆生見壽者見是名我
見人見衆生見壽者見須菩提發阿耨多羅
三藐三菩提心者於一切法應如是知如是
見如是信解不生法相須菩提所言法相者
如來說即非法相是名法相須菩提若有人
以滿无量阿僧祇世界七寶持用布施若有
善男子善女人發菩薩心者持於此經乃至
四句偈等受持讀誦為人演說其福勝彼云
何為人演說不取於相如如不動何以故
一切有為法　如夢幻泡影　如露亦如電　應作如是觀
佛說是經已長老須菩提及諸比丘比丘尼
優婆塞優婆夷一切世間天人阿脩羅聞佛
所說皆大歡喜信受奉行

金剛般若波羅蜜經

BD02981 號　金剛般若波羅蜜經　（12–12）

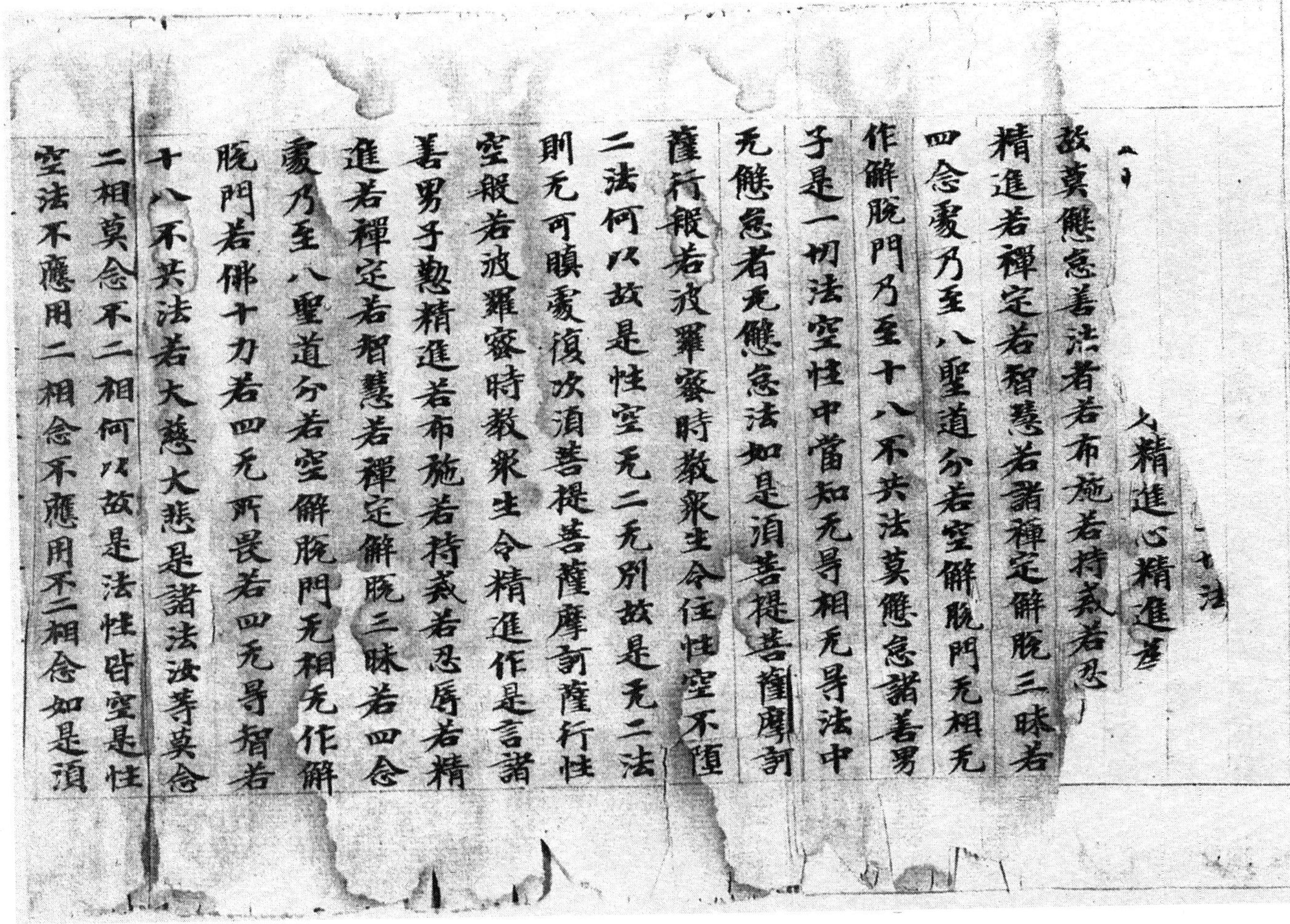

十法
一十　大精進心精進差
故莫懈怠善法者若布施若持戒若忍
精進若禪定若智慧若諸禪定解脫三昧若
四念處乃至八聖道分若空解脫門无相无
作解脫門乃至十八不共法莫懈怠諸善男
子是一切法空性中當知无㝵相无㝵法中
无懈怠者无懈怠法如是須菩提菩薩摩訶
薩行般若波羅蜜時教衆生令住性空不隨
二法何以故是性空无二无別故是无二法
則无可瞋處復次須菩提菩薩摩訶薩行性
空般若波羅蜜時教衆生令精進作是言諸
善男子懃精進若布施若持戒若忍辱若精
進若禪定若智慧若禪定解脫三昧若四念
處乃至八聖道分若空解脫門无相无作解
脫門若佛十力若四无所畏若四无㝵智若
十八不共法若大慈大悲是諸法法等莫念
二相莫念不二相何以故是法性皆空是性
空法不應用二相念不應用不二相念如是須

BD02982 號　摩訶般若波羅蜜經（四十卷本）卷三八　（24–1）

脫門若佛十力若四无所畏若四无㝵智若
十八不共法若大慈大悲是諸法汝等莫念
二相莫念不二相何以故是法性皆空是性
空法不應用二相念不應用不二相念如是須
菩提菩薩摩訶薩行般若波羅蜜以方便力
故成就衆生成就衆生已次第教令得須陁
洹果斯陁含果阿那含果阿羅漢果辟支佛
道菩薩位令得阿耨多羅三藐三菩提復次
須菩提菩薩摩訶薩行般若波羅蜜時見衆
生亂心方便力爲利益衆生故作是言諸善
男子當脩禪定汝莫生亂想當生一心何以
故是法性皆空性空中无有法可得若亂若
一心汝等住是三昧所有作業若身若口若意
若布施若持戒若行忍辱若懃精進若行禪
定若脩智慧若行四念處乃至若八聖道分
若諸解脫次第定若行佛十力四无所畏四
无㝵智十八不共法大慈大悲三十二相八
十隨形好若聲聞道若辟支佛道若菩薩道若
佛道若須陁洹果斯陁含果阿那含果阿羅
漢果辟支佛道若一切種智若成就衆生
若淨佛國土汝等皆當隨所願得行性空故
如是須菩提菩薩摩訶薩行般若波羅蜜方
便力爲利益衆生故從初發意終不懈癈常
求善法利益衆生從一佛國至一佛國供養

BD02982號　摩訶般若波羅蜜經（四十卷本）卷三八　（24–2）

若淨佛國土汝等皆當隨所願得行性空故
如是須菩提菩薩摩訶薩行般若波羅蜜方
便力爲利益衆生故從初發意終不懈癈常
求善法利益衆生從一佛國至一佛國供養
諸佛從諸佛聞法捨身受身乃至阿耨多羅
三藐三菩提終不忘失是菩薩常得諸陁羅
尼諸根具足所謂身根語根意根何以故是
菩薩摩訶薩常脩一切智脩一切智故一切
諸道皆脩若聲聞道若辟支佛道若菩薩神
通道行神通道菩薩常利益衆生終不忘失
是菩薩住報得神通利益衆生入生死五道
終不耗减如是須菩提菩薩摩訶薩行般若
波羅蜜住性空以禪定利益衆生復次須菩
提菩薩摩訶薩行般若波羅蜜住性空以方
便力故利益衆生作是言汝等諸善男子觀
一切法性空善男子汝等當作諸業若身業
若口業若意業取甘露味得甘露果性空中
无有法退何以故性空不退〻无退者以性
空非法〻非非法於无所有法中云何當有
退須菩提菩薩摩訶薩行般若波羅蜜時如
是教衆生常不懈癈是菩薩自行十善〻教
他人行十善五戒八戒〻〻如是自行初禪〻
教他人令行初禪乃至第四禪〻〻如是常自
行慈心〻教他人令行慈心乃至捨心〻〻如

BD02982號　摩訶般若波羅蜜經（四十卷本）卷三八　（24–3）

是教衆生常不慳藏是菩薩自行十善亦教
他人行十善五戒亦如是自行初禪亦
教他人令行初禪乃至第四禪亦如是常自
行慈心亦教他人令行慈心乃至捨心亦如
是自行无邊空處亦教他人令行无邊空處
乃至非有想非无想亦如是自行四念處亦
教他人令行四念處乃至八聖道分佛十力
乃至八十隨形好亦如是自須陀洹果中生
智慧亦不住是中亦教他人令得須陀洹果
乃至阿羅漢亦如是自於辟支佛道中生智
慧亦不住是中亦教他人令得辟支佛道自
生阿耨多羅三藐三菩提道亦教他人得阿
耨多羅三藐三菩提道如是須菩提菩薩摩
訶薩行菩薩道時方便力故終不慳藏須菩
提白佛言世尊若諸法性常空常空中衆生
不可得法非法亦不可得菩薩摩訶薩云何
求一切種智佛告須菩提如是如是如汝所
言諸法性皆空空中衆生不可得法非法亦
不可得須菩提若一切法性不空菩薩摩訶
薩不依性空成阿耨多羅三藐三菩提爲衆
生說性空法須菩提色性空受想行識性空
菩薩摩訶薩行般若波羅蜜時說五衆性空
法說十二入十八界性空法說四禪四无量
心四无色定四念處乃至八聖道分性空法
說三解脫門八背捨九次第定佛十力四无

法說十二入十八界性空法說四禪四无量
心四无色定四念處乃至八聖道分性空法
說三解脫門八背捨九次第定佛十力四无
所畏四无导智十八不共法大慈大悲三十
二相八十隨形好性空法說須陀洹果斯陀
含果阿那含果阿羅漢果辟支佛道一切種
智斷煩惱習性空法須菩提若內空性不空
外空乃至无法有法空性不空者則壞空性
是性空不常不斷何以故是性空无住處亦
无所從來亦无所從去須菩提是名法住相
是中无法无聚无散无增无減无生无滅无
垢无淨是爲諸法相菩薩摩訶薩住是中發
阿耨多羅三藐三菩提心不見法有所發无
發无住是名法住相是菩薩摩訶薩行般若
波羅蜜時見一切法性空不轉阿耨多羅三
藐三菩提何以故是菩薩不見有法能鄣导
當何處生疑是名阿耨多羅三藐三菩提性
空不得衆生不得我不得人不得壽不得命
乃至不得知者見者性空中色不可得受想
行識不可得乃至八十隨形好不可得須菩
提辟如佛化作四衆比丘比丘尼憂婆塞迦
憂婆夷和迦常爲是諸衆生說法千万億劫不
斷佛告須菩提是諸化衆當得須陀洹果斯
陀含果阿那含果阿羅漢果得阿耨多羅三

[illegible]諸不可得乃至[illegible]阿羅漢不可得須菩
提辟如佛化作四衆比丘比丘尼優婆塞迦
優婆知迦常爲是諸衆生説法千万億劫不
斷佛告須菩提是諸化衆當得須陁洹果斯
陁含果阿那含果阿羅漢果得阿耨多羅三
藐三菩提記不須菩提言不也世尊何以故
是諸化衆无有根本實故一切諸法性空〻
无根本實事何等是衆生得須陁洹果乃至
阿羅漢果得阿耨多羅三藐三菩提記須菩
提菩薩摩訶薩〻如是爲衆生説性空法是
衆生實不可得以衆生墮顛倒故拔衆生令
住不顛倒顛倒即是无顛倒顛倒不顛倒離
一相而多顛倒少不顛倒无顛倒處中則无
我无衆生乃至无知者見者无顛倒處〻无
色无受想行識无十二入乃至无阿耨多羅
三藐三菩提是爲諸法性空菩薩摩訶薩住
是中行般若波羅蜜時於衆生相顛倒中拔
出衆生所謂无衆生有衆生相中拔出乃至
知者見者相中拔出於无色色相中无受想
行識受想行識相中拔出衆生十二入十八
界乃至一切有漏法〻如是須菩提〻有諸
无漏法所謂四念處四正懃四如意足五根
五力七覺分八聖道分如是等法雖无漏法
〻不如第一義相第一義相者无作无爲无
生无相无説是名第一義〻名性空〻名諸

无漏法所謂四念處四正懃四如意足五根
五力七覺分八聖道分如是等法雖无漏法
〻不如第一義相第一義相者无作无爲无
生无相无説是名第一義〻名性空〻名諸
佛道是中不得衆生乃至不得知者見者不
得色受想行識乃至不得八十隨形好何以
故菩薩摩訶薩非爲道法故求阿耨多羅三
藐三菩提心爲諸法實相性空故求阿耨多
羅三藐三菩提是性空前際〻是性空後際
〻是性空中際〻是性空常性空无不性空
時菩薩摩訶薩行是性空般若波羅蜜爲衆
生著衆生相欲拔出故求道種智求道種智
時遍行一切道若聲聞道若辟支佛道若菩
薩道是菩薩具足一切道拔出衆生於耶想
著淨國土已隨具壽命得阿耨多羅三藐三
菩提須菩提過去十方諸佛道性空未來現
在十方諸佛道〻性空離性空世閒无道无
道果要從親近諸佛聞是諸法性空行是法
不失薩婆若須菩提白佛言世尊甚希有諸
菩薩摩訶薩行是性空法〻不壞性空相所
謂色與性空異受想行識與性空異乃至阿
耨多羅三藐三菩提與性空異須菩提色即
是性空性空即是色乃至阿耨多羅三藐三
菩提阿耨多羅三藐三菩提即是性空性空
即是阿耨多羅三藐三菩提佛告須菩提[illegible]

耨多羅三藐三菩提與性空異須菩提色即
是性空性空即是色乃至阿耨多羅三藐三
菩提阿耨多羅三藐三菩提即是性空性空
即是阿耨多羅三藐三菩提佛告須菩提若
色與性空異若受想行識與性空異乃至阿
耨多羅三藐三菩提與性空異菩薩摩訶薩
不能得一切種智須菩提今色不異性空乃
至阿耨多羅三藐三菩提不異性空以是故
菩薩摩訶薩知一切法性空發意求阿耨多
羅三藐三菩提何以故是中无有法若實若
常但凡夫著色受想行識凡夫取色相取受
想行識相有我心著內外物故受後身色受
想行識是故不得脫生老病死憂悲苦惱往
來五道以是事故菩薩摩訶薩行性空波羅
蜜不壞色等諸法相若空若不空何以故是
色性空相不壞色空所謂是色是空譬如虛
空不壞虛空內虛空不壞外虛空外虛空不
壞內虛空如是須菩提色不壞色空相色空
相不壞色何以故是二法无有性能有所壞
所謂是空是非空乃至阿耨多羅三藐三菩
提〻如是須菩提白佛言世尊若一切法空
无分別云何菩薩摩訶薩從初發意以來作
是願我當得阿耨多羅三藐三菩提世尊若
一切法无分別云何菩薩發心言我當得阿

BD02982號　摩訶般若波羅蜜經（四十卷本）卷三八　（24–8）

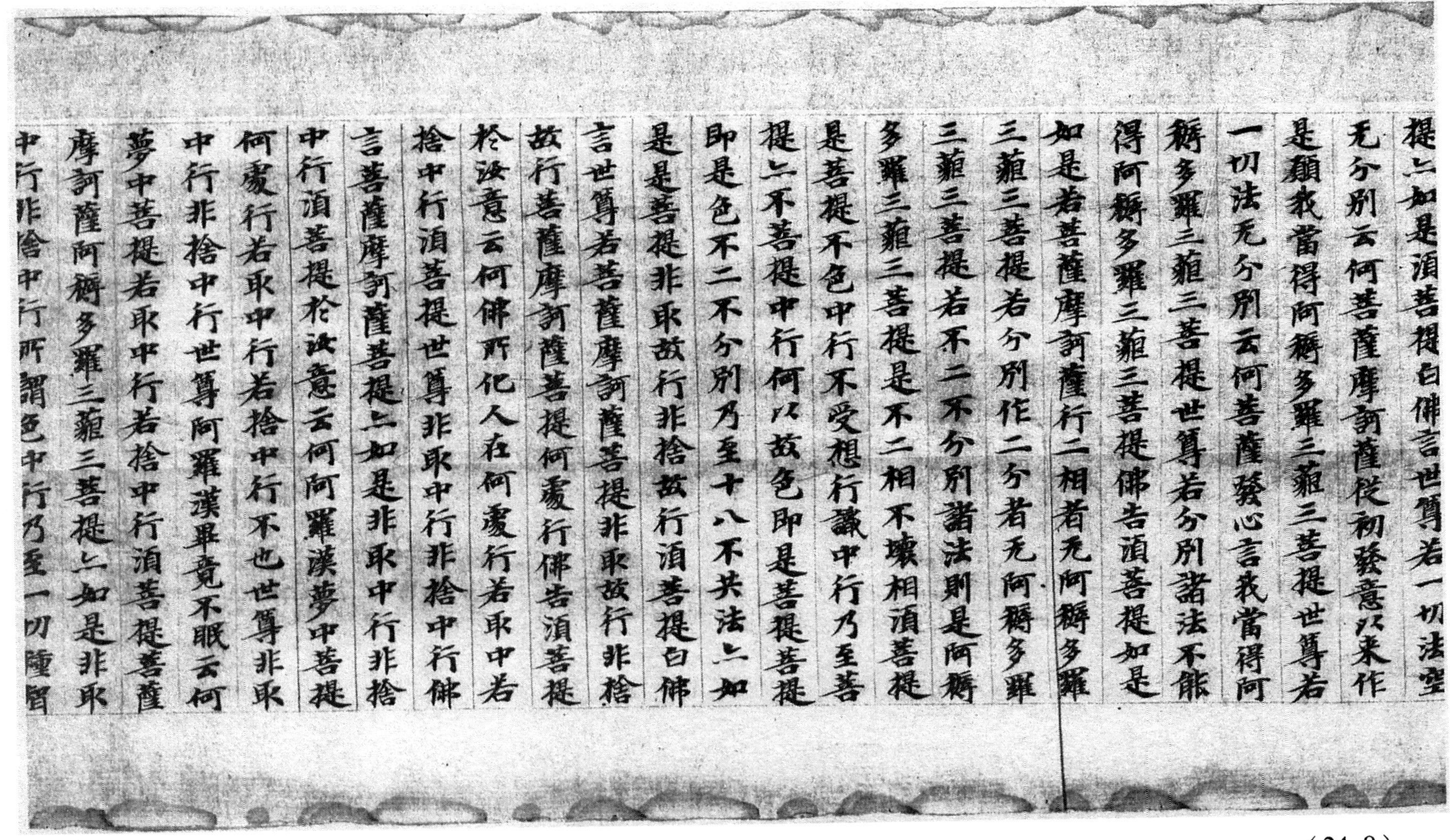

提〻如是須菩提白佛言世尊若一切法空
无分別云何菩薩摩訶薩從初發意以來作
是願我當得阿耨多羅三藐三菩提世尊若
一切法无分別云何菩薩發心言我當得阿
耨多羅三藐三菩提世尊若分別諸法不能
得阿耨多羅三藐三菩提佛告須菩提如是
如是若菩薩摩訶薩行二相者无阿耨多羅
三藐三菩提若分別作二分者无阿耨多羅
三藐三菩提若不二不分別諸法則是阿耨
多羅三藐三菩提是不二相不壞相須菩提
是菩提不色中行不受想行識中行乃至菩
提〻不菩提中行何以故色即是菩提菩提
即是色不二不分別乃至十八不共法〻如
是〻菩提非取故行非捨故行須菩提白佛
言世尊若菩薩摩訶薩菩提非取故行非捨
故行菩薩摩訶薩菩提何處行佛告須菩提
於汝意云何佛所化人在何處行若取中若
捨中行須菩提世尊非取中行非捨中行佛
言菩薩摩訶薩菩提〻如是非取中行非捨
中行須菩提於汝意云何阿羅漢夢中菩提
何處行若取中行若捨中行不也世尊非取
中行非捨中行世尊阿羅漢畢竟不眠云何
夢中菩提若取中行若捨中行須菩提菩薩
摩訶薩阿耨多羅三藐三菩提〻如是非取
中行非捨中行所謂色中行乃至一切種智

BD02982號　摩訶般若波羅蜜經（四十卷本）卷三八　（24–9）

中行非捨中行世尊阿羅漢畢竟不眠云何
夢中菩提若取中行若捨中行須菩提菩薩
摩訶薩阿耨多羅三藐三菩提亦如是非取
中行非捨中行所謂色中行乃至一切種智
中行世尊將无菩薩摩訶薩不行十地不行
六波羅蜜不行三十七助道法不行十四空
不行諸禪定解脫三昧不行佛十力乃至八
十隨形好住五神通淨佛國土成就衆生得
阿耨多羅三藐三菩提佛告須菩提如是如
是如汝所言今菩薩菩提雖无處行六波羅
蜜四禪四无量心四无色定四念處乃至八
聖道分空无相无作解脫門佛十力乃至八
十隨形好常捨行不錯謬法不具足是諸法
終不得阿耨多羅三藐三菩提是菩薩摩訶
薩住色相中受想行識相中乃至住阿耨多
羅三藐三菩提相中能具足十地乃至得阿
耨多羅三藐三菩提是相常穿藏无有法能
增能減能生能滅能垢能淨能得道能得果
世諦法故菩薩摩訶薩得阿耨多羅三藐三
菩提非第一實義何以故第一義中无有色
乃至无阿耨多羅三藐三菩提亦无行阿耨
多羅三藐三菩提者是一切皆以世諦故說
非第一義須菩提菩薩摩訶薩從初發意已
來行阿耨多羅三藐三菩提菩提亦不增衆

BD02982號　摩訶般若波羅蜜經（四十卷本）卷三八　（24-10）

多羅三藐三菩提者是一切皆以世諦故說
非第一義須菩提菩薩摩訶薩從初發意已
來行阿耨多羅三藐三菩提菩提亦不增衆
生亦不減菩薩亦无增无減須菩提於意云
何若人初得道時住无間三昧得无漏根若
成須陁洹果若斯陁含果阿那含果若阿羅
漢果汝尒時有所得若夢若心若道若道果
不須菩提言世尊不得也佛告須菩提云何
當知得阿羅漢道者世尊世俗法故分別名
阿羅漢道佛言如是如是須菩提世諦故說
名菩薩說名色受想行識乃至一切種智是
菩提中无法可得若增若減以諸法性空故
諸法性空尚不可得何況得初地心乃至十
地心六波羅蜜三十七助道法空三昧无相
无作三昧乃至一切佛法當有所得无有是
處如是須菩提菩薩摩訶薩行阿耨多羅三
藐三菩提得阿耨多羅三藐三菩提利益衆
生

摩訶般若波羅蜜成就衆生品第八十

須菩提白佛言世尊若菩薩摩訶薩行六波
羅蜜十八空三十七助道法佛十力四无所
畏四无㝵智十八不共法不具足菩薩道不
能得阿耨多羅三藐三菩提世尊菩薩摩訶
薩當云何具足菩薩道得阿耨多羅三藐三

BD02982號　摩訶般若波羅蜜經（四十卷本）卷三八　（24-11）

須菩提白佛言世尊若菩薩摩訶薩行六波
羅蜜十八空三十七助道法佛十力四无所
畏四无导智十八不共法不具足菩薩道不
能得阿耨多羅三藐三菩提世尊菩薩摩訶
薩當云何具足菩薩道得阿耨多羅三藐三
菩提佛告須菩提若菩薩摩訶薩行般若波
羅蜜時以方便力故行檀波羅蜜不得施不
得施者不得受者亦不遠離是法行檀波羅
蜜是則照明菩薩道如是須菩提菩薩以方
便力故具足菩薩道具足已能得阿耨多羅
三藐三菩提持戒忍辱精進禪定智慧乃至
十八不共法亦如是舍利弗白佛言世尊云
何菩薩摩訶薩習般若波羅蜜佛告舍利弗
菩薩摩訶薩行般若波羅蜜以方便力故不
壞色不隨色行何以故是色性无故不壞不
隨乃至識亦如是舍利弗菩薩摩訶薩行般
若波羅蜜以方便力故檀波羅蜜不壞不隨
何以故檀波羅蜜性无故乃至十八不共法
亦如是舍利弗白佛言世尊若諸法无自性
不壞可隨者云何菩薩摩訶薩能習般若波
羅蜜諸菩薩摩訶薩所學處何以故菩薩摩
訶薩不學般若波羅蜜不能得阿耨多羅三
藐三菩提佛告舍利弗如汝所言菩薩不學
般若波羅蜜不能得阿耨多羅三藐三菩提
不離方便力故可得舍利弗若菩薩摩訶薩

BD02982號　摩訶般若波羅蜜經（四十卷本）卷三八　（24–12）

訶薩不學般若波羅蜜不能得阿耨多羅三
藐三菩提佛告舍利弗如汝所言菩薩不學
般若波羅蜜不能得阿耨多羅三藐三菩提
不離方便力故可得舍利弗若菩薩摩訶薩
行般若波羅蜜若有一法性可得應當取若
不可得何所取所謂此是般若波羅蜜是禪
波羅蜜是毗梨耶波羅蜜是羼提波羅蜜尸
羅波羅蜜檀波羅蜜是色受想行識乃至是
阿耨多羅三藐三菩提舍利弗是般若波羅
蜜不可取相乃至一切諸佛法不可取相舍
利弗是名不可取般若波羅蜜乃至佛法是
菩薩摩訶薩所應學菩薩摩訶薩於是中學
時學相亦不可得何況般若波羅蜜佛法菩
薩法辟支佛法聲聞法凡夫人法何以故舍
利弗諸法无一法有性如是无性諸法何等
是凡夫人法須陁洹斯陁含阿那含阿羅漢
辟支佛菩薩佛若无是諸賢聖云何有法以
是法故分別說是凡夫人須陁洹斯陁含阿
那含阿羅漢辟支佛菩薩佛舍利弗白佛言
世尊若諸法无性无實无根本云何知是凡
夫人乃至是佛佛告舍利弗凡夫人所著處
色有性有實不不也世尊但以顛倒心故受
想行識乃至十八不共法亦如是舍利弗菩
薩摩訶薩行般若波羅蜜時以方便力故見
諸法无性无根本故能發阿耨多羅三藐三

BD02982號　摩訶般若波羅蜜經（四十卷本）卷三八　（24–13）

夫人乃至是佛佛告舍利弗凡夫人所著處
色有性有實不不也世尊但以顛倒心故受
想行識乃至十八不共法亦如是舍利弗菩
薩摩訶薩行般若波羅蜜時以方便力故見
諸法无性无根本故能發阿耨多羅三藐三
菩提心舍利弗白佛言世尊云何菩薩摩訶
薩行般若波羅蜜時以方便力故見諸法无
性无根本故發阿耨多羅三藐三菩提心佛
告舍利弗菩薩摩訶薩行般若波羅蜜時不
見諸法根本住中退沒生懈怠心舍利弗若
諸法根本實无我无所有性常空但顛倒愚
癡故衆生著陰入界是菩薩摩訶薩見諸法
无所有性常自相空時行般若波羅蜜自立
如幻師為衆生說法慳者為說布施法破戒
者為說持戒法瞋者為說忍法懈怠者為說
精進法亂意者為說禪定法愚癡者為說智
慧法令衆生住布施乃至智慧然後為說聖
法能出苦用是法故得須陁洹果乃至得阿
羅漢果辟支佛道乃至阿耨多羅三藐三菩
提舍利弗白佛言世尊菩薩摩訶薩得是衆
生无所有教令布施持戒乃至智慧然後為
說聖法能出苦以是法故得須陁洹果乃至
阿耨多羅三藐三菩提佛告舍利弗菩薩摩
訶薩行般若波羅蜜時无有所得過罪何以

BD02982號　摩訶般若波羅蜜經（四十卷本）卷三八　（24–14）

說聖法能出苦以是法故得須陁洹果乃至
阿耨多羅三藐三菩提佛告舍利弗菩薩摩
訶薩行般若波羅蜜時无有所得過罪何以
故舍利弗菩薩摩訶薩行般若波羅蜜時不
得衆生但空法相續故名為衆生舍利弗菩
薩摩訶薩住二諦中為衆生說法世諦第一
義諦舍利弗二諦中衆生雖不可得菩薩摩
訶薩行般若波羅蜜以方便力故為衆生說
法衆生聞是法今世吾我尚不可得何況當
得阿耨多羅三藐三菩提及所用法如是舍
利弗菩薩摩訶薩行般若波羅蜜時以方便
力故為衆生說法舍利弗白佛言世尊是菩
薩摩訶薩心曠大无有法可得若一相若異
相若別相而能如是大誓莊嚴用是莊嚴故
不生欲界不生色界不生无色界不見有為
性不見无為性而於三界中度脫衆生亦不
得衆生何以故衆生不縛不解衆生不縛不
解故无垢无淨无垢无淨故无分別五道无
分別五道故无業无煩惱无業无煩惱故亦
不應有果報以是果報故生三界中佛告舍
利弗如是如是如汝所言若衆生先有後无
諸佛菩薩則有過罪諸法五道生死亦如是
若先有後无諸佛菩薩則有過罪舍利弗今
有佛无佛諸法相常住不異是法相中尚无

BD02982號　摩訶般若波羅蜜經（四十卷本）卷三八　（24–15）

利弗如是如是如汝所言若衆生先有後无
諸佛菩薩則有過罪諸法五道生死亦如是
若先有後无諸佛菩薩則有過罪舍利弗今
有佛无佛諸法相常住不異是法相中尚无
我无衆生无壽命乃至无知者无見者何况
當有色受想行識若无是法云何當有五道
往來拔出衆生處舍利弗是諸法性常空以
是故諸菩薩摩訶薩從過去佛聞是法相發
阿耨多羅三藐三菩提意是中无有法我當
得亦无有衆生定著處法可出但以衆生顛
倒故著以是故菩薩摩訶薩發大莊嚴常不
退阿耨多羅三藐三菩提是菩薩不疑我當
不得阿耨多羅三藐三菩提我必當得阿耨
多羅三藐三菩提得阿耨多羅三藐三菩提
已用實法利益衆生令出顛倒舍利弗譬如
幻師幻作百千万億人與種種飲食令飽滿
歡喜唱言我得大福我得大福於汝意云何
是中有人飲食飽滿不不也世尊佛言如是
舍利弗菩薩摩訶薩從初發意已來行六波
羅蜜四禪四无量心四无色定四念處乃至
八聖道分十四空三解脱門八背捨九次第
定佛十力乃至十八不共法具足菩薩道成
就衆生淨佛國土无衆生法可度須菩提白
佛言世尊何等是菩薩摩訶薩道菩薩行是
道能成就衆生淨佛國土佛告須菩提菩薩

BD02982號　摩訶般若波羅蜜經（四十卷本）卷三八　（24–16）

定佛十力乃至十八不共法具足菩薩道成
就衆生淨佛國土无衆生法可度須菩提白
佛言世尊何等是菩薩摩訶薩道菩薩行是
道能成就衆生淨佛國土佛告須菩提菩薩
摩訶薩從初發意已來行檀波羅蜜行尸羅
波羅蜜羼提波羅蜜毗梨耶波羅蜜禪波羅
蜜般若波羅蜜乃至行十八不共法成就衆
生淨佛國土須菩提白佛言世尊云何菩薩
摩訶薩行檀波羅蜜成就衆生佛告須菩提
有菩薩摩訶薩行檀波羅蜜時自布施亦教
衆生布施作是言諸善男子汝等莫著布施
汝著布施故當更受身更受身故多受衆苦
諸善男子諸法相中无所施无施者无受者
是三法皆性空是性空法不可取不可取相
是性空如是須菩提菩薩摩訶薩行檀波羅
蜜時布施衆生是中不得布施不得施者不
得受者何以故无所得故波羅蜜是名為檀
波羅蜜是菩薩不得是三法故能教衆生令
得須陁洹果乃至令得阿羅漢果辟支佛道
阿耨多羅三藐三菩提如是須菩提菩薩摩
訶薩行檀波羅蜜時成就衆生是菩薩自行
布施亦教他人行布施讚歎布施法歡喜讚
歎行布施者是菩薩如是布施已生刹利大
姓婆羅門大姓居士大家若作小王若轉輪

BD02982號　摩訶般若波羅蜜經（四十卷本）卷三八　（24–17）

歎行布施者是菩薩如是布施已生剎利大
姓婆羅門大姓居士大家若作小王若轉輪
聖王是時以四事攝取衆何等四布施愛語
利益同事是四事攝衆生已衆生漸漸住於
戒四禪四无量心四无色定四念處八聖道
分空无相无作三昧得入正位中得須陁洹
果乃至得阿羅漢果若得辟支佛道若教令
得阿耨多羅三藐三菩提作是言諸善男子
汝等當發阿耨多羅三藐三菩提心是阿耨
多羅三藐三菩提易得百何以故无有定法
衆生所著處但顛倒故衆生著是故汝等自
離生死〻當教他離生死汝等當發心能自
利益〻當得利益他人須菩提菩薩摩訶薩
應如是行檀波羅蜜是行檀波羅蜜因緣故
從初發意已來終不墮惡道常作轉輪聖王
何以故隨其所種得大果報是菩薩作轉輪
聖王時見有乞者作是念我不為餘事故受
轉輪聖王報但為利益一切衆生故是時作
是言此是汝物汝自取之莫有所難我无所
惜我為衆生故受生死憐愍汝等故具足大
悲行是大悲饒益衆生〻不得實定衆生相
但有微名故可說是衆生是名字〻空如嚮
聲實不可說相須菩提菩薩摩訶薩應如是
行檀波羅蜜於衆生中无所惜乃至不惜自

惜我為衆生故受生死憐愍汝等故具足大
悲行是大悲饒益衆生〻不得實定衆生相
但有微名故可說是衆生是名字〻空如嚮
聲實不可說相須菩提菩薩摩訶薩應如是
行檀波羅蜜於衆生中无所惜乃至不惜自
身肌宍何況外法以是法故能出衆生生死
何等是法所謂檀波羅蜜尸羅波羅蜜羼提
波羅蜜毗梨耶波羅蜜禪波羅蜜般若波羅
蜜乃至十八不共法令衆生從生死中得脫
復次須菩提菩薩摩訶薩住檀波羅蜜中布
施已作是言諸善男子汝等來持衣我當供
給汝等令无乏短衣食臥具乃至資生所須
盡當給汝汝等乏少故破戒我當給汝所須
令无所乏若飲食乃至七寶汝等住是戒律
儀中漸漸當得盡苦成於三乘而得度脫若
聲聞乘辟支佛乘佛乘復次須菩提菩薩摩
訶薩住檀波羅蜜中若見衆生瞋惱作是言
諸善男子汝等以何因緣故瞋惱我當与汝
所須汝等所欲從我取之恣當給汝令无所
乏若飲食衣服乃至資生所須是菩薩住檀
波羅蜜中教衆生忍辱作是言一切法中无
有堅實汝等所瞋是因緣空无堅實皆從虛
妄憶想生汝无有根本瞋恚壞心惡口罵詈
刀杖相加以至害命汝等莫以是虛妄法起

波羅蜜中教衆生忍辱作是言一切法中无
有堅實汝等所瞋是因緣空无堅實皆從虛
妄憶想生汝无有根本瞋恚壞心惡口罵詈
刀杖相加乃至害命汝等莫以是虛妄法起
瞋故墮地獄畜生餓鬼中及餘惡道受无量
苦汝等莫以是虛妄无實諸法故而作罪業
以是罪業故尚不得人身何況得生佛世諸
人佛世難值人身難得汝等莫失好時若失
好時則不可救是菩薩摩訶薩如是教化衆
生自行忍辱亦教他人令行忍辱讚歎忍辱
法歡喜讚歎行忍辱者是菩薩令衆生住忍
辱中漸以三乘得盡衆苦如是須菩提菩薩
摩訶薩住檀波羅蜜令衆生住忍辱須菩提
云何菩薩摩訶薩住檀波羅蜜令衆生精進
須菩提菩薩見衆生懈怠如是言汝等何以
懈怠衆生言因緣少故是菩薩行檀波羅蜜
時語諸人言我當令汝因緣具足若布施若
持戒若忍辱如是等因緣令汝具足是衆生
得菩薩利益因緣故身精進口精進心精進
身精進口精進心精進故一切善法具足脩
聖无漏法脩聖无漏法故當得須陁洹果乃
至阿羅漢果辟支佛道若得阿耨多羅三藐
三菩提如是須菩提菩薩摩訶薩行檀波羅
蜜時住精進波羅蜜攝取衆生須菩提云何
菩薩摩訶薩行檀波羅蜜時教化衆生令脩

聖无漏法脩聖无漏法故當得須陁洹果乃
至阿羅漢果辟支佛道若得阿耨多羅三藐
三菩提如是須菩提菩薩摩訶薩行檀波羅
蜜時住精進波羅蜜攝取衆生須菩提云何
菩薩摩訶薩行檀波羅蜜時教化衆生令脩
禪波羅蜜佛告須菩提菩薩見衆生亂心作
是言汝等可脩禪定衆生言我等因緣不具
足故菩薩言我當与汝共作因緣以是因緣
故令汝心不隨覺觀心不馳散衆生以是因
緣故斷覺觀入初禪二禪三禪四禪行慈悲
喜捨心衆生以是禪无量心因緣故能脩四
念處乃至八聖道分脩三十七助道法時漸
入三乘而涅槃終不失道如是須菩提菩薩
摩訶薩行檀波羅蜜時以禪波羅蜜攝取衆
生令行禪波羅蜜須菩提云何菩薩摩訶薩
行檀波羅蜜以般若波羅蜜攝取衆生須菩
提菩薩見衆生愚癡无有智慧作是言汝等
何以故不脩智慧衆生言因緣未具足故菩
薩住檀波羅蜜中作是言汝等所須智慧具
從我取之所謂布施持戒忍辱精進入禪定
因緣具足已汝等如是思惟思惟般若波羅
蜜時有法可得不若我若衆生若壽命乃至
知者見者可得不若色受想行識若欲界色
界无色界若六波羅蜜若三十七助道法若
須陁洹果斯陁含阿那含阿羅漢果辟支

蜜時有法可得不若我若衆生若壽命乃至知者見者可得不若色受想行識若欲界色界无色界若六波羅蜜若三十七助道法若須陁洹果若斯陁含阿那含阿羅漢果辟支佛道若阿耨多羅三藐三菩提可得不是衆生如是思惟時於般若波羅蜜中无有法可得可著處若不著諸法是時不見法有生有滅有垢有淨不分別是地獄是畜生是餓鬼是阿脩羅衆是天是人是持戒是破戒是須陁洹是斯陁含是阿那含是阿羅漢是辟支佛是佛如是須菩提菩薩摩訶薩行檀波羅蜜時以般若波羅蜜攝取衆生須菩提云何菩薩摩訶薩住檀波羅蜜中尸羅波羅蜜羼提波羅蜜毗梨耶波羅蜜禪波羅蜜般若波羅蜜乃至以三十七助道法攝取衆生須菩提菩薩摩訶薩住檀波羅蜜中以供養具利益衆生以是利益因緣故衆生能脩四念處四正懃四如意足五根五力七覺分八聖道分衆生行是三十七助道法於生死中得解脫如是須菩提菩薩摩訶薩以无漏聖法攝取衆生復次須菩提菩薩摩訶薩教化衆生時如是言諸善男子汝等從我取所須物若飲食衣服卧具香華乃至七寶等種種資生所須汝當以是攝取衆生汝等長夜利益安樂

BD02982號　摩訶般若波羅蜜經（四十卷本）卷三八　（24–22）

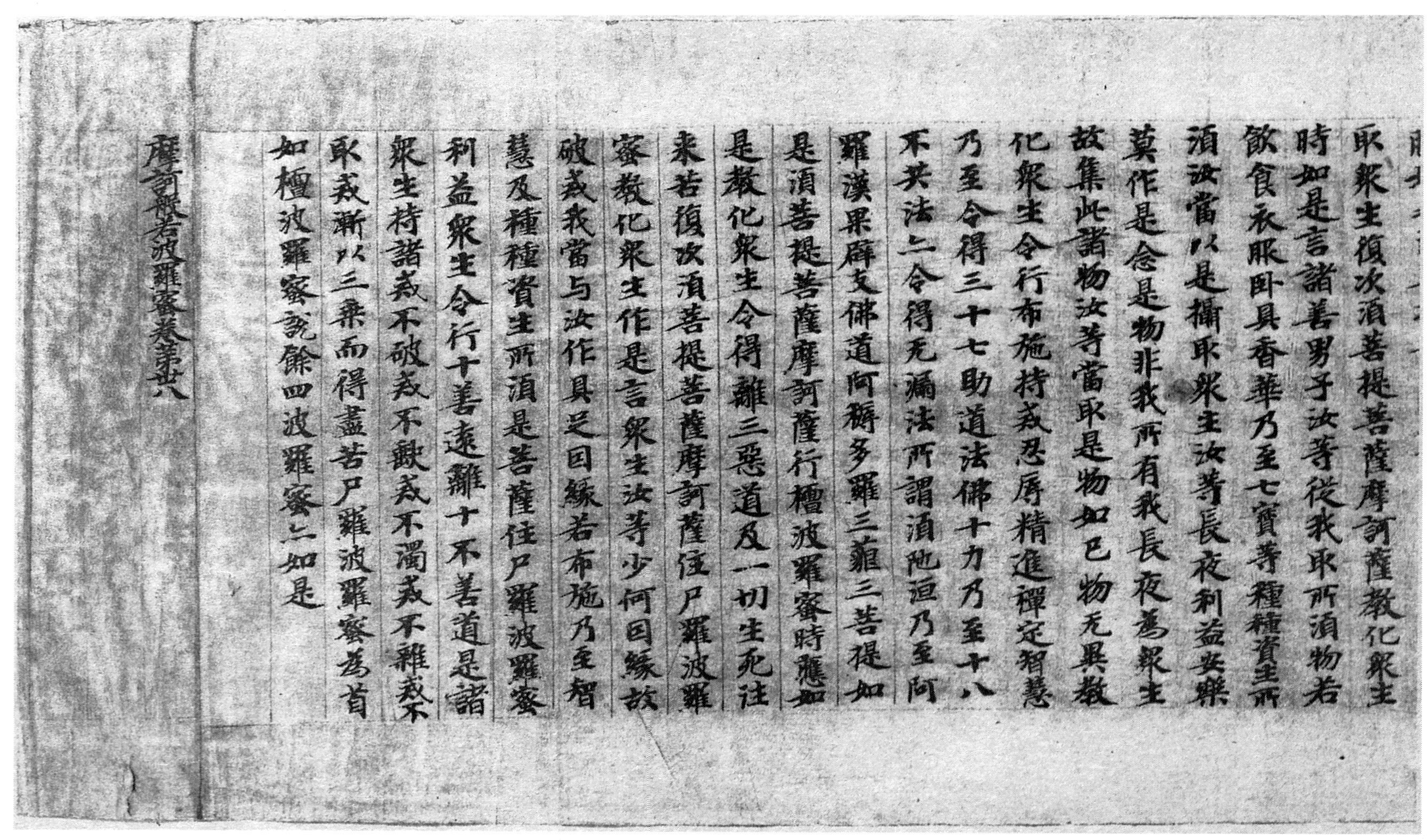

取衆生復次須菩提菩薩摩訶薩教化衆生時如是言諸善男子汝等從我取所須物若飲食衣服卧具香華乃至七寶等種種資生所須汝當以是攝取衆生汝等長夜利益安樂莫作是念是物非我所有我長夜為衆生故集此諸物汝等當取是物如己物无異教化衆生令行布施持戒忍辱精進禪定智慧乃至令得三十七助道法佛十力乃至十八不共法亦令得无漏法所謂須陁洹乃至阿羅漢果辟支佛道阿耨多羅三藐三菩提如是須菩提菩薩摩訶薩行檀波羅蜜時應如是教化衆生令得離三惡道及一切生死往來若復次須菩提菩薩摩訶薩住尸羅波羅蜜教化衆生作是言衆生汝等少何因緣故破戒我當与汝作具足因緣若布施乃至智慧及種種資生所須是菩薩住尸羅波羅蜜利益衆生令行十善遠離十不善道是諸衆生持諸戒不破戒不缺戒不濁戒不雜戒不取戒漸以三乘而得盡苦尸羅波羅蜜為首如檀波羅蜜說餘四波羅蜜亦如是

摩訶般若波羅蜜經卷第卅八

BD02982號　摩訶般若波羅蜜經（四十卷本）卷三八　（24–23）

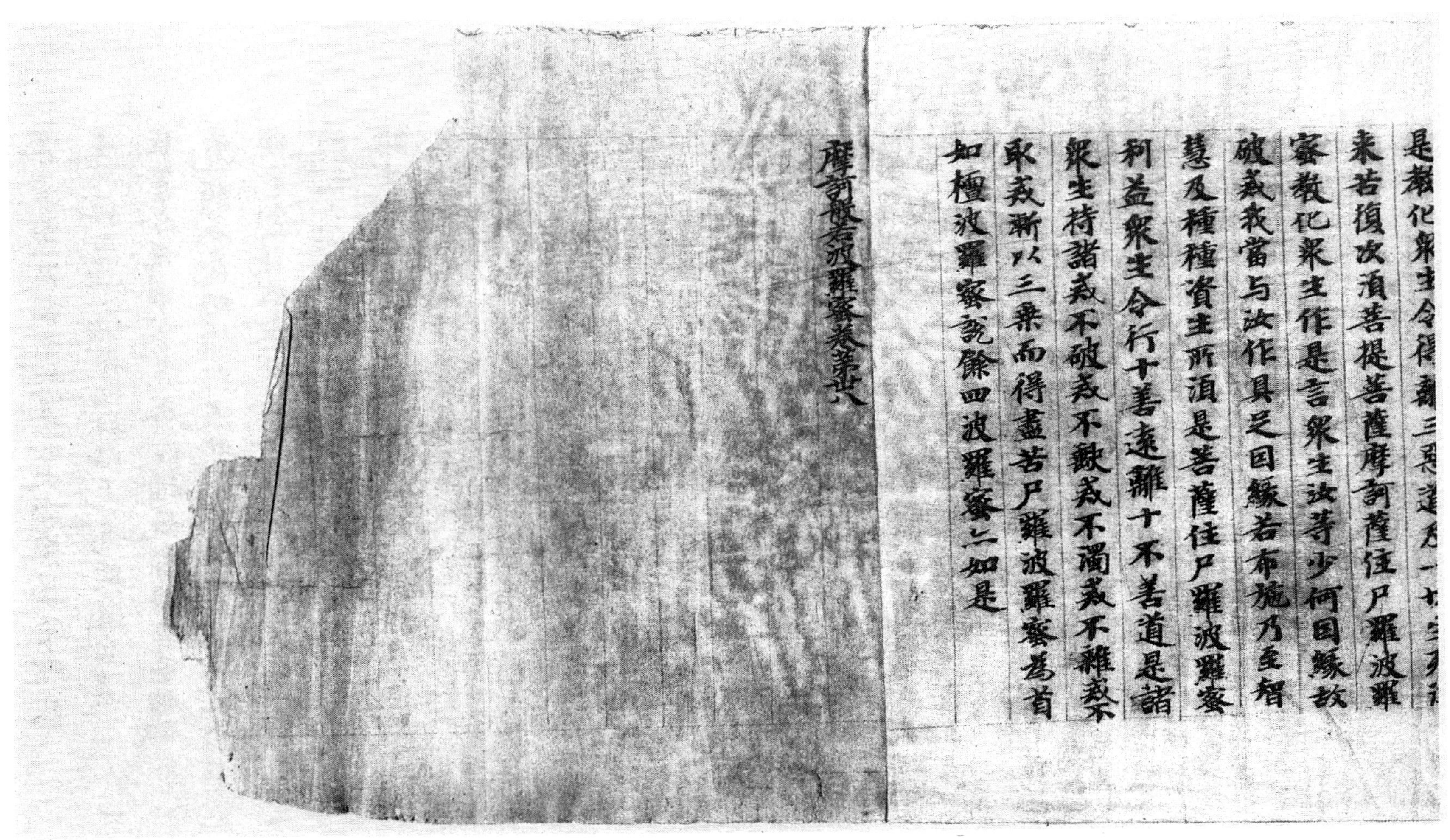

是教化衆生令得離三惡道及一切
來若復次須菩提菩薩摩訶薩住尸羅波羅
蜜教化衆生作是言衆生汝等少何因緣故
破戒我當与汝作具足因緣若布施乃至智
慧及種種資生所須是菩薩住尸羅波羅蜜
利益衆生令行十善遠離十不善道是諸
衆生持諸戒不破戒不缺戒不濁戒不雜戒不
取戒漸以三乘而得盡苦尸羅波羅蜜爲首
如檀波羅蜜說餘四波羅蜜亦如是

摩訶般若波羅蜜經卷第卅八

BD02982號　摩訶般若波羅蜜經（四十卷本）卷三八　（24–24）

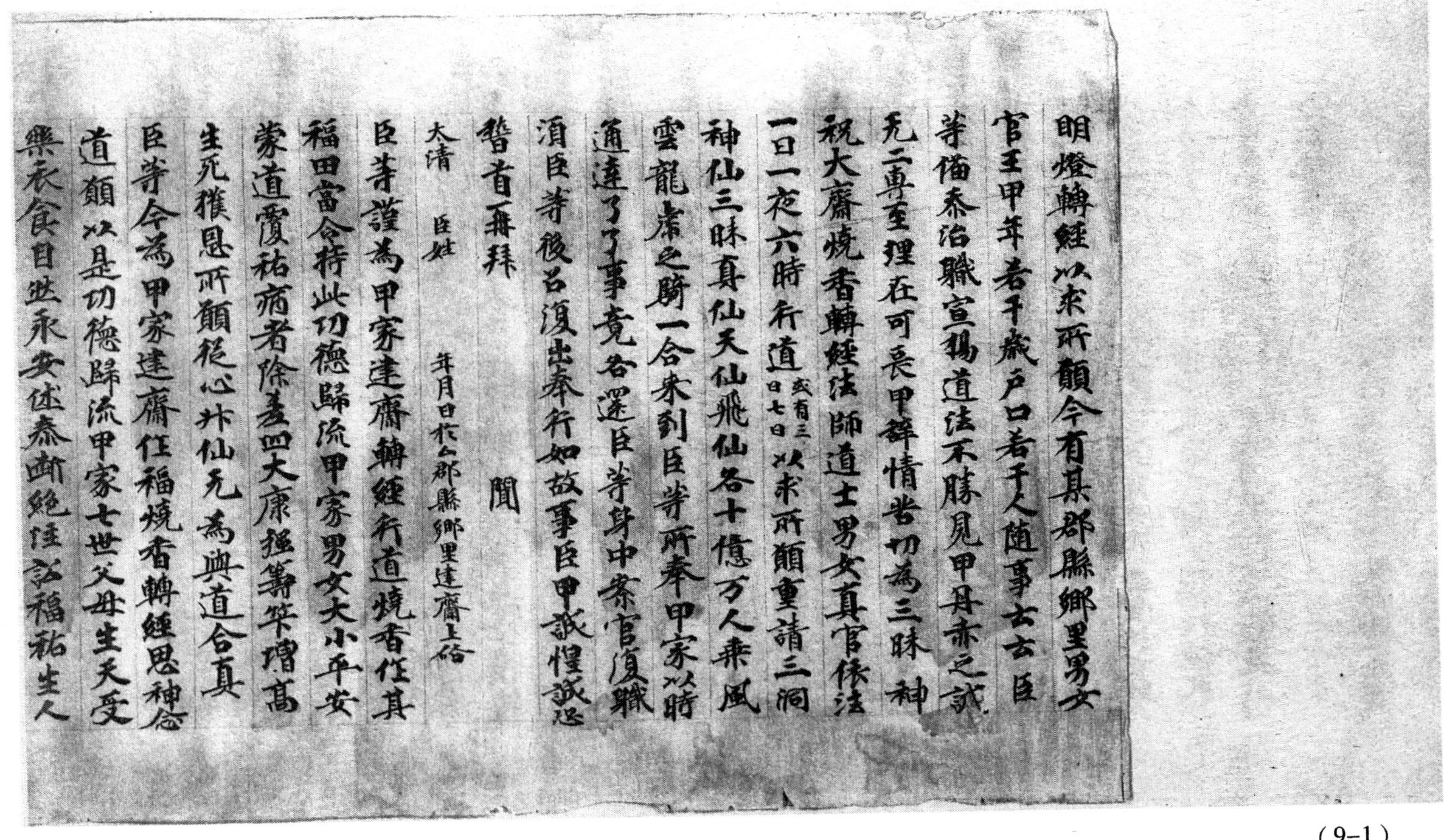

明燈轉經以來所願今有某郡縣鄉里男女
官王甲年若干歲戶口若干人隨事言臣
等備忝治職宣揚道法不勝見甲丹赤之誠
无上尊至理在可哀甲辭情皆切為三昧神
祝大齋燒香轉經法師道士男女真官依法
一日一夜六時行道或有三日七日以求所願重請三洞
神仙三昧真仙天仙飛仙各十億万人乘風
雲龍虎之騎一合來到臣等所奉甲家以時
通達了了事竟各還臣等身中案官復職
須臣等後召復出奉行如故事臣甲誠惶誠恐
稽首再拜　聞
大清　臣姓　年月日於某郡縣鄉里建齋上啟
臣等謹為甲家建齋轉經行道燒香任其
福田當令持此功德歸流甲家男女大小平安
蒙道覆祐病者除差四大康强壽筭增高
生死獲恩所願從心升仙无為與道合真
臣等今為甲家建齋任福燒香轉經思神念
道願以是功德歸流甲家七世父母生天受
樂衣食自然永安然泰斷絶注訟福祐生人

BD02983號　太上洞淵三昧神咒大齋儀（擬）　（9–1）

蒙道覆祐病者除差四大康強筭竿增高
生死獲恩所願從心升仙无為與道合真
臣等今為甲家建齋任福燒香轉經思神念
道願以是功德歸流甲家七世父母生天受
樂衣食自然永安然泰斷絶注訟福祐生人
門族大小壽命无窮百病雲消百福響集
離諸煩惱出入動靜常興福居消耶滅魔迴凶
為吉轉禍成福得道之後升入无形與道合
真臣等今為甲家建齋行道燒香轉經三念
上香當今緣此功德上拔亡者祖考下解生人
所犯遷覲考悉釋厭衆灾拔贖男女大小年
命祈請衆善之願神明護育乳哺如赤子百
姓万民愛敬如父母天下太和國安民豐帝
主老壽一切蒙恩今故燒香自聖尊至真之
得得道之後升入无形與道合真
次歸命東方 南方 西方 北方 東北 東南 西南 西北
上方 下方 十方同又一人執文讀餘人方方三拜
臣等一心歸命无上玄老太上通玄洞淵神
祝靈寶天尊甲家以其事求建齋直請臣
等衆官到宅轉經行道以此功德為甲家拔度
拔死之罪免脫幽夜天下安隱人民興盛 令
甲家大小蒙恩所向隆利万願從心則祐
太上无極之施千億万罪无原赦
東方弗于逮 苟芒何青青 梵女遊太空 八音梯玉京
大乘起世業 十真彰世庭 建福吉齋 長夜自開明

BD02983號　太上洞淵三昧神咒大齋儀（擬）　（9–2）

拔死之罪免脫幽夜天下安隱人民興盛 令
甲家大小蒙恩所向隆利万願從心則祐
太上无極之施千億万罪无原赦
東方弗于逮 苟芒何青青 梵女遊太空 八音梯玉京
大乘起世業 十真彰世庭 建福吉齋 長夜自開明
政道法鼓動 百耶悉摧妖 魔王束誓首 敢試斬其形
昔昔東帝天 九龍雲興迎 善神來守戶 力士交万靈
家親乃得住 百鬼不相聽 相與和至跡 俱遊豐嵐嶽
南方炎帝君 八表乎闍浮 飛軒駕雨輦 仙人十真遊
玄女乘宵唱 金光遶丹丘 今日建法輪 梵響振九嵎
天王勅魔兵 風聚雨自休 見見三光耀 百耶除自幽
若有千試者 力士斬其軀 魔天万王子 並鬼自來求
興齋及大神 魍魎次次收 各各不相怨 大道悉正流
西方摩收神 号曰為句屋 三光玄太虛 朗朗照四維
八音三千二 魔耶悉自摧 今日建福田 燃燈照空暉
風雨不終 斬妖束邪非 敢有千試鬼 縛送付天獄
行道除万惡 功德甚巍巍 道士心精研 積善超死戶
百耶歸一政 福報汝知誰 奉師遵大道 積善神自歸
愚人不能學 智者常依依 不惜財寶身 貴欲乘空飛
北方魁丹日 号之為天玄 四運開元兆 乘空託玄軌
今日建大齋 禁凶百萬鬼 敢有千試者 徘徊住便死
太上金口勅 玉皇道君旨 千妖自然伏 万耶何足比
今欲祝魔王 小鬼若害幽 若敢不去者 天釘來下求
送付三天曹 万斬不得留 一一告下之 風雨無不休
天從建入齋 日宮斯敎區

BD02983號　太上洞淵三昧神咒大齋儀（擬）　（9–3）

太上金口勅　玉皇道君旨　千妖自然伏　万耶伺足氏
今欲規魔王　小鬼若杳幽　若敢不去者　天釘來下求
送付三天曹　万斬不得留　一一告下之　風雨無不從
不從律令者　司官斬汝軀
中央戊已神　黄帝統四維　今日建大齋　万黄不敢帯
風室不動搖　靈徹三光暉　道德日此妞　圣人大依依
天女執命魔　十絶整耶非　功積騰玄都　福慶高巍巍
財物五家分　作神福自歸　妖殃悉伏匿　罪惡孰告誰
玄朗雲中發　鳴鼓不自搥　勅魔一切妖　試者汝自褭
太上金口訣　不從死悉誰
東南巽之神　遊馳天下河　九江振四海　五岳馳大衙
真人俗十方　建齋靜玄波　百耶不敢起　禁勅一切魔
鬼若有妖殃　斬之付陁羅　三官伏不起　依如女青科
西南巛之母　伏神吉天庭　建齋慶世世　一切長夜明
功積大報應　風凶雨不行　東妖除万耶　天人來下并
四運改劫祚　道炁自然生
西北乾之父　号曰天地精　九炁合為一　五極會衆生
今日建齋講　燃燈照玄星　三光曜陁羅　朗朗長夜明
積功求升仙　我却耶魔兵　一切斷風塵　千試衆鬼形
齋契乃載　五切遊風城　慶充極風波　靜冒形斂命
燃燈照三光　不得令風起　太上勅魔兵　悉令風雨凶
上方无極天　巍巍三光舒　今日建神福　燃燈照玄虚
茗茗九合炁　偏偏見魔姑　乘空駕六龍　友人東帝夫
魔王凶風雨　太上吉不虚　奉師尊妙經　自然食天廚
大水旅劫運　道士浮天庭　自然興俗興　水上如龍魚

燃燈照三光　不得令風起　太上勅魔兵　悉令風雨凶
上方无極天　巍巍三光舒　今日建神福　燃燈照玄虚
茗茗九合炁　偏偏見魔姑　乘空駕六龍　友人東帝夫
魔王凶風雨　太上吉不虚　奉師尊妙經　自然食天廚
大水旅劫運　道士浮天庭　自然興俗興　水上如龍魚
道逢入世室　能迴歸太无
下方无際運　冥冥劫飛長　仰願三天上　朗朗暉三光
今日欲燃燈　十真禁魔王　靜風未令雨　道士遊帝鄉
玉女侍三明　六度勸上皇　今日集法師　神仙振十方
神呪步虚詠八首　　畢步虚誦
大道出虚无玄朗照衆生天下化愚人神仙
起雲仙若能救八難此道可長生
玄理何𥨊𥨊虚无何冥冥太上坐玄室玉女
詠太清主人慶无極尔乃知道誠
清天併太上三五自來進飛仙遊三界真賢
雲中吟聖人无不傳孰能知此心
正真太一化天兆自然大師子鳴大野神鳳
應節吟神仙來替首尔乃知有玄
三明暉時撰玄朗應物遷虚无不自号旺養
入无間若有善此理何有不升仙
虚无无常号唯存至心形天尊坐幽冥道
炁回此生智士學名教可詣太上庭
天人抱珠蕤玉女暉三芝神人羣來待飛仙
俗皇基太極諸玄子非世所能思
仙人壽万劫千歲若一椿兆年謂今有俗号

炁因此生智士學名教可詣太上庭
天人抱珠羡玉女暉三芝神人羣來待飛仙
稽皇基太極諸玄子非世所能思
仙人壽万劫千歲若一椿兆年謂今有俗号
焉足論者是神仙骨尒乃應此心　畢三尊誦
太上甚高玄至理无遺縱妙覺虛中唱仙人
詠空洞目非黃林士孰能知此切
翼翼排雲士茖茖諸天人口詠諸秘訣八龍
登鬱雲自非高士實孰能體此純
至理超遐津有存无不解士近明三光真人
受範稽仙人稽流丹莫能瞀首礼　畢識謝
臣等今為甲家建齋燒香行道興立福田禳
厭衆灾一日一夜轉經思神念道願持是功
德上延甲家七祖父母國王長者天下人民
一切衆生有形之類并及甲家生死重罪惡
過先世以來若有違師背道不遵經文五逆
不孝煞害良善或煞沙門羅漢真人道士或
魚捕射獵屠釣婬及親族或壞亂善人不欄
聖言莫大之罪積疊山海若先身今身所犯
愆咎乞匃識悔原赦怨堆垂暴慈禍滅九陰
福生十方　畢次十念
一念衆生志命體道深入妙門口詠真言行
大慈悲行心過度一切衆生
二念衆生學問奉師尊敬智者常脩道業

BD02983號　太上洞淵三昧神咒大齋儀（擬）　（9–6）

一念衆生志命體道深入妙門口詠真言行
大慈悲行心過度一切衆生
二念衆生學問奉師尊敬智者常脩道業
恒无退轉與道合同
三念衆生去離三尸專習仙術上下翼翼憲
解道意與仙合真
四念衆生不犯諸惡好樂道德敬承師長
背愚向智一士升仙
五念衆生真政清白直心端賢為人所法則
不虛不詐
六念衆生心樂經典奉行師道勸化愚冥
常為唱導開悞誨進
七念衆生志免三塗无地獄五苦惡緣絕滅
為世者如法師過度一切
八念衆生以道自居耶不干政出入人間魔
事不興起
九念衆生娛樂自然不犯外色專意政行常
居无為之道
十念衆生大慈悲世間如母愛子思念危厄
齊之以命脈五色舍利與道合真
茖茖三天外眇眇甚靈今日建大齋燃燈
照玄星悉有小風塵告神勑魔兵
妙哉三洞文神讙九龍迎建齋破慳心得進
鬱鳳城立功積万劫耻魔敢不聽

BD02983號　太上洞淵三昧神咒大齋儀（擬）　（9–7）

齋之以命服五色舍利與道合真
茗茗三天外眇眇甚靈今日建大齋然燈
照玄星恐有小風塵告神勑魔兵
妙哉三洞文神護九龍迎建齋破慳心得道
豐鳳城立功積万劫耶魔敢不聽
遼遼八音齋十方太上京三洞号尊心訪化
度衆生勑文以訖竟三礼坐聽經
香官使者左右龍虎騎吏香使者驛龍騎
吏當令甲家齋堂之中自然生金液丹精芝瑛
百靈衆真交會在此香火玉案之前臣等
學道剋獲神仙甲家合門无他天下受恩十
方玉童玉女侍衛香烟傳言臣等所啓達御
太上至真一皇帝机前　次言功
臣等上啓太上虛无洞淵上元太一空洞三天
太真高上玉皇玄中真人无極大道太上老
君天帝伺命万道聖君廿四尊天下仙士十
方真人天仙地仙飛仙五岳神仙已得道大
聖通玄諸一切大人臣等好樂真仙之道志
在空洞而臣等生長不經百典沉淪下俗不
以骨賤人常先身有緣得奉清真宣揚之
末臣等不勝見甲家男女疾病官事口舌在
衆惡之中（云云隨事狀道）詣臣等求乞建齋救生拔
死臣等備為主輙依甲家辞狀以其日時建
立太上洞玄洞淵神祝大齋朗燈轉經行道
求乞恩願即日事畢竟前請所三洞洞淵五

BD02983號　太上洞淵三昧神咒大齋儀（擬）　（9–8）

臣等上啓太上虛无洞淵上元太一空洞三天
太真高上玉皇玄中真人无極大道太上老
君天帝伺命万道聖君廿四尊天下仙士十
方真人天仙地仙飛仙五岳神仙已得道大
聖通玄諸一切大人臣等好樂真仙之道志
在空洞而臣等生長不經百典沉淪下俗不
以骨賤人常先身有緣得奉清真宣揚之
末臣等不勝見甲家男女疾病官事口舌在
衆惡之中（云云隨事狀道）詣臣等求乞建齋救生拔
死臣等備為主輙依甲家辞狀以其日時建
立太上洞玄洞淵神祝大齋朗燈轉經行道
求乞恩願即日事畢竟前請所三洞洞淵五
万真人五帝臨官典齋主者天仙地仙神仙五
岳飛仙各十億万人品香仙士一切真人隨
方次為言功署職一切案如天曹科比甲
家疾病者除差增益功德乞令甲家合門
口數　等悉得過度九厄之中憂急解散万
願從心咸蒙道恩臣等後學未解真要多
有不合儀式願一切原赦所請臣身中官將吏

BD02983號　太上洞淵三昧神咒大齋儀（擬）　（9–9）

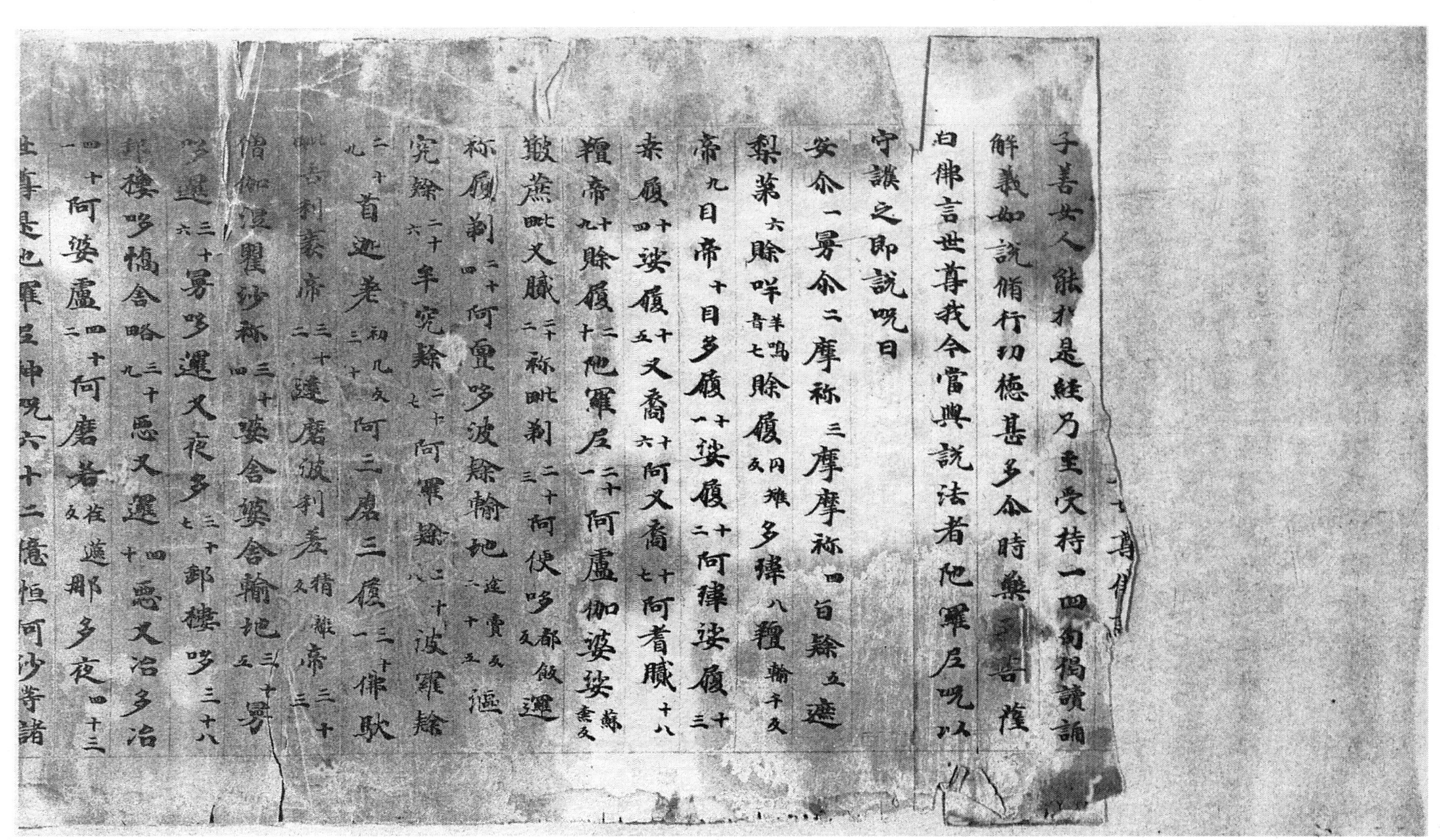
子善女人能於是經乃至受持一四句偈讀誦
解義如說修行功德甚多尒時藥王菩薩
白佛言世尊我今當與說法者陁羅尼呪以
守護之即說呪曰
安尒一 曼尒二 摩祢三 摩摩祢四 旨隸五 遮
梨第六 賒咩(羊鳴音)七 賒履(冈雉反)多瑋八 羶帝(輸千反)
帝九 目帝十 目多履十一 娑履十二 阿瑋娑履十三
桑履十四 娑履十五 叉裔十六 阿叉裔十七 阿耆膩十八
羶帝十九 賒履二十 陁羅尼二十一 阿盧伽婆娑(蘇奈反)
簸蔗毗叉膩二十三 祢毗剃二十四 阿便哆(都餓反)邏
祢履剃二十五 阿亶哆波隸輸地(途賣反)二十六 漚
究隸二十七 牟究隸二十八 阿羅隸二十九 波羅隸
首迦差(初几反)三十 阿三磨三履三十一 佛䭾
毗吉利袠帝三十二 達磨波利差(猜離反)帝三十三
僧伽涅瞿沙祢三十四 婆舍婆舍輸地三十五 曼
哆邏三十六 曼哆邏叉夜多三十七 郵樓哆三十八
郵樓哆憍舍略三十九 惡叉邏四十 惡叉冶多冶
四十一 阿婆盧四十二 阿摩若(荏蔗反)那多夜四十三
世尊是陁羅尼神呪六十二億恒河沙等諸

BD02984號　妙法蓮華經卷七　（15–1）

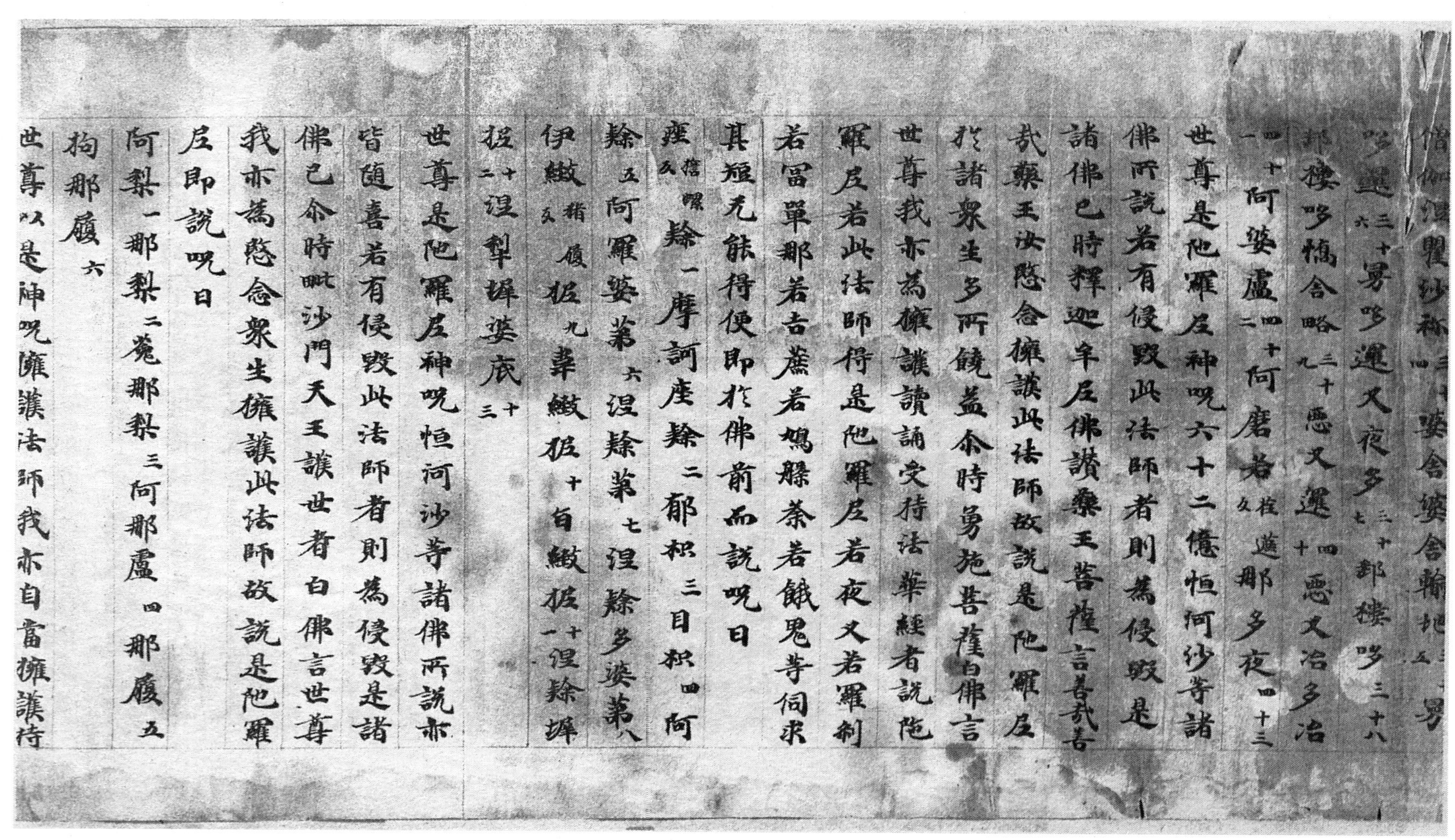
僧伽涅瞿沙祢三十四 婆舍婆舍輸地三十五 曼
哆邏三十六 曼哆邏叉夜多三十七 郵樓哆三十八
郵樓哆憍舍略三十九 惡叉邏四十 惡叉冶多冶
四十一 阿婆盧四十二 阿摩若(荏蔗反)那多夜四十三
世尊是陁羅尼神呪六十二億恒河沙等諸
佛所說若有侵毀此法師者則為侵毀是
諸佛已時釋迦牟尼佛讚藥王菩薩言善哉善
哉藥王汝愍念擁護此法師故說是陁羅尼
於諸衆生多所饒益尒時勇施菩薩白佛言
世尊我亦為擁護讀誦受持法華經者說陁
羅尼若此法師得是陁羅尼若夜叉若羅剎
若富單那若吉蔗若鳩槃荼若餓鬼等伺求
其短无能得便即於佛前而說呪曰
痤(誓螺反)隸一 摩訶痤隸二 郁枳三 目枳四 阿
隸五 阿羅婆第六 涅隸第七 涅隸多婆第八
伊緻(猪履反)柅九 韋緻柅十 旨緻柅十一 涅隸墀
柅十二 涅犁墀婆底十三
世尊是陁羅尼神呪恒河沙等諸佛所說亦
皆隨喜若有侵毀此法師者則為侵毀是諸
佛已尒時毗沙門天王護世者白佛言世尊
我亦為愍念衆生擁護此法師故說是陁羅
尼即說呪曰
阿梨一 那梨二 㝹那梨三 阿那盧四 那履五
拘那履六
世尊以是神呪擁護法師我亦自當擁護持

BD02984號　妙法蓮華經卷七　（15–2）

我亦為愍念衆生擁護此法師故說是陁羅
尼即說咒曰
阿梨一那梨二㝹那梨三阿那盧四那履五
拘那履六
世尊以是神咒擁護法師我亦自當擁護持
是經者令百由旬內无諸衰患尒時持國天
王在此會中與千万億那由他乾闥婆衆恭
敬圍繞前詣佛所合掌白佛言世尊我亦以
陁羅尼神咒擁護持法華經者即說咒曰
阿伽祢一伽祢二瞿利三乾陁利四旃陁利
五摩蹬耆六常求利七浮樓莎柅八頞底九
世尊是陁羅尼神咒四十二億諸佛所說若
有侵毀此法師者則為侵毀是諸佛已尒時
有羅刹女等一名藍婆二名毗藍婆三名曲
齒四名華齒五名黑齒六名多髮七名无猒
足八名持瓔珞九名睪帝十名奪一切衆生
精氣是十羅刹女與鬼子母并其子及眷屬
俱詣佛所同聲白佛言世尊我等亦欲擁護
讀誦受持法華經者除其衰患若有伺求法
師短者令不得便即於佛前而說咒曰
伊提履一伊提泯二伊提履三阿提履四伊
提履五泥履六泥履七泥履八泥履九
泥履十樓醯十一樓醯十二樓醯十三樓醯十四多醯
十五多醯十六多醯十七兜醯十八㝹醯十九

BD02984號　妙法蓮華經卷七

(15-3)

伊提履一伊提泯二伊提履三阿提履四伊
提履五泥履六泥履七泥履八泥履九
泥履十樓醯十一樓醯十二樓醯十三樓醯十四多醯
十五多醯十六多醯十七兜醯十八㝹醯十九
寧上我頭上莫惱於法師若夜叉若羅刹若
餓鬼若富單那若吉蔗若毗陁羅若揵馱若
烏摩勒伽若阿跋摩羅若夜叉吉蔗若人吉
蔗若熱病若一日若二日若三日若四日若
至七日若常熱病若男形若女形若童男形
若童女形乃至夢中亦復莫惱即於佛前而
說偈言

若不順我咒　惱亂說法者　頭破作七分　如阿梨樹枝
如煞父母罪　亦如壓油殃　斗秤欺誑人　調達破僧罪
犯此法師者　當獲如是殃

諸羅刹女說此偈已白佛言世尊我等亦當
身自擁護受持讀誦脩行是經者令得安隱
離諸衰患消衆毒藥佛告諸羅刹女善哉善
哉汝等但能擁護受持法華名者福不可量
何況擁護具足受持供養經卷華香瓔珞末
香塗香燒香幡蓋伎樂燃種種燈蘇燈油燈
諸香油燈蘇摩那華油燈瞻蔔華油燈婆師
迦華油燈優鉢羅華油燈如是等百千種供
養者睪帝汝等及眷屬應當擁護如是法師
說是陁羅尼品時六万八千人得无生法忍

BD02984號　妙法蓮華經卷七

(15-4)

諸香油燈蘇摩那華油燈瞻蔔華油燈婆師
迦華油燈優鉢羅華油燈如是等百千種供
養者單帝汝等及眷屬應當擁護如是法師
說是陁羅尼品時六万八千人得无生法忍

妙法蓮華經妙莊嚴王本事品第二十七

尒時佛告諸大衆乃往古世過无量无邊不
可思議阿僧祇劫有佛名雲雷音宿王華智
多陁阿伽度阿羅呵三藐三佛陁國名光明
莊嚴劫名憙見彼佛法中有王名妙莊嚴其
王夫人名曰淨德有二子一名淨藏二名淨
眼是二子有大神力福德智慧久脩菩薩所
行之道所謂檀波羅蜜尸羅波羅蜜羼提波
羅蜜毗梨耶波羅蜜禪波羅蜜般若波羅
蜜方便波羅蜜慈悲喜捨乃至三十七助道法
皆悉明了通達又得菩薩淨三昧日星宿三
昧淨光三昧淨色三昧淨照明三昧長莊嚴
三昧大威德藏三昧於此三昧亦悉通達尒
時彼佛欲引導妙莊嚴王及愍念衆生故說
是法華經時淨藏淨眼二子到其母所合十
指爪掌白言願母往詣雲雷音宿王華智佛
所我等亦當侍從親近供養礼拜所以者何
此佛於一切天人衆中說法華經宜應聽受
母告子言汝父信受外道深著婆羅門法汝
等應往白父與共俱去淨藏淨眼合十爪指
掌白母我等是法王子而生此耶見家母告

BD02984號　妙法蓮華經卷七　（15–5）

母告子言汝父信受外道深著婆羅門法汝
等應往白父與共俱去淨藏淨眼合十爪指
掌白母我等是法王子而生此耶見家母告
子言汝等當憂念汝父為現神變若得見者
心必清淨或聽我等往至佛所於是二子念
其父故踊在虛空高七多羅樹現種種神變
於虛空中行住坐卧身上出水身下出火身
下出水身上出火或現大身滿虛空中而復
現小小復現大於空中滅忽然在地入地如
水履水如地現如是等種種神變令其父王
心淨信解時父見子神力如是心大歡喜得
未曾有合掌向子言汝等師為是誰誰之弟
子二子白言大王彼雲雷音宿王華智佛今
在七寶菩提樹下法座上坐於一切世間天
人衆中廣說法華經是我等師我是弟子父
語子言我今亦欲見汝等師可共俱往於是
二子從空中下到其母所合掌白母父王今已
信解堪任發阿耨多羅三藐三菩提心我
等為父已作佛事願母見聽於彼佛所出家
脩道尒時二子欲重宣其意以偈白母

願母放我等　出家作沙門　諸佛甚難值　我等隨佛學
如優曇波羅　值佛復難是　脫諸難亦難　願聽我出家

母即告言聽汝出家所以者何佛難值故於
是二子白父母言善哉父母願時往詣雲雷

BD02984號　妙法蓮華經卷七　（15–6）

願母放我等出家作沙門 諸佛甚難值 我等隨佛學
如優曇波羅 值佛復難是 脫諸難亦難 願聽我出家
母即告言聽汝出家所以者何佛難值故於
是二子白父母言善哉父母願時往詣雲雷
音宿王華智佛所親近供養所以者何佛難
得值如優曇波羅華又如一眼之龜值浮木
孔而我等宿福深厚生值佛法是故父母當
聽我等令得出家所以者何諸佛難值時亦
難遇彼時妙莊嚴王後宮八万四千人皆悉
堪任受持是法華經淨眼菩薩於法華三昧
久已通達淨藏菩薩已於无量百千万億劫
通達離諸惡趣三昧欲令一切衆生離諸惡
趣故其王夫人得諸佛習三昧能知諸佛祕
密之藏二子如是以方便力善化其父令心
信解好樂佛法於是妙莊嚴王與羣臣眷屬
俱淨德夫人與後宮采女眷屬俱其王二子
與四万二千人俱一時共詣佛所到已頭面礼
足繞佛三帀卻住一面尒時彼佛為王說法
示教利喜王大歡悅尒時妙莊嚴王及其
夫人解頸真珠瓔珞價直百千以散佛上於
虛空中化成四柱寶臺臺中有大寶床敷百
千万天衣其上有佛結跏趺坐放大光明尒
時妙莊嚴王作是念佛身希有端嚴殊特成
就第一微妙之色時雲雷音宿王華智佛告
四衆言汝等見是妙莊嚴王於我前合掌立

BD02984號　妙法蓮華經卷七　（15–7）

時妙莊嚴王作是念佛身希有端嚴殊特成
就第一微妙之色時雲雷音宿王華智佛告
四衆言汝等見是妙莊嚴王於我前合掌立
不此王於我法中作比丘精勤修習助佛道
法當得作佛号娑羅樹王國名大光劫名大
高王其娑羅樹王佛有无量菩薩衆及无量
聲聞其國平正功德如是其王即時以國付
弟與夫人二子并諸眷屬於佛法中出家修
道王出家已於八万四千歲常勤精進修行
妙法華經過是已後得一切淨功德莊嚴三
昧即昇虛空高七多羅樹而白佛言世尊此
我二子已作佛事以神通變化轉我邪心令
得安住於佛法中得見世尊此二子者是我
善知識為欲發起宿世善根饒益我故來生
我家尒時雲雷音宿王華智佛告妙莊嚴王
言如是如是如汝所言若善男子善女人種
善根故世世得善知識其善知識能作佛事
示教利喜令入阿耨多羅三藐三菩提大王
當知善知識者是大因緣所謂化導令得見
佛發阿耨多羅三藐三菩提心大王汝見此
二子不此二子已曾供養六十五百千万億
那由他恒河沙諸佛親近恭敬於諸佛所受
持法華經愍念邪見衆生令住正見妙莊嚴
王即從虛空中下而白佛言世尊如來甚希
有以功德智慧故頂上肉髻光明顯照其眼

BD02984號　妙法蓮華經卷七　（15–8）

二子不此二子已曾供養六十五百千万億
那由他恒河沙諸佛親近恭敬於諸佛所受
持法華經愍念邪見衆生令住正見妙莊嚴
王即從虚空中下而白佛言世尊如来甚希
有以功德智慧故頂上肉髻光明顯照其眼
長廣而紺青色眉間毫相白如珂月齒白齊
密常有光明脣色赤好如頻婆菓尒時妙莊
嚴王讚歎佛如是等无量百千万億功德已
於如来前一心合掌復白佛言世尊未曾有也
如来之法具足成就不可思議微妙功德
教戒所行安隱快善我從今日不復自隨心
行不生邪見憍慢瞋恚諸惡之心說是語已
礼佛而出佛告大衆於意云何妙莊嚴王豈
異人乎今華德菩薩是其淨德夫人今佛前
光照莊嚴相菩薩是哀愍妙莊嚴王及諸眷
屬故於彼中生其二子者今藥王菩薩藥上
菩薩是是藥王藥上菩薩成就如此諸大功
德已於无量百千万億諸佛所殖衆德本成
就不可思議諸善功德若有人識是二菩薩
名字者一切世間諸天人民亦應礼拜佛說
是妙莊嚴王本事品時八万四千人遠塵離
垢於諸法中得法眼淨
妙法蓮華經普賢菩薩勸發品第二十八
尒時普賢菩薩以自在神通威德名聞與大
菩薩无量无邊不可稱數從東方来所經諸

名字者一切世間諸天人民亦應礼拜佛說
是妙莊嚴王本事品時八万四千人遠塵離
垢於諸法中得法眼淨
妙法蓮華經普賢菩薩勸發品第二十八
尒時普賢菩薩以自在神通威德名聞與大
菩薩无量无邊不可稱數從東方来所經諸
國普皆震動雨寶蓮華作无量百千万億種
種伎樂又與无數諸天龍夜叉乾闥婆阿脩
羅迦樓羅緊那羅摩睺羅伽人非人等大衆
圍繞各現威德神通之力到娑婆世界耆闍
崛山中頭面礼釋迦牟尼佛右繞七帀白佛
言世尊我於寶威德上王佛國遥聞此娑婆
世界說法華經與无量无邊百千万億諸菩
薩衆共来聽受唯願世尊當為說之若善男
子善女人於如来滅後云何能得是法華經
佛告普賢菩薩若善男子善女人成就四法
於如来滅後當得是法華經一者為諸佛護
念二者殖衆德本三者入正定聚四者發救
一切衆生之心善男子善女人如是成就四
法於如来滅後必得是經尒時普賢菩薩白
佛言世尊於後五百歲濁惡世中其有受持
是經典者我當守護除其衰患令得安隱使
无伺求得其便者若魔若魔子若魔女若魔
民若為魔所著者若夜叉若羅刹若鳩槃荼
若毗舍闍若吉蔗若富單那若韋陁羅等諸

是經典者我當守護除其衰患令得安隱使
无伺求得其便者若魔若魔子若魔女若魔
民若為魔所著者若夜叉若羅刹若鳩槃茶
若毗舍闍若吉蔗若富單那若韋陁羅等諸
惱人者皆不得便是人若行若立讀誦此經
我尒時乘六牙白象王與大菩薩衆俱詣其
所而自現身供養守護安慰其心亦為供養
法華經故是人若坐思惟此經尒時我復乘
白象王現其人前其人若於法華經有所忘
失一句一偈我當教之與共讀誦還令通利
尒時受持讀誦法華經者得見我身甚大歡
喜轉復精進以見我故即得三昧及陁羅尼
名為旋陁羅尼百千万億旋陁羅尼法音方
便陁羅尼得如是等陁羅尼世尊若後世後
五百歲濁惡世中比丘比丘尼優婆塞優婆
夷求索者受持者讀誦者書寫者欲脩習是
法華經於三七日中應一心精進滿三七日
已我當乘六牙白象與无量菩薩而自圍繞
以一切衆生所憙見身現其人前而為說法
示教利喜亦復與其陁羅尼呪得是陁羅尼
故无有非人能破壞者亦不為女人之所惑
亂我身亦自常護是人唯願世尊聽我說此
陁羅尼呪即於佛前而說呪曰
阿檀地途賣反一檀陁婆地二檀陁婆帝三檀陁

故无有非人能破壞者亦不為女人之所惑
亂我身亦自常護是人唯願世尊聽我說此
陁羅尼呪即於佛前而說呪曰
阿檀地途賣反一檀陁婆地二檀陁婆帝三檀陁
鳩舍隸四檀陁脩陁隸五脩陁隸六脩陁羅
婆底七佛馱波羶祢八薩婆陁羅尼阿婆多
尼九薩婆婆沙阿婆多尼十脩阿婆多尼十一
僧伽婆履叉尼十二僧伽涅伽陁尼十三阿僧祇
十四僧伽波伽地十五帝隸阿惰僧伽兜略盧遮反
波羅帝十六薩婆僧伽三摩地伽蘭地十七薩婆
達磨脩波利刹帝十八薩婆薩埵樓馱憍舍略
阿㝹伽地十九辛阿毗吉利地帝二十
世尊若有菩薩得聞是陁羅尼者當知普賢
神通之力若法華經行閻浮提有受持者應
作此念皆是普賢威神之力若有受持讀誦
正憶念解其義趣如說脩行當知是人行普
賢行於无量无邊諸佛所深種善根為諸如
來手摩其頭若但書寫是人命終當生忉利
天上是時八万四千天女作衆伎樂而來迎
之其人即着七寶冠於婇女中娛樂快樂何
況受持讀誦正憶念解其義趣如說脩行若
有人受持讀誦解其義趣是人命終為千佛
授手令不恐怖不墮惡趣即往兜率天上彌
勒菩薩所彌勒菩薩有三十二相大菩薩衆
所共圍繞有百千万億天女眷屬而於中生

況受持讀誦正憶念解其義趣如說脩行若
有人受持讀誦解其義趣是人命終爲千佛
授手令不恐怖不墮惡趣即往兜率天上彌
勒菩薩所彌勒菩薩有三十二相大菩薩衆
所共圍繞有百千万億天女眷屬而於中生
有如是等功德利益是故智者應當一心自
書若使人書受持讀誦正憶念如說脩行世
尊我今以神通力守護是經於如來滅後閻
浮提內廣令流布使不斷絕尒時釋迦牟尼
佛讚言善哉善哉普賢汝能護助是經令多
所衆生安樂利益汝已成就不可思議功德
深大慈悲從久遠來發阿耨多羅三藐三菩
提意而能作是神通之願守護是經我當以
神通力守護能受持普賢菩薩名者普賢若
有受持讀誦正憶念脩習書寫是法華經者
當知是人則見釋迦牟尼佛如從佛口聞此
經典當知是人供養釋迦牟尼佛當知是人
佛讚善哉當知是人爲釋迦牟尼佛手摩其
頭當知是人爲釋迦牟尼佛衣之所覆如是
之人不復貪著世樂不好外道經書手筆亦
復不憙親近其人及諸惡者若屠兒若畜猪
羊雞狗若獵師若衒賣女色是人心意質直
有正憶念有福德力是人不爲三毒所惱亦
不爲嫉妬我慢邪慢增上慢所惱是人少欲

BD02984號　妙法蓮華經卷七　（15–13）

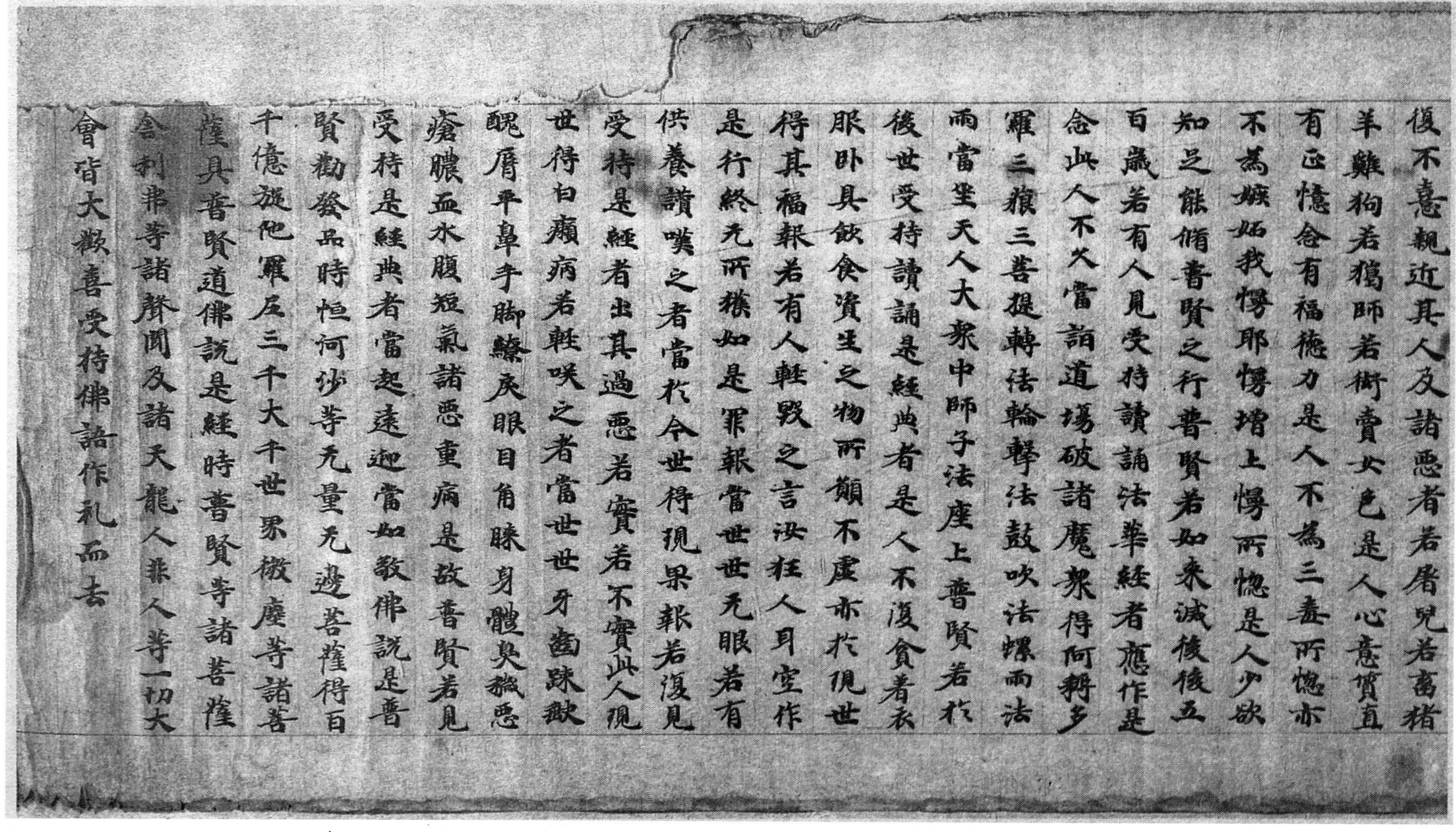
復不憙親近其人及諸惡者若屠兒若畜猪
羊雞狗若獵師若衒賣女色是人心意質直
有正憶念有福德力是人不爲三毒所惱亦
不爲嫉妬我慢邪慢增上慢所惱是人少欲
知足能脩普賢之行普賢若如來滅後後五
百歲若有人見受持讀誦法華經者應作是
念此人不久當詣道場破諸魔衆得阿耨多
羅三藐三菩提轉法輪擊法鼓吹法螺雨法
雨當坐天人大衆中師子法座上普賢若於
後世受持讀誦是經典者是人不復貪著衣
服臥具飲食資生之物所願不虛亦於現世
得其福報若有人輕毀之言汝狂人耳空作
是行終无所獲如是罪報當世世无眼若有
供養讚歎之者當於今世得現果報若復見
受持是經者出其過惡若實若不實此人現
世得白癩病若輕咲之者當世世牙齒踈缺
醜脣平鼻手脚繚戾眼目角睞身體臭穢惡
瘡膿血水腹短氣諸惡重病是故普賢若見
受持是經典者當起遠迎當如敬佛說是普
賢勸發品時恒河沙等无量无邊菩薩得百
千億旋陁羅尼三千大千世界微塵等諸菩
薩具普賢道佛說是經時普賢等諸菩薩
舍利弗等諸聲聞及諸天龍人非人等一切大
會皆大歡喜受持佛語作礼而去

BD02984號　妙法蓮華經卷七　（15–14）

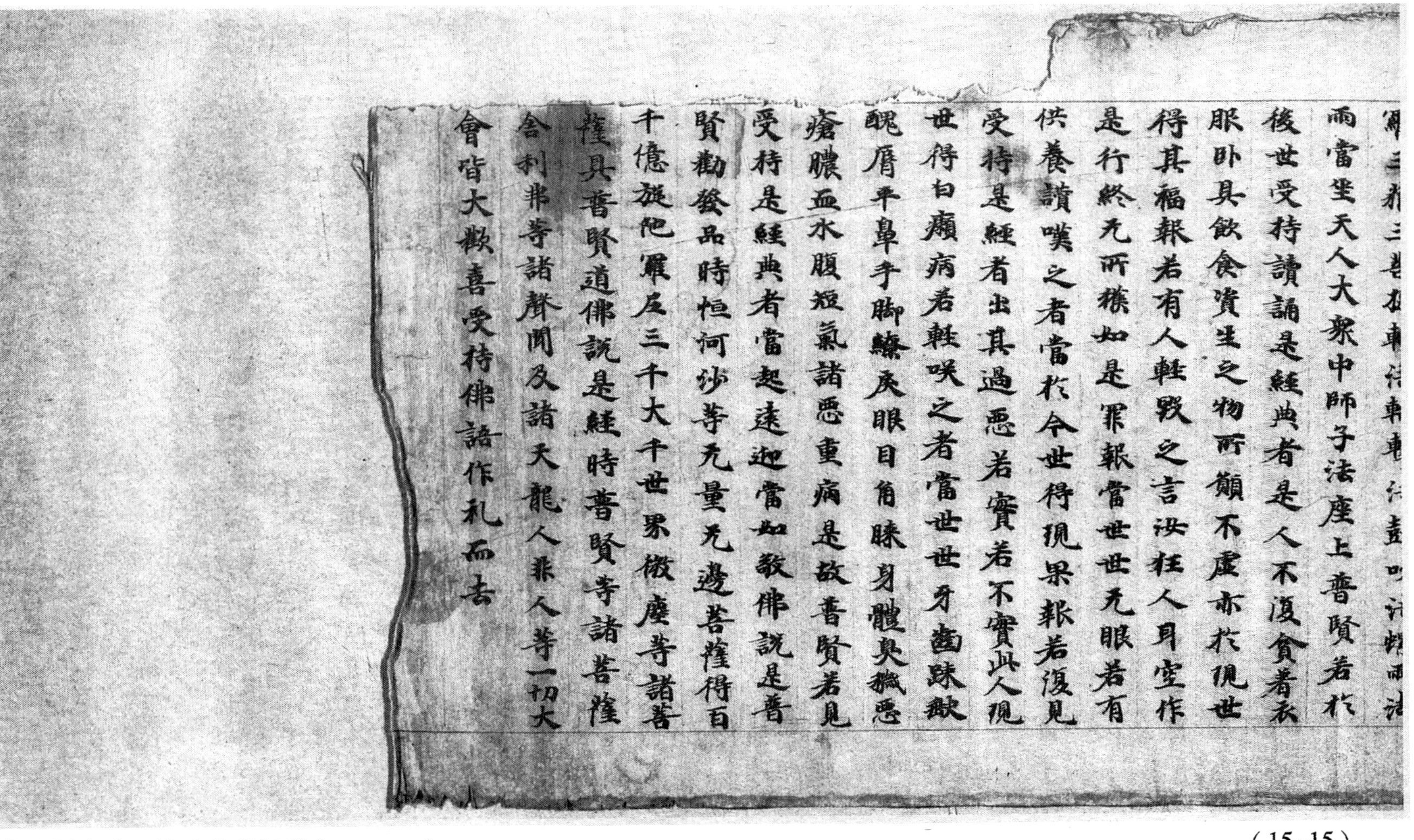

BD02984號　妙法蓮華經卷七　（15–15）

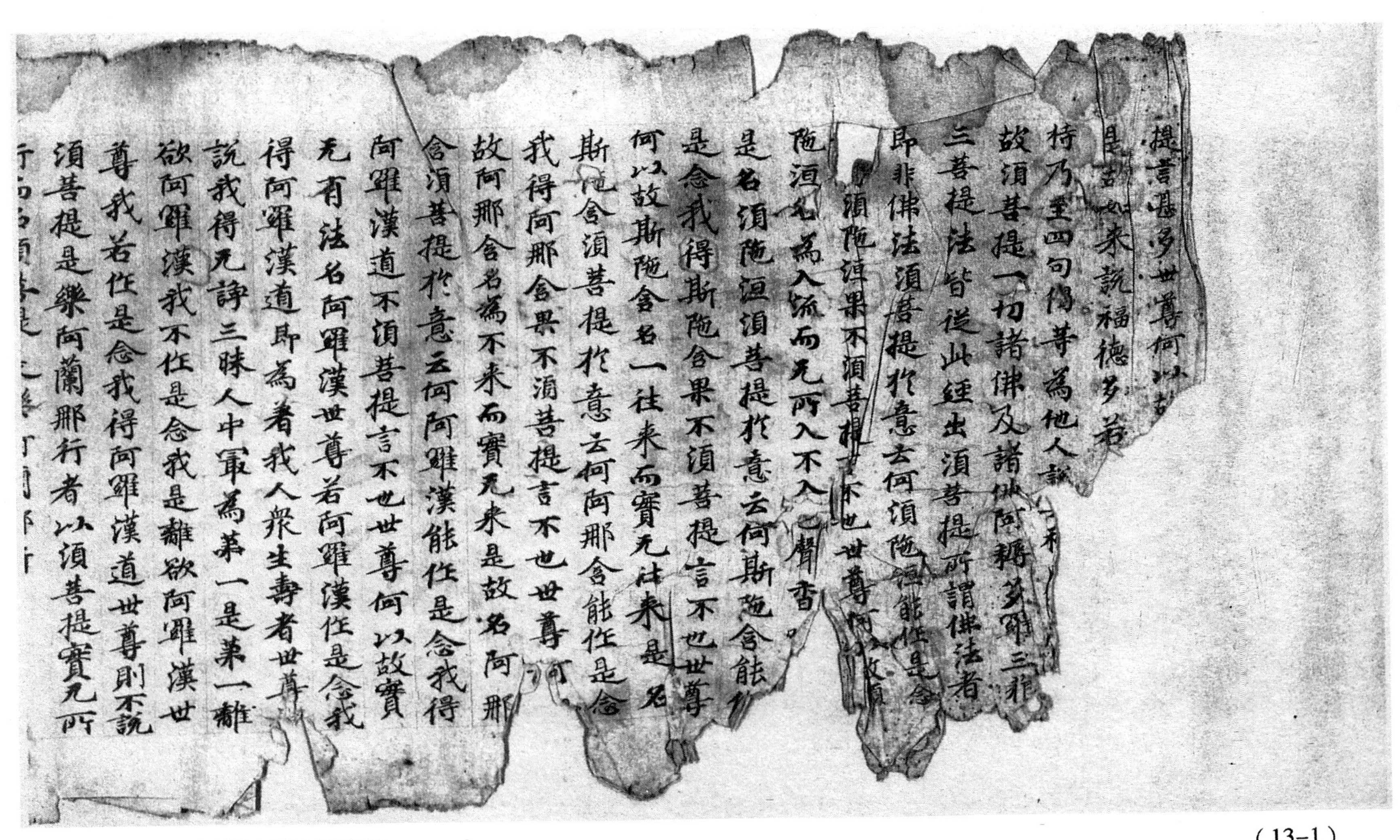

BD02985號　金剛般若波羅蜜經　（13–1）

无有法名阿羅漢世尊若阿羅漢作是念我
得阿羅漢道即為著我人衆生壽者世尊
說我得无諍三昧人中最為第一是第一離
欲阿羅漢我不作是念我是離欲阿羅漢世
尊我若作是念我得阿羅漢道世尊則不說
須菩提是樂阿蘭那行者以須菩提實无所
行而名須菩提是樂阿蘭那行
佛告須菩提於意云何如來昔在然燈佛所於法
有所得不世尊如來在然燈佛所於法實无所
得須菩提於意云何菩薩莊嚴佛土不不也世
尊何以故莊嚴佛土者則非莊嚴是名莊嚴
是故須菩提諸菩薩摩訶薩應如是生清
淨心不應住色生心不應住聲香味觸法生
心應无所住而生其心須菩提譬如有人身
如須弥山王於意云何是身為大不須菩提
言甚大世尊何以故佛說非身是名大身
須菩提如恒河中所有沙數如是沙等恒河於
意云何是諸恒河沙寧為多不須菩提言
甚多世尊但諸恒河尚多无數何況其沙須
菩提我今實言告汝若有善男子善女人以
七寶滿尒所恒河沙數三千大千世界以用
布施得福多不須菩提言甚多世尊佛告須
菩提若善男子善女人於此經中乃至受持
四句偈等為他人說而此福德勝前福德
復次須菩提隨說是經乃至四句偈等當知

七寶滿尒所恒河沙數三千大千世界以用
布施得福多不須菩提言甚多世尊佛告須
菩提若善男子善女人於此經中乃至受持
四句偈等為他人說而此福德勝前福德
復次須菩提隨說是經乃至四句偈等當知
此處一切世間天人阿脩羅皆應供養如佛
塔廟何況有人盡能受持讀誦須菩提當知
是人成就最上第一希有之法若是經典
在之處則為有佛若尊重弟子
尒時須菩提白佛言世尊當何名此經我等
云何奉持佛告須菩提是經名為金剛般若
波羅蜜以是名字汝當奉持所以者何須菩
提佛說般若波羅蜜則非般若波羅蜜須菩
提於意云何如來有所說法不須菩提白佛
言世尊如來无所說須菩提於意云何三
千大千世界所有微塵是為多不須菩提言甚
多世尊須菩提諸微塵如來說非微塵是名
微塵如來說世界非世界是名世界須菩提
於意云何可以三十二相見如來不不也世
尊不可以三十二相得見如來何以故如來
說三十二相即是非相是名三十二相
須菩提若有善男子善女人以恒河沙等
身命布施若復有人於此經中乃至受持四
句偈等為他人說其福甚多
尒時須菩提聞說是經深解義趣涕淚悲泣
而白佛言希有世尊佛說如是甚深經典

説三十二相即是非相是名三十二相
須菩提若有善男子善女人以恒河沙等
身命布施若復有人於此經中乃至受持四
句偈等為他人説其福甚多
尒時須菩提聞説是經深解義趣涕淚悲泣
而白佛言希有世尊佛説如是甚深經典我
從昔來所得慧眼未曾得聞如是之經世尊
若復有人得聞是經信心清淨則生實相當
知是人成就第一希有功德世尊是實相者
則是非相是故如來説名實相世尊我今得
聞如是經典信解受持不足為難若當來世後
五百歳其有衆生得聞是經信解受持是人
則為第一希有何以故此人无我相人相衆生
相壽者相所以者何我相即是非相人相衆生相
壽者相即是非相何以故離一切諸相則名諸佛
佛告須菩提如是如是若復有人得聞是經
不驚不怖不畏當知是人甚為希有何以故
須菩提如來説第一波羅蜜非第一波羅蜜
是名第一波羅蜜須菩提忍辱波羅蜜如來
説非忍辱波羅蜜何以故須菩提如我昔為歌
利王割截身體我於尒時无我相无人相无衆生
相无壽者相何以故我於往昔節節支解時若
有我相人相衆生壽者相應生瞋恨須菩提又
念過去於五百世作忍辱仙人於尒所世无我
相无人相无衆生相无壽者相是故須菩提
菩薩應離一切相發阿耨多羅三藐三菩提

BD02985號　金剛般若波羅蜜經　（13–4）

相无壽者相何以故我於往昔節節支解時若
有我相人相衆生壽者相應生瞋恨須菩提又
念過去於五百世作忍辱仙人於尒所世无我
相无人相无衆生相无壽者相是故須菩提
菩薩應離一切相發阿耨多羅三藐三菩提
心不應住色生心不應住聲香味觸法生心
應生无所住心若心有住則為非住是故佛
説菩薩心不應住色布施須菩提菩薩為利
益一切衆生應如是布施如來説一切諸相即
是非相又説一切衆生則非衆生須菩提
如來是真語者實語者如語者不誑語者
不異語者須菩提如來所得法此法无實无虚
須菩提若菩薩心住於法而行布施如人入
闇則无所見若菩薩心不住法而行布施如
人有目日光明照見種種色須菩提當來之世
若有善男子善女人能於此經受持讀誦則為
如來以佛智慧悉知是人悉見是人皆得成就
无量无邊功德
須菩提若有善男子善女人初日分以恒河
沙等身布施中日分復以恒河沙等身布施
後日分亦以恒河沙等身布施如是无量百
千万億劫以身布施若復有人聞此經典信心
不逆其福勝彼何況書寫受持讀誦為人解説
須菩提以要言之是經有不可思議不可稱
量无邊功德如來為發大乘者説為發最上
乘者説若有人能受持讀誦廣為人説如來

BD02985號　金剛般若波羅蜜經　（13–5）

不逮其福勝彼何況書寫受持讀誦為人解說
須菩提以要言之是經有不可思議不可稱
量无邊功德如來為發大乘者說為發最上
乘者說若有人能受持讀誦廣為人說如來
悉知是人悉見是人皆得成就不可量不可
稱无有邊不可思議功德如是人等則為荷
擔如來阿耨多羅三藐三菩提何以故須菩
提若樂小法者著我見人見衆生見壽者見
則於此經不能聽受讀誦為人解說須菩提
在在處處若有此經一切世間天人阿脩羅
所應供養當知此處則為是塔皆應恭敬作
禮圍遶以諸華香而散其處
復次須菩提善男子善女人受持讀誦此經
若為人輕賤是人先世罪業應墮惡道以今
世人輕賤故先世罪業則為消滅當得阿耨
多羅三藐三菩提須菩提我念過去无量阿
僧祇劫於然燈佛前得值八百四千万億那
由他諸佛悉皆供養承事无空過者若復有
人於後末世能受持讀誦此經所得功德於
我所供養諸佛功德百分不及一千万億分
乃至筭數譬喻所不能及須菩提若善男子
善女人於後末世有受持讀誦此經所得功
德我若具說者或有人聞心則狂亂狐疑不
信須菩提當知是經義不可思議果報亦不
可思議
尒時須菩提白佛言世尊善男子善女人發

BD02985號　金剛般若波羅蜜經　（13–6）

善女人於後末世有受持讀誦此經所得功
德我若具說者或有人聞心則狂亂狐疑不
信須菩提當知是經義不可思議果報亦不
可思議
尒時須菩提白佛言世尊善男子善女人發
阿耨多羅三藐三菩提心云何應住云何降
伏其心佛告須菩提善男子善女人發阿耨
多羅三藐三菩提者當生如是心我應滅度
一切衆生滅度一切衆生已而无有一衆生
實滅度者何以故若菩薩有我相人相衆生
相壽者相則非菩薩所以者何須菩提實无
有法發阿耨多羅三藐三菩提者
須菩提於意云何如來於然燈佛所有法得
阿耨多羅三藐三菩提不不也世尊如我解
佛所說義佛於然燈佛所无有法得阿耨多
羅三藐三菩提佛言如是如是須菩提實无
有法如來得阿耨多羅三藐三菩提須菩提
若有法如來得阿耨多羅三藐三菩提者然
燈佛則不與我受記汝於來世當作佛号釋
迦牟尼以實无有法得阿耨多羅三藐三菩
提是故然燈佛與我受記作是言汝於來世
當得作佛号釋迦牟尼何以故如來者即諸
法如義若有人言如來得阿耨多羅三藐三
菩提須菩提實无有法佛得阿耨多羅三藐
三菩提須菩提如來所得阿耨多羅三藐三菩
提於是中无實无虛是故如來說一切法

BD02985號　金剛般若波羅蜜經　（13–7）

當得作佛号釋迦牟尼何以故如來者即諸
法如義若有人言如來得阿耨多羅三藐三
菩提須菩提實无有法佛得阿耨多羅三藐
三菩提須菩提如來所得阿耨多羅三藐三菩
提於是中无實无虛是故如來說一切法
皆是佛法須菩提所言一切法者即非一切
法是故名一切法須菩提譬如人身長大須菩提
言世尊如來說人身長大則為非大身是名大身
須菩提菩薩亦如是若作是言我當滅度无
量衆生則不名菩薩何以故須菩提實无有
法名為菩薩是故佛說一切法无我无人无
衆生无壽者須菩提若菩薩作是言我當莊
嚴佛土是不名菩薩何以故如來說莊嚴佛
土者即非莊嚴是名莊嚴須菩提若菩薩通
達无我法者如來說名真是菩薩
須菩提於意云何如來有肉眼不如是世尊
如來有肉眼須菩提於意云何如來有天眼
不如是世尊如來有天眼須菩提於意云何
如來有慧眼不如是世尊如來有慧眼須菩
提於意云何如來有法眼不如是世尊如來
有法眼須菩提於意云何如來有佛眼不如
是世尊如來有佛眼須菩提於意云何恒河
中所有沙佛說是沙不如是世尊如來說是
沙須菩提於意云何如一恒河中所有沙有
如是等恒河是諸恒河所有沙數佛世界如

BD02985號　金剛般若波羅蜜經　（13–8）

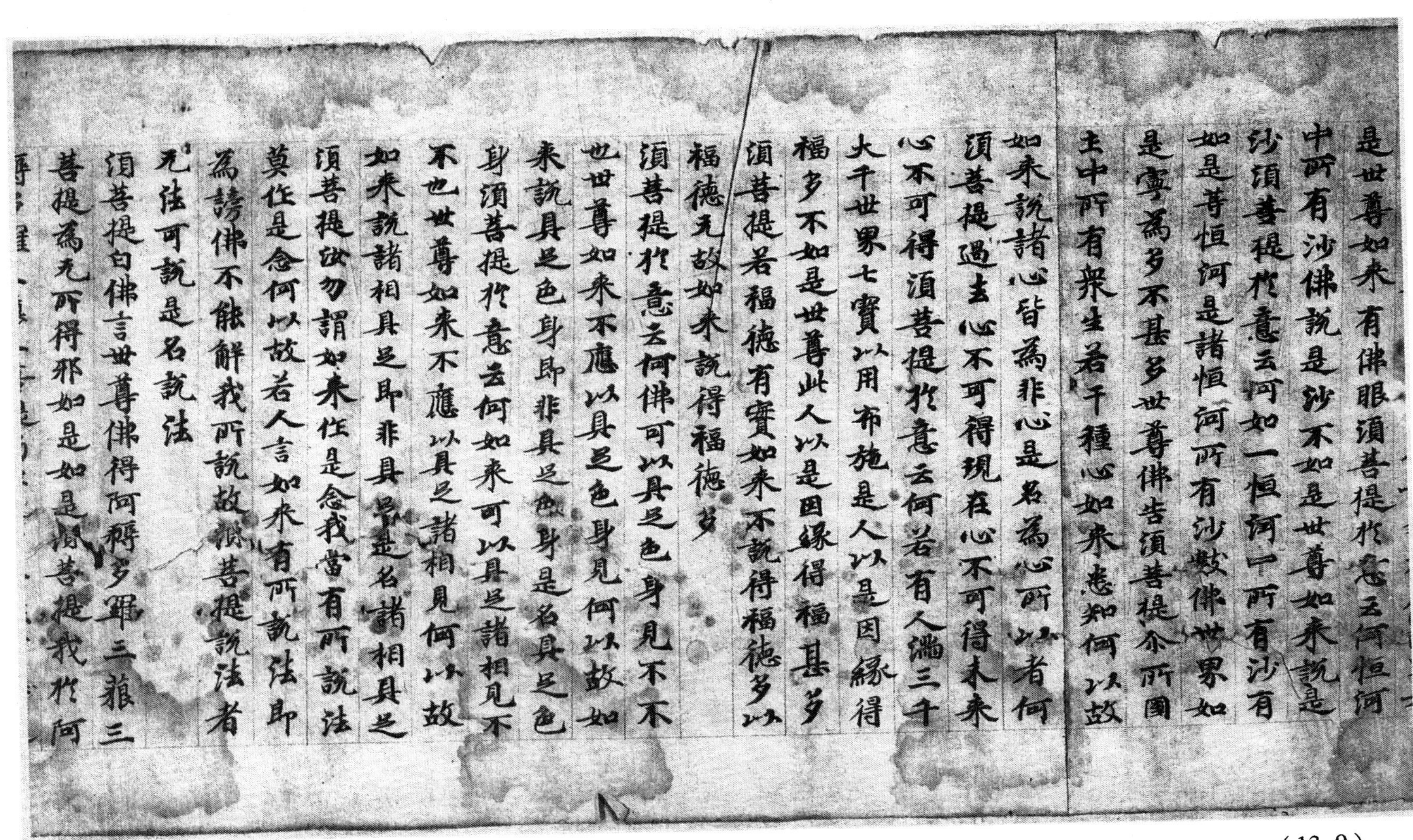

是世尊如來有佛眼須菩提於意云何恒河
中所有沙佛說是沙不如是世尊如來說是
沙須菩提於意云何如一恒河中所有沙有
如是等恒河是諸恒河所有沙數佛世界如
是寧為多不甚多世尊佛告須菩提尒所國
土中所有衆生若干種心如來悉知何以故
如來說諸心皆為非心是名為心所以者何
須菩提過去心不可得現在心不可得未來
心不可得須菩提於意云何若有人滿三千
大千世界七寶以用布施是人以是因緣得
福多不如是世尊此人以是因緣得福甚多
須菩提若福德有實如來不說得福德多以
福德无故如來說得福德多
須菩提於意云何佛可以具足色身見不不
也世尊如來不應以具足色身見何以故如
來說具足色身即非具足色身是名具足色
身須菩提於意云何如來可以具足諸相見不
不也世尊如來不應以具足諸相見何以故
如來說諸相具足即非具足是名諸相具足
須菩提汝勿謂如來作是念我當有所說法
莫作是念何以故若人言如來有所說法即
為謗佛不能解我所說故須菩提說法者
无法可說是名說法
須菩提白佛言世尊佛得阿耨多羅三藐三
菩提為无所得耶如是如是須菩提我於阿

BD02985號　金剛般若波羅蜜經　（13–9）

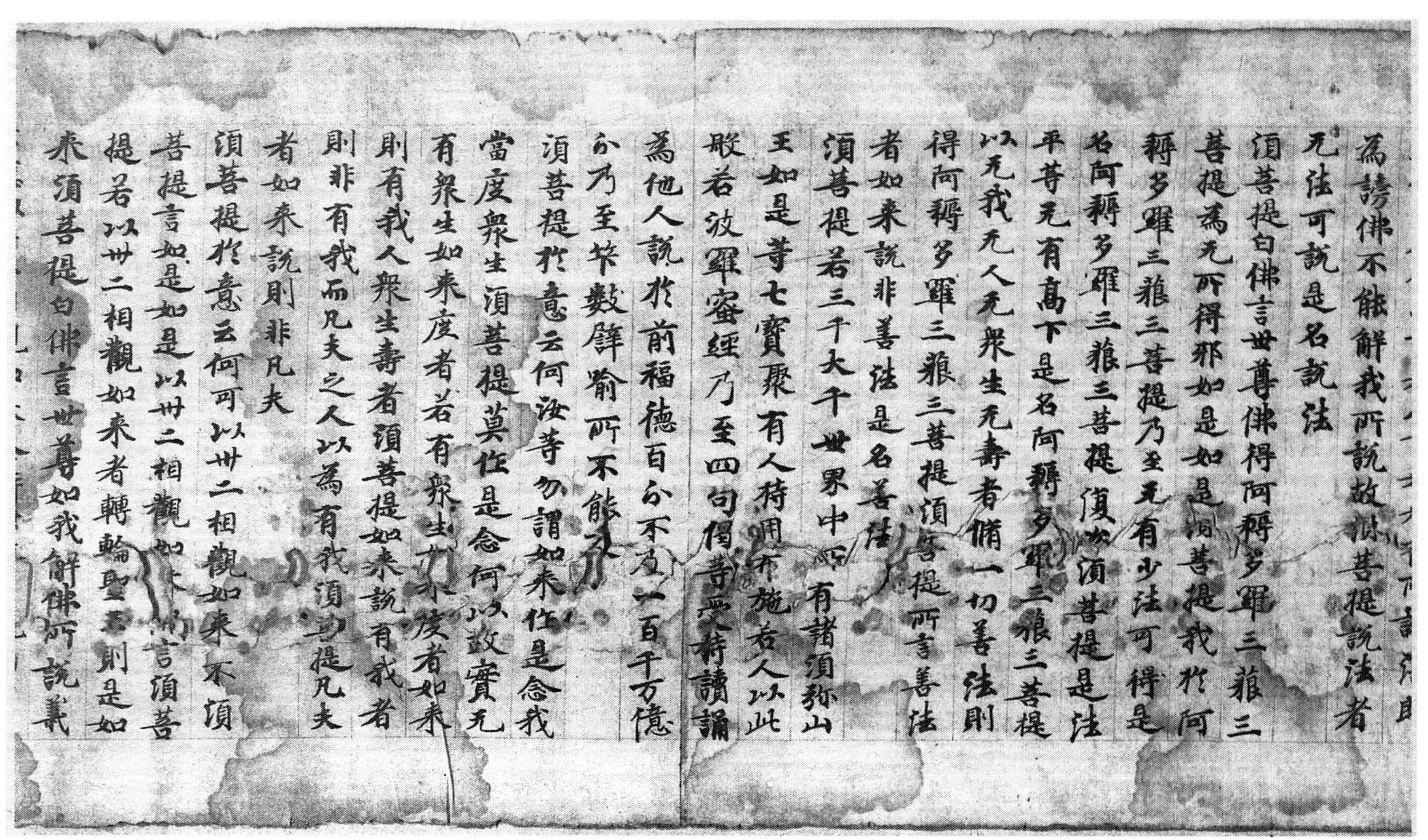

爲謗佛不能解我所說故須菩提說法者
无法可說是名說法
須菩提白佛言世尊佛得阿耨多羅三藐三
菩提爲无所得耶如是如是須菩提我於阿
耨多羅三藐三菩提乃至无有少法可得是
名阿耨多羅三藐三菩提復次須菩提是法
平等无有高下是名阿耨多羅三藐三菩提
以无我无人无衆生无壽者脩一切善法則
得阿耨多羅三藐三菩提須菩提所言善法
者如來說非善法是名善法
須菩提若三千大千世界中所有諸須弥山
王如是等七寳聚有人持用布施若人以此
般若波羅蜜經乃至四句偈等受持讀誦
爲他人說於前福德百分不及一百千万億
分乃至筭數譬喻所不能及
須菩提於意云何汝等勿謂如來作是念我
當度衆生須菩提莫作是念何以故實无
有衆生如來度者若有衆生如來度者如來
則有我人衆生壽者須菩提如來說有我者
則非有我而凡夫之人以爲有我須菩提凡夫
者如來說則非凡夫
須菩提於意云何可以卅二相觀如來不須
菩提言如是如是以卅二相觀如來佛言須菩
提若以卅二相觀如來者轉輪聖王則是如
來須菩提白佛言世尊如我解佛所說義

BD02985 號　金剛般若波羅蜜經　（13–10）

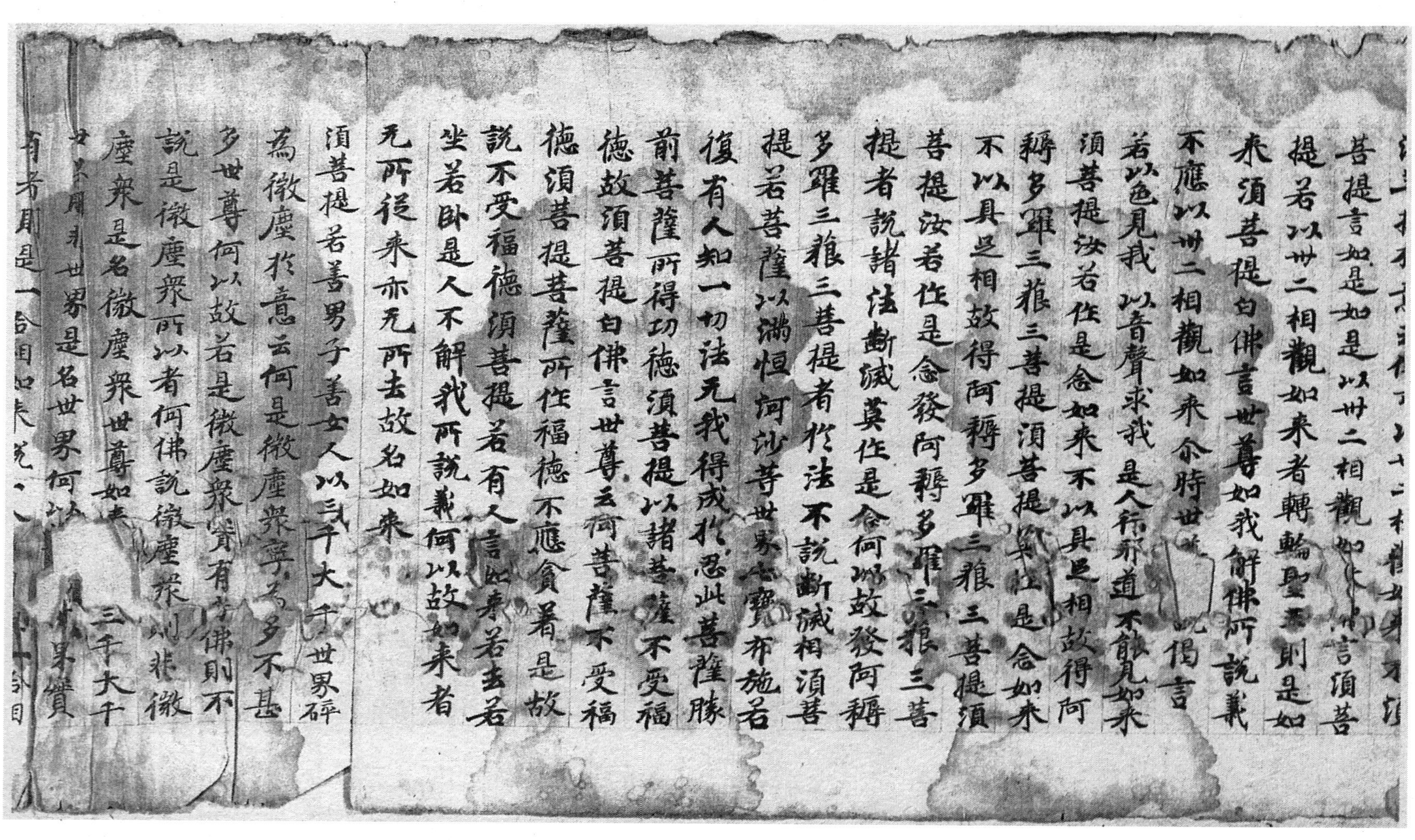

菩提言如是如是以卅二相觀如來佛言須菩
提若以卅二相觀如來者轉輪聖王則是如
來須菩提白佛言世尊如我解佛所說義
不應以卅二相觀如來尒時世尊而說偈言
若以色見我　以音聲求我　是人行邪道　不能見如來
須菩提汝若作是念如來不以具足相故得阿
耨多羅三藐三菩提須菩提莫作是念如來
不以具足相故得阿耨多羅三藐三菩提須
菩提汝若作是念發阿耨多羅三藐三菩
提者說諸法斷滅莫作是念何以故發阿耨
多羅三藐三菩提者於法不說斷滅相須菩
提若菩薩以滿恒河沙等世界七寳布施若
復有人知一切法无我得成於忍此菩薩勝
前菩薩所得功德須菩提以諸菩薩不受福
德故須菩提白佛言世尊云何菩薩不受福
德須菩提菩薩所作福德不應貪著是故
說不受福德須菩提若有人言如來若去若
坐若卧是人不解我所說義何以故如來者
无所從來亦无所去故名如來
須菩提若善男子善女人以三千大千世界碎
爲微塵於意云何是微塵衆寧爲多不甚
多世尊何以故若是微塵衆實有者佛則不
說是微塵衆所以者何佛說微塵衆則非微
塵衆是名微塵衆世尊如來所說三千大千
世界則非世界是名世界何以故若世界實
有者則是一合相如來說

BD02985 號　金剛般若波羅蜜經　（13–11）

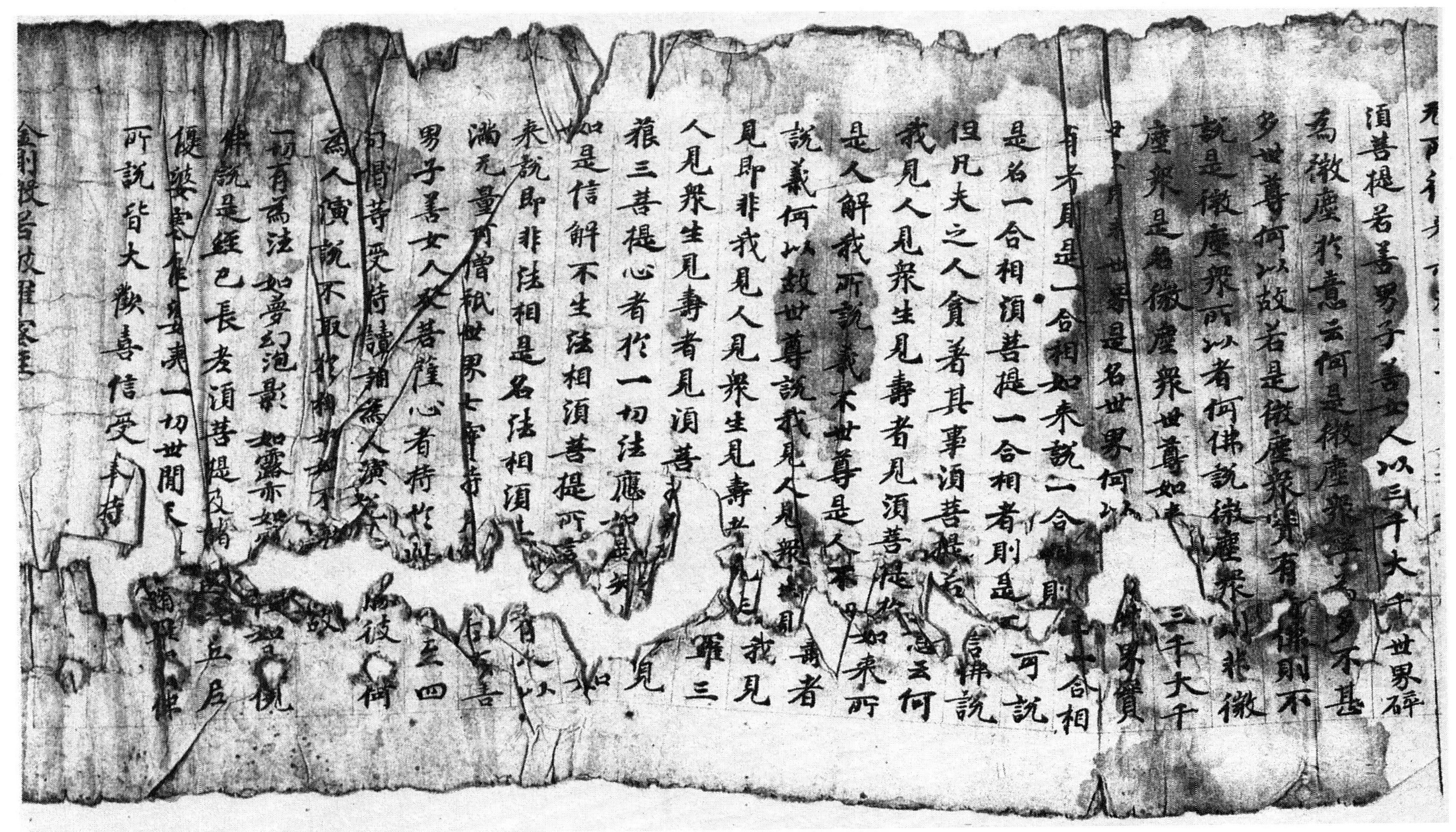

BD02985號　金剛般若波羅蜜經　（13–12）

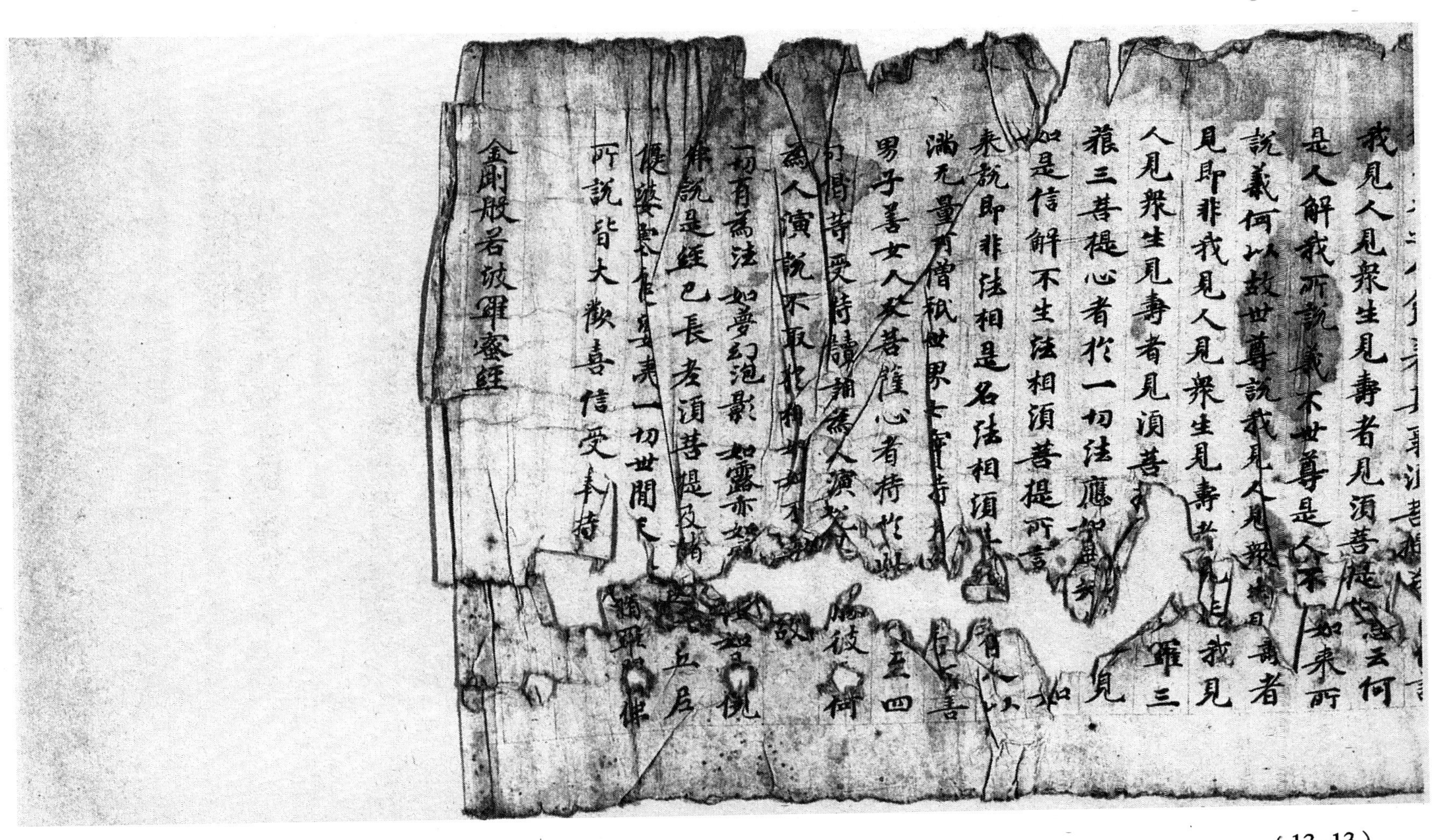

BD02985號　金剛般若波羅蜜經　（13–13）

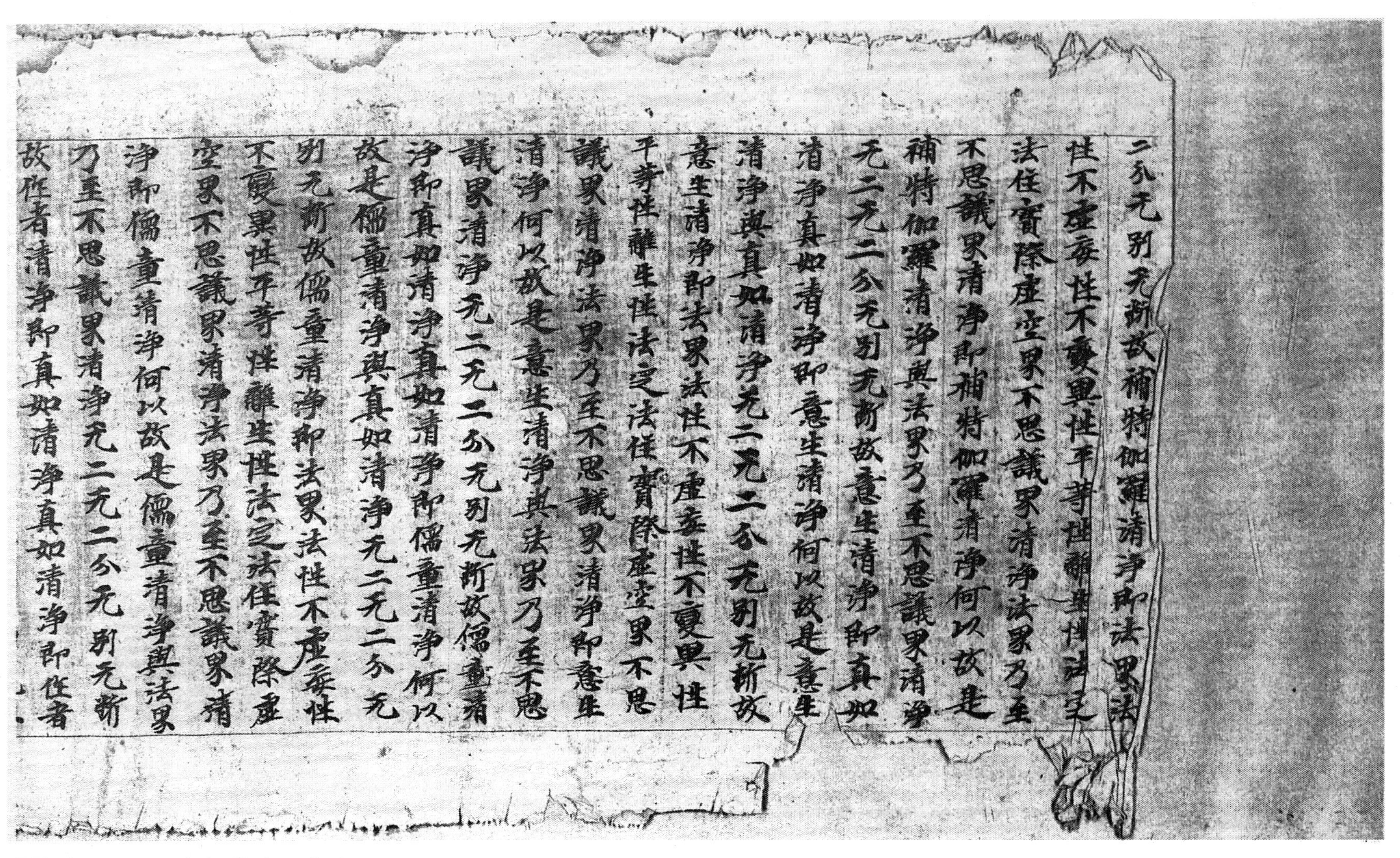
二分无別无斷故補特伽羅清淨即法界法
性不虛妄性不變異性平等性離生性法定
法住實際虛空界不思議界清淨法界乃至
不思議界清淨即補特伽羅清淨何以故是
補特伽羅清淨與法界乃至不思議界清淨
无二无二分无別无斷故意生清淨即真如
清淨真如清淨即意生清淨何以故是意生
清淨與真如清淨无二无二分无別无斷故
意生清淨即法界法性不虛妄性不變異性
平等性離生性法定法住實際虛空界不思
議界清淨法界乃至不思議界清淨即意生
清淨何以故是意生清淨與法界乃至不思
議界清淨无二无二分无別无斷故儒童清
淨即真如清淨真如清淨即儒童清淨何以
故是儒童清淨與真如清淨无二无二分无
別无斷故儒童清淨即法界法性不虛妄性
不變異性平等性離生性法定法住實際虛
空界不思議界清淨法界乃至不思議界清
淨即儒童清淨何以故是儒童清淨與法界
乃至不思議界清淨无二无二分无別无斷
故作者清淨即真如清淨真如清淨即作者

BD02986號　大般若波羅蜜多經卷一八七　（15-1）

不變異性平等性離生性法定法住實際虛
空界不思議界清淨法界乃至不思議界清
淨即儒童清淨何以故是儒童清淨與法界
乃至不思議界清淨无二无二分无別无斷
故作者清淨即真如清淨真如清淨即作者
清淨何以故是作者清淨與真如清淨无二
无二分无別无斷故作者清淨即法界法性
不虛妄性不變異性平等性離生性法定法
住實際虛空界不思議界清淨法界乃至不
思議界清淨即作者清淨何以故是作者清
淨與法界乃至不思議界清淨无二无二分
无別无斷故受者清淨即真如清淨真如清
淨即受者清淨何以故是受者清淨與真如
清淨无二无二分无別无斷故受者清淨即
法界法性不虛妄性不變異性平等性離生
性法定法住實際虛空界不思議界清淨法
界乃至不思議界清淨即受者清淨何以故
是受者清淨與法界乃至不思議界清淨无
二无二分无別无斷故知者清淨即真如清
淨真如清淨即知者清淨何以故是知者清
淨與真如清淨无二无二分无別无斷故知
者清淨即法界法性不虛妄性不變異性平
等性離生性法定法住實際虛空界不思議
界清淨法界乃至不思議界清淨即知者清
淨何以故是知者清淨與法界乃至不思議

BD02986號　大般若波羅蜜多經卷一八七　（15-2）

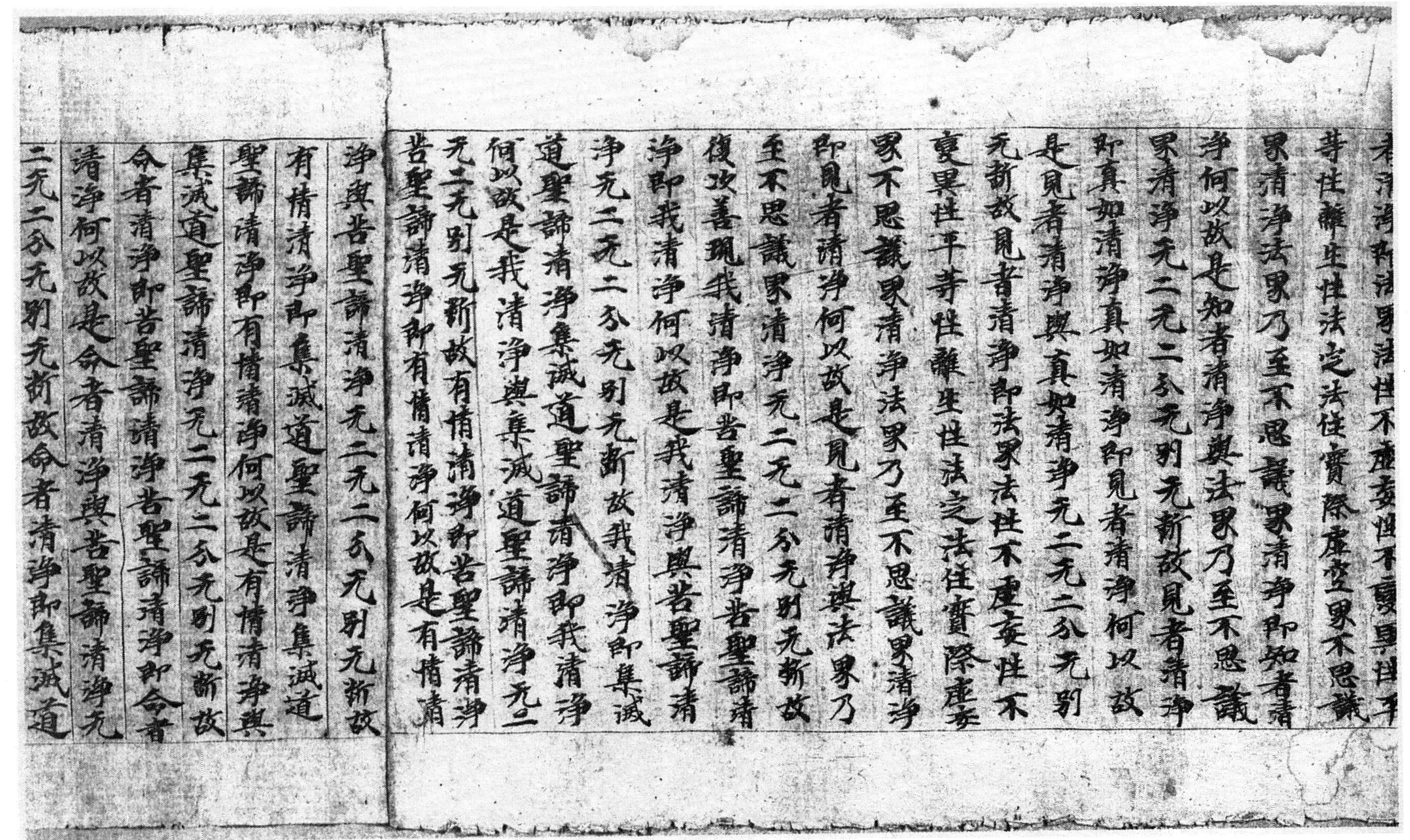
者清淨法界法性不虛妄性不變異性平
等性離生性法定法住實際虛空界不思議
界清淨法界乃至不思議界清淨即知者清
淨何以故是知者清淨與法界乃至不思議
界清淨无二无二分无別无斷故見者清淨
即真如清淨真如清淨即見者清淨何以故
是見者清淨與真如清淨无二无二分无別
无斷故見者清淨即法界法性不虛妄性不
變異性平等性離生性法定法住實際虛空
界不思議界清淨法界乃至不思議界清淨
即見者清淨何以故是見者清淨與法界乃
至不思議界清淨无二无二分无別无斷故
復次善現我清淨即苦聖諦清淨苦聖諦清
淨即我清淨何以故是我清淨與苦聖諦清
淨无二无二分无別无斷故我清淨即集滅
道聖諦清淨集滅道聖諦清淨即我清淨
何以故是我清淨與集滅道聖諦清淨无二
无二无別无斷故有情清淨即苦聖諦清淨
苦聖諦清淨即有情清淨何以故是有情清
淨與苦聖諦清淨无二无二分无別无斷故
有情清淨即集滅道聖諦清淨集滅道
聖諦清淨即有情清淨何以故是有情清淨與
集滅道聖諦清淨无二无二分无別无斷故
命者清淨即苦聖諦清淨苦聖諦清淨即命者
清淨何以故是命者清淨與苦聖諦清淨无
二无二分无別无斷故命者清淨即集滅道

BD02986號　大般若波羅蜜多經卷一八七　（15–3）

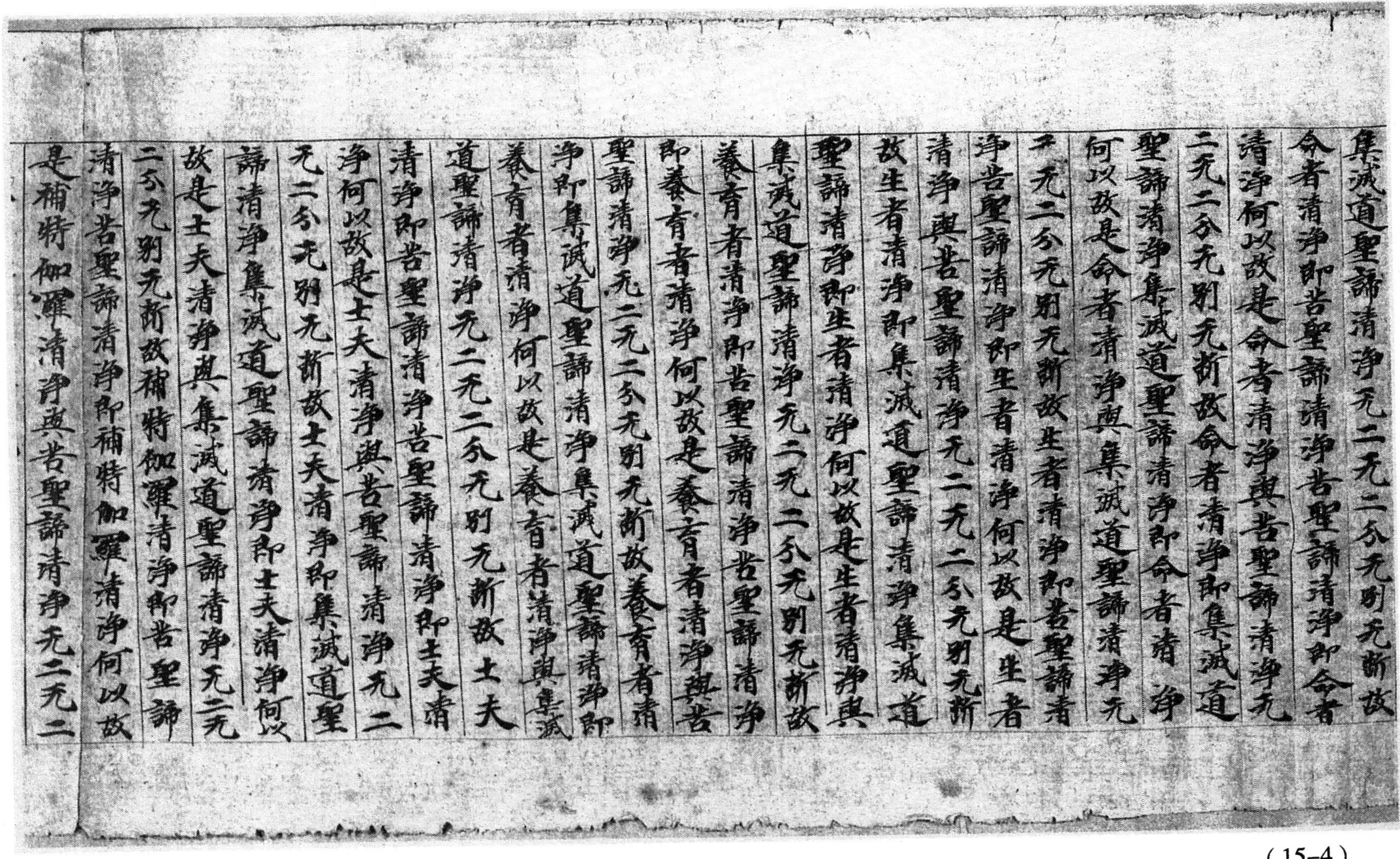
集滅道聖諦清淨无二无二分无別无斷故
命者清淨即苦聖諦清淨苦聖諦清淨即命者
清淨何以故是命者清淨與苦聖諦清淨无
二无二分无別无斷故命者清淨即集滅道
聖諦清淨集滅道聖諦清淨即命者清淨
何以故是命者清淨與集滅道聖諦清淨无
二无二分无別无斷故生者清淨即苦聖諦清
淨苦聖諦清淨即生者清淨何以故是生者
清淨與苦聖諦清淨无二无二分无別无斷
故生者清淨即集滅道聖諦清淨集滅道
聖諦清淨即生者清淨何以故是生者清淨與
集滅道聖諦清淨无二无二分无別无斷故
養育者清淨即苦聖諦清淨苦聖諦清淨
即養育者清淨何以故是養育者清淨與苦
聖諦清淨无二无二分无別无斷故養育者清
淨即集滅道聖諦清淨集滅道聖諦清淨即
養育者清淨何以故是養育者清淨與集滅
道聖諦清淨无二无二分无別无斷故士夫
清淨即苦聖諦清淨苦聖諦清淨即士夫清
淨何以故是士夫清淨與苦聖諦清淨无二
无二分无別无斷故士夫清淨即集滅道聖
諦清淨集滅道聖諦清淨即士夫清淨何以
故是士夫清淨與集滅道聖諦清淨无二无
二分无別无斷故補特伽羅清淨即苦聖諦
清淨苦聖諦清淨即補特伽羅清淨何以故
是補特伽羅清淨與苦聖諦清淨无二无二

BD02986號　大般若波羅蜜多經卷一八七　（15–4）

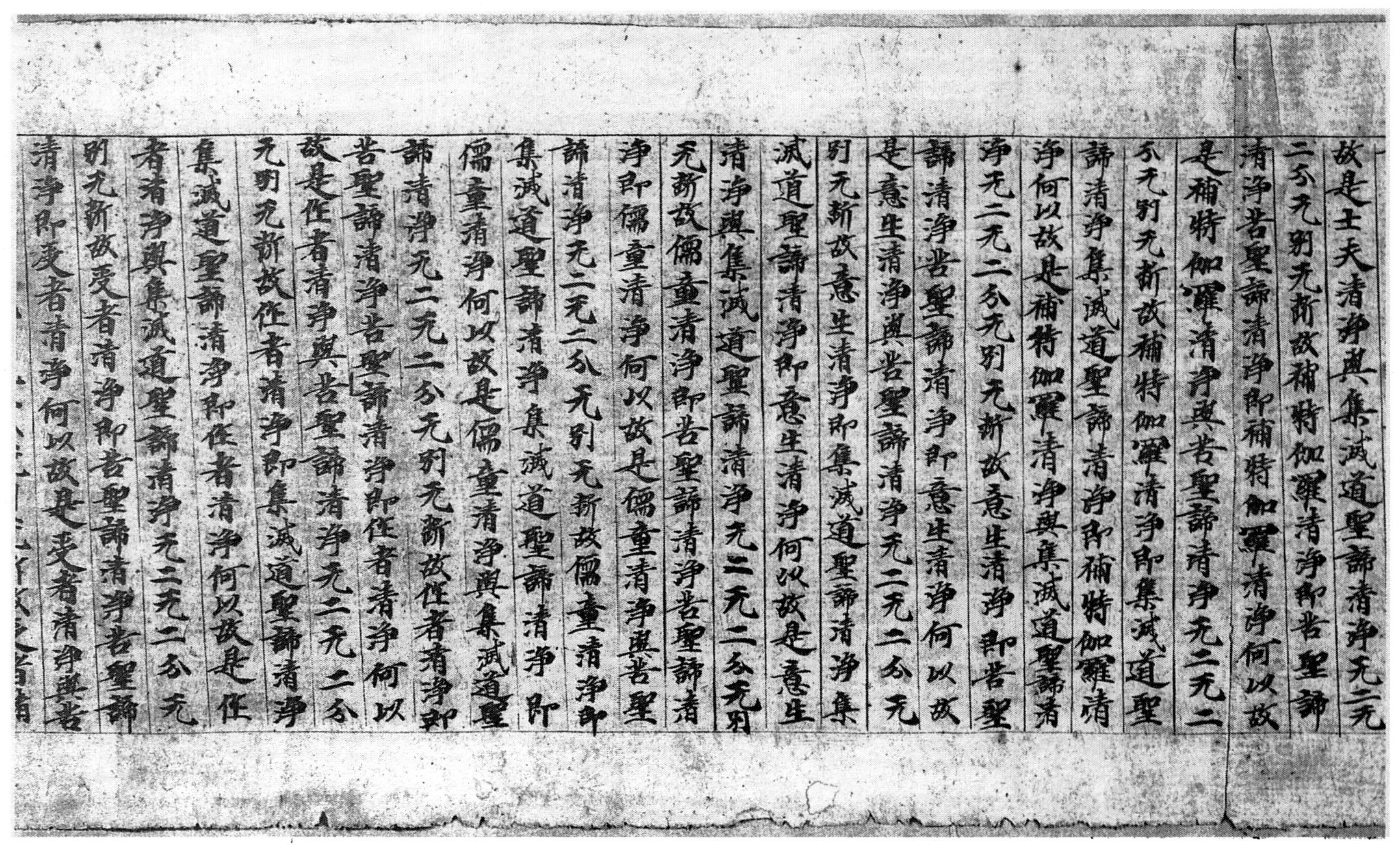
故是士夫清淨與集滅道聖諦清淨无二无
二分无別无斷故補特伽羅清淨即苦聖諦
清淨苦聖諦清淨即補特伽羅清淨何以故
是補特伽羅清淨與苦聖諦清淨无二无二
分无別无斷故補特伽羅清淨即集滅道聖
諦清淨集滅道聖諦清淨即補特伽羅清
淨何以故是補特伽羅清淨與集滅道聖諦清
淨无二无二分无別无斷故意生清淨即苦聖
諦清淨苦聖諦清淨即意生清淨何以故
是意生清淨與苦聖諦清淨无二无二分无
別无斷故意生清淨即集滅道聖諦清淨集
滅道聖諦清淨即意生清淨何以故是意生
清淨與集滅道聖諦清淨无二无二分无別
无斷故儒童清淨即苦聖諦清淨苦聖諦清
淨即儒童清淨何以故是儒童清淨與苦聖
諦清淨无二无二分无別无斷故儒童清淨即
集滅道聖諦清淨集滅道聖諦清淨即
儒童清淨何以故是儒童清淨與集滅道聖
諦清淨无二无二分无別无斷故作者清淨即
苦聖諦清淨苦聖諦清淨即作者清淨何以
故是作者清淨與苦聖諦清淨无二无二分
无別无斷故作者清淨即集滅道聖諦清淨
集滅道聖諦清淨即作者清淨何以故是作
者清淨與集滅道聖諦清淨无二无二分无
別无斷故受者清淨即苦聖諦清淨苦聖諦
清淨即受者清淨何以故是受者清淨與苦

BD02986號　大般若波羅蜜多經卷一八七　（15–5）

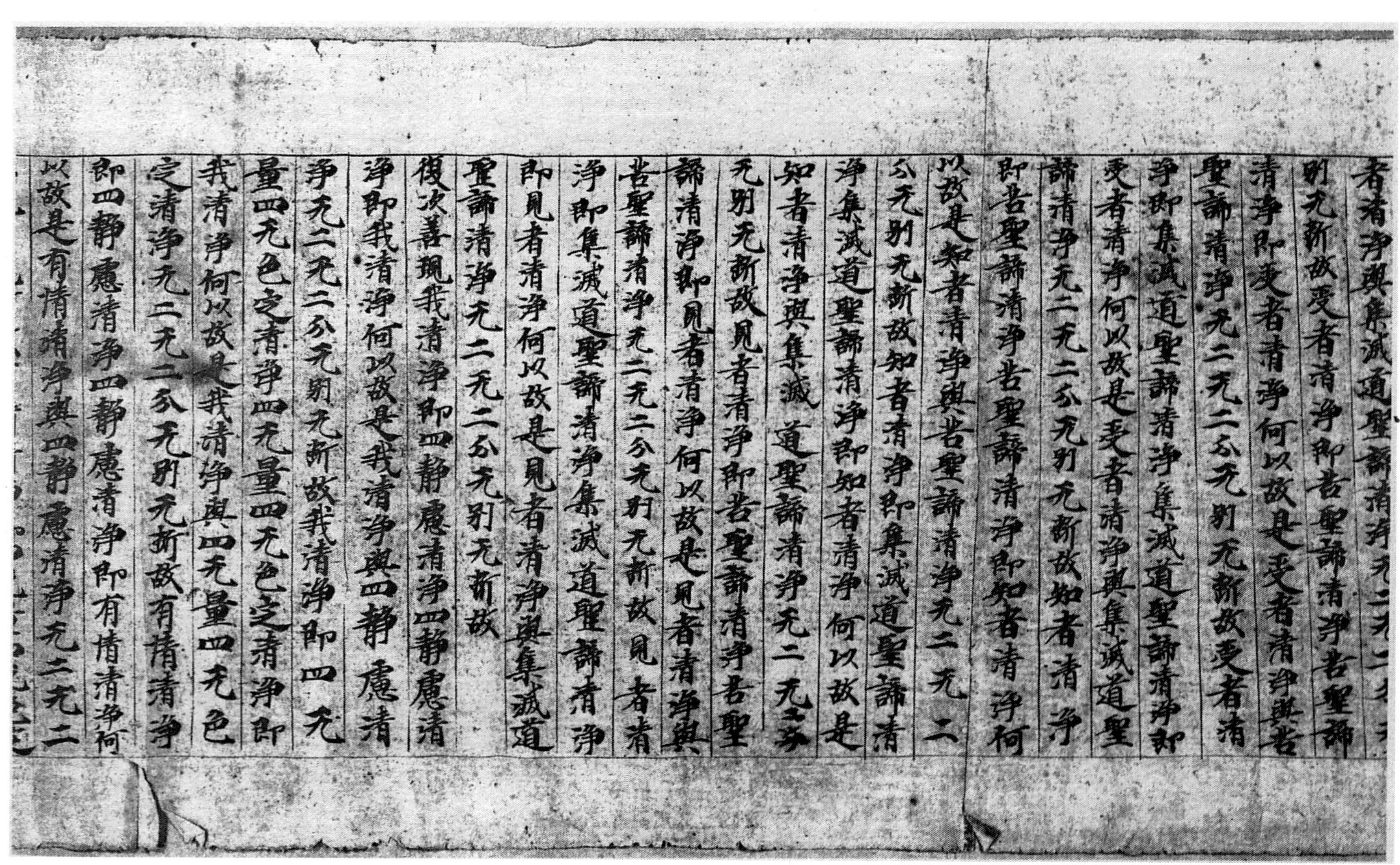
者清淨與集滅道聖諦清淨无二无二分无
別无斷故受者清淨即苦聖諦清淨苦聖諦
清淨即受者清淨何以故是受者清淨與苦
聖諦清淨无二无二分无別无斷故受者清
淨即集滅道聖諦清淨集滅道聖諦清淨即
受者清淨何以故是受者清淨與集滅道聖
諦清淨无二无二分无別无斷故知者清淨
即苦聖諦清淨苦聖諦清淨即知者清淨何
以故是知者清淨與苦聖諦清淨无二无二
分无別无斷故知者清淨即集滅道聖諦清
淨集滅道聖諦清淨即知者清淨何以故是
知者清淨與集滅道聖諦清淨无二无二分
无別无斷故見者清淨即苦聖諦清淨苦聖
諦清淨即見者清淨何以故是見者清淨與
苦聖諦清淨无二无二分无別无斷故見者清
淨即集滅道聖諦清淨集滅道聖諦清淨
即見者清淨何以故是見者清淨與集滅道
聖諦清淨无二无二分无別无斷故
復次善現我清淨即四靜慮清淨四靜慮清
淨即我清淨何以故是我清淨與四靜慮清
淨无二无二分无別无斷故我清淨即四无
量四无色定清淨四无量四无色定清淨即
我清淨何以故是我清淨與四无量四无色
定清淨无二无二分无別无斷故有情清淨
即四靜慮清淨四靜慮清淨即有情清淨何
以故是有情清淨與四靜慮清淨无二无二

BD02986號　大般若波羅蜜多經卷一八七　（15–6）

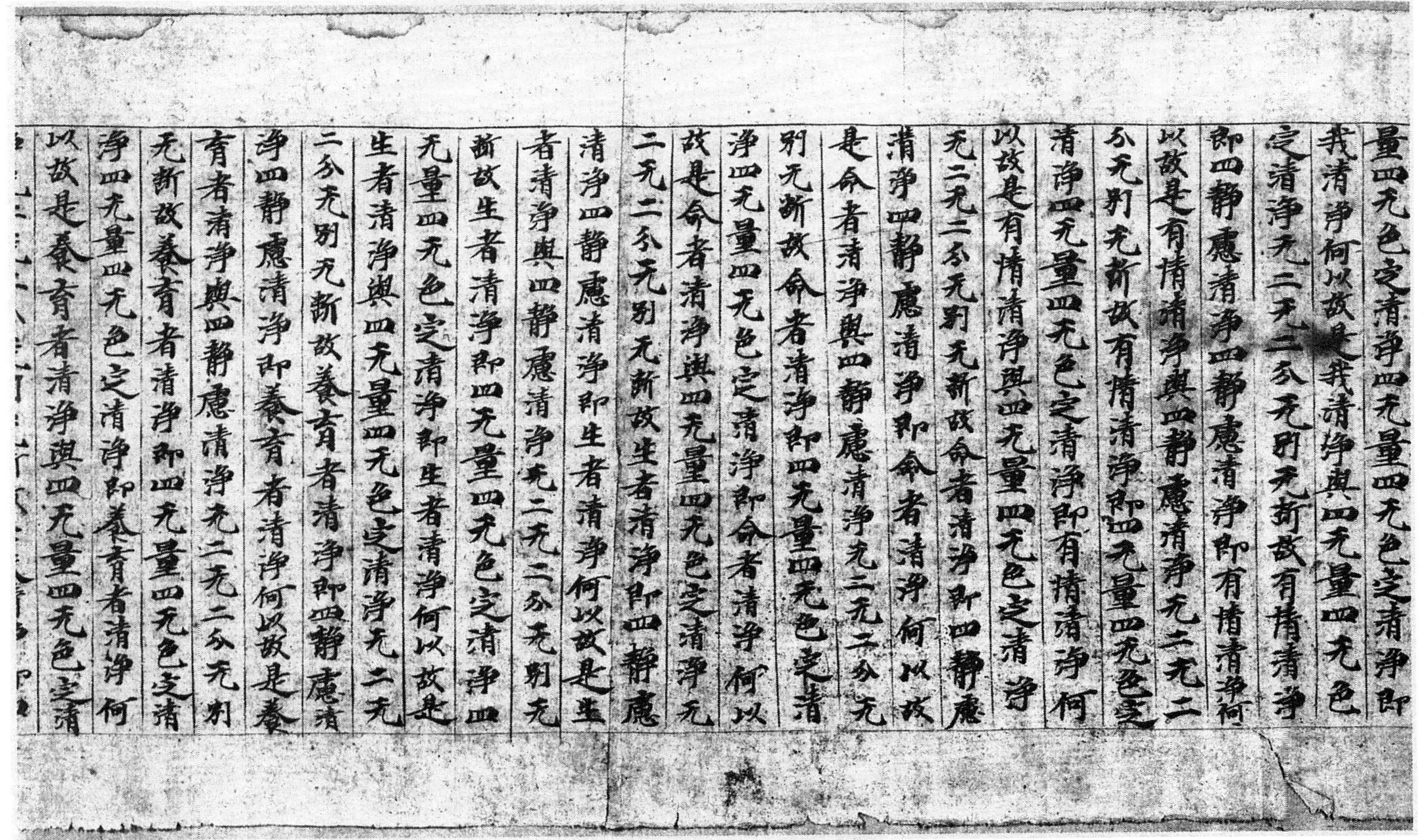
量四无色定清淨四无量四无色定清淨即
我清淨何以故是我清淨與四无量四无色
定清淨无二无二分无別无斷故有情清淨
即四靜慮清淨四靜慮清淨即有情清淨何
以故是有情清淨與四靜慮清淨无二无二
分无別无斷故有情清淨即四无量四无色定
清淨四无量四无色定清淨即有情清淨何
以故是有情清淨與四无量四无色定清淨
无二无二分无別无斷故命者清淨即四靜慮
清淨四靜慮清淨即命者清淨何以故
是命者清淨與四靜慮清淨无二无二分无
別无斷故命者清淨即四无量四无色定清
淨四无量四无色定清淨即命者清淨何以
故是命者清淨與四无量四无色定清淨无
二无二分无別无斷故生者清淨即四靜慮
清淨四靜慮清淨即生者清淨何以故是生
者清淨與四靜慮清淨无二无二分无別无
斷故生者清淨即四无量四无色定清淨四
无量四无色定清淨即生者清淨何以故是
生者清淨與四无量四无色定清淨无二无
二分无別无斷故養育者清淨即四靜慮清
淨四靜慮清淨即養育者清淨何以故是養
育者清淨與四靜慮清淨无二无二分无別
无斷故養育者清淨即四无量四无色定清
淨四无量四无色定清淨即養育者清淨何
以故是養育者清淨與四无量四无色定清

BD02986號　大般若波羅蜜多經卷一八七　（15–7）

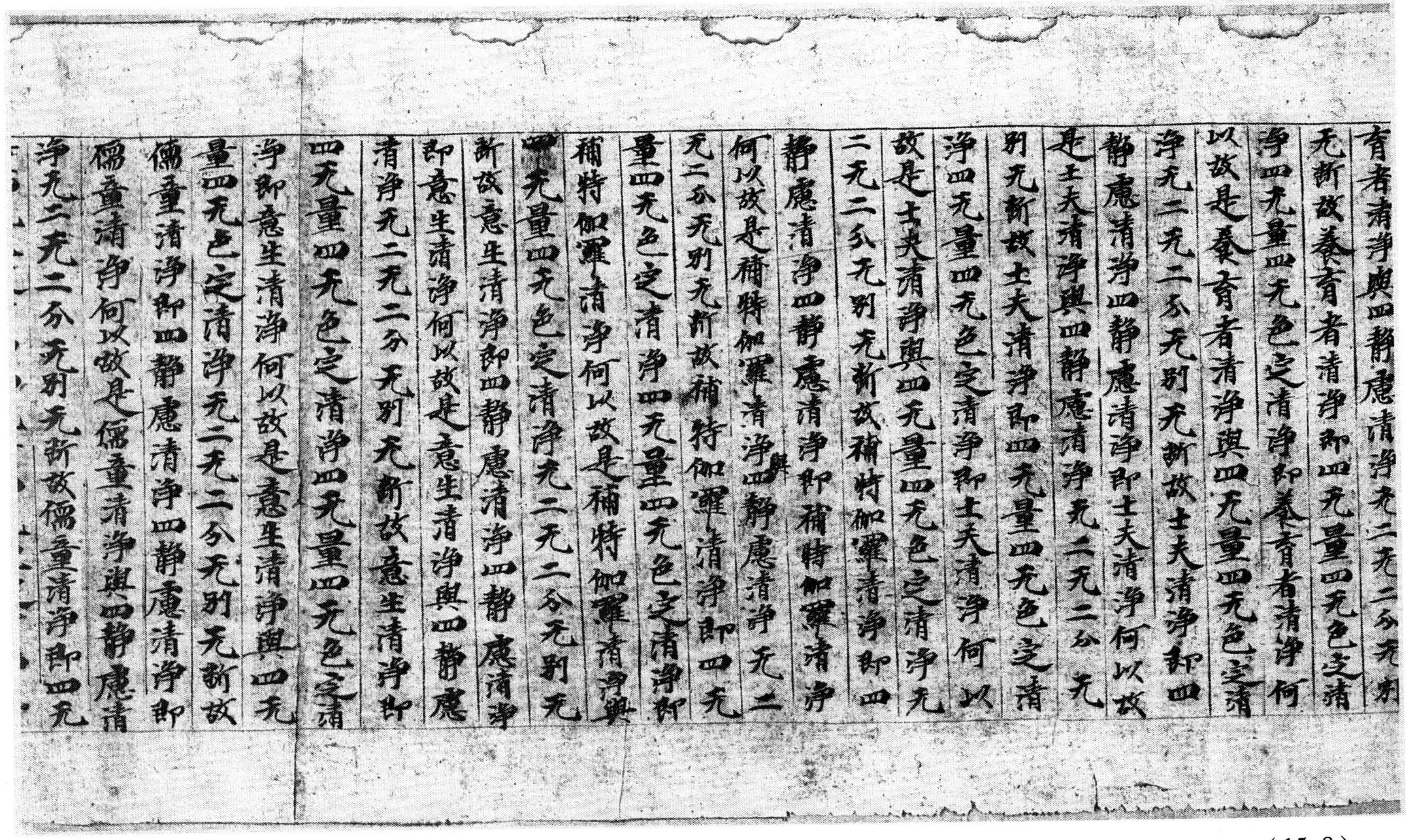
育者清淨與四靜慮清淨无二无二分无別
无斷故養育者清淨即四无量四无色定清
淨四无量四无色定清淨即養育者清淨何
以故是養育者清淨與四无量四无色定清
淨无二无二分无別无斷故士夫清淨即四
靜慮清淨四靜慮清淨即士夫清淨何以故
是士夫清淨與四靜慮清淨无二无二分无
別无斷故士夫清淨即四无量四无色定清
淨四无量四无色定清淨即士夫清淨何以
故是士夫清淨與四无量四无色定清淨无
二无二分无別无斷故補特伽羅清淨即四
靜慮清淨四靜慮清淨即補特伽羅清淨
何以故是補特伽羅清淨與四靜慮清淨无二
无二分无別无斷故補特伽羅清淨即四无
量四无色定清淨四无量四无色定清淨即
補特伽羅清淨何以故是補特伽羅清淨與
四无量四无色定清淨无二无二分无別无
斷故意生清淨即四靜慮清淨四靜慮清淨
即意生清淨何以故是意生清淨與四靜慮
清淨无二无二分无別无斷故意生清淨即
四无量四无色定清淨四无量四无色定清
淨即意生清淨何以故是意生清淨與四无
量四无色定清淨无二无二分无別无斷故
儒童清淨即四靜慮清淨四靜慮清淨即
儒童清淨何以故是儒童清淨與四靜慮清
淨无二无二分无別无斷故儒童清淨即四无

BD02986號　大般若波羅蜜多經卷一八七　（15–8）

儒童清淨即四靜慮清淨即
儒童清淨何以故是儒童清淨與四靜慮清
淨无二无二分无別无斷故儒童清淨即四无
量四无色定清淨四无量四无色定清淨即
儒童清淨何以故是儒童清淨與四无量四
无色定清淨无二无二分无別无斷故作者
清淨即四靜慮清淨四靜慮清淨即作者清
淨何以故是作者清淨與四靜慮清淨无二
无二分无別无斷故作者清淨即四无量四
无色定清淨四无量四无色定清淨即作者
清淨何以故是作者清淨與四无量四无色
定清淨无二无二分无別无斷故受者清淨
即四靜慮清淨四靜慮清淨即受者清淨
何以故是受者清淨與四靜慮清淨无二无二
分无別无斷故受者清淨即四无量四无色
定清淨四无量四无色定清淨即受者清淨
何以故是受者清淨與四无量四无色定清
淨无二无二分无別无斷故知者清淨即四靜
慮清淨四靜慮清淨即知者清淨何以故
是知者清淨與四靜慮清淨无二无二分无
別无斷故知者清淨即四无量四无色定清
淨四无量四无色定清淨即知者清淨何以故
是知者清淨與四无量四无色定清淨无二
无二分无別无斷故見者清淨即四靜慮
清淨四靜慮清淨即見者清淨何以故是見
者清淨與四靜慮清淨无二无二分无別无

BD02986號　大般若波羅蜜多經卷一八七　（15-9）

是知者清淨與四无量四无色定清淨无二
无二分无別无斷故見者清淨即四靜慮
清淨四靜慮清淨即見者清淨何以故是見
者清淨與四靜慮清淨无二无二分无別无
斷故見者清淨即四无量四无色定清淨四
无量四无色定清淨即見者清淨何以故是
見者清淨與四无量四无色定清淨无二无
二分无別无斷故
復次善現我清淨即八解脫清淨八解脫清
淨即我清淨何以故是我清淨與八解脫清
淨无二无二分无別无斷故我清淨即八勝
處九次第定十遍處清淨八勝處九次第
定十遍處清淨即我清淨何以故是我清淨與
八勝處九次第定十遍處清淨无二无二分
无別无斷故有情清淨即八解脫清淨八解
脫清淨即有情清淨何以故是有情清淨
與八解脫清淨无二无二分无別无斷故有情
清淨即八勝處九次第定十遍處清淨八勝
處九次第定十遍處清淨即有情清淨何
以故是有情清淨與八勝處九次第定十遍
處清淨无二无二分无別无斷故命者清淨即
八解脫清淨八解脫清淨即命者清淨何以
故是命者清淨與八解脫清淨无二无二分
无別无斷故命者清淨即八勝處九次第定
十遍處清淨八勝處九次第定十遍處清淨
即命者清淨何以故是命者清淨與八勝處

BD02986號　大般若波羅蜜多經卷一八七　（15-10）

无別无斷故命者清淨即八勝處九次第定
十遍處清淨八勝處九次第定十遍處清淨
即命者清淨何以故是命者清淨與八勝處
九次第定十遍處清淨无二无二分无別无
斷故生者清淨即八解脫清淨八解脫清淨
即生者清淨何以故是生者清淨與八解脫
清淨无二无二分无別无斷故生者清淨即
八勝處九次第定十遍處清淨八勝處九次
第定十遍處清淨即生者清淨何以故是生
者清淨與八勝處九次第定十遍處清淨无
二无二分无別无斷故養育者清淨即八解
脫清淨八解脫清淨即養育者清淨何以故
是養育者清淨與八解脫清淨无二无二分
无別无斷故養育者清淨即八勝處九次第
定十遍處清淨八勝處九次第定十遍處清
淨即養育者清淨何以故是養育者清淨
與八勝處九次第定十遍處清淨无二无二分
无別无斷故士夫清淨即八解脫清淨八解
脫清淨即士夫清淨何以故是士夫清淨與
八解脫清淨无二无二分无別无斷故士夫
清淨即八勝處九次第定十遍處清淨八勝
處九次第定十遍處清淨即士夫清淨何以
故是士夫清淨與八勝處九次第定十遍處
清淨无二无二分无別无斷故補特伽羅清
淨即八解脫清淨八解脫清淨即補特伽羅
清淨何以故是補特伽羅清淨與八解脫清

BD02986號　大般若波羅蜜多經卷一八七　（15–11）

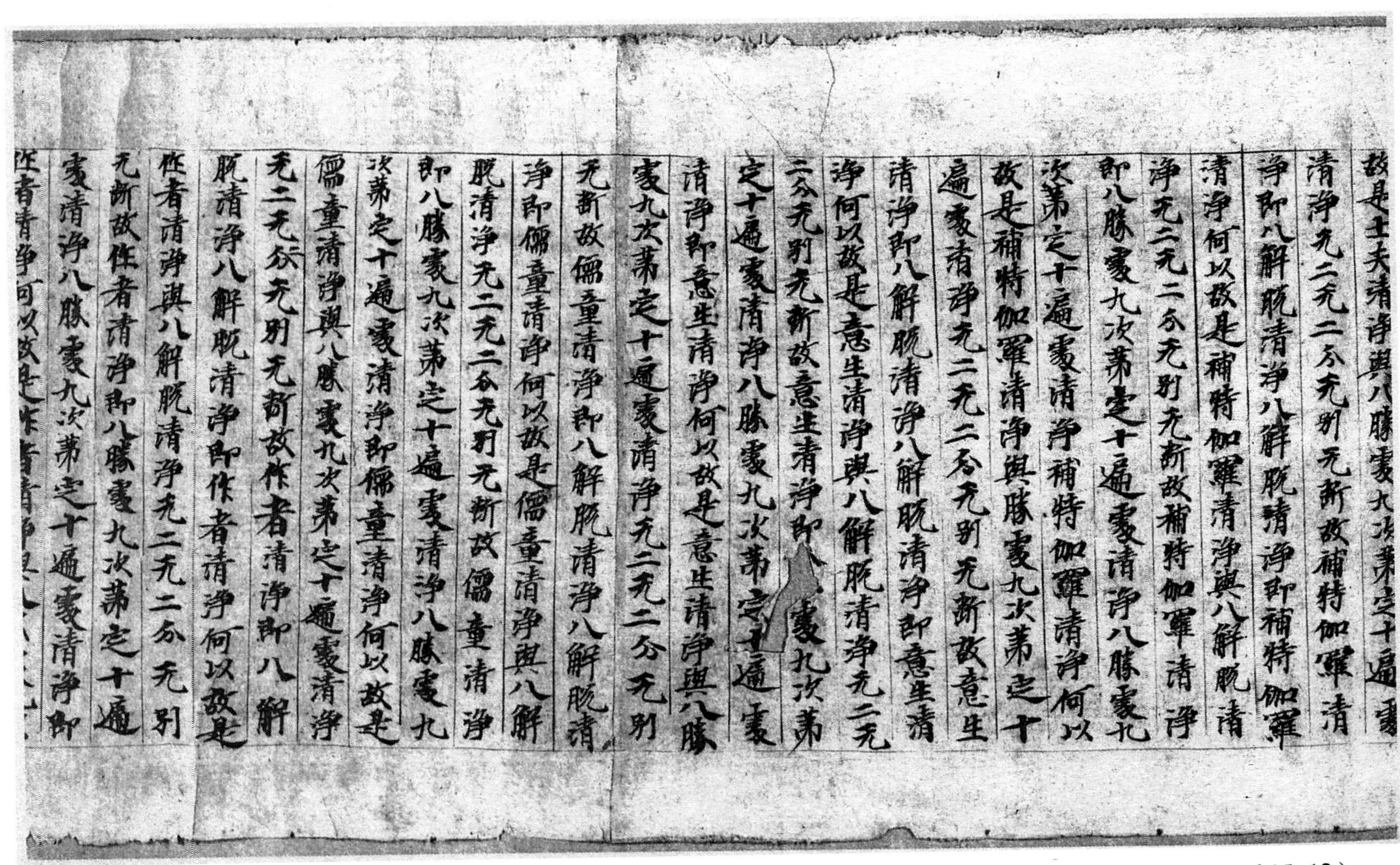
故是士夫清淨與八勝處九次第定十遍處
清淨无二无二分无別无斷故補特伽羅清
淨即八解脫清淨八解脫清淨即補特伽羅
清淨何以故是補特伽羅清淨與八解脫清
淨无二无二分无別无斷故補特伽羅清淨
即八勝處九次第定十遍處清淨八勝處九
次第定十遍處清淨即補特伽羅清淨何以
故是補特伽羅清淨與勝處九次第定十
遍處清淨无二无二分无別无斷故意生
清淨即八解脫清淨八解脫清淨即意生清
淨何以故是意生清淨與八解脫清淨无二无
二分无別无斷故意生清淨即[illegible]處九次第
定十遍處清淨八勝處九次第定十遍處
清淨即意生清淨何以故是意生清淨與八勝
處九次第定十遍處清淨无二无二分无別
无斷故儒童清淨即八解脫清淨八解脫清
淨即儒童清淨何以故是儒童清淨與八解
脫清淨无二无二分无別无斷故儒童清淨
即八勝處九次第定十遍處清淨八勝處九
次第定十遍處清淨即儒童清淨何以故是
儒童清淨與八勝處九次第定十遍處清淨
无二无二分无別无斷故作者清淨即八解
脫清淨八解脫清淨即作者清淨何以故是
作者清淨與八解脫清淨无二无二分无別
无斷故作者清淨即八勝處九次第定十遍
處清淨八勝處九次第定十遍處清淨即
作者清淨何以故是作者清淨

BD02986號　大般若波羅蜜多經卷一八七　（15–12）

脫清淨八解脫清淨即作者清淨何以故是
作者清淨與八解脫清淨无二无二分无別
无斷故作者清淨即八勝處九次第定十遍
處清淨八勝處九次第定十遍處清淨即
作者清淨何以故是作者清淨與八勝處九次
第定十遍處清淨无二无二分无別无斷故
受者清淨即八解脫清淨八解脫清淨即受
者清淨何以故是受者清淨與八解脫清淨
无二无二分无別无斷故受者清淨即八勝
處九次第定十遍處清淨八勝處九次第定
十遍處清淨即受者清淨何以故是受者
清淨與八勝處九次第定十遍處清淨无二无
二分无別无斷故知者清淨即八解脫清淨
八解脫清淨即知者清淨何以故是知者清
淨與八解脫清淨无二无二分无別无斷故
知者清淨即八勝處九次第定十遍處清淨
八勝處九次第定十遍處清淨即知者清淨
何以故是知者清淨與八勝處九次第定十
遍處清淨无二无二分无別无斷故見者清
淨即八解脫清淨八解脫清淨即見者清淨
何以故是見者清淨與八解脫清淨无二无
二分无別无斷故見者清淨即八勝處九次
第定十遍處清淨八勝處九次第定十遍
處清淨即見者清淨何以故是見者清淨與
八勝處九次第定十遍處清淨无二无二分
无別无斷故

BD02986號　大般若波羅蜜多經卷一八七　（15–13）

何以故是見者清淨與八解脫清淨无二无
二分无別无斷故見者清淨即八勝處九次
第定十遍處清淨八勝處九次第定十遍
處清淨即見者清淨何以故是見者清淨與
八勝處九次第定十遍處清淨无二无二分
无別无斷故

大般若波羅蜜多經卷第一百八十七

BD02986號　大般若波羅蜜多經卷一八七　（15–14）

BD02986號　大般若波羅蜜多經卷一八七　（15–15）

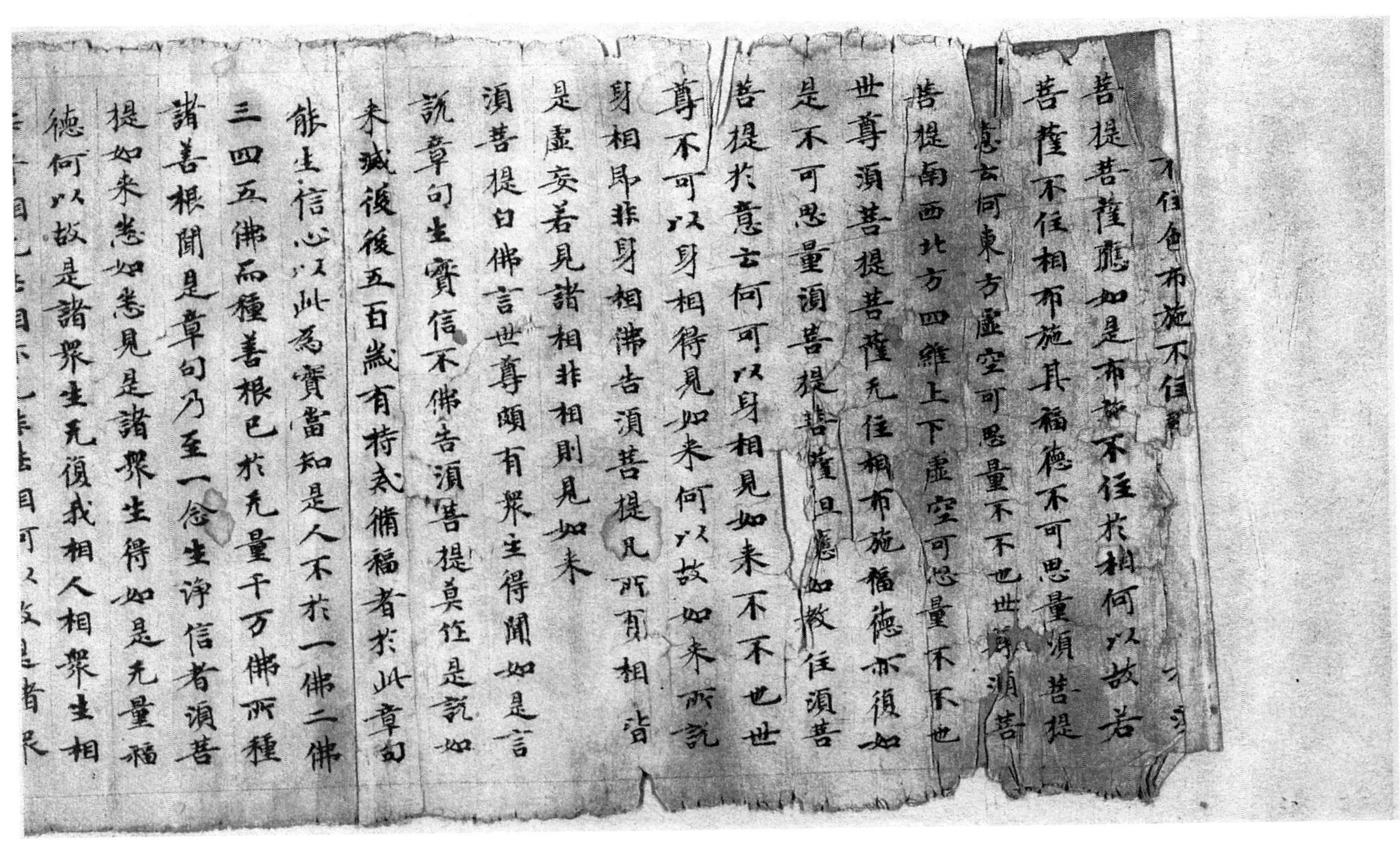

BD02987號　金剛般若波羅蜜經　（15–1）

有生信心以此爲實當知是人不於一佛二佛
三四五佛而種善根已於无量千万佛所種
諸善根聞是章句乃至一念生淨信者須菩
提如來悉知悉見是諸衆生得如是无量福
德何以故是諸衆生无復我相人相衆生相
壽者相无法相亦无非法相何以故是諸衆
生若心取相則爲著我人衆生壽者若取
法相即著我人衆生壽者何以故若取法非
相即著我人衆生壽者是故不應取法不應
取非法以是義故如來常說汝等比丘知我
說法如筏喻者法尚應捨何況非法
須菩提於意云何如來得阿耨多羅三藐三菩
提耶如來有所說法耶須菩提言如我解佛
所說義无有定法名阿耨多羅三藐三菩提
亦无有定法如來可說何以故如來所說法
皆不可取不可說非法非非法所以者何一
切賢聖皆以无爲法而有差別
須菩提於意云何若人滿三千大世界七
寶以用布施是人所得福德寧爲多不須菩
提言甚多世尊何以故是福德即非福德性
是故如來說福德多若復有人於此經中受
持乃至四句偈等爲他人說其福勝彼何以
故須菩提一切諸佛及諸佛阿耨多羅三藐

BD02987號　金剛般若波羅蜜經　（15–2）

寶以用布施是人所得福德寧爲多不須菩
提言甚多世尊何以故是福德即非福德性
是故如來說福德多若復有人於此經中受
持乃至四句偈等爲他人說其福勝彼何以
故須菩提一切諸佛及諸佛阿耨多羅三藐
三菩提法皆從此經出須菩提所謂佛法者
即非佛法
須菩提於意云何須陁洹能作是念我得須
陁洹果不須菩提言不也世尊何以故須陁
洹名爲入流而无所入不入色聲香味觸法
是名須陁洹須菩提於意云何斯陁含能作
是念我得斯陁含果不須菩提言不也世尊
何以故斯陁含名一往來而實无往來是名
斯陁含須菩提於意云何阿那含能作是念
我得阿那含果不須菩提言不也世尊何以
故阿那含名爲不來而實无來是故名阿那含
須菩提於意云何阿羅漢能作是念我得阿
羅漢道不須菩提言不也世尊何以故實无
有法名阿羅漢世尊若阿羅漢作是念我得
阿羅漢道即爲著我人衆生壽者世尊佛說
我得无諍三昧人中最爲第一是第一離欲
阿羅漢我不作是念我是離欲阿羅漢世尊

BD02987號　金剛般若波羅蜜經　（15–3）

有法名阿羅漢世尊若阿羅漢作是念我得
阿羅漢道即為著我人衆生壽者世尊佛說
我得无諍三昧人中最為第一是第一離欲
阿羅漢我不作是念我是離欲阿羅漢世尊
我若作是念我得阿羅漢道世尊則不說須
菩提是樂阿蘭那行者以須菩提實无所行
而名須菩提是樂阿蘭那行
佛告須菩提於意云何如来昔在然燈佛所
於法有所得不世尊如来在然燈佛所於法
實无所得須菩提於意云何菩薩莊嚴佛土
不不也世尊何以故莊嚴佛土者則非莊嚴是
名莊嚴是故須菩提諸菩薩摩訶薩應如是
生清淨心不應住色生心不應住聲香味觸
法生心應无所住而生其心須菩提譬如有
人身如須弥山王於意云何是身為大不須
菩提言甚大世尊何以故佛說非身是名大
身須菩提如恒河中所有沙數如是沙等恒河
於意云何是諸恒河沙寧為多不須菩提言
甚多世尊但諸恒河尚多无數何况其沙須
菩提我今實言告汝若有善男子善女人以
七寶滿尒所恒河沙數三千大千世界以用布
施得福多不須菩提言甚多世尊

BD02987號　金剛般若波羅蜜經　（15–4）

甚多世尊但諸恒河尚多无數何况其沙須
菩提我今實言告汝若有善男子善女人以
七寶滿尒所恒河沙數三千大千世界以用布
施得福多不須菩提言甚多世尊
佛告須菩提若善男子善女人於此經中乃
至受持四句偈等為他人說而此福德勝前福
德復次須菩提隨說是經乃至四句偈等當
知此處一切世間天人阿脩羅皆應供養如
佛塔廟何况有人盡能受持讀誦須菩提
當知是人成就最上第一希有之法若是經
典所在之處則為有佛若尊重弟子
尒時須菩提白佛言世尊當何名此經我等
云何奉持佛告須菩提是經名為金剛般若波
羅蜜以是名字汝當奉持所以者何須菩
提佛說般若波羅蜜則非般若波羅蜜
須菩提於意云何如来有所說法不須菩提白佛
言世尊如来无所說須菩提於意云何三千
大千世界所有微塵是為多不須菩提言甚
多世尊須菩提諸微塵如来說非微塵是名
微塵如来說世界非世界是名世界須菩提
於意云何可以卅二相見如来不不也世尊
何以故如来說卅二相即是非相是名三十二
相須菩提若有善男子善女人以恒河沙等

BD02987號　金剛般若波羅蜜經　（15–5）

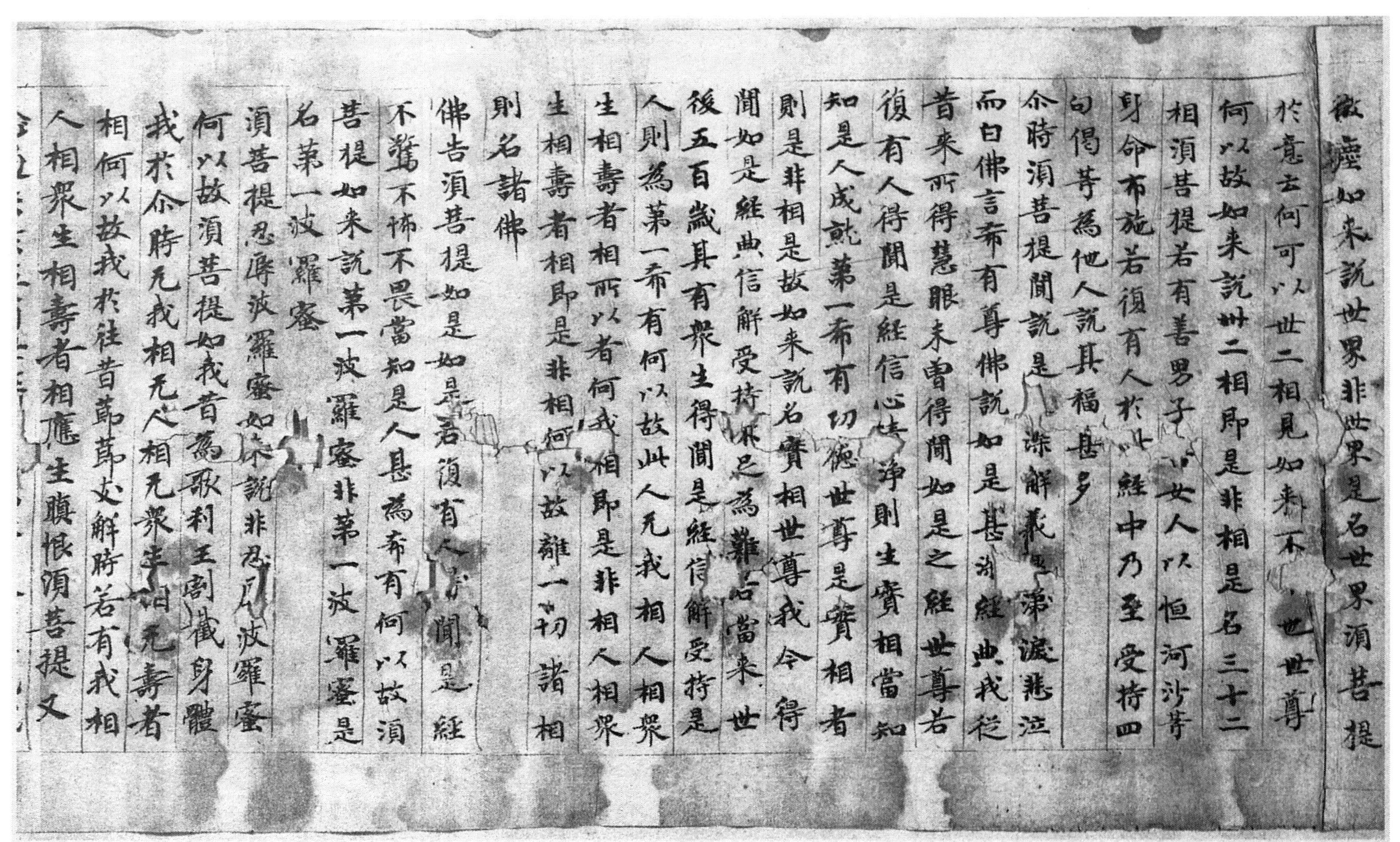

微塵如來說世界非世界是名世界須菩提
於意云何可以卅二相見如來不不也世尊
何以故如來說卅二相即是非相是名三十二
相須菩提若有善男子善女人以恒河沙等
身命布施若復有人於此經中乃至受持四
句偈等為他人說其福甚多
尒時須菩提聞說是經深解義趣涕淚悲泣
而白佛言希有世尊佛說如是甚深經典我從
昔來所得慧眼未曾得聞如是之經世尊若
復有人得聞是經信心清淨則生實相當知
是人成就第一希有功德世尊是實相者
則是非相是故如來說名實相世尊我今得
聞如是經典信解受持不足為難若當來世
後五百歲其有眾生得聞是經信解受持是
人則為第一希有何以故此人无我相人相眾
生相壽者相所以者何我相即是非相人相眾
生相壽者相即是非相何以故離一切諸相
則名諸佛
佛告須菩提如是如是若復有人得聞是經
不驚不怖不畏當知是人甚為希有何以故須
菩提如來說第一波羅蜜非第一波羅蜜是
名第一波羅蜜
須菩提忍辱波羅蜜如來說非忍辱波羅蜜
何以故須菩提如我昔為歌利王割截身體
我於尒時无我相无人相无眾生相无壽者
相何以故我於往昔節節支解時若有我相
人相眾生相壽者相應生瞋恨須菩提又

BD02987號　金剛般若波羅蜜經　（15–6）

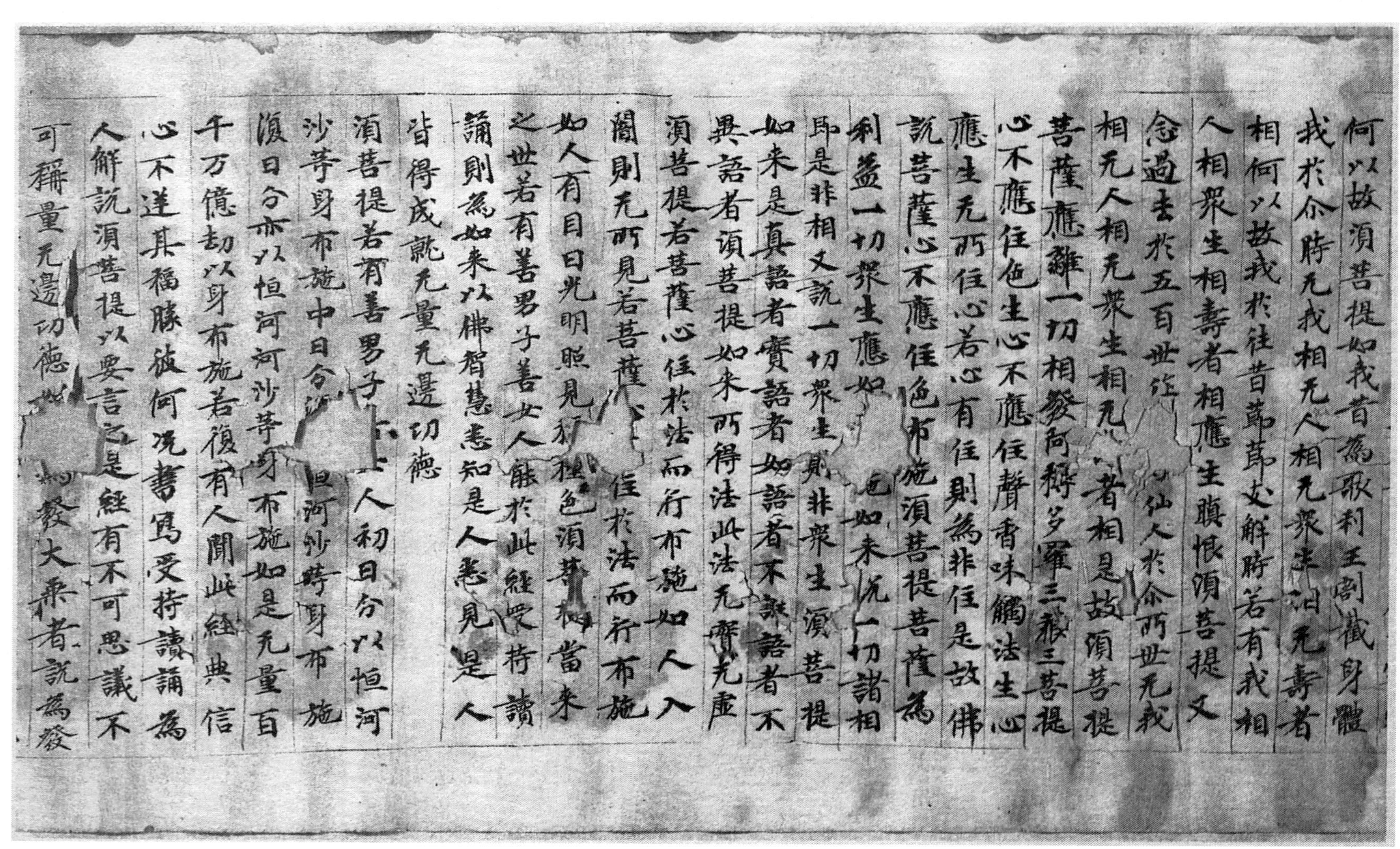

何以故須菩提如我昔為歌利王割截身體
我於尒時无我相无人相无眾生相无壽者
相何以故我於往昔節節支解時若有我相
人相眾生相壽者相應生瞋恨須菩提又
念過去於五百世作忍辱仙人於尒所世无我
相无人相无眾生相无壽者相是故須菩提
菩薩應離一切相發阿耨多羅三藐三菩提
心不應住色生心不應住聲香味觸法生心
應生无所住心若心有住則為非住是故佛
說菩薩心不應住色布施須菩提菩薩為
利益一切眾生應如是布施如來說一切諸相
即是非相又說一切眾生則非眾生須菩提
如來是真語者實語者如語者不誑語者不
異語者須菩提如來所得法此法无實无虛
須菩提若菩薩心住於法而行布施如人入
闇則无所見若菩薩心不住於法而行布施
如人有目日光明照見種種色須菩提當來
之世若有善男子善女人能於此經受持讀
誦則為如來以佛智慧悉知是人悉見是人
皆得成就无量无邊功德
須菩提若有善男子善女人初日分以恒河
沙等身布施中日分復以恒河沙等身布施
後日分亦以恒河河沙等身布施如是无量百
千万億劫以身布施若復有人聞此經典信
心不逆其福勝彼何況書寫受持讀誦為
人解說須菩提以要言之是經有不可思議不
可稱量无邊功德如來為發大乘者說為發

BD02987號　金剛般若波羅蜜經　（15–7）

復日分亦以恒河沙等身布施如是无量百
千万億劫以身布施若復有人聞此經典信
心不逆其福勝彼何況書寫受持讀誦為
人解說須菩提以要言之是經有不可思議不
可稱量无邊功德如來為發大乘者說為發
取上乘者說若有人能受持讀誦廣為人說
如來悉知是人悉見是人皆成就不可量不
可稱无有邊不可思議功德如是人等則為
荷擔如來阿耨多羅三藐三菩提何以故須
菩提若樂小法者著我見人見衆生見壽者
見則於此經不能聽受讀誦為人解說須
菩提在在處處若有此經一切世間天人阿脩
羅所應供養當知此處則為是塔皆應恭
敬作禮圍遶以諸華香而散其處
復次須菩提善男子善女人受持讀誦此經若
為人輕賤是人先世罪業應墮惡道以今世
人輕賤故先世罪業則為消滅當得阿耨多
羅三藐三菩提須菩提我念過去无量阿
僧祇劫於然燈佛前得值八百四千万億那
由他諸佛悉皆供養承事无空過者若復有
人於後末世能受持讀誦此經所得功德於
我所供養諸佛功德百分不及一千万億分
乃至筭數譬喻所不能及須菩提若善男
子善女人於後末世有受持讀誦此經所得
功德我若具說者或有人聞心則狂亂狐疑不
信須菩提當知是經義不可思議果報亦不
可思議

BD02987號　金剛般若波羅蜜經

（15-8）

乃至筭數譬喻所不能及須菩提若善男
子善女人於後末世有受持讀誦此經所得
功德我若具說者或有人聞心則狂亂狐疑不
信須菩提當知是經義不可思議果報亦不
可思議
尒時須菩提白佛言世尊善男子善女人發
阿耨多羅三藐三菩提心云何應住云何降
伏其心佛告須菩提善男子善女人發阿耨
多羅三藐三菩提者當生如是心我應滅度
一切衆生滅度一切衆生已而无有一衆生
實滅度者何以故若菩薩有我相人相衆生
相壽者相則非菩薩所以者何須菩提實无
有法發阿耨多羅三藐三菩提者
須菩提於意云何如來於然燈佛所有法得
阿耨多羅三藐三菩提不世尊如我解
佛所說義佛於然燈佛所无有法得阿耨多
羅三藐三菩提佛言如是如是須菩提實
无有法如來得阿耨多羅三藐三菩提須菩
提若有法如來得阿耨多羅三藐三菩提然
燈佛則不與我受記汝於來世當得作佛号
釋迦牟尼以實无有法得阿耨多羅三藐三菩
提是故然燈佛與我受記作是言汝於來世
當得作佛号釋迦牟尼何以故如來者即諸
法如義若有人言如來得阿耨多羅三藐三
菩提須菩提實无有法佛得阿耨多羅三藐
三菩提須菩提如來所得阿耨多羅三藐三菩

BD02987號　金剛般若波羅蜜經

（15-9）

當得作佛号釋迦牟尼何以故如來者即諸
法如義若有人言如來得阿耨多羅三藐三
菩提須菩提實无有法佛得阿耨多羅三藐
三菩提須菩提如來所得阿耨多羅三藐三菩
提於是中无實无虛是故如來說一切法皆
是佛法須菩提所言一切法者即非一切法
是故名一切法須菩提譬如人身長大須菩提
言世尊如來說人身長大則為非大身是
名大身須菩提菩薩亦如是若作是言我當
滅度无量衆生則不名菩薩何以故須菩
提實无有法名為菩薩是故佛說一切法
无我无人无衆生无壽者須菩提若菩薩作
是言我當莊嚴佛土是不名菩薩何以故如來
說莊嚴佛土者即非莊嚴是名莊嚴須菩
提若菩薩通達无我法者如來說名真是
菩薩須菩提於意云何如來有肉眼不如是世
尊如來有肉眼須菩提於意云何如來有天眼
不如是世尊如來有天眼須菩提於意云何
如來有慧眼不如是世尊如來有慧眼須菩
提於意云何如來有法眼不如是世尊如來
有法眼須菩提於意云何如來有佛眼不如
是世尊如來有佛眼須菩提於意云何恒河
中所有沙佛說是沙不如是世尊如來說是
沙須菩提於意云何如一恒河中所有沙有如

有法眼須菩提於意云何如來有佛眼不如
是世尊如來有佛眼須菩提於意云何恒河
中所有沙佛說是沙不如是世尊如來說是
沙須菩提於意云何如一恒河中所有沙有如
是等恒河是諸恒河所有沙數佛世界如是
寧為多不甚多世尊佛告須菩提尒所國土
中所有衆生若干種心如來悉知何以故如來
說諸心皆為非心是名為心所以者何須菩提
過去心不可得現在心不可得未來心不
可得須菩提於意云何若有人滿三千大千
世界七寶以用布施是人以是因緣得福多
不如是世尊此人以是因緣得福甚多須菩
提若福德有實如來不說得福德多以福德
无故如來說得福德多
須菩提於意云何佛可以具足色身見不不
世尊如來不應以具足色身見何以故如
來說具足色身即非具足色身是名具足
色身須菩提於意云何如來可以具足諸相
見不不世世尊如來不應以具足諸相見何
以故如來說諸相具足即非具足是名諸相
具足須菩提汝勿謂如來作是念我當有所
說法即為謗佛不能我所說故須菩提說法
者无法可說是名說法
須菩提白佛言世尊佛得阿耨多羅三藐三
菩提為无所得耶如是如是須菩提我於

具足須菩提汝勿謂如来作是念我當有所
說法耶為謗佛不能我所說故須菩提說法
者无法可說是名說法
須菩提白佛言世尊佛得阿耨多羅三藐三
菩提為无所得耶如是如是須菩提我於
阿耨多羅三藐三菩提乃至无有少法可
得是名阿耨多羅三藐三菩提復次須菩提
是法平等无有高下是名阿耨多羅三藐三菩
提以无我无人无衆生无壽者脩一切善法
則得阿耨多羅三藐三菩提須菩提所言善
法者如来說非善法是名善法
須菩提若三千大千世界中所有諸須弥山
王如是等七寶聚有人持用布施若人以此
般若波羅蜜經乃至四句偈等受持為他人
說於前福德百分不及一千万億分乃至筭
數譬喻所不能及
須菩提於意云何汝等勿謂如来作是念
我當度衆生須菩提莫作是念何以故實无
有衆生如来度者若有衆生如来度者如来
則有我人衆生壽者須菩提如来說有我
者則非有我而凡夫之人以為有我須菩提凡
夫者如来說則非凡夫須菩提於意云何可以
三十二相觀如来不須菩提言如是如是以
三十二相觀如来佛言須菩提若以三十二
相觀如来者轉輪聖王則是如来須菩提白

BD02987 號　金剛般若波羅蜜經

（15–12）

三十二相觀如来不須菩提言如是如是以
三十二相觀如来佛言須菩提若以三十二
相觀如来者轉輪聖王則是如来須菩提白
佛言世尊如我解佛所說義不應以三十二
相觀如来尒時世尊而說偈言
若以色見我　以音聲求我　是人行邪道　不能見如来
須菩提汝若作是念如来不以具足相故得阿
耨多羅三藐三菩提須菩提莫作是念如
来不以具足相故得阿耨多羅三藐三菩提
須菩提汝若作是念發阿耨多羅三藐三菩
提者說諸法斷滅相莫作是念何以故發阿
耨多羅三藐三菩提者於法不說斷滅相須
菩提若菩薩以滿恒河沙等世界七寶布施
若復有人知一切法无我得成於忍此菩薩
勝前菩薩所得功德須菩提以諸菩薩不受
福德故須菩提白佛言世尊云何菩薩不受
福德須菩提菩薩所作福德不應貪著是故
說不受福德須菩提若有人言如来若来若
去若坐若卧是人不解如来所說義何以故如
如来者无所從来亦无所去故名如来須菩提
若善男子善女人以三千大千世界碎為微塵
於意云何是微塵衆寧為多不甚多世
尊何以故若是微塵衆實有者佛則不說
是微塵衆所以者何佛說微塵衆則非微塵
衆是名微塵衆世尊如来所說三千大千世界

BD02987 號　金剛般若波羅蜜經

（15–13）

若善男子善女人以三千大千世界碎為微塵
於意云何是微塵衆寧為多不甚多世
尊何以故若是微塵衆實有者佛則不說
是微塵衆所以者何佛說微塵衆則非微塵
衆是名微塵衆世尊如來所說三千大千世界
則非世界是名世界何以故若世界實有者
則是一合相如來說一合相則非一合相是
名一合相須菩提一合相者則是不可說但
凡夫之人貪著其事須菩提若人言佛說
我見人見衆生見壽者見須菩提於意云何
是人解我所說義不世尊是人不解如來所
說義何以故世尊說我見人見衆生見壽者
見即非我見人見衆生見壽者見是名我見
人見衆生見壽者見須菩提發阿耨多羅三
藐三菩提心者於一切法應如是知如是見如
是信解不生法相須菩提所言法相者如來
說即非法相是名法相須菩提若有人以滿无
量阿僧祇世界七寶持用布施若有善男
子善女人發菩薩心者持於此經乃至四句偈
等受持讀誦為人演說其福勝彼云何為
為人演說不取於相如如不動何以故
一切有為法　如夢幻泡影　如露亦如電　應作如是觀
佛說是經已長老須菩提及諸比丘比丘尼
優婆塞優婆夷一切世間天人阿脩羅聞
佛所說皆大歡喜信受奉行

BD02987 號　金剛般若波羅蜜經　（15–14）

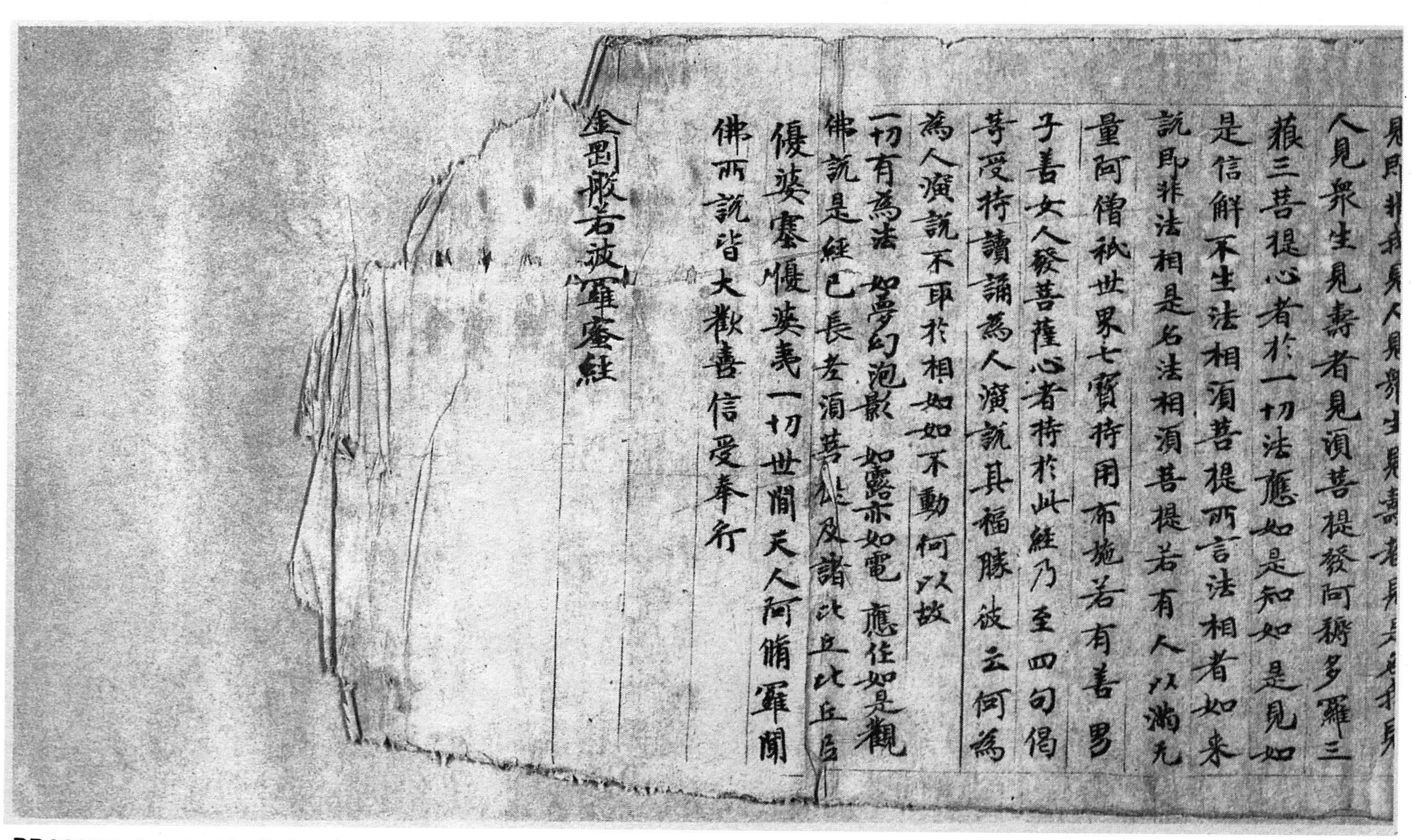

見即非我見人見衆生見壽者見是名我見
人見衆生見壽者見須菩提發阿耨多羅三
藐三菩提心者於一切法應如是知如是見如
是信解不生法相須菩提所言法相者如來
說即非法相是名法相須菩提若有人以滿无
量阿僧祇世界七寶持用布施若有善男
子善女人發菩薩心者持於此經乃至四句偈
等受持讀誦為人演說其福勝彼云何為
為人演說不取於相如如不動何以故
一切有為法　如夢幻泡影　如露亦如電　應作如是觀
佛說是經已長老須菩提及諸比丘比丘尼
優婆塞優婆夷一切世間天人阿脩羅聞
佛所說皆大歡喜信受奉行
金剛般若波羅蜜經

BD02987 號　金剛般若波羅蜜經　（15–15）

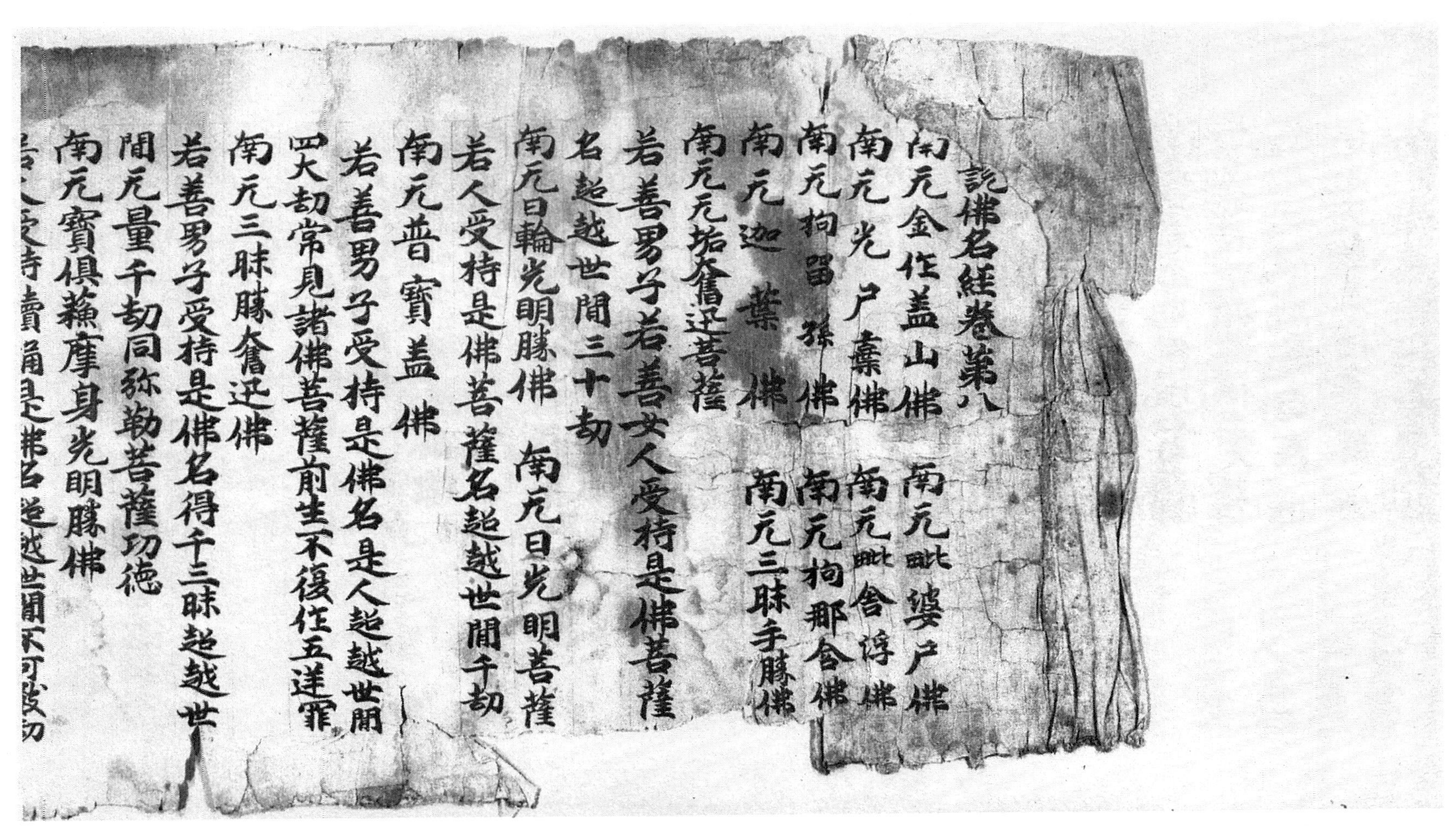

說佛名經卷第八
南无金作盖山佛　南无毗婆尸佛
南无光尸棄佛　南无毗舍浮佛
南无拘留孫佛　南无拘那含佛
南无迦葉佛　南无三昧手勝佛
南无无垢奮迅菩薩
若善男子若善女人受持是佛菩薩
名超越世間三十劫
南无日輪光明勝佛　南无日光明菩薩
若人受持是佛菩薩名超越世間千劫
南无普寶盖佛
若善男子受持是佛名是人超越世間
四大劫常見諸佛菩薩前生不復住五逆罪
南无三昧勝奮迅佛
若善男子受持是佛名得千三昧超越世
間无量千劫同弥勒菩薩功德
南无寶俱蘇摩身光明勝佛
若人受持讀誦是佛名超越世間不可數劫

BD02988 號　佛名經（十六卷本）卷八　（33–1）

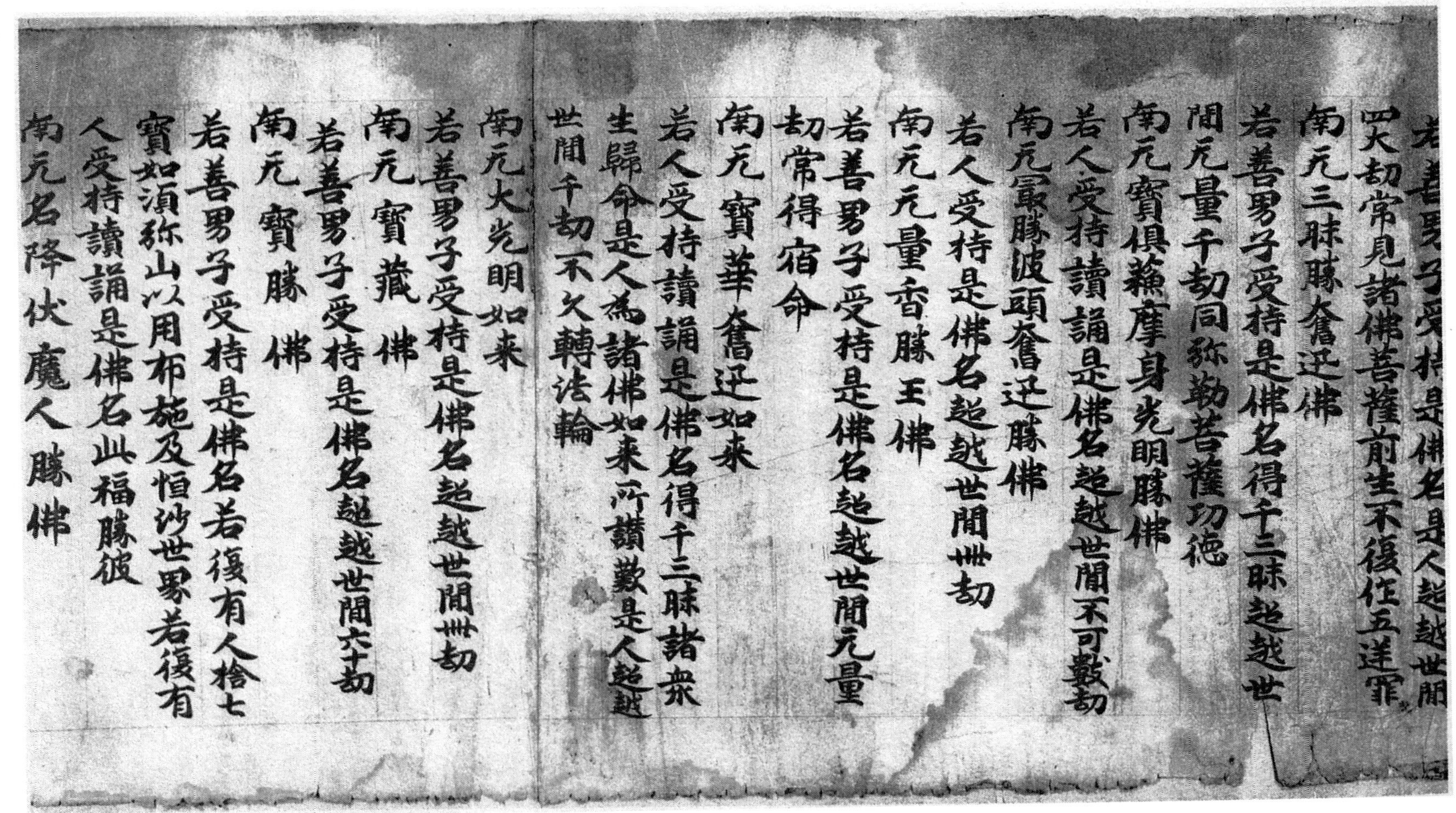

若善男子受持是佛名是人超越世間
四大劫常見諸佛菩薩前生不復住五逆罪
南无三昧勝奮迅佛
若善男子受持是佛名得千三昧超越世
間无量千劫同弥勒菩薩功德
南无寶俱蘇摩身光明勝佛
若人受持讀誦是佛名超越世間不可數劫
南无最勝波頭奮迅勝佛
若人受持是佛名超越世間卌劫
南无无量香勝王佛
若善男子受持是佛名超越世間无量
劫常得宿命
南无寶華奮迅如来
若人受持讀誦是佛名得千三昧諸衆
生歸命是人為諸佛如来所讚歎是人超越
世間千劫不久轉法輪
南无大光明如来
若善男子受持是佛名超越世間卌劫
南无寶藏佛
若善男子受持是佛名超越世間六十劫
南无寶勝佛
若善男子受持是佛名若復有人捨七
寶如須弥山以用布施及恒沙世界若復有
人受持讀誦是佛名此福勝彼
南无名降伏魔人勝佛

BD02988 號　佛名經（十六卷本）卷八　（33–2）

南无寳勝佛
若善男子受持是佛名若復有人捨七
寳如須弥山以用布施及恒沙世界若復有
人受持讀誦是佛名此福勝彼
南无名降伏魔人勝佛
南无降伏貪人自在佛
南无降伏瞋人勝佛　南无降伏癡自在佛
南无降伏諍魔人勝佛
南无降伏恨自在佛　南无嫉人勝佛
南无降伏諂曲自在佛
南无降伏耶見人勝佛
南无降伏戲自在佛　南无法清淨人勝佛
南无業勝得名自在佛
南无如意通清淨得名人勝佛
南无起施得名自在佛
南无起持戒清淨得名人勝佛
南无起忍辱得名自在名佛
南无起精進得名人勝佛
南无施思惟得名自在勝佛
南无起思惟得名人勝佛
南无法忍辱思惟得名自在佛
南无起思惟精進得名人勝佛
南无起禪成就自在佛
南无起般若得名人勝佛
南无禪思惟得名自在佛

BD02988號　佛名經（十六卷本）卷八　（33–3）

南无法忍辱思惟得名自在佛
南无起思惟精進得名人勝佛
南无起禪成就自在佛
南无起般若得名人勝佛
南无禪思惟得名自在佛
南无般若思惟得名人勝佛
南无行不可思議得名自在勝佛
南无行不可思議得名人勝佛
南无行起得名自在佛
南无揔持智清淨光明人勝佛
南无揔持色清淨得名自在佛
南无陁羅尼性清淨自在勝佛
南无陁羅尼稱清淨得名人勝佛
南无陁羅尼施清淨得名自在佛
南无空行得名人勝佛
南无空无我得名自在佛　南无眼光明人勝佛
南无耳光明人自在佛　南无鼻光明人勝佛
南无香光明自在佛　南无身光明人勝佛
南无心光明自在佛　南无色光明人勝佛
南无聲光明自在佛　南无降伏香人勝佛
南无味光明自在佛　南无觸光明人勝佛
南无法光明自在佛　南无炎光明人勝佛
南无讚歎光明自在佛　南无火光明人勝佛
南无風光明自在佛　南无光明人勝佛
南无事光明自在佛　南无世光明人勝佛

BD02988號　佛名經（十六卷本）卷八　（33–4）

南无法光明自在佛　南无炎光明人勝佛
南无讃歎光明自在佛　南无火光明人勝佛
南无風光明自在佛　南无光明人勝佛
南无事光明自在佛　南无世光明人勝佛
南无拔苦自在佛　南无陰光明人勝佛
南无貳光明自在佛　南无不二光明人勝佛
南无生光明自在佛　南无聲光明人勝佛
南无地華光明自在佛　南无鷍光明人勝佛
南无香蓋光明自在佛　南无水光明人勝佛
南无成就義佛　南无畏王佛
南无不動佛　南无觀世自在佛
南无无量命佛　南无尼弥佛
南无炎弥留佛　南无金剛佛
從此以上六千五百佛十二部經一切賢聖
南无初出日然燈月華寶波頭摩金光明身
盧舍那放无㝵寶光明照十方世界王佛
南无降伏龍佛　南无善調心佛
南无寶聚佛　南无大首佛
南无炎積佛　南无一切光明佛
南无日光佛　南无不可思議佛
南无无邊精進佛　南无无邊思惟佛
南无金色華佛　南无善香香佛
南无諍行佛　南无无徧佛
南无无邊智佛　南无賢身佛

南无日光佛　南无不可思議佛
南无无邊精進佛　南无无邊思惟佛
南无金色華佛　南无善香香佛
南无諍行佛　南无无徧佛
南无无邊智佛　南无賢身佛
南无賢佛　南无見佛
南无无邊威德佛　南无次佛
南无堅安隱佛　南无莎羅佛
南无得名佛　南无波頭摩勝佛
南无稱蓮華佛　南无華佛
南无莊嚴佛　南无奮迅佛
南无善見佛　南无善敵對佛
南无善護世佛　南无无邊威德佛
南无第一勝佛　南无善行佛
南无无量威德佛　南无妙勝佛
南无勝供養佛　南无火奮迅智聲自在王佛
南无電光佛　南无照一切佛
南无不可思議佛　南无无量色佛
南无无量光佛　南无善光華敷身佛
南无須弥山波頭摩勝佛　南无求名發聲脩行佛
南无一切寶摩尼王放光明佛
南无无垢炎稱成就王佛
南无香寶光明佛　南无離諸煩惱佛
南无善知佛　南无善見佛
南无寶山王成佛

南无无垢炎稱成就王佛
南无香寶光明佛　南无離諸煩惱佛
南无善知佛　南无善見佛
南无寶山莊嚴佛
南无慈行佛　南无閻浮檀幢佛
南无无邊智佛　南无无量威德佛
南无大稱佛　南无寶稱佛
南无火光明佛　南无大光明佛
南无電照光明佛　南无一切種照佛
南无不可量佛　南无日光明佛
南无月照佛　南无功德海佛
南无具足功德佛　南无上行佛
南无无畏佛　南无師子幢佛
南无帝釋幢佛　南无火幢佛
南无善眼佛　南无莊嚴王佛
南无放光明光佛　南无无邊光佛
南无妙光佛　南无普護增上佛
南无雲自在佛　南无自在憶佛
南无日燈佛　南无聚佛
南无善生佛　南无无邊不可思議威德佛
南无普眼佛　南无波頭摩上佛
南无妙去佛　南无月起佛
南无燈佛　南无不猒足身佛
南无弥留幢佛　南无寶幢佛

BD02988號　佛名經（十六卷本）卷八　（33-7）

南无善生佛　南无无邊不可思議威德佛
南无普眼佛　南无波頭摩上佛
南无妙去佛　南无月起佛
南无燈佛　南无不猒足身佛
南无弥留幢佛　南无寶幢佛
南无火炎聚佛　南无自在幢佛
南无寶火佛　南无旃檀香佛
南无不定光明波頭摩敷身佛
南无无邊稱功德光明佛
從此以上六千六百佛十二部經一切賢聖
南无驚當色佛　南无无量光明佛
南无快光明波頭摩敷身佛
南无出須弥山波頭摩王佛
南无星宿劫二万同名光作佛
南无二万同名盧舍那佛
南无二万同名釋迦牟尼佛
南无同名帝釋日太白星宿无量百千万不可數佛
南无无垢光明佛　南无功德寶光明佛
南无精進力成就佛　南无清淨光佛
南无解脫一切縛佛　南无波頭摩藏勝佛
南无得无障㝵力解脫佛
南无不怯弱十方稱香佛
南无盧舍那光明佛　南无寶聚佛
南无法幢懸佛　南无破一切闇瞳佛

BD02988號　佛名經（十六卷本）卷八　（33-8）

南无得无障㝵力解脫佛
南无不怯弱十方稱香佛
南无盧舍那光明佛　南无寶聚佛
南无法幢懸佛　南无破一切闇瞳佛
南无普光明莊嚴照作佛　南无光明作佛
南无火炎佛　南无无邊行功德佛
南无法功德雲然燈佛　南无然燈炬王佛
南无破一切眾生闇勝佛　南无妙見佛
南无妙勝佛　南无妙聞佛
南无山峯佛　南无金聖佛
南无飲甘露佛　南无无量光明佛
南无雞頭佛　南无无邊毗尼勝王佛
南无電照光明羅網佛
南无成就无量功德佛
南无无量樂說境界佛
南无智勝放光明佛
南无降伏電日月作光佛
南无普句素摩勝奮迅功德積佛
南无功德王光佛　南无善月佛
南无光莊嚴王佛　南无賒捨施雞頭佛
南无福德光佛　南无普光上勝山王佛
南无善住摩尼山王佛　南无斷一切煩惱佛
南无釋迦牟尼佛　南无破碎金剛堅固佛
南无寶熾佛　南无龍自在王佛

BD02988號　佛名經（十六卷本）卷八　（33–9）

南无福德光佛　南无普光上勝山王佛
南无善住摩尼山王佛　南无斷一切煩惱佛
南无釋迦牟尼佛　南无破碎金剛堅固佛
南无寶熾佛　南无龍自在王佛
南无勇猛仙佛　南无寶月佛
南无離垢佛　南无无垢佛
南无勇猛得佛　南无淨佛
南无梵得佛　南无婆樓那佛
南无婆樓那天佛　南无賢勝佛
南无旃檀勝佛　南无力士佛
南无歡喜威德勝佛　南无光明勝佛
南无无憂勝佛　南无句素摩勝佛
南无波頭摩樹提奮迅通佛
南无財勝佛　南无念勝佛
南无善說名勝佛　南无因陁羅雞頭幢佛
南无步勝佛　南无善覺步勝佛
南无善步去佛　南无普照莊嚴勝佛
南无寶華步佛　南无寶波頭摩善住山自在王佛
南无光明幢大眾生莊嚴光王佛
南无妙平等法界智起聲佛　南无廣福德藏普明照佛
南无普照火應羅網盧舍那佛
南无盧舍那華眼電光佛
南无最勝大師子意佛
南无到法界勝光盧舍那王佛

BD02988號　佛名經（十六卷本）卷八　（33–10）

南无普照大應羅網盧舍那佛
南无盧舍那華眼電光佛
南无最勝大師子意佛
南无到法界勝光盧舍那王佛
南无常无垢功德遍至稱佛
南无日華勝王佛　南无法自在智幢佛
南廣善无垢威德發聲佛　南无根本勝善道師佛
南无智力佛　南无彌樓威德佛
南无顛清淨月光佛
從此以上六千七百佛十二部經一切賢聖
南无法海顛出聲光佛　南无寶功德相莊嚴住藏
南无妙聲地主天佛　南无勝進窮苦佛
南无見衆生歡喜佛
南无不動深光明盧舍集慧佛
南无普放光明不可思議王佛
南无不等妙功德威德佛
南无達光明梵眼佛
南无解脫精進日光明佛
南无普法身覺慧佛
南无普門照一切衆生門見佛
南无迦那迦无垢光明日炎雲佛
南无回陁羅光明髮幢佛
南无一切地震无垢月佛
南无覺虛空平等相佛
南无十方廣應雲幢佛

南无回陁羅光明髮幢佛
南无一切地震无垢月佛
南无覺虛空平等相佛
南无十方廣應雲幢佛
南无平等不平等盧舍那佛
南无害心悲解脫空王佛
南无成就一切義須彌佛
南无不空步照見佛　南无妙吼勝佛
南无第一自在通王佛
南无不可思議功德盧舍那妙月佛
南无可信力幢佛　南无法界樹聲智慧佛
南无波頭摩光善辟佛
南无不退功德海光佛　南无普生妙一切智速佛
南无師子光无量力智佛
南无見一切法清淨勝智佛
南无遠離一切憂惱佛
南无自在妙威德佛　南无金華火光佛
南无觀法界奮迅佛　南无然樹緊那羅王佛
南无然香燈佛　南无應　王　佛
南无如來功德普門見佛
南无一切法普奮迅王佛　南无廣化自在佛
南无法界解脫光明不可思議意佛
南无如來无垢光佛
次礼十二部尊經大藏法輪
南无[illegible]經　南无[illegible]

[illegible]
南无如来无垢光佛
次礼十二部尊經大藏法輪
南无惟羅菩薩經　南无五十校計經
南无為身无反復經　南无惟留經
南无慧明經　南无五毋子經
南五陰事經　南无雜阿含丹章經
南无發意決疑經　南无慧上菩薩經
南无慧上菩薩經　南无五福施經
南无五十緣身行經　南无隨落憂塞經
南无賢者手力浩行經　南无五盖疑失行經
南无菩相經　南无賢首夫人經
南无五百偈經　南无坏喻經
南无内藏大方等經　南无五觀經
南无淨行經　南无内藏百品經
南无佛併父衆調達經　南无仁賢幻士經
南无難提迦羅越經　南无如是有諸比丘經
次礼十方諸大菩薩
南无普賢菩薩　南无文殊師利菩薩
南无无垢稱菩薩　南无地藏菩薩
南无虛空藏菩薩　南无觀世音菩薩
南无大勢菩薩　南无香象菩薩
南无大香象菩薩　南无藥王菩薩
南无藥上菩薩　南无金剛藏菩薩
南无解脱月菩薩　南无弥勒菩薩

南无虛空藏菩薩　南无觀世音菩薩
南无大勢菩薩　南无香象菩薩
南无大香象菩薩　南无藥王菩薩
南无藥上菩薩　南无金剛藏菩薩
南无解脱月菩薩　南无弥勒菩薩
南无奮迅菩薩　南无无所發菩薩
南无陁羅自在王菩薩　南无堅意菩薩
南无无盡意菩薩
南无歸命如是等无量无邊菩薩
南无東方九十億百千万同名梵息菩薩
南无南方九十億百千万同名不隣羅菩薩
南无西方九十九億百千同名大功德菩薩
南无北方九十九億百千万同名大藥王菩薩
從此以上六千八百佛十二部經一切賢聖
歸命如是等十方世界无量无邊諸大菩薩
次礼聲聞緣覺一切賢聖
南无毗耶離辟支佛　南无俱薩羅辟支佛
南无波藪陁羅辟支佛　南无无毒淨辟支佛
南无寶无垢辟支佛　南无福德辟支佛
南无黑辟支佛　南无唯黑辟支佛
南无直福德辟支佛　南无識辟支佛
歸命如是等十方无量无邊辟支佛
礼三寶已次復懺悔
夫論懺悔者本是改往脩来滅惡興善
人生居世誰能无過學人失念尚起煩惱羅

礼三寶已次復懺悔
夫論懺悔者本是改往脩来滅惡興善
人生居世誰能无過學人失念尚起煩惱羅
漢結習動身口業豈况凡夫而當无過但
智者先覺便能改悔愚者覆藏遂使滋
漫所以積習長夜曉悟无期若能慚愧發
露懺悔者豈惟正是滅罪而已亦復增長无
量功德樹立如来涅槃妙果若欲行此法者先
當外肅形儀瞻奉尊像內起敬意緣於
想法懇切至到生二種心何等為二一者自念
我形命難可常保一朝散壞不知此身何時
可復若復不值諸佛賢聖忽遭逢惡友造
衆罪業復應墮落深坑嶮趣二者自念我
此生中雖得值遇如来正法為佛弟子弟子之
法紹繼聖種淨身口意善法自居而今我等
公自作惡　而復覆藏言他不
知謂彼不見隱遁在心傲然无愧此實天下
愚惑之甚即今現有十方諸佛諸大地菩薩
諸大神仙何曾不以清淨天眼見於我等
所作罪惡又復幽顯靈祇注記罪福纖豪
无差夫論作罪之人命終之後牛頭獄卒
録其精神在閻羅王所辯覈是非當尒之
時一切怨對皆来證據各言汝先屠戮我身

无差夫論作罪之人命終之後牛頭獄卒
録其精神在閻羅王所辯覈是非當尒之
時一切怨對皆来證據各言汝先屠戮我身
炮煑蒸炙或言汝先剝奪於我一切財寶
離我眷屬我於今者始得汝便于時現前
證據可得敢諱唯應甘心分受宿殃如經所明
地獄之中不枉治人若其平素所作衆罪心自
忘失者是其生時造惡之處一切諸相皆現
在前各言汝昔在於我邊作如是罪今何得
諱是為作罪无藏隱處於是閻魔羅王切
齒呵責將付地獄歷劫窮年求出莫由此事
不遠不關他人正是我身自作自受雖父子
至親一旦對至无代受者衆等相与及其
形狀體无衆疾各自努力与性命競大
怖至時悔无所及是故弟子至心歸依
於佛
南无東方破疑淨光佛　南无南方无憂功德佛
南无西方華嚴神通佛　南无北方月殿清淨佛
南无東南方破一切闇佛　南无西南方大衰觀衆生佛
南无西北方香氣放光明佛　南无東北方无量功德海佛
南无下方斷一切疑佛　南无上方離一切憂佛
如是十方盡虛空界一切三寶
弟子從无始以来至於今日積聚无明障
蔽心故自隨煩惱性造三業罪或耽染愛著

南无下方斷一切疑佛　南无上方離一切憂佛
如是十方盡虛空界一切三寶
弟子從无始以來至於今日積聚无明障
蔽心故目隨煩惱性造三業罪或耽染愛著
起於貪欲煩惱或復瞋恚忿怒懷害煩惱
或惛憒瞪瞢不了煩惱或我慢自高輕懱煩
惱或疑正道猜貳煩惱謗无因果耶見煩惱
不識緣假著我煩惱迷於三世執斷常煩
惱朋狎惡法起見取煩惱僻禀耶師造戒取
煩惱乃至一等四執橫計煩惱今日至誠皆悉
懺悔
又復无始以來至於今日守惜堅著起慳
悋煩惱不攝六情奢誕煩惱心行弊惡不
忍煩惱怠惰緩縱不勤煩惱情慮躁動覺
觀煩惱觸境迷惑无知解煩惱隨世八風生
彼我煩惱諂曲面譽不直心煩惱橫纏難觸
不調和煩惱易忿難悅多含恨煩惱嫉妬
擊刺佷戾煩惱凶險暴害諂毒煩惱乖
背二諦執相煩惱於苦集滅道生顛倒煩惱隨
從十二因緣流轉煩惱乃至无始无明住地恒沙
煩惱起四住地構於三界苦果煩惱如是諸煩
惱无量无邊惱亂賢聖六道四生今日發
露向十方佛尊法聖眾皆悉懺悔
願弟子等承是懺悔貪瞋癡等一切煩惱

BD02988號　佛名經（十六卷本）卷八　（33–17）

從十二因緣流轉煩惱乃至无始无明住地恒沙
煩惱起四住地構於三界苦果煩惱如是諸煩
惱无量无邊惱亂賢聖六道四生今日發
露向十方佛尊法聖眾皆悉懺悔
願弟子等承是懺悔貪瞋癡等一切煩惱
生生世世折憍慢幢竭愛欲水滅瞋恚火破愚
癡暗拔斷疑根裂諸見網深識三界猶如牢
獄四大毒蛇五陰怨賊六入空聚愛詐親善
脩八聖道斷无明源正向涅槃不休不息世
七品心心相應十波羅蜜常現在前　禮一拜
南无盧舍那世間輪勝聲佛
南无波頭摩勝无　邊眼佛
南无喜樂成佛　南无一切智行境界慧佛
南无廣衍妙聲佛　南无虛空无垢智月佛
南无福德海厚雲相華佛
南无能作善勝雲佛　南无勝聲吼幢佛
南无觀眼奮迅佛　南无无盡智金剛佛
南无普眼日藏照佛　南无一切吼聲佛
南无无量智聚佛　南无一切福德弥樓上佛
南无根日威德佛　南无滿光明身光佛
南无地藥一相華佛　南无雲无畏見佛
南无平等言語離頭佛　南无寶然燈王佛
南无堅精進奮迅成就義心佛
南无普照觀稱佛　南无慈光明稱勝佛
南无福德稱上勝佛　南无念一切眾生歸勝佛

BD02988號　佛名經（十六卷本）卷八　（33–18）

南无平等言語雞頭佛　南无寶然燈王佛
南无堅精進奮迅成就義心佛
南无普照觀稱佛　南无慈光明稱勝佛
南无福德稱上勝佛　南无念一切衆生稱勝佛
南无須彌山稱勝佛　南无畢備攬稱上勝佛
南无教化一切世間佛　南无離一切憂佛
南无離一切難佛　南无離一切世間佛
南无能轉台佛　南无轉女佛
南无轉男女降伏佛　南无佛華勝上王佛
南无不空說名佛　南无善慧法通王佛
南无十方廣功德天善衆佛　南无愛大智見不空聞名佛
南无无量力智勝佛　南无成就梵功德佛
南无香烏佛　南无金剛密迹佛
南无善轉成就義佛
南无盧舍那化勝威德佛
南无常功德然燈去慧佛
南无到諸疑彼岸月佛
南无到法界无量聲慧佛
南无然燈勝光明佛　南无法界日光明佛
南无无邊无中劫德海轉法輪聲佛
南无日不可思議智見佛
南无寶勝光明威德王佛
南无无盡功德妙莊嚴佛
南无不可量力普吼佛

BD02988號　佛名經（十六卷本）卷八　（33–19）

南无日不可思議智見佛
南无寶勝光明威德王佛
南无无盡功德妙莊嚴佛
南无不可量力普吼佛
南无普眼滿足然燈佛
南无勝功德炬佛　南无大龍聲佛
南无波頭摩師子坐奮迅聲佛
南无智聚覺光佛　南无住持地善威德王佛
南无善住法然燈王佛　南无不空見衆生善作佛
南无放身炎幢佛　南无清淨衆生行佛
南无一切德雲普光顯佛　南无敷華相月智佛
南无第一光明金庭燎佛
南无觀一切法海无差別光明佛
南无化日佛　南无寶蓋勝盧舍那佛
南无善思惟佛　南无精進勝堅慧佛
南无敷華波頭摩佛　南无清淨眼佛
從此以上六千九百佛十二部經一切賢聖
南无月光自在佛　南无无盡法海寶幢佛
南无金剛波頭摩勝佛　南无廣俱蘇摩作佛
南无人自在幢佛
南无一切智輪照盧舍那佛
南无龍稱无量功德佛
南无寶功德鬚光佛
南无一切力莊嚴慧佛

BD02988號　佛名經（十六卷本）卷八　（33–20）

南无龍稱无量功德佛
南无寶功德髻光佛
南无一切力莊嚴慧佛
南无寶須弥山佛
南无一切行光明佛
南无一切波羅蜜海佛
南无寶炎面門幢佛
南无成就一切顯光明佛
南无廣得一切法齊佛
南无光明羅網勝佛　南无寶山幢佛
南无无邊中智海義佛
南无清淨一切義功德幢佛
南无一切道首王佛
南无无障㝵一切法界盧舍那佛
南无勝三昧精進慧佛
南无无㝵法界然燈佛
南无无㝵法界須弥幢勝王佛
南无菩提分俱蘇摩作王佛
南无得世間功德大海佛
南无寶師子力佛　南无普海王佛
南无波頭摩善化幢佛
南无无盡光明普門聲佛
南无普功德雲勝威德佛
南无勝慧海佛　南无智月華雲佛

南无普功德雲勝威德佛
南无勝慧海佛　南无智月華雲佛
南无香光威德佛　南无普門見无障㝵佛
南无不可降伏法自在慧佛
南无波頭摩光明數王佛
南无大精進善智慧佛
南无堅王幢佛　南无不可降伏妙威德佛
南无精進德佛　南无一切德勝心王佛
南无善成就无邊功德王佛
南无斷諸疑廣善眼佛
南无妙功德勝慧佛
南无過諸光明勝明佛
南无須弥山然燈佛
南无无盡化善雲佛
南无无量光明化王佛
南无日智梵行佛　南无師子眼炎雲佛
南无大海天炎門佛　南无覺佛
南无智勝佛　南无无量味大聖佛
南无无垢速雲聞佛　南无渺法界盧舍那佛
南无金色華佛　南无大功德華數无垢佛
南无照勝威德王佛　南无不住眼无垢佛
南无无㝵莊嚴佛　南无轉燈輪幢佛
南无法智差別佛　南无法界輪佛
南无一切佛　南无寶勝王佛

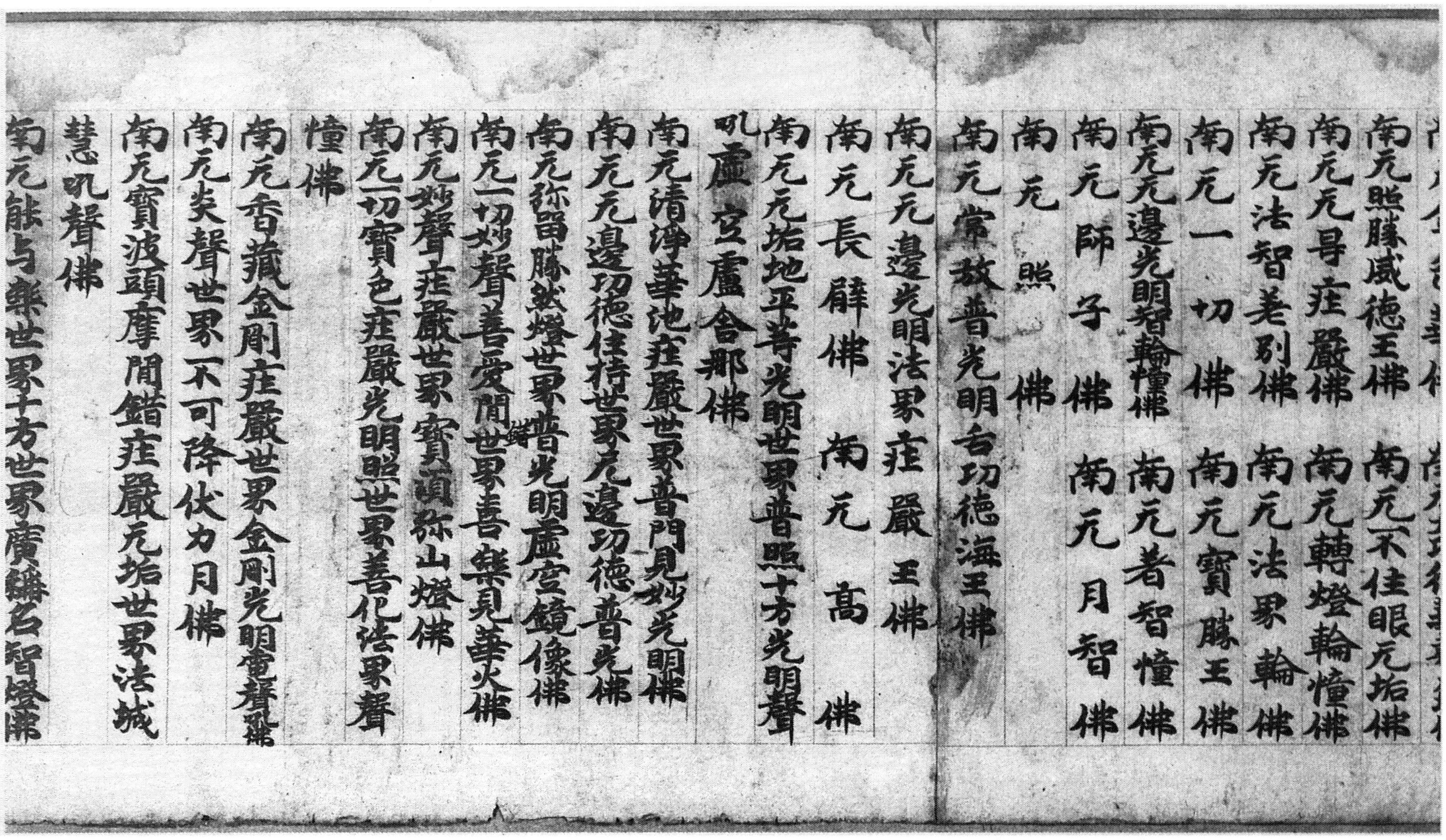

南无照勝威德王佛　南无不住眼无垢佛
南无无㝵莊嚴佛　南无轉燈輪幢佛
南无法智差別佛　南无法界輪佛
南无一切佛　南无寶勝王佛
南无无邊光明智輪幢佛　南无著智幢佛
南无師子佛　南无月智佛
南无照佛
南无常放普光明舌功德海王佛
南无无邊光明法界莊嚴王佛
南无長辟佛　南无高佛
南无无垢地平等光明世界普照十方光明聲
吼虛空盧舍那佛
南无清淨華池莊嚴世界普門見妙光明佛
南无无邊功德住持世界无邊功德普光佛
南无弥留勝然燈世界普光明虛空鏡像佛
南无一切妙聲善愛聞世界善樂見華火佛
南无妙聲莊嚴世界寶須弥山燈佛
南无一切寶色莊嚴光明照世界善化諸界聲
幢佛
南无香藏金剛莊嚴世界金剛光明雷聲吼佛
南无美聲世界不可降伏力月佛
南无寶波頭摩間錯莊嚴无垢世界法城
慧吼聲佛
南无能与樂世界十方世界廣稱名智燈佛

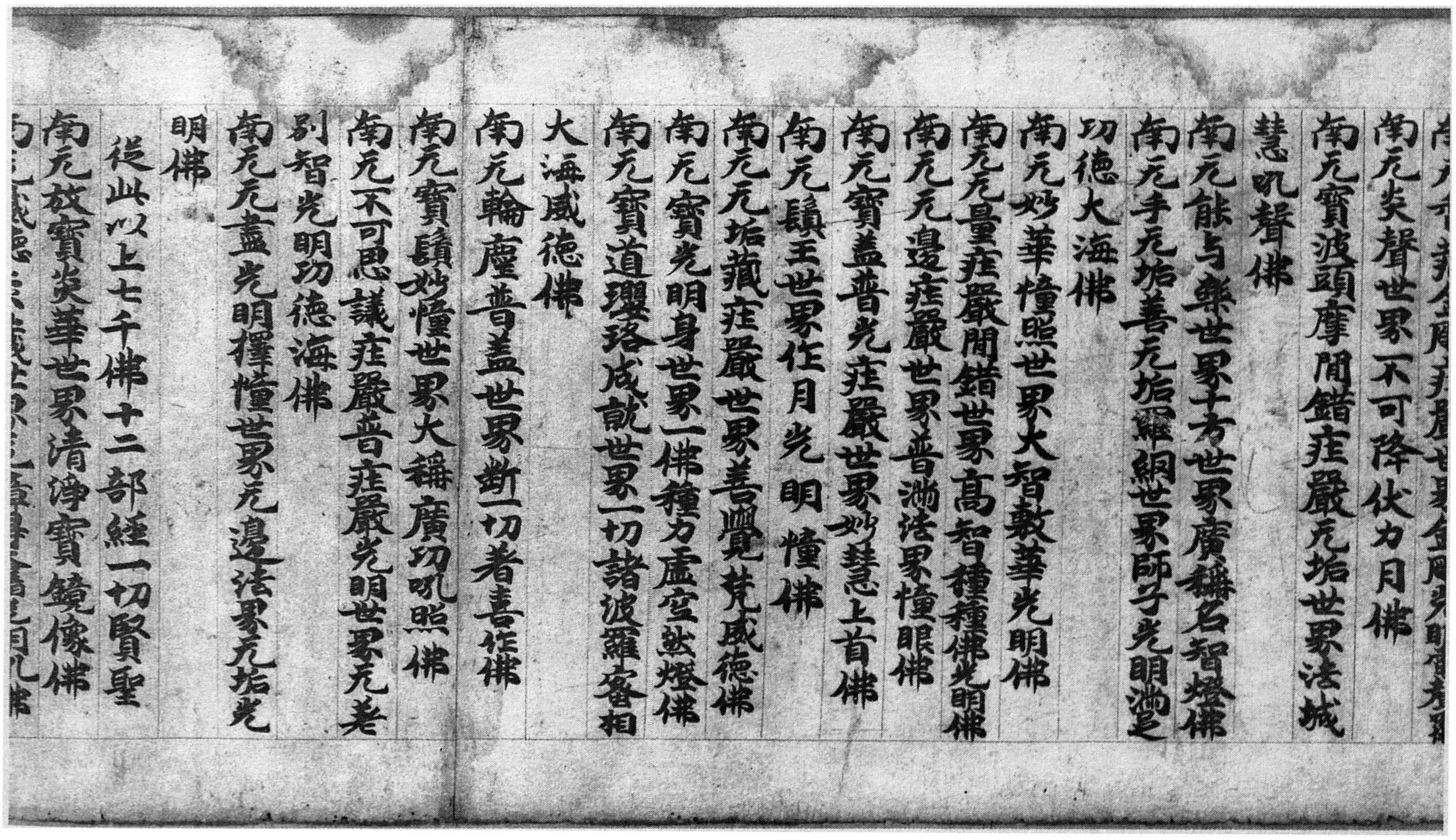

BD02988號　佛名經（十六卷本）卷八　（33–23）

南无美聲世界不可降伏力月佛
南无寶波頭摩間錯莊嚴无垢世界法城
慧吼聲佛
南无能与樂世界十方世界廣稱名智燈佛
南无手无垢善无垢羅網世界師子光明游邊[?]
功德大海佛
南无妙華幢照世界大智數華光明佛
南无无量莊嚴間錯世界高智種種佛光明佛
南无无邊莊嚴世界普滿法界幢眼佛
南无寶蓋普光莊嚴世界妙慧上首佛
南无鬚王世界住月光明幢佛
南无无垢藏莊嚴世界善覺梵威德佛
南无寶光明身世界一佛種力虛空然燈佛
南无寶道瓔珞成就世界一切諸波羅蜜相
大海威德佛
南无輪塵普蓋世界斷一切着喜作佛
南无寶鬚妙幢世界大稱廣功吼照佛
南无不可思議莊嚴普莊嚴光明世界无差
別智光明功德海佛
南无无盡光明擇幢世界无邊法界无垢光
明佛
從此以上七千佛十二部經一切賢聖
南无放寶炎華世界清淨寶鏡像佛

BD02988號　佛名經（十六卷本）卷八　（33–24）

明佛
從此以上七千佛十二部經一切賢聖
南无放寶炎華世界清淨寶鏡像佛
南无威德炎藏世界无障㝵奮光明吼佛
南无寶輪平等光莊嚴世界普寶光明佛
南无旃檀樹顯幢世界清淨一切念无髮光明佛
南无佛國土色輪善脩莊嚴世界廣喜見光
明智慧佛
南无微細光明莊嚴照世界法界大盡邊善觀佛
南无无邊色示相世界无障㝵智成就佛
南无普炎雲火然世界不退轉法輪吼佛
南无種種寶莊嚴清淨輪世界清淨色相
威德佛
南无究竟善脩世界无障㝵日眼佛
南无善住堅固金剛生成就世界過法界智
身光明佛
南无十方莊嚴无障㝵世界寶廣炬佛
南无差別色光明世界普光明華雲王佛
南无寶門種種幢世界普見妙功德光明佛
南无摩尼頂住顯光明世界普十方聲雲佛
南无自在摩尼金剛藏世界智勝須弥王佛
南无摩尼衣成就勝世界放光明功德寶莊
嚴佛
南无華優波羅莊嚴世界普智幢聲王佛

BD02988號　佛名經（十六卷本）卷八

（33-25）

南无摩尼衣成就勝世界放光明功德寶莊
嚴佛
南无華優波羅莊嚴世界普智幢聲王佛
南无寶莊嚴種種藏世界一切法无畏然燈佛
南无香勝无垢光明世界普喜速勝王佛
南无日幢樂藏世界普門智盧舍那吼佛
南无香莊嚴杖藏世界无量功德光明佛
南无寶師子火光明世界法界電光明佛
南无相杖照世界无障㝵功德稱解脫光王佛
南无功德成就光明照世界清淨眼无垢然燈佛
南无種種香花勝莊嚴世界師子光明勝光佛
南无寶莊嚴平等光明世界廣光明智勝幢佛
南无種種光明顯杖世界金光明无量力日
成就佛
南无放光景摩訶論世界香光明喜力堅
固佛
南无光明清淨種種住世界光明力堅固佛
南无光明清淨種種種住世界普光明大自
在幢佛
南无景弥多炎輪莊嚴世界善海疾功德
稱自在王佛
南无地成就威德世界廣稱智海幢佛
南无放聲吼世界相光明月佛
南无金剛幢世界一切法海勝王佛

BD02988號　佛名經（十六卷本）卷八

（33-26）

南无地成就威德世界廣稱智海幢佛
南无放聲吼世界相光明月佛
南无金剛幢世界一切法海勝王佛
南无无量功德莊嚴世界无量衆生功德
法住佛
南无光明照世界梵自在勝佛
南无生无垢光明世界妙法界勝吼佛
南无種種光明照然燈世界不可壞力普光
明幢佛
南无照平等光明世界无垢功德日眼佛
南无寶住莊嚴藏世界无障导智普照十方佛
南无塵世界无量勝行幢佛
南无清淨光明世界法界虚空平等光明照佛
南无寶藏波浪勝成就世界功德相雲勝威
德佛
南无宮殿莊嚴幢世界盧舍那勝須光明佛
南无髻勝藏世界一切法无邊海慧佛
南无善化香勝世界相法化普光佛
南无使地色光世界眷屬盧舍那佛
南无善住數世界法行善无盡慧佛
南无勝福德威德輪世界无垢清淨普光明佛
南无摩尼寶波頭摩莊嚴世界清淨眼花勝佛
南无莫地成就世界无量力成就慧佛
次礼十二部尊經大藏法輪

BD02988號　佛名經（十六卷本）卷八　（33–27）

南无摩尼寶波頭摩莊嚴世界清淨眼花勝佛
南无莫地成就世界无量力成就慧佛
次礼十二部尊經大藏法輪
南无維摩詰解經　南无須陁調非經
南无佛說道有比丘經　南无本起經
南无須檀經　南无佛寶三昧經
南无丹世三相經　南无目連遊諸國經
南无佛在拘薩國經　南无理家難經
南无佛在夏憂隨國經　南无欲從本相有經
南无文殊師利淨律經　南无佛論過經
南无帝耳經　南无分陁利經
南无大忍辱經　南无佛說摩登伽經
南无自在三菩薩經　南无分別六情三昧盡經
南无佛說法遍王經　南无智心經
南无八德經　南无大道地經
南无地喻經　南无八十種好經
南无大珍寶積惟日經　南无觀豫經
次礼十方諸大菩薩
南无善意菩薩　南无善眼菩薩
南无世間菩薩　南无尸毗王菩薩
南无一切勝菩薩　南无知大地菩薩
南无大藥菩薩　南无鳩舍菩薩
南无阿難念弥菩薩　南无頂生菩薩
南无喜見菩薩　南无鬱多羅菩薩

BD02988號　佛名經（十六卷本）卷八　（33–28）

南无大藥菩薩　南无鳩舍菩薩
南无阿難念弥菩薩　南无頂生菩薩
南无喜見菩薩　南无鬱多羅菩薩
南无薩和檀菩薩　南无長壽王菩薩
南无羼提菩薩　南无韋藍菩薩
南无睒菩薩　南无月蓋菩薩
從此以上七千一百佛十二部經一切賢聖
南无明首菩薩　南无法首菩薩
南无成利菩薩　南无弥勒菩薩
南无復有金剛藏菩薩　南无金剛首菩薩
南无无垢藏菩薩　南无无垢稱菩薩
南无除疑菩薩　南无无垢德菩薩
南无網明菩薩　南无无量明菩薩
次礼聲聞緣覺一切賢聖
南无香辟支佛　南无有香辟支佛
南无見人飛騰辟支佛　南无可波羅辟支佛
南无秦摩利辟支佛　南无月淨辟支佛
南无善智辟支佛　南无脩陁羅辟支佛
南无善法辟支佛　南无應求辟支佛
南无鉗求辟支佛　南无大勢辟支佛
歸命如是等十方盡虛空界諸大辟支佛
衆等相与即今身心寂靜无諂无障正
是生善滅惡之時復應各起四種觀行
以為滅罪作前方便何等為四一者觀於因

歸命如是等十方盡虛空界諸大辟支佛
衆等相与即今身心寂靜无諂无障正
是生善滅惡之時復應各起四種觀行
以為滅罪作前方便何等為四一者觀於因
緣二者觀於果報三者觀我自身四者觀
如來身
第一觀因緣者知我此罪藉以无明不善
思惟无正觀力不識其過遠離善友諸
佛菩薩隨逐魔道行耶嶮逕如魚吞鉤
不知其患如蚕作繭自縈自縛如蛾赴火
自燒自爛以是因緣不能自出
第二觀於果報者所有諸惡不善之業
三世流轉苦果无窮沉溺无邊巨夜大海為
諸煩惱羅剎所食未來生死寘然无崖設使
報得轉輪聖王王四天下飛行自在七寶具足
命終之後不免惡趣四空果報三界尊極福
盡還作牛領中虫況復餘无福德者而復
懈怠不勲懺悔此之譬如抱石沉淵求出良難
第三觀我自身雖有正因靈覺之性而為煩
惱黑暗叢林之所覆蔽无了因力不能得顯
我今應當發起勝心破裂无明顛倒重障斷
滅生死虛僞苦因顯發如來大明覺慧建立
无上涅槃妙果

我今應當發起勝心破裂无明顛倒重障斷
滅生死虛僞苦因顯發如來大明覺慧建立
无上涅槃妙果
第四觀如來身无爲寂照離四句絕百非衆
善具足湛然常住雖復方便入於滅度慈
悲救接未曾蹔捨生如是心可謂滅罪之良津
除障之要行是故弟子今日至到稽首歸依
於佛
南无東方勝藏珠光佛
南无南方寶積示現佛
南无西方法界智燈佛
南无北方最勝降伏佛
南无東南方龍自在王佛
南无西南方轉一切生死佛
南无西北方无邊自在佛
南无東北方无邊功德月佛
南无下方海智神通佛
南无上方一切勝王佛
如是等十方盡虛空界一切三寶
弟子等无始以來至於今日長養煩惱日
深日厚日滋日茂覆蓋慧眼令无所見斷
障衆善不得相續起障不得見佛不聞正
法不值聖僧煩惱起障不見過去未來一切

BD02988號　佛名經（十六卷本）卷八　（33–31）

弟子等无始以來至於今日長養煩惱日
深日厚日滋日茂覆蓋慧眼令无所見斷
障衆善不得相續起障不得見佛不聞正
法不值聖僧煩惱起障不見過去未來一切
世間善惡業行之煩惱障受人天尊貴之
煩惱障生色无色界禪定福樂之煩惱障
不得自在神通飛騰隱顯遍至十方
諸佛淨土聽法之煩惱障學安那般那數
息不淨觀諸煩惱障學慈悲喜捨因緣
煩惱障學七方便三觀義煩惱障學四
念處煖頂忍煩惱障學聞思脩第一法
煩惱障學空平等中道解煩惱障學
八正道示相之煩惱障學七覺枝不示相煩
惱障學於道品因緣觀煩惱障學八解脫
九空之煩惱障學於十智三三昧煩惱障
學三明六通四无导煩惱障學六度四等煩
惱障學四攝法廣化之煩惱障學大乘心四
弘誓願煩惱障學十迴向十願之煩惱障學
初地二地三地四地明解之煩惱障五地六地
七地諸知見煩惱障學八地九地十地雙照
之煩惱障如是乃至障學佛果百万阿僧
祇諸行上煩惱如是行障无量无邊弟子
今日至到稽顙向十方佛尊法聖衆慚愧
懺悔願皆消滅願藉以懺悔障於諸行一

BD02988號　佛名經（十六卷本）卷八　（33–32）

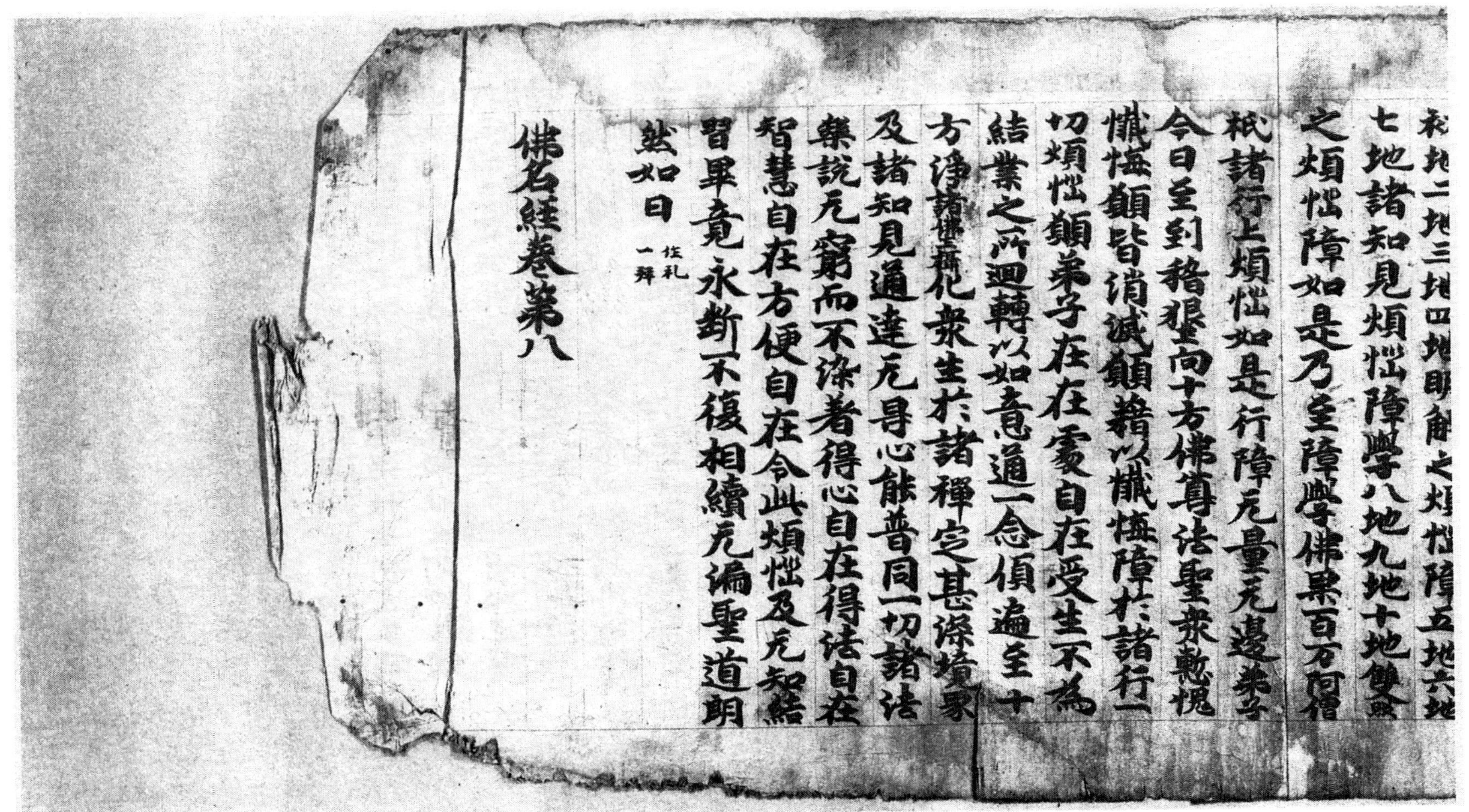

初地二地三地四地明解之煩惱障五地六地
七地諸知見煩惱障學八地九地十地雙無
之煩惱障如是乃至障學佛果百万阿僧
祇諸行上煩惱如是行障无量无邊弟子
今日至到稽顙向十方佛尊法聖衆慚愧
懺悔願皆消滅願藉此懺悔障於諸行一
切煩惱願弟子在在處自在受生不為
結業之所迴轉以如意通一念傾遍至十
方淨諸佛國化衆生於諸禪定甚深境界
及諸知見通達无㝵心能普同一切諸法
樂說无窮而不染着得心自在得法自在
智慧自在方便自在令此煩惱及无知結
習畢竟永斷不復相續无漏聖道朗
然如日 佐礼一拜
佛名經卷第八

BD02988 號　佛名經（十六卷本）卷八　　（33–33）

BD02988 號背　雜寫　　（1–1）

云何色蘊謂四大種及四大種所造諸色云
何四大種謂地界水界火界風界云何地界
謂堅強性云何水界謂流濕性云何火界謂
煖燋性云何風界謂輕等動性云何四大種
所造諸色謂眼根耳根鼻根舌根身根色聲
香味所觸一分無表色等云何眼根謂色為
境清淨色云何耳根謂聲為境清淨色云
何鼻根謂香為境清淨色云何舌根謂味
為境清淨色云何身根謂所觸為境清淨色
云何為色謂眼境界顯色形色及表色等云何
為聲謂耳境界執受大種因聲非執受大種
因聲俱大種因聲云何為香謂鼻境界好香
惡香及所餘香云何為味謂舌境界甘味酢味
鹹味辛味苦味淡味云何名為所觸一分謂身
境界除四大種餘所造觸滑性澁性重性輕
性冷飢渴等云何名為無表色等謂无表
業及三摩地所生色等無見無對
云何受蘊謂三領納一苦二樂三不苦不樂
樂謂滅時有和合欲苦謂生時有乖離欲
不苦不樂謂无二欲
云何想蘊謂於境界取種種相
云何行蘊謂除受想諸餘心法及心不相

BD02989號　大乘五蘊論　（10–1）

業及三摩地所生色等無見無對
云何受蘊謂三領納一苦二樂三不苦不樂
樂謂滅時有和合欲苦謂生時有乖離欲
不苦不樂謂无二欲
云何想蘊謂於境界取種種相
云何行蘊謂除受想諸餘心法及心不相
應行
云何名為諸餘心法謂彼諸法与心相應彼
復云何謂觸作意受想思欲勝解念三摩地
慧信慚愧无貪善根无瞋善根无癡善根
精進輕安不放逸捨不害貪瞋慢无明見
疑忿恨覆惱嫉慳誑諂憍害无慚无愧惛沉
掉舉不信懈怠放逸忘念散亂不正知惡作
睡眠尋伺
是諸心法五是遍行五是別境十一是善六
是煩惱餘是隨煩惱四是不決定
云何為觸謂三和合分別為性云何作意謂
能令心發悟為性云何為思謂於功德過失
及俱相違令心造作意業為性
云何為欲謂於可愛事希望為性云何勝解
謂於決定事即如所了印可為性云何為念
謂於串習事令心不忘明記為性云何三摩
地謂於所觀事令心一境不散為性云何為
慧謂即於彼擇法為性或如理所引或不如
理所引或俱非所引
云何為信謂於業果諸諦寶中極正符順心

BD02989號　大乘五蘊論　（10–2）

謂於決定事即如所了印可為性云何為念
謂於串習事令心不忘明記為性云何三摩
地謂於所觀事令心一境不散為性云何為
慧謂即於彼擇法為性或如理所引或不如
理所引或俱非所引
云何為信謂於業果諸諦寶中極正符順心
淨為性云何為慚謂自增上及法增上於所
作罪羞恥為性云何為愧謂世增上於所作
罪羞恥為性云何无貪謂貪對治令深猒患
无著為性云何无瞋謂瞋對治以慈為性云
何无癡謂癡對治以其如實正行為性云何
精進謂懈怠對治心於善品勇捍為性云何
輕安謂麁重對治身心調暢堪能為性云何
不放逸謂放逸對治即是无貪乃至精進依
止此故捨不善法及即脩彼對治善法云何
為捨謂即无貪乃至精進依止此故獲得
所有心平等性心正直性心无發悟性又由
此故於已除遣染汙法中无染安住云何不
害謂害對治以悲為性
云何為貪謂於五取蘊染愛耽著為性云
何為瞋謂於有情樂作損害為性云何為慢
所謂七慢一慢二過慢三慢過慢四我慢五
增上慢六卑慢七耶慢云何慢謂於劣計
已勝或於等計已等心高舉為性
云何過慢謂於等計已勝或於勝計已等心

所謂七慢一慢二過慢三慢過慢四我慢五
增上慢六卑慢七耶慢云何慢謂於劣計
已勝或於等計已等心高舉為性
云何過慢謂於等計已勝或於勝計已等心
高舉為性云何慢過慢謂於勝計已勝心高
舉為性云何我慢謂於五取蘊隨觀為我或
為我所心高舉為性云何增上慢謂於未得
增上殊勝所證法中謂我已得心高舉為性云
何卑慢謂於多分殊勝計已少分下劣心高舉
為性云何耶慢謂實无德計已有德心高舉
為性云何无明謂於業果及諦寶中无智為
性此復二種所謂俱生分別所起又欲廛貪
瞋及欲廛无明名三不善根謂貪不善根瞋
不善根癡不善根云何為見所謂五見一薩迦
耶見二邊執見三耶見四見取五戒禁取云何
薩迦耶見謂於五取蘊隨觀為我或為我所
染汙慧為性云何邊執見謂即由彼增上力
故隨觀為常或復為斷染汙慧為性云何耶
見謂或謗因或復謗果或謗作用或壞善事
染汙慧為性云何見取謂即於三見及彼所
依諸蘊隨觀為最為上為勝為極染汙慧為
性云何戒禁取謂於戒禁及彼所依諸蘊隨
觀為清淨為解脫為出離染汙慧為性云何
為疑謂於諦等猶豫為性諸煩惱中後三見
及疑唯分別起餘通俱生及分別起

依諸蘊隨觀為最為上為勝為極染汙慧為
性云何戒禁取謂於戒禁及彼所依諸蘊隨
觀為清淨為解脫為出離染汙慧為性云何
為疑謂於諦等猶豫為性諸煩惱中後三見
及疑唯分別起餘通俱生及分別起
云何為忿謂遇現前不饒益事心損惱為性
云何為恨謂結怨不捨為性云何為覆謂於
自罪覆藏為性云何為惱謂發暴惡言尤蛆
為性云何為嫉謂於他盛事心妒為性云何為
慳謂施相違心悋為性云何為誑謂為誑他
詐現不實事為性云何為諂謂覆藏自過
方便所攝心曲為性云何為憍謂於自盛事
染著倨傲心恃為性云何為害謂於諸有情
損惱為性
云何无慚謂於所作罪不自羞恥為性云何
无愧謂於所作罪不羞恥他為性云何惛沉
謂心不調暢无所堪能蒙昧為性云何掉舉
謂心不寂靜為性云何不信謂信所對治於
業果等不正信順心不清淨為性云何懈怠
謂精進所治於諸善品心不勇猛為性云
何放逸謂即由貪瞋癡懈怠故於諸煩惱
心不防護於諸善品不能修習為性云何失
念謂染汙念於諸善法不能明記為性云何
散亂謂貪瞋癡分心流蕩為性云何不正知
謂於身語意現前行中不正依住為性

何放逸謂即由貪瞋癡懈怠故於諸煩惱
心不防護於諸善品不能修習為性云何失
念謂染汙念於諸善法不能明記為性云何
散亂謂貪瞋癡分心流蕩為性云何不正知
謂於身語意現前行中不正依住為性
云何惡作謂心變悔為性云何睡眠謂不自
在轉心極昧略為性云何為尋謂能尋求意
言分別思慧差別令心麤為性云何為伺謂
能伺察意言分別思慧差別令心細為性
云何心不相應行謂依色心心法分位但假
建立不可施設決定異性及不異性彼復云
何謂得无想等至滅盡等至无想所有命根
衆同分生老住无常名身句身文身異生性
如是等類
云何為得謂若獲若成就此復三種謂若種
子若自在若現前如其所應云何无想等至
謂已離遍淨貪未離上貪由出離想作意
為先不恒現行心心法滅為性云何滅盡等
至謂已離无所有處貪從第一有更求勝進
由止息想作意為先不恒現行及恒行一分
心心法滅為性云何无想所有謂无想等至
果无想有情天中生已不恒現行心心法滅
為性云何命根謂於衆同分中先業所引住
時決定為性云何衆同分謂諸有情自類相似
為性云何為生謂於衆同分中諸行本无今
有為性云何為老謂即如是諸行相續變異

心心法滅為性云何无想所有謂无想等至
果无想有情天中生已不恒現行心心法滅
為性云何命根謂於衆同分中先業所引住
時決定為性云何衆同分謂諸有情自類相似
為性云何為生謂於衆同分中諸行本无今
有為性云何為老謂即如是諸行相續變異
為性云何為住謂即如是諸行相續隨轉為
性云何无常謂即如是諸行相續謝滅為性
云何名身謂諸法自性增語為性云何句性
謂諸法差別增語為性云何文身謂諸字為
性以能表彰前二種故亦名為顯由与名句
為所依止顯了義故亦名為字非差別門所
變易故云何異生性謂於諸聖法不得為性
如是等類已說行蘊
云何識蘊謂於所緣境了別為性亦名心意
由採集故意所攝故最勝心者謂阿頼邪識
何以故由此識中諸行種子皆採集故又此
行緣不可分別前後一類相續隨轉又由此
故從滅盡等至无想等至无想所有起者了
別境名轉識還生待所緣緣差別轉故數數
間斷還復轉故又令生死流轉旋還故阿頼
邪識者謂能攝藏一切種子故又能攝藏我
慢相故又復緣身為境界故即此亦名阿陁
那識能執持身故最勝意者謂緣阿頼邪識
為境恒与我慢我癡我見及我愛等相應之
識前後一類相續隨轉除阿羅漢果及與聖

BD02989號　大乘五蘊論　（10–7）

慢相故又復緣身為境界故即此亦名阿陁
那識能執持身故最勝意者謂緣阿頼邪識
為境恒与我慢我癡我見及我愛等相應之
識前後一類相續隨轉除阿羅漢果及與聖
道滅盡等至現在前位
問以何義故說名為蘊答以積聚義說名為
蘊謂世相續品類趣處差別色等總略攝
故
復有十二處謂眼處色處耳處聲處鼻處
香處舌處味處身處觸處意處法處眼等五
處及色聲香味處如前已釋言觸處者謂
四大種及前所說所觸一分言意處者即是
識蘊言法處者謂受想行蘊无表色等及
與无為
云何无為謂虛空无為非擇滅无為擇滅无
為及真如等云何虛空謂若容受諸色云何
非擇滅謂若滅非離繫此復云何謂離煩惱
對治而諸蘊畢竟不生云何擇滅謂若滅是
離繫此復云何謂由煩惱對治故諸蘊畢
竟不生云何真如謂諸法法性法无我性
問以何義故名為處邪答諸識生長門義
是處義復有十八界謂眼界色界眼識界
耳界聲界耳識界鼻界香界鼻識界舌界味
界舌識界身界觸界身識界意界法界意識
界

BD02989號　大乘五蘊論　（10–8）

是處義復有十八界謂眼界色界眼識界
耳界聲界耳識界鼻界香界鼻識界舌界味
界舌識界身界觸界身識界意界法界意識
界
眼等諸界及色等諸界如處中說六識界者
謂依眼等根緣色等境了別為性言意界者
即彼无間滅等為欲顯示第六意識及廣建
立十八界故
如是色蘊即十處十界及法處法界一分
識蘊即意處及七心界餘三蘊及色蘊一分
并諸无為即法處法界
問以何義故說名為界答以能任持无作
用性自相義故說名為界
問以何義故宣說蘊等答為欲對治三種
我執如其次第三種我執者謂一性我執受
者我執作者我執
復次此十八界幾有色謂十界一少分即色
蘊自性幾无色謂所餘界
幾有見謂一色界幾无見謂所餘界
幾有對謂十有色界若彼於是處有所鄣
㝵是有對義幾无對謂所餘界
幾有漏謂十五界及後三少分由於是處煩惱
起故現所行處故幾无漏謂後三少分
幾欲界繫謂一切幾色界繫謂十四除香味
鼻舌識幾无色界繫謂後三幾不繫謂即
彼无漏界

BD02989 號　大乘五蘊論　（10–9）

㝵是有對義幾无對謂所餘界
幾有漏謂十五界及後三少分由於是處煩惱
起故現所行處故幾无漏謂後三少分
幾欲界繫謂一切幾色界繫謂十四除香味
鼻舌識幾无色界繫謂後三幾不繫謂即
彼无漏界
幾蘊所攝謂除无為幾取蘊所攝謂有漏
幾善幾不善幾无記謂十通三種七心界及
色聲法界八无記
幾是內謂十二除色聲香味觸及法界幾
是外謂六即所除
幾有緣謂七心界及法界少分心所有法幾
无緣謂餘十及法界少分
幾有分別謂意識界意界法界少分
幾執受謂五內界及四界少分謂色香味觸
幾非執受謂餘九四少分
幾同分謂五內有色界由與自識等境界故
幾彼同分謂即彼自識空時與自類等故

大乘五蘊論

BD02989 號　大乘五蘊論　（10–10）

非心　第二次弁隨戒二門者第一尊精不犯第二犯已能悔言尊精者上
行之流一往順教恶離善行稱曰尊精但待有二一明心待二明作待言心
待者念智捨等護身口不造諸恶稱之為心之而无為違順者業故曰
心持　言作待者奉順聖教作法作事對事作法稱之為作之而受大
号作待第二犯已能悔者不諱之人雖縱身口違禁興過不脩善行而
所受名之犯為慚愧退謝還令復本亦為待頸非一往善成然亦毀而還
第一白法故名犯已能懺悔持然犯有二一者作犯現違聖教廣造諸過
稱為作犯二者心犯不准教奉脩心而有為故名心犯對斯二犯悔而還復
並稱為待　上来已弁教之宗旨其准受隨者无其受則行无所起以有
故衆行得生若无隨行便有戒羸等失以有隨故今受此清故地持云
種戒攝受无量諸餘淨戒是故須受隨二法就受門中廣緣解先明受
緣後弁受解　言受緣者八門解義第一釋名第二解義總別第三能秉
教人師徒別住第四教所被者聖凡不等第五辨緣多少第六弁此諸緣
發戒時節第七受捨漸頓第八交量勝劣　第一釋名者諸部立名多
少不定或立四受者无上法或立六受取律中八比丘四自稱比丘是自誓受
戒不然之義今約四分受立五受言五受者謂善来上法三歸八敬羯磨等
是言善来者此人宿殖妙因道根深厚聞仏說法即謂初過深猒生死
怖求出家仏言善来比丘即發戒品故曰善来亦可此等諸人深猒
生死怖求出家仏命善来即發具足故曰善来　言上法者性空之理
超出相有物莫能加故稱上法无欲恐禁脩道進德惑盡解滿舍日增
上法而發具戒故曰上法亦可盡无生智超出學表會而得戒故曰上

少不受戒其要言无上法或立言受有得[illegible]

戒不然之義今約四分宗立五受言五受者謂善來上法三歸八敬羯磨等

是言善來者良人宿殖以因道根深厚聞仏說法郎謂初過深猒生死

怖求出家仏言善來比丘即發戒故曰善來亦可此等諸人深猒

生死怖求出家仏命善來即發具足故曰善來 言上法者性空之理

超出相有物莫能加故稱上法无欲怨業修道進德惑盡能滿會自增

上法而發具戒故曰上法亦可盡无生智起出學表會而得戒故曰上

法故母經中達立善根上受具足言三歸者此等諸人未感如來

或悟見道但說記小聖諸阿羅漢等以為良緣亦深猒三有怖求

出家毋云諸羅漢等教令剃頭染衣歸依三寶歸依心成即發具足

故曰三歸亦名三悟言八敬者仏抑女人不德存道彼聞聞之特生猒

離遂自剃頭立掋桓阿難見已為其三請如来遠見宣敬法阿難

傳授愛道聞之欣尊八法作奉行之意即發具足故曰八敬言羯磨

者斯等人第要假緣扶彼𢿘因方能發戒緣彼僧衆羯磨言

下而發戒亦隱其能秉熟所軌名故曰羯磨受戒此五受法得名有四善来解境

善謂行者求戒心來是聖教故或可讚嘆受名有心受戒仏言善来故亦上法從

境又可當躰受名達立善根上受具足故謂盡无生智歸敬二受約境就心羯磨

從教亦可功德謂名辯事故第二總別四受是別羯磨是總以從遠緣軌名或四

或六而羯磨能扠故說為總問羯磨受戒既有四緣何故獨彰羯磨餘不彰名

者何 釋言從餘緣彰名乃有多種今且隱別就通以彰名羯磨何足為妨 第

衆人多論判言見帝自得餘六從他彼對七受釋故今類彼論以判此五遠而

言之盡從仏受以仏出世有是法故若以義推上法得戒名為自受餘之四種是從

他得云何上法名為自受論云以根本而言本仏說法得然无滿故於具足名從

仏受以義而推自以盡智明明現前而得具戒又名自得不從他受故心論云若法

者仏本比丘受師等是ゑ何故論言從他教得善此據遠因而說善來八敬是仏

所秉名從仏受三歸羯磨第子所秉是從第子言教不得 第四所被不別四

業所善来受戒為在聖位故律中云見法得法得果證 出得无漏處[illegible]

BD02990號　四分律戒本疏卷一

（24–2）

者何乚釋云從餘緣彰名乃有多種今且隱別就通以彰名羯磨何足為妨　第三
衆人多論判言見諦自得餘六從他彼對七受釋故今類彼論以判此五遠而
言之盡從佛受以佛出世有是法故若以義推上法得戒名為自受餘之四種是從
他得云何上法名為自受論云以根本而言由佛說法得證无漏教於具足名從
佛受以義而推自以盡智明明現前而得具戒又名自得不從他受故論云若法
者佛五比丘受師等若尔何故論云從他教得答此據遠因而說善來八敬是佛
所稟名從佛受三歸羯磨弟子所秉是從弟子言教不得第四所被大別四分
律弁善來受戒局在聖位故律中云見法得法得果證已去得无漏歡心出家
至順之極方應善來教具足戒由凡已還想心所聞非至順之極故闕不度又上
法受者要第四果以其惑盡解滿故尔三歸八敬由凡已聖是以多論此二受法不
羸不捨故知由凡已去言羯磨受者始興為九一興已後三人過故如涅槃經
淨行梵志得初果已羯磨為受四分律中蓮花色尼亦同此例　第五稽緣多少
善來受戒具四緣得一證初果文言見法得法已二曰有出家善心文言欲於如來法
中脩梵行故三假對佛形文云前白佛言四假佛教謂聖命善來上法受戒具三緣
教一假佛教授如見論說二有祈戒心是以餘文羅漢沙弥无出家意故但得其果
明須有心三得无漏空解謂盡智現前即得具足戒　三語受戒三緣具三緣
一假弟子形對諸羅漢二假弟子教為口授三歸言辭並殺三歸依心成領前
歸依故能得戒　八敬受戒具四緣教一假佛八敬之教二假弟子教誦口宣八敬四奉
行之意故受道自陳戒等須受羯磨受戒具足四緣如律所說一僧數滿足
緣二教法成就緣三結界成就緣四身无遮難緣若具此四是大比丘得成戒本
犯戒之人甲若闕非大比丘故須此四方成比丘　問善來等受以心為緣羯磨
一受何故不尔答羯磨非不有心以假外緣作法從強以弁故說曰名又可羯磨
四心俱得恐濫不弁心緣又准毋論前四以心為緣羯磨一受顯文不列要亦須心
故律文云睡眠醉狂等不得戒故　第六得戒時節善來受者唱善來竟敬即發
具足故律云乃至得盡苦原上法受戒盡智現前時得以小乘大齊羅漢梵行已
立自然戒淨故更不從他受戒　問此上法得者得作無作不答以非作法但得無作

BD02990號　四分律戒本疏卷一　（24–3）

一受何故不尔答羯磨非不有心以假外緣作法從強以弁故從因名又可羯磨
四心俱得忍彊不弁心緣又准母論前四以心為緣羯磨一受顯文不列要並須心
故律文云睡眠醉狂等不得戒故 問第六得戒時節善來受者唱善來竟歠即發
具足故律云乃至得盡苦原上法受戒盡智現前時得以小乘云畜羅漢梵行已
立自然戒淨故更不從他受戒 問此上法得者得作無作不 答以非作法但得無作
問既非作戒何因得發无作戒者 答以非學為故无其作以道力故得无作戒三歸
受戒第三語竟即發具戒八敬受戒説第八説即得戒及羯磨一受羯磨竟便
發具戒諸論大同 第七受捨漸頓光明受漸漸頓羯磨一受亦漸亦頓餘之四受頓
而非漸漸頓如何羯磨漸頓先受五戒次受十戒後受具戒是名為漸若不受五
直受具戒得三種戒説之為頓 問若一時受得三種戒者何須漸受 答漸習仏
法必須次第先受五戒以自調伏信樂漸增次第十戒善心轉深次受具戒 如是次
第得仏法味好樂堅固難可退敗不失次第不破威儀 如遊大海漸漸入深一時受者
既失次第又破威儀 如遊大海漸漸入深一時受者既失次第又破威儀故須漸受
問一時頓受得三戒者其无作體為一為三 答但發具戒一无作體更无餘二无作
之體若尔便是一戒如何言三 答此直受得防煞无作与沙門弥俗人同戒者其實
體一是以多論家據其體望三人始終位別言得三戒理實无三 問所以得知但以无
三答即此論文解次第受中俗人下品五戒次中品心受得下品五戒次上品心受沙弥
戒前五戒仍本下品五戒外發方為中品上品心受具本前二品仍猶下品五十外發
始為上品據斯以驗次第漸受三時心別同戒无作尚不發三復況一時受者而得
有三故知漸次望位別作三非體有三亦可心論云一切支得三戒者三時漸受受既時別
重重發无作有三體故若論頓受受既一時方可名為望位為三非體有三次解
捨之漸頓若望四受受捨俱頓羯磨捨受並含漸頓為但羯磨一受受制□
漸捨兼漸頓問羯磨頓受既得三戒捨時去何 答義含漸頓若也要心三戒
俱捨時頓失三是名頓捨若言我沙弥作俱捨具戒言作優婆塞者又捨十
戒又言我三歸人方捨五戒名為漸頓 問受之与捨俱頓並漸或以漸受頓
捨此三可尔若本頓受但得具戒一无作體去何漸捨若得漸捨便成三體

[illegible]
漸捨異漸頓問羯磨頓受既得三戒捨時云何答義含漸頓若也要心三戒
俱捨時頓失三是名頓捨若言我沙彌俱捨具戒言作優婆塞者又捨十
戒又言我三歸人方捨五戒名為漸頓階受之与捨俱頓並漸或以漸受頓
捨此三可尔若本頓受但得具戒一无作體云何漸捨若得漸捨便成三體
如何言一答比丘一時受防煞无作通沙彌俗人共有防非是故時要心捨具
不捨十戒若与沙彌戒同隨心則在故律文言我作沙彌以一對五義亦同尔
故言我作優婆塞是以論說擾躰通三人有共用義故望位說三非躰
有三如此釋時頓受漸捨義亦无妨故多云譬如樹葉夏青秋黃冬時則
白豈躰有殊隨時异故樹葉色异而始終一葉戒亦如是常是一戒隨位
异故是以羯磨一受之捨俱頓並漸善来等四唯頓非漸以无作法捨故第
八優劣如多論說若默然忠有无四受是勝羯磨為劣若取住持佛法
利益寬長羯磨為勝餘四受劣言四勝一劣者羯磨受者由實有福德淺
薄感得此戒劣諸受患容有缺上慚下奉持心劣今戒有羸餘四受法由有
已去理乖心中受得斯戒持心堅固能而不羸二者羯磨容有夫容有不樂道法
捨本所餘受四受法樂道情慇理无退捨三者羯磨容有轉為二形餘四受
法復无此變四者羯磨受人或起邪見斷捨善根餘四理乖不斷善根羯
磨一受或有上四故稱為劣餘四受法无前過非是以名勝此對始興若聖人受亦是
其勝　言二勝四劣者羯磨一受乃具六義一是時長謂通現未二處遍三方除
單曰三根等男女四謂該凡聖五所被无數六多生作法以斯諸義佛法始終以自羯磨
為宗本能紹續三寶作无邊利益有住持之功善来羯磨故說為勝餘四受中善来一受終
盡更林白外三受中間即止又局閻浮不該餘二凡聖住善報居易女對前六善半受隨少
緣起初徹罔第二受隨同異罔第三弁發戒緣第四所發多少第一言釋名者戒相雖衆義要
二種一曰作戒先釋別名作与无作次解通名所目之戒言作戒者謂方便身口起動造作
稱之為作故心論云作者身動方便言无作者身動滅已与餘識俱彼法隨生故為
无作如善受戒緣汙无記心現在前善戒隨生惡戒亦尔次釋通名戒者此作无作俱
有懸防戒稱為戒依善生經道有五名一名為制制斷一切諸不善故名為戒又

BD02990號　四分律戒本疏卷一

（24–5）

二種一曰作戒生二釋別名作與无作次解通名所目之戒言作戒者謂方便身口起動造作
稱之為作故心論云作者身動方便言无作者身動滅已與餘識俱彼法隨生名為
无作如善受戒穢汙无記心現在前善戒隨生惡戒亦亦次釋通名戒者此作无作俱
有懸防威稱為戒依善生經通有五名一名為制制斷一切諸不善故名為戒又
名近隱頭有諸惡性不容受故名為戒又名清涼遮熱煩惱令不入故又名為上
能天堂至无上道又名學調伏心智故名戒此之五戒是義用釋名是故從用立
名稱之為戒然於五中近隱清涼是義名餘三用名問何故得知有作无作
答諸論廣明二種戒體一如心論第三羯磨剎那作及无作根本業道又云
身口作前二有對身口无作俱不可見无對二多論云初念戒有身口教及无教第二
念唯有无教无有教數十住毗婆沙云律儀善根有其二種一者有作二者无作作者是
色无作非色非心以斯文證明知戒有二種問何須作无作者答若无其作无作
无所從生若无无作不可一飛防非故須兩戒此從言意如上法得戒以道力故得无
作戒次弁戒體若據戒體多論作无作戒並是色法為體此義可謂二種
分別第一有為无為分別二戒俱是有為法聚非三无為攝第二有為中三聚分別作
无作戒並色法為體心及四相不相應法是其戒因故論云作及无作假色是
分別色聚中三色分別一可見有對色謂色入二不可見有對色謂五根四塵三不
可見无對色謂法入中无作善言作戒前二色攝无作戒者第三色攝故伽
心論云身作可見有對口作不可見有對身口无俱不可見无對論其
身作前二色中唯色入攝口作戒者是聲入攝非餘入色雜二无作並法入攝
此作无作俱是色陰第四就色聲中報方便分別色顯通報及方便然身
作是方便非實心故論云作者身動身方便口作唯方便以聲非報法故
身口二无作非報非方便第五三性分別身口色聲是善非餘由故心動身
口名善作等即向初色有廿種前十二唯无記後八高下長短方圓正不正通
三性局取善邊身作戒體三聲之中謂除第二因不受四大聲如風雲等唯
无記故就初因受四大聲第三因俱聲此二通三性中亦取善聲邊為口作體
次論身口无作通於三性今論戒故是善性攝第六始終分別此作善作中通
於終始不取始謂始從請師終至羯磨未竟要心未熟善而非戒第三羯

口名義作等即向初色有廿種前十二唯無既後八高下長短方圓正不正通
三性局取善邊身作戒體三聲之中謂除第二因不受四大聲如風雷等唯
無記故就初因受四大聲第三因俱聲此二通三性中亦取善聲邊為口作體
況論身口無作通於三性今論戒故是善性攝第六始終分別此作善作中通
於終始不取始謂始從請師終至羯磨未竟要心未熟善而非戒第三羯
磨一剎那頃要期心滿思願成就善而如是戒故局取終然依得終宗無作
之戒受用非色非心為體作戒者文不受之或有取文色心為體故論文言
業者非直聲音要以心力助成故知身業亦以心力助成明知二業色入為體
又引論文以心為體是故言論離心無思無身口業故知二業用心為體文假
色為身口業體故論去身口業依止四大意業依心若身口業非四大為
體性者意業依心亦不應以心為體然意業依心故即說意業心為體
故知身業以四大動為業業無別體即用四大作體口業者四大相擊於中
出聲聲成音曲有所表彰以為字句為口作業業無別體用聲聲成音曲有
所表彰以為字句為口作業業無別體用聲聲成音曲有所表彰以為字句
為口作業業無別體用聲作體是以論去是法名聲性法入所攝故以遠從四大
即聲成故用聲為體身業近依四大故即用[illegible]為體[illegible]戒先後
依心論說似一時得故文言第三一念作無作根本業道又多論去初念戒有教
無教後次第生戒但有無教有教故知一時然無作三時有非戒者一者因時
無作但是作俱是非全戒體二身是果時無作無作有二一是作俱二是形俱
形俱蠲方是戒體三謂過後唯局形俱此是戒體以其果時有形俱故明一時
得若依此宗以先後義故實云問齋何名為無作答第二念頌名為無作以作
戒為初念故名無作為第二念唯羯磨竟所有無作是謂戒體前二時中但是
緣俱所攝又善生經方便心果作時心果衆緣和合得名為作以作因緣益發
無作作已過去唯有有無作其心頹在惡無記中本所作業不名漏失擾斯
以辨明先後義第二受隨同異者能受隨義一辟如一稱能捍衆故為
故所以然受既受隨二法並作無作[illegible]非無作有其二重一道時無作二受是其無作

得若依此宗以先後教故實無問齋何名為無作若第二念須名為無作以作
戒為初念故名無作為第二念唯始應竟所有無作是前戒解前二時中從是
緣俱所攝又善生經方便心異作時心異衆緣和合得名為作以作因緣誠壁
無作作已過去唯有有無作其心雖在惡無記中本所作業不名漏失據斯
以弁明先後教第二受隨同異者雖受隨義一解比一種能律儀故為
破斯義故立此受隨二法並作無作先解無作有其二種二道共無作二定共無作
三戒俱四要期如日夜及處中要其等五隨業無作如隨戒無作及已事隨
作業教者是六事無作如塔寺橋船等事在時念念無作等七隨用無作
即前事在有人用時復發無作者是就此七事戒俱受受要期通二解五受
隨次弁同異受隨無作同義有三謂名体義異便有六第一受中無作
義均一品隨中無作乃有優劣言受中無作一品者若本上品心受所發無
作心增上故戒然上品或容犯罪或中至羅漢更無增減以其翻本一品心故中下
下心受義然同然三品各定故言義均一品隨中無作多品不定故優劣對五
等篇弁此優劣者就若根縱初勝乃至五劣若自分勝進五篇乃至初
劣即應五篇次第之義又可一一篇一一戒心有增微事別不等即有無量持
故隨無作有斯階降第二總別受中無作發心總斷一切惡意於生非
生數境得律儀故稱為總隨行無作故次第斷成不可損起故名
為別第三懸對受中無作懸有防非未即有行隨中無作對事防非
行成朕當閑懸未有非對即隨行受有何用答若為其受隨不成
隨以善成一語故第四長短受是戒俱說為長隨行無作從循行發非
戒俱故目之為短第五有無者受中無作通三解唯善隨無作者解非二
性無不通兩此據對性分別受隨俱善餘二並復今約有無者通不通
受是戒俱通在餘二性中故說為寬隨是作俱等局善性中所以言後此就
心自作為言若先後心及以教人餘二性中隨無通有如教相所註犯不犯
同此後故犯行中無不犯行者通就先後心及教人犯行中無有不犯行此
即受隨俱寬往此解者然須約以為三言局善性俱狹受隨同善性故

性亦不通，而此據對性分別受隨俱善，餘二並據今約有无，有通不通。
受是戒體，通在餘二性中，故說為寬；隨是作俱等，局善性中，所以言狹。此就
心自作為言。若先後心及以教人，餘二性中隨亦通有，如教相所詮，犯不犯中亦
同此狹故。犯行中无不犯行；若通就先後心及教人，犯行中亦有不犯行。此
即受隨俱寬。從此解者，然須約以為三：若局善性，俱狹，受隨同善性故；
若隨人等，俱寬，以分通三性故；若以自作隨行對受分別，方有寬狹。此唯多
論有四五不同，若實依論，不別寬狹。長短然須受中无作受是長，寬隨无
作者具於二種，以受无作寬去，未來亦受根本，隨是枝條。次解二作同異同義。
有五種：謂名、體、義、寬狹、長短等不同。有四分品多，念三翻對三支，懸對四根。
條此說可知。既有此殊，豈同普解？受隨義一。第三辨發戒緣者，若依薩婆多
別解脫戒唯約現在，以過未非眾生故；若作宗發戒之時，不在過未，心得戒
以非眾生故。現在相續心中發戒，以是眾生故。受戒時要須三世境上所有
三惡皆作斷意，防能發戒，還防三世境上。非所以然？未過去之境能生
惡心故。論云：如人供養所尊，是互得相律儀，互亦未來之境，互生惡心故。
須善緣物作斷意，方能發戒。又若過未不發戒之世，就佛戒不齊等，以
其說佛戒品齊等故，緣三世以發戒也。而戒防未非，毗尼殄已起故，何得言
緣三世境發還防三世非也。答：境雖過去，非之過去等，以斷彼義能
防未非，是以須彌第四戒多少義戒，雖眾不過二種，謂作无作，作之已過
去，唯有无作。无作相續，此无作相乃有多品，以所防之惡既有无量，戒寧
是一，故多論云：於一切眾生數非眾生數而發律儀；於眾生數
上至非想，下至阿鼻，可殺不可殺、可欺不可欺等一一眾生乃至如來，就根
本而言，不過有身口七支。三因緣故，一一支復起上中下三，故起七三七廿一戒。
對防惡受戒之時，謂從无貪等三種善根心，各得身口七枝，合廿一種
戒。如是乃至三千大千一一眾生，亦如是。若十戒、五戒得廿一種戒，故心多之論於
一切眾生一切時戒不斷，戒廿一種，故經戒云眾生无邊戒亦无邊，若非眾生
數，乃至草木生種、大地、非法衣食等，及一一罪更不受戒，時要期不作

本而言不過有身口七惡三因緣故亦有貪瞋癡起十三處故起七三七廿一戒
對除此惡受戒之時謂從無貪等三種善根心各得身口七枝合廿一種
戒善乃至三千大千一一衆生上如是若十戒五戒得廿一種戒故以身二福於
一切衆生一切時戒不斷戒廿一種故經云衆生無邊戒亦無邊若非衆生
數乃至草木生種大地非法衣食等及一三界更奉受戒時要期不作
還得爾所戒善功德故善生經云大地等無邊戒亦無邊出家僧尼紀
聖弟子語等人天宣由於此又唯了論四萬二千福河謂四萬二千學處
一切恒流其從河水洗除破戒煩惱言四萬二千者根本戒四百廿等亦者如是
數於律戒有二百多明輕戒優婆提戒有一百廿一多明重戒比丘尼別戒
九十九合成四百廿是一一戒有攝僧等十德一一切德能生十種正行謂
信等五根無貪等三及身口二業一戒即合成有四百廿豈非四萬二千之解
無窮毗尼志謂稱廣竟時四萬二千學處一時並起無一戒不生故緣
無窮後修斯以驗故知戒量不可勝數問僧尼二衆戒數各多何以無顯
尼有言萬二千耶一解此便二種通說若取實理各隨本戒對緣轉根義釋俱有四
萬二千上來受戒法門轉等自下隨戒寄文中說第三正釋戒經題目言四分者
蓋是一百年後五部之中一部之別名言戒者毗尼部教之宗兼大聖如來始從波
羅奈終訖泥洹隨根制戒輕重舊殊緩急有異佛但餘後優波離等撰佛遺
言載傳竹帛萬次住持乃至趣多一百餘年並以秉宗無所化衆生不相是非但
爲一部大毗尼藏脩傳於世然優波趣多有五弟子各執一見以爲指準並傳聖
教不能均融齊一於是分離遂爲五典各自相傳並稟世宗其宗旨無非佛
說如破金杖並爲金用兼別之教所受持本一今別義與於此又依三藏傳一百
年後分部二百年後爲十二部四百年後分作八十隨相顯有多種莫不皆是
一天毗尼藏故文殊請經佛說得目摩訶僧祇部分別出有二十部毗尼十一是爲
廿部十八及本二悉從大乘出無是無非義說未來起覆斯以論明知四分明名於
多部中一部之別名若執能秉應言量無德戒本此名法護今約所詮戒名
故言四分四誦成部因以名焉今此戒經從彼律出故言四分戒本隨文釋中文

教不能於聚窟一衣是分部涉意乘與名於此傳並受世爰其宗旨无非仏
說如破金杖並爲金用惣別之教可受持本一各別義與於此又依三藏傳百
年後分部二百年後爲十二部四百年後分作八十隨相顯有多種莫不皆是
天眼尼藏文殊請經仏說偈曰摩訶僧祇部分別出有五部十一是爲
廿部十八及本二悉從大乘出无是亦无非我說未來起擾斯以論明知四分明名於
多部中一部之別名若能兼應言量无德戒本此名法護今約所誦章名
故言四分四誦戒部因以名焉今此戒經從彼律出故云四分戒本隨文釋中文顯
湊傳聖元見已分釋多種不定今約一義文分爲三一者序分二者正宗三者流通
初文三文第一從稽首禮至如是持已來名爲序分第二從四波羅夷法至
七滅已還名爲正宗第三從七略已下並成仏道是流通分次釋此三名顯宗由
致發起之端名爲意當於序興又當機感故曰正宗法傳季世目之爲流流而
不擁名爲通當宗本故次正宗正說之文豈現在亦啓開後大文流傳像季
未大等聞金情渴同悟故須流通就前序中復分爲二初十二偈正明律主將
教流傳聖教彼及遐代恐時不信歸敬三寶嘆戒功能勸信奉循是故因
作序略二教通序前開待既之言以成說聽之本第二從和合已下是二教大宗
發起之序於斯二序六門解釋一明序意三義故亦一人有從謂曇无德如來
之別二時現未三經躰不同如來經者出於金口曇无德經傳於竹素以斯三
異得有二經經有二故須立二序第二序名不同就法以論勸信發起義也
約人曇无德如來顯名有殊且約前說第三總別偈序是別長行是總
之別可知第四所明有異流溢聖教非信不傳故此偈序嘆戒功勸信
奉循以明序義和合以下大聖欲明彼時之羞輕重等相啓龜發起第五先
後次第問發起前興反在後說勸信偈後迴在前明所以不者爲令二種不倒故
作如是一龜制戒之相隔於勸信發起不須二頭曇无德勸棲不具若勸信前明
順前兩義故迴發起勸信後說有可不勞爲妨理而之言勸信之偈乃在流通事後何
以不對正宗等以弁先後故知不示但勸信顯後法須前明第六隨文所釋偈文分三初稽首
禮三字是云何敬敬之儀諸仏已下七字是所敬顯所敬境三今演已下是何敬敬其教

復次第問義起前與及在後說勸信偈後廻在前明所以亦者是令二種不便故
作如是一章制戒之相隔於勸信義起不便二頭彰无德勸積不具若勸信前明
順前而義被迴義起勸信後說有可不勞為妨理而之勸信之偈乃在流通事後何
以不對正宗等以弁先後故知不求但勸信頭復法須前明第六隨文新釋偈文分三初稽首
礼三字是云何敬敬之儀式諸佛已下七字是何所敬顯所敬境三今演已下是何敬彰其教
意所謂恭度戒勸信稽首礼次明能敬之辭顯頭墜之身致度故曰稽首又稽
者屈也首者頭也故曰稽首謂律主等行者身口意業身業恭礼口業稱揚讚嘆意
業信敬尊重此就能人業具成身口意業弁善屬明敬辭其唯信敬諸佛及法比丘僧次
明所敬之境衆聖非一稱之曰諸宜敬主而兼礼餘佛者顯敬道理均化儀无二諸佛平等
故須齊敬佛者西音此方稱覺具一切智通達諸法自覺覺他三覺圓滿故名為佛已上稽
貴通下二回之為及所言法者有其二義一就解辭法之名自軌二軌用釋名法行者軌則
所言比丘亦是西音智度論中三義解釋一名乞士二意故乞一為資身長道離四邪命正
命自活曰比丘二為益施主僧田行施獲大報之福是故須乞三名破煩惱比丘能破故
名煩惱能破煩惱故名比丘三曰怖魔能怖於魔及魔人民故名怖魔具足三義故曰
比丘所言僧者亦是西音此名和合謂四人已上於理於事絶去違諍名和合衆比丘者能
成之目僧者所成之衆總別合舉故曰比丘僧此三種境並可珍貴咸稱為寶
三寶不同略有一雜別相住持九種之異義如經論廣弁今演毗尼法令正
法久住從此已下彰其敬意敬意有三一就別敬二總敬三別敬者敬佛四意一佛
是教主將傳聖教寧不致度表師資有在二報恩供養三明今僧尼尊奉之儀
四謂請威加護敬法三意一法是所傳之旨寔益熟衆故亦宜敬二示尊奉之
儀三請威加護次總敬意雜心論云開發衆生三寶念是故稽首禮三寶成
實論云三寶最勝故我經初說今律主敬者為略演尼勸時生信業代相
傳有文往之益是其大意先辨初文於蘇吐豈故曰今演毗尼西音此方稱滅其
滅由於行教執功能彰名說故此教為毗尼法之名乃有多義如三藏義說一能引
生是毗尼義謂第三羯磨資時能引生四万二千功德一時並起三聚戒身口淨
及正直是毗尼義謂離業濁煩惱濁故名身口清淨正直故向涅槃三有滅義

BD02990號　四分律戒本疏卷一　　（24–12）

傳有文住之益是其大意先解初文於蘇呾𠯈故曰今翻毗尼西音此方稱滅其
滅由於行教軌則能彰名說故此教為毗尼法之名乃有多義如三藏義說一能引
生是毗尼義謂第三羯磨竟時能引生四萬二千功德一時並起二能教身口淨諸
及正直是毗尼義謂離業濁煩惱濁故名身口清淨正直故向涅槃三有滅義
是毗尼義性離諸惡業非不生故名為滅四引勝故名毗尼謂引俗入道引小入令
凡入聖等五勝人所行是毗尼義謂一切聖人同行此法總稱律教一切都盡既
有多義翻令滅者謂能得於滅且當第二向涅槃第三滅義但雜論明滅義
今但略舉少多所言正法正法雖有四今約行教二法而明正法故善見云佛語阿難
我滅度後有五種法令法久住一毗尼者是汝大師二下至五人持律在世三者有
中國十人邊地五人如法受戒四乃至有廿人如法出罪五律師持律故佛法住世五
千年文論說言眾行之軌稱為正法由人弘人能通法法存人故更興不墜
故曰令正法久住戒如海無涯如寶求無厭欲護聖法財眾集聽我說此一偈
略嘆戒功勸信奉循所防之惡既有無量能防戒之亦無涯際故云說言
眾生無邊戒亦無邊涯法七寶之珍世俗所貴求之無厭七善律儀聖人所尊
智者循學而無疲勞求之無厭王學珍寶釋性不淨過人當護勸令循
信等能資聖道故名為財智常者護勸令循學戒律法門故曰聽
我說欲除四棄法及滅僧殘法違卅捨墮眾集聽我說此偈文勸捨惡
惡不善之業而令修學涅槃正因故多論說戒有四義繫縛所無二者戒是
仏法平地萬善由之生長三者諸仏弟子皆依戒住一切眾生由戒而有四是趣涅
槃初門正是仏法瓔珞而能莊嚴諸仏正法此義故持戒之力能滅諸惡故
勸聽說毗婆尸式弃毗舍婆拘留孫俱那含牟尼迦葉釋迦文諸世尊大德
為我說是事我今欲善說諸賢咸共聽此偈之文引仏為證彰略二教
古仏同說是故我今勸令奉循聽從非日諸並有秋直之行稱賢異仁者著
志詳審故云咸共聽譬如人毀足不堪有所涉毀戒亦如是不得生天上
若生人間者常當護戒足勿令有毀損此偈文而明持犯後乃況其護持人欲遠

為我說是事　我今欲善說　諸賢咸共聽　此偈之文引佛為證廣略二教
七佛同說是故我今勸令奉循聽從非日諸並有叔直之行稱賢異仁者尊
志詳食故云咸共聽　譬如人毀足　不堪有所涉　毀戒亦如是　不得生天人　欲得生天上
若生人間者　常當護戒足　勿令有毀損　此偈文而明持犯　後乃况其護持人欲遠
涉事必須其脚足若欲遠至涅槃應務戒品具足人足既損難遊遠涉若戒足闕况謝
三塗故今勸令護戒　如是以說經　如人无足欲行遠路　如鳥无翅飛昇高　如海无船欲
度彼岸是不可得若无淨戒欲得聖果无有是事處是故護戒勿令毀損
如御入險道　失轄折軸憂　毀戒亦如是　死時懷恐懼　具此一偈文明毀戒之義御以喻
身轄律儀軸喻根本若失小戒即犯根本故涅槃云勿輕小罪以為无殃水渧雖微漸
盈大器毀戒之喻亦復如是不護小戒即有犯重之憂故四分律云破戒之人有五種過一欲
自害二智者所呵三惡名流布四臨終生悔五死墮地獄以此義故勸令奉循　如人自照鏡
好醜生欣感　說戒亦如是　全毀生憂喜　此偈法喻　如相合鏡喻淨戒好醜喻持犯若
戒全時便生喜悅若毀戒行乃有憂悲故此婆沙云如明鏡无我像現戒如瓔珞能
嚴相好若照淨戒毀犯乃見故言憂喜　如兩陣共戰　勇怯有進退　說戒亦如是　淨
穢生安畏　此偈明進循持犯二門兩陣喻持犯勇怯喻勝劣戒行若全便進果以毀
戒故退墮惡道持戒不犯便有涅槃安樂惡戒因緣畏失勝報智度論云破戒
之人人所不敬其處如冢譬如羅剎惡心可畏如大病人人所不近譬如毒蛇難可共住常
懷怖懼我為佛賊乃至防終生悔而无安樂持淨戒者諸天常護正法不斷故莊
嚴去具足能持諸威儀教受六法常和敬善御大眾心无憂去來今佛共同讚
持戒因緣法久住是能報諸佛恩又云戒是无上菩提本應當具足持淨戒若堅
持於禁戒則是如來所讚　世間王為最　眾流海為最　眾星月為最　眾聖佛
為最　一切眾律中　戒經為上最　此偈以勝況劣世王能護故名為最大海深廣
是故名最月能圓滿故名為最佛具眾德是故名最戒含多義是故名最故經
說言以因此戒得生諸禪及滅苦智如海聞廓深潤无涯戒善理深資潤无窮
超於万行喻若於海若就行論定除亂惠斷煩惱所以是勝根條往別戒是根
本定惠從生戒復是勝約義弁者餘藏是惠故二藏勝若語根本此反為勝今言

是故名爲月解圓滿故名爲最仏具衆德是故名爲戒含多義是故名爲最故經
說言以因此戒得生諸禪及滅苦智慧如海闊廓深淵无涯戒善理深賾淵无窮
超於万行喻若於海若就行論定除細亂慧斷煩惱所以是勝根條往別戒是根
本定慧從生戒復是勝約義弃者餘證定慧故二藏勝若證根本唯尸爲勝今言
最者根本故最摩訶論云最有四種一至善勝名最二滅惡中勝故名爲最三相引故
勝依有漏戒得无漏戒是故名勝四相益故勝依非心戒對於心戒一切勝報非戒不起
故戒經爲上最如來立禁戒半月半月說此半偈結前嘆戒勸信諸文畢意難明
寄言以彰中境讚美立宗勸信若久毀德即廢所通之法宜悔已情悉嘆歸
礼上來廣略二教通序文畢自下廣略二教發起之意各分其三謂序正流通和合
僧集會從此已下廣明發起序四分律云時有与同師知識別部說戒法當尊
重承事恭敬布薩聽一處住和合說戒違者与罪仏言有三種和合一應来者
應与欲者与欲三現前得呵者不呵反此別衆言僧集會者謂同一界皆應相與
是仏所教作法之時共集一處若多若少乃至一人心念說戒是名集會
未受具戒者出此明異衆儀式四分律云時有比丘令餘六衆邊說戒事仏言并
令至不見不聞處餘人未受戒者非人来者聽之又不應在尼前作也若有異衆
乃令遠去下坐應答未受具戒者出若无異衆應言此處无未受大戒人沙弥出時
應諸五德十數不者得吉羅不来諸比丘說欲及清淨此名和合之義時有諸比丘不
来聽戒仏言應与欲及清淨隨其廣略若不見身相不口說者不成与欲以要言之
一切如法事業因緣仏聽与欲若无本緣妄陳欲法不成与訖僧說戒翻上成欲誰
遣比丘尼来請教戒此明聲請儀式若有受尼来請教誡者此時應起僧中爲諸
衆中若有具十德者即應受遣若有者上坐應作收教受法語請人言語尼衆
當寺无堪教授尼人亦无善說法者尼衆應一心行道謹慎莫施逸放若言亦若
无請者下坐應答此處无尼来請教戒僧今和合何所作爲此句明問僧所作儀
或若更有餘法事皆應此時先作若无餘事了應答說戒羯磨上来是東法
方便自下正作二白大德僧聽今白月十五日衆僧說戒若僧時到僧忍聽和合說
戒白如是此明作法四分律中仏語比丘當法王黑白二月大小兩日隨國同稱言

无請者下坐應答此處无尼來請教戒僧今和合何所作為此句明問僧所作儀
式若更有餘法事皆應此時先作若无餘事又應答說戒羯磨上來是東法
方便自下正作二白大德僧聽今白月十五日衆僧說戒若僧時到僧忍聽和合說
戒白如是此明作法四分律中佛語比丘當說法王黑白二月大小兩日隨國同稱云
若僧時到謂作法時至忍僧聽者勸衆群知下白衆知故日白如是是以律云
若有四人應作此白三人已下當三語說戒獨住比丘心念布薩若不如是皆德吉
羅 諸大德我今欲說波羅提木叉戒此句明發起正說戒序將欲說戒故標擧
之諸大德者先告衆也波羅提木叉者西音此翻為別解脫也由受此戒別
別弃捨種種惡故又能尅解脫果立德名為解脫律儀亦不謂惡衆所縛
故名解脫又最初隨順解脫故名波羅提木叉是自標同界稱又律
中佛難比丘離受戒者未得受戒不知何學聽集一處和合說說波羅提木
叉者戒也自稱特威儀住處行根面普集衆善法三昧成就當說
說發起清(?)布開現反覆分別衆集現前默然聽善思念念此句明聽
法儀式是故律云同羯磨者聽在一處方應呵者不呵是名如法若
衆大聲不數好高坐立上而說八難緣隨時略說若寒暑(?)來集默有
多多說至此序告淨使聽應如律 佛歸竟專心而聽律法是名念念
若自知有犯者即應懺悔不犯者默然 者知諸大德清淨此句明犯
不犯義所言犯者不離離人發緣身口遠禁過不能善行河本所受名名
為犯漸愧退謝還令復本立名為精錐非一往善成拉立毀而還復弃
二白法故名犯已能懺悔是故律云有二種智人有罪能見見已如法
懺悔所言不犯者上行行流一往順教要離善行故名不犯所以律云无犯
有二若本不犯犯已能悔同名无犯若欲懺者當諸清淨所說犯名字
如法除已方得受戒若无犯者即當默然表心淨故若有他問者立如
是答此句明相問義律云非但論戒戒情須如是答若有人問答立如
是故四分律言如是答者譬如一一比丘相問答也是名立如是如是比丘在

有二異本不犯々已能悔同於无犯異欲懺者當雖清淨所說犯名字
如法除之方得文戒若无犯者即當默然表心淨故若有他問者亦如
是若此句明相問義律云非但雖默然時須如是答若有餘問答亦如
是故四分律云如是答者謂如一々比丘相問答也是名亦如是々比丘在
於衆中乃至三問憶念有罪不懺悔者得故妄語罪此明違教罪四分
律云默妄語者得吉羅罪是衆中問時憶念有罪即應發露若隱不
憶雖默无罪若正說戒時於時憶念恐亂大衆即應心念懺悔說戒
已後如法懺悔故妄語者佛說障道法此句明違罪果報天障道者妄
語之罪能衆生隨三惡道中獲聖果亦障四禪及三々昧乃至四果是
故論云佛告比丘如彼大海不受死屍戒有漏無我法亦尓不受
死屍謂死屍者非沙門梵行自沙門梵行犯戒惡法不淨穢汙
邪見覆善內懷腐爛外現自淨如空中樹雖在衆坐常離衆
遠衆亦遠彼故於懺悔方成聞戒若彼比丘憶念有罪欲求清淨者
應懺悔々得安樂此明懺法若憶初篇犯罪即應於大衆懺若憶
僧殘如律應懺乃至吉羅類亦可知由懺因緣三業得淨是故律云
佛告比丘以戒學淨復得淨定乃至智惠亦復得淨三學淨故餘
利諸禪及證聖果故曰懺悔得安樂 諸大德我已說戒經序今
問諸大德是中清淨不 諸大德是中清淨默然故是事如是
持 此句總成受持也 由默然故法事皆成雖有三問共是一法
故但得一罪上來已明序略兩教發起別序 從此已下即明序教
正宗 諸大德是四波羅夷法半月半月說戒經中來自下正宗々
內總有八問以明輕重此一初明第一夷篇々內皆有三段初標說
儀次陳本戒後問清淨此前一句是其標也下至七問皆准
於此問所以得與序教者 若僧尼不勝名刹序生有漏懷甚略教
是以如來隨較犯制序稱々依犯相班輕重種別 故禁群機有當
時々益原意在此故號正宗々之言不出身口正善受々與持犯相輕

儀次陳布戒後問清淨此前一句文是其標也下至七問皆准
於此問所以得然者教者為僧尼不勝名利處生有漏懷其略教
是以如來隨釁犯制處禮條條犯相班輕重階別故禁制群機有齊
時時益源意在於此故號正宗言不出身口正善受持犯相輕
重理人多識不可具錄今且略梗宗求分位二一者止持行相二作持
門相此二種持解備戒經始終總盡戒本內具從八節科義此八
為五犯卅九十合為一犯惡說并為一犯不定合在七聚故但為五將此五
犯兩種解釋第一總相解釋第二各別釋義總相之中四門分別第一
五篇第二七聚第三方便第四持犯此四位中五篇雖是究竟以其根
本究竟業道是以初明雖然究竟前後眷屬相互須識是七聚以
為第二七聚之義並含輕重五七之過戒本由因遠緣差互不可有
盡暢恐業故方便也為第三既釋方便過相皆是理須護持犯為
第四欲明五篇四解釋第一釋位第二辨名第三立所以第四次第第一釋
位者瓶尼以正善為宗故能淨戒行以為所明四分律中名五犯聚僧祇
以為五篇科以一名就四重名初篇十三僧殘為第二篇卅九十並為第
三篇四提舍尼為第四篇眾學及滅諍為第五篇所言篇者輕
重相形是故名篇又云篇者類也又就均等名篇各具均之三故名為
篇一者名均齊二者體均齊三者究竟均齊此三均齊等故得篇
名如前篇四戒僧名波羅夷輕重義等類此相似餘為初篇餘非
類者理不得同乃至第五類並同爾第二辨得名者夷當體得名祇
云極惡三義故惡一退沒懷退失道果二不共住非三傷稱故三
墮落據此身已墮阿鼻地獄即此極惡之名當邪人見故當
體得名僧殘者從體受名犯此罪已殘纏門者非全堪用故名
為殘有殘之罪由僧除滅故名為殘言墮者從體及境作名又
云隨義墮罪有此解故從功能作名言提舍者從對治境立號責

三墮落極此身已墮阿鼻地獄故即此極惡之名害罪人見故當
躰得名僧殘者僧殘躰受名犯此罪已猶纏門者非全堪用故名
爲殘有殘之罪由僧除滅故名爲殘言隨墮者從躰及境作名又
云隨義墮罪有此解故從功能作名言提捨者從對治境立可責
過受稱又言我犯可呵法言吉羅者從其義立名故見論云吉
羅名惡作第三立五之意或言業有五故立爲五篇立可唯從罰道有
如五形罪或可如來隨根略標此五第四次第先就所防罪解雅尋
本制之興隨犯而禁輕重事亂元定今明次第可所依准蓋是大聖
欲令斯法修傳遐代故命優波離曲宣方軌是以重輕次比於
後故憂波離仏涅盤後一張坐教集仏所制正死之罪冥加先勤
故并在初餘次輕者修其階位乃至第五稍以可知若據解防行
次第者初篇是門根本故須先明初篇門據下四枝條焉能得
生是故初篇先立根本門既立已不務衆法、不成綱紉不立何能
秉法故立衆行爲第二篇衆法雖成若不務律儀綱紉難立
難立故明第三身口威儀、既未若不離譏過若不教順寶降懲
外諍反成滯辱傳在三有焉能出離是故第五篇教順三寶
威儀淳熟趣道之門此復根本所以初勝居後雖防第五最勝
乃至初篇第二七聚四門分判一約位二立名三偷蘭先後四入篇
不入言約位者四義爲第一十三爲第二一切偷蘭爲第三捨隨爲
第四提捨爲第五惡作爲第六惡說爲第七所言聚者衆罪
非一聚在一處名之爲聚言立名者初篇當躰殘約境義蘭就所防罪
立名躰唯不善故見論偷蘭名大障能鄣道故名爲偷蘭提隨一切能可呵
約責立名第六約作得名故曰惡作第七就說爲名故言惡說言偷蘭先
後者偷蘭過廣故能通之行在戒門攝若約均難往知須在第五以辨會
方便究竟之異雜門所收廣重是故須在均下難上從當第五論作日故三篇

並名麁惡不善故見諸偷蘭名大障斷道故名為偷蘭遮障道斷可呵
約責立名第六約作得名故曰惡作第七就說為名故言惡說言偷蘭先
後者偷蘭過麁故能障之行在戒門攝若約均難往和須在第五以解含
方便究竟之異雜門所收麁重是故須在均下難上位當第五解作日故三為
果故五為并成從之成故亦言入不入者九入五篇皆具三義一名均二解均三究竟
均稟戒等四聚並四義蘭中但有名均雖是蘭聚闕餘二均以通因果含輕重故
不入五篇所言輕重有四種別一不可懺如二逆是也二大衆蘭初二篇下是三小衆
蘭四對手蘭又人邊懺輕者出界四人中懺殘邊重者同戒生懺殘邊輕者
對手懺有此差別故不入篇第三方便於中有三一者遠方便二者進趣方便
三者關緣方便遠者有果而不成進趣者必曰成果關緣無果而可成言遠者如
自覆藏罪是非不牽此覆藏生於後犯名方便終不攬此以成於彼故名為
遠論其正解其體究竟殺人蘭者類亦同不簡論五犯遠可為遠如自稱得
聖遠賢犯盜勸五錢不淨行緣於中說故取衣同行宿遠資犯初戒下二衆
說可知與此五犯與戒為緣餘類相望容有由藉如斯等類名遠方便二進趣
方便者心怖前事身口運動造竟求成故名進趣如律所明此之偷蘭是名進趣
方便三關緣方於中有七一者關緣二者境殊三者緣差四者境差五者想心六者
疑心七者善心息懺名關緣缺故名關緣方便二境殊方便者如殺人境前人空
或反害我以被緣殊差此進趣擬思不成故曰殊境三緣差方便者欲害前人
更有異人突伏怨事救覺或有緣來差此心不遂然事者故曰緣義便四境
差方便者如非人想非疑人想等是如不癡說欲煞王人張人來替者是五想心方
便者起心煞人心轉非人者是六疑心方便者起心煞人而生疑心為人為非人而人頭死緣
於兩境疑心煞者從兩境結罪七善心息方便者可知此七方便諸部不定被律性惡但立方
便謂從境判關無想疑文言普門想疑廣隔女人息殘故避應具七如生非生想疑
等言若張五分不遮條一切俱六謂無疑故以疑是兩緣順有緣本心故使從境制
其正罪是以文言是女疑殘非時疑年不滿疑皆得提罪故相究徹故不闕往遮心
境相應犯不相應輕或蘭善者故人非人想煞蘭女男想普門想觸蘭若就四分
其是七方便第四[illegible]

便謂從境[illegible]无想疑[illegible]門想疑[illegible]

等言若依五分不癡悕一切俱六謂无疑故以疑是兩緣順有緣本心故使從境制

其心罪是以文言是女疑非時疑年不滿疑皆得提罪故相究徹教不闕住癡心

境相應犯不相應輕或蘭善見故人非人想黃門想二根想疑皆蘭若乾四分

具足七方便第四持犯此戒所明不過二種持犯就此二種各有其兩言二犯者廣略諸[illegible]

作而成犯於善不循心而有違名曰止犯對此二果故立兩持若不作斷一切惡意離苦

不究竟須明止持以爾作犯若須不興循一切善心得果不滿足為欲得果滿足故

須並作持以顯止果故俱二論此尋對文說可知若為身口并持犯者離殺婬觸等

身心持如應來者收攝肘具然燈不安坐食等類是身口作持離口四果如妄罵

等可是作犯者咸悉止故是口止持如受持衣鉢處分說淨離衣六年攸?處二年六

法作如淨語傷地壞生二入聚落及順教補習等是口作持身口合者唯說可知

身口兩犯及前而說意成身口故不須別說意雖有持犯如律所說言六犯所起

中由身心及肯審觀其意欲以何心等皆是助成身口論去然獨意无持犯故文但

意不犯及六犯中由身口不由心是故成論十不善業道口四閑一切業意業大所以略之

不結罪者得罪福果若戒法異故尔此二種持犯義如律疏廣明從此已下隨文

文々列釋先就初篇兩種分別第一總相分別第二依文各々別說先就總十門

分別一業不紙?起要由等教等顯无量不出三毒故以初四配於三毒成犯之相發顯

由等殺必在具々而論々所謂身口是以第二解身口成犯身口之業不過自作教人

業不自成要由託竟是以第四境究獲犯境顯衆莫過自他為是第五境有自他境

緣顯具无心不成心有麁細所關不同對境差殊犯不犯已故次第六并其麁細不

同雖心所操麁細之殊及至盈違趣境有差互乖心有緣差有犯不犯故次第七舒?

悟同異八下衆任運九立境次第十對須持犯言起由三毒者不淨行戒唯已託已

為違故以三起貪成盜殺二戒違損益以三事起是三事成妄語一戒然以利已為違与初

不同貪癡起成婬三事起者報善生云若自樂作非梵行是名從貪若嫉恨家眷屬

名從瞋於所生母行梵行非行名從癡而捷說殺恩故並貪心成盜三事起成者貪心起成

可知若盜怨家財物及燒理瞋起瞋成若為己下人娛是名從癡又祇律云摩訶帝亶五

因心實物[illegible]故起癡成殺三起成准說可知妄語規利其順情故无瞋心發思成業若小妄

名從瞋於所生毋行梵非行名從癡而說說謗毀故並貪心成盜三事起成若貪心起成
可知若盜惡業財物及燒理瞋起瞋成若塗下不嫌是名從癡又撿律文摩訶帝多五
用他僧物亦應起癡成盜三起成准說可知妄語現利尊順情故无瞋心設惡成業若小妄
語理即通三二身口若依三婬戒身犯非口業次所交非身不爾故亦盜煞二戒通未離處更
故新相續故身業犯自作遣使說咒故口有犯如呪物過關教人盜煞等是妄語口教亦
犯頭已得聖沛故名利非言不實故口亦犯如作書現相亦是犯門故身亦有成此依成論
出家之人應勸人循善更助惡故能教蘭盜煞三戒遮通擯善自作教擯境无殊
罪恐亦滿故自作教人教我俱犯妄語自作亦犯教人自不同若遣人稱已得聖名利雖已与
身口手造二自作教人俱名有三婬戒自重教輕教人為非樂在前人邊非我故能教不重
自依无味故得同犯所教人輕有教人自稱招利雖彼於我无潤故俱犯蘭此名初篇
說若同時流論自重教輕初戒是自稱教重反教得滿失是自他俱重盜煞擯壞
及初同犯若是若犯不犯既亦有四句可知若約能所以說作而有四句亦有細門自他能所
此義何異答自他者不論所教之業但取能教之業對自作并若言能所以能教罪与
所教五種有罪若對說淺異四犯境寬狹種二婬戒說三境是名寬餘三局在人境故狹
良以婬欲之性順情內逸恆心厚重不擇境之美惡誰問人畜但使正道揚思无殊故
三聚犯以遂想制故又下之三戒事義於外積在前境故別報殊僧綴後方明思階
降故人犯人犯成餘趣即輕五自他種二不淨行戒自他境欲緣齊等是下之三戒要在
趣得分別若聖初戒下之三戒於其大得隨三趣境重犯名也專趣
而已衣无罪以自施自恣等妨可知然他犯戒故成犯境訢啟飒利何須自誑第六
在一處竊取他衣餅得已衣竪他衣上擲得蘭之由已衣作境差而得故言已衣蘭
他盜境以積主故所以重自盜无別可擯故聖不制問何以盜得已衣蘭答他衣已衣要
各稱境犯夜尋名境差三戒隨差蘭名誦同趣為異境單雙並无犯雙闕位
犯種名非情无主物為異境單雙得不犯一境既亦三店數即无量若其
號趣并得隨意在人報不蘭張三是名堅周趣趣得犯衣名非
喜為異境上半單闕境趣得得无犯不半雙闕故趣得並犯種名非情
无主物趣為異境趣得俱无犯一趣既亦緣非立然七鷄保乞責鷄保諸

[illegible]

就趣弁湯隨意在人雖不蘭殘王者是名望因趣趣湯得犯夷名非

畜爲異倫上半單啣倫趣湯得犯不半雙闌段趣湯並犯輕名非情

无主物想爲異倫趣湯得无犯一趣既不餘非五篇七聚保反夷聚揉皆

是外緣不書之隨名送事尋曲事在難分名隨名趣之謂容有列聚

就境差緣便心緣反觀緣二相境列處殊及逐進趣成事有外二境文涉名

爲聚若緣此隨彼心相緣異稱之爲緣就四戒配位分爲四　第一以對

婬戒聚緣但犯良爲違起内情但得正道觸遍不殊不隨餘相是故

緣犯同是逆疑逆非道相五表又言不蘭三趣雖有交涉但言正道聚二或

重第二以緣對三三戒之俱重以其无而並不得云无心故緣但犯之言男根

盜殺雖女依言表故第三以聚對三戒俱不犯以望餘境本无心故如

墮胎穗(?)故所以知第四聚緣對妄語所稱法聚緣不犯如欲稱聖而言凡聚

稱非境如增上慢人迷凡謂聖緣心乃故並不犯第八下衆任運如沙

彌時教人殺盜及稱己聖教已受具所教之人遂本言教殺時斷命

斬前令解緣教沙彌三性之中往犯三波羅夷若受戒欲竟所教事

成羅戒得得以其義同圓滿惡業成就故婬无任運可知凡五意次第者

但聖制戒欲令調伏貪嗔癡盡故調試比丘觀增上戒學問戒能防非

不斷性結何以而言對之制戒　答若舉對治而言戒能防非除動亂

惡能斷結惠不孤興必因禪定之由淨戒此推切律本故言制戒爲斷

三毒譬如有人欲至長　先泉(?)京戒五如是爲持戒故能斷三毒乃至

菩提五能成就諸戒同此言次第者僧祇律云五年冬分第五半月

十二日制此初戒即是十月廿七日餘三戒六年並冬分盜第二半月十

謂九月十日殺第三半月九日即九月廿四日妄語第四半月十三日謂十月

十三日又釋次第謂隨逆輕重戰其次第之七特犯對治比丘四衣戒

心持作犯言對持者謂離除清淨對初婬欲之行對盜慈悲之行沈(?)

數寶藏前隨其所説　婬戒第一

[illegible]

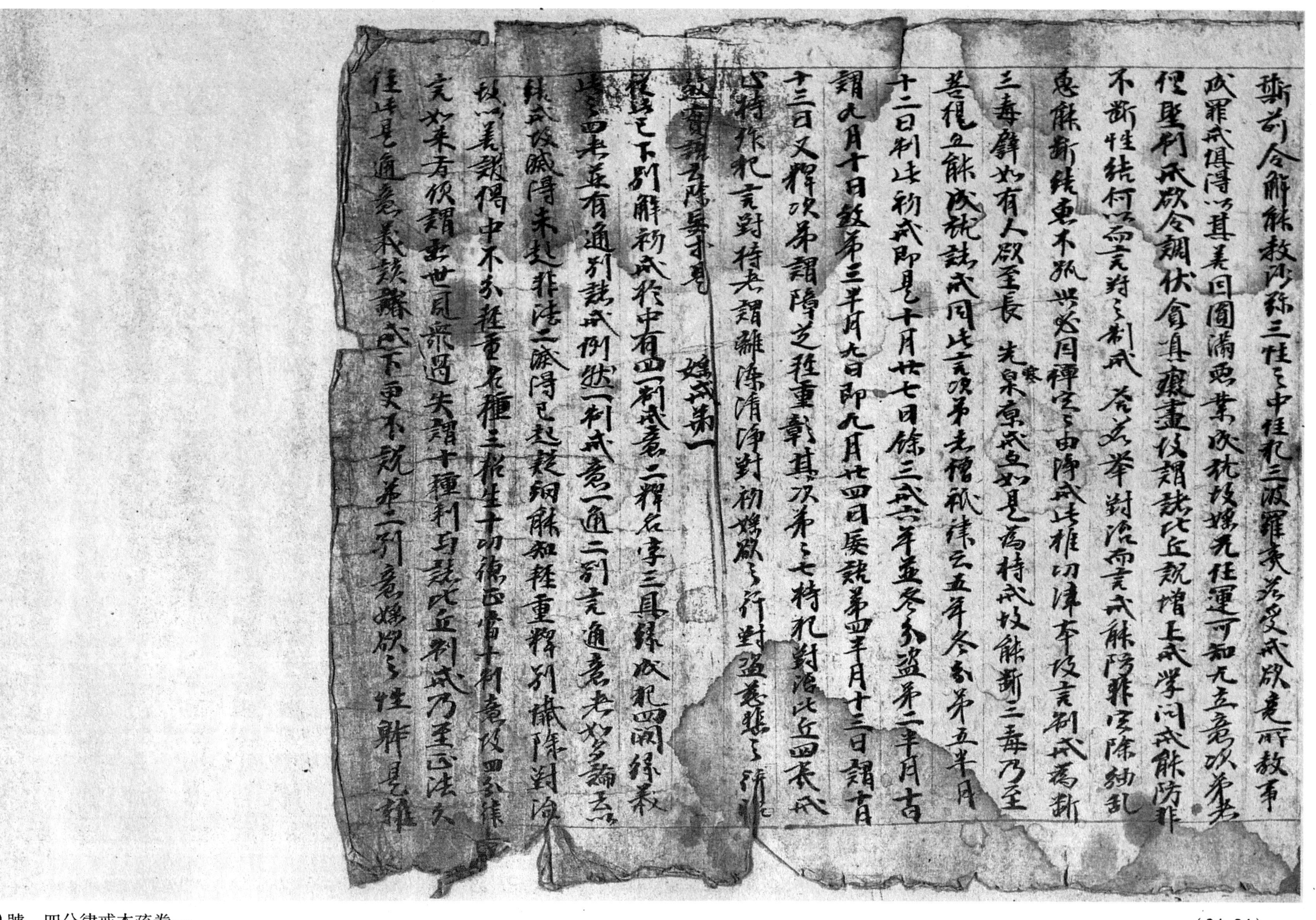

斷前令解脫教[illegible]三性三中性九三波羅夷若受戒欲竟所教事
戒罪戒得得以其義同圓滿惡業必執故增九往運可知九五意次第
但聖制戒欲令調伏貪真瞋盡[illegible]謂諸比丘戒增上戒學同戒能防非
不斷性結何以而言對之制戒　答若舉對治而言戒能防非定除紛亂
惠能斷結更不孤然必用禪定三由淨戒比推[illegible]律本波言制戒為斷
三毒錯如有人欲至長安　先息京戒立如是為持戒故能斷三毒乃至
菩提立能戒就說戒同此言次第者僧祇律云五年冬分第五半月
十二日制此初戒即是十月廿七日餘三戒六年並冬分盜第二半月十三日
謂九月十日殺第三半月九日即九月廿四日妄語第四半月十三日謂[illegible]
十三日又釋次第謂隨之輕重載其次第三七特犯對治比丘四表戒
心持作犯言對持者謂離染清淨對初婬欲之行對盜慈悲之行
婬戒第一
然前釋名[illegible]隱要等
從此已下別解初戒於中有四一制戒意二釋名字三具緣成犯四闕緣義
此之四表有通別說戒例然一制戒意一通二別言通意者如多論云[illegible]
結戒為滅得未起非法之滅得已起使須解知輕重釋別攝除對治
故以義說偈中不示輕重名種三根生十功德正當十利意[illegible]四分律
言如來有須謂出世見衆過失謂十種利益諸比丘制戒乃至正法久
住此是通意義說離戒下更不說第二別意婬欲之性能是雜

BD02990號　四分律戒本疏卷一

（24–24）

慧縛謂菩薩　身心疾
就衆生於空无相无作法中以自調伏而不
疲猒是名有方便慧解何謂无慧方便縛謂
菩薩住貪欲瞋恚邪見等諸煩惱而殖衆德
本是名无慧方便縛何謂有慧方便解謂離
諸貪欲瞋恚邪見等諸煩惱而殖衆德本迴
向阿耨多羅三藐三菩提是名有慧方便解
文殊師利彼有疾菩薩應如是觀諸法又復
觀身无常苦空非我是名爲慧雖身有疾常
在生死饒益一切而不猒惓是名方便又復觀
身身不離病病不離身是病是身非新非故
是名爲慧設身有疾而不永滅是名方便
文殊師利有疾菩薩應如是調伏其心不住
其中亦復不住不調伏心所以者何若住不
調伏心是愚人法若住調伏心是聲聞法是
故菩薩不當住於調伏不調伏心離此二法
是菩薩行在於生死不爲汙行住於涅槃不永
滅度是菩薩行非凡夫行非賢聖行是菩薩
行非垢行非淨行是菩薩行雖過魔行而現
降衆魔是菩薩行求一切智无非時求是菩
薩行雖觀諸法不生而不入正位是菩薩行

BD02991號　維摩詰所說經卷中

（24–1）

是菩薩行在於生死不爲汙行住於涅槃不永
滅度是菩薩行非凡夫行非賢聖行是菩薩
行非垢行非淨行是菩薩行雖過魔行而現
降衆魔是菩薩行求一切智无非時求是菩
薩行雖觀諸法不生而不入正位是菩薩行
雖觀十二緣起而入諸邪見是菩薩行雖攝
一切衆生而不愛著是菩薩行雖樂遠離而
不依身心盡是菩薩行雖行三界而不壞法
性是菩薩行雖行於空而殖衆德本是菩薩
行雖行无相而度衆生是菩薩行雖行无作
而現受身是菩薩行雖行无起而起一切善
行是菩薩行雖行六波羅蜜而遍知衆生心
心數法是菩薩行雖行六通而不盡漏是菩
薩行雖行四无量心而不貪著生於梵世是
菩薩行雖行禪定解脫三昧而不隨禪生是
菩薩行雖行四念處而不永離身受心法是
菩薩行雖行四正勤而不捨身心精進是
菩薩行雖行四如意足而得自在神通是
菩薩行雖行五根而分別衆生諸根利鈍是
菩薩行雖行五力而樂求佛十力是菩薩行
雖行七覺分而分別佛之智慧是菩薩行雖
行八聖道而樂行无量佛道是菩薩行雖行
止觀助道之法而不畢竟墮於寂滅是菩薩
行雖行諸法不生不滅而以相好莊嚴其身
是菩薩行雖現聲聞辟支佛威儀而不捨佛

BD02991號　維摩詰所說經卷中

（24–2）

行八聖道而樂行无量佛道是菩薩行雖行
心觀助道之法而不畢竟墮於寂滅是菩薩
行雖行諸法不生不滅而以相好莊嚴其身
是菩薩行雖現聲聞辟支佛威儀而不捨佛
法是菩薩行雖隨諸法究竟淨相而隨所應
為現其身是菩薩行雖觀諸佛國土永寂如
空而現種種清淨佛土是菩薩行雖得佛道
轉于法輪入於涅槃而不捨於菩薩之道是
菩薩行說是法時文殊師利所將大衆其中
八千天子皆發阿耨多羅三藐三菩提心
不思議品第六
尒時舍利弗見此室中无有床座作是念斯
諸菩薩大弟子衆當於何坐長者維摩詰知
其意語舍利弗言云何仁者為法來耶求床
坐耶舍利弗言我為法來非為床坐維摩詰
言唯舍利弗夫求法者不貪軀命何況床座
夫求法者非有色受想行識之求非有界入
之求非有欲色无色之求唯舍利弗夫求法
者不著佛求不著法求不著衆求夫求法者
无見苦求无斷集求无造盡證脩道之求所
以者何法无戲論若言我當見苦斷集滅證
脩道是則戲論非求法也唯舍利弗法名寂
滅若行生滅是求生滅非求法也法名无染
若染於法乃至涅槃是則染著非求法也法
无行處若行於法是則行處非求法也法无

脩道是則戲論非求法也唯舍利弗法名寂
滅若行生滅是求生滅非求法也法名无染
若染於法乃至涅槃是則染著非求法也法
无行處若行於法是則行處非求法也法无
取捨若取捨法是則取捨非求法也法无處
所若著處所是則著處非求法也法名无相
若隨相識是則求相非求法也法不可住若
住於法是則住法非求法也法不可見聞覺
知若行見聞覺知是則見聞覺知非求法也
法名無為若行有為是求有為非求法也是
故舍利弗若求法者於一切法應無所求說
是語時五百天子於諸法中得法眼淨
尒時長者維摩詰問文殊師利仁者遊於無
量千万億阿僧祇國何等佛土有好上妙功
德成就師子之座文殊師利言居士東方度三
十六恒河沙國有世界名須弥相其佛号須
弥燈王今現在彼佛身長八万四千由旬其
師子座高八万四千由旬嚴飾第一於是長
者維摩詰現神通力即時彼佛遣三万二千
師子座高廣嚴淨來入維摩詰室諸菩薩大
弟子釋梵四天王等昔所未見其室廣博悉
苞容三万二千師子座无所妨閡於毗耶離
城及閻浮提四天下亦不迫迮悉見如故
尒時維摩詰語文殊師利就師子座與諸菩
薩上人俱坐當自立身如彼座像其得神通

河

苞容三万二千師子座无所妨閡於毗耶離
城及閻浮提四天下亦不迫迮悉見如故
尒時維摩詰語文殊師利就師子座與諸菩
薩上人俱坐當自立身如彼坐像其得神通
菩薩即自變形爲四万二千由旬坐師子座諸
新發意菩薩及大弟子皆不能昇尒時維摩
詰語舍利弗就師子座舍利弗言居士此座
高廣吾不能昇維摩詰言唯舍利弗爲須弥
燈王如來作礼乃可得坐於是新發意菩薩
及大弟子即爲須弥燈王如來作礼便得坐
師子座
舍利弗言居士未曾有也如是小室乃容受
此高廣之座於毗耶離城无所妨閡又於閻
浮提聚落城邑及四天下諸天龍王鬼神宮
殿亦不迫迮維摩詰言唯舍利弗諸佛菩薩
有解脫名不可思議若菩薩住是解脫者以
須弥之高廣內芥子中无所增減須弥山王
本相如故而四天王忉利諸天不覺不知己
之所入唯應度者乃見須弥入芥子中是名
不可思議解脫法門又以四大海水入一毛
孔不嬈魚鼈黿鼉水性之屬而彼大海本相
如故諸龍鬼神阿脩羅等不覺不知己之所
入於此衆生亦无所嬈又舍利弗住不可思
議解脫菩薩斷取三千大千世界如陶家輪
著右掌中擲過恒沙世界之外其中衆生不

BD02991號　維摩詰所說經卷中　(24-5)

河

入於此衆生亦无所嬈又舍利弗住不可思
議解脫菩薩斷取三千大千世界如陶家輪
著右掌中擲過恒沙世界之外其中衆生不
覺不知己之所往又復還置本處都不使人
有往來想而此世界本相如故又舍利弗或
有衆生樂久住世而可度者菩薩即演七日
以爲一劫令彼衆生謂之一劫或有衆生不
樂久住而可度者菩薩即促一劫以爲七日
令彼衆生謂之七日又舍利弗住不可思議
解脫菩薩以一切佛土嚴飾之事集在一國
示於衆生又菩薩以一佛土衆生置於右
掌飛到十方遍示一切而不動本處又舍
利弗十方衆生供養諸佛之具菩薩於一毛孔
皆令得見又十方國土所有日月星宿於一
毛孔普使見之又舍利弗十方世界所有諸
風菩薩悉能吸著口中而身无損外諸樹木
亦不摧折又十方世界劫盡燒時以一切火
內於腹中火事如故而不爲害又於下方過
恒河沙等諸佛世界取一佛土舉著上方過
恒河沙无數世界如持針鋒舉一棗葉而无
所嬈又舍利弗住不可思議解脫菩薩能以
神通現作佛身或現辟支佛身或現聲聞身
或現帝釋身或現梵王身或現世主身或現
轉輪王身又十方世界所有衆聲上中下音
皆能變之令作佛聲演出无常苦空无我之

BD02991號　維摩詰所說經卷中　(24-6)

或現帝釋身或現梵王身或現世主身或現
轉輪王身又十方世界所有衆聲上中下音
皆能變之令作佛聲演出无常苦空无我之
音及十方諸佛所說種種之法皆於其中普
令得聞舍利弗我今略說菩薩不可思議解
脫之力若廣說者窮劫不盡是時大迦葉聞
說菩薩不可思議解脫法門歎未曾有謂舍
利弗譬如有人於盲者前現衆色像非彼所
見一切聲聞聞是不可思議解脫法門不能
解了為若此也智者聞是其誰不發阿耨多
羅三藐三菩提心我等何為永絕其根於此
大乘已如敗種一切聲聞聞是不可思議解
脫法門皆應號泣聲震三千大千世界一切
菩薩應大欣慶頂受此法若有菩薩信解不
可思議解脫法門者一切魔衆无如之何大迦
葉說是語時三萬二千天子皆發阿耨多羅
三藐三菩提心
尒時維摩詰語大迦葉仁者十方无量阿僧
祇世界中作魔王者多是住不可思議解脫
菩薩以方便力教化衆生現作魔王又迦葉
十方无量菩薩或有人從乞手足耳鼻頭目
髓腦血肉皮骨聚落城邑妻子奴婢象馬車
乘金銀琉璃車磲馬瑙珊瑚虎珀真珠珂貝
衣服飲食如此乞者多是住不可思議解脫
菩薩以方便力而往試之令其堅固所以者

乘金銀琉璃車磲馬瑙珊瑚虎珀真珠珂貝
衣服飲食如此乞者多是住不可思議解脫
菩薩以方便力而往試之令其堅固所以者
何住不可思議解脫菩薩有威德力故行逼
迫示諸衆生如是難事凡夫下劣无有力勢
不能如是逼迫菩薩譬如龍象蹴踏非驢所
堪是名住不可思議解脫菩薩智慧方便之
門

觀衆生品第七

尒時文殊師利問維摩詰言菩薩云何觀於
衆生維摩詰言譬如幻師見所幻人菩薩觀
衆生為若此如智者見水中月如鏡中見其
面像如熱時炎如呼聲響如空中雲如水聚
沫如水上泡如芭蕉堅如電久住如第五大
如第六陰如第七情如十三入如十九界菩
薩觀衆生為若此如无色界色如燋穀牙如
須陁洹身見如阿那含入胎如阿羅漢三毒
如得忍菩薩貪恚毀禁如佛煩惱習如盲者
見色如入滅盡定出入息如空中鳥跡如石
女兒如化人煩惱如夢所見已寤如滅度者
受身如无烟之火菩薩觀衆生為若此
文殊師利言若菩薩作是觀者云何行慈維
摩詰言菩薩作是觀已自念我當為衆生說
如斯法是即真實慈也行寂滅慈无所生故
行不熱慈无煩惱故行等之慈等三世故行

文殊師利言若菩薩作是觀者云何行慈維
摩詰言菩薩作是觀已自念我當為衆生說
如斯法是即真實慈也行寂滅慈无所生故
行不熱慈无煩惱故行等之慈等三世故
無諍慈无所起故行不二慈内外不合故行
不壞慈畢竟盡故行堅固慈心无毀故行清
淨慈諸法性淨故行无邊慈如虛空故行阿
羅漢慈破結賊故行菩薩慈安衆生故行如
來慈得如相故行佛之慈覺衆生故行自然
慈无因得故行菩提慈等一味故行无比慈
斷諸愛故行大悲慈導以大乘故行无猒慈
觀空无我故行法施慈无遺惜故行持戒慈
化毀禁故行忍辱慈護彼我故行精進慈荷
負衆生故行禪定慈不受味故行智慧慈无
不知時故行方便慈一切示現故行无隱慈
直心清淨故行深心慈无雜行故行无誑慈
不虛假故行安樂慈令得佛樂故菩薩之慈
為若此也文殊師利又問何謂為悲答曰菩
薩所作功德皆與一切衆生共之何謂為喜答
曰有所饒益歡喜无悔何謂為捨答曰所作福
祐无所希望文殊師利又問生死有畏菩薩
當何所依維摩詰言菩薩於生死畏中當依
如來功德之力文殊師利又問菩薩欲依如
來功德之力當於何住答曰菩薩欲依如來
功德力者當住度脫一切衆生又問欲度衆

BD02991號　維摩詰所說經卷中　（24–9）

當何所依維摩詰言菩薩於生死畏中當依
如來功德之力文殊師利又問菩薩欲依如
來功德之力當於何住答曰菩薩欲依如來
功德力者當住度脫一切衆生又問欲度衆
生當何所除答曰欲度衆生除其煩惱又問
欲除煩惱當何所行答曰當行正念又問云
何行於正念答曰當行不生不滅又問何法
不生何法不滅答曰不善不生善法不滅又
問善不善孰為本答曰身為本又問身孰為
本答曰欲貪為本又問欲貪孰為本答曰虛
妄分別為本又問虛妄分別孰為本答曰顛
倒想為本又問顛倒想孰為本答曰无住為
本又問无住孰為本答曰无住則无本文殊
師利從无住本立一切法
時維摩詰室有一天女見諸天人聞所說法
便現其身即以天華散諸菩薩大弟子上華
至諸菩薩即皆墮落至大弟子便著不墮一
切弟子神力去華不能令去尒時天問舍利
弗何故去華答曰此華不如法是以去之天
曰勿謂此華為不如法所以者何是華无所
分別仁者自生分別想耳若於佛法出家有
所分別為不如法若无所分別是則如法觀諸
菩薩華不著者以斷一切分別想故譬如人
畏時非人得其便如是弟子畏生死故色聲
香味觸得其便已離畏者一切五欲无能為

BD02991號　維摩詰所說經卷中　（24–10）

菩薩華不著者以斷一切分別想故譬如人
畏時非人得其便如是弟子畏生死故色聲
香味觸得其便已離畏者一切五欲无能為
也結習未盡華著身耳結習盡者華不著也
舍利弗言天止此室其已久如荅曰我止此
室如耆年解脫舍利弗言止此久耶天曰耆
年解脫亦何如久舍利弗嘿然不荅天曰如
何耆舊大智而嘿荅曰解脫者无所言說故
吾於是不知所云天曰言說文字皆解脫相
所以者何解脫者不內不外不在兩間文字
亦不內不外不在兩間是故舍利弗无離文
字說解脫也所以者何一切諸法是解脫相
舍利弗言不復以離婬怒癡為解脫乎天曰
佛為增上慢人說離婬怒癡為解脫耳若无
增上慢者佛說婬怒癡性即是解脫舍利弗
言善哉善哉天女汝何所得以何為證辯乃
如是天曰我无得无證故辯如是所以者何
若有得有證者則於佛法為增上慢
舍利弗問天汝於三乘為何志求天曰以聲
聞法化衆生故我為聲聞以因緣法化衆生
故我為辟支佛以大悲法化衆生故我為大乘
舍利弗如人入瞻蔔林唯嗅瞻蔔不嗅餘香
如是若入此室但聞佛功德之香不樂聞聲
聞辟支佛功德香也舍利弗其有釋梵四天
王諸天龍鬼神等入此室者聞斯上人講說

BD02991號　維摩詰所說經卷中　（24–11）

如是若入此室但聞佛功德之香不樂聞聲
聞辟支佛功德香也舍利弗其有釋梵四天
王諸天龍鬼神等入此室者聞斯上人講說
正法皆樂佛功德之香發心而出舍利弗吾
止此室十有二年初不聞說聲聞辟支佛法
但聞菩薩大慈大悲不可思議諸佛之法舍
利弗此室常現八未曾有難得之法何等為
八此室常以金色光照晝夜无異不以日月
所照為明是為一未曾有難得之法此室入
者不為諸垢之所惱也是為二未曾有難得
之法此室常有釋梵四天王他方菩薩來會
不絕是為三未曾有難得之法此室常說六
波羅蜜不退轉法是為四未曾有難得之法
此室常作天人第一之樂絃出无量法化之
聲是為五未曾有難得之法此室有四大藏
衆寶積滿周窮濟乏求得无盡是為六未曾
有難得之法此室釋迦牟尼佛阿彌陁佛阿
閦佛寶德寶炎寶月寶嚴難勝師子響一切
利成如是等十方无量諸佛是上人念時即
皆為來廣說諸佛祕要法藏說已還去是為
七未曾有難得之法此室一切諸天嚴飾宮
殿諸佛淨土皆於中現是為八未曾有難得
之法舍利弗此室常現八未曾有難得之法
誰有見斯不思議事而復樂於聲聞法乎
舍利弗言汝何以不轉女身天曰我從十二

BD02991號　維摩詰所說經卷中　（24–12）

誰有見斯不思議事而復樂於聲聞法乎
舍利弗言汝何以不轉女身天曰我從十二
年來求女人相了不可得當何所轉譬如幻
師化作幻女若有人問何以不轉女身是人
爲正問不舍利弗言不也幻无定相當何所
轉天曰一切諸法亦復如是无有定相云何
乃問不轉女身即時天女以神通力變舍利
弗令如天女天自化身如舍利弗而問言何
以不轉女身舍利弗以天女像而荅言我今
不知何轉而變爲女身天曰舍利弗若能轉
此女身則一切女人亦當能轉如舍利弗非
女而現女身一切女人亦復如是雖現女身
而非女也是故佛說一切諸法非男非女即
時天女還攝神力舍利弗身還復如故天問
舍利弗女身色相今何所在舍利弗言女身
色相无在无不在天曰一切諸法亦復如是
无在无不在夫无在无不在者佛所說也舍
利弗問天汝於此没當生何所天曰佛化所
生吾如彼生曰佛化所生非没生也天曰衆
生猶然无没生也舍利弗問天汝久如當得
阿耨多羅三藐三菩提天曰如舍利弗還爲
凡夫我乃當成阿耨多羅三藐三菩提舍利
弗言我作凡夫无有是處天曰我得阿耨多
羅三藐三菩提亦无是處所以者何菩提无
住處是故无有得者舍利弗言今諸佛得阿

阿耨多羅三藐三菩提天曰如舍利弗還爲
凡夫我乃當成阿耨多羅三藐三菩提舍利
弗言我作凡夫无有是處天曰我得阿耨多
羅三藐三菩提亦无是處所以者何菩提无
住處是故无有得者舍利弗言今諸佛得阿
耨多羅三藐三菩提已得當得如恒河沙皆
謂何乎天曰皆以世俗文字數故說有三世
非謂菩提有去來今天曰舍利弗汝得阿羅
漢道耶曰无所得故而得天曰諸佛菩薩亦
復如是无所得故而得尒時維摩詰語舍利
弗是天女曾已供養九十二億佛已能遊戲
菩薩神通所願具足得无生忍住不退轉以本
願故隨意能現教化衆生

佛道品第八

尒時文殊師利問維摩詰言菩薩云何通達
佛道維摩詰言若菩薩行於非道是爲通達
佛道又問云何菩薩行於非道荅曰若菩薩
行五无間而无惱恚至于地獄无諸罪垢至
于畜生无有无明憍慢等過至于餓鬼而具
足功德行色无色界道不以爲勝示行貪欲離
諸染著示行瞋恚於諸衆生无有恚閡示行
愚癡而以智慧調伏其心示行慳貪而捨内
外所有不惜身命示行毁禁而安住淨戒乃
至小罪猶懷大懼示行瞋恚而常慈忍示行
懈怠而勤脩功德示行亂意而常念定示行

諸染著亦行瞋恚於諸衆生无有恚閡亦行
愚癡而以智慧調伏其心亦行慳貪而捨內
外所有不惜身命亦行毀禁而安住淨戒乃
至小罪猶懷大懼亦行瞋恚而常慈忍亦行
懈怠而勤脩功德亦行亂意而常念定亦行
愚癡而通達世間出世間慧亦行諂偽而善
方便隨諸經義亦行憍慢而於衆生猶如橋
梁亦行諸煩惱而心常清淨亦入於魔而順
佛智慧不隨他教亦入聲聞而為衆生說未
聞法亦入辟支佛而成就大悲教化衆生亦
入貧窮而有寶手功德无盡亦入形殘而具
諸相好以自莊嚴亦入下賤而生佛種姓中
具諸功德亦入羸劣醜陋而得那羅延身一
切衆生之所樂見亦入老病而永斷病根超
越死畏亦有資生而恒觀无常實无所貪亦
有妻妾綵女而常遠離五欲淤泥現於訥鈍
成就辯才揔持无失亦入邪濟而以正濟度
諸衆生現遍入諸道而斷其因緣現於涅槃
而不斷生死文殊師利菩薩能如是行於非
道是為通達佛道
於是維摩詰問文殊師利何等為如來種文
殊師利言有身為種无明有愛為種貪恚癡
為種四顛倒為種五蓋為種六入為種七識
處為種八邪法為種九惱處為種十不善道
為種以要言之六十二見及一切煩惱皆是

BD02991 號　維摩詰所說經卷中　（24–15）

殊師利言有身為種无明有愛為種貪恚癡
為種四顛倒為種五蓋為種六入為種七識
處為種八邪法為種九惱處為種十不善道
為種以要言之六十二見及一切煩惱皆是
佛種曰何謂也答曰若見无為入正位者不
能復發阿耨多羅三藐三菩提心譬如高原
陸地不生蓮華卑濕淤泥乃生此華如是見
无為法入正位者終不復能生於佛法煩惱
泥中乃有衆生起佛法耳又如植種於空終
不得生糞壤之地乃能滋茂如是入无為正
位者不生佛法起於我見如須弥山猶能發
於阿耨多羅三藐三菩提心生佛法矣是故
當知一切煩惱為如來種譬如不下巨海則不
能得无價寶珠如是不入煩惱大海則不能
得一切智寶爾時大迦葉歎言善哉善哉文
殊師利快說此語誠如所言塵勞之疇為如
來種我等今者不復堪任發阿耨多羅三藐
三菩提心乃至五无間罪猶能發意生於佛
法而今我等永不能發譬如根敗之士其於五
欲不能復利如是聲聞諸結斷者於佛法中
无所復益永不志願是故文殊師利凡夫於
佛法有返復而聲聞无也所以者何凡夫聞
佛法能起无上道心不斷三寶正使聲聞終
身聞佛法力无畏等永不能發无上道意爾
時會中有菩薩名普現色身問維摩詰言居
士父母妻子親戚眷屬吏民知識悉為是誰

BD02991 號　維摩詰所說經卷中　（24–16）

佛法能起无上道心不斷三寶正使聲聞終
身聞佛法力无畏等永不能發无上道意尒
時會中有菩薩名普現色身問維摩詰言居
士父母妻子親戚眷屬吏民知識悉為是誰
奴婢僮僕象馬車乘皆何所在於是維摩詰
以偈荅曰
智度菩薩母　方便以為父　一切衆導師　無不由是生
法喜以為妻　慈悲心為女　善心誠實男　畢竟空寂舍
弟子衆塵勞　隨意之所轉　道品善知識　由是成正覺
諸度法等侶　四攝為伎女　歌詠誦法言　以此為音樂
揔持之園苑　无漏法林樹　覺意淨妙華　解脫智慧菓
八解之浴池　定水湛然滿　布以七淨華　浴此无垢人
象馬五通馳　大乘以為車　調御以一心　遊於八正路
相具以嚴容　衆好飾其姿　慚愧之上服　深心為華鬘
富有七財寶　教授以滋息　如所說脩行　迴向為大利
四禪為床座　從於淨命生　多聞增智慧　以為自覺音
甘露法之食　解脫味為漿　淨心以澡浴　戒品為塗香
摧滅煩惱賊　勇健无能踰　降伏四種魔　勝幡建道場
雖知无起滅　示彼故有生　悉現諸國土　如日无不見
供養於十方　无量億如來　諸佛及己身　无有分別想
雖知諸佛國　及與衆生空　而常脩淨土　教化於群生
諸有衆生類　形聲及威儀　无畏力菩薩　一時能盡現
覺知衆魔事　而示隨其行　以善方便智　隨意皆能現
或示老病死　成就諸群生　了知如幻化　通達无有閡
或現劫盡燒　天地皆洞然　衆人有常想　照令知无常

諸有衆生類　形聲及威儀　无畏力菩薩　一時能盡現
覺知衆魔事　而示隨其行　以善方便智　隨意皆能現
或示老病死　成就諸群生　了知如幻化　通達无有閡
或現劫盡燒　天地皆洞然　衆人有常想　照令知无常
无數億衆生　俱來請菩薩　一時到其舍　化令向佛道
經書禁呪術　工巧諸伎藝　盡現行此事　饒益諸群生
世間衆道法　悉於中出家　因以解人惑　而不墮邪見
或作日月天　梵王世界主　或時作地水　或復作風火
劫中有疾疫　現作諸藥草　若有服之者　除病消衆毒
劫中有飢饉　現身作飲食　先救彼飢渴　却以法語人
劫中有刀兵　為之起慈悲　化彼諸衆生　令住无諍地
若有大戰陣　立之以等力　菩薩現威勢　降伏使和安
一切國土中　諸有地獄處　輙往到于彼　勉濟其苦難
一切國土中　畜生相食噉　皆現生於彼　為之作利益
示受於五欲　亦復現行禪　令魔心憒乱　不能得其便
火中生蓮華　是可謂希有　在欲而行禪　希有亦如是
或現作婬女　引諸好色者　先以欲鉤牽　後令入佛智
或為邑中主　或作商人導　國師及大臣　以祐利衆生
諸有貧窮者　現作无盡藏　因以勸導之　令發菩提心
我心憍慢者　為現大力士　消伏諸貢高　令住佛上道
其有恐懼衆　於前而慰安　先施以无畏　後令發道心
或現離婬欲　為五通仙人　開導諸群生　令住戒忍慈
見須供事者　現為作僮僕　既悅可其意　乃發以道心
隨彼之所須　得入於佛道　以善方便力　皆能給足之
如是道无量　所行无有崖　智慧无邊際　度脫无數衆
假令一切佛　於无數億劫　讚歎其功德　猶尚不能盡

見須供事者　現為作僮僕　既悅可其意　乃發以道心
隨彼之所須　得入於佛道　以善方便力　皆能給足之
如是道无量　所行无有崖　智慧无邊際　度脫无數衆
假令一切佛　於无數億劫　讚嘆其功德　猶尚不能盡
誰聞如是法　不發菩提心　除彼不肖人　癡冥无智者
入不二法門品第九
尒時維摩詰謂衆菩薩言諸仁者云何菩薩
入不二法門各隨所樂說之會中有菩薩名
法自在說言諸仁者生滅為二法本不生今
則不滅得此无生法忍者是為入不二法門
德守菩薩曰我我所為二因有我故便有我
所若无有我則无我所是為入不二法門
不眴菩薩曰受不受為二若法不受則不可
得以不可得故无取无捨无作无行是為入
不二法門
德頂菩薩曰垢淨為二見垢實性則无淨相
順於滅相是為入不二法門
善宿菩薩曰是動是念為二不動則无念无
念即无分別通達此者是為入不二法門
善眼菩薩曰一相无相為二若知一相即是
无相亦不取无相入於平等是為入不二法
門
妙臂菩薩曰菩薩心聲聞心為二觀心相空
如幻化者无菩薩心无聲聞心是為入不二
法門

門
妙臂菩薩曰菩薩心聲聞心為二觀心相空
如幻化者无菩薩心无聲聞心是為入不二
法門
弗沙菩薩曰善不善為二若不起善不善入
无相際而通達者是為入不二法門
師子菩薩曰罪福為二若達罪性則與福无
異以金剛慧決了此相无縛无解者是為入
不二法門
師子意菩薩曰有漏无漏為二若得諸法等
則不起漏不漏想不著於相亦不住无相是
為入不二法門
淨解菩薩曰有為无為為二若離一切數則
心如虛空以清淨慧无所閡者是為入不二
法門
那羅延菩薩曰世間出世間為二世間性空
即是出世間於其中閡不入不出不溢不散是
為入不二法門
善意菩薩曰生死涅槃為二若見生死性則
无生死无縛无解不然不滅如是解者是為
入不二法門
現見菩薩曰盡不盡為二法若究竟盡若不
盡皆是无盡相无盡相即是空空則无有盡
不盡相如是入者是為入不二法門
普守菩薩曰我无我為二我尚不可得非我

入不二法門
現見菩薩曰盡不盡為二法若究竟盡若不
盡皆是无盡相无盡相即是空空則无有盡
不盡相如是入者是為入不二法門
普守菩薩曰我无我為二我尚不可得非我
何可得見我實性者不復起二是為入不二
法門
電天菩薩曰明无明為二无明實性即是明
明亦不可取離一切數於其中平等无二者
是為入不二法門
喜見菩薩曰色色空為二色即是空非色滅
空色性自空如是受想行識識空為二識即
是空非識滅空識性自空於其中而通達者
是為入不二法門
明相菩薩曰四種異空種異為二四種性即是
空種性如前際後際空故中際亦空若能如
是知諸種性者是為入不二法門
妙意菩薩曰眼色為二若知眼性於色不貪
不恚不癡是名寂滅如是耳聲鼻香舌味身
觸意法為二若知意性於法不貪不恚不癡
是名寂滅安住其中是為入不二法門
无盡意菩薩曰布施迴向一切智為二布施性
即是迴向一切智性如是持戒忍辱精進禪
定智慧迴向一切智為二智慧性即是迴向
一切智性於其中入一相者是為入不二法門

觸意法為二若知意性於法不貪不恚不癡
是名寂滅安住其中是為入不二法門
无盡意菩薩曰布施迴向一切智為二布施性
即是迴向一切智性如是持戒忍辱精進禪
定智慧迴向一切智為二智慧性即是迴向
一切智性於其中入一相者是為入不二法門
深慧菩薩曰是空是无相是无作為二空即
无相无相即无作若空无相无作則无心意
識於一解脫門即是三解脫門者是為入不
二法門
寂根菩薩曰佛法衆為二佛即是法法即是
衆是三寶皆无為相與虛空等一切法亦尒
能隨此行者是為入不二法門
心无閡菩薩曰身身滅為二身即是身滅所
以者何見身實相者不起見身及以滅身身
與滅身无二无分別於其中不驚不懼者是
為入不二法門
上善菩薩曰身口意善為二是三業皆无作相
身无作相即口无作相口无作相即意无作
相是三業无作相即是一切法无作相能如
是隨无作慧者是為入不二法門
福田菩薩曰福行罪行不動行為二三行實
性即是空空則无福行无罪行无不動行於此
三行而不起者是為入不二法門
華嚴菩薩曰從我起二為二見我實相者不
起二法若不住二法則无有識无所識者是

福田菩薩曰福行罪行不動行爲二三行實
性即是空空則无福行无罪行无不動行於此
三行而不起者是爲入不二法門
華嚴菩薩曰從我起二爲二見我實相者不
起二法若不住二法則无有識无所識者是
爲入不二法門
德藏菩薩曰有所得相爲二若无所得則无
取捨无取捨者是爲入不二法門
月上菩薩曰闇與明爲二无闇无明則无有
二所以者何如入滅受想定无闇无明一切
法相亦復如是其中平等入者是爲入不二
法門
寶印手菩薩曰樂涅槃不樂世間爲二若不
樂涅槃不猒世間則无有二所以者何若有
縛則有解若本无縛其誰求解无縛无解則
无樂猒是爲入不二法門
珠頂王菩薩曰正道邪道爲二住正道者則
不分別是邪是正離此二者是爲入不二法門
樂實菩薩曰實不實爲二實見者尚不見實
何況非實所以者何非肉眼所見慧眼乃能
見而此慧眼无見无不見是爲入不二法門
如是諸菩薩各各說已問文殊師利何等是
菩薩入不二法門文殊師利曰如我意者於
一切法无言无說无示无識離諸問荅是爲
入不二法門
於是文殊師利問維摩詰我等各自說已仁

BD02991號　維摩詰所說經卷中　（24–23）

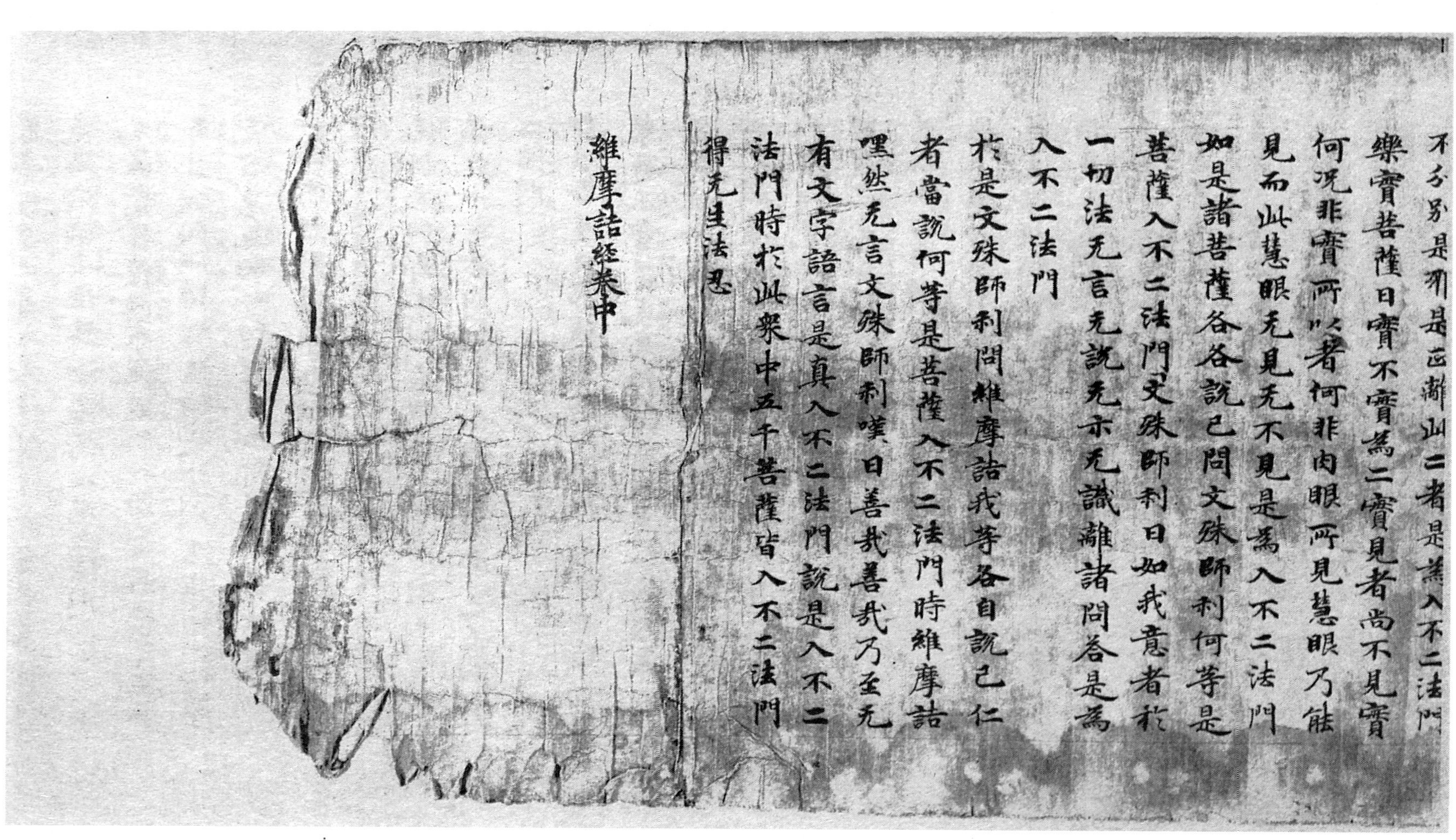
不分別是邪是正離此二者是爲入不二法門
樂實菩薩曰實不實爲二實見者尚不見實
何況非實所以者何非肉眼所見慧眼乃能
見而此慧眼无見无不見是爲入不二法門
如是諸菩薩各各說已問文殊師利何等是
菩薩入不二法門文殊師利曰如我意者於
一切法无言无說无示无識離諸問荅是爲
入不二法門
於是文殊師利問維摩詰我等各自說已仁
者當說何等是菩薩入不二法門時維摩詰
嘿然无言文殊師利歎曰善哉善哉乃至无
有文字語言是真入不二法門說是入不二
法門時於此衆中五千菩薩皆入不二法門
得无生法忍

維摩詰經卷中

BD02991號　維摩詰所說經卷中　（24–24）

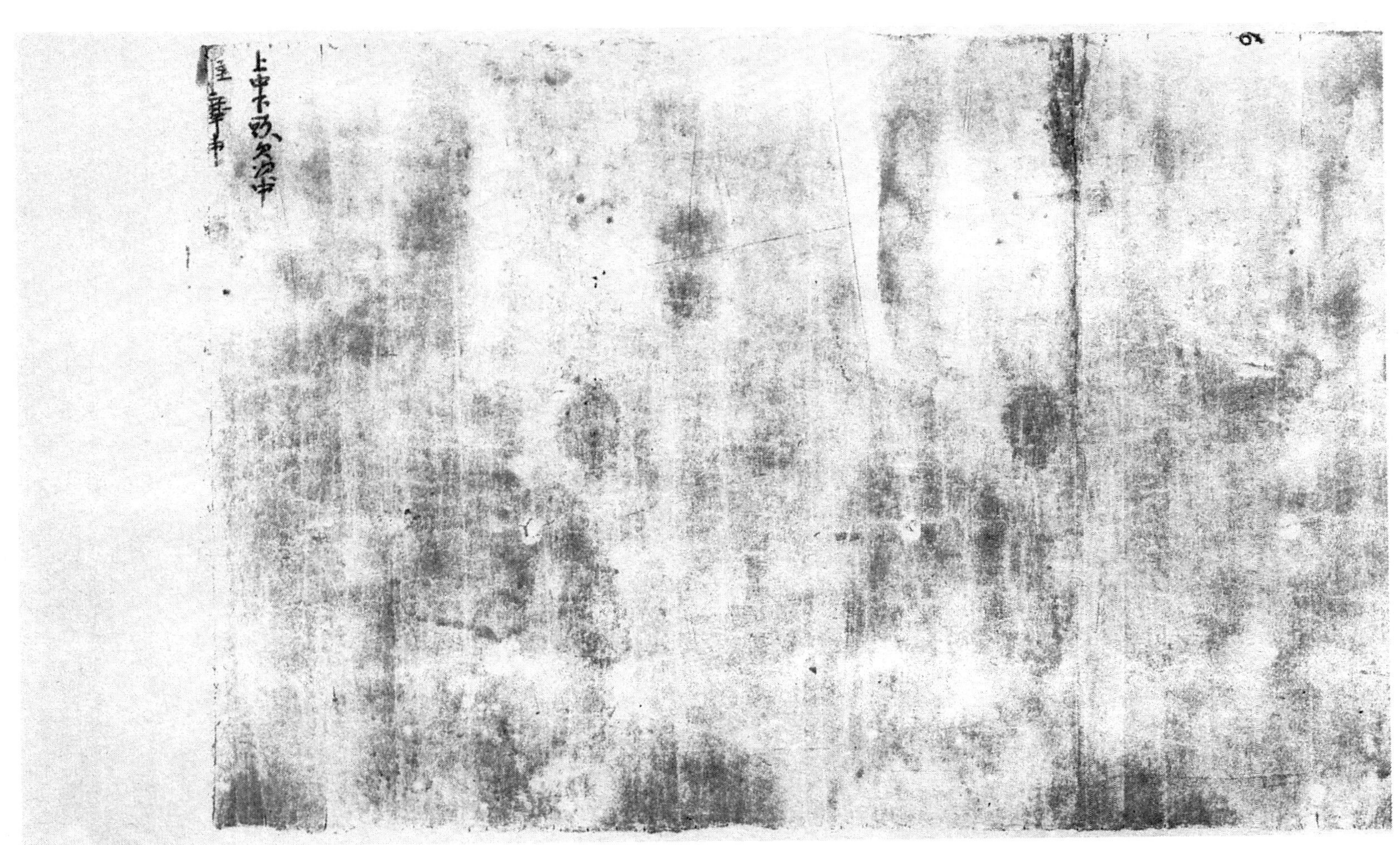

BD02991 號背　勘記

（1–1）

四分戒本疏卷苐一

BD02992號背　四分律戒本疏卷一護首

（1-1）

四分戒本疏卷第一

凡欲開發經題先作三門分別後乃隨文解釋言三門者第一舉宗

㩲教旨歸第二知教旨歸第三正釋戒經題目言舉宗㩲教者聖教

雖衆略有三種一脩多羅藏二毗尼藏三阿毗達摩藏言脩多羅者所謂

諸經言毗尼者謂諸戒律言阿毗達摩者即是諸論今此戒本三藏之

中乃是第二毗尼藏㩲言知教旨歸者此戒所言若以義通論兼詮定

恵故四分律云何名增戒學所謂增戒增心增慧是名增戒學良以正在但

戒故尔今以宗求唯戒學分別就此戒學兩階㪣簡第一受戒法門第

二隨戒行相言受戒者創發要期斷悪脩善建志成就納法在心

目之為受言隨戒者受興於前持心後起義順受體說之為隨就

受隨二門各開為兩謂受門二者為彰戒法爲不能孤起藉因

託緣從後方發故明能發之緣既有其緣必有所得故此第二所

發戒體言受緣者寔是以位階聖凡報殊男女託緣不同四分律

辨五種受戒一曰善來二稱上法三名三歸四曰八敬五日羯磨斯之

BD02992號　四分律戒本疏卷一

中方是第二所居處釋言知教自歸者此戒所言若以義通論兼該受
恵故四分律名何名增戒學所謂增戒增心增慧名增戒學良以止作俱
戒故今以宗求唯戒學分别就此戒學兩階料簡　第一受戒法門第
二隨戒行相言受戒者創發要期斷惡修善建志成就納法在心
目之為受言隨戒者受興於前持心後起義順受體說之為隨就
受隨二門各開為兩謂受門二者為彰戒法有為不能孤起藉因
託緣然後方發故明能發之緣既有其緣必有所得故此第二明
發戒體言受緣者寔以位階聖凡報殊男女託緣不同四分律
弁五種受戒一曰善來二稱上法三名三歸四曰八敬五曰羯磨斯之
五名俗如常釋第二言受體者攝要而論不出二種一曰作戒二无
作戒言作戒者方便身口造趣營為稱之為作二无作者一發續
現四心三性始末恒有不藉雜字曰无作斯之二種俱有懸防同稱
為戒若也作戒以色為體言无作戒非色非心　第二次辨隨戒二
門者第一專精不犯第二犯已能悔　言專精者上行之流一往順
教惡離善行稱曰專精但持有二一明止持二明作持言止持者念
智舍等謹護身口不造諸惡稱之為止止而無違順受光絜故
曰止持　言作持者奉順聖教作法作事對事作法稱之為作作
而順受故号作持　第二犯以能悔者不護之人放縱身口違禁興
過不循善行汙本所受名之為犯慚愧追謝還令復本亦名為
持雖非一往善成然為毀而還復第二自法故名犯已能懺悔持然
犯有二一者作犯現違聖教廣造諸過稱為作犯者二止犯不准
教奉循止而有違故名止犯對斯二犯悔而還復並稱為持上來已弁
教之宗旨其唯受隨若无其受則行无所起以有受故衆行得生若无
隨行便有戒羸等失以有隨故令受光絜故地持云此二種戒攝受
无量諸餘淨戒是故須受隨二法　就受門中先釋緣體後
辨受體言受緣者八門解義第一釋名第二解義物别第三能秉
教人師徒位别第四教所被者聖凡不等第五藉緣多少第六弁此
諸緣發戒時節第七受捨斷頓第八校量勝劣　第一釋名者諸部
之名多少不定或三四受言无上法或五六受取律中八比丘內自稱比丘
是自誓受戒不然之義今約四分定之重五受言五受者謂善來上法三
歸八敬羯磨等是言善來者此人宿植妙因道根深厚聞仏說法
即證初果深厭生死悕來出家仏言善來比丘即發戒品故曰善
來之可此等諸人深厭生死悕來出家仏命善來即發具足故曰
善來言法上者生之理經出自胸臆張口發解比丘[illegible]

諸緣發戒時節第七受捨斬頓第八校量勝劣第一釋名者諸部
立名多少不定或立四受言无上法或立六受取律中八比丘由自稱比丘
是自誓受戒不然々義今約四分定立五受言五受者謂善來上法三
歸八敬羯磨等是言善來者此人宿植妙因道根深厚聞仏說法
剋證初果深厭生死悕來出家仏言善來比丘即發戒品故曰善
來々可此等諸人深厭生死悕來出家仏命善來即發具足故曰
善來言法上者住空之理超出相有物莫能加故稱上法无欲迦葉循
道進德惑盡解滿會增上法而發具戒故曰上法々可盡无生智超出
學表會而得戒故曰上法故母經中建立善根上受具足言三歸者此
等諸人未成如來玄悟見道但託小聖諸阿羅漢等以為良緣立深
厭三有悕來出家母云諸羅漢等教令剃頭染衣渫伏三寶歸依
心成即發具足故曰三歸亦名三語言八敬者仏姨女人不聽在道波闍
聞之特生厭離遂自剃頭倚立祇洹阿難見已為其三請如來逞
宣敬法阿難傳授愛道聞之尊等斯八法住奉行之意即發具足故曰
八敬言羯磨者斯等之人董要假理緣狀彼須曰方能發戒緣彼
僧衆羯磨言下而發戒品隱其能稟就可稟章名故曰羯磨
受戒此五受法得名有四善來躰境善謂行者求戒心來是聖教
故或可讚歎受名有心受戒仏言善來故亦上法從敬又可當躰
受名達立善根上受具足故謂盡无生智歸敬二受約境就心羯磨
從教亦可所德謂名雜事故第二物別四受是別羯磨是物以從
遠緣彰名或四或六而羯磨統收故說為物 問羯磨受戒既有
四緣何故獨彰羯磨餘不彰名者何一釋云從餘緣彰名乃有多
種今且隱別就通以彰名羯磨何足為妨第三東人名論判言見諦
自得餘六從他彼對七受釋故令類彼論以判此五遠而言之盡從仏
受以仏出世有是法故若以義推上法得戒名為自受餘之四種是
從他得云何上法名為自受論云以根本而言由仏說法得證无漏
發於具足名從仏受以義而推自以盡智明了現前而得其戒又名自
得不從他受故心論云若法者仏五比丘受師等若亦何故論云從
他教得荅此據遠因而說善來八敬是仏所秉名從仏受三歸羯
磨弟子所秉是從弟子言教下得第四所被分別四分律并善
來受戒局在聖住故律中云見法得法得果證已去得无漏解脫
心出家至順之極方應善來發具足戒由凡已還想心所間非至
順之極故闕不度又上法受者要第四果以其惑盡解滿故亦三歸八

發於具足名從佛受以義而推自以盡智明了現前而得具戒又名自
得不從他受故心論云若法者佛王比丘受師等若亦何故論云從
他教得答此據遠因而說善來八敬是佛所秉名從佛受三歸羯
磨弟子所秉是從弟子言教下得弟四所被分別四分律并善
來受戒屬在聖住故律中云見法得法得果證已去得无漏解脫
心出家至順之極方應善來發具足戒由凡已還想心所聞非至
順之極故闕不度又上法受者要弟四果以其感盡解滿故爾三歸八
敬由凡已上是以多論此二受法不羸不捨故知由凡已去言羯磨受
者始興為凡一興已後三人通被如涅槃經淨行梵志得初果已羯磨
為受四分律中蓮花色尼亦同此例 弟五種緣多少善來受戒具
四緣得一證初果文言見法得法已二內有出家善心文言欲於如
來法中脩梵行故三假對佛形文言前白佛言四假佛教謂聖命善
來上法受戒具三緣發一假佛教授如見論說二有新戒心是以餘文羅
漢沙弥无出家意故但得其果明須有心三得无漏定解謂盡智
現前即得具戒三語受戒名具三緣一假弟子形對諸羅漢二假弟子
教謂口授三歸言韋无缺三歸依心成領前歸依故能得戒八敬
受戒具四緣發一假佛八敬之教二假弟子形三弟子教謂口宣八敬四
奉行之意故受道自陳我等頂受羯磨受戒具足四緣如律所說
一僧數滿足二緣二教法成就緣三結界成就緣四身无遮難緣者具
此四是大比丘得成戒本犯戒之人四中若闕非大比丘故須此四
成比丘問善來等受以心為緣羯磨一受何故不爾答羯磨非不有
心以假外緣作法從強以并故偏目名又可羯磨四心俱得然遍不并
心緣又准毋論前四以心為緣羯磨一受雖文不列要亦須心故律
文云賊住等不得戒故 弟六得戒時節善來受者唱善來竟即
發具足故律云乃至得盡苦原亦上法受戒盡智現前時得以亦
不齊羅漢梵行已立自然戒淨故更不從他受戒問此上法得者得作
無作不答以非作法但得无作 問既非作戒何因得發无作戒者答以
非學為故无其作以道力故得无作戒 三歸受戒 弟三語竟即發具
戒八敬受戒說 弟八約即得戒品羯磨一受羯磨竟便發具戒諸論
大同 弟七受捨漸頓先明受漸頓羯磨一受名漸頓餘之四受頓
而非漸如何羯磨漸頓先受五戒次受十戒後受具戒是名為漸
若不受五十直受具戒得三種戒說之為頓 問若一時受得三
種戒者何須漸受答若漸習佛法必須次第先受五戒以自調伏信
樂漸增次受十戒善心轉深次受具戒如是次第得佛法味容樂深

非學；故无其作以道力故得无作戒三歸受戒（第三語竟即發具
戒八發受戒說 第八記即得戒品羯磨竟羯磨竟便發具戒諸論
大同 第七受捨漸頓先明受漸頓羯磨一受亦漸亦頓餘之四受頓
而非漸如何羯磨漸頓先受五戒次受十戒後受具戒是名為漸
若不受五十直受具戒得三種戒說之為頓 問若一時受得三
種戒者何須漸受答漸習佛法必須次第先受五戒以自調伏信
樂漸增次受十戒善心轉深次受具戒如是次第得佛法味好樂堅
固難可退敗不失次第不破威儀如遊大海漸漸深入一時受者難失次
第又破威儀故須漸受 問一時頓受得三戒者其无作體為一為三答但
發具戒一无作體更无餘二无作之體若爾便是一戒如何言三答比丘受
得防煞无作与沙弥俗人同戒者其實體一是以多論家據其體望
三人始終位別言得三戒理實无三 問所以得知但一无三答即此論文解
次第受中俗人下品五戒次中品心受沙弥戒前五戒仍本下品五戒不發
方為中品上品心受具本前二品仍猶下中五十不發始為上品據斯以驗
次第漸受三時心別同戒无作尚不發三起況一時受者而得有三故知
漸次望位別作三非體有三亦可心論云一切曰一切支得三戒者三時漸
受受既時別重發无作有三體故若論頓受受既一時方可名為望
位為三非體有三 次辨捨之漸頓若望四受受捨俱頓羯磨捨受
並含漸頓為但羯磨一受受制局漸捨並漸頓 問羯磨頓受既
得三戒捨時云何 答義含漸頓若也要心三戒俱捨則頓矣三是名
頓捨若言我作沙弥但捨具戒言作優婆塞者又捨十戒又言我作
三歸人方捨五戒名為漸頓 問受之与捨俱頓並漸或以漸受頓捨此
三可尔若本頓受但得具戒一无作體云何漸捨若得漸捨便成三體
如何言一 答比丘一時受防煞无作通沙弥俗人共有防非是故捨時要
心捨具不捨十戒若与沙弥戒同隨心則在故律文言我作沙弥以十對
五義亦同尔故言我作優婆塞是以論說據體通三人有共用義故望
位說三非體有三如此釋時頓受漸捨義亦无防故多云譬如樹葉
夏青秋黃冬時則白豈體有殊隨時異故樹葉色異而始終一葉
戒亦如是常是一戒隨位異故是以羯磨一受之捨俱頓並漸善來等
四唯頓非漸以无作法捨故○ 第八優劣如多論說若就定道有无受
是勝羯磨為劣若取任持佛法利益寬長羯磨一勝餘四受劣言四勝
一劣者羯磨受者功實凡夫稱德淺薄感得此戒多諸定道容有
歇上所下奉持心劣今戒有羸餘四受法功凡已去理解心中受得斯戒
持心堅固肥而不羸二者羯磨凡夫容有不樂道法捨本所受餘四受者

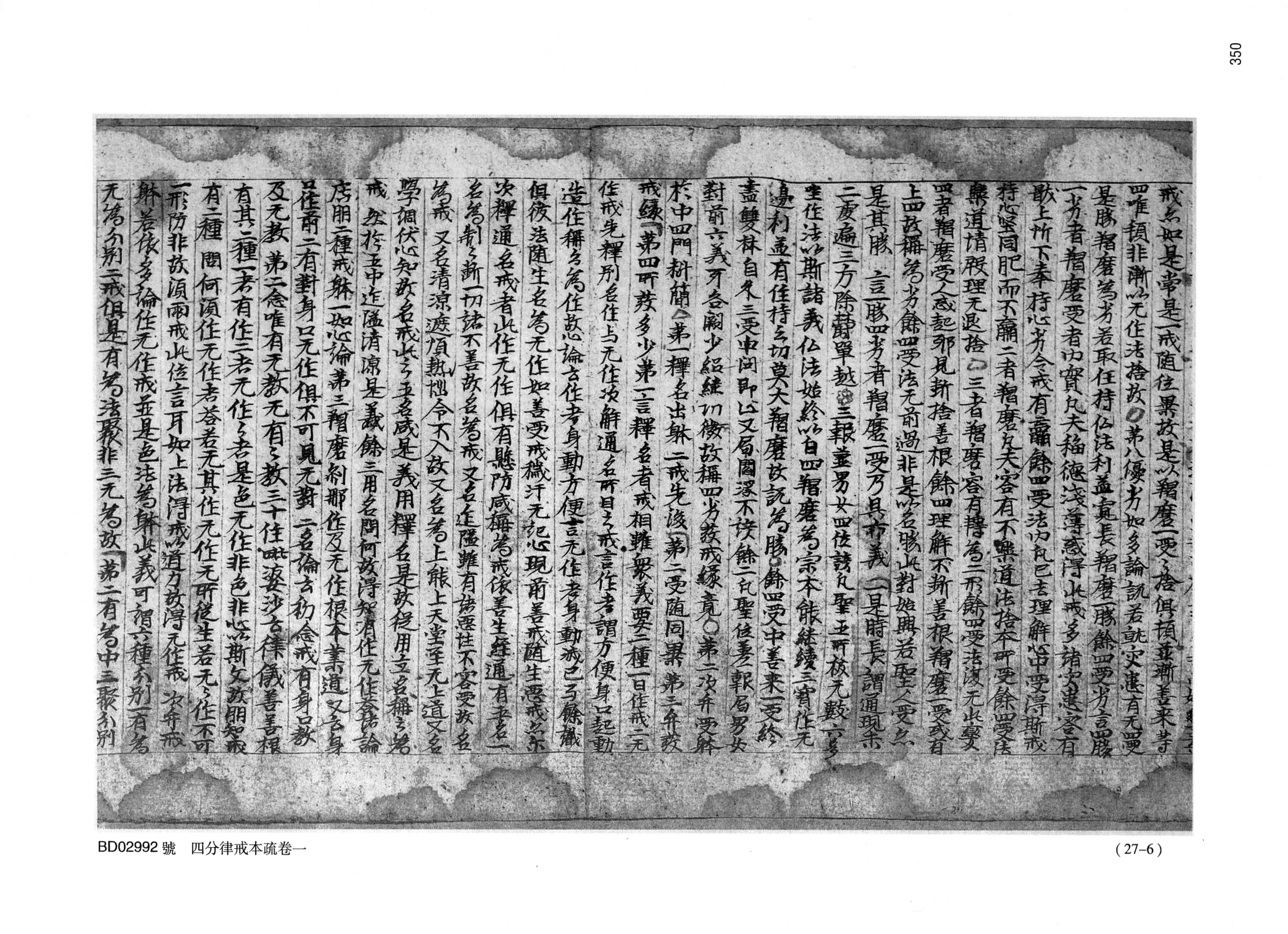

BD02992號　四分律戒本疏卷一

（27–6）

及无教　弟二念唯有无教无有〻教三十住毗婆沙云律儀善善根
有其二種一者有作二者无作〻〻者是色无作非色非心亦斯文故明知戒
有二種　問何須作无作者答若无其作无作无所從生若无〻作不可
一形〻防非故須兩戒此位言耳如上法得戒以道力故得无作戒　次弁戒
體善依多論作无作戒並是色法爲體此義可謂六種分別一有爲
无爲分別二戒俱是有爲法聚非三无爲故　弟二有爲中三聚分別
作无作戒並色法爲體心及四相不相應法是其戒因故論云作及
无作假色是分別色陰　弟三色聚中三色分別一可見有對色謂色入二示
可見有對色謂五根四塵三不可見无對色謂法入中无作若言作戒前
二色收無作戒者弟三色攝故伽心二論云身作可見有對口作不可見有
對身口无作俱不可見无對論其身作前二色中唯色入攝口作戒者是
聲入收非餘八色其无二並法入攝此作无作俱是色陰　弟四就色聲
中報方便分別色雖通報及方便然身作是方便非報故心論云作
者身動身方便口作唯方便以聲非報法故身口二无作非報非方便
弟五三性分別身口色聲是善非餘兩故心論云以清淨心動身口名善作
善即向初色有廿種前十二唯无記後八通下長短方圓正不正通三性居
取善邊身作戒體三聲〻中謂除弟二曰不受四大聲如風雨等唯
无記故就初曰受四大聲弟三曰俱聲此二通三性中亦取善聲身邊
爲口作體況論身口无作通於二性今論戒故是善性攝　弟六始終分別
此善作中通於終始不取始謂始從請師終至羯磨未竟要心未熟善而
非戒弟三羯磨一剎那頃要期心滿思願成就善而是戒故局取終然
依德宗无作〻戒定用非色非心爲體作戒者取文不定或有取文色心
爲體故論文言業者非直音聲要以心力助成故知身業亦以心力助成
明知二業色入爲體又引論文以心爲體是故論言離心无身口業故知
二業用心爲體又假色爲身口業體故論云身口業依止四大意業
依心若身口業非四大爲體性者意業依心亦不應以心爲體然意業依
心即說意業用心爲體故知身口業以四大動爲業〻无別體即用四大
作體口業者四大相擊於中出聲〻成音曲有所表彰以爲字句爲口
作業〻无別體用聲作體是以論云是法名聲性法入所攝故以遠從
四大即聲成故用聲爲體身業近依四大故即用所依止爲體次明二
戒先後依心論說似一時得故文言弟三一念作及无作根本業道又多
云初念戒有教无教後次弟生戒但有无教无有〻教故知一時無无作
三時有非戒者一者因時无作但是作俱是非全戒體二身是果時无
作无作有二一是作具二是形俱形具一重方是戒體三謂果後離召

住善无別身用聲作身是以論云是法名聲性法入所攝故以遠從
四大即聲成故用聲為体身業近依四大故即用所依以為体次明二
戒先後依心論說似一時得故文言弟三一念作及无作根本業道又多
云初念戒有教无教後念弟生戒但有无教无有ミ教故知一時然无作
三時有非戒者一者因時无作但是作俱是非全戒体 二身是果時无
作无作有二是作俱二是形俱形俱一種方是戒体 三謂果後唯局
形俱此是戒体以其果時有形俱故明一時得若依此宗以先後發故賫
云問齊何名為无作答弟二念傾名為无作以作戒為初念故名无作為
弟二念唯摂齊竟所有无作是齊戒体前二時中作是能俱所攝 又善
生經方便心果作時心果衆緣和合得名為作以作因緣發生无作ミ已過
去唯有无作其心雖在惡无記中本所作業不名漏失稜斯以弁明先
後發 弟二受隨同異者解受隨義一譬如一楯能捍衆鋒說為破斯義
故立此受隨二法并作无作先解无作有其七種一道共无作二定共无作
三形俱四要期如日夜及處中要期等五隨業无作如隨戒无作及處
中隨作業發者是六事在无作如塔等橋船等事在時念ミ發无作
等七隨用无作即前事在有人用時復發无作者是就此七中形俱定
受要期通二餘五定隨次弁同異受隨无作同義有三ミ謂名体義異便
有六弟一受中无作義均一品隨中无作乃有優劣受中无作一品者若本
上品心受所發无作心增上故戒名上品或容犯罪或終至羅漢更无增
減以其酬本一品心故中下心受義名同然三品各定故言義均一品隨中无
作多品不定故優劣對五篇弁此優劣者若就根條初勝乃至五劣
若自分勝進五勝乃至初劣即應五篇次弟ミ義又可一ミ篇一ミ戒心
有增微事別不等即有九品ミ待故隨无作有斯階降 弟二總別受
中无作發心總斷一切惡意於生非生數頓得律儀故稱為總隨行
无作次第漸成不可頓起故名為別 弟三懸對受中无作懸有防非
未即有行隨中无作對事防非行成枝條問懸未有非對即隨行受
有何用答若无其受隨不成隨以共成一治故 弟四長短受是形俱說以
為長隨行无作從緣行發非形俱故目ミ為短 弟五有无者受中无
作通三性唯善隨无作者体非二性亦不通而此據起性分別受隨俱善
餘二並𢪛令約有无有通不通受是形俱通在餘二性中故說為寬
隨是作俱等局善性中所以言𢪛此就一心自作為言若先後心及以教
人餘二性中隨亦通有如教相所詮犯中亦同此使故犯行中无不犯
行者通就先後心及教人犯行中亦有不犯行此即受隨俱寬作此
解者然須約以為三若局善性俱𢪛受隨同善性故若隨人等俱

作通三躰唯善隨无作者躰非二性亦不通兩此據起性分別受隨俱善
餘二並挾今約有无有通不通受是形俱通在餘二性中故說為寬
隨是作俱等局善性中所以言挾此說一心自作為言若先後心及以教
人餘二性中隨亦通有如教相所詮犯中亦同此挾故犯行中无不犯
行若通說先後心及教人犯行中亦有不犯行此即受隨俱寬作此
解者要須約以為三若局善性俱挾受隨同善性故若隨人等俱
寬以亦通三性故○若以自作隨行對受亦別方有寬挾此准多論
有四五不同若依實論不別寬挾長短要復受中无作定是長寬
隨无作者具於二種以道無作寬長亦○第六受是根本隨是枝條次
解二作同異義有五謂名躰義寬挾長短等不同有四一名多
品二總別三亦懸對四根條比說可知既有此殊豈同貫解受隨義一 第
三弁發戒緣者若依薩婆多刹解脫戒唯約見在以過未非眾生
故若准德宗發戒之時不在過未心得戒以非眾生故現在相續
心中發戒以是眾生要受戒時要須三世境上所有之惡皆作斷意方
能發戒要防三世境上非所以要者過去之境能生惡心故論云如人供
養過去所尊是亦得稱律儀為尔未來之境亦生惡心故須善緣物作
斷意方能發戒又若過未不發戒者三世諸仏戒不齊等以其諸仏
戒品齊等故緣三世以發戒也（問戒防未非毗尼殊已起何故得言緣
三世境發還防三世也○答境雖過去非之過去等以斯義故猶防未
非是以須尔○第四發戒多少諸戒雖眾不過二種謂作无作之已過去
惟有无作一形相續此无作戒乃有多品以所防之惡既有无量戒
寧是一故多論云於一切眾生數非眾生數而發律儀言於眾生數者
上至非想下至阿鼻可殺不可殺可誑不可誑等一一眾生乃至如來就根
本而言不過有身口七惡三因緣故 一貪故起七二瞋故起七三癡故起七
三七廿一惡對防此惡受戒之時謂從无貪等三善根心各得身口七枝合廿
一種戒善乃至三千大千一一眾生皆亦如是若十戒五戒得十二種戒故心多
二論於一切眾生一切時戒不斷戒廿一種故經云眾生无邊戒亦无邊若非
眾生數乃至草木生種大地非法衣食等及一一罪處本受戒時要
期不作還得尔所戒善功德故善生經云大地等无邊戒亦无邊出家
僧尼仏聖弟子住尊人天窐由於此又准多論四万二千稱何四万二千學
處一切恒流其猶河水洗除破戒煩惱言四万二千者根本戒有四百廿所以尒
者如婆藪斗律戒有二百多明輕戒優婆稷槍戒有一百廿一多明重戒從
尼別戒有九十九合成四百廿是一一戒有攝僧等十功德一一功德能生十種

斯不住迷滯尔所戒善功德故善生經云大地等无邊戒亦无邊出家
僧尼仏聖弟子住尊人天寔由於此又准了論四万二千稱何四万二千學
處一切恒流其猶河水洗滌破戒煩惱言四万二千者根本戒有四百廿所以尔
者如婆藪升律戒有二百多明輕戒優婆提捨戒有一百廿一多明重戒比丘
尼別戒有九十九合成四百廿是一一戒有備僧等十功德一一功德能生十種
正行謂信等五根无貪等三及身口二護一一戒即百合戒有四百廿豈非
四万二千又解无顧毗尼者謂第三羯磨竟時四万二千學處一時並起无
一戒不生故稱无顧據斯以驗故知戒量不可勝數問僧尼二眾戒數各
亦何以无能毗尼直言四万二千耶一解此據二眾通說若取實理各隨
戒本二約轉根義釋俱有四万二千上來受戒門辨了自下隨戒奇文
中說第三正釋戒經題目言四分者蓋是一百年後五部之內一部之別名
言戒者是毗尼都教之宗然大聖如來始從波羅奈終至泥洹隨根
制戒輕重差殊緣急有異仏涅槃後優婆離等撰仏言遺載傳付
阜次第任持乃至𨒪多一百餘年並以秉宗无二所化眾生不相是非但
爲一部大毗尼藏偕傳於世然優婆𨒪多有五弟子各執一見以爲指准至
傳聖教不能均融棄一於是分離遂爲五曲各自相傳並流於世究其宗
言无非仏說如破金杖並爲金用㧾別之教咸可受持本一金別義興於此
又於三藏傳云一百年後分爲五部二百年後爲十二部四百年後分住十八隨
相雖有多種莫不皆是一大毗尼藏故文殊請問經說僧日摩訶僧祇
部分別說有七部毗尸十一是爲廿部十八及本二悉從大乘出无是亦无非我
說未來起據斯以論明知四分金者於多部中一部之別名若就能秉應
言曇无德戒本此名法護今約所诵彰名故言四分四诵成部目以名焉今
此戒經從彼律出故云四分戒本隨文釋中文雖浩博聖凡見異分釋
多種不定今且約一義文分爲三一者序分二者正宗三者流通初定三文
第一從稽首禮至如是持已來名爲序分第二從四波羅夷法至七滅已來
名爲宗正第三從七略已下至共成仏道是流通分次釋此三名顯宗由
致蓋起之端名之爲序此五篇七聚及七滅法正明犯以不犯輕重等相
披時之益正當聖意當於序興又當機感故曰正宗法傳季世
目之爲流之而不擁名之爲通故曰流通次釋所以者說經由序制
戒必有由藉故須序分既彰宜宣宗本故次正宗正說之文言唯
現在立欲開演大文流傳後季未成等聞企渴同語故須流通就前
序中復分爲二初十二偈正明律主將欲流傳聖教被及遐代恐時不
信歸敬三寶嘆戒功能勸信奉修是故自住廣略二教通序前開

BD02992號　四分律戒本疏卷一　　（27–10）

故時之益正當聖意當於序興又當機感故曰正宗法傳委世
目之為流之而不權名之為通故曰流通次釋所以者說經由序創
戒必有由藉故須序分既彰宜宣宗本故次正宗正說之文豈唯
現在必欲開演大文流傳像季末代善聞企渴同語故須流通說前
序中復分為二初十二偈正明律主將欲流傳聖教敘及遐代恐時不
信歸敬三寶嘆戒功能勸信奉修是故自住廣略二教通序前開
持取之言以彼說聽之本　第二從和合已下是二教大宗發起之序於斯
二序六門解釋一明二序意三義故尔一人有師徒謂曇无德如来之別請
未有現三經躰不同如来經者出於金口曇无德經傳於什素以斯三
果得有二種之有二故須立二序　第二序名不同說法以弁勸信發起
若也約人曇无德如来雖名有殊且約前說　第三惣別偈序是別
長行是惣之別可知　第四所明旨果流讚聖教非信不傳故此偈序奇嘆
戒功勸信奉修以明義序和合已下大聖啟明被時之蓋釋重等相故
彰發起　第五先後次第同發起前興及在後說勸信偈後迴在前
明所以尔者答二種不使攻住如是一彰制戒之相隔於勸信發起不使二
顯曇无德勸信不具若勸信前明順前兩義故迴發起勸信後說有
可不爭為防理而言之勸信之偈乃在流通事後何以不對正宗等以弁先
後故知不尔但勸信雖後法須前明　第六隨文科釋偈文分三初稽首
礼三字是至何敬之之儀式二諸佛已下七字是何所敬顯所敬境三今演
已下是何敬彰其敬意所謂曰合廣嘆戒勸信稽首礼次明能敬之躰
頭頂暨是身業致虔故曰稽首又稽者屈也首者頭也故曰稽首謂律
主等行者身口意業身業恭礼口業稱揚讚嘆意業信敬尊重此
既能敬人業具茂口身意弁善屆明敬躰其唯信敬諸佛及法比丘僧
次明所敬之境衆聖非一稱之曰諸宜敬教主而蓋礼餘佛者顯教道理
均化儀无二諸佛平等故須交敬敬佛者西音此方稱覺具一切智通達諸
法自覺之他三覺圓滿故名為佛已上稽毋貫通下二目之為及所言法者
有其二義一就躰解法之名自躰二就用釋名法行者軌則所言比丘
之是西音智度論中三義解一名乞士二言破惡一為資身長道離四邪
命正命自活故曰比丘二為益施主僧田行施獲反報之福是故須乞二
名破煩惱比名為破丘名煩惱能破煩惱故名比丘三曰怖魔能於魔
反魔人民故名怖魔具足三義故曰比丘所言僧者之是西音此名和合
謂四人已上於理於事絕希遠淨名和合衆比丘者能成之曰僧者所成之
衆惣別合舉故曰比丘僧此三種境世所珍貴咸稱為寶三寶不同略

命正命自活故曰比丘二為益施主僧田行施獲反報之福是故須乞二
名破煩惱比名為破丘名煩惱能破煩惱故名比丘三曰怖魔能於魔
及魔人民故名怖魔具足三義故曰比丘所言僧者是西音此名和合
謂四人已上於理於事絶喜違諍名和合衆比丘者能成之目僧者所成之
衆總別合舉故曰比丘僧此三種境世所珍貴咸稱為寶三寶不同略
有一解別相住持九種之異義如經論廣弁今演毗尼法令正法久住
從此已下彰其致意致意有二一訖別致二約總致言別致者致仏四意一
仏是教主將傳聖教寧不致虔表師資有在二報恩供養三開示僧尼
尊遵奉之儀四請威加獲致法三意一法是所傳之旨真益軌聚故之宜致
三示尊遵奉之儀三請威加護次總致三意雜心論云開發衆生三寶念
是故稽首礼三寶成實論云三寶最吉祥故我經初說令律主致
者為演毗尼歡時生信稟化相傳有久住之益是其大意先解初文
於茲咩宣故曰今演毗尼西音此方稱滅謂滅由於行教訖功能彰名
故說此教為毗尼法毗尼之名乃有多義如三藏義說一能引生是毗
尼義謂弟三羯磨竟時能引生四万二千功德一時並起二能教身口
清淨反正直是毗尼義謂離業濁煩惱濁故名身口清淨正直故向
涅槃三有滅義是毗尼義住離諸惡業非不生故名為滅四引勝故
名毗尼謂引俗入道引小入大令凡入聖等五勝人所行是毗尼義謂
一切聖人同行此法總攝律教一切都盡既有多義今翻滅者謂能
總於滅具當弟二句涅槃弟三滅義但經論廣明滅義今且略弁少多
所言正法之雖有四今約行教二法而明正法故善見云仏語阿難我
滅度後有五種法令法久住一毗尼者是汝大師二下至五人持律在世三
若有中国十人邊地五人如法受戒四乃至有廿人如法出罪五以律師持
律故仏法住世五千年又論說言衆行之軌稱為正法之由人弘人能
通法之在人故更興不墜故曰令正法久住戒如海无涯如寶求无厭欲
護聖法財衆集聽我說此一偈略歎戒切勸信奉修所防之惡既
有无量能防之戒寧有涯際故經說言衆生无邊戒亦无涯
七寶之珎世俗所貴求之无厭七善律儀聖人所尊智者修學而
无疲勞求之无厭王臯珎寶躰性不淨惡人常護勸令修信等
七法能資聖善道故名為財智者常護勸令修學戒律法門故曰
聽我說欲除四弃法及滅僧殘法彰卅捨墮衆集聽我說此一偈文
勸捨極惡不善之業而令修學涅槃正曰故多論說戒有四義餘無
无一者戒是仏法平地万善由之生長二者諸仏弟子皆依戒住一切衆

七寶之頸由信戒貴求之无厭七善律儀聖人所尊智者修學而
无疲勞求之无猒王阜珎寶躬往不淨愚人常護勸令修信尊
七法能資聖善道故名爲財智者常護勸令修學戒律法門故曰
聽我說故除四弃法及滅僧殘法彰卅捨墮衆集聽我說此一偈文
勸捨惡不善之業而令修學涅槃正因故多諭說戒有四義餘經
无一者戒是仏法平地万善由之生長二者諸仏弟子皆依戒住一切衆
生由戒而有三是取涅槃初門四是仏法瓔珞而能莊嚴諸仏正法以此
義故持戒之力能滅諸惡故勸聽說毗婆尸式弃毗舍拘留孫俱那
含牟尼迦葉釋迦文諸世尊大德爲我說是事我今欲善說諸賢
咸共聽此偈之文列仏爲證廣略二教七仏同說是故我今勸令奉修
聽使非一日諸羣有和直之行稱賢異仁者齊志詳養故言咸共聽譬
如人毀足不堪有所涉毀戒亦如是不淂生天人欲淂生天上若生人間者
常當護戒足勿令有毀損此二偈文而明持犯兩法前明彰其毀犯
後乃明其護持人欲遠涉事必須其脚足若欲遠至涅槃應存戒品具
足人足既損難遊遠涉若戒足闕沉溺三塗故令勸令護戒如足是以
經說如人无足欲行遠路如鳥无翅欲飛昇高如海无船欲度彼岸
[illegible]可淂若无淨戒欲淂聖果无有是處是故護戒勿令毀損如御
入嶮道失轄折軸憂毀戒亦如是死時懷恐懼此偈明毀戒之義御以喻
身轄喻律儀軸喻根本若失小戒即犯根本故涅槃云勿輕小罪以爲
无殃水滴雖微漸盈大器毀戒之喻亦復如是不護小戒即有犯重之
憂故四分律云破戒之人有五種過一欲自害二智者所呵三惡名流布四臨
終生悔五死墮地獄以此義故勸令奉修如人自照鏡好醜生欣慼說戒亦如
是全毀生憂喜此偈法喻如相合鏡喻淨戒好醜喻持犯若戒全時便
生喜說若毀戒行乃有憂悲故毗婆沙云戒如明鏡无我儼現戒如
瓔珞能嚴相好若照淨戒毀犯乃見故言憂喜如兩陣共戰勇怯
有進退說戒亦如是淨穢生安畏此偈明進修持犯二門兩陣喻持犯
勇怯喻勝劣戒行若全便進聖果以毀戒故退墮惡道持戒不犯
便有涅槃安樂惡戒因緣畏失諸勝報智度論云破戒之人人所不敬
其處如冢壙如羅剎惡心可畏如大病人人所不近譬如毒蛇難可共
住常懷怖懼我爲仏時乃至臨終生悔而无安樂持淨戒者諸
天常護正法不斷故花嚴云具足能持諸威儀教授六法常和敬善
御大衆心无憂亦言未全仏共同讚持戒因緣法久住是人能報
諸仏恩又云戒是无上菩提本應當具足持淨戒若能堅持於禁
戒則是如來所讚嘆世間王爲最衆流海爲最衆星月爲最

其處如冢譬如羅剎惡心可畏如大病人〻所不近譬如毒蛇難可共
住常懷怖懼我為佛賊乃至臨終生海而无安樂持淨戒者諸
天常護正法不斷故花嚴云具足能持諸威儀教授六法常和敬善
御大衆心无憂未來金佛共同讚持戒因緣法久住是人能報
諸佛恩又云戒是无上菩提本應當具足持淨戒若能堅持於禁
戒則是如來所讚嘆世間王為最衆流海為最衆星月為最
衆聖佛為最一切衆律中戒經為上最此偈明勝北方世王能護
故名為最大海深廣是故名最月能圓滿故名為最佛具衆德
是故名最戒含名義是故名最故經云說言明曰比戒得生諸禪
及滅苦智如海潤廓深潤无涯戒善理深資潤无窮超於万行
喻若於海若說行論定深細亂惠斷煩惱所以是勝根條律別戒
是根本定惠從生戒復是勝約教弁者餘詮定惠故二藏勝善詮
根本毗尼為勝今言最者根本故最摩夷論云最有四種一生善
勝名最二滅惡中勝故名為最三相引故勝依有漏戒得无漏戒是
故名勝四相益故勝依非心戒剋於心戒一切勝實非戒不剋故戒經為上
最如來立禁戒半月說此半偈法前數戒勸信諸文畢意難明寄
言以彰申境讚美立宗勸信若久談德即廢所通之法宜掩已情
息嘆歸禮上來廣略二教通序文畢自下廣略二教發起之意各分
其三謂序正流通和合僧集會從此已下廣明發起之序四分律云時
有與同師智識別部說戒法當尊重承事恭敬布薩聽一處住和合
說戒違者與罪佛言有三種和合一應來二應與欲者與欲三現前得訶
者不訶又比別衆言僧集會者謂同一界皆應相喚是佛所教住法
之時共集一處若多若少乃至一人心念說戒是名集會未受具戒者出
此明異衆儀式四分律云時有比丘今餘六衆遮說戒為佛言並今至
不見不聞處餘人未受戒者非人來者聽之又不應在尼前住也若有
異衆乃令遠去下坐應答未受具戒者已出若无異衆應言此處无
未受戒人沙彌出時應誦住總十數不者得吉羅不來諸比丘說欲及清
淨此名和合之義時有病比丘不來聽戒佛言應與欲及清淨隨其
廣略若不現身相不口說者不成與欲以要言之一切如法事業因緣佛
聞與欲若无本緣妄陳欲法不成與欲彰僧說戒翻上成欲誰遣比
丘尼來請教誡比明稽請儀式若有受尼來請教誡者比時應起
僧中為請衆中若有具十德者即應差遣若无者上坐應作略教
授法語請人言語尼衆比寺无堪教授尼人无善說法者尼衆應
一心行道[illegible]

開上欲若无本緣妄陳欲法不成上欲章僧說戒翻上成欲誰違比
丘尼來請教戒比朋稽請儀式若有受尼來請教誡者比時應起
僧中為請衆中若有具十德者即應善遣必若无者上坐應作略教
授法語請人言語尼衆比寺无堪教授尼人亦无善說法者尼衆應
一心行道謹慎莫放逸彼答言尒若无請者下坐應答比處无尼
來請教誡僧令和合何所作為比句明問僧所作儀式若更有餘法
事皆應比時先作若无餘事一人應答說戒羯磨上來是衆法方便
自下正作二同大德僧聽今白月十五日衆僧說戒若僧時到僧忍聽
和合說戒白如是比明作法儀式四分律云仏語比丘當依王法黑白二
月大小兩日隨國同稱言若僧對時謂作法時至僧忍聽者勸衆評和下
白衆知故日白如是〻以律云若有四人應作比三人已下當三語說戒羯
住比丘心念布薩若不如是皆得吉羅諸大德我今欲說波羅提木
叉戒比句明發起正說戒序將欲說戒故標勝〻諸大德者先告衆
也波羅提木叉者西音比翻為別解脫也由受比戒別弃捨種〻惡故又
能尅解脫果亦得名為解脫律儀亦不為惡衆所縛故名解脫又
最初隨順解脫故名波羅提木叉是明目標果稱又律中仏語比
丘新受戒者未得聞戒不知何學聽集一處和合說〻波羅提木叉
者戒也自攝持攝儀住處行根面首集衆善法三昧成就當誥當說當
敎起演布開現反覆分別衆集現前默然聽善思念〻比句明聽法
儀式是故律云同羯磨者集在一處乃至應呵者不呵是名如法若
大衆聲小數妙鳥坐立上而說八難緣隨時略說若客舊來集數有
多少說至比序告淨便聽廣如律仏端意專心而聽律法是名善思念
之　若自知有犯者即應自懺悔不犯者默然故知諸大德清淨比句
明犯不犯義所言犯者不謹〻人放縱身口違禁興過不修善行〻本
所受名〻為犯慚愧追謝還令復本亦名為持雖非一住善成亦
毀而還復業二白法故名犯已能悔是故律云有二種智人有罪能見
〻已如法懺悔所言不犯者上行〻流一住順教惡離善行故名不犯
所以律云无犯有二若本不犯〻已能悔同名无犯若欲懺者當詣清
淨比丘說犯名字如法除已方得聞戒若无犯者即當默然表心淨故
若有他問者亦如是答比句明相問義律云非但誦戒〻時須如是
答若有餘人問答如是故四分律云如是答者辟如〻比丘相問答竟
名亦如是出如是比丘在於衆中乃至三問憶念有罪不懺悔者得故妄
語罪[illegible]

BD02992號　四分律戒本疏卷一

（27–15）

□以得□□於有二者若不犯之已能□問若无犯若發露者當語清
淨比丘說犯名字如法除已方得聞戒若无犯者即當默然表心淨故
若有他問者亦如是答此句明相問義律云非但誦戒ゝ時須如是
答若有餘人問答如是故四分律云如是答者譬如ゝ比丘相問答是
名亦如是　如是比丘在於衆中乃至三問憶念有罪不懺悔者得故妄
語罪　此明違教罪四分律云嘿妄語者得吉羅罪是故衆中問時
憶念有罪即應發露若忘不憶雖嘿无罪若正說戒時彼時憶念恐
乱大衆即應心念發露說戒已後如法懺悔故妄語者佛說鄣若法此
句明違罪果報言障道者妄語之罪能令衆僧墮三惡道不獲聖
果亦障四禪及三ゝ昧乃至四果是故律云佛告比丘如彼大海不受死屍
設有漂出我法亦尒不受死屍謂死屍者非沙門梵行自言沙門梵行
犯戒惡法不淨穢汙邪見覆善内懷腐爛久現白淨如空中樹雖在衆
坐常離衆遠衆亦遠彼故知懺罪方成聞戒　若彼比丘憶念有罪欲
求清淨者應懺悔懺悔得安樂　此明懺法若憶初篇犯罪即應依
大夯懺若憶僧殘如律夯懺乃至吉羅類亦可知由懺回緣三業得
淨是故律中佛告比丘以戒學淨便得淨定至乃智惠亦復得淨三學
淨故能引諸禪及證聖果故曰懺悔得安樂　諸大德我已說戒經
序今問諸大德是中清淨不三　諸大德是中清淨嘿然故是事如是持
此句結成受持也由衆嘿然故法事皆成雖有三問共是一法故但得
一罪上來明廣略兩教發起別序　從此已即明所教正宗　諸大德是四
波羅夷法半月半月說戒經中來自下正宗之内總有八門以階輕重此
一初明第一義篇一篇之内皆有三段初標說儀次陳本戒後問清淨此
前一句文是其標也下至七問皆准於此問所以得興所教者答僧尼不
勝名利所生有漏德其略教是以如來隨有缺犯制所犯之使犯相斑
輕重位別教葉摩儀有當時之益原意在此故号正宗之言不出身
口正善受之与持相輕重但人多釋不可具錄今且略據宗來亦爲二種一者
止持行相二者作持行相此二種持能攝戒經始終總盡戒本之内具
從八節釋義此八爲五犯三十九十舍爲一犯惡說共爲一犯不定舍在七
滅故但爲五將此五犯兩種解釋　第一總解釋　第二各別釋義
總相之中四門分別　第一五篇第二七聚第三方便第四持犯此四位中
五篇雖是究竟以其根本究竟業道是以先明雖然究竟前後眷屬
相亦須識是故七聚以爲第二七聚之義亦含輕重五七之果成本由因造
緣若有不可有盡暢思業故方便以爲第三既識過相階差理須護

[illegible]
滅故但為五揩此五犯兩種解釋 第一惣相解釋 第二各別釋義
惣相之中四門分別 第一五篇 第二七聚 第三方便 第四持犯 此四位中
五篇雖是究竟以其根本究竟業道是以先明雖然究竟前後眷屬
相亦須識是故七聚以為第二七聚之義亦含輕重五七之果茂本由因造
緣差牙不可有盡暢思業故方便以為第三既識過相階差理須讓
持犯為第四 㪅明五篇四門解釋 第一釋位 第二弁名 第三立五所以 第四
次第 第一釋位者比尼以正善為宗故用能持戒行以為所明四分律中名
五犯聚僧祇以為五篇餘以一名既四義名初篇十三僧殘以為第二篇卅九
十共為第三篇四提捨尼為第四篇衆多及滅諍為第五篇所言篇者
輕重相形是故名篇又云篇者類也又既均等名篇各具三均故名為
篇一者名均齊二者躰均齊三者究竟均齊具此三均齊等故得篇名如
前篇四戒俱名波羅夷輕重義等有此相似錄為初篇餘非類者理
不得同乃至第五類亦同尒 第二弁名者義當躰得名祇云擯惡三
義故惡一者退沒謂退失道二不共住非二僧攝故三者墮落捨此身以墮
阿鼻地獄故即此擯惡之名當罪人是故當躰得名僧殘者境躰受
名犯此罪已諸餘行者非全堪用故名為殘有殘之罪由僧除滅故名僧
殘 言墮者從躰及境作名又云墮義墮罪有此能故從功能作名言
提捨尼者從對治境立可責過受稱文言我犯可呵法文吉羅者從異義
立名故見論云吉羅名惡作 第三立五之意或言業有五故立為五篇亦
可唯俗制道如五刑罪或可如來隨根之教略標此五○ 第四次第先乾所防
罪解推尋本制之興隨犯而禁輕重事乱无定今明次第可所依准盖是
大聖欲令斯法倫傳遐代故命憂波離由宣方執亦以重輕次比於後故憂
波離仏但縣後一依聖教集仏所制正死之罪罪加先勅故弁在初餘次輕
者依其階位乃至第五類以可知若據能防行次第者初篇是行根本
故須先明初篇行壞下四枝條焉能得生是故初篇先立根本行既立已
不脩衆法不成經綱不立何能集衆法故立衆行為第二篇衆法雖成若
不修律儀經綱難立故明第三身口威儀威儀既尒若不離譏過若不敬順
三寶除懲殄諍及成滞導待在三有焉能出離是故第五篇敬順三寶
威儀護艱趣道之行此覆根本所以初勝若據難防第五最勝乃至初者
第二七聚四門分別一約位二立名三偷蘭先後四入篇不入言約位者四義
為第一十三為第二初偷蘭為第三捨墮為第四之提捨尼為第五惡作
為第六惡說為第七所言聚者衆罪非一聚在一處名之為聚言立名
者初篇當躰殘約境義蘭就所防名罪立躰唯不善故見論偷蘭名大

三寶除德殄諍及成佛果，所以在三有為能出離，是故第五篇效順三寶
威儀，護熏趣道之行，此復根本所以制。勝若據難防，第五最勝，乃至初者
第二。七聚四門分別：一約位，二立名，三偷蘭先後，四入篇不入。言約位者，四義
為第一，十三為第二，一切偷蘭為第三，捨墮為第四，四提捨尼為第五，惡作
為第六，惡說為第七。所言聚者，眾罪非一，聚在一處，名之為聚。言立名
者，初篇當體殘約境義，蘭就所防名罪，立體唯不善，故見論偷蘭名大
障能鄣道，故名為偷蘭。提墮一切能可可約責主名。第六約作得名，故曰惡
作。第七就說為名，故云惡說。言偷蘭先後者，偷蘭過處，故能治之行
在戒門攝。若約均辯，往分須在第五，以解合方便究竟之異。雜門所收處
重，是故得須在均下。雜上經當第五，又解作因，故三為果，故五為方便，他
之成故，亦言入不入者，凡入五篇皆具三義：一名均，二體均，三究竟均義。尋四聚
並具四義，蘭中但有名均，雖是蘭聚，闕餘二均，以通因果，含輕重，故不
入五篇。所言輕重，有四種別：一不可懺，如二逆，是三大眾蘭，初二篇下是三小眾
蘭；四對手蘭，一人邊懺，輕者出界，四人中懺，殘邊重者同義，生輕殘邊輕
者對手懺。有此差別，故不入篇。第三方便，於中有三：一者遠方便，二者
進取方便，三者闕緣方便。遠者有果而不成，進趣者以因成果，闕緣者无
果而可成。言遠者，如自覆藏罪是非不犯，此覆藏生於後犯，名曰
方便。終不覆此以成於彼，故名為遠。論其正體，其唯究竟教人蘭吉顛
之罔亦為論五犯。遠可為遠，如自稱得聖遠，資具犯盜，如初五錢，不淨
行緣提中說，故取依因行宿，唯資犯初戒。下准說可知，舉此五犯之義，為
緣餘類相望，容有由藉。如斯等類，名遠方便。二進趣方便者，心希前
事，身口運動，造境來成，故名進趣，如律所明，步步偷蘭，是名進趣
方便。三闕緣方便，於中有七：一闕緣，二境強，三者緣差，四者境差，五
者相心，六者疑心，七善心息惱，名闕緣。缺故名闕緣方便。二境強
方便者，如欲殺人，前境入定，或又害我，以彼緣強差，此進趣排遣不
成，故曰境強。三緣差方便者，欲害前人，更有異人實伏，恐事發覺，
或有緣來差，此心不遂殺事，故曰緣差方便。四境差方便者，如
非人想、非人疑等，是如下指說。欲殺主人，張人來替，是五想心方便
者，起心殺人，心緣非人者，是六疑心方便者，起心殺人而生疑心，為人為非
人而人，雖死緣於兩境，疑心殺者，從兩境結罪。七善心息惡方便者，可知。
此七方便，諸部不定，祇律性惡但五方便，謂從境判，闕无想疑文，意
黃門想疑，靡觸女人亦殘，故應具七，如生想疑等吉，若依五分不
問應往一切俱六，謂无疑故，以疑是兩緣，順有緣本心，故從境判其正

者起心煞人心緣非人者是六疑心方便者起心煞人而生疑心爲人爲非
人而人雖无緣於兩境疑心煞者從兩境結罪七善心息方便者可知
此七方便諸部不定祇律性惡但五方便謂從境判閡无想疑文言
黄門想疑麁觸女人亦殘故遮應具七如生想疑等吉若依五不
問遮性一切俱六謂无疑故以疑是兩緣順有緣本心故使從境判其正
罪是以文言是女想疑殘非時疑午不滿疑皆得提罪故想究竟故
不問性遮心境相應犯不相應釋或蘭吉故人非人想無蘭女男想
黄門想觸蘭若就四分具足七方便　第四持犯此戒所明不過二種持
犯就此二種各有其兩言二犯者謂造諸惡作而成犯名爲作犯
於善不修止而有違名曰止犯對此二過故立兩持者不作斷一切惡意
離共不究竟爲欲離苦究竟須明止持以稱作犯若復不興修一切善
心得果不滿足爲欲得果滿足故須弁作持以翻止果故具二種此寻對
文說可知若約身口弁持犯者離煞婬觸等身止持如應來者來取
攝臥具安燈不安坐食等類是身作持離口四過如妄罵等可是口
住犯者成悲止故是口止持如受持衣鉢處分說淨離衣六年伏囊
二年六法作知淨語復地壞生二入聚落反順教修習等是口作持身
口合者准說可知身口兩犯反前而說意成身口故不別須說意雖有
持犯如律所言六犯所起中由身心及當審觀其意以何心等皆是
助成身口篇云然獨意无持犯故文但意不犯反六犯中生身口不由心等是
故成論十不善業道品問一切業意業大所以毗尼不結罪者得罪稱異結
戒法異故尔此二種持犯義如律疏明　從此已下隨文別釋先就初篇
兩種分別　第一總想分別第二依文各各別就先就總想十門分別一業不孤
起要由於發於雖无量不出三毒故以初四配於三毒成犯相發雖由等暢
必在具而論所謂身口是以第二解身口成犯身口業不過自作教人
故次第三自作教人發業不自成要由託境是以第四犯境寬狹犯境雖
衆莫過自他爲是第五境有自他境緣雖具无心不成心有麁細所願不同
對境差殊犯不犯已故次第六弁其麁細之殊反至
造趣境有差平心有擇妄有犯不犯故次第七簡擇同異八下衆任運九互
意次第十對治持犯言起由三毒者不淨行戒唯已利已爲違故以三起貪
成盜煞三戒違通損益以三事起是以三事成妄語一戒是以利已爲違亦不
同貪癡起成婬三事起者善生經云若自樂行非梵行是名從貪若婬春
家春屬名從嗔於所生母行非梵行名從癡而境悅暢恩故並貪心成
盜三事起成者貪心起成可知若盜惡家財物及燒埋等嗔起嗔成若盜
下婬是名從癡又僧祇律云摩摩帝年用佛僧物名癡起癡成煞三事

意次弟十對治持犯文起由三毒者不淨行戒唯己利己爲處故以三起貪
成盜煞二戒違通損益以三事起是以三了成妄語一戒名以利己爲違互相不
同貪癡起成婬三了起者善生經云若自樂行非梵行是名從貪若婬他
妻眷屬名從瞋於所生母行非梵行名從癡而境說暢思故并貪心成
盜三了起成者貪心起成可知若盜惡家財物及燒埋等瞋起瞋成若盜
下姓是名從癡又僧祇律云摩訶羅常用佛僧物名癡起癡成煞三事
起成准說可知妄語規利瞋順情故无瞋心發思成業若十妄語理即通
三二身口者位三婬戒身犯非口了決形交非身不弁故亦漁煞二戒盜赤
雖更煞斷相續故身業犯自作遣使彼此俱弁故口有犯如呪物過開教
人盜煞等是妄語口業正犯顯已得聖語招名利非言不宣故口正犯如作書
現相亦在犯限故身亦有成此依成論身口平造三自作教人位亦有三婬戒自
重教輕教人爲非樂在前人適非我故能教不重出家之人應勸人修善反
更助惡故能教蘭盜煞二戒違通損益自作教人損境无殊暢思亦等故自
作教人彼我俱犯妄語自作正犯教人同若遣人稱己得聖名利歸己亦自
作无殊故得同犯所教人犯輕若直教人自稱招利歸彼於我无潤故俱犯
蘭此爲初篇說若回此流論自重教輕初戒是自輕教重后教僧漏失是自
他俱重盜煞損壞及一切同犯者是自他俱輕是勸是是若犯不犯說亦有四句
可知若約能所以說作兩个四句亦可知問自他能所此義何異答自他者不論
所教七眾之業但取能教之業對自作弁若文能所以能教四五所教五
眾有罪者對說淺異六四犯境寬狹位二婬戒諸三境是故名寬餘三爲狹
人境故狹良以婬欲之往順情內逸論心更重不擇境之美惡誰問人畜但使正
道暢思无殊故三趣犯以道想制故又之三戒事蔽於人損在前境趣別報
殊增微優劣暢思階降故人犯人犯義餘趣即輕五自他位二不淨行戒自
他境犯知緣文具等是下之三戒要在他境盜煞以損主故所以重自盜无別可
損故聖不制問何以盜得已衣蘭答他衣已衣共在一處意取他衣錯得已衣
望他衣上境差得蘭之由已衣住境差而得故云已衣蘭而已衣无罪以自施自
慳等妨可知煞他犯戒故成犯境誑欲規利何須自誑 第六趣境并別若望
初戒趣得俱犯下之三戒如其大得隨三趣境重輕結犯若也專就此之三
戒各稱境犯義等若境差三戒境差蘭若論同趣爲異境單闕並无
犯雙闕但犯輕若非情无主物爲異境單雙俱不犯一境雖亦在說即无
量若其趣境弁得隨意爲在人報不闕張王者是若望同趣得俱犯義若非
畜爲異境上半單闕境趣得俱无犯下半雙闕故趣得並犯輕若非情
无主物總爲異境趣得俱无犯一趣既爾餘非其然七錯誤凡言錯誤皆是錯
緣不當之隨若逐了由了等在雖亦若隨名趣受位容有別錯說境差誤
據心緣凡現緣二境相別歷然及至造趣成了有殊二境交涉名之爲錯若
緣此隨彼心想緣妄稱之爲誤就四戒配位分爲四第一以二對婬戒錯誤俱犯

畜爲異境上半單制境想得俱无犯下半雙制故想得並犯輕若非情
无主物想爲異境想得俱无犯一趣既尒餘非盜七錯誤凡言錯誤皆是緣
緣不當名之隨若逐名而尋事在難知若隨名想定住容有別錯就境差誤
擾心緣凡現緣二境相別歷然及至造趣成事有殊二境文涉名之爲錯若
緣此隨彼心想緣妄稱之爲誤就四戒配住分爲四第一以二對婬戒錯誤俱犯
良以違起由情但得正道暢適不殊不隨餘想是故誤犯文言道是道非
道想之義　又不簡三趣縱有文涉但當正道錯之成重第二以誤對三戒俱
重以其誤无兩並不得云无心故誤俱犯文言男想盜殺誑女似言嚴故第
三以錯對三戒俱不犯以闕聖餘境本无心故如墮胎類故所以知第四錯誤對
妄語所稱法錯誤俱不犯如欲稱聖而言凡錯稱非境如增上得人迷凡謂
聖誤心非得故並不犯第八下衆運任如沙弥時教人殺盜及稱已聖教已受具
所教之人遂本言教撥財斷命欺前令解能教沙弥三往之中任運犯三波
羅夷若受戒竟所教方成罪戒俱得以其善曰圓滿惡業成就故婬无任
運可知九玄意次第者但聖制戒欲令調伏貪瞋癡盡故爲諸比丘說增
戒學問戒能防非不斷性結何以而言對之制戒答若據對治而言戒能防
非實除細乱惑能斷斷結但惠不孤興必因禪定由淨戒生推功歸本故言制
戒爲斷三毒譬如有人欲比長紅先塞泉原戒之如是爲持戒故能斷三毒
乃至菩提之能成就諸戒同比言次第者僧祇律玄五年冬分第五半月
十二日制此初戒即是十月廿七日餘三戒六年並冬分盜第二半月十日謂九月十日
殺第三半月九日即是九月廿四日妄語第四半月十三日謂十月十三日又釋次
第爲鄣道輕重彰其次第之十持犯對治比丘四義戒此持作犯言
對治者爲離染清淨對初少欲之行對盜慈悲之行治殺實語去除
妄等是婬戒第一從此已下別解初戒於中爲四一制戒意二釋名字
三具緣成犯四闕緣義此之四者並爲通別諸戒例然一制戒意一通
二別言通者如多論云以結戒故滅得未起非法二滅得已起疑網
能知輕重識別識除對治故以善譏謂中不分輕重名種三根生十利功德
正當制意故四分律言如來出世見衆過失謂十種利以結比丘制戒乃
至正法久住此是通意義後諸戒下不更說第二別意婬欲之性能
是難識生死根本若不斷除流輪三有障能出離障道之原引過於
此結違之諸過故不禁是以聖制二釋名字之有通別通者戒是通
名不淨行等是別若言不淨行是婬欲之法是所防過戒是能持之
行但治行既通戒相難分尋緣以彰欲依觀過興厭終不淨
觀離欲行成能所通舉故名不淨行戒三具緣成犯之有通別言通
者三一是大比丘簡非所較文言若比丘故二制戒敎後以其初人數未
攝故三无重病擾心簡癡狂打此之三義該通上下故明了論云若人

名不淨行等是別号言不淨行是婬欲之法是所防過戒是能持之
行但治行既通戒相雜分寄緣以彰欲傍觸遍興穢鄙不淨
觸雜欲行成能所通舉故名不淨行戒三具緣成犯亦有通別言通
者三一是大比丘簡非所救文言若比丘故二制者教後以其初人教末
攝故三无重病狂心簡癡狂於此三義該括上下故明了論云若人
已受大比丘戒若如來已制此戒若人不至癡狂是人既犯此戒乃至吉
罪皆同此說下更不標言別緣者此具四緣一有正境二有染心三
起方便四与境合若有違遍之四緣成一正境二違遍三与境合四者受樂
此戒通三別四七緣成犯四關緣義一解關通緣全无罪可知亦可關初
及第三亦有罪非即方便中關緣方便等无罪可知關第二全无罪
又關別緣若關初緣非道之想疑得二偷蘭關二三兩緣无犯關第四
有二偷蘭從破威儀身手未及捺蘭既小眾對手三說懺復身手相及
至未成重之蘭既大眾應三乞之已應一白之已亦應三說違遍關此緣說可知
關通但一方便關別有四但五方便從此已下正明戒本謗戒制開不同如初戒
文有其三一略制二隨制並制言略制者如此戒最初因須陀耶比丘起過故
制言隨結者後因跋闍子比丘不樂梵行即便還家仏因隨結言然制者
後有乞食比丘林中与畜起過仏因此人然制故名滿足戒本言開者如初
篇因目連開增上慢 第二篇漏失開夢中 第三篇別食浣洗七緣即皆
隨開乃至吉羅類亦可知今弁滿足戒本者若比丘共比丘同戒若不還戒之
羸不自悔犯不淨行至乃共畜生是比丘波羅夷不共住 此滿足戒本有者
其八初略弁後𦂳釋初句總明受法行次句雜明受法共三同戒者雜明諸
同四不還戒者明淨不捨有戒可犯故五戒羸不悔者難敬道猶同犯住故六
不淨行等者託境非第七戒者結罪 第八不共住者是治罰也次然釋所言
若比丘者四分律云名字比丘相似比丘自稱比丘乞求比丘著割截衣比丘破
結使比丘善來比丘受戒白四如法成就得處所比丘次釋比丘義言名字比丘
者此是通別之義相似比丘者犯重人內實破戒威儀相顯似他持戒故曰相似
比丘自稱比丘者十誦律云謂賊住比丘人自稱言我是比丘故曰自稱比丘
言乞求比丘者順於聖教以乞資身離五邪命正命自活故曰乞求比丘言著
割截衣比丘者著此衣有二利益一駿其細好離自貪著二不為王賊之所貪
棄常有資身受用之益奉循聖教恒著此衣故曰著割截衣比丘 言破
結使比丘者理解心中而發具戒故曰也言善來比丘者仏命善來即發具戒故
曰善來比丘言白四如法成就得處所比丘者若受大戒僧數滿足緣白
四羯磨作法成就緣得處所結戒成就界內不別衆緣住比丘法中息善

割截衣比丘者若著是衣有二利益一毀其細好離自貪著二不為王賊之所貪
棄常有資身受用之益奉備聖教恒著是衣故曰著割截衣比丘 言破
結使比丘者理解心中而教具戒故曰也言善來比丘者佛命善來即教具戒故
曰善來比丘言白四如法成就得處所比丘者若受大戒僧數滿足緣自
四羯磨作法成就緣得處所結戒成就界內不別衆緣住比丘法中身是
遮難緣比即四法現前謂僧法界事比一人是戒本中善比丘義通於代教滇律
此人所言比丘者此明受法共人殊報別所緣義一故曰共比丘律云若共
餘比丘受大戒白四羯磨乃至住比丘法中者是為共比丘義言同戒者
難明行法同先并所同故律云佛言我為諸弟子結戒彰教法是同寧
死不犯是持刂同是中已下解其同義戒者隨戒舜同同戒者禁防
義同戒中者名數同是名同戒義所言不還戒者明清淨不捨有戒可
犯故律云佛言若有比丘不樂梵行聽捨戒還家後欲出家得受
大戒於中有二一明不捨二弁捨義如律然說所言戒羸不自悔者律云
若有比丘常懷愁憂不樂梵行欲比丘法意欲在家於中中句差別
律文然明所言不淨行者是托境非於律云不淨行是婬欲言波羅
義者比是白刂絕言不共住者是衆法絕多論云四義故名不共
住一既懷已法無所任用殯出衆外生天龍等信敬心故二現作法
无有增愛清淨共住犯者出衆故三為息外道誹謗故四為持戒
者安樂增上善根為破戒者生慚愧心不犯諸惡故是以令彼不共住
故律云不得同一羯磨同一說戒是名不共住六七兩句次下然弁犯不
疏起要由託境境緣不固有其三種人非人畜生三各五婦僮女二形黃
門男子等五境處別並不同於童女二形及婦女三處於黃門及男子二處
是十五種境各有隔不隔四句亦同復有是等諸境覺睡死壞四種境上
各有犯義乃至惡逼亦同是例若然說共有三千七百四十句皆是究竟義
罪故論云犯相有三一自婬心向前境從有裏隔乃至障但入如毛頭結成
大重二若為惡逼或將至前境或誂其身於三時中乃至一時受樂皆成重
業是故僧祇律云可畏之甚無過女人敗壞正德莫不由女色善見經云
寧以男根內毒蛇口中不以此緣墮三惡道四分律云義亦如是譬如毒蛇三
種害人一者見害二者觸害三者吞噉害女人亦亦三種害人若見女人心發
欲想聞聲起染能滅善法得吉羅罪若觸女人能燒功德犯僧殘罪
若共女交合犯於重罪問比婬欲法何以類毒蛇答有七種義寧內蛇口不應
犯色一為毒所害但害一身女害多身二毒害報无記女害法身三毒害
人形女害人心四毒害足數女害不足數五毒害得生人天女害墮於地獄六毒害

業是故僧祇律云可畏之甚无過女人敗男子淨業莫不由女色著見結云
寧以男根内毒蛇口中不著此緣墮三惡道四分律云義亦如是譬如毒蛇三
種害人一者見害二者觸害三者齧害女人亦爾三種害人若見女人心發
欲想聞聲起染能滅善法淨者罪若觸女人能燒功德犯僧殘罪
若共女交合犯於重罪同法婬欲法何以類毒蛇有七種義寧内蛇口不應
犯色一為毒所害但害一身女害多身二毒害報无記女害法身三毒害
人形女害人心四毒害足數女害亦足之數五毒害淨生人天女害墮於地獄六毒
害由淨聖果女害亦障涅槃七毒害佛所讚歎女害為聖呵責是故寧
犯毒蛇莫犯女人言波羅夷者此是犯罪名僧祇云此罪名極惡三意
故惡一者退沒故惡由犯此戒道果无分二者不入二種僧數三者命終已後
定墮地獄故以極惡四分律云譬如斷人頭不可復起比丘亦爾犯此法者不復
成比丘故名波羅夷義如目連問罪報經云若比丘无慚愧心輕瀆佛語犯
波羅夷罪如他化自在天壽六千歲墮泥犁中於人間數九百廿一億
六十千歲就犯之中輕重有三一自往作二教人三无犯自作之内復有其三道
非道差別故教他有二道俗有異无犯者有二一自睡眠无所覺知二悉遠
所境三時无樂者是餘義如律廣說　盜戒第二　前戒内色起貪制
其婬戒此戒外財起貪循環生死故須後辨有其四一制戒意通意如前
別意者凡盜資財形命之本非此不濟人情寶重應著處深出家所為
應還已濟物今乃非理侵奪損惱不輕過中之重是故聖制二釋名者
非理損財故名為盜盜之者非戒戒是能治盜是所防舉彼所防以別能治故
日盜戒第三具緣通緣如上別緣具五一是有主物盜以損主為宗故須有
主物雖有主持相及疑之不成重故須第二有主想想雖當境所盜非五但
淨輕總是以第三次明重物物雖滿五无心不犯為是第四次明盜心心雖會盜
物未離處損主未成故須第五　第四闕緣者闕初緣淨三偷蘭初句非
人主物人主物想二畜生物人主物想三无主物人主物想闕第二緣容有九
蘭持想有三疑心有三雙闕有三三三合九持想三者初句作人主物取若
物想闕此句既爾餘句同然第二句人主物畜生想取第三人主物无主物
想取疑心三者實是人主物生疑為人主物為非人物第二為人主物為畜
生物第三為人主物為无主物此三並蘭次雙闕二緣三者第一意欲盜人主
物而非人物替人主物處是闕初緣既非人物上復生疑心即闕第二緣為
人物為非人物此第二句畜生物替人物處復生疑心為人物為畜
生物第二句无主物替人物處復生疑心為人物此第三句並亦

物想願此句既有餘句同然第二句人主物畜生想取第三人主物无主物
想取疑心三者實是人主物生疑為人主物為非人物第二為人主物為畜
生物第三為人主物為无主物此三並蘭次雙闕二緣三者第一意欲盜人主
物而非人物替人主物處是闕初緣就非人物上復生疑心即闕第二緣為
人物為非人物此第句畜生物替人物處復生疑心為人物為畜
生物第二句无主物替人物處復生疑心為人物此第三句並名
淨蘭闕第三重物作輕物之蘭闕第四緣无盜心全无罪闕第五
緣輕蘭重蘭是等闕緣具七方便白下四明戒本此戒曰擅
足阤比丘詐言王教取彼要材致制斯戒今弁滿足戒本者
若比丘若在村落若閑淨處不与物盜心取隨不与取法若為王
王大臣所捉若殺若縛若駈出國汝是賊汝癡汝无所知是比丘波
羅夷不共住此滿足戒本句有其八初略弁後廣釋略中初一犯人第二
物之所在盜之處所三不与者主不捨四盜心取者盜業盜心也五隨不与
取者所盜重物六治罸七結罪八治擯已下廣弁若比丘義如前釋言村落
者俗人所居曰村村有四種一者四周垣墻二者柵籬三者籬墻不周四者四周
有屋言閑淨處者盜之處所四分律中若地中若地上若乘若擔若空
若上若田若船若水為私度關塞不輸稅若取他寄信物若取水若楊
枝若園果草木若无足若二足若四足若多足若同財業若要若伺候若守
護若選要是道物所在盜之處所也總是廿六句前十三就處以明盜物二
寄信下八就所取物以明盜三同財下五為要以明盜此等之義如律疏
左明所言不与者主不捨若他物想他所護想有主想非己物非暫用非同
意取言盜心取者賊心取也取有五種黑闇心邪心曲戾心恐怯心常有
盜他物心又種取決定取恐怯取寄物見便取倚託取戲依親友
强力若以言詞辯說誑惑而取者是也隨不与取法者所盜重物如王
五法若取五錢若直五錢物罪應至死仙隨王法盜滿制重所言王者得在自
在不屬人也所言大臣輔佐王者是所言若捉若縛若殺若駈乃至无所知者此
是俗治罸法言捉者是王捉治法若縛是又王治法若駈是頻婆羅
治法若殺是世王罸法皆是賊无所知是呵責賊法所言波羅者此是
犯罪之名義如初戒弁所言不共住者不得於說戒受戒羯磨二種
僧中共住故不共住戒食重於重之中盜是難護故須先釋　但令
略標盜之相義如諸部律論明述盜業略有三位一於三寶物作盜
二盜人物三盜非物三寶物中有其二種一者自護二者他護盜非畜物中復
有二種一者非人二者畜生若論三寶物約境得罪一就守護人論五錢重罪

[illegible]
治法若斷是世王所治法此是賊天所知是所嘖賊法所言波羅者此是
犯罪之名義如初戒弁所言不共住者不得於說戒受戒羯磨二種
僧中共住故然性戒食重性重之中盜是難護故須廣釋但今
略標盜之相義如諸部律論明述盜業略有三位一非三寶物作盜
二盜人物三盜非物三寶物中有其二種一者自護二者他護盜非畜物中護
有二種一者非人二者畜生若論三寶物仍境得罪一就守護人論五錢重罪
若無守護仍於境得蘭罪若滿不當錢重蘭已下乃至應輕蘭盜人物
亦尔若盜非人物得蘭盜畜生物得吉羅若作與想取之有想者亦得
想暫取想親厚意想取者皆無犯

煞戒第三

一制戒意者趣報勝善同所招惡心俱是道器但出家之人應懷四等今反
瞋忿斷壞陰命境遠道業使他損害道器過中之甚為此聖禁二釋名
者五陰法中假立眾生斷斷於吉陰名為煞生此是所防戒是能治故所
通舉名煞生戒三具緣通緣如上別緣有五一者是人簡餘趣輕故二是人
想趣輕故三煞心無心不犯故四起方便以無方便不可壞故雖方便加害若
命未斷所覩未畢惡心不暢亦不成重故須第五斷命四闕緣者
闕初緣三句蘭罪一非人人想二非人疑三是人非人想二非人緣闕境次第三若闕
第二人想者有二蘭是法想闕當法想三句文雖是一義含三句一人非人想煞
若根本迷人作非人想煞人無罪非人有吉今律文結蘭者據本作人想
往煞已復偷蘭臨至人中輕作非人想煞若結後心應得吉羅隱其後
之罪結其前心故得偷蘭　問若後心無蘭若何故律文人非人想蘭
答轉想者非人時實無偷蘭由想者非人故舍前心偷蘭攝因成必
舉由轉想結前心蘭故言人非人想蘭也三闕者三蘭豈可稚善心者
蘭由其捨故前心偷蘭在因位舉後捨心結前之蘭故言捨者偷蘭此為
如是此人作畜生想三人作杌想間人人非人想結前心蘭者向闕
境緣非人了想亦應舉後結前心吉　又解方為成人家方便
故闕心結前闕境結後以是偷蘭故作此解時人了想有意
吉此定不尔今釋非人人想者結前心所以尔者若本煞人十非
非人後心當人可言為成人方便結後心蘭非人人想決結前心
本意煞人非人境以前者若本煞人作人想煞在本境口以非人境若闕前煞人之
業使不成重即是煞人方便前生非人之境後起猶是舉其後

BD02992號　四分律戒本疏卷一

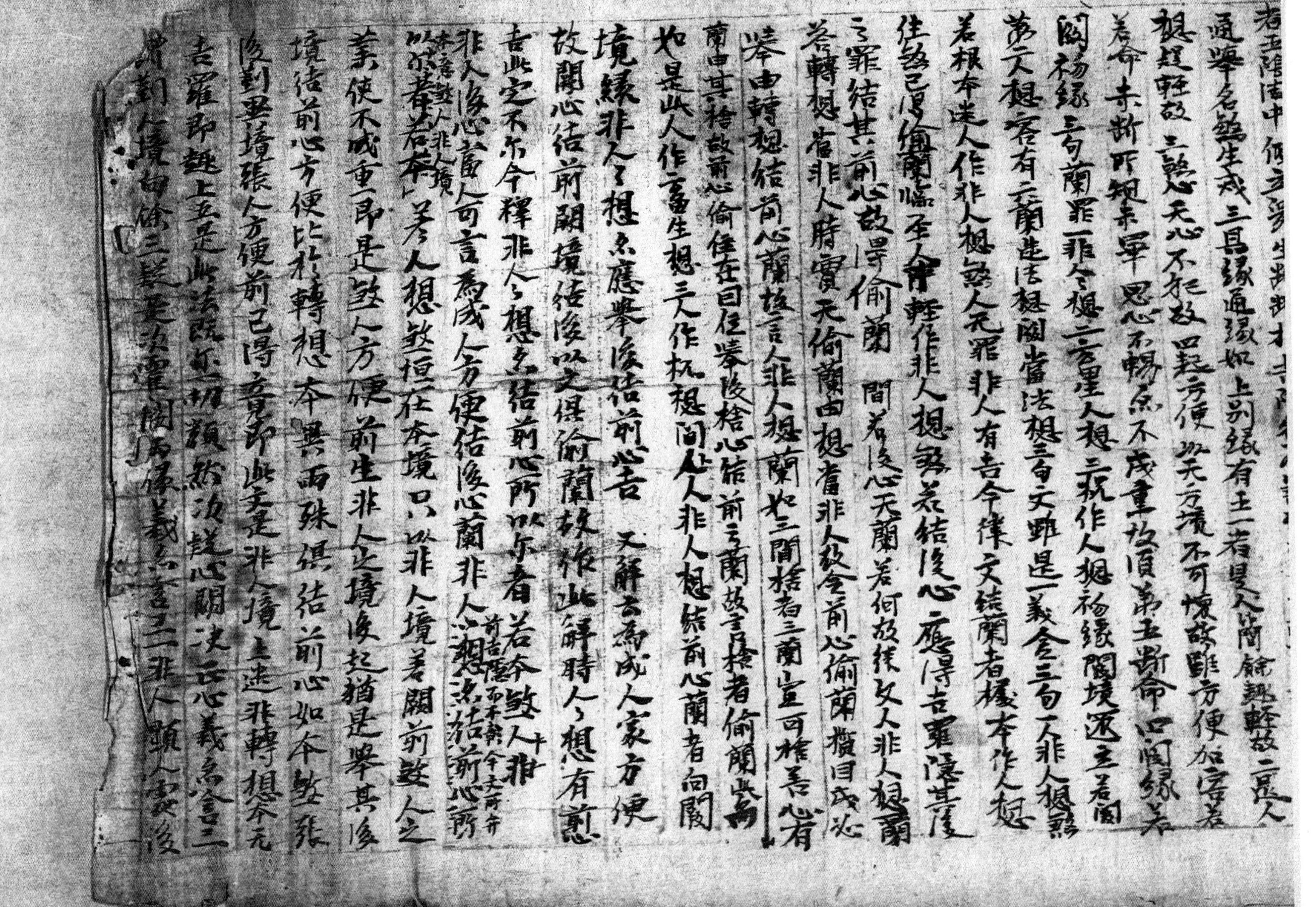

（27–27）

BD02992號　四分律戒本疏卷一

心顛倒有見顛倒
摩訶薩不取相為方便脩行般若波羅蜜多
於彼一切佛及弟子功德善根離相隨喜迴
向無上正等菩提是名為善隨喜迴向由此
因緣是菩薩摩訶薩隨喜迴向無想顛倒無
心顛倒無見顛倒
尒時慈氏菩薩摩訶薩問具壽善現言大德
云何菩薩摩訶薩於諸如來應正等覺及諸
弟子功德善根隨喜俱行福業事等皆不取
相而能隨喜迴向無上正等菩提善現荅言
大士應知諸菩薩摩訶薩所學般若波羅蜜
多有如是等方便善巧雖不取相而所作成
非離般若波羅蜜多有能正起隨喜俱行諸
福業事迴向無上正等菩提是故菩薩摩訶
薩衆欲成所作應學般若波羅蜜多慈氏菩
薩摩訶薩言大德善現勿作是說所以者何
以於般若波羅蜜多諸佛世尊及弟子衆并
所成就功德善根皆無所有不可得故所作
隨喜諸福業事亦無所有不可得故發心迴
向無上菩提亦無所有不可得故此中菩薩
摩訶薩脩行般若波羅蜜多時應如是觀過

BD02993號　大般若波羅蜜多經卷四三三　（20–1）

薩摩訶薩言大德善現勿作是說所以者何
以於般若波羅蜜多諸佛世尊及弟子衆并
所成就功德善根皆無所有不可得故所作
隨喜諸福業事亦無所有不可得故發心迴
向無上菩提亦無所有不可得故此中菩薩
摩訶薩脩行般若波羅蜜多時應如是觀過
去諸佛及弟子衆功德善根性皆已滅所作
隨喜諸福業事發心迴向無上菩提性皆寂
滅我若於彼一切如來應正等覺及弟子衆
功德善根取相分別及於所作隨喜俱行諸
福業事發心迴向無上菩提取相分別以是
取相分別方便發起隨喜迴向無上正等菩
提諸佛世尊皆所不許亦不隨喜何以故於
已滅度諸佛世尊及弟子等取相分別隨喜
迴向無上菩提是說名為大有所得是故菩
薩摩訶薩欲於諸佛及弟子衆功德善根正
起隨喜迴向無上正等菩提不應於中起有
所得取相分別隨喜迴向若於其中起有所
得取相分別隨喜迴向佛不說彼有大義利
何以故如是隨喜迴向之心虛妄分別名雜
毒故譬如有食雖具上妙色香美味而和毒
藥愚人淺識貪取噉之雖初適意歡喜快樂
而後食銷備受衆苦或便致死若近失命如
是一類補特伽羅不善受持不善觀察甚深
般若波羅蜜多文句義理不善讀誦不善通
達甚深義趣而告大乘種姓者曰來善男

BD02993號　大般若波羅蜜多經卷四三三　（20–2）

而後食銷倫受衆苦或便致死若近失命如
是一類補特伽羅不善受持不善觀察甚深
般若波羅蜜多文句義理不善讀誦不善通
達甚深義趣而告大乘種姓者曰來善男
子汝於過去未來現在一切如来應正等覺
從初發心至得無上正等菩提轉妙法輪度
無量衆入無餘依般涅槃界乃至法滅於其
中間若脩般若乃至布施波羅蜜多已集當
集現集善根若住内空乃至無性自性空已
集當集現集善根若脩四静慮四無量四無
色定已集當集現集善根若脩四念住乃至
八聖道支已集當集現集善根如是乃至若
脩佛十力乃至十八佛不共法已集當集現
集善根若嚴淨佛土成熟有情已集當集現
集善根若諸如来應正等覺所有戒蘊定蘊
慧蘊解脫蘊解脫智見蘊若一切智道相智
一切相智若無忘失法恒住捨性及餘無數
無量無邊殊勝功德若佛弟子一切有漏無
漏善根若諸如来應正等覺已現當記諸天人
等獨覺菩提所有功德若諸天龍藥叉健達
縛阿素洛揭路荼緊捺洛莫呼洛伽人非人
等已集當集現集善根若善男子善女人等
於諸功德發起隨喜迴向善根如是一切合
集稱量現前隨喜與諸有情平等共有迴向
無上正等菩提如是所說隨喜迴向以有所

BD02993號　大般若波羅蜜多經卷四三三　（20–3）

等已集當集現集善根若善男子善女人等
於諸功德發起隨喜迴向善根如是一切合
集稱量現前隨喜與諸有情平等共有迴向
無上正等菩提如是所說隨喜迴向以有所
得取相分別而為方便如食雜毒初益後損
故此非善隨喜迴向所以者何以有所得取
相分別發起隨喜迴向之心有因有緣有住
意有戲論有妨礙有過失不應般若波羅蜜
多彼雜毒故則為謗佛不隨佛教不隨法說
不應理說菩薩種姓補特伽羅不應隨彼所
說而學是故大德應說云何住菩薩乘諸善
男子善女人等應於過去未來現在一切如
来應正等覺及弟子等功德善根隨喜迴向
謂彼諸佛從初發心至得無上正等菩提轉
妙法輪度無量衆入無餘依般涅槃界乃至
法滅於其中間若脩般若乃至布施波羅蜜
多集諸善根廣說乃至若善男子善女人等
於諸功德發起隨喜迴向善根住菩薩乘諸
善男子善女人等云何於彼功德善根發起
隨喜迴向無上正等菩提具壽善現白言大
士住菩薩乘諸善男子善女人等脩行般若
波羅蜜多若欲不謗諸佛世尊而發隨喜迴
向心者應作是念如諸如来應正等覺無上
佛智了達遍知功德善根有如是性有如是
相有如是法而可隨喜我今亦應如是隨喜
如諸如来應正等覺無上佛智了達遍知應

BD02993號　大般若波羅蜜多經卷四三三　（20–4）

波羅蜜多若欲不謗諸佛世尊而發隨喜迴
向心者應作是念如諸如來應正等覺無上
佛智了達遍知功德善根有如是性有如是
相有如是法而可隨喜我今亦應如是隨喜
如諸如來應正等覺無上佛智了達遍知應
以如是諸福業事迴向無上正等菩提我今
亦應如是迴向住菩薩乘諸善男子善女人
等於諸如來應正等覺及弟子等功德善根
應作如是隨喜迴向若作如是隨喜迴向則
不謗佛隨佛所教隨法而說應理而說是菩
薩摩訶薩如是隨喜迴向之心不雜毒藥
終至甘露大般涅槃
復次大士住菩薩乘諸善男子善女人等脩
行般若波羅蜜多於諸如來應正等覺及弟
子等功德善根應作如是隨喜迴向如色乃
至識不墮欲界色界無色界若不墮三界則
非過去未來現在眼處乃至意處不墮欲界
色界無色界若不墮三界則非過去未來現
在色處乃至法處不墮欲界色界無色界若
不墮三界則非過去未來現在眼界乃至意
界不墮欲界色界無色界若不墮三界則非
過去未來現在色界乃至法界不墮欲界色
界無色界若不墮三界則非過去未來現在
眼識界乃至意識界不墮欲界色界無色界
若不墮三界則非過去未來現在眼觸乃至
意觸不墮欲界色界無色界若不墮三界則

BD02993號　大般若波羅蜜多經卷四三三　（20–5）

界無色界若不墮三界則非過去未來現在
眼識界乃至意識界不墮欲界色界無色界
若不墮三界則非過去未來現在眼觸乃至
意觸不墮欲界色界無色界若不墮三界則
非過去未來現在眼觸為緣所生諸受不墮
欲界色界無色界若不墮三界則非過去未
來現在般若波羅蜜多乃至布施波羅蜜多
不墮欲界色界無色界若不墮三界則非過
去未來現在內空乃至無性自性空不墮欲
界色界無色界若不墮三界則非過去未來
現在四念住乃至八聖道支不墮欲界色界
無色界若不墮三界則非過去未來現在如
是乃至如來十力乃至十八佛不共法不墮欲
界色界無色界若不墮三界則非過去未來
現在真如法界法性實際法空法住不思議
界不墮欲界色界無色界若不墮三界則非
過去未來現在戒蘊定蘊慧蘊解脫蘊解脫
智見蘊不墮欲界色界無色界若不墮三界
則非過去未來現在一切智道相智一切相
智不墮欲界色界無色界若不墮三界則非
過去未來現在無忘失法恒住捨性不墮欲
界色界無色界若不墮三界則非過去未來
現在隨喜迴向亦應如是所以者何如彼諸
法自性空故不墮三界非三世攝隨喜迴向
亦復如是謂諸如來應正等覺自性空故不
墮三界非三世攝諸[illegible]

BD02993號　大般若波羅蜜多經卷四三三　（20–6）

界色界無色界若不墮三界則非過去未來
現在隨喜迴向亦應如是所以者何如彼諸
法自性空故不墮三界非三世攝隨喜迴向
亦復如是謂諸如來應正等覺自性空故不
墮三界非三世攝諸佛功德自性空故不墮
三界非三世攝聲聞獨覺及人天等自性空
故不墮三界非三世攝彼諸善根自性空故
不墮三界非三世攝於彼隨喜自性空故不
墮三界非三世攝所迴向法自性空故不墮
三界非三世攝能迴向者自性空故不墮三
界非三世攝若菩薩摩訶薩脩行般若波羅
蜜多時如實知色乃至識不墮三界非三世
攝若不墮三界非三世攝則不可以彼有相
為方便有所得為方便發生隨喜迴向無上
正等菩提何以故以色等法自性不生若法
不生則無所有不可以彼無所有法隨喜迴
向無所有故如實知眼處乃至意處亦如是
如實知色處乃至法處亦如是如實知眼界
乃至意界亦如是如實知色界乃至法界亦
如是如實知眼識界乃至意識界亦如是如
實知眼觸乃至意觸亦如是如實知眼觸為
緣所生諸受乃至意觸為緣所生諸受亦如
是如實知般若波羅蜜多乃至布施波羅蜜
多亦如是如實知內空乃至無性自性空亦
如是如實知四念住乃至八聖道支亦如是
如實知如來十力乃至十八佛不共法亦如

是如實知般若波羅蜜多乃至布施波羅蜜
多亦如是如實知內空乃至無性自性空亦
如是如實知四念住乃至八聖道支亦如是
如實知如來十力乃至十八佛不共法亦如
是如實知真如法界法性實際法定法住不
思議界亦如是如實知戒蘊定蘊慧蘊解脫
蘊解脫智見蘊亦如是如實知一切智道相
智一切相智亦如是如實知無忘失法恒住
捨性不墮三界非三世攝若不墮三界非三
世攝則不可以彼有相為方便有所得為方
便發生隨喜迴向無上正等菩提何以故以
無忘失法恒住捨性自性不生若法不生則
無所有不可以彼無所有法隨喜迴向無所
有故是菩薩摩訶薩如是隨喜迴向無上正
等菩提不雜毒藥終至甘露大般涅槃住菩
薩乘諸善男子善女人等若以有相而為方
便或有所得而為方便於諸如來應正等覺
及弟子等功德善根發生隨喜迴向之心當
知是邪隨喜迴向此邪隨喜迴向之心諸佛
世尊所不稱讚如是隨喜迴向之心非佛世
尊所稱讚故不能圓滿布施淨戒安忍精進
靜慮般若波羅蜜多亦不能圓滿內空乃至
無性自性空亦不能圓滿四念住乃至八聖
道支如是乃至亦不能圓滿如來十力乃至
十八佛不共法亦不能圓滿一切智道相智
一切相智亦不能圓滿無忘失法恒住捨性

靜慮般若波羅蜜多亦不能圓滿內空乃至
無性自性空亦不能圓滿四念住乃至八聖
道支如是乃至亦不能圓滿如來十力乃至
十八佛不共法亦不能圓滿一切智道相智
一切相智亦不能圓滿無忘失法恒住捨性
由諸功德不圓滿故不能嚴淨佛土及成熟
有情由不能嚴淨佛土及成熟有情故則不
能證得阿耨多羅三藐三菩提何以故由彼
所起隨喜迴向有相有得雜毒藥故復次大
士諸菩薩摩訶薩脩行般若波羅蜜多時應
作是念如十方界一切如來應正等覺如實
通達功德善根有如是法可依是法發生無
倒隨喜迴向我今亦應依如是法發生隨喜
迴向無上正等菩提是為正起隨喜迴向由
斯決定證得無上正等菩提
尒時世尊讚具壽善現言善哉善哉善現汝
今已為一切菩薩摩訶薩等作佛所作謂為
菩薩摩訶薩等善說無倒隨喜迴向如是所
說隨喜迴向以無相為方便無所得為方便
無生無滅為方便無染無淨為方便無性自
性為方便自相空為方便自性空為方便法
界為方便真如為方便法性為方便不虛妄
性為方便實際為方便不思議界為方便故
善現假使三千大千世界一切有情皆得成
就十善業道四靜慮四無量四無色定五神
通於意云何是諸有情功德多不善現對曰

BD02993號　大般若波羅蜜多經卷四三三　（20–9）

界為方便真如為方便法性為方便不虛妄
性為方便實際為方便不思議界為方便故
善現假使三千大千世界一切有情皆得成
就十善業道四靜慮四無量四無色定五神
通於意云何是諸有情功德多不善現對曰
甚多世尊甚多善逝佛言善現若善男子善
女人等於諸如來應正等覺及弟子等功德
善根起無染著隨喜迴向所獲功德甚多於
前不可稱計善現是善男子善女人等所起
如是隨喜迴向於餘善根為最為勝為尊為
高為妙為微妙為上為無上無等無等等復
次善現假使三千大千世界一切有情皆得
預流一來不還阿羅漢果獨覺菩提有善男
子善女人等於彼預流乃至獨覺盡其形壽
以無量種衣服飲食卧具醫藥及餘資具而
奉施之供養恭敬尊重讚歎於意云何是善
男子善女人等由此因緣得福多不善現對
日甚多世尊甚多善逝佛言善現若善男子
善女人等於諸如來應正等覺及弟子等功
德善根起無染著隨喜迴向所獲功德甚多
於前善現是善男子善女人等所起如是隨
喜迴向於餘善根為最為勝為尊為高為妙
為微妙為上為無上無等無等等復次善現
假使三千大千世界一切有情皆趣無上正
等菩提設復十方各如殑伽沙等世界一切
有情一一各發趣無上正等菩提一一菩

BD02993號　大般若波羅蜜多經卷四三三　（20–10）

善迴向於餘善根為最為勝為尊為高為妙
為微妙為上為無上無等無等等復次善現
假使三千大千世界一切有情皆趣無上正
等菩提設復十方各如殑伽沙等世界一切
有情一一各於彼趣無上正等菩提一一菩
薩摩訶薩所以無量種衣服飲食卧具醫藥
及餘資生上妙樂具而奉施之經如殑伽沙
等大劫供養恭敬尊重讚歎於意云何是諸
有情由此因緣得福多不善現對曰甚多世
尊甚多善逝如是福聚無數無量無邊無限
筭數譬喻難可測量世尊若是福聚有形色
者十方各如殑伽沙界所不容受佛言善現
善哉善哉彼福德量如汝所說若善男
子善女人等於諸如來應正等覺及弟子等
功德善根起無染着隨喜迴向所獲福聚甚
多於前善現是善男子善女人等所起如是
隨喜迴向於餘善根為最為勝為尊為高為
妙為微妙為上為無上無等無等等善現若
以前福比此福聚百分不及一千分不及一
乃至鄔波尼殺曇分亦不及一何以故善現
彼諸有情十善業道四靜慮四無量四無色
定五神通皆以有相有所得想為方便故彼
善男子善女人等以無量種衣服飲食卧具
醫藥及餘資具奉施預流一來不還阿羅漢
果及諸獨覺盡其形壽供養恭敬尊重讚歎

BD02993號　大般若波羅蜜多經卷四三三　（20–11）

定五神通皆以有相有所得想為方便故彼
善男子善女人等以無量種衣服飲食卧具
醫藥及餘資具奉施預流一來不還阿羅漢
果及諸獨覺盡其形壽供養恭敬尊重讚歎
所獲福聚皆以有相有所得想為方便故彼
諸有情以無量種衣服飲食卧具醫藥及餘
資生上妙樂具奉施彼趣無上菩提諸菩薩
衆經如殑伽沙等大劫供養恭敬尊重讚歎
所獲福聚皆以有相有所得想為方便故
尒時四大天王各與眷屬二萬天子頂礼佛
足合掌白言世尊彼諸菩薩摩訶薩乃能發
起如是廣大隨喜迴向謂彼菩薩摩訶薩方
便善巧以無相為方便無所得為方便無染
着為方便無思住為方便於諸如來應正等
覺及弟子等功德善根發正隨喜迴向無上
正等菩提如是所起隨喜迴向不墮二法不
二法中無染無着時天帝釋亦與無量百千
天子各持種種天妙花鬘塗散等香衣服纓
絡寶幢幡蓋諸妙珎奇奏天樂音以供養佛
頂礼雙足合掌白言世尊彼諸菩薩摩訶薩
乃能發起如是廣大隨喜迴向謂彼菩薩摩
訶薩方便善巧以無相為方便無所得為方
便無染着為方便無思住為方便於諸如來
應正等覺及弟子等功德善根發正隨喜迴
向無上正等菩提如是所起隨喜迴向不墮

BD02993號　大般若波羅蜜多經卷四三三　（20–12）

乃能發起如是廣大隨喜迴向謂彼菩薩摩
訶薩方便善巧以無相為方便無所得為方
便無染著為方便無思作為方便於諸如來
應正等覺及弟子等功德善根發正隨喜迴
向無上正等菩提如是所起隨喜迴向不墮
二法不二法中無染無著時夜摩天子冊
都史多天子善變化天子寂自在天子各與
眷屬千天子俱皆持種種天妙花鬘塗散等
香衣服瓔珞寶幢幡蓋諸妙珍奇奏天樂音
以供養佛頂礼雙足合掌白言世尊彼諸菩
薩摩訶薩乃能發起如是廣大隨喜迴向謂
彼菩薩摩訶薩方便善巧以無相為方便無
所得為方便無染著為方便無思作為方便
於諸如來應正等覺及弟子等功德善根發
正隨喜迴向無上正等菩提如是所起隨喜
迴向不墮二法不二法中無染無著時大梵
天王與無量百千俱胝那庾多諸梵天眾前
詣佛所頂礼雙足合掌恭敬俱發聲言希有
世尊彼諸菩薩摩訶薩為般若波羅蜜多方
便善巧所攝護故超勝於前無方便善巧有
相有所得諸善男子善女人等所脩善根時極
光淨天乃至色究竟天各與無量百千俱胝
那庾多自類天眾前詣佛所頂礼雙足合掌
恭敬俱發聲言希有世尊彼諸菩薩摩訶薩
為般若波羅蜜多方便善巧所攝護故超勝

光淨天乃至色究竟天各與無量百千俱胝
那庾多自類天眾前詣佛所頂礼雙足合掌
恭敬俱發聲言希有世尊彼諸菩薩摩訶薩
為般若波羅蜜多方便善巧所攝護故超勝
於前無方便善巧有相有所得諸善男子善
女人等所脩善根
尒時佛告四大王眾天乃至色究竟天等言
假使三千大千世界一切有情皆發無上正
等覺心普於過去未來現在十方世界一切
如來應正等覺從初發心至得無上正等菩
提轉妙法輪度無量眾入無餘依般涅槃界
乃至法滅於其中間所脩布施乃至般若波
羅蜜多相應善根若住內空乃至無性自性
空相應善根若脩四念住廣說乃至十八佛
不共法相應善根若脩無量無邊佛法相應
善根若諸弟子所有善根若諸如來應正等
覺所有戒蘊定蘊慧蘊解脫蘊解脫智見蘊
及餘無量無邊佛法若諸如來所說正法若
依彼法脩習施性戒性脩性三福業事若依
彼法精勤脩學得預流果一來不還阿羅漢
果獨覺菩提得入菩薩正性離生若諸有情
脩布施淨戒安忍精進靜慮般若等所列善
根如是一切合集稱量以有相為方便有所
得為方便有染著為方便有思作為方便有
二不二為方便現前隨喜既隨喜已迴向無
上正等菩提有善男子善女人等發趣無上

果獨覺菩提得入菩薩正性離生若諸有情
脩布施淨戒安忍精進靜慮般若等所引善
根如是一切合集稱量以有相為方便有所
得為方便有染著為方便有思作為方便有
二不二為方便現前隨喜既隨喜已迴向無
上正等菩提有善男子善女人等發趣無上
正等菩提普於過去未來現在十方世界一
切如來應正等覺從初發心至得無上正等
菩提轉妙法輪度無量衆入無餘依般涅槃
界乃至法滅於其中間所脩布施乃至般若
波羅蜜多相應善根廣說乃至若諸有情脩
布施淨戒安忍精進靜慮般若等所引善根
如是一切合集稱量以無相為方便無所得
為方便無染着為方便無思作為方便無二
不二為方便現前隨喜既隨喜已迴向無上
正等菩提是善男子善女人等隨喜迴向於
餘善根為冣為勝為尊為高為妙為微妙為
上為無上無等無等等於前有情隨喜迴向
百倍為勝千倍為勝百千倍為勝乃至鄔波
尼煞曇倍亦冣為勝
尒時具壽善現白佛言世尊如佛所說是善
男子善女人等隨喜迴向於餘善根為冣為
勝為尊為高為妙為微妙為上為無上無等
無等等世尊齊何說是隨喜迴向於餘善根
為冣為勝為尊為高為妙為微妙為上為無
上無等無等等佛言善現是善男子善女人

BD02993號　大般若波羅蜜多經卷四三三　(20–15)

男子善女人等隨喜迴向於餘善根為冣為
勝為尊為高為妙為微妙為上為無上無等
無等等世尊齊何說是隨喜迴向於餘善根
為冣為勝為尊為高為妙為微妙為上為無
上無等無等等佛言善現是善男子善女人
等普於過去未來現在十方世界一切如來
應正等覺聲聞獨覺菩薩及餘一切有情諸
善根等不取不捨不矜不蔑非有所得非無
所得達一切法無生無滅無染無淨無增無
減無去無來無集無散無入無出作如是念
如彼過去未來現在諸法真如法界法性不
虛妄性法定法住我亦如是於諸善法以無
所得而為方便發正隨喜既隨喜已持此善
根與諸有情平等共有迴向無上正等菩提
善現齊是菩薩摩訶薩所起隨喜迴向我說
於餘善根為冣為勝為尊為高為妙為微妙
為上為無上無等無等等善現如是隨喜迴
向勝餘隨喜迴向百倍千倍乃至鄔波尼煞
曇倍是故我說如是所起隨喜迴向於餘善
根為冣為勝為尊為高為妙為微妙為上為
無上無等無等等復次善現住菩薩乘諸善
男子善女人等欲於過去未來現在十方世
界一切如來應正等覺從初發心至得無上
正等菩提轉妙法輪度無量衆入無餘依般
涅槃界乃至法滅於其中間所脩布施乃至
般若波羅蜜多相應善根乃至無量無邊佛

BD02993號　大般若波羅蜜多經卷四三三　(20–16)

男子善女人等於過去未來現在十方世
界一切如來應正等覺從初發心至得無上
正等菩提轉妙法輪度無量眾入無餘依般
涅槃界乃至法滅於其中間所脩布施乃至
般若波羅蜜多相應善根乃至無量無邊佛
法若諸聲聞獨覺菩薩功德善根若餘有情
所有施性戒性脩性三福業事及餘善根如
是一切合集稱量現前發起無倒隨喜迴向
心者應住是念色乃至識與解脫等眼處乃
至意處與解脫等色處乃至法處與解脫等
眼界乃至意界與解脫等色界乃至法界與
解脫等眼識界乃至意識界與解脫等眼觸
乃至意觸與解脫等眼觸為緣所生諸受乃
至意觸為緣所生諸受與解脫等布施波羅
蜜多乃至般若波羅蜜多與解脫等內空乃
至無性自性空與解脫等四念住乃至八聖
道支與解脫等如是乃至如來十力乃至十
八佛不共法與解脫等戒蘊乃至解脫智見
蘊與解脫等於一切法所起勝解與解脫等
過去未來現在諸佛與解脫等過去未來現
在諸法與解脫等一切隨喜與解脫等一切
迴向與解脫等諸佛世尊及諸弟子諸根熟
變與解脫等諸佛世尊及諸弟子所得涅槃
與解脫等一切獨覺諸根熟變與解脫等一
切獨覺所得涅槃與解脫等諸佛世尊聲聞
獨覺諸法法性與解脫等一切有情及一切

在諸法與解脫等一切隨喜與解脫等一切
迴向與解脫等諸佛世尊及諸弟子諸根熟
變與解脫等諸佛世尊及諸弟子所得涅槃
與解脫等一切獨覺諸根熟變與解脫等一
切獨覺所得涅槃與解脫等諸佛世尊聲聞
獨覺諸法法性與解脫等一切有情及一切
法并彼法性與解脫等如諸法性無縛無解
無染無淨無起無盡無生無滅無取無捨我
於如是功德善根現前隨喜持此善根與諸
有情平等共有迴向無上正等菩提如是隨
喜非能隨喜無所隨喜故如是迴向非能迴
向無所迴向故如是所起隨喜迴向非轉非息
無生滅故善現是菩薩摩訶薩隨喜迴向於
餘所起隨喜迴向為最為尊為勝為高為
妙為微妙為上為無上無等無等等善現若
菩薩摩訶薩成就如是隨喜迴向速證無上
正等菩提復次善現若趣大乘諸善男子善
女人等假使能於十方現在各如殑伽沙等
世界一切如來應正等覺及弟子眾以有相
為方便有所得為方便盡其形壽常以種種
衣服飲食臥具醫藥及餘資生上妙樂具供
養恭敬尊重讚歎彼諸如來應正等覺及弟
子眾般涅槃後取設利羅以妙七寶造立高
廣諸窣堵波晝夜精勤禮敬右繞復以種種
上妙花鬘塗散等香衣服纓絡寶幢幡蓋
諸沙珎奇伎樂燈明供養恭敬尊重讚歎復

為方便有所得為方便盡其形壽常以種種
衣服飲食臥具醫藥及餘資生上妙樂具供
養恭敬尊重讚歎彼諸如來應正等覺及弟
子衆般涅槃後取設利羅以妙七寶造立高
廣諸窣堵波晝夜精勤禮敬右繞復以種種
上妙花鬘塗散等香衣服瓔珞寶幢幡蓋
諸妙珎奇伎樂燈明供養恭敬尊重讚歎復
以有相及有所得而為方便精勤脩習布施
淨戒安忍精進靜慮般若及餘善根有善男
子善女人等發趣大乘能以無相及無所得
而為方便脩行布施乃至般若波羅蜜多相應
善根方便善巧於餘一切功德善根發正隨
喜持此善根與諸有情平等共有迴向無上
正等菩提是善男子善女人等由依般若波
羅蜜多方便善巧隨喜迴向勝前所說發趣
大乘諸善男子善女人等所作功德百倍千
倍乃至鄔波尼殺曇倍故說如是隨喜迴向
於餘善根為冣為勝為尊為高為妙為微妙
為上為無上無等無等等是故善現發趣大
乘諸菩薩摩訶薩應以無相及無所得而為
方便精勤脩學布施淨戒安忍精進靜慮般
若波羅蜜多相應善根及依般若波羅蜜多
方便善巧於諸如來應正等覺及弟子等功
德善根發正隨喜既隨喜已持此善根與諸
有情平等共有迴向無上正等菩提善現若
菩薩摩訶薩能以無相及無所得而為方便

BD02993號　大般若波羅蜜多經卷四三三　（20–19）

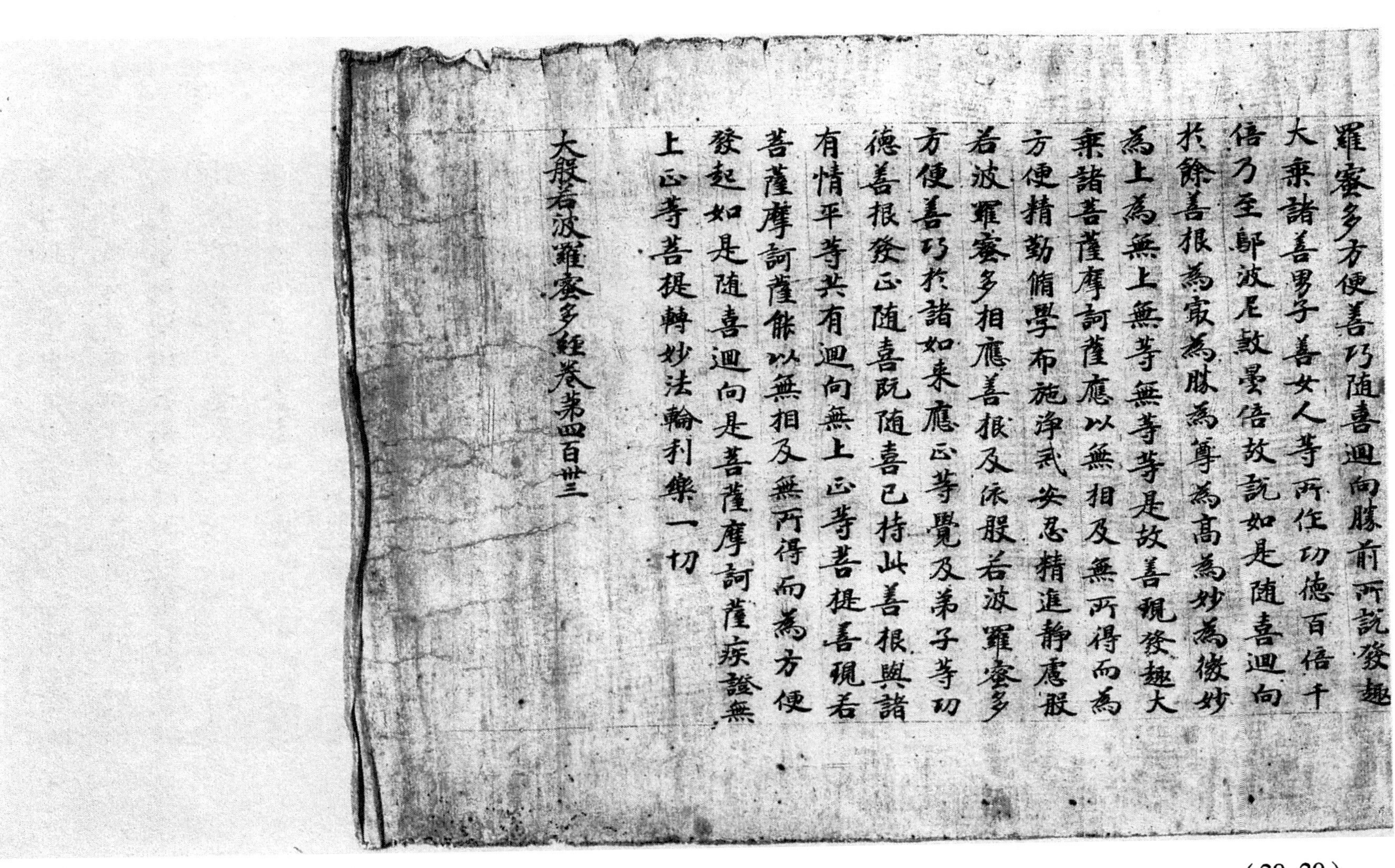
羅蜜多方便善巧隨喜迴向勝前所說發趣
大乘諸善男子善女人等所作功德百倍千
倍乃至鄔波尼殺曇倍故說如是隨喜迴向
於餘善根為冣為勝為尊為高為妙為微妙
為上為無上無等無等等是故善現發趣大
乘諸菩薩摩訶薩應以無相及無所得而為
方便精勤脩學布施淨戒安忍精進靜慮般
若波羅蜜多相應善根及依般若波羅蜜多
方便善巧於諸如來應正等覺及弟子等功
德善根發正隨喜既隨喜已持此善根與諸
有情平等共有迴向無上正等菩提善現若
菩薩摩訶薩能以無相及無所得而為方便
發起如是隨喜迴向是菩薩摩訶薩疾證無
上正等菩提轉妙法輪利樂一切

大般若波羅蜜多經卷第四百卅三

BD02993號　大般若波羅蜜多經卷四三三　（20–20）

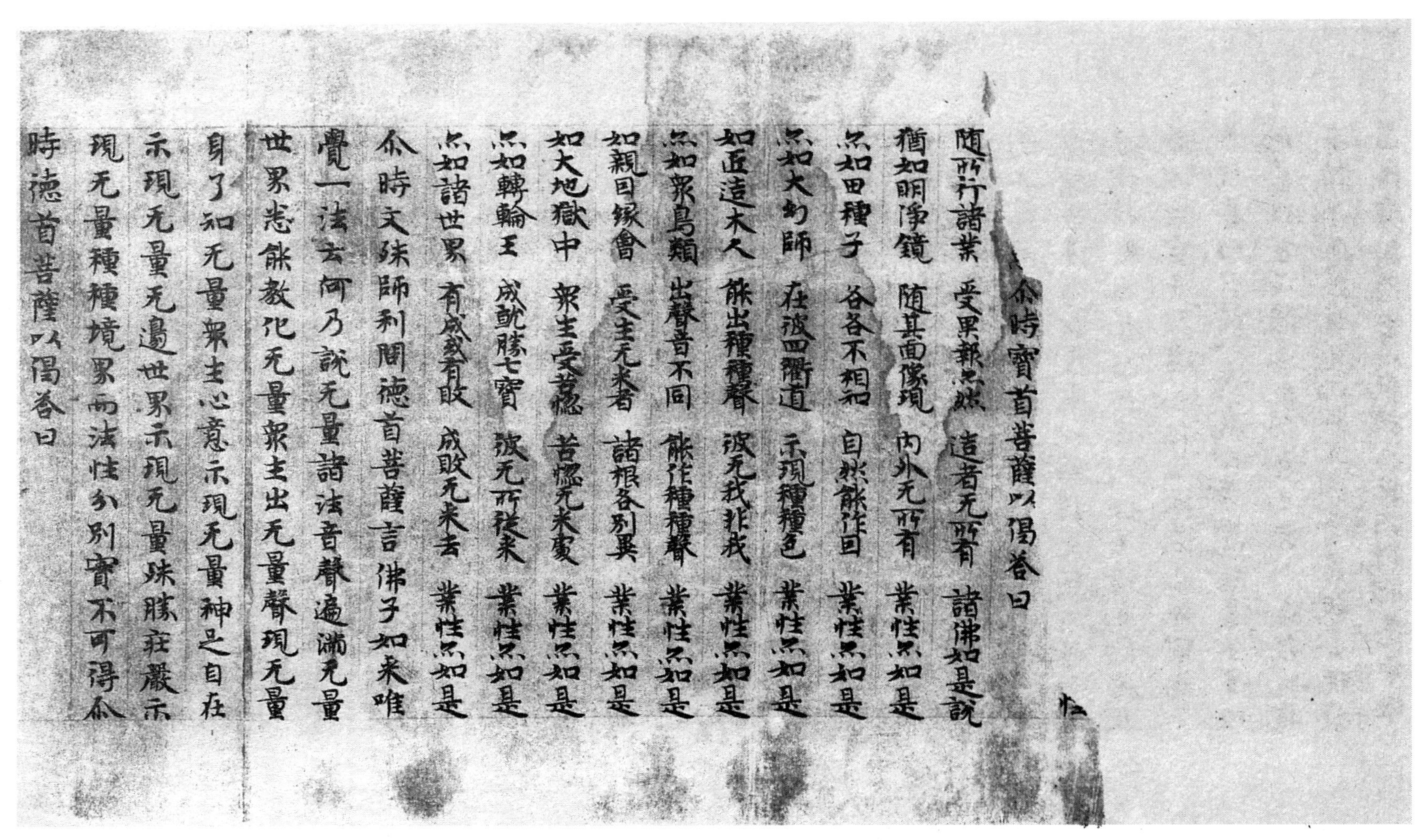
爾時寶首菩薩以偈荅曰
隨所行諸業　受果報亦然　造者无所有　諸佛如是說
猶如明淨鏡　隨其面像現　内外无所有　業性亦如是
亦如田種子　各各不相知　自然能作因　業性亦如是
亦如大幻師　在彼四衢道　示現種種色　業性亦如是
如匠造木人　能出種種聲　彼无我非我　業性亦如是
亦如衆鳥類　出聲音不同　能作種種聲　業性亦如是
如親因緣會　受生无來者　諸根各別異　業性亦如是
如大地獄中　衆生受苦惱　苦惱无來處　業性亦如是
亦如轉輪王　成就勝七寶　彼无所從來　業性亦如是
亦如諸世界　有成或有敗　成敗无來去　業性亦如是
爾時文殊師利問德首菩薩言佛子如來唯
覺一法云何乃說无量諸法音聲遍滿无量
世界悉能教化无量衆生出无量聲現无量
身了知无量衆生心意示現无量神足自在
示現无量无邊世界示現无量殊勝莊嚴示
現无量種種境界而法性分別實不可得爾
時德首菩薩以偈荅曰

BD02994號　大方廣佛華嚴經（晉譯五十卷本）卷五　（15–1）

身了知无量衆生心意示現无量神足自在
示現无量无邊世界示現无量殊勝莊嚴示
現无量種種境界而法性分別實不可得爾
時德首菩薩以偈荅曰
佛子乃能問　甚深微妙義　智者若知此　常樂求功德
猶如地性一　能持種種物　不分別一異　諸佛法如是
猶如火性一　能燒世間物　火性无分別　諸佛法如是
猶如大海水　注以百川流　其味无別異　諸佛法如是
猶如風性一　吹動一切物　風性无分別　諸佛法如是
猶如龍雷震　普雨一切地　雨渧无分別　諸佛法如是
猶如大地一　能生種種牙　地性无別異　諸佛法如是
猶日无雲曀　普能照十方　光明无異性　諸佛法如是
猶如空中月　世間靡不見　非至一切處　諸佛法如是
猶如大梵王　普應現大千　其身无別異　諸佛法如是
爾時文殊師利問目首菩薩言佛子如來福
田等一无異云何布施果報不同有種種色
種種性種種家種種根種種財種種奇特種
種眷屬種種自在種種功德種種慧如來平
等无有怨親爾時目首菩薩以偈荅曰
譬如大地一　能生種種牙　於彼无怨親　佛福田亦如
譬如水一味　因器故不同　諸佛福田一　衆生故有異
譬如大幻師　能令衆歡喜　諸佛聖福田　隨願令欣悅
譬如辯才王　能令衆歡喜　諸佛聖福田　令衆生悅樂
譬如明淨鏡　隨對現衆像　諸佛聖福田　衆生故有異

BD02994號　大方廣佛華嚴經（晉譯五十卷本）卷五　（15–2）

譬如大地一　能生種種芽　於彼无怨親　佛福田亦如
譬如水一味　因器故不同　諸佛福田一　衆生故有異
譬如大幻師　能令衆歡喜　諸佛聖福田　隨願令欣悅
譬如辯才王　能令衆歡喜　諸佛聖福田　令衆生悅樂
譬如明淨鏡　隨對現衆像　諸佛聖福田　衆生故有異
譬如大藥王　消滅一切毒　諸佛聖福田　能滅煩惱患
譬如日出時　能除一切闇　諸佛聖福田　普照十方界
譬如淨滿月　普照四天下　諸佛聖福田　平等无偏黨
譬如毗嵐風　震動一切地　諸佛聖福田　能動三界有
譬如大劫起　天地靡不燒　諸佛聖福田　能燒一切有
尒時文殊師利問進首菩薩言佛子衆生為
見如來教斷諸煩惱耶為知色色受受想想
行行識識欲界欲界色界色界无色界无色
界癡癡愛愛斷諸煩惱耶如來教法何所增
損尒時進首菩薩以偈荅曰
佛子善諦聽　我說如實義　或有速出要　或有難解脫
若欲求除滅　无量諸過惡　應當一切時　勇猛大精進
譬如微小火　樵濕則能滅　於佛教法中　懈怠者亦然
譬如人鑽火　未出數休息　火勢隨止滅　懈怠者亦然
譬如淨火珠　離緣而求火　畢竟不可得　懈怠者亦然
譬如明淨日　閉目求見色　於佛教法中　懈怠者亦然
譬人无手足　欲射過大地　永不從彼意　懈怠者亦然
譬如大海水　一毛渧求盡　於佛教法中　懈怠者亦然
譬如大劫起　欲以少水滅　於佛教法中　懈怠者亦然
譬人見虛空[illegible]

譬如明淨日　閉目求見色　於佛教法中　懈怠者亦然
譬人无手足　欲射過大地　永不從彼意　懈怠者亦然
譬如大海水　一毛渧求盡　於佛教法中　懈怠者亦然
譬如大劫起　欲以少水滅　於佛教法中　懈怠者亦然
譬人見虛空　便言我身滿　於佛教法中　懈怠者亦然
尒時文殊師利問法首菩薩言佛子如佛所
說聞受法者能斷煩惱去何衆生等聞正法
而不能斷隨婬怒癡隨慢隨愛隨怨隨慳嫉
隨恨隨諂曲是諸垢法志不離心心无所行
能斷結使尒時法首菩薩以偈荅曰
佛子善諦聽　所問如實義　非但積多聞　能入如來法
譬如水所漂　懼溺而渴死　不能如說行　多聞亦如是
譬人大惠施　種種諸餚饌　不食自餓死　多聞亦如是
譬如有良醫　具知諸方藥　自疾不能救　多聞亦如是
譬如貧窮人　日夜數他寶　自无半錢分　多聞亦如是
譬如帝王子　應受无極樂　業鄣故貧苦　多聞亦如是
譬如聾瞶人　善奏諸音樂　悅彼不自聞　多聞亦如是
譬如盲瞽人　本習故能書　示彼不自見　多聞亦如是
譬如海導師　能渡无量衆　拯彼不自濟　多聞亦如是
譬人處大衆　善說勝妙事　內自无實德　多聞亦如是
尒時文殊師利問智首菩薩言佛子於佛法
中智慧為首如來何故或為衆生讚檀波羅
蜜尸波羅蜜羼提波羅蜜毗梨耶波羅蜜禪
波羅蜜般若波羅蜜慈悲喜捨此一一法皆

尒時文殊師利問智首菩薩言佛子於佛法
中智慧為首如来何故或為衆生讚檀波羅
蜜尸波羅蜜羼提波羅蜜毗梨耶波羅蜜禪
波羅蜜般若波羅蜜慈悲喜捨此一一法皆
不能得无上菩提尒時智首菩薩以偈荅曰
難知而能知　隨順衆生志　佛子所問義　諦聽我今說
過去未来世　現在諸導師　未曽以一法　得成无上道
如来知衆生　本性所脩習　善順應度者　為說淨妙法
慳者讚布施　毀禁讚持戒　瞋恚讚忍辱　懈怠讚精進
乱意讚禪定　愚癡讚智慧　不仁讚慈愍　怒害讚大悲
憂慼為讚喜　憎愛為讚捨　如是脩習者　斷解一切法
譬如造宮室　趣基令堅固　施戒亦如是　菩薩衆行本
譬如牢堅城　防御諸賊難　忍進亦如是　防護諸菩薩
譬如大力王　威德定天下　禪智亦如是　安隱諸菩薩
譬如轉輪王　具受一切樂　四等亦如是　安樂諸菩薩
尒時文殊師利問賢首菩薩言佛子一切諸
佛唯以一乘得出生死云何今見一切佛剎
事事不同所謂世界衆生說法教化壽命光
明神力衆會佛法法住如是等事皆悉不同
无有不具一切佛法而能成就无上菩提尒
時賢首菩薩以偈荅曰
文殊法常尒　法王唯一法　一切无閡人　一道出生死
一切諸佛身　唯是一法身　一心一智慧　力无畏亦然
隨衆生本行　求无上菩提　佛剎及衆會　說法悉不同

BD02994號　大方廣佛華嚴經（晉譯五十卷本）卷五　（15-5）

无有不具一切佛法而能成就无上菩提尒
時賢首菩薩以偈荅曰
文殊法常尒　法王唯一法　一切无閡人　一道出生死
一切諸佛身　唯是一法身　一心一智慧　力无畏亦然
隨衆生本行　求无上菩提　佛剎及衆會　說法悉不同
一切諸佛剎　平等普嚴淨　衆生業行異　所見各不同
諸佛及佛法　衆生莫能見　佛剎法身衆　說法亦如是
本行廣清淨　具足一切願　彼人見真實　明達智見者
隨順衆生欲　諸業及果報　各令見真實　佛力自在故
佛剎无異相　如来无憎愛　隨彼衆生行　自得如是見
非是一切佛　安住導師咎　无量諸世界　示現見不同
一切諸世界　所應受化者　常見人中雄　諸佛法如是
尒時諸菩薩謂文殊師利言佛子我等所解
各各已說仁者辯才深入次應敷演何等是
佛境界同何等是佛境界因何等是佛境界
所入何等是佛境界所度何等是佛境界隨
順智何等是佛境界隨順法何等是佛境界
分別知何等是識佛境界何等是決定知佛
境界何等是佛境界貽何等是佛境界廣尒
時文殊師利以偈荅曰
如来深境界　其量齊虛空　一切衆生入　真實无所入
如来境界因　唯佛能分別　自餘无量劫　演說不可盡
隨順衆生故　普入諸世間　智慧常寂然　不同世所見
度脫諸群生　隨順其心智　宣暢无窮盡　唯是佛境界

BD02994號　大方廣佛華嚴經（晉譯五十卷本）卷五　（15-6）

如来深境界　其量齊虚空　一切衆生入　真實无所入
如来境界因　唯佛能分別　自餘无量劫　演說不可盡
隨順衆生故　普入諸世間　智慧常寂然　不同世所見
度脫諸群生　隨順其心智　宣暢无窮盡　唯是佛境界
如来一切智　三世无鄣閡　諸佛妙境界　皆悉如虚空
法界无異相　隨順衆生說　若欲具分別　唯佛之境界
一切諸世間　无量衆音聲　隨時悉了知　其實无分別
非識所能識　亦非心境界　自性真清淨　能示諸群生
非業非煩惱　寂滅无所住　无明无所行　平等行世間
一切衆生心　普在三世中　如来於一念　一切悉明達

尒時此娑婆世界衆生佛神力故見此佛剎一切衆生如所行法如所行業如世間行隨身所行隨根所行隨其行報所生之處持戒毀禁說法果報如是世界中事一切悉見如是東方百千億世界不可量不可數不可思議不可稱无等无邊无分齊不可說虚空法界等一切世界乃至說法果報一切悉見南西北方四維上下亦復如是

大方廣佛華嚴經淨行品第七

尒時智首菩薩問文殊師利言佛子云何菩薩不深身口意業不害身口意業不癡身口意業不退轉身口意業不動身口意業應讚嘆身口意業清淨身口意業離煩惱身口意業隨智慧身口意業云何菩薩生處成就姓

BD02994號　大方廣佛華嚴經（晉譯五十卷本）卷五　（15–7）

意業不退轉身口意業不動身口意業應讚嘆身口意業清淨身口意業離煩惱身口意業隨智慧身口意業云何菩薩生處成就姓成就家成就色相成就念成就智慧成就趣成就无畏成就覺悟成就云何菩薩第一智慧最上智慧勝智慧最勝智慧不可量智慧不可數智慧不可思議智慧不可稱智慧不可說智慧云何菩薩因力具足意力具足方便力具足緣力具足境界力具足根力具足心觀力具足定力具足云何菩薩善知陰界入善知緣起法善知欲色无色界善知過去未来現在云何菩薩脩七覺意脩空无相无作云何菩薩滿足檀波羅蜜尸波羅蜜羼提波羅蜜毗梨耶波羅蜜禪波羅蜜般若波羅蜜慈悲喜捨云何菩薩得是處非處智力過去未来現在業報智力種種諸根智力種種性智力種種欲智力一切至處道智力禪解脫三昧垢淨智力宿命无閡智力天眼无閡智力斷一切煩惱習氣智力云何菩薩常為諸天王守護恭敬供養龍王鬼神王乾闥婆王阿脩羅王迦樓羅王緊那羅王摩睺羅伽王人王梵天王等守護恭敬供養云何菩薩為衆生舍為救為歸為趣為炬為明為燈為導為无上道云何菩薩於一切衆生為第一

BD02994號　大方廣佛華嚴經（晉譯五十卷本）卷五　（15–8）

王阿脩羅王迦樓羅王緊那羅王摩睺羅伽
王人王梵天王等守護恭敬供養云何菩薩
為衆主舍為救為歸為趣為炬為明為燈為
導為无上道云何菩薩於一切衆主為第一
為大為勝為上為无上為无等為无等等尒
時文殊師利荅智首菩薩曰善哉善哉佛子
多所饒益多所安隱哀愍世間惠利一切安
樂天人聞如是義佛子菩薩成就身口意業
能得一切勝妙功德於佛正法心无罣閡去
来今佛所轉法輪能隨順轉不捨衆主明達
實相斷一切悪具足衆善色像第一悉如普
賢大菩薩等成就如来一切種智於一切法
悉得自在而為衆主第二尊導佛子何等身
身口意業能得一切勝妙功德

菩薩在家　當願衆主　捨離家難　入空法中
孝事父母　當願衆主　一切護養　永得大安
妻子集會　當願衆主　令出愛獄　无戀慕心
若得五欲　當願衆主　捨離貪惑　功德具足
若在伎樂　當願衆主　悉得法樂　見法如幻
若在房室　當願衆主　入賢聖地　永離欲穢
著寶瓔珞　當願衆主　捨去重擔　度有无岸
若上樓閣　當願衆主　昇佛法堂　得微妙法
布施所珎　當願衆主　悉捨一切　心无貪著
若在聚會　當願衆主　究竟解脫　到如来處

若上樓閣　當願衆主　昇佛法堂　得微妙法
布施所珎　當願衆主　悉捨一切　心无貪著
若在聚會　當願衆主　究竟解脫　到如来處
若在危難　當願衆主　隨意自在　无所罣閡
以信捨家　當願衆主　棄捨世業　心无所著
若入僧坊　當願衆主　一切和合　心无限閡
詣大小師　當願衆主　閑方便門　入深法要
求出家法　當願衆主　得不退轉　心无鄣閡
脫去俗服　當願衆主　解道脩德　无復懈息
除剔鬚髮　當願衆主　斷除煩惱　究竟寂滅
受著袈裟　當願衆主　捨離三毒　心得歡喜
受出家法　當願衆主　如佛出家　開道一切
自歸於佛　當願衆主　體解大道　發无上意
自歸於法　當願衆主　深入經藏　智慧如海
自歸於僧　當願衆主　統理大衆　一切无閡
受持淨戒　當願衆主　具足脩習　學一切戒
受行道禁　當願衆主　具足道戒　脩如實業
始請和上　當願衆主　得无主智　到於彼岸
受具足戒　當願衆主　得勝妙法　成就方便
若入房舍　當願衆主　昇无上堂　得不退法
若敷牀坐　當願衆主　敷善法坐　見真實相
正身端坐　當願衆主　坐佛道樹　心无所猗
結跏趺坐　當願衆主　善根堅固　得不動地
三昧正受　當願衆主　向三昧門　得究竟定

若敷牀坐 當願衆生 開敷善法 見真實相
正身端坐 當願衆生 坐佛道樹 心无所倚
結跏趺坐 當願衆生 善根堅固 得不動地
三昧正受 當願衆生 向三昧門 得究竟定
觀察諸法 當願衆生 見法真實 无所罣閡
捨跏趺坐 當願衆生 知諸行性 悉歸散滅
下牀安足 當願衆生 履踐聖跡 不動解脫
始舉足時 當願衆生 越度生死 善法滿足
被著衣裳 當願衆生 服諸善根 每知慚愧
整服結帶 當願衆生 自撿脩道 不壞善法
次著上衣 當願衆生 得上善根 究竟勝法
著僧伽梨 當願衆生 大慈覆護 得不動法
手執楊枝 當願衆生 心得正法 自然清淨
晨嚼楊枝 當願衆生 得調伏牙 噬諸煩惱
左右便利 當願衆生 蠲除汙穢 无婬怒癡
已而就水 當願衆生 向无上道 得出世法
以水滌穢 當願衆生 具足淨忍 畢竟无垢
以水盥掌 當願衆生 得上妙手 受持佛法
澡漱口齒 當願衆生 向淨法門 究竟解脫
手執錫杖 當願衆生 設淨施會 見道如實
擎持應器 當願衆生 成就法器 受天人供
發趾向道 當願衆生 趣佛菩提 究竟解脫
若已在道 當願衆生 成就佛道 无餘所行
涉路而行 當願衆生 履淨法界 心无鄣閡
見趣高路 當願衆生 昇无上道 超出三界

BD02994號 大方廣佛華嚴經（晉譯五十卷本）卷五 （15–11）

若已在道 當願衆生 成就佛道 无餘所行
涉路而行 當願衆生 履淨法界 心无鄣閡
見趣高路 當願衆生 昇无上道 超出三界
見趣下路 當願衆生 謙下柔濡 入佛深法
若見嶮路 當願衆生 棄捐惡道 滅除邪見
若見直路 當願衆生 得中正意 身口无曲
見道揚塵 當願衆生 永離塵穢 畢竟清淨
見道无塵 當願衆生 大悲所熏 心意柔潤
見深坑澗 當願衆生 向正法界 滅除諸難
見聽訟堂 當願衆生 說甚深法 一切和合
若見大樹 當願衆生 離我諍心 无有忿恨
若見叢林 當願衆生 一切敬礼 天人師仰
若見高山 當願衆生 得无上善 莫能見頂
若見刺棘 當願衆生 拔三毒刺 无賊害心
見樹茂葉 當願衆生 以道自陰 入禪三昧
見樹好華 當願衆生 開淨如華 相好滿具
見樹豐菓 當願衆生 起道樹行 成无上果
見諸流水 當願衆生 得正法流 入佛智海
若見陂水 當願衆生 悉得諸佛 不壞正法
若見浴池 當願衆生 入佛海音 聞吞无窮
見人汲井 當願衆生 得如來辯 不可窮盡
若見泉水 當願衆生 善根无盡 境界无上
見山澗水 當願衆生 洗濯塵垢 意解清淨
若見橋梁 當願衆生 興造法橋 度人不休

BD02994號 大方廣佛華嚴經（晉譯五十卷本）卷五 （15–12）

[illegible] 不可窮盡
若見泉水 當願眾生 善根无盡 境界无上
見山澗水 當願眾生 洗濯塵垢 意解清淨
若見橋梁 當願眾生 興造法橋 度人不休
見脩薗圃 當願眾生 芸除穢惡 不生欲根
見无憂林 當願眾生 心得歡喜 永除憂惱
見好園池 當願眾生 懃脩眾善 具足菩提
見嚴飾人 當願眾生 三十二相 而自莊嚴
見素服人 當願眾生 究竟得到 頭陀彼岸
見志樂人 當願眾生 清淨法樂 以道自娛
見愁憂人 當願眾生 於有為法 心生猒離
見歡樂人 當願眾生 得无上樂 恬泊无患
見苦惱人 當願眾生 滅除眾苦 得佛智慧
見強健人 當願眾生 得金剛身 无有衰耗
見疾病人 當願眾生 知身空寂 解脫眾苦
見端政人 當願眾生 歡喜恭敬 諸佛菩薩
見醜陋人 當願眾生 遠離鄙惡 以善自嚴
見報恩人 當願眾生 常念諸佛 菩薩恩德
見背恩人 當願眾生 常見賢聖 不作眾惡
若見沙門 當願眾生 寂靜調伏 究竟无餘
見婆羅門 當願眾生 得真清淨 離一切惡
若見仙人 當願眾生 向正真道 究竟解脫
見苦行人 當願眾生 堅固精懃 不退佛道
見著甲冑 當願眾生 誓服法鎧 得无師法

BD02994 號　大方廣佛華嚴經（晉譯五十卷本）卷五　（15–13）

見婆羅門 當願眾生 得真清淨 離一切惡
若見仙人 當願眾生 向正真道 究竟解脫
見苦行人 當願眾生 堅固精懃 不退佛道
見著甲冑 當願眾生 誓服法鎧 得无師法
見无鎧杖 當願眾生 遠離眾惡 親近善法
見論議人 當願眾生 得无上辯 摧伏外道
見正命人 當願眾生 得清淨命 威儀不異
若見帝王 當願眾生 逮淨法王 轉无閡輪
見帝王子 當願眾生 履佛子行 化生法中
若見長者 當願眾生 永離愛欲 深解佛法
若見大臣 當願眾生 常得正念 脩行眾善
若見城郭 當願眾生 得金剛身 心不可沮
若見王都 當願眾生 明達遠照 功德自在
若見妙色 當願眾生 得上妙色 天人讚歎
入里乞食 當願眾生 入深法界 心无鄣閡
到人門户 當願眾生 入揔持門 見諸佛法
入人堂室 當願眾生 入一佛乘 明達三世
遇難持戒 當願眾生 不捨眾善 永度彼岸
見捨戒人 當願眾生 超出眾難 度三惡道
若見空鉢 當願眾生 其心清淨 空无煩惱
若見滿鉢 當願眾生 具足成滿 一切善法
若得食時 當願眾生 為法供養 志在佛道
若不得食 當願眾生 遠離一切 諸不善行
見慙愧人 當願眾生 慙愧正行 調伏諸根

BD02994 號　大方廣佛華嚴經（晉譯五十卷本）卷五　（15–14）

若見王都　當願衆生　明達遠照　一切德自在
若見妙色　當願衆生　得上妙色　天人讚嘆
入里乞食　當願衆生　入深法界　心无鄣閡
到人門户　當願衆生　入總持門　見諸佛法
入人堂室　當願衆生　入一佛乘　明達三世
遇難持戒　當願衆生　不捨衆善　永度彼岸
見捨戒人　當願衆生　超出衆難　度三惡道
若見空鉢　當願衆生　其心清淨　空无煩惱
若見滿鉢　當願衆生　具足成滿　一切善法
若得食時　當願衆生　為法供養　志在佛道
若不得食　當願衆生　遠離一切　諸不善行
見慙愧人　當願衆生　慙愧正行　調伏諸根
見无慙愧　當願衆生　離无慙愧　普行大慈
得香美食　當願衆生　知節少欲　情无所著
得不美食　當願衆生　具足成滿　无願三昧
得麁澁食　當願衆生　大悲所動　心意柔濡
永得遠離　世間愛味

BD02994號　大方廣佛華嚴經（晉譯五十卷本）卷五　（15–15）

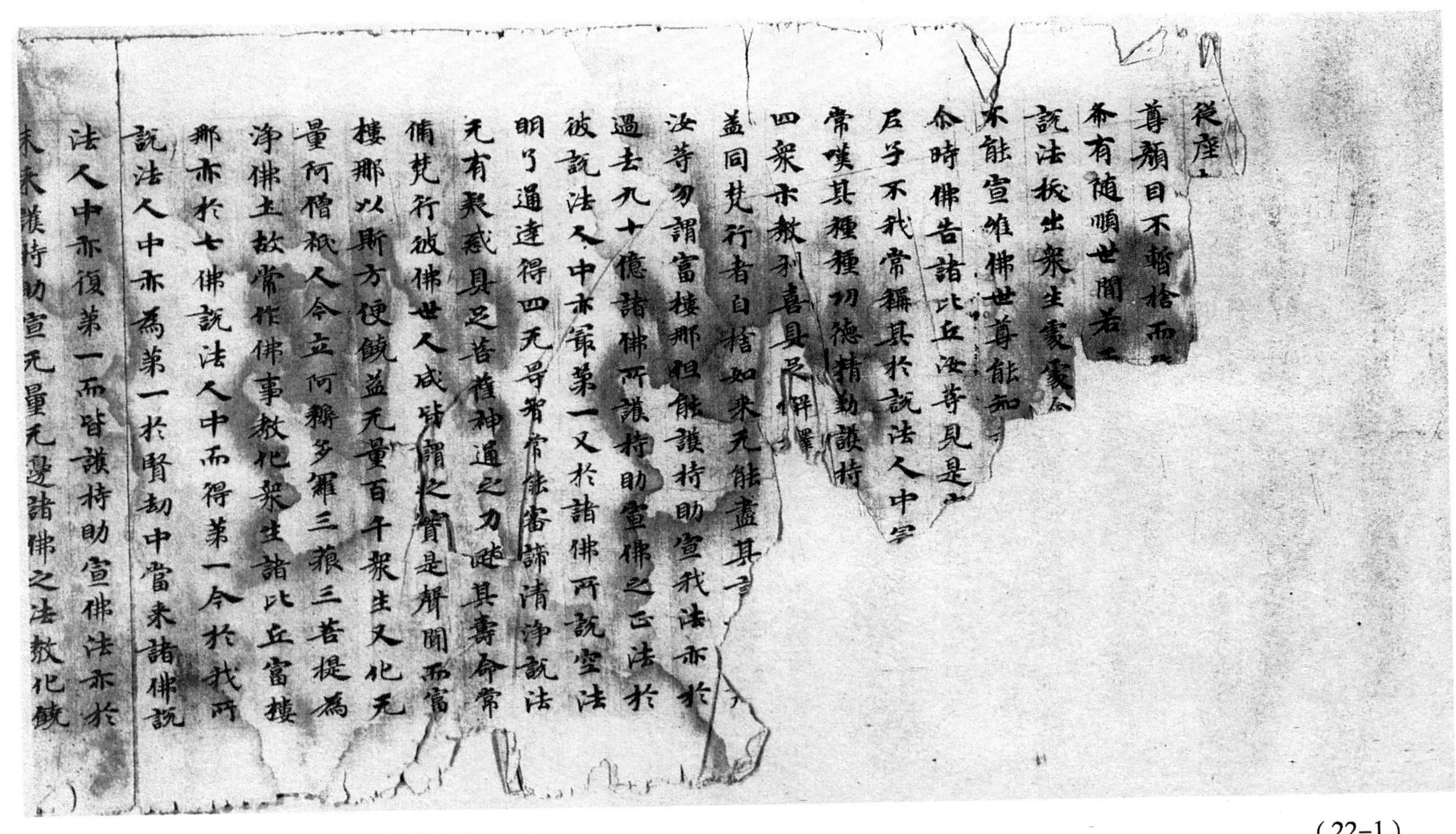
從座起
尊顔目不暫捨而
希有隨順世間若干
說法拔出衆生處處貪
不能宣唯佛世尊能知
爾時佛告諸比丘汝等見是富
丘子不我常稱其於說法人中最
常嘆其種種功德精勤護持
四衆示教利喜具足解釋
益同梵行者自捨如來无能盡其言
汝等勿謂富樓那但能護持助宣我法亦於
過去九十億諸佛所護持助宣佛之正法於
彼說法人中亦最第一又於諸佛所說空法
明了通達得四无导智常能審諦清淨說法
无有疑惑具足菩薩神通之力隨其壽命常
脩梵行彼佛世人咸皆謂之實是聲聞而富
樓那以斯方便饒益无量百千衆生又化无
量阿僧祇人令立阿耨多羅三藐三菩提為
淨佛土故常作佛事教化衆生諸比丘富樓
那亦於七佛說法人中而得第一今於我所
說法人中亦為第一於賢劫中當來諸佛說
法人中亦復第一而皆護持助宣佛法亦於
未來護持助宣无量无邊諸佛之法教化饒

BD02995號　妙法蓮華經（八卷本）卷四　（22–1）

淨佛土故常作佛事教化衆生諸比丘富樓
那亦於七佛說法人中而得第一今於我所
說法人中亦為第一於賢劫中當來諸佛說
法人中亦復第一而皆護持助宣佛法亦於
未來護持助宣无量无邊諸佛之法教化饒
益无量衆生令立阿耨多羅三藐三菩提為
淨佛土故常勤精進教化衆生漸漸具足菩
薩之道過无量阿僧祇劫當於此土得阿耨
多羅三藐三菩提号曰法明如來應供正遍
知明行足善逝世間解无上士調御丈夫天
人師佛世尊其佛以恒河沙等三千大千世
界為一佛土七寶為地地平如掌无有山陵
谿澗溝壑七寶臺觀充滿其中諸天宮殿近
處虛空人天交接兩得相見无諸惡道亦无
女人一切衆生皆以化生无有婬欲得大神
通身出光明飛行自在志念堅固精進智慧
普皆金色三十二相而自莊嚴其國衆生常
以二食一者法喜食二者禪悅食有无量阿
僧祇千万億那由他諸菩薩衆得大神通四
无导智善能教化衆生之類其聲聞衆筭數
校計所不能知皆得具足六通三明及八解
脫其佛國土有如是等无量功德莊嚴成就
劫名寶明國名善淨其佛壽命无量阿僧祇
劫法住甚久佛滅度後起七寶塔遍滿其國
尒時世尊欲重宣此義而說偈言
諸比丘諦聽　佛子所行道　善學方便故　不可得思議

BD02995號　妙法蓮華經（八卷本）卷四　（22–2）

校計所不能知皆得具足六通三明及八解
脫其佛國土有如是等无量功德莊嚴成就
劫名寶明國名善淨其佛壽命无量阿僧祇
劫法住甚久佛滅度後起七寶塔遍滿其國
尒時世尊欲重宣此義而說偈言
諸比丘諦聽　佛子所行道　善學方便故　不可得思議
知衆樂小法　而畏於大智　是故諸菩薩　作聲聞緣覺
以无數方便　化諸衆生類　自說是聲聞　去佛道甚遠
度脫无量衆　皆悉得成就　雖小欲懈怠　漸當令作佛
內祕菩薩行　外現是聲聞　少欲猒生死　實自淨佛土
示衆有三毒　又現邪見相　我弟子如是　方便度衆生
若我具足說　種種現化事　衆生聞是者　心則懷疑惑
今此富樓那　於昔千億佛　勤脩所行道　宣護諸佛法
為求无上慧　而於諸佛所　現居弟子上　多聞有智慧
所說无所畏　能令衆歡喜　未曾有疲惓　而以助佛事
已度大神通　具四无导慧　知衆根利鈍　常說清淨法
演暢如是義　教諸千億衆　令住大乘法　而自淨佛土
未來亦供養　无量无數佛　護助宣正法　亦自淨佛土
常以諸方便　說法无所畏　度不可計衆　成就一切智
供養諸如來　護持法寶藏　其後得成佛　号名曰法明
其國名善淨　七寶所合成　劫名為寶明　菩薩衆甚多
其數无量億　皆度大神通　威德力具足　充滿其國土
聲聞亦无數　三明八解脫　得四无导智　以是等為僧
其國諸衆生　婬欲皆已斷　淳一變化生　具相莊嚴身
法喜禪悅食　更无餘食想　无有諸女人　亦无諸惡道
富樓那比丘　功德悉成滿　當得斯淨土　賢聖衆甚多
如是无量事　我今但略說

BD02995號　妙法蓮華經（八卷本）卷四　（22–3）

聞亦无數　三明八解脫　得四无导智　以是等為僧
其國諸衆生　婬欲皆已斷　淳一變化生　具相莊嚴身
法喜禪悅食　更无餘食想　无有諸女人　亦无諸惡道
富樓那比丘　功德悉成滿　當得斯淨土　賢聖衆甚多
如是无量事　我今但略說
尒時千二百阿羅漢心自在者作是念我等
歡喜得未曾有若世尊各見授記如餘大弟
子者不亦快乎佛知此等心之所念告摩訶
迦葉是千二百阿羅漢我今當現前次第與
受阿耨多羅三藐三菩提記於此衆中我大
弟子憍陳如比丘當供養六万二千億佛然
後得成為佛号曰普明如來應供正遍知明
行足善逝世間解无上士調御丈夫天人師
佛世尊其五百阿羅漢優樓頻螺迦葉伽耶
迦葉那提迦葉迦留陁夷優陁夷阿㝹樓馱
離波多劫賓那薄拘羅周陁莎伽陁等皆當
得阿耨多羅三藐三菩提盡同一号名曰普
明尒時世尊欲重宣此義而說偈言
憍陳如比丘　當見无量佛　過阿僧祇劫　乃成等正覺
常放大光明　具足諸神通　名聞遍十方　一切之所敬
常說无上道　故号為普明　其國土清淨　菩薩皆勇猛
咸昇妙樓閣　遊諸十方國　以无上供具　奉獻於諸佛
作是供養已　心懷大歡喜　須臾還本國　有如是神力
佛壽六万劫　正法住倍壽　像法復倍是　法滅天人憂
其五百比丘　次第當作佛　同号曰普明　轉次而授記
我滅度之後　某甲當作佛　其所化世間　亦如我今日
國土之嚴淨　及諸神通力　菩薩聲聞衆　正法及像法

BD02995號　妙法蓮華經（八卷本）卷四　（22–4）

作是供養已　心懷大歡喜　須臾還本國　有如是神力
佛壽六万劫　正法住倍壽　像法復倍是　法滅天人憂
其五百比丘　次第當作佛　同号曰普明　轉次而授記
我滅度之後　某甲當作佛　其所化世間　亦如我今日
國土之嚴淨　及諸神通力　菩薩聲聞衆　正法及像法
壽命劫多少　皆如上所說　迦葉汝已知　五百自在者
餘諸聲聞衆　亦當復如是　其不在此會　汝當為宣說
尒時五百阿羅漢於佛前得受記已歡喜踊
躍即從坐起到於佛前頭面礼足悔過自責
世尊我等常作是念自謂已得究竟滅度今
乃知之如无智者所以者何我等應得如來
智慧而便自以小智為足世尊譬如有人至
親友家醉酒而卧是時親友官事當行以无
價寶珠繫其衣裏與之而去其人醉卧都不
覺知起已遊行到於他國為衣食故勤力求
索甚大艱難若少有所得便以為足於後親
友會遇見之而作是言咄哉丈夫何為衣食
乃至如是我昔欲令汝得安樂五欲自恣於
某年日月以无價寶珠繫汝衣裏今故現在
而汝不知勤苦憂惱以求自活甚為癡也汝
今可以此寶貿易所須常可如意无所乏短
佛亦如是為菩薩時教化我等令發一切智
心而尋廢忘不知不覺既得阿羅漢道自謂
滅度資生艱難得少為足一切智願猶在不
失今者世尊覺悟我等作如是言諸比丘汝
等所得非究竟滅我久令汝等種佛善根以

BD02995號　妙法蓮華經（八卷本）卷四　（22–5）

心不尋癡忘不知不覺助得阿彌漢道自謂
滅度資生艱難得少為足一切智願猶在不
失今者世尊覺悟我等作如是言諸比丘汝
等所得非究竟滅我久令汝等種佛善根以
方便故示涅槃相而汝謂為實得滅度世尊
我今乃知實是菩薩得受阿耨多羅三藐三
菩提記以是因緣甚大歡喜得未曾有尒時
阿若憍陳如等欲重宣此義而說偈言
我等聞无上　安隱授記聲　歡喜未曾有　礼无量智佛
今於世尊前　自悔諸過咎　於无量佛寶　得少涅槃分
如无智愚人　便自以為足　譬如貧窮人　往至親友家
其家甚大富　具設諸餚饍　以无價寶珠　繫著內衣裏
嘿與而捨去　時臥不覺知　是人既已起　遊行詣他國
求衣食自濟　資生甚艱難　得少便為足　更不願好者
不覺內衣裏　有无價寶珠　與珠之親友　後見此貧人
苦切責之已　示以所繫珠　貧人見此珠　其心大歡喜
富有諸財物　五欲而自恣　我等亦如是　世尊於長夜
常愍見教化　令種无上願　我等无智故　不覺亦不知
得少涅槃分　自足不求餘　今佛覺悟我　言非實滅度
得佛无上慧　尒乃為真滅　我今從佛聞　受記莊嚴事
及轉次受決　身心遍歡喜
妙法蓮華經授學无學人記品第九
尒時阿難羅睺羅而作是念我等每自思惟
設得受記不亦快乎即從坐起到於佛前頭
面礼足俱白佛言世尊我等於此亦應有分
唯有如來我等所歸又我等為一切世間天
人阿脩羅所見知識阿難常為侍者護持法

BD02995號　妙法蓮華經（八卷本）卷四　（22–6）

及轉次受決　身心遍歡喜
妙法蓮華經授學无學人記品第九
尒時阿難羅睺羅而作是念我等每自思惟
設得受記不亦快乎即從坐起到於佛前頭
面礼足俱白佛言世尊我等於此亦應有分
唯有如來我等所歸又我等為一切世間天
人阿脩羅所見知識阿難常為侍者護持法
藏羅睺羅是佛之子若佛見授阿耨多羅三
藐三菩提記者我願既滿衆望亦足尒時學
无學聲聞弟子二千人皆從坐起偏袒右肩
到於佛前一心合掌瞻仰世尊如阿難羅睺
羅所願住立一面尒時佛告阿難汝於來世
當得作佛号山海慧自在通王如來應供正
遍知明行足善逝世間解无上士調御丈夫
天人師佛世尊當供養六十二億諸佛護持
法藏然後得阿耨多羅三藐三菩提教化二
十千万億恒河沙諸菩薩等令成阿耨多羅
三藐三菩提國名常立勝幡其土清淨瑠璃
為地劫名妙音遍滿其佛壽命无量千万億
阿僧祇劫若人於千万億无量阿僧祇劫中
筭數校計不能得知正法住世倍於壽命像
法住世復倍正法阿難是山海慧自在通王
佛為十方无量千万億恒河沙等諸佛如來
所共讚歎稱其功德尒時世尊欲重宣此義
而說偈言
我今僧中說　阿難持法者　當供養諸佛　然後成正覺

BD02995號　妙法蓮華經（八卷本）卷四　（22–7）

法住世復倍正法阿難是山海慧自在通王
佛爲十方无量千万億恒河沙等諸佛如來
所共讚歎稱其功德尒時世尊欲重宣此義
而說偈言
我今僧中說 阿難持法者 當供養諸佛 然後成正覺
号曰山海慧 自在通王佛 其國土清淨 名常立勝幡
教化諸菩薩 其數如恒沙 佛有大威德 名聞滿十方
壽命无有量 以愍衆生故 正法倍壽命 像法復倍是
如恒河沙等 无數諸衆生 於此佛法中 種佛道因緣
尒時會中新發意菩薩八千人咸作是念我
等尚不聞諸大菩薩得如是記有何因緣而
諸聲聞得如是決尒時世尊知諸菩薩心之
所念而告之曰諸善男子我與阿難等於空
王佛所同時發阿耨多羅三藐三菩提心阿
難常樂多聞我常勤精進是故我已得成阿
耨多羅三藐三菩提而阿難護持我法亦護
將來諸佛法藏教化成就諸菩薩衆其本願
如是故獲斯記阿難面於佛前自聞受記及
國土莊嚴所願具足心大歡喜得未曾有即
時憶念過去无量千万億諸佛法藏通達无
㝵如今所聞亦識本願尒時阿難而說偈言
世尊甚希有 令我念過去 无量諸佛法 如今日所聞
我今无復疑 安住於佛道 方便爲侍者 護持諸佛法
尒時佛告羅睺羅汝於來世當得作佛号蹈
七寶華如來應供正遍知明行足善逝世間
解无上士調御丈夫天人師佛世尊當供養
十世界微塵等數諸佛如來常爲諸佛而作

BD02995號　妙法蓮華經（八卷本）卷四　（22–8）

世尊甚希有 令我念過去 无量諸佛法 如今日所聞
我今无復疑 安住於佛道 方便爲侍者 護持諸佛法
尒時佛告羅睺羅汝於來世當得作佛号蹈
七寶華如來應供正遍知明行足善逝世間
解无上士調御丈夫天人師佛世尊當供養
十世界微塵等數諸佛如來常爲諸佛而作
長子猶如今也是蹈七寶華佛國土莊嚴壽
命劫數所化弟子正法像法亦如山海慧自
在通王如來无異亦爲此佛而作長子過是
已後當得阿耨多羅三藐三菩提尒時世尊
欲重宣此義而說偈言
我爲太子時 羅睺爲長子 我今成佛道 受法爲法子
於未來世中 見无量億佛 皆爲其長子 一心求佛道
羅睺羅密行 唯我能知之 現爲我長子 以示諸衆生
无量億千万 功德不可數 安住於佛法 以求无上道
尒時世尊見學无學二千人其意柔耎寂然
清淨一心觀佛佛告阿難汝見是學无學二
千人不唯然已見阿難是諸人等當供養五
十世界微塵數諸佛如來恭敬尊重護持法
藏末後同時於十方國各得成佛皆同一号
名曰寶相如來應供正遍知明行足善逝世
間解无上士調御丈夫天人師佛世尊壽命
一劫國土莊嚴聲聞菩薩正法像法皆悉同
等尒時世尊欲重宣此義而說偈言
是二千聲聞 今於我前住 悉皆與授記 未來當成佛
所供養諸佛 如上說塵數 護持其法藏 後當成正覺
各於十方國 悉同一名号 俱時坐道場 以證无上慧

BD02995號　妙法蓮華經（八卷本）卷四　（22–9）

名曰寶相如來應供正遍知明行足善逝世
間解无上士調御丈夫天人師佛世尊壽命
一劫國土莊嚴聲聞菩薩正法像法皆悉同
等尒時世尊欲重宣此義而說偈言
是二千聲聞　今於我前住　悉皆與授記　未來當成佛
所供養諸佛　如上說塵數　護持其法藏　後當成正覺
各於十方國　悉同一名号　俱時坐道場　以證无上慧
皆名為寶相　國土及弟子　正法與像法　悉等无有異
咸以諸神通　度十方衆生　名聞普周遍　漸入於涅槃
尒時學无學二千人聞佛授記歡喜踊躍而
說偈言
世尊慧燈明　我聞授記音　心歡喜充滿　如甘露見灌
妙法蓮華經法師品第十
尒時世尊因藥王菩薩告八万大士藥王汝
見是大衆中无量諸天龍王夜叉乾闥婆阿
脩羅迦樓羅緊那羅摩睺羅伽人與非人及
比丘比丘尼優婆塞優婆夷求聲聞者求辟
支佛者求佛道者如是等類咸於佛前聞妙
法華經一偈一句乃至一念隨喜者我皆與
授記當得阿耨多羅三藐三菩提佛告藥王
又如來滅度之後若有人聞妙法華經乃至
一偈一句一念隨喜者我亦與授阿耨多羅
三藐三菩提記若復有人受持讀誦解說書
寫妙法華經乃至一偈於此經卷敬視如佛
種種供養華香瓔珞末香塗香燒香繒蓋幢
幡衣服伎樂乃至合掌恭敬藥王當知是諸
人等已曾供養十万億佛於諸佛所成就大

BD02995號　妙法蓮華經（八卷本）卷四　（22-10）

三藐三菩提記若復有人受持讀誦解說書
寫妙法華經乃至一偈於此經卷敬視如佛
種種供養華香瓔珞末香塗香燒香繒蓋幢
幡衣服伎樂乃至合掌恭敬藥王當知是諸
人等已曾供養十万億佛於諸佛所成就大
願愍衆生故生此人間藥王若有人問何等
衆生於未來世當得作佛應示是諸人等於
未來世必得作佛何以故善男子善女人於
法華經乃至一句受持讀誦解說書寫種種
供養經卷華香瓔珞末香塗香燒香繒蓋幢
幡衣服伎樂合掌恭敬是人一切世間所應
瞻奉應以如來供養而供養之當知此人是
大菩薩成就阿耨多羅三藐三菩提哀愍衆
生願生此間廣演分別妙法華經何況盡能
受持種種供養者藥王當知是人自捨清淨
業報於我滅後愍衆生故生於惡世廣演此
經若是善男子善女人我滅度後能竊為一
人說法華經乃至一句當知是人則如來使
如來所遣行如來事何況於大衆中廣為人
說藥王若有惡人以不善心於一劫中現於
佛前常毀罵佛其罪尚輕若人以一惡言毀
訾在家出家讀誦法華經者其罪甚重藥王
其有讀誦法華經者當知是人以佛莊嚴而
自莊嚴則為如來肩所荷擔其所至方應隨
向礼一心合掌恭敬供養尊重讚嘆華香瓔
絡末香塗香燒香繒蓋幢幡衣服餚饌作諸
[illegible]

BD02995號　妙法蓮華經（八卷本）卷四　（22-11）

訾在家出家讀誦法華經者其罪甚重藥王
其有讀誦法華經者當知是人以佛莊嚴而
自莊嚴則為如來肩所荷擔其所至方應隨
向礼一心合掌恭敬供養尊重讚嘆華香瓔
珞末香塗香燒香繒蓋幢幡衣服餚饌作諸
伎樂人中上供而供養之應持天寶而以散
之天上寶聚應以奉獻所以者何是人歡喜
說法須臾聞之即得究竟阿耨多羅三藐三
菩提故尒時世尊欲重宣此義而說偈言
若欲住佛道 成就自然智 常當勤供養 受持法華者
其有欲疾得 一切種智慧 當受持是經 并供持經者
若有能受持 妙法華經者 當知佛所使 愍念諸眾生
諸有能受持 妙法華經者 捨於清淨土 愍眾故生此
當知如是人 自在所欲生 能於此惡世 廣說无上法
應以天華香 及天寶衣服 天上妙寶聚 供養說法者
吾滅後惡世 能持是經者 當合掌礼敬 如供養世尊
上饌眾甘美 及種種衣服 供養是佛子 兾得須臾聞
若能於後世 受持是經者 我遣在人中 行於如來事
若於一劫中 常懷不善心 作色而罵佛 獲无量重罪
其有讀誦持 是法華經者 須臾加惡言 其罪復過彼
有人求佛道 而於一劫中 合掌在我前 以无數偈讚
由是讚佛故 得无量功德 嘆美持經者 其福復過彼
於十八億劫 以最妙色聲 及與香味觸 供養持經者
如是供養已 若得須臾聞 則應自欣慶 我今獲大利
藥王今告汝 我所說諸經 而於此經中 法華最第一
尒時佛復告藥王菩薩摩訶薩我所說經典
无量千万億已說今說當說而於其中此法

BD02995號　妙法蓮華經（八卷本）卷四　（22–12）

如是供養已 若得須臾聞 則應自欣慶 我今獲大利
藥王今告汝 我所說諸經 而於此經中 法華最第一
尒時佛復告藥王菩薩摩訶薩我所說經典
无量千万億已說今說當說而於其中此法
華經最為難信難解藥王此經是諸佛祕要
之藏不可分布妄授與人諸佛世尊之所守
護從昔已來未曾顯說而此經者如來現在
猶多怨嫉況滅度後藥王當知如來滅後其
能書持讀誦供養為他人說者如來則為以
衣覆之又為他方現在諸佛之所護念是人
有大信力及志願力諸善根力當知是人與
如來共宿則為如來手摩其頭藥王在在處處
若說若讀若誦若書若經卷所住處皆應起
七寶塔極令高廣嚴飾不須復安舍利所以
者何此中已有如來全身此塔應以一切華
香瓔珞繒蓋幢幡伎樂歌頌供養恭敬尊重
讚嘆若有人得見此塔礼拜供養當知是等
皆近阿耨多羅三藐三菩提藥王多有人在
家出家行菩薩道若不能得見聞讀誦書持
供養是法華經者當知是人未善行菩薩道
若有得聞是經典者乃能善行菩薩之道其
有眾生求佛道者若見若聞是法華經聞已
信解受持者當知是人得近阿耨多羅三藐
三菩提藥王譬如有人渴乏須水於彼高原
穿鑿求之猶見乾土知水尚遠施功不已轉
見濕土遂漸至泥其心決定知水必近菩薩
亦復如是若未聞未解未能脩習是法華經
當知是人去阿耨多羅三藐三菩提尚遠若

BD02995號　妙法蓮華經（八卷本）卷四　（22–13）

三菩提藥王譬如有人渴乏須水於彼高原
穿鑿求之猶見乾土知水尚遠施功不已轉
見濕土遂漸至泥其心決定知水必近菩薩
亦復如是若未聞未解未能脩習是法華經
當知是人去阿耨多羅三藐三菩提尚遠若
得聞解思惟脩習必知得近阿耨多羅三藐
三菩提所以者何一切菩薩阿耨多羅三藐
三菩提皆屬此經此經開方便門示真實相
是法華經藏深固幽遠无人能到今佛教化
成就菩薩而為開示藥王若有菩薩聞是法
華經驚疑怖畏當知是為新發意菩薩若聲
聞人聞是經驚疑怖畏當知是為增上慢者
藥王若有善男子善女人如來滅後欲為四
眾說是法華經者云何應說是善男子善女
人入如來室著如來衣坐如來座爾乃應為
四眾廣說斯經如來室者一切眾生中大慈
悲心是如來衣者柔和忍辱心是如來座者
一切法空是安住是中然後以不懈怠心為
諸菩薩及四眾廣說是法華經藥王我於餘
國遣化人為其集聽法眾亦遣化比丘比丘
尼優婆塞優婆夷聽其說法是諸化人聞法
信受隨順不逆若說法者在空閑處我時廣
遣天龍鬼神乾闥婆阿脩羅等聽其說法我
雖在異國時時令說法者得見我身若於此
經妄失句逗我還為說令得具足爾時世尊
欲重宣此義而說偈言
欲捨諸懈怠　應當聽此經　是經難得聞　信受者亦難
如人渴須水　穿鑿於高原　猶見乾燥土　知去水尚遠

雖在異國時時令說法者得見我身若於此
經妄失句逗我還為說令得具足爾時世尊
欲重宣此義而說偈言
欲捨諸懈怠　應當聽此經　是經難得聞　信受者亦難
如人渴須水　穿鑿於高原　猶見乾燥土　知去水尚遠
漸見濕土泥　決定知水近　藥王汝當知　如是諸人等
不聞法華經　去佛道甚遠　若聞是深經　決了聲聞法
是諸經之王　聞已諦思惟　當知此人等　近於佛智慧
若人說此經　應入如來室　著於如來衣　而坐如來座
處眾无所畏　廣為分別說　大慈悲為室　柔和忍辱衣
諸法空為座　處此為說法　若說此經時　有人惡口罵
加刀杖瓦石　念佛故應忍　我千万億土　現淨堅固身
於无量億劫　為眾生說法　若我滅度後　能說此經者
我遣化四眾　比丘比丘尼　及清信士女　供養於法師
引導諸眾生　集之令聽法　若人欲加惡　刀杖及瓦石
則遣變化人　為之作衛護　若說法之人　獨在空閑處
寂寞无人聲　讀誦此經典　我爾時為現　清淨光明身
若忘失章句　為說令通利　若人具是德　或為四眾說
空處讀誦經　皆得見我身　若人在空閑　我遣天龍王
夜叉鬼神等　為作聽法眾　是人樂說法　分別无罣㝵
諸佛護念故　能令大眾喜　若親近法師　速得菩薩道
隨順是師學　得見恒沙佛
妙法蓮華經見寶塔品第十一
爾時佛前有七寶塔高五百由旬縱廣二百
五十由旬從地踊出住在空中種種寶物而
莊挍之五千欄楯龕室千万无數幢幡以為
嚴飾垂寶瓔珞寶鈴万億而懸其上四面皆
出多摩羅跋旃檀之香充遍世界其諸幡蓋

在校之五千蘭楯龕室千万无數幢幡以爲
嚴餝垂寶瓔珞寶鈴万億而懸其上四面皆
出多摩羅䟦栴檀之香充遍世界其諸幡蓋
以金銀琉璃車𤦲馬瑙真珠玫瑰七寶合成
高至四天王宫三十三天雨天曼陁羅華供
養寶塔餘諸天龍夜叉乾闥婆阿脩羅迦樓
羅緊那羅摩睺羅伽人非人等千万億衆以
一切華香瓔珞幡蓋伎樂供養寶塔恭敬尊
重讃嘆尒時寶塔中出大音聲嘆言善哉善哉
釋迦牟尼世尊能以平等大慧教菩薩法佛
所護念妙法華經爲大衆說如是如是釋迦
牟尼世尊如所說者皆是真實
尒時四衆見大寶塔住在空中又聞塔中所
出音聲皆得法喜怪未曾有從座而起恭敬
合掌却住一面尒時有菩薩摩訶薩名大樂
說知一切世間天人阿脩羅等心之所疑而
白佛言世尊以何因緣有此寶塔從地踊出
又於其中發是音聲尒時佛告大樂說菩薩
此寶塔中有如來全身乃往過去東方无量
千万億阿僧祇世界國名寶淨彼中有佛号
曰多寶其佛行菩薩道時作大誓願若我成
佛滅度之後於十方國土有說法華經處我
之塔廟爲聽是經故踊現其前爲作證明讃
言善哉彼佛成道已臨滅度時於天人大衆
中告諸比丘我滅度後欲供養我全身者應
起一大塔其佛以神通願力十方世界在在
處處若有說法華經者彼之寶塔皆踊出其

BD02995號　妙法蓮華經（八卷本）卷四

（22–16）

中告諸比丘我滅度後欲供養我全身者應
起一大塔其佛以神通願力十方世界在在
處處若有說法華經者彼之寶塔皆踊出其
前全身在於塔中讃言善哉善哉大樂說今
多寶如來塔聞說法華經故從地踊出讃言
善哉善哉是時大樂說菩薩以如來神力故
白佛言世尊我等願欲見此佛身佛告大樂
說菩薩摩訶薩是多寶佛有深重願若我寶
塔爲聽法華經故出於諸佛前時其有欲以
我身示四衆者彼佛分身諸佛在於十方世
界說法盡還集一處然後我身乃出現耳大
樂說我分身諸佛在於十方世界說法者今
應當集大樂說白佛言世尊我等亦願欲見
世尊分身諸佛礼拜供養
尒時佛放白毫一光即見東方五百万億那
由他恒河沙等國土諸佛彼諸國土皆以頗
梨爲地寶樹寶衣以爲莊嚴无數千万億菩
薩充滿其中遍張寶幔寶網羅上彼國諸佛
以大妙音而說諸法及見无量千万億菩薩
遍滿諸國爲衆說法南西北方四維上下白
毫相光所照之處亦復如是尒時十方諸佛
各告衆菩薩言善男子我今應往娑婆世界
釋迦牟尼佛所并供養多寶如來寶塔時娑
婆世界即變清淨琉璃爲地寶樹莊嚴黄金
爲繩以界八道无諸聚落村營城邑大海江
河山川林藪燒大寶香曼陁羅華遍布其地
以寶網幔羅覆其上懸諸寶鈴唯留此會衆

BD02995號　妙法蓮華經（八卷本）卷四

（22–17）

為繩以界八道无諸聚落村營城邑大海江
河山川林藪燒大寶香曼陀羅華遍布其地
以寶網幔羅覆其上懸諸寶鈴唯留此會衆
移諸天人置於他土是時諸佛各將一大菩
薩以為侍者至娑婆世界各到寶樹下一一
寶樹高五百由旬枝葉華菓次第莊嚴諸寶
樹下皆有師子之座高五由旬亦以大寶而
校餝之
尒時諸佛各於此座結跏趺坐如是展轉遍
滿三千大千世界而於釋迦牟尼佛一方所
分之身猶故未盡時釋迦牟尼佛欲容受所
分身諸佛故八方各更變二百万億那由他
國皆令清淨无有地獄餓鬼畜生及阿脩羅
又移諸天人置於他土所化之国亦以琉璃
為地寶樹莊嚴樹高五百由旬枝葉華菓次
第嚴餝樹下皆有寶師子座高五由旬種種
諸寶以為莊校亦无大海江河及目真隣陀
山摩訶目真隣陀山鐵圍山大鐵圍山須弥
山等諸山王通為一佛國土寶地平正寶交
露幔遍覆其上懸諸幡蓋燒大寶香諸天寶
華遍布其地釋迦牟尼佛為諸佛當來坐故
復於八方各變二百万億那由他國皆令清
淨无有地獄餓鬼畜生及阿脩羅又移諸天
人置於他土所化之國亦以琉璃為地寶樹
莊嚴樹高五百由旬枝葉華菓次第莊嚴樹
下皆有寶師子座高五由旬亦以大寶而校
餝之亦无大海江河及目真隣陀山摩訶目
真隣陀山鐵圍山大鐵圍山須弥山等諸山

置於他土所化之國亦以琉璃為地寶樹
莊嚴樹高五百由旬枝葉華菓次第莊嚴樹
下皆有寶師子座高五由旬亦以大寶而校
餝之亦无大海江河及目真隣陀山摩訶目
真隣陀山鐵圍山大鐵圍山須弥山等諸山
王通為一佛國土寶地平正寶交露幔遍覆
其上懸諸幡蓋燒大寶香諸天寶華遍布其
地尒時東方釋迦牟尼佛所分之身百千万億
那由他恒河沙等國土中諸佛各各說法來
集於此如是次第十方諸佛皆悉來集坐於
八方
尒時一一方四百万億那由他國土諸佛如
來遍滿其中是時諸佛各在寶樹下坐師子
座皆遣侍者問訊釋迦牟尼佛各賷寶華滿
掬而告之言善男子汝往詣耆闍崛山釋迦
牟尼佛所如我辭曰少病少惱氣力安樂及
菩薩聲聞衆悉安隱不以此寶華散佛供養
而作是言彼某甲佛與欲開此寶塔諸佛遣
使亦復如是尒時釋迦牟尼佛見所分身佛
悉已來集各各坐於師子之座皆聞諸佛與
欲同開寶塔即從坐起住虛空中一切四衆
起立合掌一心觀佛於是釋迦牟尼佛以右
指開七寶塔戶出大音聲如却關鑰開大城
門即時一切衆會皆見多寶如來於寶塔中
坐師子座全身不散如入禪定又聞其言善
哉善哉釋迦牟尼佛快說是法華經我為聽
是經故而來至此尒時四衆等見過去无量
千万億劫滅度佛說如是言嘆未曾有以天

坐師子座全身不散如入禪定又聞其言善
哉善哉釋迦牟尼佛快說是法華經我為聽
是經故而來至此尒時四衆等見過去无量
千万億劫滅度佛說如是言嘆未曾有以天
寶華聚散多寶佛及釋迦牟尼佛上尒時多
寶佛於寶塔中分半座與釋迦牟尼佛而作
是言釋迦牟尼佛可就此座即時釋迦牟尼
佛入其塔中坐其半座結加趺坐尒時大衆
見二如來在七寶塔中師子座上結加趺坐
各作是念佛座高遠唯願如來以神通力令
我等輩俱處虛空即時釋迦牟尼佛以神通
力接諸大衆皆在虛空以大音聲普告四衆
誰能於此娑婆國土廣說妙法華經今正是
時如來不久當入涅槃佛欲以此妙法華經
付囑有在尒時世尊欲重宣此義而說偈言
聖主世尊　雖久滅度　在寶塔中　尚為法來
諸人云何　不勤為法　此佛滅度　无央數劫
處處聽法　以難遇故　彼佛本願　我滅度後
在在所往　常為聽法　又我分身　无量諸佛
如恒沙等　來欲聽法　及見滅度　多寶如來
各捨妙土　及弟子衆　天人龍神　諸供養事
令法久住　故來至此　為坐諸佛　以神通力
移无量衆　令國清淨　諸佛各各　詣寶樹下
如清淨池　蓮華莊嚴　其寶樹下　諸師子座
佛坐其上　光明嚴飾　如夜闇中　然大炬火
身出妙香　遍十方國　衆生蒙薰　喜不自勝
譬如大風　吹小樹枝　以是方便　令法久住
告諸大衆　我滅度後　誰能護持　讀誦斯經

BD02995號　妙法蓮華經（八卷本）卷四　（22–20）

移无量衆　令國清淨　諸佛各各　詣寶樹下
如清淨池　蓮華莊嚴　其寶樹下　諸師子座
佛坐其上　光明嚴飾　如夜闇中　然大炬火
身出妙香　遍十方國　衆生蒙薰　喜不自勝
譬如大風　吹小樹枝　以是方便　令法久住
告諸大衆　我滅度後　誰能護持　讀誦斯經
今於佛前　自說誓言　其多寶佛　雖久滅度
以大誓願　而師子吼　多寶如來　及與我身
所集化佛　當知此意　諸佛子等　誰能護法
當發大願　令得久住　其有能護　此經法者
則為供養　我及多寶　此多寶佛　處於寶塔
常遊十方　為是經故　亦復供養　諸來化佛
莊嚴光飾　諸世界者　若說此經　則為見我
多寶如來　及諸化佛
諸善男子　各諦思惟　此為難事　宜發大願
諸餘經典　數如恒沙　雖說此等　未足為難
若接須弥　擲置他方　无數佛土　亦未為難
若以足指　動大千界　遠擲他國　亦未為難
若立有頂　為衆演法　无量餘經　亦未為難
若佛滅後　於惡世中　能說此經　是則為難
假使有人　手把虛空　而以遊行　亦未為難
於我滅後　若自書持　若使人書　是則為難
若以大地　置足甲上　昇於梵天　亦未為難
佛滅度後　於惡世中　暫讀此經　是則為難
假使劫燒　擔負乾草　入中不燒　亦未為難
我滅度後　若持此經　為一人說　是則為難
若持八万　四千法藏　十二部經　為人演說

BD02995號　妙法蓮華經（八卷本）卷四　（22–21）

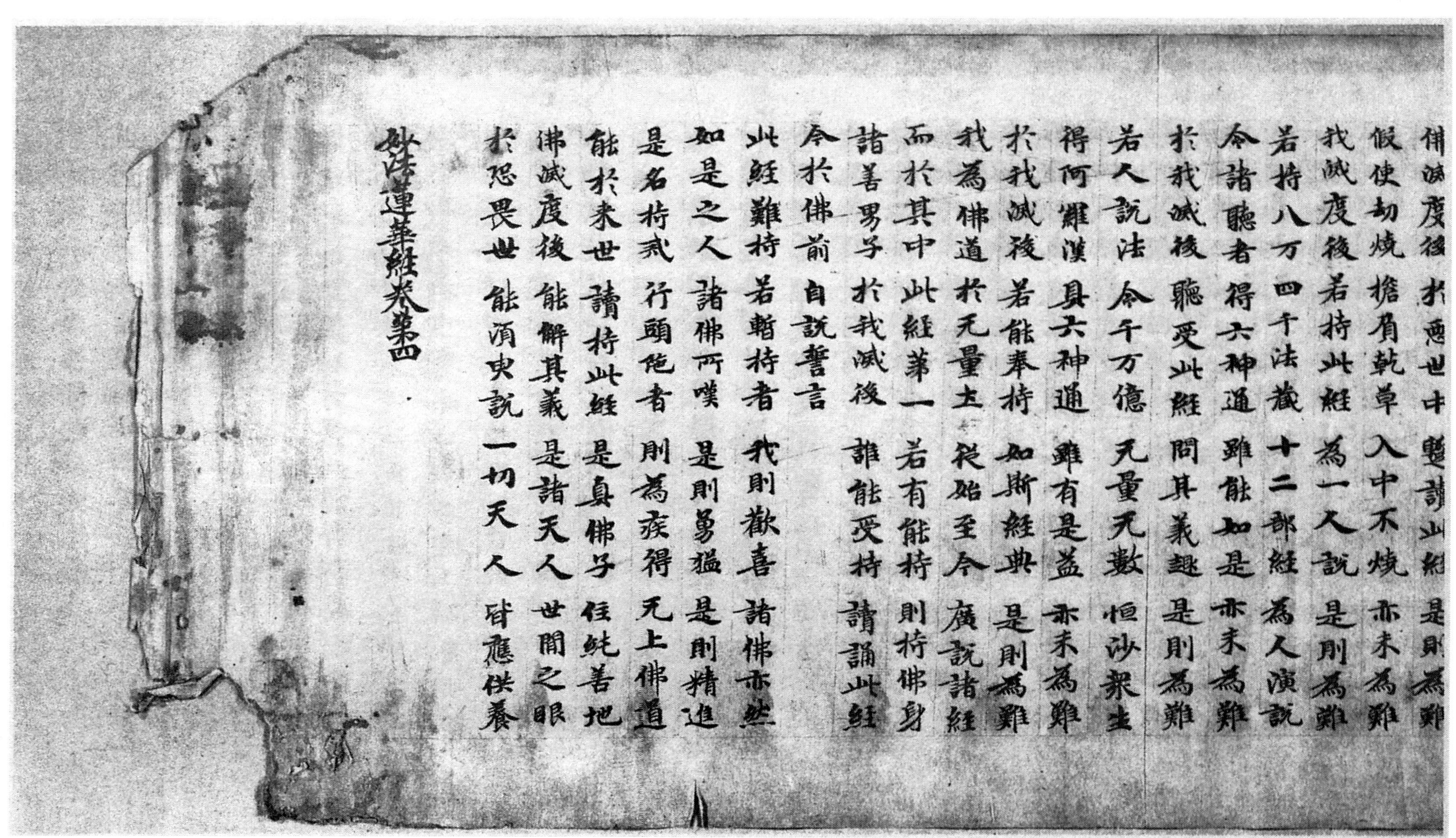

佛滅度後　於惡世中　暫讀此經　是則為難
假使劫燒　擔負乾草　入中不燒　亦未為難
我滅度後　若持此經　為一人說　是則為難
若持八万　四千法藏　十二部經　為人演說
令諸聽者　得六神通　雖能如是　亦未為難
於我滅後　聽受此經　問其義趣　是則為難
若人說法　令千万億　无量无數　恒沙眾生
得阿羅漢　具六神通　雖有是益　亦未為難
於我滅後　若能奉持　如斯經典　是則為難
我為佛道　於无量土　從始至今　廣說諸經
而於其中　此經第一　若有能持　則持佛身
諸善男子　於我滅後　誰能受持　讀誦此經
今於佛前　自說誓言
此經難持　若暫持者　我則歡喜　諸佛亦然
如是之人　諸佛所歎　是則勇猛　是則精進
是名持戒　行頭陀者　則為疾得　无上佛道
能於來世　讀持此經　是真佛子　住淳善地
佛滅度後　能解其義　是諸天人　世間之眼
於恐畏世　能須臾說　一切天人　皆應供養

妙法蓮華經卷第四

BD02995 號　妙法蓮華經（八卷本）卷四　（22–22）

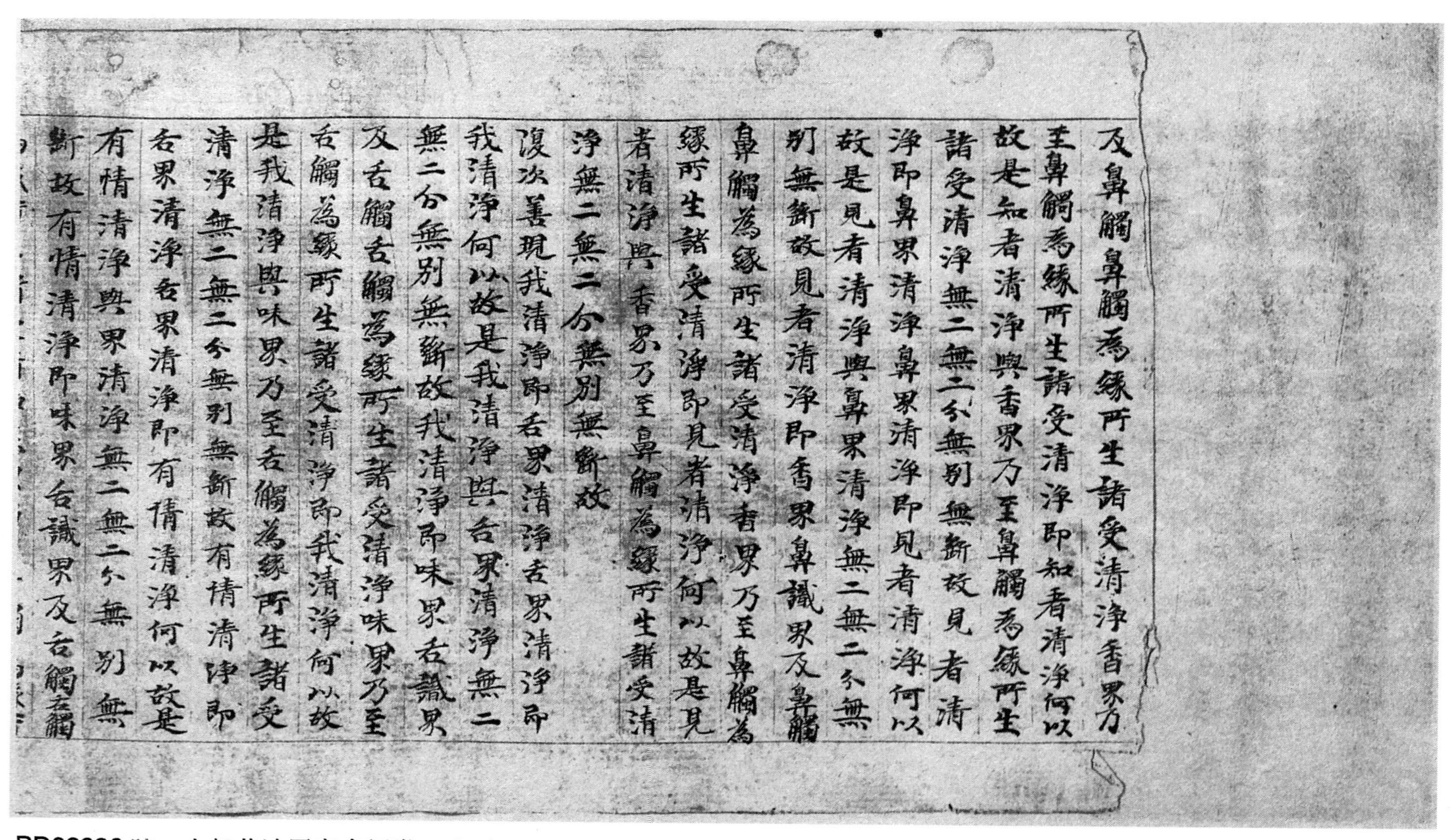

及鼻觸鼻觸為緣所生諸受清淨香界乃
至鼻觸為緣所生諸受清淨即知者清淨何以
故是知者清淨與香界乃至鼻觸為緣所生
諸受清淨無二無二分無別無斷故見者清
淨即鼻界清淨鼻界清淨即見者清淨何以
故是見者清淨與鼻界清淨無二無二分無
別無斷故見者清淨即香界鼻識界及鼻觸
鼻觸為緣所生諸受清淨香界乃至鼻觸為
緣所生諸受清淨即見者清淨何以故是見
者清淨與香界乃至鼻觸為緣所生諸受清
淨無二無二分無別無斷故
復次善現我清淨即舌界清淨舌界清淨即
我清淨何以故是我清淨與舌界清淨無二
無二分無別無斷故我清淨即味界舌識界
及舌觸舌觸為緣所生諸受清淨味界乃至
舌觸為緣所生諸受清淨即我清淨何以故
是我清淨與味界乃至舌觸為緣所生諸受
清淨無二無二分無別無斷故有情清淨即
舌界清淨舌界清淨即有情清淨何以故是
有情清淨與舌界清淨無二無二分無別無
斷故有情清淨即味界舌識界及舌觸舌觸

BD02996 號　大般若波羅蜜多經卷一八五　（6–1）

舌觸為緣所生諸受清淨若我清淨何以故
是我清淨與味界乃至舌觸為緣所生諸受
清淨無二無二分無別無斷故有情清淨即
舌界清淨舌界清淨即有情清淨何以故是
有情清淨與味界清淨無二無二分無別無
斷故有情清淨即味界舌識界及舌觸舌觸
為緣所生諸受清淨味界乃至舌觸為緣所
生諸受清淨即有情清淨何以故是有情清
淨與味界乃至舌觸為緣所生諸受清淨無
二無二分無別無斷故命者清淨即舌界清
淨舌界清淨即命者清淨何以故是命者清
淨與舌界清淨無二無二分無別無斷故命
者清淨即味界舌識界及舌觸舌觸為緣所
生諸受清淨味界乃至舌觸為緣所生諸受
清淨即命者清淨何以故是命者清淨與味
界乃至舌觸為緣所生諸受清淨無二無二
分無別無斷故生者清淨即舌界清淨舌界
清淨即生者清淨何以故是生者清淨與舌
界清淨無二無二分無別無斷故生者清淨
即味界舌識界及舌觸舌觸為緣所生諸受
清淨味界乃至舌觸為緣所生諸受清淨即
生者清淨何以故是生者清淨與味界乃至
舌觸為緣所生諸受清淨無二無二分無別
無斷故養育者清淨即舌界清淨舌界清淨
即養育者清淨何以故是養育者清淨與舌
界清淨無二無二分無別無斷故養育者清
淨即味界舌識界及舌觸舌觸為緣所生諸

BD02996號　大般若波羅蜜多經卷一八五　（6–2）

舌觸為緣所生諸受清淨無二無二分無別
無斷故養育者清淨即舌界清淨舌界清淨
即養育者清淨何以故是養育者清淨與舌
界清淨無二無二分無別無斷故養育者清
淨即味界舌識界及舌觸舌觸為緣所生諸
受清淨味界乃至舌觸為緣所生諸受清淨
即養育者清淨何以故是養育者清淨與味
界乃至舌觸為緣所生諸受清淨無二無二
分無別無斷故士夫清淨即舌界清淨舌界
清淨即士夫清淨何以故是士夫清淨與舌
界清淨無二無二分無別無斷故士夫清淨
即味界舌識界及舌觸舌觸為緣所生諸受
清淨味界乃至舌觸為緣生諸受清淨即
士夫清淨何以故是士夫清淨與味界乃至
舌觸為緣所生諸受清淨無二無二分無別
無斷故補特伽羅清淨即舌界清淨舌界清
淨即補特伽羅清淨何以故是補特伽羅清
淨與舌界清淨無二無二分無別無斷故補
特伽羅清淨即味界舌識界及舌觸舌觸為
緣所生諸受清淨味界乃至舌觸為緣所生
諸受清淨即補特伽羅清淨何以故是補特
伽羅清淨與味界乃至舌觸為緣所生諸受
清淨無二無二分無別無斷故意生清淨即
舌界清淨舌界清淨即意生清淨何以故是
意生清淨與舌界清淨無二無二分無別無
斷故意生清淨即味界舌識界及舌觸舌觸

BD02996號　大般若波羅蜜多經卷一八五　（6–3）

清淨無二無二分無別無斷故意生清淨即
舌界清淨舌界清淨即意生清淨何以故是
意生清淨與舌界清淨無二無二分無別無
斷故意生清淨即味界舌識界及舌觸舌觸
為緣所生諸受清淨味界乃至舌觸為緣所
生諸受清淨即意生清淨何以故是意生清
淨與味界乃至舌觸為緣所生諸受清淨無
二無二分無別無斷故儒童清淨即舌界清
淨舌界清淨即儒童清淨何以故是儒童清
淨與舌界清淨無二無二分無別無斷故儒
童清淨即味界舌識界及舌觸舌觸為緣所
生諸受清淨味界乃至舌觸為緣所生諸受
清淨即儒童清淨何以故是儒童清淨與味
界乃至舌觸為緣所生諸受清淨無二無二
分無別無斷故作者清淨即舌界清淨舌界
清淨即作者清淨何以故是作者清淨與舌
界清淨無二無二分無別無斷故作者清淨
即味界舌識界及舌觸舌觸為緣所生諸受
清淨味界乃至舌觸為緣所生諸受清淨即作
者清淨何以故是作者清淨與味界乃至舌
觸為緣所生諸受清淨無二無二分無別無
斷故受者清淨即舌界清淨舌界清淨即受
者清淨何以故是受者清淨與舌界清淨無
二無二分無別無斷故受者清淨即味界舌
識界及舌觸舌觸為緣所生諸受清淨味界
乃至舌觸為緣所生諸受清淨即受者清淨
何以故是受者清淨與味界乃至舌觸為緣

BD02996號　大般若波羅蜜多經卷一八五　（6–4）

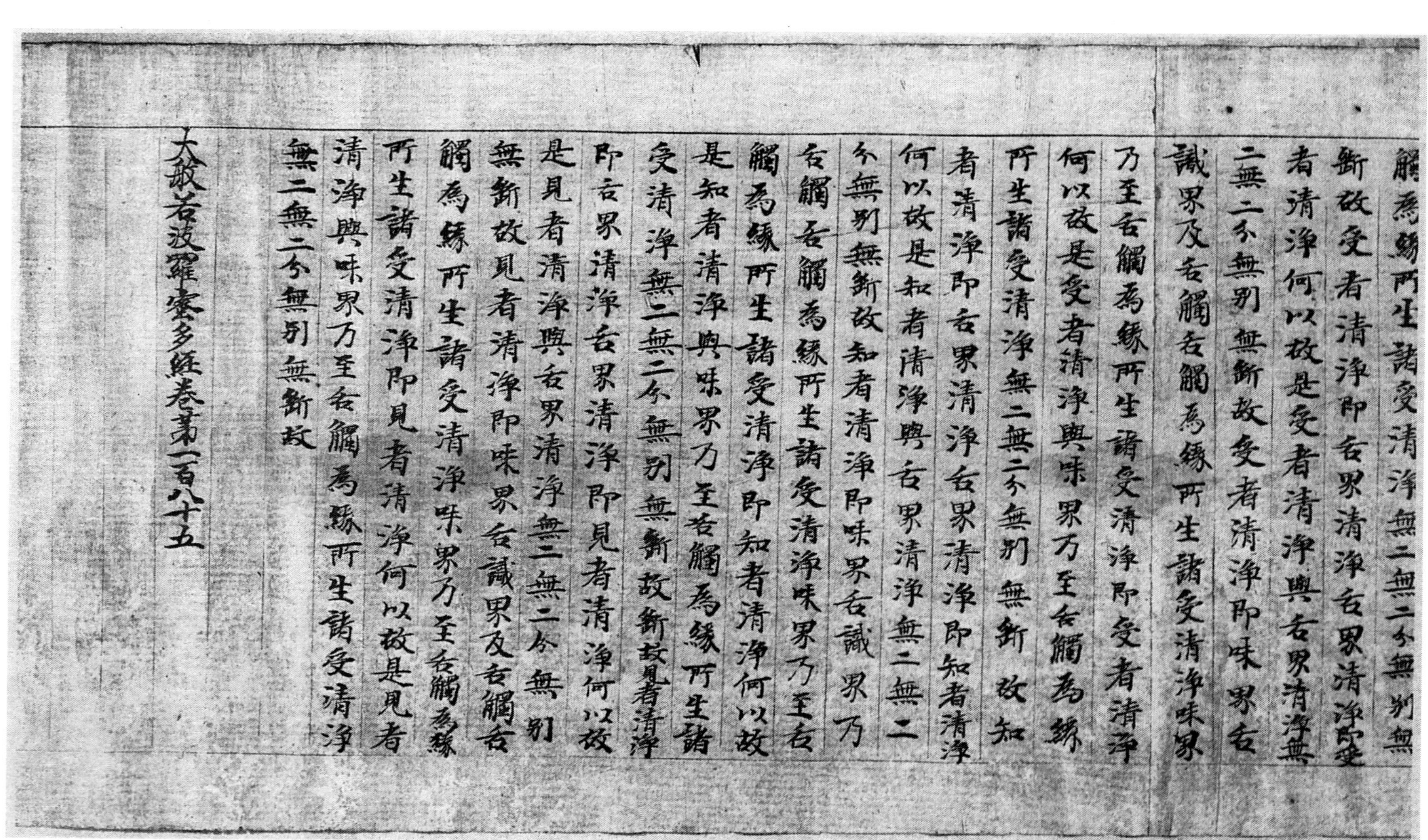

觸為緣所生諸受清淨無二無二分無別無
斷故受者清淨即舌界清淨舌界清淨即受
者清淨何以故是受者清淨與舌界清淨無
二無二分無別無斷故受者清淨即味界舌
識界及舌觸舌觸為緣所生諸受清淨味界
乃至舌觸為緣所生諸受清淨即受者清淨
何以故是受者清淨與味界乃至舌觸為緣
所生諸受清淨無二無二分無別無斷故知
者清淨即舌界清淨舌界清淨即知者清淨
何以故是知者清淨與舌界清淨無二無二
分無別無斷故知者清淨即味界舌識界乃
舌觸舌觸為緣所生諸受清淨味界乃至舌
觸為緣所生諸受清淨即知者清淨何以故
是知者清淨與味界乃至舌觸為緣所生諸
受清淨無二無二分無別無斷故斷故見者清淨
即舌界清淨舌界清淨即見者清淨何以故
是見者清淨與舌界清淨無二無二分無別
無斷故見者清淨即味界舌識界及舌觸舌
觸為緣所生諸受清淨味界乃至舌觸為緣
所生諸受清淨即見者清淨何以故是見者
清淨與味界乃至舌觸為緣所生諸受清淨
無二無二分無別無斷故

大般若波羅蜜多經卷第一百八十五

BD02996號　大般若波羅蜜多經卷一八五　（6–5）

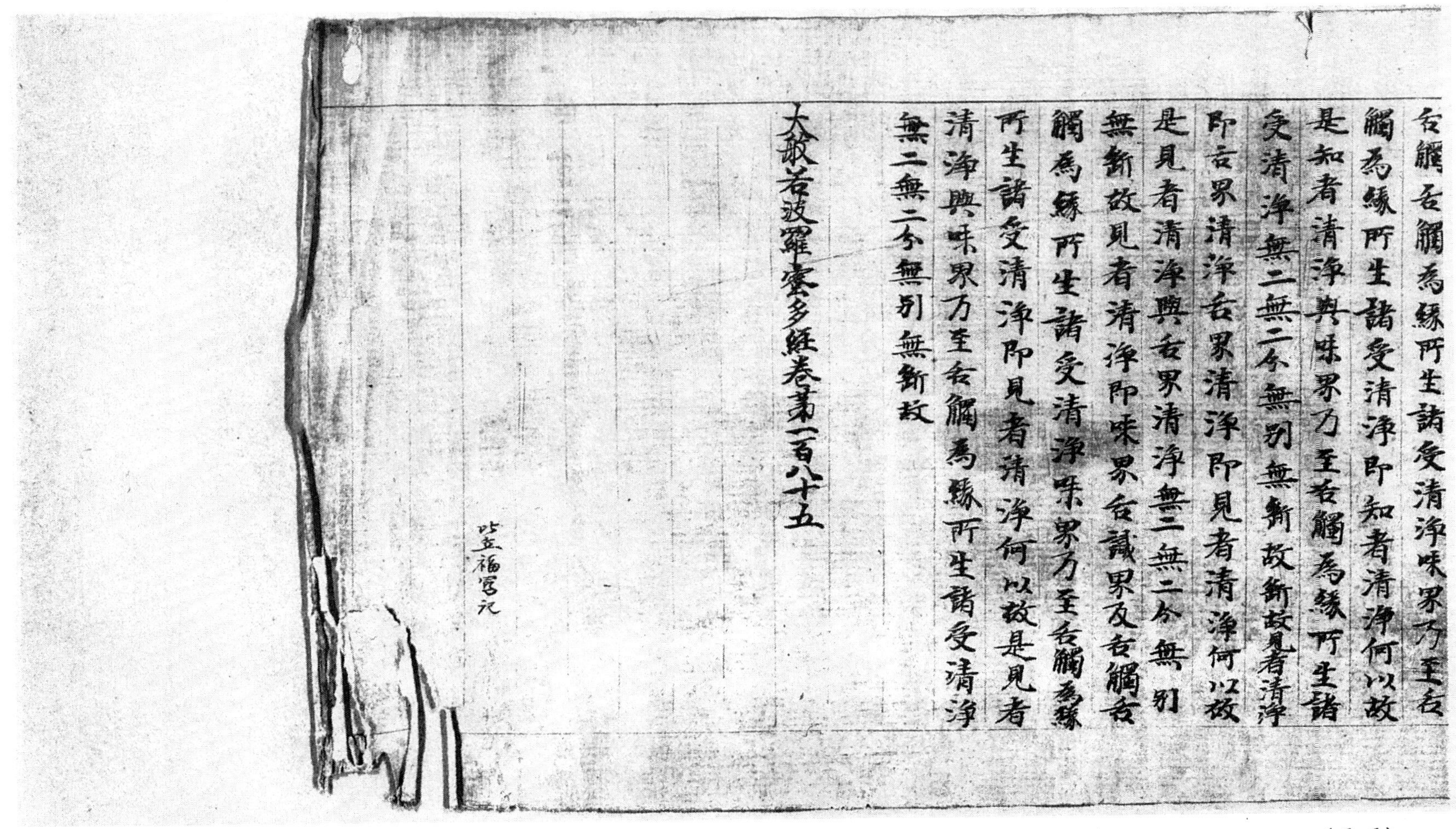
舌觸舌觸為緣所生諸受清淨味界乃至舌
觸為緣所生諸受清淨即知者清淨何以故
是知者清淨與味界乃至舌觸為緣所生諸
受清淨無二無二分無別無斷故斷故見者清淨
即舌界清淨舌界清淨即見者清淨何以故
是見者清淨與舌界清淨無二無二分無別
無斷故見者清淨即味界舌識界及舌觸舌
觸為緣所生諸受清淨味界乃至舌觸為緣
所生諸受清淨即見者清淨何以故是見者
清淨與味界乃至舌觸為緣所生諸受清淨
無二無二分無別無斷故
大般若波羅蜜多經卷第一百八十五
比丘福寫記

BD02996 號　大般若波羅蜜多經卷一八五　（6–6）

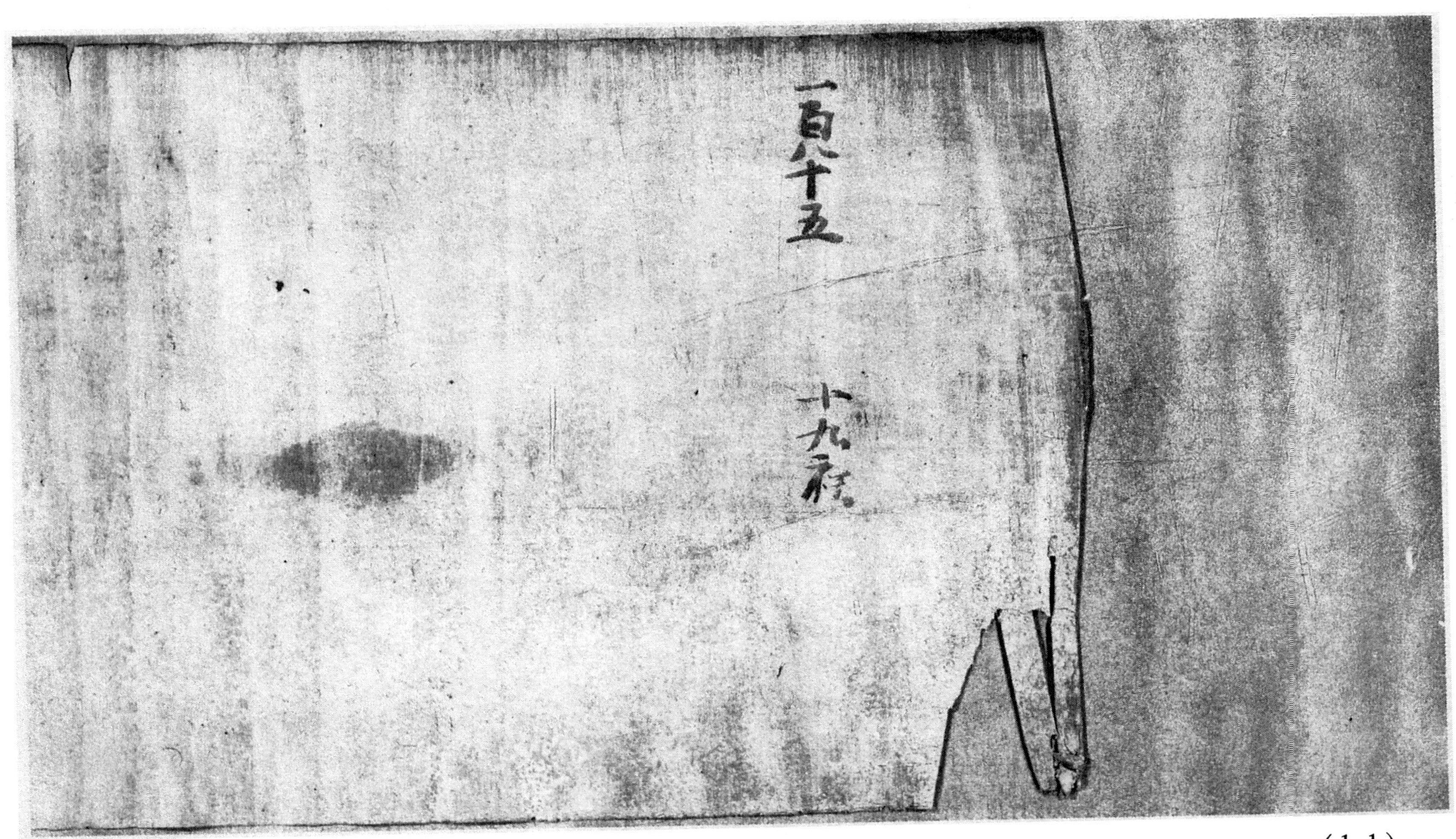
一百八十五
十九紙

BD02996 號背　勘記　（1–1）

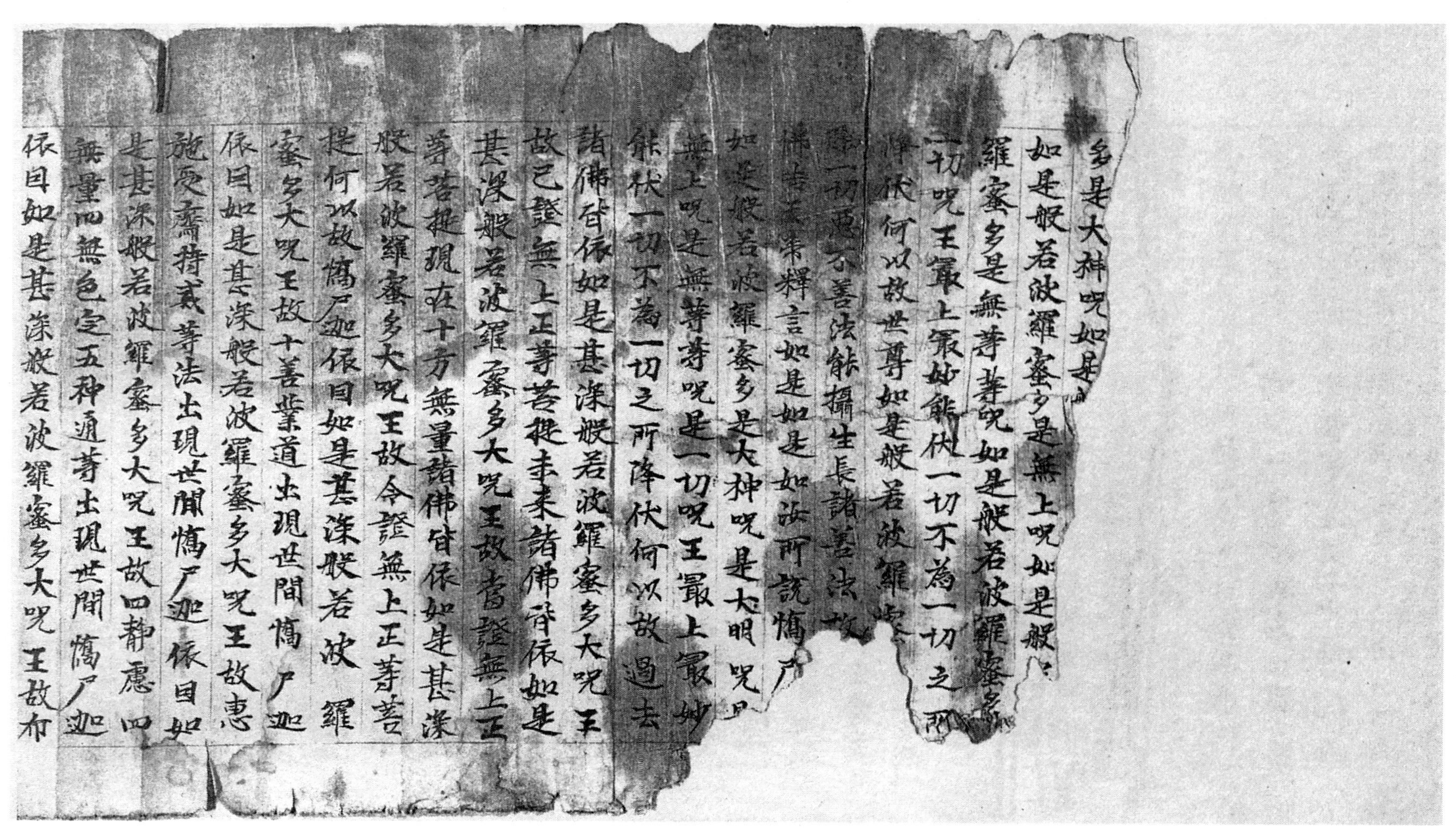

多是大神呪如是[…]
如是般若波羅蜜多是無上呪如是般[…]
羅蜜多是無等等呪如是般若波羅蜜多
一切呪王最上最妙能伏一切不為一切之所
降伏何以故世尊如是般若波羅蜜[…]
除一切惡不善法能攝生長諸善法故
佛告天帝釋言如是如是如汝所說憍尸[…]
如是般若波羅蜜多是大神呪是大明呪[…]
無上呪是無等等呪是一切呪王最上最妙
能伏一切不為一切之所降伏何以故過去
諸佛皆依如是甚深般若波羅蜜多大呪王
故已證無上正等菩提未來諸佛皆依如是
甚深般若波羅蜜多大呪王故當證無上正
等菩提現在十方無量諸佛皆依如是甚深
般若波羅蜜多大呪王故今證無上正等菩
提何以故憍尸迦依因如是甚深般若波羅
蜜多大呪王故十善業道出現世間憍尸迦
依因如是甚深般若波羅蜜多大呪王故惠
施受齋持戒等法出現世間憍尸迦依因如
是甚深般若波羅蜜多大呪王故四靜慮四
無量四無色定五神通等出現世間憍尸迦
依因如是甚深般若波羅蜜多大呪王故布

BD02997 號　大般若波羅蜜多經卷一〇五　（3–1）

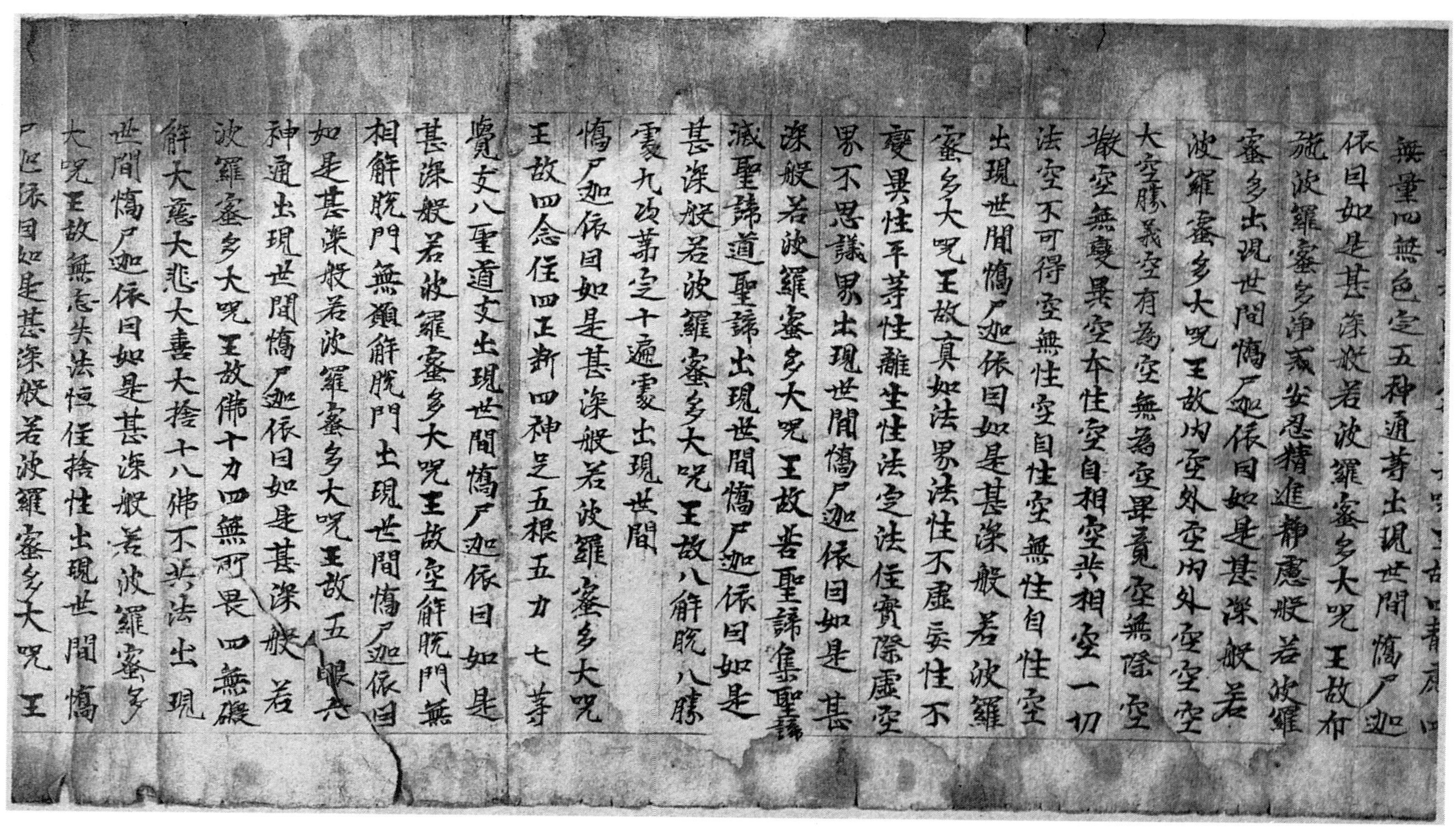

無量四無色定五神通等出現世間憍尸迦
依因如是甚深般若波羅蜜多大呪王故布
施淨戒安忍精進靜慮般若波羅
蜜多出現世間憍尸迦依因如是甚深般若
波羅蜜多大呪王故內空外空內外空空空
大空勝義空有為空無為空畢竟空無際空
散空無變異空本性空自相空共相空一切
法空不可得空無性空自性空無性自性空
出現世間憍尸迦依因如是甚深般若波羅
蜜多大呪王故真如法界法性不虛妄性不
變異性平等性離生性法定法住實際虛空
界不思議界出現世間憍尸迦依因如是甚
深般若波羅蜜多大呪王故苦聖諦集聖諦
滅聖諦道聖諦出現世間憍尸迦依因如是
甚深般若波羅蜜多大呪王故八解脫八勝
處九次第定十遍處出現世間
憍尸迦依因如是甚深般若波羅蜜多大呪
王故四念住四正斷四神足五根五力七等
覺支八聖道支出現世間憍尸迦依因如是
甚深般若波羅蜜多大呪王故空解脫門無
相解脫門無願解脫門出現世間憍尸迦依因
如是甚深般若波羅蜜多大呪王故五眼六
神通出現世間憍尸迦依因如是甚深般若
波羅蜜多大呪王故佛十力四無所畏四無礙
解大慈大悲大喜大捨十八佛不共法出現
世間憍尸迦依因如是甚深般若波羅蜜多
大呪王故無忘失法恒住捨性出現世間憍
尸迦依因如是甚深般若波羅蜜多大呪王

BD02997 號　大般若波羅蜜多經卷一〇五　（3–2）

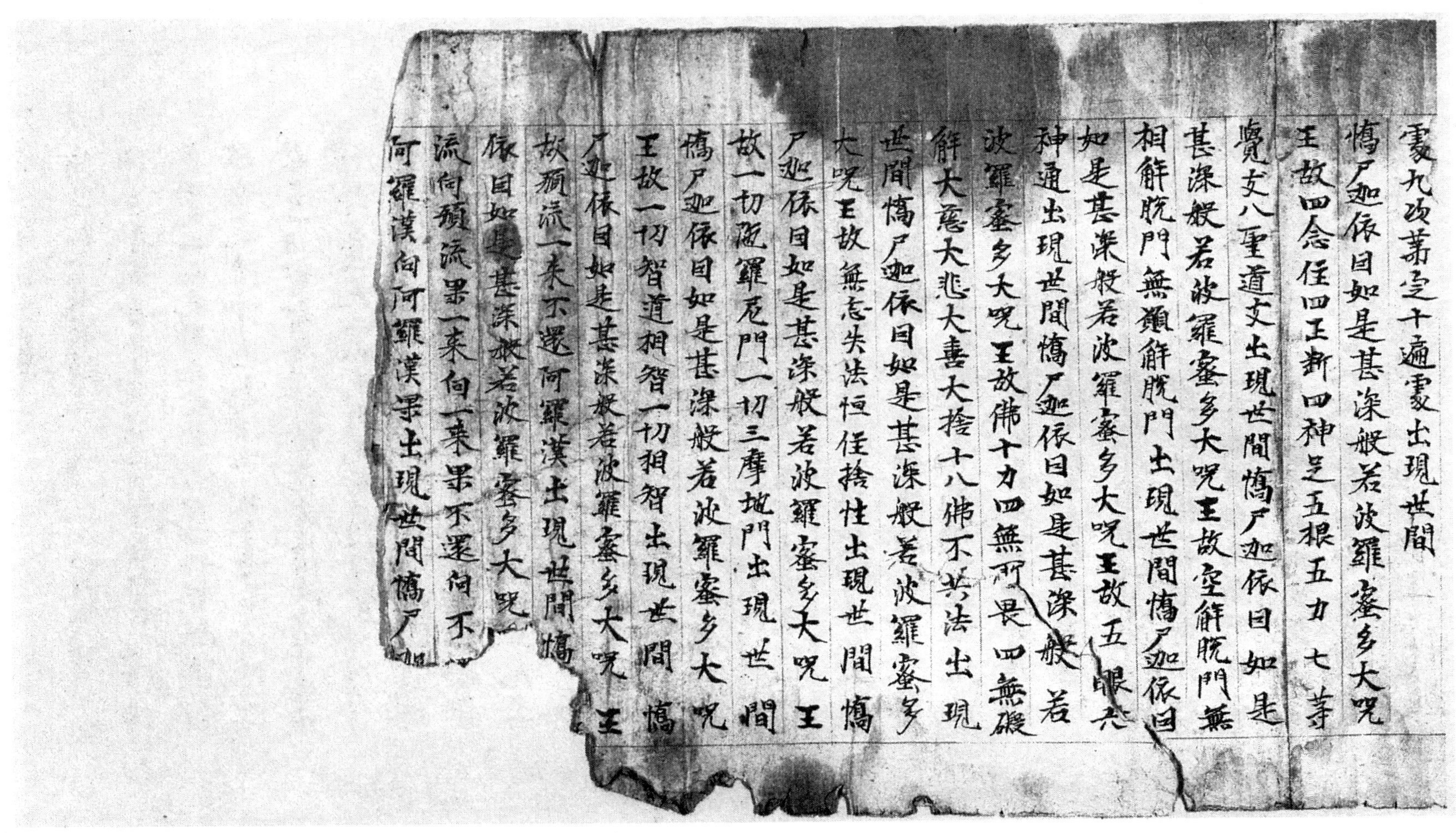

BD02997 號　大般若波羅蜜多經卷一〇五　（3–3）

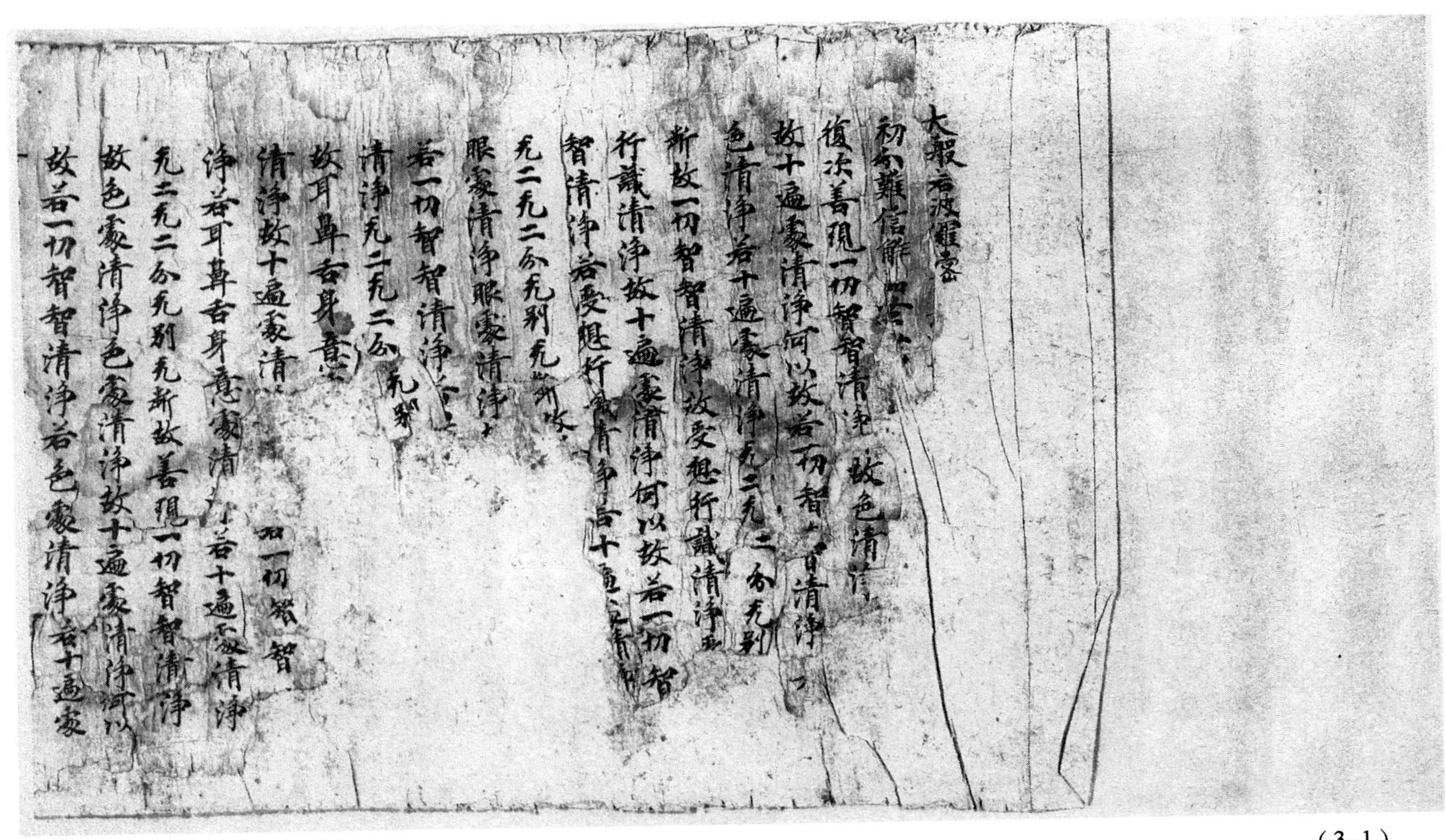

BD02998 號　大般若波羅蜜多經卷二六八　（3–1）

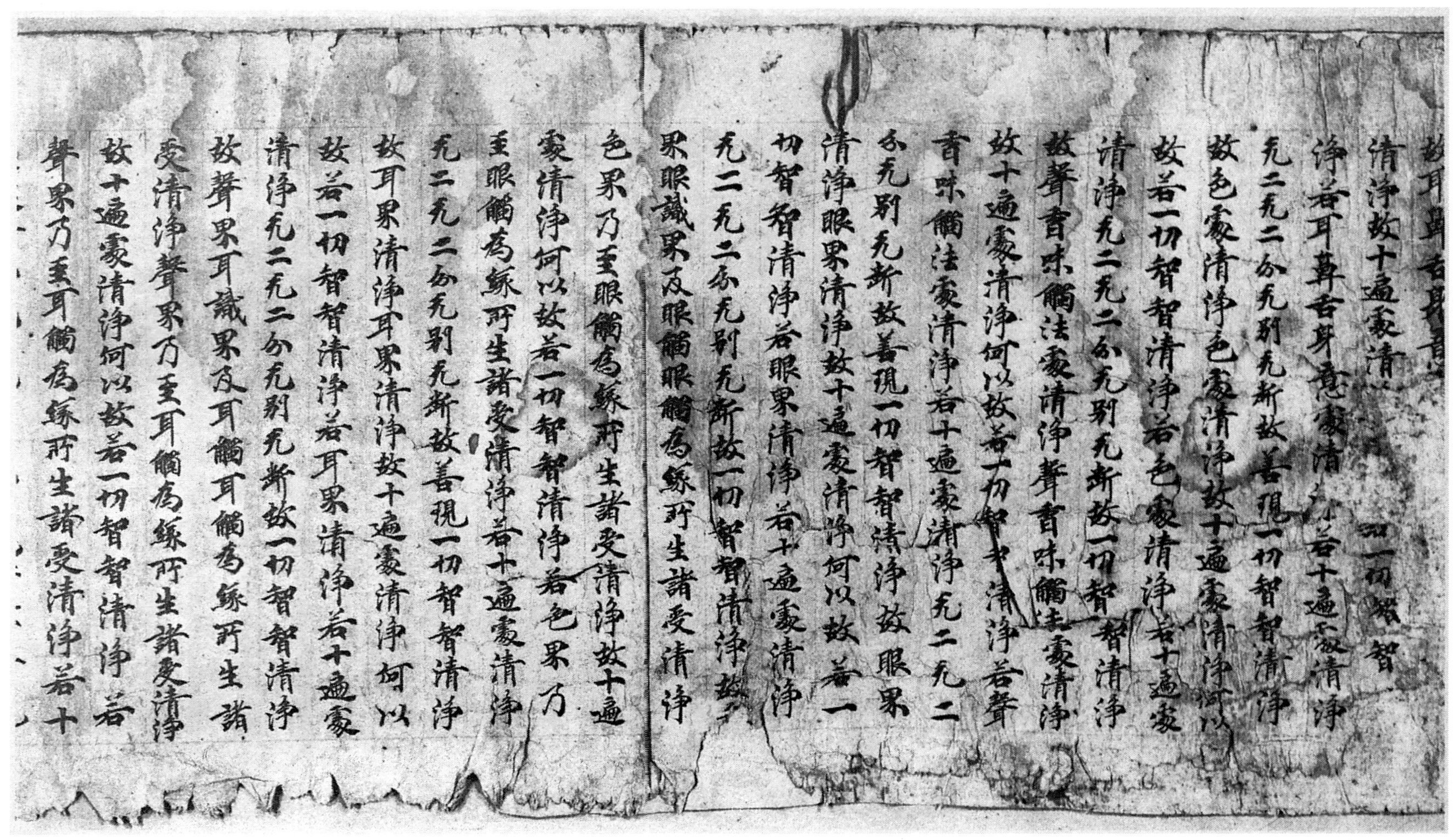

故耳鼻舌身意[illegible]
清淨故十遍處清[illegible]一切智智
淨若耳鼻舌身意處清淨若十遍處清淨
无二无二分无别无斷故善現一切智智清淨
故色處清淨色處清淨故十遍處清淨何以
故若一切智智清淨若色處清淨若十遍處
清淨无二无二分无别无斷故一切智智清淨
故聲香味觸法處清淨聲香味觸法處清淨
故十遍處清淨何以故若一切智智清淨若聲
香味觸法處清淨若十遍處清淨无二无二
分无别无斷故善現一切智智清淨故眼界
清淨眼界清淨故十遍處清淨何以故若一
切智智清淨若眼界清淨若十遍處清淨
无二无二分无别无斷故一切智智清淨故
界眼識界及眼觸眼觸為緣所生諸受清淨
色界乃至眼觸為緣所生諸受清淨故十遍
處清淨何以故若一切智智清淨若色界乃
至眼觸為緣所生諸受清淨若十遍處清淨
无二无二分无别无斷故善現一切智智清淨
故耳界清淨耳界清淨故十遍處清淨何以
故若一切智智清淨若耳界清淨若十遍處
清淨无二无二分无别无斷故一切智智清淨
故聲界耳識界及耳觸耳觸為緣所生諸
受清淨聲界乃至耳觸為緣所生諸受清淨
故十遍處清淨何以故若一切智智清淨若
聲界乃至耳觸為緣所生諸受清淨若十

BD02998號　大般若波羅蜜多經卷二六八　（3–2）

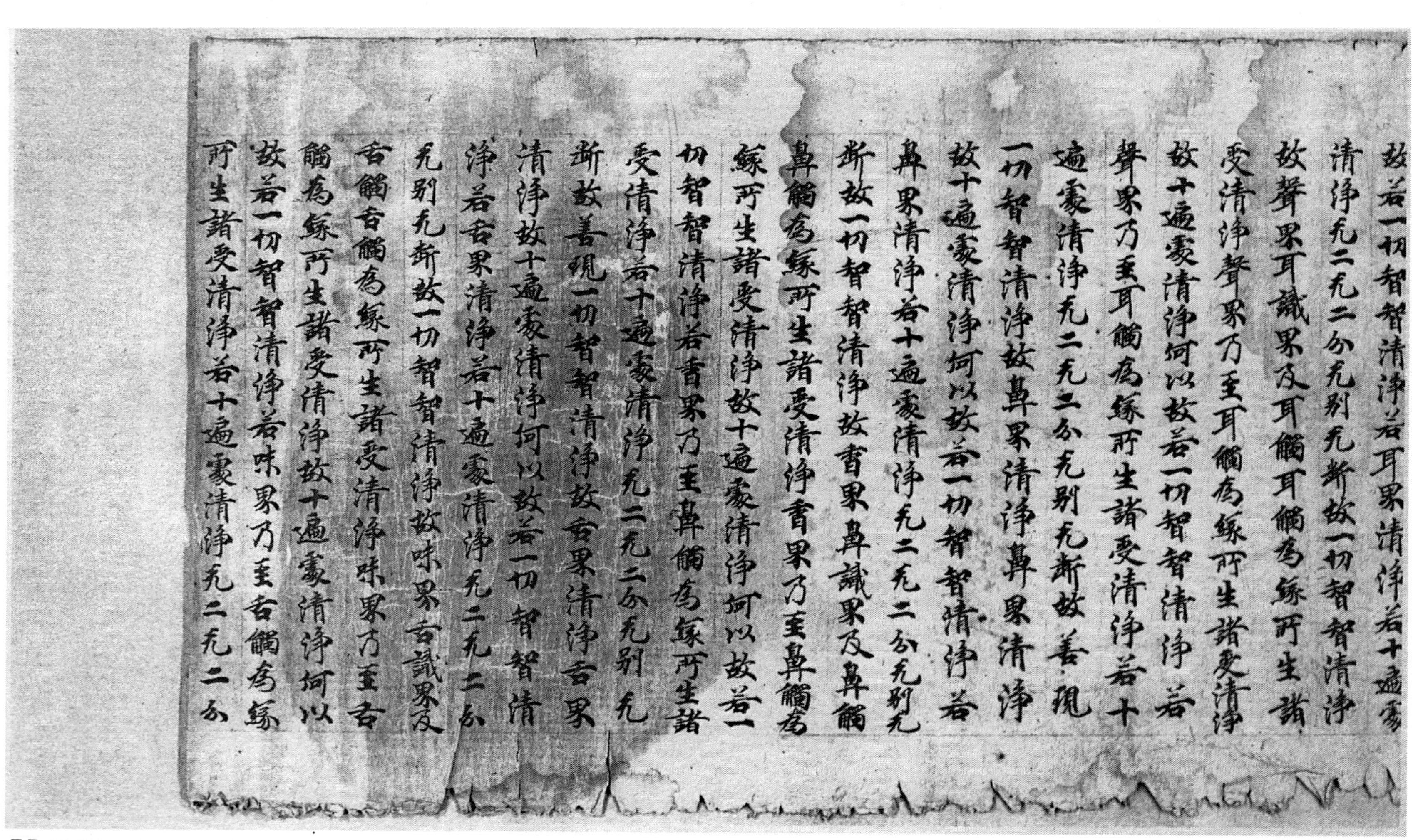

故若一切智智清淨若耳界清淨若十遍處
清淨无二无二分无别无斷故一切智智清淨
故聲界耳識界及耳觸耳觸為緣所生諸
受清淨聲界乃至耳觸為緣所生諸受清淨
故十遍處清淨何以故若一切智智清淨若
聲界乃至耳觸為緣所生諸受清淨若十
遍處清淨无二无二分无别无斷故善現
一切智智清淨故鼻界清淨鼻界清淨
故十遍處清淨何以故若一切智智清淨若
鼻界清淨若十遍處清淨无二无二分无别无
斷故一切智智清淨故香界鼻識界及鼻觸
鼻觸為緣所生諸受清淨香界乃至鼻觸為
緣所生諸受清淨故十遍處清淨何以故若一
切智智清淨若香界乃至鼻觸為緣所生諸
受清淨若十遍處清淨无二无二分无别无
斷故善現一切智智清淨故舌界清淨舌界
清淨故十遍處清淨何以故若一切智智清
淨若舌界清淨若十遍處清淨无二无二分
无别无斷故一切智智清淨故味界舌識界及
舌觸舌觸為緣所生諸受清淨味界乃至舌
觸為緣所生諸受清淨故十遍處清淨何以
故若一切智智清淨若味界乃至舌觸為緣
所生諸受清淨若十遍處清淨无二无二分

BD02998號　大般若波羅蜜多經卷二六八　（3–3）

BD02998號背　勘記　(1–1)

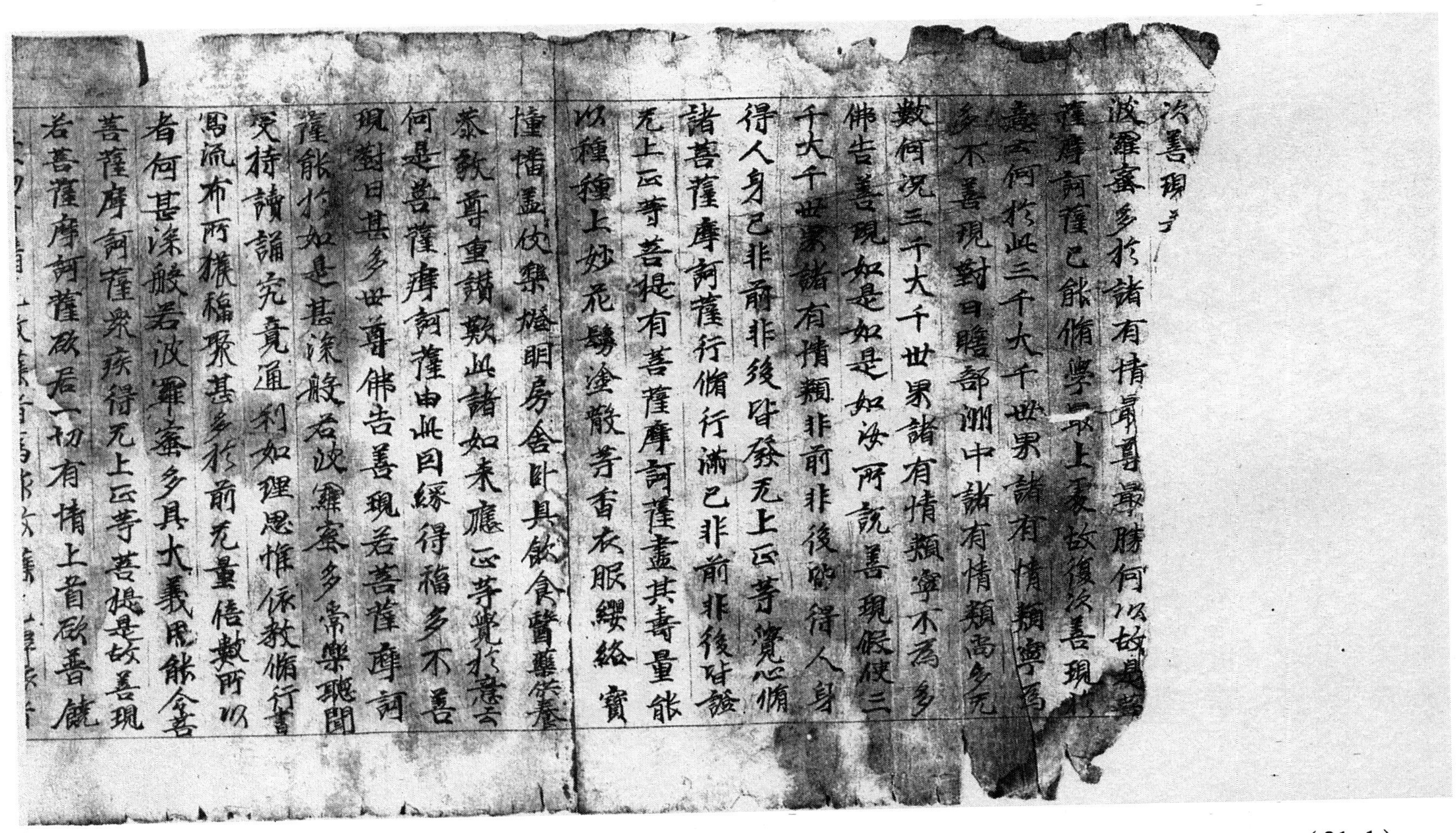

BD02999號　大般若波羅蜜多經卷四五六　(21–1)

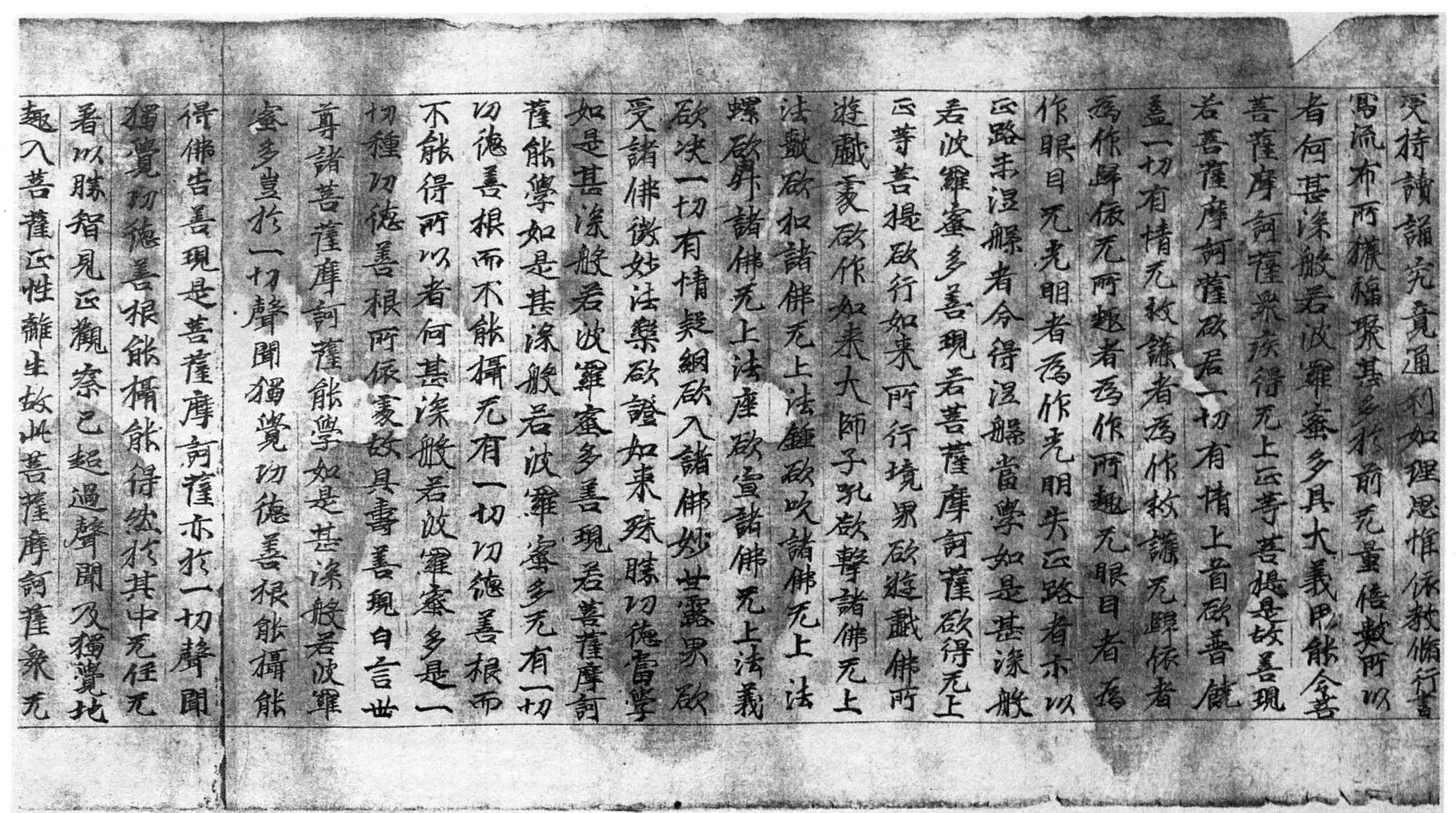
受持讀誦究竟通利如理思惟依教脩行書
寫流布所獲福聚甚多於前无量倍數所以
者何甚深般若波羅蜜多具大義用能令菩
薩摩訶薩咸疾得无上正等菩提是故善現
若菩薩摩訶薩欲爲一切有情上首欲普饒
益一切有情无救護者爲作救護无歸依者
爲作歸依无所趣者爲作所趣无眼目者爲
作眼目无光明者爲作光明失正路者示以
正路未涅槃者令得涅槃當學如是甚深般
若波羅蜜多善現若菩薩摩訶薩欲得无上
正等菩提欲行如來所行境界欲遊戲佛所
遊戲處欲作如來大師子吼欲擊諸佛无上
法鼓欲扣諸佛无上法鍾欲吹諸佛无上法
螺欲昇諸佛无上法座欲宣諸佛无上法義
欲決一切有情疑網欲入諸佛妙甘露界欲
受諸佛微妙法樂欲證如來殊勝功德當學
如是甚深般若波羅蜜多善現若菩薩摩訶
薩能學如是甚深般若波羅蜜多无有一切
功德善根而不能攝无有一切功德善根而
不能得所以者何甚深般若波羅蜜多是一
切種功德善根所依處故具壽善現白言世
尊諸菩薩摩訶薩能學如是甚深般若波羅
蜜多豈於一切聲聞獨覺功德善根能攝能
得佛告善現是菩薩摩訶薩亦於一切聲聞
獨覺功德善根能攝能得然於其中无住无
著以勝智見正觀察已超過聲聞及獨覺地
趣入菩薩正性離生故此菩薩摩訶薩衆无

BD02999號　大般若波羅蜜多經卷四五六　（21–2）

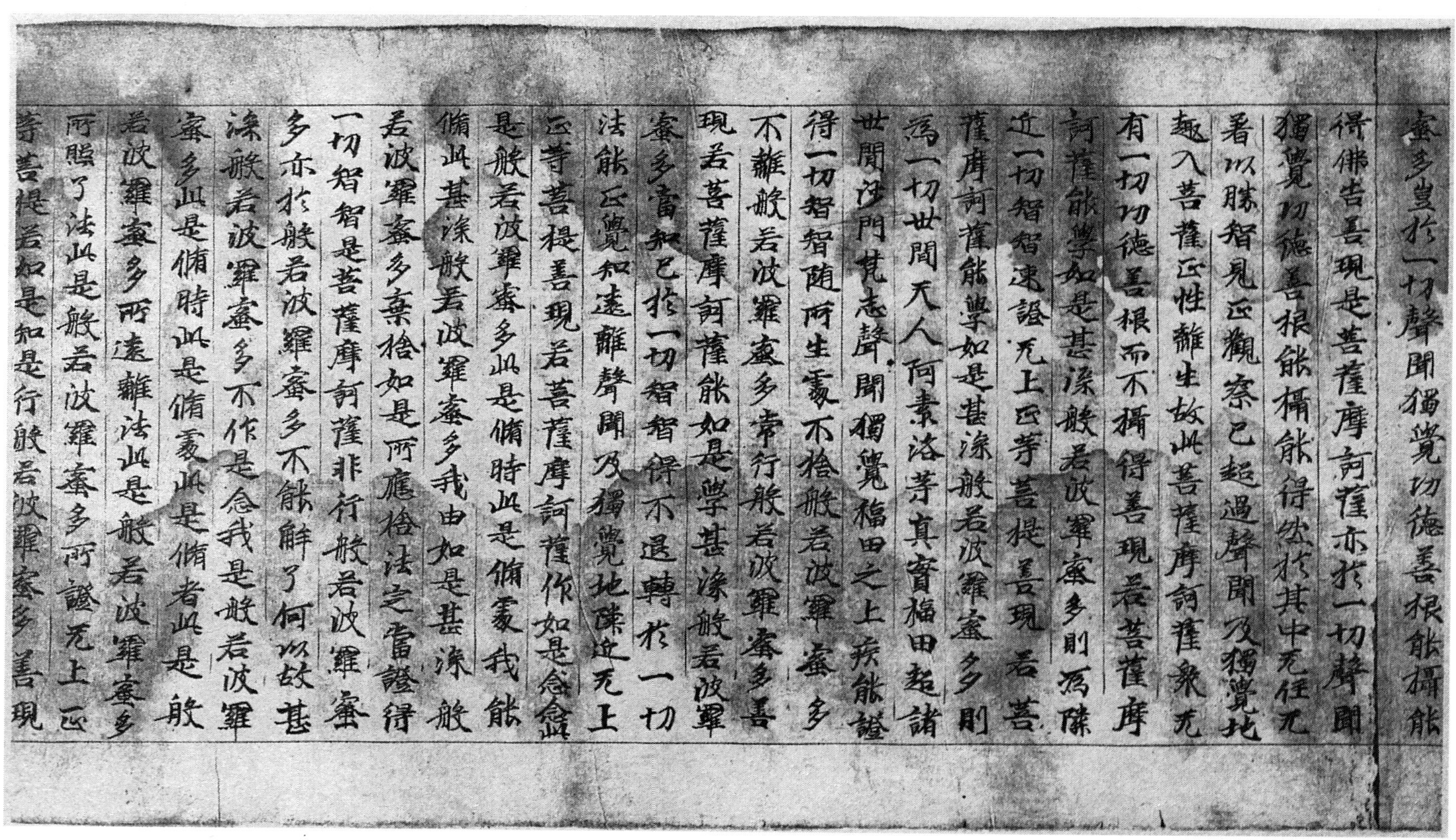
蜜多豈於一切聲聞獨覺功德善根能攝能
得佛告善現是菩薩摩訶薩亦於一切聲聞
獨覺功德善根能攝能得然於其中无住无
著以勝智見正觀察已超過聲聞及獨覺地
趣入菩薩正性離生故此菩薩摩訶薩衆无
有一切功德善根而不攝得善現若菩薩摩
訶薩能學如是甚深般若波羅蜜多則爲隣
近一切智智速證无上正等菩提善現若菩
薩摩訶薩能學如是甚深般若波羅蜜多則
爲一切世間天人阿素洛等真實福田超諸
世間沙門梵志聲聞獨覺福田之上疾能證
得一切智智隨所生處不捨般若波羅蜜多
不離般若波羅蜜多常行般若波羅蜜多善
現若菩薩摩訶薩能如是學甚深般若波羅
蜜多當知已於一切智智得不退轉於一切
法能正覺知遠離聲聞及獨覺地隣近无上
正等菩提善現若菩薩摩訶薩作如是念此
是般若波羅蜜多此是脩時此是脩處我能
脩此甚深般若波羅蜜多我由如是甚深般
若波羅蜜多棄捨如是所應捨法定當證得
一切智智是菩薩摩訶薩非行般若波羅蜜
多亦於般若波羅蜜多不能解了何以故甚
深般若波羅蜜多不作是念我是般若波羅
蜜多此是脩時此是脩處此是脩者此是般
若波羅蜜多所遠離法此是般若波羅蜜多
所照了法此是般若波羅蜜多所證无上正
等菩提若如是知是行般若波羅蜜多善現

BD02999號　大般若波羅蜜多經卷四五六　（21–3）

法般若波羅蜜多不作是念我是般若波羅
蜜多此是脩時此是脩處此是脩者此是般
若波羅蜜多所遠離法此是般若波羅蜜多
所證了法此是般若波羅蜜多所證无上正
等菩提若如是知如是行般若波羅蜜多善現
若菩薩摩訶薩作如是念此非般若波羅蜜多
此非脩時此非脩處此非脩者非由般若
波羅蜜多遠離一切所應捨法非由般若波
羅蜜多定能證得一切智智所以者何以一切
法皆住真如法界法性不虛妄性不變異性
平等性離生性法定法住實際虛空界不思
議界此中一切皆无差別善現若菩薩摩訶
薩能如是行是行般若波羅蜜多

第二分无分別品第六十三

尒時天帝釋竊作是念若菩薩摩訶薩脩行
般若波羅蜜多乃至布施波羅蜜多安住內
空乃至无性自性空安住真如乃至不思議
界安住苦集滅道聖諦脩行四念住乃至八
聖道支脩行四靜慮四无量四无色定脩行
八解脫乃至十遍處脩行空无相无願解脫
門脩行極喜地乃至法雲地脩行一切陀羅
尼門三摩地門脩行五眼六神通脩行如來
十力乃至十八佛不共法脩行无忘失法恒
住捨性脩行一切智道相智一切相智脩行
菩薩摩訶薩行脩行无上正等菩提尚起一
切有情之上况得无上正等菩提若諸有情
聞說一切智智名字心生信解尚為獲得人

BD02999號　大般若波羅蜜多經卷四五六　（21–4）

住捨性脩行一切智道相智一切相智脩行
菩薩摩訶薩行脩行无上正等菩提尚起一
切有情之上况得无上正等菩提若諸有情
聞說一切智智名字心生信解尚為獲得人
中善利及得世間最勝壽命况發无上正等
覺心或常聽聞如是般若波羅蜜多甚深經
典若諸有情能發无上正等覺心聽聞般若
波羅蜜多甚深經典諸餘有情皆應顧樂所
獲功德世間天人阿素洛等不能及故時天
帝釋作是念已即取天上微妙音花奉散如
來應正等覺及諸菩薩摩訶薩衆既散花已
作是願言若菩薩乘諸善男子善女人等求
趣无上正等菩提以我所集功德善根令彼
所求无上佛法一切智智速得圓滿以我所
集功德善根令彼所求自然人法真无漏法
速得圓滿以我所集功德善根令彼一切所
欲聞法皆速圓滿以我所集功德善根若求
聲聞獨覺乘者亦令所願疾得滿足作是願
已即白佛言世尊若菩薩乘諸善男子善女
人等已發无上正等覺心我終不生一念異意
令其退轉大菩提心我亦不生一念異意
令諸菩薩摩訶薩衆猒離无上正等菩提退
住聲聞獨覺等地世尊若菩薩摩訶薩已於
无上正等菩提心生欣樂我願彼心倍復增
進疾證无上正等菩提願彼菩薩摩訶薩衆
見生死中種種苦已為欲利樂世間天人阿

BD02999號　大般若波羅蜜多經卷四五六　（21–5）

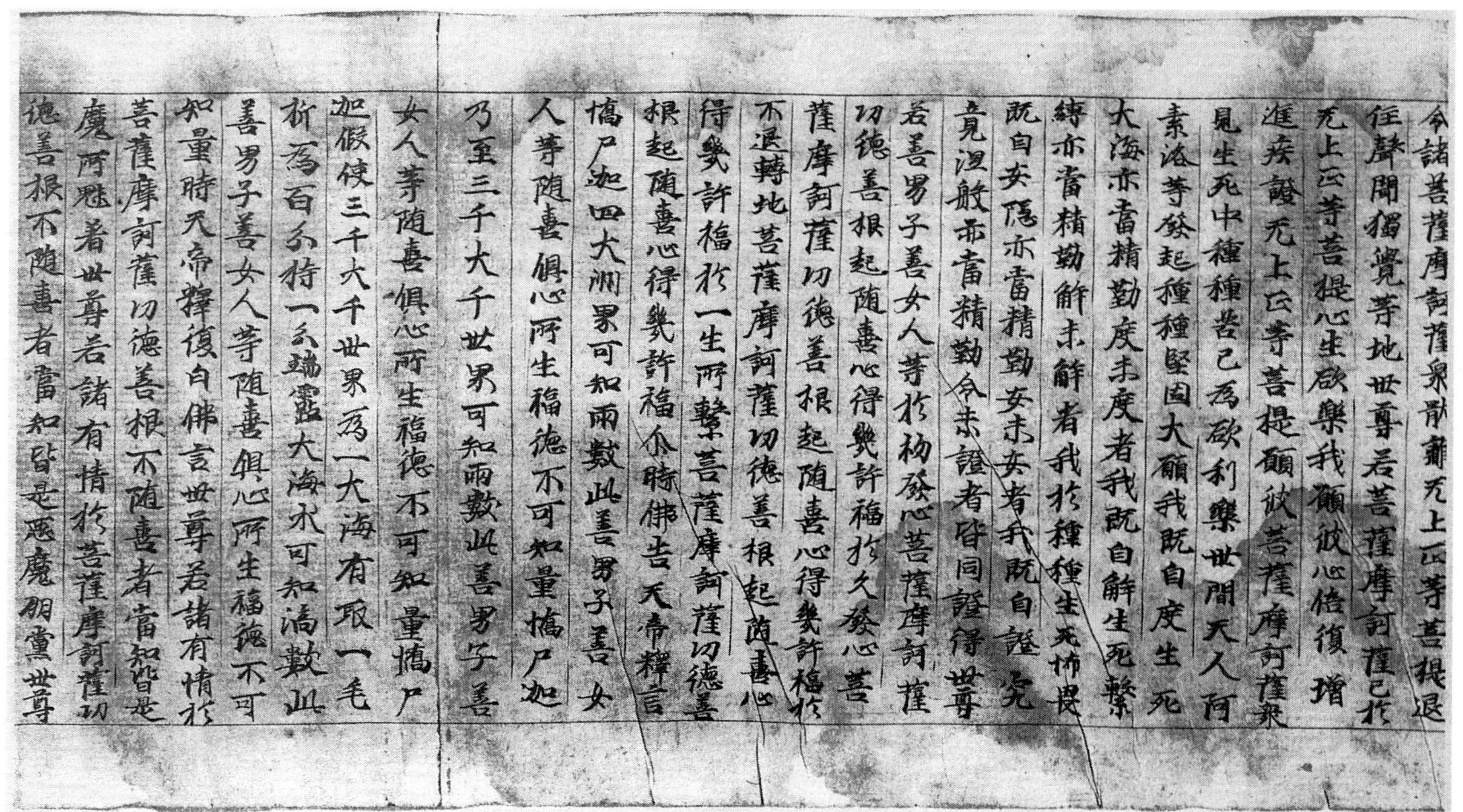

令諸菩薩摩訶薩衆散壞无上正等菩提退
住聲聞獨覺等地世尊若菩薩摩訶薩已於
无上正等菩提心生欣樂我願彼心倍復增
進疾證无上正等菩提願彼菩薩摩訶薩衆
見生死中種種苦已為欲利樂世間天人阿
素洛等發起種種堅固大願我既自度生死
大海亦當精勤度未度者我既自解生死繫
縛亦當精勤解未解者我於種種生死怖畏
既自安隱亦當精勤安未安者我既自證究
竟涅槃亦當精勤令未證者皆同證得世尊
若善男子善女人等於初發心菩薩摩訶薩
功德善根起隨喜心得幾許福於久發心菩
薩摩訶薩功德善根起隨喜心得幾許福於
不退轉地菩薩摩訶薩功德善根起隨喜心
得幾許福於一生所繫菩薩摩訶薩功德善
根起隨喜心得幾許福尒時佛告天帝釋言
憍尸迦四大洲界可知兩數此善男子善女
人等隨喜俱心所生福德不可知量憍尸迦
乃至三千大千世界可知兩數此善男子善
女人等隨喜俱心所生福德不可知量憍尸
迦假使三千大千世界為一大海有取一毛
析為百分持一分端霑大海水可知渧數此
善男子善女人等隨喜俱心所生福德不可
知量時天帝釋復白佛言世尊若諸有情於
菩薩摩訶薩功德善根不隨喜者當知皆是
魔所魅著世尊若諸有情於菩薩摩訶薩功
德善根不隨喜者當知皆是惡魔朋黨世尊

BD02999號　大般若波羅蜜多經卷四五六　（21–6）

析為百分持一分端霑大海水可知渧數此
善男子善女人等隨喜俱心所生福德不可
知量時天帝釋復白佛言世尊若諸有情於
菩薩摩訶薩功德善根不隨喜者當知皆是
魔所魅著世尊若諸有情於菩薩摩訶薩功
德善根不隨喜者當知皆是惡魔朋黨世尊
若諸有情於菩薩摩訶薩功德善根不隨喜
者當知皆從魔界中沒來生此間所以者何
若菩薩摩訶薩求趣无上正等菩提脩諸菩
薩摩訶薩行若諸有情於彼菩薩摩訶薩衆
功德善根隨喜迴向皆能破壞一切魔軍宮
殿眷屬世尊若諸有情深心敬愛佛法僧寶
隨所生處常欲見佛常欲聞法常欲遇僧於
諸菩薩摩訶薩衆功德善根應生隨喜既隨
喜已迴向无上正等菩提而不應生二无二
想若能如是疾證无上正等菩提利樂有情
破魔軍衆尒時佛告天帝釋言如是如是如
汝所說憍尸迦若諸有情於菩薩摩訶薩功德
善根深心隨喜迴向无上正等菩提是諸
有情速能圓滿諸菩薩行疾證无上正等菩提
若諸有情於菩薩摩訶薩功德善根深心
隨喜迴向无上正等菩提是諸有情具大威
力常能奉事一切如來應正等覺及善知識
恒聞般若波羅蜜多甚深經典善知義趣憍
尸迦是諸有情成就如是隨喜迴向功德善根
隨所生處常為一切世間天人阿素洛等供養
恭敬尊重讚歎不覩惡色不聞惡聲不齅

BD02999號　大般若波羅蜜多經卷四五六　（21–7）

力常能奉事一切如來應正等覺及善知識
恒聞般若波羅蜜多甚深經典善知義趣憍
尸迦是諸有情成就如是隨喜迴向功德善根
隨所生處常為一切世間天人阿素洛等供養
恭敬尊重讚歎不覩惡色不聞惡聲不齅
惡香不嘗惡味不覺惡觸不退惡法常不遠
離諸佛世尊從一佛國趣一佛國親近諸佛
種諸善根成熟有情嚴淨佛土何以故憍尸
迦是諸有情能於无數最初發心菩薩摩訶
薩功德善根深心隨喜迴向无上正等菩提
能於无數已住初地乃至十地菩薩摩訶薩
功德善根深心隨喜迴向无上正等菩提能
於无數一生所繫菩薩摩訶薩功德善根深
心隨喜迴向无上正等菩提由此因緣是諸
有情善根增進速證无上正等菩提既證无
上正等菩提能盡未來如實利樂无量无數
无邊有情令住无餘般涅槃界以是故憍尸
迦住菩薩乘諸善男子善女人等於初發心
菩薩摩訶薩功德善根於久發心菩薩摩訶
薩功德善根於不退轉地菩薩摩訶薩功德
善根於一生所繫菩薩摩訶薩功德善根皆
應隨喜迴向无上正等菩提於生隨喜及迴
向時不應執著即心離心隨喜迴向不應執
著即心脩行離心脩行若能如是无所執著
隨喜迴向脩諸菩薩摩訶薩行速證无上正
等菩提能盡未來利益安樂諸有情眾皆令
安樂究竟涅槃

BD02999號　大般若波羅蜜多經卷四五六　（21–8）

隨喜迴向脩諸菩薩摩訶薩行速證无上正
等菩提能盡未來利益安樂諸有情眾皆令
安樂究竟涅槃
尒時具壽善現白佛言世尊如佛所說諸法
如幻乃至諸法如變化事云何菩薩摩訶薩
以如幻心能證无上正等菩提佛告善現於
意云何汝見菩薩摩訶薩等如幻心不善現
對曰不也世尊我不見幻亦不見有如幻之
心佛告善現於意云何若處无幻无如幻心
汝見有是心能證无上正等菩提不善現對
曰不也世尊我都不見有處无幻无如幻心
更有是心能證无上正等菩提佛告善現於
意云何若處離幻離如幻心汝見有是法能
證无上正等菩提不善現對曰不也世尊我
都不見有處離幻離如幻心更有是心法能證
无上正等菩提世尊我都不見即離心法說
何等法是有是无以一切法畢竟遠離故若
一切法畢竟遠離者不可施設此法是有此
法是无若法不可施設有无則不可說能證
无上正等菩提非无所有法能證菩提故所
以者何以一切法皆无所有性不可得无生
无滅无染无淨何以故世尊般若波羅蜜多
乃至布施波羅蜜多畢竟遠離故由空乃至
无性自性空畢竟遠離故真如乃至不思議
界畢竟遠離故苦集滅道聖諦畢竟遠離故
四念住乃至八聖道支畢竟遠離故四靜慮四

BD02999號　大般若波羅蜜多經卷四五六　（21–9）

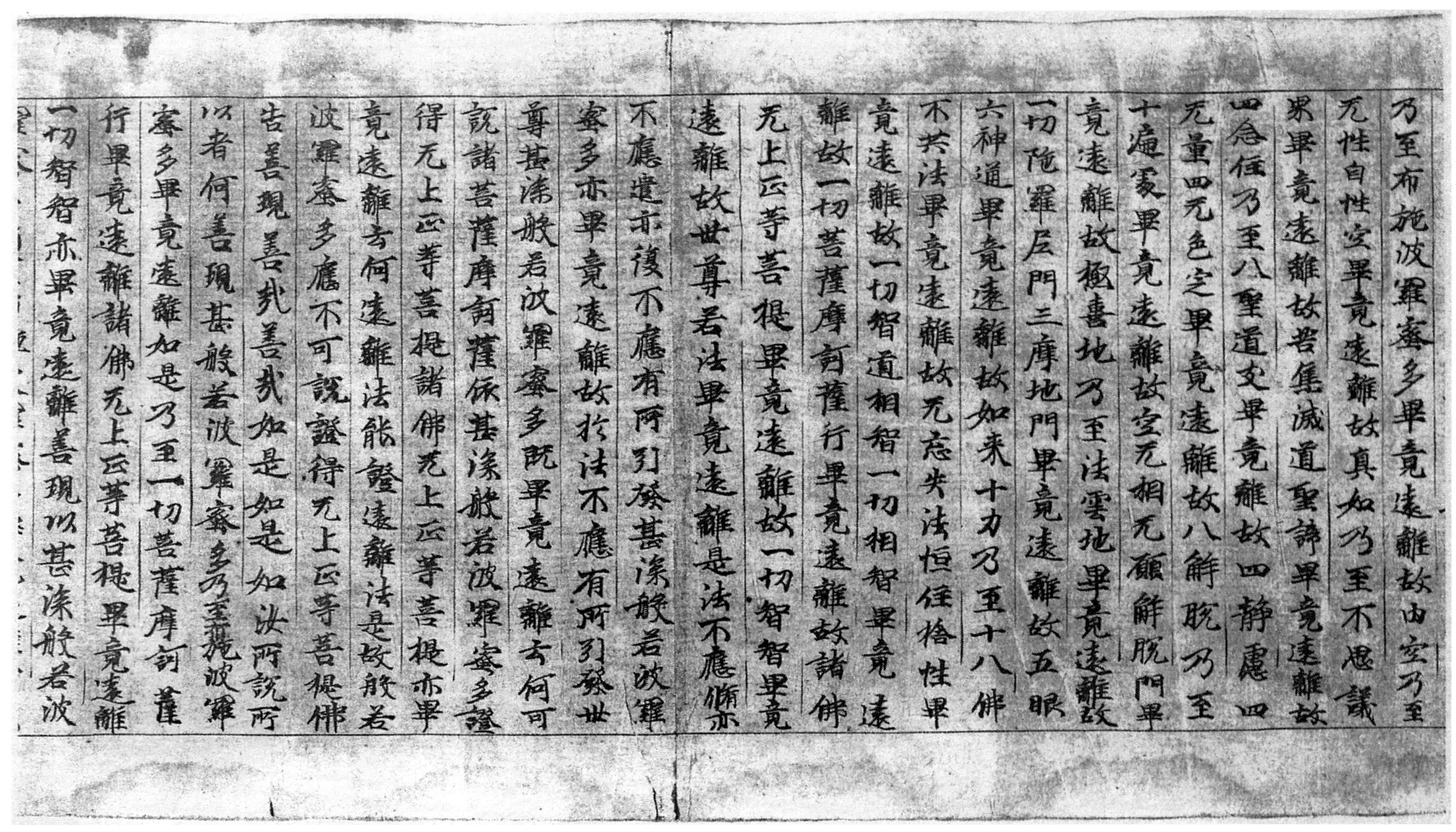
乃至布施波羅蜜多畢竟遠離故由空乃至
无性自性空畢竟遠離故真如乃至不思議
界畢竟遠離故苦集滅道聖諦畢竟遠離故
四念住乃至八聖道支畢竟離故四靜慮四
无量四无色定畢竟遠離故八解脫乃至
十遍處畢竟遠離故空无相无願解脫門畢
竟遠離故極喜地乃至法雲地畢竟遠離故
一切陀羅尼門三摩地門畢竟遠離故五眼
六神通畢竟遠離故如來十力乃至十八佛
不共法畢竟遠離故无忘失法恒住捨性畢
竟遠離故一切智道相智一切相智畢竟遠
離故一切菩薩摩訶薩行畢竟遠離故諸佛
无上正等菩提畢竟遠離故一切智智畢竟
遠離故世尊若法畢竟遠離是法不應修亦
不應遣亦復不應有所引發甚深般若波羅
蜜多亦畢竟遠離故於法不應有所引發世
尊甚深般若波羅蜜多既畢竟遠離云何可
說諸菩薩摩訶薩依甚深般若波羅蜜多證
得无上正等菩提諸佛无上正等菩提亦畢
竟遠離云何遠離法能證遠離法是故般若
波羅蜜多應不可說證得无上正等菩提佛
告善現善哉善哉如是如是如汝所說所
以者何善現甚般若波羅蜜多乃至布施波羅
蜜多畢竟遠離如是乃至一切菩薩摩訶薩
行畢竟遠離諸佛无上正等菩提畢竟遠離
一切智智亦畢竟遠離善現以甚深般若波

BD02999 號　大般若波羅蜜多經卷四五六　（21–10）

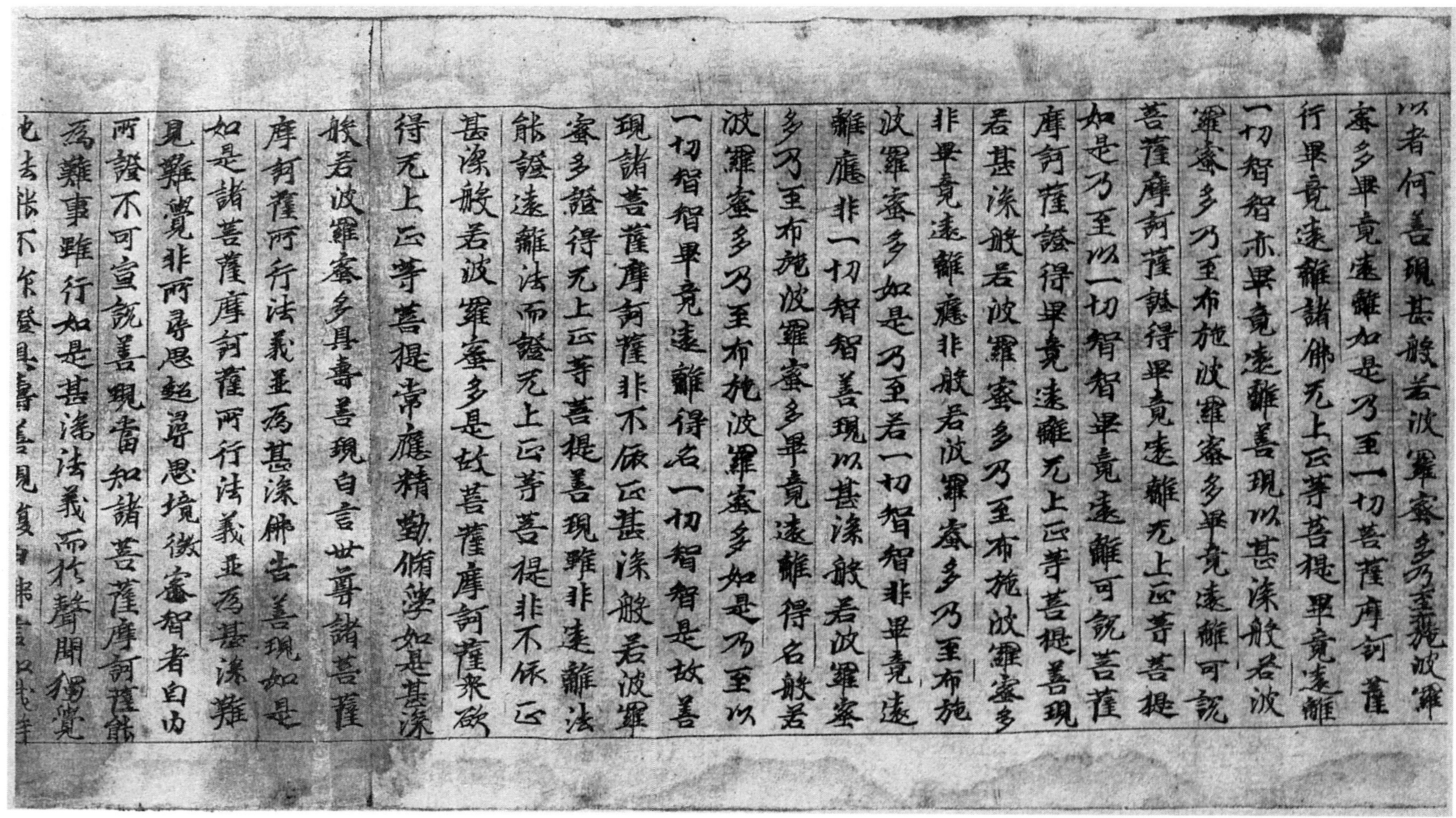
以者何善現甚般若波羅蜜多乃至布施波羅
蜜多畢竟遠離如是乃至一切菩薩摩訶薩
行畢竟遠離諸佛无上正等菩提畢竟遠離
一切智智亦畢竟遠離善現以甚深般若波
羅蜜多乃至布施波羅蜜多畢竟遠離可說
菩薩摩訶薩證得畢竟遠離无上正等菩提
如是乃至以一切智智畢竟遠離可說菩薩
摩訶薩證得畢竟遠離无上正等菩提善現
若甚深般若波羅蜜多乃至布施波羅蜜多
非畢竟遠離應非般若波羅蜜多乃至布施
波羅蜜多如是乃至若一切智智非畢竟遠
離應非一切智智善現以甚深般若波羅蜜
多乃至布施波羅蜜多畢竟遠離得名般若
波羅蜜多乃至布施波羅蜜多如是乃至以
一切智智畢竟遠離得名一切智智是故善
現諸菩薩摩訶薩非不依止甚深般若波羅
蜜多證得无上正等菩提善現雖非遠離法
能證遠離法而證无上正等菩提非不依止
甚深般若波羅蜜多是故菩薩摩訶薩眾欲
得无上正等菩提常應精勤修學如是甚深
般若波羅蜜多具壽善現白言世尊諸菩薩
摩訶薩所行法義甚為甚深佛告善現如是
如是諸菩薩摩訶薩所行法義甚為甚深難
見難覺非所尋思超尋思境微審智者自內
所證不可宣說善現當知諸菩薩摩訶薩能
為難事雖行如是甚深法義而於聲聞獨覺

BD02999 號　大般若波羅蜜多經卷四五六　（21–11）

如是諸菩薩摩訶薩所行深義甚深法義難
見難覺非所尋思超尋思境微審智者内
所證不可宣說善現當知諸菩薩摩訶薩能
爲難事雖行如是甚深法義而於聲聞獨覺
地法能不作證具壽善現復白佛言如我解
佛所說義者諸菩薩摩訶薩所作无難不應
說彼能爲難事所以者何諸菩薩摩訶薩所
證法義都不可得能證般若波羅蜜多亦不
可得證法證者證處證時亦不可得世尊諸
菩薩摩訶薩觀一切法既不可得有何法義
可爲所證有何般若波羅蜜多可爲能證復
有何等而可施設證法證者證處證時既本
云何可執由此證得无上正等菩提无上正
等菩提尚不可證況證聲聞獨覺地法世尊
若如是行是名菩薩无所得行若菩薩摩訶
薩能行如是无所得行於一切法无障无㝵
世尊若菩薩摩訶薩聞說此語其心不驚不
恐不怖不憂不悔不沉不沒是行般若波羅
蜜多世尊是菩薩摩訶薩如是行時不見諸
相不見我行不見不行不見般若波羅蜜多
是我所行不見无上正等菩提是我所證亦
復不見證時處等世尊是菩薩摩訶薩行深
般若波羅蜜多不作是念我遠聲聞獨覺
等地我近无上正等菩提世尊譬如虛空不作
是念我去彼法若遠若近何以故虛空无動
亦无差別无分別故諸菩薩摩訶薩亦復如
是行深般若波羅蜜多不作是念我遠聲聞

BD02999號　大般若波羅蜜多經卷四五六　（21–12）

等地我近无上正等菩提世尊譬如虛空不作
是念我去彼法若遠若近何以故虛空无動
亦无差別无分別故諸菩薩摩訶薩亦復如
是行深般若波羅蜜多不作是念我遠聲聞
獨覺等地我近无上正等菩提何以故甚深
般若波羅蜜多於一切法无分別故世尊譬
如幻士不作是念幻質幻師觀衆去我若遠
若近何以故所幻之士无分別故諸菩薩摩
訶薩亦復如是行深般若波羅蜜多不作是
念我遠聲聞獨覺等地我近无上正等菩提
何以故甚深般若波羅蜜多於一切法无分
別故世尊譬如影像不作是念我去本質及
我所依若遠若近何以故所現影像无分別
故諸菩薩摩訶薩亦復如是行深般若波羅
蜜多不作是念我遠聲聞獨覺等地我近无
上正等菩提何以故甚深般若波羅蜜多於
一切法无分別故世尊行深般若波羅蜜多
諸菩薩摩訶薩无愛无憎何以故甚深般若
波羅蜜多若愛若憎及境自性不可得故世
尊如諸如來應正等覺於一切法无愛无憎
行深般若波羅蜜多諸菩薩摩訶薩亦復如
是於一切法无愛无憎何以故諸佛菩薩甚
深般若波羅蜜多愛憎斷故世尊如諸如來
應正等覺一切分別種種分別周遍分別皆
畢竟斷行深般若波羅蜜多諸菩薩摩訶薩
亦復如是一切分別種種分別周遍分別皆
畢竟斷何以故諸佛菩薩甚深般若波羅蜜

BD02999號　大般若波羅蜜多經卷四五六　（21–13）

應正等覺一切分別種種分別周遍分別皆
畢竟斷行深般若波羅蜜多諸菩薩摩訶薩
亦復如是一切分別種種分別周遍分別皆
畢竟斷何以故諸佛菩薩甚深般若波羅蜜
多於一切法无分別故世尊如諸如來應正
等覺不作是念我遠聲聞獨覺等地我近无
上正等菩提行深般若波羅蜜多諸菩薩摩
訶薩亦復如是不作是念我遠聲聞獨覺等
地我近无上正等菩提何以故諸菩薩甚深
般若波羅蜜多於一切法无分別故世尊
如諸如來應正等覺所變化者不作是念我
遠聲聞獨覺等地我近无上正等菩提以
故一切如來應正等覺及所變化无分別故
行深般若波羅蜜多諸菩薩摩訶薩亦復如
是不作是念我遠聲聞獨覺等地我近无上
正等菩提何以故甚深般若波羅蜜多於一
切法无分別故世尊如諸佛等所有所作化
作化者令作彼事而所化者不作是念我能
造作如是事業何以故諸所化者於所作業
无分別故甚深般若波羅蜜多亦復如是有
所為故而勤脩習既脩習已雖能成辦所作
事業而於所作无所分別何以故甚深般若
波羅蜜多法尒於法无分別故世尊如巧工
匠或彼弟子有所為故造諸機關或女或男
或象馬等此諸機關雖有所作而於彼事无
所分別何以故機關法尒无分別故甚深般

波羅蜜多法尒於法无分別故世尊如巧工
匠或彼弟子有所為故造諸機關或女或男
或象馬等此諸機關雖有所作而於彼事无
所分別何以故機關法尒无分別故甚深般
若波羅蜜多亦復如是有所為故而成立之
既成立已雖能成辦所作所說而於其中都
无分別何以故甚深般若波羅蜜多法尒於
法无分別故
時舍利子問善現言為但般若波羅蜜多无
分別為靜慮精進安忍淨戒布施波羅蜜多
亦无分別善現荅言非但般若波羅蜜多无
分別靜慮精進安忍淨戒布施波羅蜜多亦
无分別舍利子言為但六波羅蜜多无分別
為色受想行識亦无分別為眼處乃至意處
亦无分別為色處乃至法處亦无分別為眼
界乃至意界亦无分別為色界乃至法界亦
无分別為眼識界乃至意識界亦无分別為
眼觸乃至意觸亦无分別為眼觸為緣所生
諸受乃至意觸為緣所生諸受亦无分別為
地界乃至識界亦无分別為无明乃至老死
亦无分別為內空乃至无性自性空亦无分
別為真如乃至不思議界亦无分別為苦集
滅道聖諦亦无分別為四靜慮四无量四无
色定亦无分別為八解脫乃至十遍處亦无
分別為四念住乃至八聖道支亦无分別為
空无相无願解脫門亦无分別為淨觀地乃至
如來地亦无分別為極喜地乃至法雲地亦

別爲真如乃至不思議界亦无分別爲苦集
滅道聖諦亦无分別爲四靜慮四无量四无
色定亦无分別爲八解脫乃至十遍處亦
无分別爲四念住乃至八聖道支亦无分別爲
空无相无願解脫門亦无分別爲淨觀地乃至
如來地亦无分別爲極喜地乃至法雲地亦
无分別爲一切陁羅尼三摩地門亦无分
別爲五眼六神通亦无分別爲如來十力乃
至十八佛不共法亦无分別爲无忘失法恒
住捨性亦无分別爲一切智道相智一切相
智亦无分別爲預流果乃至獨覺菩提亦无
分別爲一切菩薩摩訶薩行亦无分別爲諸
佛无上正等菩提亦无分別爲有爲界亦无
分別爲无爲界亦无分別善現荅言非但六
波羅蜜多无分別色亦无分別受想行識亦
无分別乃至有爲界亦无分別无爲界亦无
分別舍利子言若一切法皆无分別云何分
別五趣差別謂是地獄是傍生是鬼界是人
是天云何分別聖者差別謂是預流是一來
是不還是阿羅漢是獨覺是菩薩是如來善
現荅言有情顛倒煩惱因緣起種種身語意
業由此感得欲爲根本業異熟果依此施
設地獄傍生鬼界人天五趣差別又所問言
云何分別聖者差別者舍利子无分別故施設
預流及預流果无分別故施設一來及一來
果无分別故施設不還及不還果无分別故
施設阿羅漢及阿羅漢果无分別故施設獨

BD02999號　大般若波羅蜜多經卷四五六　（21–16）

設地獄傍生鬼界人天五趣差別又所問言
云何分別聖者差別者舍利子无分別故施設
預流及預流果无分別故施設一來及一來
果无分別故施設不還及不還果无分別故
施設阿羅漢及阿羅漢果无分別故施設獨
覺及獨覺菩提无分別故施設菩薩摩訶薩
及菩薩摩訶薩行无分別故施設如來應正
等覺及彼无上正等菩提舍利子過去如來
應正等覺由无分別分別斷故可施設有種
種差別未來如來應正等覺亦无分別分
別斷故可施設有種種差別現在十方諸佛世
界一切如來應正等覺現說法者亦无分別
分別斷故可施設有種種差別舍利子由是
因緣當知諸法皆无分別由无分別真如法
界廣說乃至不思議界爲定量故舍利子諸
菩薩摩訶薩應行如是无所分別甚深般若
波羅蜜多若菩薩摩訶薩能行如是无所分
別甚深般若波羅蜜多便能證得无所分別
微妙无上正等菩提覺一切法无分別性盡
未來際利樂有情
第二分堅非堅品第六十四
時舍利子問善現言諸菩薩摩訶薩脩行般
若波羅蜜多爲行堅法爲行非堅法善現荅
言諸菩薩摩訶薩脩行般若波羅蜜多行非
堅法不行堅法何以故舍利子般若波羅蜜
多乃至布施波羅蜜多非堅法故內空乃至
无性自性空非堅法故真如乃至不思議界

BD02999號　大般若波羅蜜多經卷四五六　（21–17）

言諸菩薩摩訶薩脩行般若波羅蜜多行非
堅法不行堅法何以故舍利子般若波羅蜜
多乃至布施波羅蜜多非堅法故内空乃至
无性自性空非堅法故真如乃至不思議界
非堅法故苦集滅道聖諦非堅法故四念住
乃至八聖道支非堅法故四靜慮四无量四
无色定非堅法故八解脫乃至十遍處非堅
法故空无相无願解脫門非堅法故極喜地
乃至法雲地非堅法故一切陁羅尼門三摩
地門非堅法故五眼六神通非堅法故如来
十力乃至十八佛不共法非堅法故无忘失
法恒住捨捨性非堅法故一切智道相智一切
相智非堅法故一切菩薩摩訶薩行非堅法
故諸佛无上正等菩提非堅法故一切智智
非堅法故所以者何諸菩薩摩訶薩行深般若
波羅蜜多時於深般若波羅蜜多尚不見
有非堅可得況見有堅可得如是乃至行一
切智智時於一切智智尚不見有非堅可得
況見有堅可得時有无量欲色界天咸作是
念住菩薩乘諸善男子善女人等能發无上
正等覺心如深般若波羅蜜多所說義行不
證實際平等法性不隨聲聞及獨覺地由此
因緣是善男子善女人等甚為希有能為難
事應當敬礼尒時善現知彼諸天子心之所念
便告彼曰是善男子善女人等不證實際平
等法性不隨聲聞及獨覺地非甚希有亦未
為難若菩薩摩訶薩知一切法及諸有情皆

BD02999號　大般若波羅蜜多經卷四五六　（21–18）

事應當敬礼尒時善現知彼諸天子心之所念
便告彼曰是善男子善女人等不證實際平
等法性不隨聲聞及獨覺地非甚希有亦未
為難若菩薩摩訶薩知一切法及諸有情皆
不可得而發无上正等覺心被精進甲擐度
无量无邊有情令入无餘般涅槃界是菩薩
摩訶薩乃甚希有能為難事諸天當知若菩
薩摩訶薩雖知有情都无所有而發无上正
等覺心被精進甲為欲調伏諸有情類督
為欲調伏虛空所以者何虛空離故當知一
切有情亦離虛空空故當知一切有情亦空
虛空非堅實故當知一切有情亦非堅實虛
空无所有故當知一切有情亦无所有由此
因緣是菩薩摩訶薩乃甚希有能為難事
諸天當知是菩薩摩訶薩被大悲甲為欲調伏
一切有情而諸有情都无所有如有被甲與
虛空戰諸天當知是菩薩摩訶薩被大悲甲
為欲利樂一切有情而諸有情及大悲甲俱
不可得所以者何有情離故此大悲甲當知
亦離有情空故此大悲甲當知亦空有情非
堅實故此大悲甲當知亦非堅實有情无所
有故此大悲甲當知亦无所有諸天當知是
菩薩摩訶薩調伏利樂諸有情事亦不可得
所以者何有情離空非堅實无所有故此調
伏利樂事當知亦離空非堅實无所有諸天
當知是菩薩摩訶薩亦无所有所以者何有
情離空非堅實无所有故當知菩薩亦離空

BD02999號　大般若波羅蜜多經卷四五六　（21–19）

所以者何有情離空非堅實无所有故此調
伏利樂事當知亦離空非堅實无所有諸天
當知是菩薩摩訶薩亦无所有所以者何有
情離空非堅實无所有故當知菩薩亦離空
非堅實无所有諸天當知若菩薩摩訶薩聞
如是事其心不驚不恐不怖不憂不悔不沉
不沒當知是菩薩摩訶薩行深般若波羅蜜
多所以者何諸色離即有情離受想行識離
即有情離眼處乃至意處離即有情離色處
乃至法處離即有情離眼界乃至意界離即
有情離色界乃至法界離即有情離眼識界
乃至意識界離即有情離眼觸乃至意觸離
即有情離眼觸為緣所生諸受乃至意觸為
緣所生諸受離即有情離地界乃至識界離
即有情離因緣乃至增上緣離即有情離无
明乃至老死離即有情離布施波羅蜜多乃
至般若波羅蜜多離即有情離內空乃至无
性自性空離即有情離真如乃至不思議界
離即有情離苦集滅道聖諦離即有情離四
念住乃至八聖道支離即有情離四靜慮四
无量四无色定離即有情離八解脫乃至十
遍處離即有情離空无相无願解脫門離即
有情離淨觀地乃至如來地離即有情離極
喜地乃至法雲地離即有情離一切陀羅尼
門三摩地門離即有情離五眼六神通離即
有情離如來十力乃至十八佛不共法離即
有情離三十二大士相八十隨好離即有情

BD02999號　大般若波羅蜜多經卷四五六　（21–20）

性自性空離即有情離真如乃至不思議界
離即有情離苦集滅道聖諦離即有情離四
念住乃至八聖道支離即有情離四靜慮四
无量四无色定離即有情離八解脫乃至十
遍處離即有情離空无相无願解脫門離即
有情離淨觀地乃至如來地離即有情離極
喜地乃至法雲地離即有情離一切陀羅尼
門三摩地門離即有情離五眼六神通離即
有情離如來十力乃至十八佛不共法離即
有情離三十二大士相八十隨好離即有情
離无忘失法恒住捨性離即有情離一切智
道相智一切相智離即有情離預流果乃
至獨覺菩提離即有情離一切菩薩摩訶薩行
離即有情離諸佛无上正等菩提離即有情
離一切智智離即有情離

大般若波羅蜜多經卷第四百五十六

BD02999號　大般若波羅蜜多經卷四五六　（21–21）

出大丈夫論文中
財貨虛滅法 散盡惠施 出阿含經
悲心多者雖施金玉輕於草木慳心多
慈悲心少者雖有財寶無有施處心懷悲苦慳
財物有悲心者無財惠施見乞人不
悲言無悲隨隨流 出大丈夫論中
一切衆事具 莫不由施成 施是生道 出世之胎胞
夫財貨寶物在家者非我物施於福田中是我物何以故物施以後寶
慳守在家者不堅守物施已後永世樂在家者少時樂
出優婆塞論 惜財不布施 積悲人知 捨身空手去
餓鬼中受飢 出尼乾子經 夫有財貨者 可施福田中
可具福德 可除罪 可度難 可救厄 可致道 若不與福 謝後
盡留於世 布施者今現在世有十倍報後世有億倍報
不可計數 布施現世所向諸偶常得擁護 出惠法經中 種好布施
天神自扶 得施一得万倍安樂壽命長 出輪轉五道經文中 善種得大
施者恐受之何以故見諸衆生慳貪无有施心為作利益令使快樂受財已
為供養佛法僧給施飢餓之隨所施處而為說法 出寶要經 施於福田中
猶如堅牢藏 王賊及水火 無有能侵奪 出阿含經

BD03000號　衆經要攬並序

天神自扶　得施一得万倍安樂壽命長　出輪轉五道經文中　菩薩得大涅槃
施皆悉受之何以故見諸衆生慳貪无有施心爲作利益令使快樂受財已
爲供養佛法僧給施貧乏随所施處而爲說法出寶要經施於福田中
猶如堅牢藏　王賊及水火　無有能侵奪　出阿含經
布施之報千世受福六天之中往返十倒六種施一者施畜生百倍
報二者施闡提千倍報三者施斷結人无量報四者施持戒人百千
倍報五者施四果人无量報六者施菩薩佛无邊報佛言我說今
別功徳言有果報多少若人慈悲憐愍心施畜生及貧窮
人施与我一等无有差別出銀色女經中　佛言若菩薩之人若
少財時先濟貧窮困厄人施福果出優婆塞經　老死之所藏
身及所受藏唯有惠施福随己是資糧出阿含經　施食得大力施
衣得妙色施乘得安樂施燈得明目畫館以待賓是名一切施
出阿含經　布施時令三毒微薄施時心无著貪薄於乞者者所生慈
心瞋薄迴向无上道慶薄出長者經　念當廣惠施　終莫斷施心　(當必值賢聖)
度此生死源出老宗經　佛言善男子貧窮之人自說財不能行施是義
不然何以故一切水草无人不有雖是國王不必能施雖是貧窮非不
能施何以故貧窮之人亦有食分食訖洗器棄蕩滌汁施應食
者亦有福若以塵許麨施蟻子亦有福報極貧之人誰當赤身无
衣服者乎若有衣服豈无一縷施人繫創也指許布作燈炷也出優婆
塞經中如盲人无目不能有所見不慳施亦如是　來世无果報或以初食
上或以後食上若不少分施則不應自食出銀色女經　極貧窮无財
者見人作福其身應往助作歡欣无厭亦名施主亦得无量福或時有分或
有与等或有勝者若知作福若遂見聞心生歡欣其心等故所得果
報无有差別出優婆塞經若有貧窮人无財可布施見他
脩施時而生隨喜心隨喜之福報与施等无異出因果經
夫錢財者五家共有福不能獨用是故聞有之時舉在福田

報无有差別出憂婆塞經若有貧窮人无財可布施見他
脩施時而生隨喜心隨喜之福報与施等无異出因果經
夫錢財者五家共有猶不能獨用是故聞有之時舉在福田
藏中以為後世資量粮福田之中牢固不畏朽壞所謂五家者一者
縣官非理來索二者盜賊橫來劫奪 三者忽然為水漂流
四者忽然火起不覺焚燒 五者惡子無理費用出譬喻經中
弥勒菩薩言若有人一日得万兩金不如施持戒比丘一食
昔有比丘剃頭而著家業左抱男右攜女執筭悉而歌儛在街
巷而乞食尒時檀主施者受福无量况復今日持戒比丘至誠
乞食施者得福不可思議出阿舍經
道人數數乞 檀越數數与 天雨數數降 五穀數數熟
婦人數懷妊 數數生男女 一出阿含經 數數生天上 數數受果報
昔有比丘畜一沙弥恒常教令誦經日日課限其經不充者切嘖
之沙弥常懷懊惱諷經雖得又復无食啼哭而行時有長者見
之問其啼意沙弥具荅長者言汝從今已後常詣我家當供
飲食衆沙弥得食无課歡憘佛言尒時師者定光佛是沙弥
者我身是長者今阿難是乃由過去施食令得摠持經典
不忘出賢愚經 尸羅章苐二
夫戒者入道之根源趣聖之津路者也然僧法住世唯持戒爲
若无此戒諸善功德皆不得生佛言菩薩持是具足之戒不
毀不缺不穿不漏欲令三千大千世界皆變爲水或變爲珎寶
或變世界諸山合為一山或變世界大海合為一海即皆如意无
不成就持戒力故所願皆得出自在王經 持戒衆爲梁
身不受諸苦睡眠得安隱一悟則心歡喜出涅槃經中持戒比
丘行步出入左右顧視屈申俯仰執持衣鉢取受飲食左右
便利睡眠覺悟坐立語默於一切時常亦一心不失威儀樂在靜處

不成就持戒力故所願皆得出自在王經持戒家為樂
身不受諸苦睡眠得安隱悟則心歡喜出涅槃經中持戒比
丘行步出入左右顧視屈申俯仰執持衣鉢取受飲食左右
便利睡眠覺悟坐立語默於一切時常念一心不失威儀樂在靜處
其心專善行則知時非時不去量腹而食无所藏積度身而衣趣
足而已法服應器常与身俱猶如飛鳥羽翮隨身出阿含經衣鉢
常知足不取於財寶少欲脩戒行是名真比丘出正法念經中
破戒比丘以他財物自養 其身常於百千万億劫割截身完以償施
主如析一毛為十億分曲不能消一分供養況能消他衣服飲食卧具
醫藥著聖衣服猶常不應入寺一步何況得受一飲之水如是惡比丘
於一切人天世間是大賊出佛藏經 寧以食虵毒及以融銅等終不破
梵行而食於僧食出正法念經若无靜戒者定永則不住渡生死河以
戒為船入善人衆以戒為印出成實論中大健兒者非謂推壬
多力而為健也能去惡就善不毀禁戒是謂眾為健佛言
比丘不承經戒直當黜之如稗害穀耳當除之比丘不善壞我道法
出泥洹經持戒第一樂財物所不及 財當可敗壞持戒常牢固
出正法念經若比丘入他家不与小女處女寡女等共語不獨入他
家若有因緣事須獨入時但一心念佛若為女人說法不露齒笑
不現留臆乃至為法猶不親厚況復餘事亦不樂畜年少沙彌小兒
亦不樂与同師常好坐禪在於閑處脩攝其心出華嚴經
戒如清淨池 王賊及水火 不能劫戒財 是故常脩戒 出正法念經
乞普薄拘羅比丘出家已來八十餘年常乞食未嘗憶受人請未曾
趍越乞食八十年中未曾視盼女人面未曾憶入比丘尼房未曾憶与尼
共相問信乃至道路亦不共語八十年未曾憶倚壁倚樹結跏趺
坐而般涅槃出阿含經中 若人持禁戒為戒衣所覆若有不持
戒裸形如畜生出正法念經中 有戒則有慧有慧則戒清戒能淨

戒如清淨池　王身及水火　不能奪戒財　是故常備戒　出正法念經

乞昔薄拘羅比丘出家已来八十餘年常乞食未嘗憶受人請未曾
超越乞食八十年中未曾視睹女人面未曾憶入比丘尼房未曾憶与比
丘共相問信乃至道路亦不共語八十年未曾憶倚壁倚樹結跏趺
坐而般涅槃出阿含經中　若人持禁戒爲戒衣所覆若有不持
戒裸形如畜生出正法念經中　有戒則有恵有慧則有戒戒能淨
慧慧能淨戒如若坐若衆中讒聞惡語惡法惡聲惡義即應起去
若力能制置
慧慧能淨戒如人洗手右左相須左能淨右右能淨左戒慧相
須須亦復如是出阿含經中　若坐若衆中讒聞惡語惡事惡法惡
聲惡義即應起去若力能制置不教呵而捨去名爲犯戒若
力不能制而住聽者亦名犯戒出持地經　若人不受戒
亦如弓無弦有髓不施桐无戒亦復然出照明經
持戒者復須發菩薩心菩薩心者觀法界衆生猶如
聖人相猶如父母相猶如師長相猶如国王相猶如大家
相行此五相憍慢從何而生出菩薩戒經佛言破戒比丘受
一切人棲足礼者死入地獄利刀割其足佛言鼎鑊滿中沸湯
寧投其中不以破戒之身止住寺中何以故賢者居寺
土其妻子及身材木所有之物特作寺舍使沙門居
居其中欲使得道故也佛言若沙門持具戒於寺止住得取
人衣被飲食醫藥卧具若擅越不与得往從衆之出枯樹
經中持戒比丘夏坐除食及大小便利不得餘行一步何以故恐傷
虫蟻故出正法念經中持戒淨者不得卜問請崇符呪厭(?)亦不得
選擇良日良時受佛禁戒福德人也有所施作當爲三尊佛之玄通无
細不知戒德之人道護爲猿(?)役使諸天天龍鬼神无不敬伏戒
貴則尊无往不吉豈有忌(?)諱不善者也出阿含經　持不煞戒得
[illegible]

要蝶故出正法念經中持戒者不得□服諸□□□□

選擇良日良時受佛禁戒福德人也有所施作當爲三尊佛之玄通无
細不知戒德之人道讒爲㩲促使諸天天龍鬼神无不敬伏戒
貴則尊无往不吉豈有忌諱不善者也出阿含經　持不煞戒得
生第一四天王天持不煞不盜得生第二刀利卅三天持不盜不邪
婬得生第三夜摩天持不煞盜婬妄語得生第四兜率天持五戒得
生第五化樂天已前天業者戒生人中勝報持十善之戒及八戒得生
第六他化自在天持十善得生色界十八淨居等天持二百五十戒及五百
戒得阿羅漢道持十无盡戒期於佛果已前諸戒説分別功德言有階差
漏備習不惓皆具佛果未得阿耨菩提近招人天勝報出正法念經中持齋
法不得乘逆馬帶刀劍持金銀鞭打呪使不得与婦人同床坐同器食
欲意相向婦人持齋亦不得与男子同床等不得聽作伎樂倡
伎衆无事行動諂煞我蟲蟻斫伐生樹出提謂經　昔迦羅國有
一人受佛禁戒後見五欲不得捉意悔心即詣佛所還佛所受之戒而佛
黙然不應言未絶忽有有惡鬼持鐵鎚打其頭脱其衣鉤其舌有蛇
女鬼割其陰又融銅灌其口求生不得求死不得　佛胸日汝今去何其人
暴不能復言但手搏頰佛以威神救度於即得蘇叩頭言我身有五
賊猶我入三惡道遠欲違背所受佛戒從今已後改往脩來奉受佛戒
不敢毀犯出灌頂經文中

羼提章第三　夫行人用心平等无二設
見怨家視如赤子慈心等普平均如一忍他平等如秤蜎飛蠕動行喘息觀
如己身念之如父母能具此事名之爲忍出於沙塞經　忍爲安宅災害
不生忍爲神鎧衆兵不加爲大船可以渡難忍爲良藥能濟衆命忍
者之志何顛不從佛告諸沙門當誦忍經无忘須臾懷之識之誦之宣
之當宣忍德以濟衆生出羅云忍辱經中忍辱第一道佛説无爲最
出家惱他人　不名爲沙門出曇无德律　忍辱者爲道之初門沙門
之法怨不報怨罵不報罵打不報打瞋恚者亦非出家人法形服異俗而瞋

者之志何願不從佛言諸沙門當誦忍經无忘須臾懷之識之誦之宣
之當宣忍德以濟衆生出離要忍辱經中忍辱第一道 佛說无為最
出家惱他人 不名為沙門出要无德律 忍辱者為道之初門沙門
之法矢不報矢罵不報罵打不報打瞋恚者非出家人法形服與俗而頌
心同則非所宜若人打罵又作此念世間身尚應忍受何況打罵也不忍者後
受苦報作如是念享受輕罵
心同則非所宜若人打罵又作此念世間多忍不奪我命已為大幸况打罵如佛
教法比丘若鐵鋸解身尚應忍受何况打罵也不忍者後受苦報作如是念
寧受輕罵勿墮地獄出成實論中 閑勝多怨寐不如抱不寐屠刀負二俱捨
寐恭安隱睡出阿含經 若人橫加傷害於我當自思念我今无罪
當是過去宿業所招是亦應忍復應思念四大假合五衆緣會誰受打
者又觀前人或癡或狂我當愍之云何不忍若有罵詈若訊責者我
應生慚若訊實者无預我事猶如響聲亦如風過无損於我是故
應忍出菩提心經中 懈怠於福事 如復善 如斯之人等 為佛所輕賤
出阿含經 忍辱有四事 一者若人罵者不計音聲 二者若人打者計如无形
三者若又毀辱謂如風吹 四者若人加害常懷大哀出濟道俗經中
三業忍一者身忍若他加害優毀撾打傷損悉能忍受見有受苦衆生以又
身代之二者口忍若見罵者默受不報若非理來呵當濡語附順若有加誣
皆悉忍受 三者意忍若見有瞋恚者心不懷恨若有觸惱其心不亂
若有譏毀心亦无怨 出菩提心經 若人惡口罵詈輕賤譏謗醜聞
鞭杖拷等罪但怨前身不咎於他信業果報心无恚恨 出十住毗婆沙論中
除於瞋恚者而心得无憂瞋恚為毒草能害甘種子出阿含經 瞋恚之
之害劇諸善法壞好名聞今世後世人不喜見當知瞋心甚於猛火出遺教經
應者世世端正為人欽敬隨業受生人相具足如淨蓮華塵水不
著衆所敬仰者有優填王子出家在樹下坐禪時有惡王出遊在

BD03000號　衆經要攢並序

除於瞋恚者亦復不得无憂。瞋恚為毒，莫能害甘獨子出阿含經　瞋恚之
之害，放諸善法，壞好名聞，令世後世人不喜見，當知瞋心甚於猛火。出遺教經
應者世世端正，為人欽敬，隨業受身，主人相貝足如淨蓮華，塵水不
着，眾所敬仰。昔有優填王子出家，在樹下坐禪。時有惡生王出遊在
林，左右所從王妹采女，遊行見道人樹下，請說法言。王趍正見諸妹采女在道人
所，即問道人言：汝得四果不？答言：未。即便搥打，害取諸妹女，言：與道人無過。王輒
瞋盛，諸女懊惱，皆共道人自念言：若我在俗，兵眾不減彼王，今日以我出家單
獨，便見欺打。心欲歸俗，眾辭王，往辭和上。迦旃延和上言：汝今身痛，且
待明旦。時和上夜現夢，令不歸王子夜夢有道，遂然王位，頗(?)兵与惡生王共戰，
不如，為彼王生擒。相象和上救，免覺已，發為怖，詣和上說如上事。和上言：
生死鬪戰，都无有勝。鬪法以殺他為勝，殘害之道，現在愚情用快其意，將
來之世隨於三途。若其不如，為他所害，忘失己身，殃及眾庶，增重罪，命陷
地獄。欲滅怨者，當滅煩惱。煩惱之怨，害无量身，世怨雖來，正害一身。煩惱之
怨害善法身。怨害之起，煩惱為根。汝今不伐煩惱之賊，欲惡生王也。弟子聞
法，心開意解，便悟初果。　歸復誦經，禪曰中劍出。　好揚他過，惡死入地獄
闍提得成佛　斷人猶未出　毗梨耶章第四
佛言：夫懈怠者，眾行之類。居家懈怠，則衣食不供，產業不增；出家
懈怠，不能出離生死之苦。出菩薩本行經。天下百川眾流不息，皆歸於
海。比丘如此行道，精進不止，會得解脫。出涅槃經。欲捨俗出家法，應當勤精進，
晝夜不懈惓，堅固不退轉。如人執小木而入於大海，則人木並俱沒，懈怠亦如是。
出阿含經。精進者自檢三業，既已剋責，不及心知慚耻，次須檢校，亦增慚愧。
謂校檢我此身，從旦至中，從中暮，從暮至夜，從夜至曉，乃至一時，剋責一念之頃，幾
心念報父母恩育，幾心願眾生離苦。次檢口，從旦已來，次慈第剋，已得讀幾句
深義，已得披讀幾卷經典，已得理誦幾行文字，已得幾過歎佛功德，已須
讚隨喜。次復檢身，如是時剋，從旦已來，歷申府仰禮拜幾佛，乃至法僧
其數多少，已得幾遍掃拾(?)，令地，已得幾遍合掌散花，已得幾遍遶佛
[illegible]

BD03000 號　衆經要攢並序

（9–8）

佛言夫懈怠者衆行之纇居家懈怠則衣食不供産業不增出家
懈怠不能出離生死之苦出菩薩本行經天下百川衆流不息皆歸於
海比丘如此行道精進不止會得解脫出泥洹經欲離出家法應當勤精進
晝夜不懈堅固求泥洹如人執小木而入於巨海則人木並俱沒懈怠亦如是
出阿含經精進者自檢三業既已剋責不及心知慚恥次須檢校亦增悚慄
謂校檢我此身從旦至中從中暮從暮至夜從夜至曉乃至一時剋責一念之頃幾
行善幾心殺盜婬妄幾心念三寶四諦六念
心念報父母恩育幾心願衆生離苦次檢日從旦已來次慈第剋已得演幾句
涤義已得披讀幾卷經典已得理誦幾行文字已得幾遍數佛功德已須
讀隨喜次復檢身如是時剋從旦已來屋中府仰禮拜幾佛乃至法僧
其數多少已得幾遍掃塔塗地已得幾遍合然散花已得幾遍掃
入佛堂已得幾遍勃迮列供具已得頂戴幾許幢幡已得焚燒幾許
以香識作如是檢察故知會理甚少違道極多淨之業義不足言煩惱
重鄣樊罰然溺目闇限轉積解脫何由可得若過此俗語言戲翻聚遊適
作此檢校悲何由起唯得自救無暇豈復義及於人若不作如此檢察亦復言我功
德不必有少許善便自謂人不能作人不能行而我能行若作如是檢者便可知善
惡深淺輕重多少也如來大悲愍念衆生欲令遠苦得安隱樂故闡無量法門開人
天正路而身念違經唇心背律嫜惡違善念之增咸而欲以纖毫微福望勉大苦豈得
脫乎今檢校已畢始知惡重山岳善輕毛髮便應各各自責心口相訓心語於口汝常說法
莫說非法口還語心汝常思法莫思非法心復語身汝勤行法莫行非法如是我心自制我口
自制我心我心自制我形隨順我口更相制勤豈不爲美何須勞他心口制者當大愧乎出淨住
子集經中佛言汝等比丘當懃精進譬如積火未然而息雖欲得火火難可得出遺教經
又中晝則善勝眠夜則善遊行放逸常飲酒居家無得成種種戲逐色耽酒喜作樂

著　録　凡　例

本目録採用條目式著録法。諸條目意義如下:

1.1　著録編號。用漢語拼音首字“BD”表示，意為“北京圖書館藏敦煌遺書”，簡稱“北敦號”。文獻寫在背面者，標註為“背”。一件遺書上抄有多個文獻者，用數字1、2、3等標示小號。一號中包括幾件遺書，且遺書形態各自獨立者，用字母A、B、C等區别。

1.2　著録分類號。本條記目録暫不分類，該項空缺。

1.3　著録文獻的名稱、卷本、卷次。

1.4　著録千字文編號。

1.5　著録縮微膠卷號。

2.1　著録遺書的總體數據。包括長度、寬度、紙數、正面抄寫總行數與每行字數、背面抄寫總行數與每行字數。如該遺書首尾有殘破，則對殘破部分單獨度量，用加號加在總長度上。凡屬這種情況，長度用括弧標註。

2.2　著録每紙數據。包括每紙長度及抄寫行數或界欄數。

2.3　著録遺書的外觀。包括:（1）裝幀形式。（2）首尾存況。（3）護首、軸、軸頭、天竿、縹帶，經名是書寫還是貼簽，有無經名號，扉頁、扉畫。（4）卷面殘破情況及其位置。（5）尾部情況。（6）有無附加物（蟲繭、油污、線繩及其他)。（7）有無裱補及其年代。（8）界欄。（9）修整。（10）其他需要交待的問題。

2.4　著録一件遺書抄寫多個文獻的情況。

3.1　著録文獻首部文字與對照本核對的結果。

3.2　著録文獻尾部文字與對照本核對的結果。

3.3　著録録文。

3.4　著録對文獻的説明。

4.1　著録文獻首題。

4.2　著録文獻尾題。

5　著録本文獻與對照本的不同之處。

6.1　著録本遺書首部可與另一遺書綴接的編號。

6.2　著録本遺書尾部可與另一遺書綴接的編號。

7.1　著録題記、題名、勘記等。

7.2　著録印章。

7.3　著録雜寫。

7.4　著録護首及扉頁的内容。

8　著録年代。

9.1　著録字體。如有武周新字、合體字、避諱字等，予以説明。

9.2　著録卷面二次加工的情況。包括句讀、點標、科分、間隔號、行間加行、行間加字、硃筆、墨塗、倒乙、删除、兑廢等。

10　著録敦煌遺書發現後，近現代人所加内容，裝裱、題記、印章等。

11　備註。著録揭裱互見、圖版本出處及其他需要説明的問題。

上述諸條，有則著録，無則空缺。

為避文繁，上述著録中出現的各種參考、對照文獻，暫且不列版本説明。全目結束時，將統一編制本條記目録出現的各種參考書目。

本條記目録為農曆年份標註其公曆紀年時，未進行歲頭年末之换算，請讀者使用時注意自行换算。

條 記 目 錄

BD02954—BD03000

1.1 BD02954 號
1.3 金剛般若波羅蜜經
1.4 陽 054
1.5 094:4327
2.1 (1.1+140+9.3)×25.8 厘米；4 紙；共 82 行，行 17 字。
2.2 01：01.1，01； 02：49.5，28； 03：50.0，28；
04：40.5+9.3，25。
2.3 卷轴裝。首尾均殘。經黄紙。卷首尾黴爛，通卷上下邊有殘破。有烏絲欄。
3.1 首 2 行殘→大正 235，8/751B27。
3.2 尾全→8/752C3。
4.2 金剛般若波羅蜜經（尾）。
5 與《大正藏》本對照，本號無冥司偈，文可參見 8/751C16～C19。
8 7～8 世紀。唐寫本。
9.1 楷書。
11 圖版：《敦煌寶藏》，82/659B～661B。

1.1 BD02955 號
1.3 大乘入楞伽經卷四
1.4 陽 055
1.5 038:0366
2.1 (7+226.3)×7.5 厘米；5 紙；共 136 行，行 17 字。
2.2 01：7+34，24； 02：47.8，28； 03：48.3，28；
04：48.2，28； 05：48.0，28。
2.3 卷轴裝。首殘尾脱。有烏絲欄。已修整。
3.1 首 4 行上中殘→大正 672，16/607B24～27。
3.2 尾脱→16/609B10。
8 8 世紀。唐寫本。
9.1 楷書。
11 圖版：《敦煌寶藏》，58/385B～388B。

1.1 BD02956 號
1.3 維摩詰所說經卷下
1.4 陽 056
1.5 070:0273
2.1 (4.5+332)×24.5 厘米；7 紙；共 178 行，行 17 字。
2.2 01：4.5+26，16； 02：51.0，27； 03：51.0，27；
04：51.0，27； 05：51.0，27； 06：51.0，27；
07：51.0，27。
2.3 卷轴裝。首殘尾脱。經黄打紙，研光上蠟。第 1、2 紙接縫處下部開裂。有烏絲欄。
3.1 首 2 行中上殘→大正 475，14/553B13～15。
3.2 尾殘→14/555C1。
8 7～8 世紀。唐寫本。
9.1 楷書。
11 圖版：《敦煌寶藏》，66/386B～390B。

1.1 BD02957 號
1.3 妙法蓮華經（八卷本）卷六
1.4 陽 057
1.5 105:5628
2.1 (10.5+515.5)×27.2 厘米；14 紙；共 337 行，行 17 字。
2.2 01：10.5，06； 02：41.8，28； 03：42.0，27；
04：42.3，28； 05：42.4，28； 06：42.2，28；
07：42.3，28； 08：42.2，27； 09：42.2，28；
10：42.3，28； 11：42.2，28； 12：42.2，27；
13：37.4，25； 14：14.0，01。
2.3 卷轴裝。首殘尾全。首紙下部有破裂，第 13 紙有殘洞。背有古代裱補。有上下邊欄。
3.1 首 6 行上殘→大正 262，9/45A2～11。
3.2 尾全→9/50B22。
4.2 妙法蓮華經卷第六（尾）。
5 與《大正藏》本對照，分卷不同，相當於《大正藏》卷五分别功德品第十七中部開始至卷六法師功德品第十九全文。為八卷本。

8　9～10世紀。歸義軍時期寫本。
9.1　楷書。
11　圖版:《敦煌寶藏》, 93/419A～426A。

1.1　BD02958號
1.3　十地經論卷一二
1.4　陽058
1.5　216:7264
2.1　(3+1161.5+3.5)×26.5厘米; 24紙; 共633行, 行17字。
2.2　01: 3+19, 12;　02: 50.0, 27;　03: 50.0, 28;
04: 50.0, 29;　05: 50.0, 28;　06: 50.0, 28;
07: 50.5, 27;　08: 50.5, 27;　09: 50.5, 27;
10: 50.5, 27;　11: 50.5, 27;　12: 50.5, 27;
13: 50.5, 27;　14: 50.5, 27;　15: 50.5, 28;
16: 50.5, 27;　17: 50.5, 27;　18: 50.5, 27;
19: 50.5, 27;　20: 50.5, 27;　21: 50.5, 27;
22: 50.5, 27;　23: 49.5, 26;　24: 35+3.5, 22。
2.3　卷軸裝。首尾均殘。卷面上下有殘破。卷背古代裱補紙已脱落。有烏絲欄。
3.1　首2行上中殘→大正1522, 26/194C22～23。
3.2　尾2行中下殘→26/202B10～11。
8　5～6世紀。南北朝寫本。
9.1　隸楷。
9.2　有硃筆校改、行間校加字。有重文符號。
11　圖版:《敦煌寶藏》, 105/173A～188A。

1.1　BD02959號
1.3　小抄
1.4　陽059
1.5　178:7104
2.1　(19+228)×29厘米; 6紙; 共132行, 行27字。
2.2　01: 19+17, 23;　02: 42.5, 26;　03: 42.5, 26;
04: 42.0, 26;　05: 42.0, 26;　06: 42.0, 05。
2.3　卷軸裝。首殘尾缺。首紙殘缺, 卷面多黴爛, 卷下方有等距離殘破, 接縫處多有開裂。有烏絲欄。第5、6紙有折叠界欄。
3.4　説明:

本文獻首12行上中殘, 尾殘。所抄的基本内容出自《小抄》, 首行可見《敦煌出土律典<略抄>の研究》(二) 第100頁第8行。但文獻中内容與《小抄》相比甚爲雜亂, 所謂抄前著後、抄後著前是也。對於這一類文獻, 還需要進一步清理、研究。

8　9～10世紀。歸義軍時期寫本。
9.1　楷書。
9.2　有硃筆點標、科分、校改及行間校加字。
11　圖版:《敦煌寶藏》, 104/171B～174B。

1.1　BD02960號
1.3　四分律第二分卷九
1.4　陽060
1.5　155:6805
2.1　(8+721)×26厘米; 19紙; 共448行, 行17字。
2.2　01: 8+26, 21;　02: 40.5, 25;　03: 40.5, 25;
04: 40.5, 25;　05: 40.5, 25;　06: 40.5, 25;
07: 40.5, 25;　08: 40.5, 25;　09: 40.5, 25;
10: 40.5, 25;　11: 40.5, 25;　12: 40.5, 25;
13: 40.5, 25;　14: 40.5, 25;　15: 39.5, 25;
16: 40.0, 25;　17: 40.0, 25;　18: 40.0, 25;
19: 09.0, 02。
2.3　卷軸裝。首殘尾全。卷首下部殘缺。背有古代裱補。有劃界欄針孔。有烏絲欄。
3.1　首5行下殘→大正1428, 22/793C15～21。
3.2　尾全→22/799B24。
4.2　律藏第二分卷第九 (尾)。
5　與《大正藏》本對照, 分卷不同。經文相當於《大正藏》四分律卷第三十二受戒揵度之二至卷三十三受戒揵見度之三。與其餘諸藏分卷亦不同。
7.1　卷尾有勘記"用紙廿張"。
8　5～6世紀。南北朝寫本。
9.1　隸楷。
9.2　有行間校加字。有倒乙符號。
11　圖版:《敦煌寶藏》, 102/24B～34B。

1.1　BD02961號
1.3　金光明經卷四
1.4　陽061
1.5　081:1420
2.1　(1.5+169.9)×27.7厘米; 6紙; 共118行, 行17字。
2.2　01: 1.5+9, 13;　02: 41.6, 26;　03: 42.0, 26;
04: 31.8, 26;　05: 41.5, 25;　06: 04.0, 02。
2.3　卷軸裝。首尾均殘。全卷破損。有劃界欄針孔。有烏絲欄。已修整。
3.1　首行中下殘→大正663, 16/356A10～11。
3.2　尾6行中下殘→16/357C9～15。
8　5～6世紀。南北朝寫本。
9.1　隸楷。
11　圖版:《敦煌寶藏》, 67/454A～456B。

1.1　BD02962號
1.3　大般涅槃經(北本　異卷)卷二六
1.4　陽062
1.5　115:6447

2.1　(6＋1069)×26.2 厘米；23 紙；正面 161 行，行 17 字。背面 161 行，行 17 字。

2.2　01：6＋21，14；　02：49.0，28；　03：49.0，28；
04：49.0，28；　05：49.0，28；　06：49.0，28；
07：49.0，28；　08：49.0，28；　09：49.0，28；
10：49.0，28；　11：49.0，28；　12：49.5，28；
13：49.5，28；　14：49.5，28；　15：49.0，28；
16：49.0，28；　17：49.0，28；　18：49.0，28；
19：49.0，28；　20：49.0，28；　21：49.0，28；
22：49.0，28；　23：17.5，01。

2.3　卷轴装。首殘尾全。首紙上下殘缺破損。卷尾有蟲繭。有烏絲欄。

2.4　本遺書包括 2 個文獻：(一)《大般涅槃經》(北本　異卷)卷二六，161 行，今編為 BD02962 號。(二)《大般若波羅蜜多經》(兑廢稿) 卷二七六，161 行，抄寫在背面，今編為 BD02962 號背。

3.1　首 3 行上下殘→大正 374，12/515A13～15。

3.2　尾全→12/522A27。

4.2　大般涅槃經卷第廿六(尾)。

5　與《大正藏》本對照，分卷不同。經文相當於《大正藏》卷第二十五光明遍照高貴德王菩薩品第十之五至卷第二十六光明遍照高貴德王菩薩品第十之六。與其餘諸藏分卷亦均不同。

8　8～9 世紀。吐蕃統治時期寫本。

9.1　楷書。

9.2　有刮改。

11　圖版：《敦煌寶藏》，99/213A～230B。

1.1　BD02962 號背

1.3　大般若波羅蜜多經(兑廢稿) 卷二七六

1.4　陽 062

1.5　115:6447

2.4　本遺書由 2 個文獻組成，本號為第 2 個，抄寫在背面，161 行。餘參見 BD02962 號之第 2 項、第 11 項。

3.1　首全→大正 220，6/398A2。

3.2　尾殘→6/400A27。

4.1　大般若波羅蜜多經卷第二百七十六，/初分難信解品第卌四之九十五，三藏法師玄奘奉詔譯/(首)。

5　與《大正藏》本對照，本件首尾有錯漏、重複抄寫處。

7.3　尾 3 行為經文雜寫。

8　9～10 世紀。歸義軍時期寫本。

9.1　楷書。

1.1　BD02963 號

1.3　金光明最勝王經卷一〇

1.4　陽 063

1.5　083:1980

2.1　376.2×25.8 厘米；8 紙；共 216 行，行 17 字。

2.2　01：44.7，26；　02：47.2，28；　03：47.5，28；
04：47.5，28；　05：47.5，28；　06：47.3，28；
07：47.5，28；　08：47.0，22。

2.3　卷軸裝。首殘尾全。卷上下部有等距離黴爛殘破。有燕尾。有烏絲欄。

3.1　首殘→大正 665，16/453B20。

3.2　尾全→16/456C19。

4.2　金光明最勝王經卷第十(尾)。

5　尾附音義。

8　8～9 世紀。吐蕃統治時期寫本。

9.1　楷書。

11　圖版：《敦煌寶藏》，71/250B～255A。

1.1　BD02964 號

1.3　大般若波羅蜜多經卷四六四

1.4　陽 064

1.5　084:3169

2.1　47.7×26 厘米；1 紙；共 28 行，行 17 字。

2.3　卷轴装。首尾均脱。卷端有破裂殘損。有烏絲欄。

3.1　首殘→大正 220，7/346A9。

3.2　尾殘→7/346B9。

8　8～9 世紀。吐蕃統治時期寫本。

9.1　楷書。

9.2　有行間校加字。

11　圖版：《敦煌寶藏》，76/541B～542A。

1.1　BD02965 號

1.3　四分比丘尼戒本

1.4　陽 065

1.5　157:6904

2.1　(3＋803)×27.2 厘米；22 紙；正面 403 行，行 17 字。背面 135 行，行約 28 字。

2.2　01：3＋33，22；　02：43.5，28；　03：43.5，28；
04：43.5，28；　05：40.0，25；　06：34.0，16；
07：35.0，16；　08：35.0，16；　09：35.0，16；
10：35.5，17；　11：35.0，16；　12：35.0，16；
13：35.0，16；　14：35.0，16；　15：35.0，16；
16：35.0，16；　17：35.0，16；　18：35.0，14；
19：35.0，16；　20：35.0，15；　21：34.0，12；
22：41.0，22。

2.3　卷轴装。首尾均殘。第 1 至 4 紙及第 8、20 紙有等距離殘洞，第 11 紙下方破裂，尾紙上下邊殘爛。正面有折疊欄，卷背文獻有烏絲欄。

2.4　本遺書包括 2 個文獻：(一)《四分比丘尼戒本》，403 行，抄寫在正面，今編為 BD02965 號。(二)《攝大乘論疏》(擬)，135 行，抄寫在背面，今編為 BD02965 號背。

3.1　首 2 行下殘→大正 1431，22/1031C20～1032A3。

3.2　尾22行上下殘→22/1037C13。
8　9～10世紀。歸義軍時期寫本。
9.1　楷書。
9.2　有行間加行。
11　圖版：《敦煌寶藏》，102/472B～486A。

1.1　BD02965號背
1.3　攝大乘論疏（擬）
1.4　陽065
1.5　157:6904
2.4　本遺書由2個文獻組成，本號為第2個，抄寫在背面，135行。餘參見BD02965號之第2項、第11項。
3.4　説明：
本文獻疏釋陳真諦所譯《攝大乘論》，為南北朝攝論宗的重要文獻，未為歷代大藏經所收。
8　5～6世紀。南北朝寫本。
9.1　行楷。

1.1　BD02966號
1.3　妙法蓮華經卷五
1.4　陽066
1.5　105:5508
2.1　(10+49.9)×25.2厘米；2紙；共27行，行17字。
2.2　01：10.0，護首；　02：49.9，27。
2.3　卷軸裝。首殘尾脱。有護首，護首下殘。有烏絲欄。
3.1　首全→大正262，9/37A5。
3.2　尾殘→9/37B8。
4.1　妙法蓮華經安樂行品第十四（首）。
8　9～10世紀。歸義軍時期寫本。
9.1　楷書。
11　圖版：《敦煌寶藏》，92/600A～B。

1.1　BD02967號
1.3　金光明最勝王經卷二
1.4　陽067
1.5　083:1531
2.1　(7+310.5)×26.5厘米；8紙；共189行，行17字。
2.2　01：07.0，04；　02：45.0，28；　03：45.0，28；
04：45.0，28；　05：45.0，28；　06：44.5，28；
07：45.0，28；　08：34.0，17。
2.3　卷軸裝。首殘尾全。通卷上邊等距離殘缺，下邊等距離黴爛。卷尾夾裹一段芨芨草竿。有烏絲欄。已修整。
3.1　首4行上下殘→大正665，16/411A7～11。
3.2　尾全→16/413C6。
4.2　金光明最勝王經卷第二（尾）。
5　尾附音義。
7.3　卷尾背古代裱補紙上有藏文及漢文經文。
8　8～9世紀。吐蕃統治時期寫本。
9.1　楷書。
11　圖版：《敦煌寶藏》，68/340B～344B。

1.1　BD02968號
1.3　金剛般若波羅蜜經
1.4　陽068
1.5　094:3854
2.1　(8+448.5)×25.5厘米；9紙；共251行，行17字。
2.2　01：8+40.5，27；　02：51.0，28；　03：51.0，28；
04：51.0，28；　05：51.0，28；　06：51.0，28；
07：51.0，28；　08：51.0，28；　09：51.0，28。
2.3　卷軸裝。首殘尾脱。經黄紙。第3紙有横向破裂。卷自第3、4紙間接縫處脱開，第5～7紙間接縫處有開裂。有烏絲欄。已修整。
3.1　首5行上下殘→大正235，8/749B20～25。
3.2　尾殘→8/752B27。
8　7～8世紀。唐寫本。
9.1　楷書。
11　圖版：《敦煌寶藏》，80/599B～606A。

1.1　BD02969號
1.3　大般若波羅蜜多經卷一八五
1.4　陽069
1.5　084:2459
2.1　(2+279.5)×25.5厘米；6紙；共168行，行17字。
2.2　01：2+45，28；　02：46.7，28；　03：47.0，28；
04：47.2，28；　05：46.8，28；　06：46.8，28。
2.3　卷軸裝。首殘尾脱。首紙有殘洞、上邊有殘缺，第5紙有縱向破裂，接縫處有開裂，卷面多水漬黴斑。有烏絲欄。
3.1　首行中殘→大正220，5/994C1。
3.2　尾殘→5/996B23。
6.2　尾→BD03172號。
8　8～9世紀。吐蕃統治時期寫本。
9.1　楷書。
11　圖版：《敦煌寶藏》，73/373A～376B。

1.1　BD02970號
1.3　大般若波羅蜜多經卷三三一
1.4　陽070
1.5　084:2898
2.1　465.6×26厘米；10紙；共264行，行17字。
2.2　01：49.0，28；　02：47.6，28；　03：47.7，28；
04：47.8，28；　05：47.3，28；　06：47.8，28；
07：47.5，28；　08：47.0，28；　09：47.7，28；
10：36.2，12。

2.3　卷轴装。首脱尾全。有燕尾。有烏絲欄。
3.1　首殘→大正 220，6/696C22。
3.2　尾全→6/699C21。
4.2　大般若波羅蜜多經卷第三百卅一（尾）。
6.1　首→BD03195 號。
7.1　尾題後有題記："王瀚寫，第一校，第二校，第三校；/盡十八紙。"2 行。
8　8～9 世紀。吐蕃統治時期寫本。
9.1　楷書。
11　圖版：《敦煌寶藏》，75/413B～419B。

1.1　BD02971 號
1.3　四分比丘尼戒本
1.4　陽 071
1.5　157:6942
2.1　(507.5+15)×26 厘米；12 紙；共 329 行，行 19 字。
2.2　01：48.0，28；　02：49.5，29；　03：44.0，28；
04：44.0，28；　05：44.0，28；　06：44.0，28；
07：44.0，28；　08：44.0，28；　09：44.0，28；
10：43.0，28；　11：43.0，28；　12：16+5，20。
2.3　卷轴装。首脱尾殘。卷面有殘洞，下部有破裂，接縫處有開裂。尾紙殘缺嚴重。卷尾背有古代裱補。有烏絲欄。
3.1　首殘→大正 1431，22/1036B19。
3.2　尾 9 行上中殘→22/1040C29～1041A17。
7.1　卷背有題記"武僧靈德（聽?）尼藏卷"。
8　9～10 世紀。歸義軍時期寫本。
9.1　楷書。
9.2　有行間校加字。有倒乙符號。
11　圖版：《敦煌寶藏》，102/642B～649A。

1.1　BD02972 號
1.3　天地八陽神咒經
1.4　陽 072
1.5　256:7654
2.1　(3.4+89.6)×27 厘米；3 紙；共 60 行，行 17～18 字。
2.2　01：3.4+21，16；　02：43.5，31；　03：25.1，13。
2.3　卷轴装。首殘尾全。卷上下邊殘破，第 2 紙有殘洞。有燕尾。有烏絲欄。
3.1　首 2 行下殘→大正 2897，85/1424B1～3。
3.2　尾全→85/1425B3。
4.2　佛說八陽神咒經（尾）。
8　9～10 世紀。歸義軍時期寫本。
9.1　楷書。
9.2　有倒乙符號。
11　圖版：《敦煌寶藏》，107/225B～226B。

1.1　BD02973 號
1.3　維摩詰所說經卷下
1.4　陽 073
1.5　070:0264
2.1　(9.5+472)×26 厘米；14 紙；共 290 行，行 17 字。
2.2　01：9.5+11.5，12；　02：37.5，23；　03：38.0，23；
04：37.5，23；　05：38.0，23；　06：38.0，23；
07：38.0，23；　08：38.0，23；　09：38.0，23；
10：25.0，21；　11：38.0，23；　12：42.0，25；
13：41.5，24；　14：11.0，01。
2.3　卷轴装。首殘尾全。卷首殘破嚴重，卷中有破裂，接縫處有開裂，第 13 紙上邊殘缺。卷背有鳥糞。有烏絲欄。
3.1　首 5 行中上殘→大正 475，14/554A8～13。
3.2　尾全→14/557B26。
4.2　維摩詰所說經卷下（尾）。
8　7～8 世紀。唐寫本。
9.1　楷書。
11　圖版：《敦煌寶藏》，66/351B～357B。

1.1　BD02974 號
1.3　佛名經（十六卷本）卷一〇
1.4　陽 074
1.5　063:0701
2.1　(14+1449.3)×31 厘米；34 紙；共 602 行，行 21 字。
2.2　01：14+10，10；　02：43.5，18；　03：43.5，18；
04：43.8，18；　05：43.8，18；　06：43.8，18；
07：43.8，18；　08：43.8，18；　09：43.8，18；
10：43.8，18；　11：43.8，18；　12：43.8，18；
13：43.8，18；　14：43.8，18；　15：43.8，18；
16：43.8，18；　17：43.8，18；　18：43.5，18；
19：43.5，18；　20：43.8，18；　21：43.5，18；
22：43.5，18；　23：43.5，18；　24：43.5，18；
25：43.5，18；　26：43.5，18；　27：43.5，18；
28：43.5，18；　29：43.5，18；　30：43.5，18；
31：43.5，18；　32：43.5，18；　33：43.5，18；
34：42.8，16。
2.3　卷轴装。首殘尾全。首紙殘缺，第 2 紙下邊破損，第 2、3 紙接縫下部開裂，第 11、22 紙上方破裂。有烏絲欄。
3.1　首 6 行上下殘→《七寺古逸經典研究叢書》，3/第 482 頁第 8 行～第 483 頁第 15 行。
3.2　尾全→《七寺古逸經典研究叢書》，3/第 536 頁第 706 行。
4.2　佛名經卷第十（尾）。
7.1　尾端上角有勘記"卅四紙"。
8　9～10 世紀。歸義軍時期寫本。
9.1　楷書。
11　圖版：《敦煌寶藏》，61/384A～401A。

1.1 BD02975 號
1.3 妙法蓮華經卷三
1.4 陽 075
1.5 105:5019
2.1 876.5×26.2 厘米；21 紙；共 509 行，行 17 字。
2.2 01：42.7，25； 02：42.1，25； 03：42.5，25；
04：42.4，25； 05：42.4，25； 06：42.5，25；
07：42.3，25； 08：42.6，25； 09：42.4，25；
10：42.6，25； 11：42.6，25； 12：42.6，25；
13：42.6，25； 14：42.8，25； 15：42.6，25；
16：42.5，25； 17：42.6，25； 18：40.9，24；
19：43.0，25； 20：42.9，25； 21：26.9，10。
2.3 卷軸裝。首脱尾全。通卷紙張變色，上邊多有殘損，接縫處有開裂。有烏絲欄。
3.1 首殘→大正 262，9/19C10。
3.2 尾全→9/27B9。
4.2 妙法蓮華經卷第三（尾）。
8 8 世紀。唐寫本。
9.1 楷書。
11 圖版：《敦煌寶藏》，88/127A～189B。

1.1 BD02976 號
1.3 妙法蓮華經卷一
1.4 陽 076
1.5 105:4530
2.1 （8.8+872.1）×26 厘米；20 紙；共 469 行，行 16～18 字不等。
2.2 01：8.8+8.8，9； 02：44.3，25； 03：44.6，25；
04：44.6，25； 05：46.7，26； 06：46.8，25；
07：47.4，25； 08：47.2，25； 09：47.3，25；
10：47.3，25； 11：46.8，25； 12：47.3，25；
13：47.4，25； 14：47.2，25； 15：47.4，25；
16：47.4，25； 17：47.4，25； 18：44.3，24；
19：45.8，26； 20：26.1，09。
2.3 卷軸裝。首殘尾全。卷面有水漬印，紙張變色。尾有蟲繭。卷首有古代裱補。有烏絲欄。
3.1 首 4 行上下殘→大正 262，9/2B5～9。
3.2 尾全→9/10B21。
4.2 妙法蓮華經卷第一（尾）。
7.1 卷尾有題記："大唐大曆九年□□五日太子通事舍人朱廣□…□亡妣寫畢，十一年二月廿二日爲亡男衾字獅豸轉讀。"
8 774 年。唐寫本。
9.1 楷書。
9.2 偶有硃筆點標。
11 圖版：《敦煌寶藏》，84/141A～154B。

1.1 BD02977 號
1.3 妙法蓮華經卷七
1.4 陽 077
1.5 105:5940
2.1 （21+561.2）×25.5 厘米；13 紙；共 349 行，行 17 字。
2.2 01：21.0，13； 02：46.7，28； 03：46.7，28；
04：46.8，28； 05：47.0，28； 06：46.7，28；
07：47.7，28； 08：47.2，28； 09：46.5，28；
10：46.5，28； 11：46.6，28； 12：46.5，28；
13：46.3，28。
2.3 卷軸裝。首殘尾脱。卷首殘破嚴重。有烏絲欄。
3.1 首 13 行中下殘→大正 262，9/56C5～18。
3.2 尾殘→9/61B23。
8 8～9 世紀。吐蕃統治時期寫本。
9.1 楷書。
9.2 有刮改。
11 圖版：《敦煌寶藏》，96/79A～87A。

1.1 BD02978 號
1.3 維摩詰所説經卷上
1.4 陽 078
1.5 070:0862
2.1 （8+1045.5）×24.5 厘米；14 紙；共 587 行，行 17 字。
2.2 01：8+62，40； 02：75.0，43； 03：75.5，43；
04：75.5，43； 05：75.5，43； 06：76.0，43；
07：76.0，43； 08：76.0，43； 09：76.0，43；
10：76.5，43； 11：76.5，43； 12：76.0，43；
13：76.0，43； 14：73.0，31。
2.3 卷軸裝。首尾均全。多紙上下邊及中間有殘破，第 11 紙中間有殘洞。有烏絲欄。已修整。
3.1 首 4 行中上殘→475，14/537A3～9。
3.2 尾全→14/544A18。
4.1 □…□可思議解脱□…□（首）。
8 9～10 世紀。歸義軍時期寫本。
9.1 楷書。
9.2 有行間加行。
11 圖版：《敦煌寶藏》，63/178A～192B。

1.1 BD02979 號
1.3 妙法蓮華經卷七
1.4 陽 079
1.5 105:5874
2.1 （1.5+891.5）×27 厘米；19 紙；共 499 行，行 17 字。
2.2 01：1.5+38.5，23； 02：48.0，27； 03：48.0，27；
04：47.8，28； 05：47.8，27； 06：48.0，27；
07：48.0，27； 08：48.0，28； 09：47.8，27；
10：47.8，27； 11：46.5，29； 12：47.5，27；
13：47.7，27； 14：47.6，27； 15：46.5，26；

16：46.5，26；　17：46.5，26；　18：46.5，26；
19：46.5，19。
2.3　卷軸裝。首殘尾全。接縫處有開裂。尾有原軸，兩端塗黑漆。背有古代裱補。有烏絲欄。
3.1　首行上殘→大正 262，9/55B19。
3.2　尾全→9/62B1。
4.2　妙法蓮華經卷第七（尾）。
8　9～10 世紀。歸義軍時期寫本。
9.1　楷書。
9.2　有行間加行。
11　圖版：《敦煌寶藏》，95/505A～516A。

1.1　BD02980 號
1.3　大佛頂如來密因修證了義諸菩薩萬行首楞嚴經卷二
1.4　陽 080
1.5　237:7391
2.1　（10.7＋525.7）×25.4 厘米；11 紙；共 306 行，行 17 字。
2.2　01：10.7＋36.1，26；　02：48.6，28；　03：48.9，28；
04：48.9，28；　05：49.1，28；　06：48.9，28；
07：48.9，28；　08：49.0，28；　09：49.2，28；
10：49.0，28；　11：49.1，28。
2.3　卷軸裝。首全尾脱。卷首右下殘缺。有烏絲欄。
3.1　首 5 行下殘→大正 945，19/110A11～17。
3.2　尾殘→19/113C3。
4.1　大佛頂如來密因修證了義諸菩□…□/一名中印度□…□/場經，於灌□…□/（首）。
8　9～10 世紀。歸義軍時期寫本。
9.1　楷書。
11　圖版：《敦煌寶藏》，106/30A～37A。

1.1　BD02981 號
1.3　金剛般若波羅蜜經
1.4　陽 081
1.5　094:3763
2.1　（25＋448.3）×25.5 厘米；10 紙；共 278 行，行 17 字。
2.2　01：25＋20.5，27；　02：47.5，28；　03：47.5，28；
04：47.5，28；　05：47.5，28；　06：47.7，28；
07：47.5，28；　08：47.6，28；　09：47.5，28；
10：47.5，27。
2.3　卷軸裝。首殘尾全。經黄打紙。接縫有開裂。有烏絲欄。
3.1　首 15 行下殘→大正 235，8/749A19～B7。
3.2　尾全→8/752C3。
4.2　金剛般若波羅蜜經（尾）。
8　7～8 世紀。唐寫本。
9.1　楷書。
11　圖版：《敦煌寶藏》，80/228B～235A。

1.1　BD02982 號
1.3　摩訶般若波羅蜜經（四十卷本）卷三八
1.4　陽 082
1.5　088:3465
2.1　（4.8＋858.2）×25.9 厘米；18 紙；共 466 行，行 17 字。
2.2　01：4.8＋27.3，17；　02：50.8，28；　03：50.8，28；
04：50.8，28；　05：51.2，28；　06：51.3，28；
07：51.0，28；　08：51.2，28；　09：51.2，28；
10：51.1，28；　11：51.4，28；　12：51.2，28；
13：51.3，28；　14：51.2，28；　15：51.3，28；
16：51.3，28；　17：50.7，28；　18：13.1＋9.2，1。
2.3　卷軸裝。首殘尾全。首紙下有破裂，第 4 紙下有破裂。卷首背有古代裱補。有劃界欄針孔。有烏絲欄。
3.1　首 3 行上下殘→大正 223，8/401C4～6。
3.2　尾全→8/407B3。
4.2　摩訶般若波羅蜜卷第卅八（尾）。
5　與《大正藏》本對照，卷次、品名、品次不同，相當於大正本卷第二十五。應為四十卷本。
8　5～6 世紀。南北朝寫本。
9.1　楷書。紙字俱佳。
11　圖版：《敦煌寶藏》，78/108B～119B。

1.1　BD02983 號
1.3　太上洞淵三昧神咒大齋儀（擬）
1.4　陽 083
1.5　372:8459
2.1　306.5×26.1 厘米；6 紙；共 168 行，行 17 字。
2.2　01：51.2，28；　02：51.1，28；　03：51.0，28；
04：51.1，28；　05：51.1，28；　06：51.0，28。
2.3　卷軸裝。首尾均脱。經黄紙。首尾裁斷。有烏絲欄。
3.4　説明：

內言建立"洞淵神咒大齋，明燈轉經行道"之儀式。有出官啟事、上香發願、禮十方、步虚詠、懺謝、十念、復爐言功等程式。

與 Дx5628 號爲同一文獻，兩號共保留洞淵神咒齋儀大部分內容。其中部分文字見於《太上洞淵神咒經》第 14、15 卷，當係唐前期流行的洞淵部齋儀。按《正統道藏》洞玄部威儀類，收入《太上洞淵三昧神咒齋懺謝儀》、《太上洞淵三昧神咒齋清旦行道儀》、《太上洞淵三昧神咒齋十方懺儀》。三書均係唐末杜光庭改編，其儀文較敦煌抄本已多有不同。

參見《敦煌道教文獻研究》。
6.1　首→Дx05628 號。
8　7～8 世紀。唐寫本。
9.1　楷書。
11　圖版：《敦煌寶藏》，110/385A～388B。

1.1　BD02984 號
1.3　妙法蓮華經卷七
1.4　陽 084
1.5　105:6065
2.1　520×25.5 厘米；11 紙；共 282 行，行 17 字。
2.2　01：07.0，03；　02：51.5，28；　03：51.0，28；
04：51.0，28；　05：51.0，28；　06：51.5，28；
07：51.5，28；　08：51.5，28；　09：51.5，28；
10：51.5，28；　11：51.5，27。
2.3　卷軸裝。首殘尾全。經黄紙。首紙油污破裂，上下邊有破裂，尾紙上邊殘缺。背有古代裱補。有烏絲欄。
3.1　首殘→大正 262，9/58B15。
3.2　尾全→9/62A29。
8　7～8 世紀。唐寫本。
9.1　楷書。
11　圖版：《敦煌寳藏》，96/467A～474A。

1.1　BD02985 號
1.3　金剛般若波羅蜜經
1.4　陽 085
1.5　094:3842
2.1　(5+432.5)×26 厘米；9 紙；共 250 行，行 17 字。
2.2　01：5+43.5，28；　02：49.0，28；　03：49.0，28；
04：48.8，28；　05：48.8，28；　06：48.8，28；
07：48.8，28；　08：48.8，28；　09：47.0，26。
2.3　卷軸裝。首脱尾全。經黄紙。首紙右下殘破，卷面有蟲繭，後半卷下部黴爛多殘洞。尾有蟲繭。有烏絲欄。
3.1　首 3 行下殘→大正 235，8/749B20～23。
3.2　尾全→8/752C3。
4.2　金剛般若波羅蜜經（尾）。
8　7～8 世紀。唐寫本。
9.1　楷書。
11　圖版：《敦煌寳藏》，80/540A～546A。

1.1　BD02986 號
1.3　大般若波羅蜜多經卷一八七
1.4　陽 086
1.5　084:2468
2.1　530.2×26.8 厘米；11 紙；共 287 行，行 17 字。
2.2　01：49.8，28；　02：49.6，28；　03：47.7，28；
04：48.0，28；　05：47.8，28；　06：47.8，28；
07：48.1，28；　08：47.9，28；　09：48.0，28；
10：48.0，28；　11：47.5，07。
2.3　卷軸裝。首脱尾全。卷首下有殘缺破損，第 1、2 紙接縫處下開裂，第 5 紙下邊有縱向破裂，第 9 紙有殘洞。有烏絲欄。
3.1　首殘→大正 220，5/1005C11。
3.2　尾全→5/1009A6。
4.2　大般若波羅蜜多經卷第一百八十七（尾）。
7.1　尾紙末行有勘記“勘了”。
8　7～8 世紀。唐寫本。
9.1　楷書。
9.2　有行間校加字。有刮改。
11　圖版：《敦煌寳藏》，73/391B～398A。

1.1　BD02987 號
1.3　金剛般若波羅蜜經
1.4　陽 087
1.5　094:3640
2.1　(1.5+518.5)×27 厘米；10 紙；共 284 行，行 17 字。
2.2　01：1.5+16.5，14；　02：74.0，37；　03：74.0，37；
04：87.0，53；　05：87.0，51；　06：40.2，22；
07：39.8，22；　08：40.0，22；　09：41.5，23；
10：18.5，03。
2.3　卷軸裝。首殘尾全。經黄紙。卷面黴爛多殘洞。背有古代裱補。有燕尾。有烏絲欄。
3.1　首 1 行下殘→大正 235，8/749A13。
3.2　尾全→8/752C3。
4.2　金剛般若波羅蜜經（尾）。
8　7～8 世紀。唐寫本。
9.1　楷書。
11　圖版：《敦煌寳藏》，79/293A～299B。

1.1　BD02988 號
1.3　佛名經（十六卷本）卷八
1.4　陽 088
1.5　063:0678
2.1　1215.2×25.2 厘米；24 紙；共 654 行，行 17 字。
2.2　01：53.0，27；　02：49.0，27；　03：51.0，28；
04：51.0，28；　05：51.5，28；　06：51.5，28；
07：51.5，28；　08：51.2，28；　09：51.5，28；
10：51.5，28；　11：51.5，28；　12：51.5，28；
13：51.5，28；　14：51.5，28；　15：51.5，28；
16：51.5，28；　17：51.5，28；　18：51.5，28；
19：51.5，28；　20：51.5，28；　21：51.5，28；
22：51.5，28；　23：51.5，28；　24：33.0，12。
2.3　卷軸裝。首尾均全。經黄紙。首紙上下部殘損破裂，第 8、24 紙下部破裂，第 21 紙上部破裂。背有古代裱補。有燕尾。有烏絲欄。
3.1　首全→《七寺古逸經典研究叢書》，3/第 380 頁第 1 行。
3.2　尾全→《七寺古逸經典研究叢書》，3/第 427 頁第 624 行。
4.1　□［佛］説佛名經卷第八（首）。
4.2　佛名經卷第八（尾）。
7.3　第 22 紙背有 1 行雜寫“李◇…◇”，難以辨認。
8　7～8 世紀。唐寫本。

9.1　楷書。
9.2　有行間校加字。有刮改。
11　圖版：《敦煌寶藏》，61/183A～200B。

1.1　BD02989 號
1.3　大乘五蘊論
1.4　陽 089
1.5　209:7223
2.1　351.6×23.1 厘米；9 紙；共 199 行，行 16～18 字。
2.2　01：36.2，21；　02：41.6，24；　03：41.7，24；
04：41.6，24；　05：41.6，24；　06：41.6，24；
07：41.7，24；　08：41.6，24；　09：24.0，10。
2.3　卷軸裝。首脫尾全。打紙，研光上蠟。背有古代裱補。有烏絲欄。
3.1　首殘→大正 1612，31/848B8。
3.2　尾全→31/850C10。
4.2　大乘五蘊論（尾）。
8　7～8 世紀。唐寫本。
9.1　楷書。
11　圖版：《敦煌寶藏》，104/620A～624B。

1.1　BD02990 號
1.3　四分律戒本疏卷一
1.4　陽 090
1.5　169:7036
2.1　（1+849）×30 厘米；20 紙；共 494 行，行 27 字。
2.2　01：01.0，01；　02：44.0，26；　03：44.0，26；
04：44.5，26；　05：45.0，27；　06：45.0，26；
07：45.0，26；　08：45.0，26；　09：45.0，26；
10：45.0，26；　11：45.0，26；　12：45.0，26；
13：45.0，26；　14：44.5，26；　15：44.5，26；
16：45.0，26；　17：44.5，26；　18：44.5，26；
19：44.5，26；　20：44.0，25。
2.3　卷軸裝。首尾均脫。第 2、3、20 紙上下方破裂，第 6 紙下部破裂。有烏絲欄。
3.4　說明：

本文獻首 1 行上下殘，尾殘。未為我國歷代大藏經所收。《大正藏》第 85 卷依據伯 2064 號錄文收入，首全尾殘。本號的第 1 行～第 188 行，相當於《大正藏》所收伯 2064 號，參見大正 2787，85/567B1～571A11。其他文字可參見日本《西域文化研究》第一卷依據龍谷大學藏本第 35 號收入的錄文。

8　8～9 世紀。吐蕃統治時期寫本。
9.1　楷書。
9.2　有硃筆行間加行、行間校加字。有硃筆科分、點標、刪除、倒乙等符號。有墨筆倒乙、重文符號。
11　圖版：《敦煌寶藏》，103/586B～597A。

1.1　BD02991 號
1.3　維摩詰所說經卷中
1.4　陽 091
1.5　070:0074
2.1　（1.5+881）×25 厘米；20 紙；共 493 行，行 17 字。
2.2　01：01.5，10；　02：26.5，15；　03：49.5，28；
04：49.5，28；　05：49.5，28；　06：49.5，28；
07：49.5，28；　08：49.5，28；　09：49.5，28；
10：49.5，28；　11：49.5，28；　12：49.5，28；
13：49.5，28；　14：49.5，28；　15：49.5，28；
16：49.5，28；　17：49.5，28；　18：49.5，28；
19：49.5，28；　20：13.0，01。
2.3　卷軸裝。首殘尾全。經黄打紙，研光上蠟。第 2 紙有豎裂，接縫處有開裂。卷尾上下有蟲繭。背有古代裱補。有燕尾。有烏絲欄。
3.1　首行下殘→大正 475，14/545B8～9。
3.2　尾全→14/551C27。
4.2　維摩詰經卷中（尾）。
7.1　首紙背有勘記“上中下頭欠，次中/維摩中/”2 行。
8　7～8 世紀。唐寫本。
9.1　楷書。
9.2　上邊有校改字。
11　圖版：《敦煌寶藏》，65/70B～82B。

1.1　BD02992 號
1.3　四分律戒本疏卷一
1.4　陽 092
1.5　169:7034
2.1　963.5×30 厘米；23 紙；共 704 行，行 27 字。
2.2　01：19.0，護首；　02：43.5，32；　03：44.5，33；
04：44.0，33；　05：44.0，33；　06：44.0，33；
07：44.0，33；　08：44.5，33；　09：44.0，33；
10：44.0，33；　11：44.0，33；　12：44.0，33；
13：44.0，33；　14：44.5，33；　15：44.5，33；
16：41.0，30；　17：44.0，36；　18：42.5，34；
19：37.5，28；　20：44.5，33；　21：45.0，33；
22：31.0，23；　23：41.5，26。
2.3　卷軸裝。首全尾脫。有護首，上下殘破，護首有經名；護首無縹帶，中間繫一段麻繩。卷尾上角殘損。有烏絲欄。
3.4　說明：

本文獻首全尾殘。未為我國歷代大藏經所收。《大正藏》第 85 卷依據伯 2064 號錄文收入，首全尾殘。本號的第 1 行～第 22 行，相當於《大正藏》所收伯 2064 號，參見大正 2787，85/567A3～571A11。其他文字可參見日本《西域文化研究》第一卷依據龍谷大學藏本第 35 號收入的錄文。

4.1　四分戒本疏卷第一（首）。
7.4　護首有經名“四分戒本疏卷第一”。

8　8～9世紀。吐蕃統治時期寫本。
9.1　楷書。
9.2　有硃筆點標、科分、間隔符號。有墨筆倒乙符號。有行間校加字、行間加行。
11　圖版：《敦煌寶藏》，103/565A～576B。

1.1　BD02993號
1.3　大般若波羅蜜多經卷四三三
1.4　陽093
1.5　084:3126
2.1　（1.7+699.5）×27厘米；15紙；共399行，行17字。
2.2　01：1.7+19.3，12；　02：47.8，28；　03：47.6，28；
04：47.7，28；　05：48.3，28；　06：48.9，28；
07：49.1，28；　08：49.1，28；　09：48.9，28；
10：49.0，28；　11：48.8，28；　12：48.7，28；
13：48.9，28；　14：48.8，28；　15：48.6，23。
2.3　卷軸裝。首殘尾全。首紙下有破裂殘損，第2紙下邊有殘損。有烏絲欄。
3.1　首行上下殘→大正220，7/177B18～19。
3.2　尾全→7/182A13。
4.2　大般若波羅蜜多經卷第四百卅三（尾）。
8　9～10世紀。歸義軍時期寫本。
9.1　楷書。
11　圖版：《敦煌寶藏》，76/440A～449A。

1.1　BD02994號
1.3　大方廣佛華嚴經（晉譯五十卷本）卷五
1.4　陽094
1.5　001:0004
2.1　（4+526+2.5）×26.7厘米；12紙；共285行，行17字。
2.2　01：4+23.6，14；　02：50.0，27；　03：50.0，27；
04：50.0，27；　05：50.2，27；　06：50.3，27；
07：50.3，27；　08：50.3，27；　09：50.5，27；
10：50.5，27；　11：50.3，27；　12：02.5，01。
2.3　卷軸裝。首尾均殘。有烏絲欄。已修整。
3.1　首1行上殘→大正278，9/427C4。
3.2　尾1行上殘→9/432B13～14。
5　與《大正藏》對照，卷的開合不同，品的開合相同，相當於《大正藏》本卷五《菩薩明難品第六》的後部分及卷六《淨行品第七》的前部分。這種分卷法與日本宮內寮本、《聖語藏》相同，但宮內寮本為五十卷本，此段經文屬卷五；《聖語藏》本為六十卷本，此段經文屬卷六。此處按宮內寮本判定卷次。
8　5～6世紀。南北朝寫本。
9.1　楷書。紙字俱佳。
11　圖版：《敦煌寶藏》，56/23B～30B。

1.1　BD02995號
1.3　妙法蓮華經（八卷本）卷四
1.4　陽095
1.5　105:5242
2.1　（16.4+800.9）×25.3厘米；18紙；共483行，行17字。
2.2　01：16.4+28，21；　02：47.3，28；　03：47.3，28；
04：47.3，28；　05：47.3，28；　06：47.3，28；
07：47.5，28；　08：47.3，28；　09：47.3，28；
10：45.2，28；　11：45.2，28；　12：45.3，28；
13：45.3，28；　14：45.5，28；　15：45.5，28；
16：45.5，28；　17：45.5，28；　18：31.3，14。
2.3　卷軸裝。首殘尾全。經黄打紙。首紙有殘洞，第2紙下開裂。尾有蟲繭。有燕尾。有烏絲欄。
3.1　首10行中下殘→大正262，9/27B21～C2。
3.2　尾全→9/34B22。
4.2　妙法蓮華經卷第四（尾）。
5　與《大正藏》對照，分卷不同，相當於五百弟子受記品第八前部分至見寶塔品第十一終。為八卷本。
8　7～8世紀。唐寫本。
9.1　楷書。
11　圖版：《敦煌寶藏》，90/256A～267A。

1.1　BD02996號
1.3　大般若波羅蜜多經卷一八五
1.4　陽096
1.5　084:2462
2.1　188×25.5厘米；4紙；共103行，行17字。
2.2　01：47.2，28；　02：47.0，28；　03：47.0，28；
04：46.8，19。
2.3　卷軸裝。首脫尾全。第1、2紙接縫處下開裂，通卷下邊黴變，卷尾下邊有殘缺，有蟲繭。有烏絲欄。
3.1　首殘→大正220，5/997B20。
3.2　尾全→5/998C6。
4.2　大般若波羅蜜多經卷第一百八十五（尾）。
6.1　首→BD03172號。
7.1　尾有題記"比丘福寫記"。卷尾背有勘記"一百八十五（本文獻卷次）"、"十九袟（本文獻所屬袟次）"。
8　8～9世紀。吐蕃統治時期寫本。
9.1　楷書。
11　圖版：《敦煌寶藏》，73/380A～382A。

1.1　BD02997號
1.3　大般若波羅蜜多經卷一〇五
1.4　陽097
1.5　084:2280
2.1　（13.5+68.4+6.5）×25.5厘米；3紙；共56行，行17字。
2.2　01：13.5+3.3，10；　02：43.0，28；

03：22.1＋6.5，18。
2.3　卷軸裝。首尾均殘。卷面殘破多油污。有烏絲欄。
3.1　首8行下殘→大正220，5/580B26～C5。
3.2　尾4行下殘→5/581A21～24。
6.1　首→BD06955號。
8　8～9世紀。吐蕃統治時期寫本。
9.1　楷書。
11　圖版：《敦煌寶藏》，72/518B～519B。

1.1　BD02998號
1.3　大般若波羅蜜多經卷二六八
1.4　陽098
1.5　084:2720
2.1　（9.5＋83.7）×25厘米；2紙；共55行，行17字。
2.2　01：9.5＋35.5，27；　02：48.2，28。
2.3　卷軸裝。首殘尾脫。首紙下邊殘缺、上邊下邊殘破，第2紙有横向破裂、下邊殘缺。背有古代裱補。有烏絲欄。
3.1　首6行下殘→大正220，6/355C12～20。
3.2　尾殘→6/356B11。
4.1　大般若波羅密□…□，/初分難信解品第□…□/（首）。
7.1　首紙背有勘記“二十七袟（本文獻所屬袟次）、第八卷（袟内卷次）”。
8　8～9世紀。吐蕃統治時期寫本。
9.1　楷書。
11　圖版：《敦煌寶藏》，74/518B～519B。

1.1　BD02999號
1.3　大般若波羅蜜多經卷四五六
1.4　陽099
1.5　084:3158
2.1　（2.3＋767.8）×25.4厘米；17紙；共452行，行17字。
2.2　01：2.3＋18.8，12；　02：47.3，28；　03：47.2，28；
04：47.3，28；　05：47.0，28；　06：47.2，28；
07：47.3，28；　08：47.1，28；　09：47.4，28；
10：47.3，28；　11：47.2，28；　12：47.3，28；
13：47.1，28；　14：47.0，28；　15：47.2，28；
16：47.1，28；　17：41.0，20。
2.3　卷軸裝。首殘尾全。尾有原軸，兩端塗醬色漆。首紙有一殘洞，卷面有破裂處。有烏絲欄。
3.1　首行下殘→大正220，7/300C5～6。
3.2　尾全→7/306A1。
4.2　大般若波羅蜜多經卷第四百五十六（尾）。
7.1　卷尾有題名：“曇真”。
8　8～9世紀。吐蕃統治時期寫本。
9.1　楷書。
9.2　有行間校加字。
11　圖版：《敦煌寶藏》，76/520B～530A。

1.1　BD03000號
1.3　衆經要攬並序
1.4　陽100
1.5　461:8718
2.1　（12＋293）×27厘米；8紙；共184行，行28～29字。
2.2　01：12＋16.5，23；　02：39.5，23；　03：39.5，23；
04：39.5，23；　05：39.5，23；　06：39.5，23；
07：39.5，23；　08：39.5，23。
2.3　卷軸裝。首殘尾脫。首紙下邊殘破，有横向破裂；第4、8紙有殘洞。有烏絲欄。
3.4　説明：
本文獻首7行中上殘，尾殘。未為歷代大藏經所收。原名作《衆經要攬並序，出衆經文略取妙言要義十章合成一卷》。參見斯00514號。
6.2　尾→BD03159號。
8　5～6世紀。南北朝寫本。
9.1　楷書。
9.2　有行間加行及校加字。有間隔、倒乙、刪節符號。
11　圖版：《敦煌寶藏》，111/283A～287A。

新舊編號對照表

一、千字文號與北敦號、縮微膠卷號對照表

千字文號	北敦號	縮微膠卷號
陽 054	BD02954 號	094：4327
陽 055	BD02955 號	038：0366
陽 056	BD02956 號	070：0273
陽 057	BD02957 號	105：5628
陽 058	BD02958 號	216：7264
陽 059	BD02959 號	178：7104
陽 060	BD02960 號	155：6805
陽 061	BD02961 號	081：1420
陽 062	BD02962 號	115：6447
陽 062	BD02962 號背	115：6447
陽 063	BD02963 號	083：1980
陽 064	BD02964 號	084：3169
陽 065	BD02965 號	157：6904
陽 065	BD02965 號背	157：6904
陽 066	BD02966 號	105：5508
陽 067	BD02967 號	083：1531
陽 068	BD02968 號	094：3854
陽 069	BD02969 號	084：2459
陽 070	BD02970 號	084：2898
陽 071	BD02971 號	157：6942
陽 072	BD02972 號	256：7654
陽 073	BD02973 號	070：0264
陽 074	BD02974 號	063：0701
陽 075	BD02975 號	105：5019
陽 076	BD02976 號	105：4530
陽 077	BD02977 號	105：5940
陽 078	BD02978 號	070：0862
陽 079	BD02979 號	105：5874
陽 080	BD02980 號	237：7391
陽 081	BD02981 號	094：3763
陽 082	BD02982 號	088：3465
陽 083	BD02983 號	372：8459
陽 084	BD02984 號	105：6065
陽 085	BD02985 號	094：3842
陽 086	BD02986 號	084：2468
陽 087	BD02987 號	094：3640
陽 088	BD02988 號	063：0678
陽 089	BD02989 號	209：7223
陽 090	BD02990 號	169：7036
陽 091	BD02991 號	070：0074
陽 092	BD02992 號	169：7034
陽 093	BD02993 號	084：3126
陽 094	BD02994 號	001：0004
陽 095	BD02995 號	105：5242
陽 096	BD02996 號	084：2462
陽 097	BD02997 號	084：2280
陽 098	BD02998 號	084：2720
陽 099	BD02999 號	084：3158
陽 100	BD03000 號	461：8718

二、縮微膠卷號與北敦號、千字文號對照表

縮微膠卷號	北敦號	千字文號
001：0004	BD02994 號	陽 094
038：0366	BD02955 號	陽 055
063：0678	BD02988 號	陽 088
063：0701	BD02974 號	陽 074
070：0074	BD02991 號	陽 091
070：0264	BD02973 號	陽 073

070：0273	BD02956 號	陽 056
070：0862	BD02978 號	陽 078
081：1420	BD02961 號	陽 061
083：1531	BD02967 號	陽 067
083：1980	BD02963 號	陽 063
084：2280	BD02997 號	陽 097
084：2459	BD02969 號	陽 069
084：2462	BD02996 號	陽 096
084：2468	BD02986 號	陽 086
084：2720	BD02998 號	陽 098
084：2898	BD02970 號	陽 070
084：3126	BD02993 號	陽 093
084：3158	BD02999 號	陽 099
084：3169	BD02964 號	陽 064
088：3465	BD02982 號	陽 082
094：3640	BD02987 號	陽 087
094：3763	BD02981 號	陽 081
094：3842	BD02985 號	陽 085
094：3854	BD02968 號	陽 068
094：4327	BD02954 號	陽 054
105：4530	BD02976 號	陽 076
105：5019	BD02975 號	陽 075
105：5242	BD02995 號	陽 095
105：5508	BD02966 號	陽 066
105：5628	BD02957 號	陽 057
105：5874	BD02979 號	陽 079
105：5940	BD02977 號	陽 077
105：6065	BD02984 號	陽 084
115：6447	BD02962 號	陽 062
115：6447	BD02962 號背	陽 062
155：6805	BD02960 號	陽 060
157：6904	BD02965 號	陽 065
157：6904	BD02965 號背	陽 065
157：6942	BD02971 號	陽 071
169：7034	BD02992 號	陽 092
169：7036	BD02990 號	陽 090
178：7104	BD02959 號	陽 059
209：7223	BD02989 號	陽 089
216：7264	BD02958 號	陽 058
237：7391	BD02980 號	陽 080
256：7654	BD02972 號	陽 072
372：8459	BD02983 號	陽 083
461：8718	BD03000 號	陽 100